MANSHOLT – EEN BIOGRAFIE

Johan van Merriënboer

# MANSHOLT

## Een biografie

NOORDBOEK

**OVER LEVEN**

Over Leven is een reeks biografieën van Uitgeverij Noordboek en het Biografie Instituut.
De reeks staat onder auspiciën van Hans Renders.

© 2019 Johan van Merriënboer en Uitgeverij Noordboek

Omslagontwerp Gert Jan Slagter
Foto omslag © Nico Naeff/Nederlands fotomuseum
Boekverzorging Robert Seton
Druk Bariet Ten Brink, Meppel

ISBN 978 90 5615 497 4
NUR 681 | 697

Dit boek is een herziene uitgave van het proefschrift van Johan van Merriënboer dat in 2006 verscheen bij Uitgeverij Boom, Amsterdam.

Noordboek is onderdeel van
20 Leafdesdichten en in liet fan wanhoop bv

www.noordboek.nl
www.biografieinstituut.nl

# Inhoud

# Verantwoording

Mansholt is een begrip. Het staat voor landbouw, Europa, socialisme en milieu-bewustzijn. Daarachter schuilt de persoon van Sicco Leendert Mansholt, die in 1995 overleed op 86-jarige leeftijd. Velen herinneren zich Mansholt als Europees bestuurder die met zijn landbouwplannen miljoenen bedrijven om zeep hielp. Hij dwong de boeren tot schaalvergroting en verpestte het landschap. Anderen zien hem vooral als uitvinder van het vreselijke land-bouwbeleid van Brussel dat de Europese burger een fortuin kost in ruil voor steeds meer boter en mest. Sommigen merken op dat de oude Mansholt tot inkeer kwam en voorstander werd van kleinschalig, ecologisch boeren. Enkelen weten nog te melden dat hij ooit een relatie had met Petra Kelly, oprichtster van de Grünen.

Voor Nederlandse 80-plussers is Mansholt een van de grote namen uit de periode van wederopbouw: de minister die verantwoordelijk was voor de voedselvoorziening. Een aantal van hen kan zich misschien nog het beeld voor ogen halen van een lange man met een rond, kaal hoofd, zelfverzekerd en langzaam formulerend met een licht Gronings accent. In zijn eigen partij, de Partij van de Arbeid, wordt hij gezien als een van de grootsten. Bewoners van de Wieringermeer kennen hem als pionier van hun in de jaren dertig droogge-legde polder. In Groningen ten slotte, de provincie waar hij geboren werd, is Mansholt een held die bij de eerste druk van deze biografie nog geen standbeeld had, maar al wel op postzegels prijkte. Daarna – misschien mede dankzij dit boek – kreeg hij een standbeeld bij Blauwestad, zijn er meerdere straten, een zaal in het Karel de Grotegebouw van de Europese Commissie en een treinstel naar hem vernoemd, vonden exposities over hem plaats, is er een Mansholtleerstoel ingesteld, een Mansholtlezing en een Mansholtprijsvraag, en kwamen er een documentaire (*Overstag*) en een theatervoorstelling (*Mansholt*).

Is de man of vrouw een boek waard? Elke biograaf zou met die vraag moeten starten. Voor Sicco Mansholt ligt een positief antwoord voor de hand. Hij was minister van Landbouw, Visserij en Voedselvoorziening in zes Nederlandse kabinetten van juni 1945 tot december 1957, vicevoorzitter van de Europese Commissie en commissaris voor Landbouw van januari 1958 tot maart 1972 en daarna voorzitter van diezelfde Commissie tot december 1972. Hij geldt als grondlegger van het gemeenschappelijk landbouwbeleid en als een van de *founding fathers* van de Europese Unie.

Mansholts *Nederlandse* erflaterschap weegt misschien al zwaar genoeg. In de Tweede Wereldoorlog was hij actief in het verzet. Hij organiseerde voedsel voor de illegale werkers en was betrokken bij droppings en wapentransporten. Maar zijn *Europese* erfenis geeft de doorslag. Nadat hij twaalfeneenhalf jaar lang een stempel had gezet op de ontwikkeling van het platteland in eigen land, zou hij dat nog eens vijftien jaar lang doen in de zes lidstaten van de EEG: Frankrijk, Italië, West-Duitsland, België, Nederland en Luxemburg. Hij stond aan de wieg van de Europese Unie. Economische integratie vergde voortdurende *politieke* strijd. Er zijn wat dat betreft tussen 1958 en 1973 diepe sporen getrokken in Brussel, door toedoen van Mansholt.

Daarnaast is er nog een aantal andere aspecten die gefundenes Fressen zijn voor een biograaf. Drie voorbeelden. Ten eerste: Mansholt was boer én socialist. Dat is een zeldzame combinatie. Hoe vielen die twee zaken met elkaar te rijmen? Ten tweede: in 1934 vertrok hij als planter naar Nederlandsch-Indië. Na twee jaar keerde hij terug, teleurgesteld in het koloniale kapitalisme, maar eind jaren veertig was hij als minister wél medeverantwoordelijk voor het voeren van een koloniale oorlog tegen Indonesië. Dertig jaar later beschouwde hij dat als de zwartste bladzijde uit zijn carrière. Wat was er intussen gebeurd? Ten derde: aan het eind van Mansholts loopbaan vindt een opmerkelijke radicalisering plaats. De plansocialist wordt milieubeschermer en profeet van 'nulgroei'. Waarom?

In 1991 schreef ik het landbouwhoofdstuk voor het boek over het kabinet-Drees-Van Schaik (1948-1951), een uitgave van het Centrum voor Parlementaire Geschiedenis (CPG) in Nijmegen. Oud-minister Mansholt was een van de meelezers. In een korte reactie sprak hij onder meer zijn bewondering uit voor de kwaliteit van de Kamerleden uit die tijd, die nog 'met beide benen in de maatschappij' stonden. 'Ze waren echte volksvertegenwoordigers en daarbij vergeleken vormt het merendeel van de leden van het huidige parlement slechts een schim van het verleden ...'[1]

In het hoofdstuk was een flinke paragraaf ingeruimd voor een portret van de minister. Mijn belangstelling voor 'de man Mansholt' was gewekt en ik begon meer materiaal te verzamelen. Eind 1992 vroeg ik of ik eens mocht komen praten over het schrijven van een politieke biografie. Dat zou een proefschrift moeten worden. Kort daarop schreef hij terug:

Natuurlijk ben ik gaarne bereid U te ontvangen voor een gesprek een politieke biografie over mij te schrijven. Wel moet ik direct bekennen dat de mogelijkheden dat ik daar zelf veel tijd en aandacht aan kan schenken beperkt zijn. Meermalen is mij gevraagd een autobiografie te schrijven, maar ik heb dat steeds geweigerd. Ik heb daarvoor geen archief bijgehouden, terwijl ik mij tot dusver nimmer tijd heb gegund mij zo in het verleden te verdiepen. Mijn aandacht gaat nog volledig naar vraagstukken van de toekomst en ik hoop dat mijn gezondheid het toelaat dat te blijven doen. (…)

Hij wees me op het boek *La crise,* een marathoninterview met een Franse journaliste over zijn leven en visie op de toekomst. Dat boek was vertaald, niet alleen in het Nederlands, maar ook in het Duits, het Spaans en zelfs in het Japans. Verder had hij thuis tientallen plakboeken die zijn vrouw bij elkaar had geknipt, stapels materiaal dat hij gebruikte voor redevoeringen en op zolder nog een aantal dozen die hij uit Brussel had meegenomen ('ongesorteerd, in pakken gebundeld'). Na 1973 had hij zich volop beziggehouden met hervormingsplannen op landbouwgebied en 'pleidooien voor een economie van het genoeg'. Hij sloot af met: 'Ik schrijf u dit alles om U een indruk te geven van de chaos en om U voor te bereiden op de problemen die U zult ontmoeten als U een politieke biografie wilt schrijven.'[2]

Op 16 maart 1993 bezocht ik hem in Wapserveen in Drenthe. Mansholt woonde er met zijn vrouw in een monumentale boerderij, fraai gerestaureerd en verder niet meer in bedrijf. Een oude boer, versleten door meer dan een halve eeuw zwoegen op het land. Dat was de eerste indruk. Hij was inderdaad fors én hij had uitstraling, maar hij was ook slecht ter been en had af en toe moeite met spreken. Mansholt was toen 84. Hij vertelde dat hij acht jaar daarvoor door een beroerte was getroffen en recent een terugslag had gehad.

Het gesprek ging van de hak op de tak: ouders, het verzet, Drees, hobby's, president Kennedy, knielende koelies in Indië, het EEG-verdrag, onderduikers in de Wieringermeer, zijn neven Stefan en Herman Louwes et cetera. Af en toe liet zijn geheugen hem in de steek en een paar keer schoot hij vol toen hij zich bepaalde mensen of gebeurtenissen voor de geest probeerde te halen. Aan het eind van de middag – zijn vrouw had twee keer aangeklopt met de waarschuwing dat we het véél te laat maakten, maar hij had haar weggewuifd – wrong hij zich in zijn auto en bracht me terug naar het station. Het was een lange rit, maar van een taxi wilde hij niet weten. Hij reed liever zelf. En dat deed hij bepaald niet langzaam.

Het biografie-project werd voorzichtig op de rails gezet, maar nog voordat serieus archiefonderzoek plaatsvond, overleed Mansholt – toch nog vrij plotseling – in juni 1995. Op basis van het materiaal dat ik had, schreef ik het artikel *Het avontuur van Sicco Mansholt*, dat het jaar daarop werd gepubliceerd in de serie *Politieke opstellen* van het CPG.[3]

Het project werd op een laag pitje gezet. Nadat oud-Europarlementariër Herman Verbeek – de laatste jaren een huisvriend van Mansholt en zijn vrouw – zich óók als biograaf had opgeworpen, overwoog ik het promotieonderzoek te beperken tot de periode 1945-1958, Mansholts ministerschap. In 2002 besloot ik de draad toch weer op te pakken. Mansholt was een 'brede' biografie waard. Inmiddels was het materiaal dat ik in Wapserveen had aangetroffen, overgebracht naar het Internationaal Instituut voor Sociale Geschiedenis in Amsterdam en keurig geïnventariseerd.[4] Verbeek was gestopt. Hij had het geprobeerd, maar was niet verder gekomen dan een eerste hoofdstuk. Hij was opgelucht de molensteen van zijn nek te kunnen afleggen. Staf en leiding van het CPG stelden mij daarna in staat het onderzoek te voltooien en het boek 'af te schrijven'.

Ben ik de juiste auteur voor dit boek? Anders gezegd: kan ik me voldoende in Mansholt verplaatsen om hem te begrijpen? De laatste uit mijn familie die zijn brood verdiende in de agrarische sector was mijn grootvader, die als landarbeider een gezin met twaalf kinderen moest onderhouden in het dorpje Achthuizen, een katholieke enclave op het Zuid-Hollandse eiland Flakkee. De Mansholts waren herenboeren met een groot bedrijf in Vierhuizen in de Groningse Westpolder. Sicco's ouders waren onkerkelijk en actief in de socialistische beweging. Wat dit betreft gaapt er toch wel een kloof tussen de auteur en zijn onderwerp.

Het gat wordt wat opgevuld door expertise als historicus, gespecialiseerd in de naoorlogse Nederlandse politiek, en een studie Europees recht, maar het blijft de vraag of dat voldoende is. Mansholt groeide op in een boerderij aan de Waddenzee in een landschap met een weids uitzicht, waar het leven werd bepaald door het ritme van de seizoenen en waar socialistische strijdliederen werden gezongen, begeleid door moeder op de piano. Dat heeft een stempel op hem gezet en een biograaf moet daarvan doordrongen zijn.

Moet een auteur op vergelijkbare wijze 'gestempeld' zijn om zich goed in Mansholt te kunnen verplaatsen? Dat gaat te ver. Mansholt kwam niet van een andere planeet. Een biograaf probeert inzicht te krijgen in algemeen menselijk gedrag, zij het dan van één uniek exemplaar. Hij moet daar wél een beetje aanleg voor hebben; gevoel voor de tijd waarin 'zijn' held leefde, voor universele menselijke kanten én voor het individuele.[5] Zoals er historici zijn die weinig op hebben met 'de biografie', zo zijn er ook socialisten, boeren en Groningers die werkelijk niet begrijpen waarmee Mansholt bezig was.

'Personen zijn een program en een beleid en een richting,' schreef Mansholts vriend, de Nederlandse sociaaldemocraat Jaap Burger in 1947.[6] Het publieke optreden van Mansholt is weliswaar doorslaggevend, maar de meerwaarde van het onderzoek schuilt toch vooral in de koppeling met de persoonlijke sfeer, in de analyse en de herkenbaarheid van bepaalde menselijke aspecten. Politiek is sterk persoonlijk gekleurd en Mansholt was primair politicus. Zijn leiderschap vormt het eigenlijke onderzoeksobject van dit boek. *Wat* hij bereikte is soms minder belangrijk dan de bijzondere manier *waarop* hij dat deed. Sterker nog, nederlagen zijn in dit verband vaak interessanter dan successen.

Elke biografie moet leven, ook die van Mansholt. Hoe dichter de auteur bij het hoofd en het hart van Mansholt komt, des te groter de kans dat hij daarin slaagt. Mansholt mag niet schuilgaan achter landbouwproblematiek en kabinetsoverleg. Op elke pagina moet hij in beeld blijven. Daarbij horen meteen twee kanttekeningen: of een biograaf daarin slaagt is voor een groot deel afhankelijk van het beschikbare materiaal, en: wanneer elke snipper wordt opgedist, dan is het boek gegarandeerd vervelend. Elke biograaf zoekt zijn eigen weg. Er is geen vast recept. In een zuiver politieke biografie wordt Mansholt wellicht pas 'geboren' op 24 juni 1945, de dag waarop hij minister werd. Dan is hij 36 en wordt dus veertig procent van zijn leven overgeslagen. Ik kies voor meer Mansholt en minder politiek.

Selecteren is noodzakelijk. Er is zóveel over Mansholt te vinden, dat het onmogelijk is voor één persoon om binnen een bepaalde tijd alles te zien. En dan bevat de berg die over is hooguit een paar procent van al wat de man in zijn leven gedaan heeft. Uitgangspunt vormt de *persoon* Mansholt. Hierboven werd gewezen op Mansholts leiderschap als onderzoeksobject en op de 'hoofd-en-hart-benadering'.

Daaruit volgt een aantal concrete vragen: wat dreef hem? Wat waren zijn idealen, ambities en dromen? Hoe hebben die zich ontwikkeld? Welke rol speelde zijn opvoeding en waardoor of door wie is hij verder beïnvloed? Hoe ging hij met mensen om, familieleden, vrienden, medewerkers, partijgenoten en politieke tegenstanders? Wat was zijn politieke stijl? Het is van belang aan te geven *wat* hij tot stand bracht, maar wél met bijzondere aandacht voor zijn eigen inbreng (beslissende ingrepen, nederlagen, stokpaardjes enzovoort).

Tot slot: klopt het bestaande – in de eerste alinea's geschetste – beeld van Mansholt?

Dat leidt tot de volgende vuistregel: persoonlijke bronnen gaan boven politieke, en politieke boven zakelijke. Een brief of interview levert in de regel meer informatie op dan vergadernotulen en beleidsnota's. Het basismateriaal bestaat uit het archief van Mansholt en dat van zijn Brusselse kabinetschef Alfred Mozer, de privécorrespondentie in het bezit van de familie en allerlei interviews met Mansholt (in tijdschriften, uitgezonden op radio en televisie en de verschillende versies van *La crise*).

Redevoeringen en artikelen waar Mansholts naam boven staat, vormen zelden een primaire bron. De meeste waren geschreven door zijn ambtenaren (stukken uit de archieven-Mansholt en Mozer bevestigen dat). Voor het ministerschap (1945-1958) kon ik terugvallen op onderzoek voor het CPG. De notulen van de ministerraad en de *Handelingen* van het Nederlandse parlement zijn niet onbelangrijk. Vergelijkbare bronnen in Brussel zijn er niet. De notulen van de Commissie bevatten hoofdzakelijk de besluiten en gaan nauwelijks in op de gevoerde discussie. Het debat in het Europese Parlement had ook bij lange na niet het gewicht van dat in de Tweede en Eerste Kamer.

Van de archieven van het ministerie van Landbouw heb ik alleen stukken van het kabinet geraadpleegd. De daarin vervatte onderwerpen vond Mansholt belangrijk genoeg om zelf te behandelen (of het betrof 'aangebrande' dossiers waarbij zijn tussenkomst vereist was). Vergelijkbaar materiaal uit de periode 1958-1973 is ruim voorhanden in de archieven van Mansholt en Mozer. Verder zijn enkele aanvullende interviews afgenomen en is systematisch gezocht naar typeringen van Mansholt in gepubliceerd materiaal van of over Duitse, Franse, Britse en Amerikaanse tegenspelers (dagboeken, memoires, interviews, biografieën).

Verwacht ik dat het onderzoek iets nieuws oplevert? Ja, er zijn immers bronnen gebruikt die niet eerder beschikbaar waren. De particuliere correspondentie werpt bijvoorbeeld meer licht op Mansholts ouders, zijn studietijd, het verblijf in Indië, de pioniersjaren in de Wieringermeer en de oorlogsperiode. Daarvan was vrijwel niets bekend. De meeste stukken uit de archieven van Mansholt en Mozer zijn voor het eerst bestudeerd en leveren nieuwe gegevens op, vooral voor Mansholts tijd in Brussel (1958-1973).

Op bepaalde thema's is speciaal gelet in de veronderstelling dat het materiaal wellicht 'onthullingen' zou bevatten: de plaats van Mansholts moeder in zijn leven, de rol van het – weinig gedocumenteerde – oorlogsverleden, de ontwikkeling van de relatie tussen de EEG en de VS, de lijn van de theeplanter via de inzet voor ontwikkelingshulp tijdens het ministerschap naar het rapport van de Club van Rome, Mansholts financiële positie en de affaire-Kelly.

Mansholt is een historische figuur die een biografie waard is. Het 'nieuws' schuilt vooral in het boek als geheel. Voor de actualiteit kan Mansholt een inspiratiebron vormen: het politieke leiderschap, zijn opvattingen over Europa en misschien wel de hele biografie. De grijze Europese Unie krijgt een menselijk gezicht via Mansholt, een centrale figuur uit de beginjaren en een van de grootste Nederlandse Europeanen. Een mensenleven spreekt meer tot de verbeelding van de burger dan de uitleg bij een concept-Grondwet.

Mansholts leven is een staalkaart van de twintigste eeuw: landbouw, socialisme, kolonialisme, Tweede Wereldoorlog, Europese integratie, ontwikkelingshulp, milieubeweging. Te veel zakelijke informatie beneemt het licht op de held. Er moet echter wél genoeg context zijn om zijn optreden te kunnen plaatsen. De delen uit de serie *Parlementaire geschiedenis van Nederland na 1945* bevatten alleen al zo'n driehonderd dichtbedrukte pagina's over het landbouwbeleid tussen 1945 en 1958. In *dit* boek gaat het alleen om de essentie van dat beleid en Mansholts aandeel daarin.

Het probleem van de context speelt nog sterker bij ingewikkelde Europese kwesties. Hoe maak je een situatie duidelijk aan de niet in de EU-geschiedenis ingewijde lezer, zonder dat Mansholt verdrinkt in uitleg en de lezer afhaakt? De berg waaruit je kunt selecteren is bovendien hoger, omdat in alle lidstaten materiaal is geproduceerd.

Een ander probleem wordt gevormd door ontoereikende of onbetrouwbare bronnen. De biograaf moet accepteren dat hij niet alles te weten kan komen, dat tegenstrijdigheden inherent zijn aan een mensenleven – dus ook aan dat van Mansholt – en dat hij als auteur subjectief is. Natuurlijk streeft hij wél naar een afgewogen oordeel, maar dat is altijd persoonlijk gekleurd. Hij probeert een evenwicht te vinden. Overschatte reputaties moeten worden doorgeprikt, maar een historicus moet zich daarop niet te zeer fixeren. Alles afbreken zonder iets op te bouwen kan een averechts effect hebben.

Een biograaf moet ten slotte geen relevante feiten onder het kleed vegen die hem niet zinnen. Hij moet wel oppassen bij het uitspreken van een moreel oordeel. Zijn opvatting wat goed is, hoeft die van Mansholt – en die van de lezer – niet te dekken. Bij het wegen van de feiten speelt die opvatting natuurlijk ook al een rol. Elke historicus is per definitie subjectief. Hij stelt vragen, doseert en nuanceert, maar moet ook zelf durven oordelen.

Mansholt als stichtend voorbeeld? Misschien was dat wel de (onbewuste?) drijfveer van deze biograaf. Het stuk over Mansholt dat ik in 1996 schreef, schetst het beeld van een charismatisch politicus die de moed had voor zijn overtuiging uit te komen; die zeer geëngageerd was, het hart op de juiste plaats had en zich liet leiden door een idealistische visie; bovendien verzetsheld en een principieel democraat. De lezer is gewaarschuwd.

De eerste druk van deze biografie verscheen op 1 juni 2006. Voor deze tweede, herziene versie heb ik de tekst enigszins ingekort en enkele correcties doorgevoerd – dor hout weggekapt – alsmede de resultaten verwerkt van aanvullend onderzoek over Mansholt dat ik sinds 2006 gepubliceerd heb.[7]

Molenhoek, januari 2019
*Johan van Merriënboer*

# - 1 -

# DE POLDER UIT

'Je hoorde het wad en je rook het'

Sicco Mansholt bracht zijn jeugd door in de Westpolder aan de Waddenzee in het noordwesten van *'t Grunneger Laand*. Hij werd op 13 september 1908 geboren op Thorum, een kathedrale boerderij op ruim negentig hectare vruchtbare klei. De vlakke, uitgestrekte landerijen lagen aan een dijk waarachter zich de zee bevond. Vanaf de dijk reikten weidse vergezichten in alle richtingen. Ruim tachtig jaar later blikte hij terug:

> Alles was mooi, maar de dijk, de kwelder en 't wad waren het állermooist! (...) Ik herinner me goed hoe je dan op een mooie voorjaarsmorgen op zondag met je ouders, je beide zusters en broers op de dijk zat en over het wad tuurde. Je keek niet alleen, maar je hoorde het wad en je rook het. De lange koperen verrekijker natuurlijk mee en je keek naar de in de warmte trillende duinen van Schiermonnikoog. Als je vanuit de verte het doffe dreunen van de motor van een vissersboot hoorde, kwam er een verlangen ook de zee op te gaan naar verre onbekende landen ... En achter je, boven de polder, hoorde je de leeuwerik, maar je zag hem niet.[1]

Hij genoot van de drukte van het dorsen aan het eind van de zomer. En van het 'ploegen op wintervoor', als het stil en mistig was. Dan liep hij mee door de voor achter de ploeg en keek hoe de grond omkrulde. 'Af en toe hoorde je een knars van een schelp en natuurlijk het korte geroep van de meeuwen achter je. Je rook het zweet van de paarden en voelde je gelukkig.' Hij herinnerde zich ook dat er voor het eerst een auto in de polder reed, de introductie van een maaimachine op de boerderij ('Deering zelfbinder met nieuwe Cushmanmotor, voorzien van echte Boschmagneet') en de komst van elektriciteit. Er brak een nieuw tijdperk aan.

Sicco was de tweede zoon in een gezin van vijf kinderen. Zijn vader en moeder huurden de boerderij van de grootouders van vaderszijde, die zich in 1906 hadden teruggetrokken uit het bedrijf en sindsdien in de stad Groningen woonden. Grootvader kocht de boerderij in 1882, zeven jaar na de

De ouderlijke boerderij Thorum in de Westpolder in Groningen.

drooglegging van de Westpolder. Sicco's overgrootvader was een van de boeren geweest die daartoe het initiatief hadden genomen. De polder had een totale oppervlakte van 535 hectare. Een deel van het nieuwe land werd toegevoegd aan bestaande bedrijven achter de oude dijk. Op het andere deel verrezen zeven nieuwe boerderijen. Thorum was een van die zeven: een statig huis met een graanschuur van zo'n 80 meter lang en een gracht rondom.

De polder was van meet af aan 'een voorbeeld van ondernemingszin en landbouwkundige vernieuwing'.[2] Ver van de bewoonde wereld werd er baanbrekend werk verricht door een handvol boerenfamilies, op elkaar aangewezen en via onderlinge huwelijken vaak nauw aan elkaar verwant. De namen Dijkhuis, Beukema, Zijlma, Tonkes, Mansholt, Louwes en Loots duiken voortdurend op in de geschiedenis van de Westpolder. Er heerste een pioniersgeest. Naast Thorum lag Fletum, 60 hectare groot. Beide boerderijen waren genoemd naar verdronken dorpjes nabij Embden. Fletum was al in 1876 gekocht door Jochem Mansholt, een jongere broer van Sicco's grootvader. Hij bewoonde het met zijn gezin en zijn jongste zus. Jochem legde de grondslag van Dr. R.J. Mansholt's Veredelingsbedrijf BV, een gerenommeerde onderneming die anno 2019 nog steeds in de Westpolder is gevestigd, bekend om zijn kortstro-erwten, de witte dikkoptarwe en de Groninger wintergerst.[3] Tot voor kort bezaten ook de families Louwes en Zijlma nog landbouwbedrijven in de gemeente De Marne, waarvan de Westpolder sinds 1990 deel uitmaakt.

In 1922 werd Thorum verkocht. Het gezin verhuisde naar het dorpje Glimmen bij Groningen. Sicco was veertien. Aan zijn jeugd op de boerderij hield hij een schat aan herinneringen over die hij zijn verdere leven met zich mee zou dragen. Zijn hart zou altijd liggen bij het platteland en het boerenleven. 'Ik heb nu het gevoel,' schreef hij in 1990, 'dat het de belangrijkste periode is geweest, een tijd waarin je hebt leren zien, voelen en denken.' Een periode die stevig verankerd bleek in zijn onderbewustzijn. Zo kwam bijvoorbeeld in de donkere dagen van november steeds de herinnering aan Sint-Maarten bij hem op:

> Eerst de grote bedrijvigheid om een voederbiet zo dun uit te hollen dat het licht er mooi doorschijnt. En dan het angstig secure werk om huisjes en scheepjes in het dunne huidje te snijden. (…) 's Avonds de polder in, van boerderij tot boerderij. We belden overal aan en zongen: 'Sint-Martinus bisschop, roem van alle láánden. Dat wie hier met lich'jes loop'm, is veur ons gain scháánde.' Van Klaas Smit naar oom Riepko en tante Elke, dan oom Jan en tante Katrien, en ten slotte naar oom Hendrik Jan en tante Wiep, met angst in de benen voor de grote blaffende honden daar. De Westpolder? Dat was de wereld. Een heel mooie en onvergetelijke wereld![4]

### Dikke boeren

Het geslacht Mansholt stamt uit noordwest Duitsland. 'Opa' Derk Roelfs Mansholt (1842-1921) bracht zijn jeugd door op een pachtboerderij in de buurt van Ditzumer Hammrich, een dorpje op de klei nabij de monding van de Eems in de Dollard. De boerderij lag zo'n vijf kilometer ten oosten van de grens met Nederland. Het onderscheid tussen de twee staten werd door de bewoners nauwelijks gevoeld. Aan beide zijden sprak men vrijwel hetzelfde dialect.[5] Duitsland was toen nog geen eenheid, maar een losse verzameling vorstendommen. Een nationaal gevoel kende men er niet.

In 1866 kochten Derks ouders een boerderij in Scheemda in het Oldambt, een streek in het naburige Oost-Groningen. Derk was 24 en had al enige tijd verkering met een meisje uit de stad. Hij wilde met haar naar Amerika, maar zijn ouders raadden hem dit af. Uiteindelijk won het boerenverstand het van zijn hart. In een brief aan een van zijn beste vrienden zou hij achteraf opbiechten tot de conclusie te zijn gekomen dat deze verhouding alleen maar tot armoede kon leiden. Hij verbrak de relatie en stak in mei 1866 met de rest van het gezin de grens over. Drie jaar later, op 3 maart 1869, trouwde Derk met de 29-jarige weduwe Aaltje Dijkhuis uit Meeden, even ten zuiden van Scheemda. Zij bezat twee dochtertjes en een mooie boerenplaats met tachtig hectare uitstekend bouwland. Derk trok bij haar in en werd meteen opgenomen in de kring van dorpsnotabelen. In juli 1873 werd hij genaturaliseerd.[6]

Derk Mansholt deed een goed huwelijk. Als zelfstandig boer viel hij als het ware met zijn neus in de boter. Van oudsher was het Oldambt een landbouwstreek bij uitnemendheid. Rond 1800 werd hier 'de moderne boer' geboren, door de Wageningse socioloog en demograaf Evert Willem Hofstee omschreven als 'de boer, die niet meer in trage sleur de vast getrapte paden der voorvaderlijke traditie bewandelt zonder dat hij er zich eigenlijk van bewust is waarom hij dit zó en dat zó doet, maar de boer, die rekende en overlegde, die nadacht over de te volgen werkwijze en de te gebruiken werktuigen'.[7] Vanaf dat moment steeg de welvaart in dit gebied naar grote hoogten. De boerderijen werden almaar fraaier en de bewoners kregen steeds meer vrije tijd. De herenboeren gingen lezen, studeren en schrijven. Zij wijdden zich aan de cultuur, het verenigingsleven, het plaatselijke en provinciale bestuur.

Omstreeks 1880 was de 'Groninger boer' een begrip geworden: een grote akkerbouwer met een bedrijf van ten minste veertig tot vijftig hectare die voor de markt produceerde, op grote schaal gebruikmaakte van loonarbeid en zich voortdurend richtte op modernisering, op verdere rationalisatie van de productie. Hij was vermogend, standsbewust en nam actief deel aan het openbare leven, vaak in bestuursfuncties. Zijn politieke en religieuze opvattingen waren sterk beïnvloed door de Verlichting. De 'Groninger boer' stemde meestal liberaal en dacht vrijzinnig. Individualisme en onafhankelijkheid – baas zijn op eigen erf – stonden hoog in het vaandel. In feite sloeg het begrip enkel op een kleine voorhoede, die min of meer als nieuwe aristocratie fungeerde. In Groningen zelf bestempelde men dit prototype met 'de dikke boeren van de klei'.[8]

Derk Roelfs Mansholt week als herenboer af van het algemene patroon. Hij combineerde een uitzonderlijk organisatietalent met actief schrijverschap en een voorkeur voor radicale politieke ideeën. Mansholt ijverde voor een sterke landbouworganisatie. Hij probeerde de versnipperde krachten te bundelen en maakte zich al sterk voor een wettelijk geregelde centrale landbouwvertegenwoordiging, meer dan vijftig jaar voordat een dergelijk orgaan – Het Landbouwschap – officieel zou worden ingesteld. Vanaf 1871 werd hij door de afdeling Meeden afgevaardigd naar het hoofdbestuur van de Maatschappij van Landbouw in de Provincie Groningen (MLG), waarvan hij van 1882 tot 1885 voorzitter was. De MLG stimuleerde de studiezin van haar leden via jaarlijks voorgelegde vraagpunten, een unieke werkwijze. Mansholt gaf er de aanzet tot de oprichting van de eerste landelijke landbouworganisatie, het Nederlandsch Landbouw-Comité. Van 1896 tot aan zijn overlijden in 1921 maakte Derk Mansholt opnieuw deel uit van het hoofdbestuur van de MLG, in 1917 omgedoopt tot Groninger Maatschappij van Landbouw.[9]

Intussen schreef hij over landbouwvraagstukken en uiteenlopende actuele onderwerpen, van het platbranden van kampongs in Atjeh tot de drooglegging van de Zuiderzee. In de *Veendammer Courant* presenteerde hij zijn eigen weerberichten, omdat hij de voorspellingen uit De Bilt onbetrouwbaar achtte. In 1894 won hij een landbouwprijs voor het samen met zijn zoon Ubbo geschreven *De stikstofvoeding der landbouwcultuurgewassen*, een baanbrekend werkje dat verplichte stof werd in het landbouwonderwijs.[10]

Het meest opmerkelijk was Derk Mansholts politieke zoektocht. Deze bracht hem van de schrijver Multatuli via de socialist Ferdinand Domela Nieuwenhuis en de Nederlandse Bond voor Landnationalisatie tot in het kamp van agrarische fundamentalisten, die vonden dat de geestelijke en economische kracht van een land bepaald werd door de landbouwsector. Viermaal deed hij mee aan Tweede Kamerverkiezingen, achtereenvolgens onder liberale vlag (1878), als radicaal (1888), progressief democraat (1891) en protectionist (1897).[11] Hij werd nooit gekozen, in tegenstelling tot zijn zwager en overbuurman Geuchien Zijlma die van 1891 tot 1907 als liberale afgevaardigde van het district Zuidhorn zitting had in de Tweede Kamer.

Kort na zijn komst naar Nederland werd Mansholt gegrepen door Eduard Douwes Dekker, beter bekend onder de naam *Multatuli*. Deze vrijdenker fungeerde rond 1870 als pionier op intellectueel gebied. Hij trapte tegen allerlei heilige huisjes. Mansholt las alles van hem, kopieerde de bijtende stijl en werd aangestoken door Multatuli's radicale ideeën. De twee werden goede vrienden en correspondeerden regelmatig. Beiden waren antigodsdienstig en sterk geëngageerd. Beiden hadden ook *Zivilcourage,* het lef om te zeggen waar het op staat, vooral wanneer burgerlijke vrijheden in het geding waren. Mansholt was dan wel een dikke boer, hij stond als nieuwkomer toch enigszins onbevangen tegenover 'nationale' heilige huisjes. Dat Multatuli in de smaak viel, had ook met Derks opvoeding te maken. In zijn op late leeftijd geschreven memoires dankt hij zijn vader 'dass sein freidenkender Geist mich stärkte, um jenen Calvinistische Alp abzuwälzen'.[12] Vandaar was het een kleine stap naar deze karakteristieke uitspraak van Multatuli, die Mansholt met grote instemming aanhaalde: 'Zolang wij niet van de kanker van het geloof, om 't even of dit nu vol, driekwart of half is, bevrijd zijn, kan er geen sprake van een wezenlijke vooruitgang van de beschaving zijn.'[13]

Multatuli opende zijn ogen voor het sociale vraagstuk. Mansholt merkte dat de tegenstellingen in het Oldambt zich verscherpten. Vóór 1850 vormden boerenstand en arbeidersklasse er nog één grote familie, maar omstreeks 1870 was de verwijdering tussen de twee groepen duidelijk zichtbaar geworden. Maar wat kon hij doen? Hij was bij uitstek een vertegenwoordiger van de bezittende klasse. Als hij zijn mensen hogere lonen zou betalen, werden zijn producten te duur. Dat was slecht voor zijn bedrijf. Op zoek naar een antwoord kwam Mansholt uiteindelijk terecht bij *Das Kapital* van Karl Marx. Hij was een van de eersten in Nederland die zich daarin verdiepte. Onder de indruk van de analyse van Marx zocht hij in juni 1879 contact met een andere voortrekker van de socialistische beweging, Domela Nieuwenhuis. Hij steunde Domela financieel en hielp hem in 1881 bij diens eerste tournee door Groningen.[14] Zo was de kapitalist Mansholt betrokken bij het begin van de arbeidersbeweging in Nederland.

Was Derk Mansholt socialist? Het probleem is dat dit begrip niet vastomlijnd was. Men werd in die tijd bedolven onder allerlei 'socialistische' theorieën. Mansholt was het eens met Marx' analyse. Hij meende ook dat een radicale maatschappijhervorming noodzakelijk was, maar kon bij Marx noch bij Domela Nieuwenhuis vinden hoe het eindresultaat eruit zou zien. Domela vond dat het doel, hoe vaag ook, de middelen heiligde. De massa *moest* in beweging worden gezet. Mansholt wilde vasthouden aan de wettige, parlementaire weg. Het algemeen kiesrecht ging hem boven de revolutie. Hij vreesde de reactie van de Drentse en Brabantse keuterboeren en het lompenproletariaat in de steden, een reactie die de progressieve voorhoede zou kunnen wegvagen. Er volgde een felle strijd over toon en strategie, die in 1891 uitliep op een hetze waarbij Mansholt door Domela's medestanders werd uitgemaakt voor een slechte werkgever, die zijn eigen arbeiders onderbetaalde. Verbitterd wendde Mansholt zich daarna van Domela af.[15]

Opa Derk zou zich nooit aansluiten bij een socialistische partij, ook niet bij de in 1894 opgerichte 'parlementaire' Sociaal-Democratische Arbeiderspartij (SDAP). Onder invloed van de landbouwcrisis van 1878-1895 raakte hij ervan overtuigd dat het sociale vraagstuk vooral een agrarisch probleem was. De crisis leidde tot concentratie van het landbezit in handen van enkele grootgrondbezitters, verwording van de zelfstandige boerenstand tot afhankelijke pachters en verwaarlozing van de grond. De positie van de arbeiders zou automatisch verbeteren als het de boeren weer voor de wind ging. Dat gebeurde niet vanzelf. In nauw overleg met vertegenwoordigers van de boeren moest de overheid doelgericht beleid ontwikkelen. Al in 1888 had hij voorgesteld een apart ministerie van Landbouw in te stellen.[16] De regering zou zich niet langer een beleid van *laisser faire* moeten laten voorschrijven door kooplieden in de steden. Zij moest op korte termijn via invoerrechten garanderen dat de boeren een redelijk inkomen kregen. De arbeiders profiteerden daarvan indirect omdat de werkgelegenheid zou toenemen en de lonen zouden stijgen. Op lange termijn was het juiste recept volgens Mansholt geleidelijke onteigening van de grond door afkoop langs wettelijke weg. Het boerenland moest in handen van de gemeenschap komen.

Maar Pieter Jelles Troelstra, de leider van de SDAP, keurde Mansholts protectionisme in 1897 resoluut af. De boeren zouden er volgens hem op vooruit gaan *ten koste* van de arbeiders. Mansholt antwoordde dat Troelstra geen verstand van landbouwpolitiek had. Hij sloot de discussie af en liet het socialisme voortaan links liggen. Hij ging 'politiek dakloos' verder, maar bleef wel uitgesproken voorstander van 'beschermende rechten'.[17]

Ondanks zijn radicale woorden in de periode van circa 1880 tot 1895 bleef Derk Roelfs Mansholt een herenboer. Vier pogingen om in de landelijke politiek terecht te komen mislukten. Was hij eigenlijk wel een voortrekker van het socialisme? Een voortrekker laat sporen na en dat deed hij niet, althans niet wat het socialisme betreft. Op agrarisch terrein lag dat anders. In landbouwkringen zag men hem als erflater, vanwege zijn verdiensten voor het organisatiewezen en zijn landbouwpolitieke ideeën. Hij schetste een blauwdruk voor een bijzondere vorm van 'agrarisch fundamentalisme' die er in de praktijk op neerkwam dat de overheid diende te varen op het kompas van het georganiseerde boerenbedrijfsleven. Verder maakte hij school in de Groninger Maatschappij van Landbouw en op Thorum, in huiselijke kring.[18] Dat laatste moet niet worden onderschat.

## De clan van opa Derk

In 1882 was Derk Roelfs Mansholt met vrouw en zeven kinderen verhuisd van het Oldambt naar Thorum in de Westpolder. Hij kwam weliswaar 10.000 gulden tekort omdat de boerderij in Meeden te weinig opbracht, maar verkoper Roelf Eijes Torringa – een oom van Mansholts schoonvader – nam genoegen met een lagere prijs.[19] Mansholts grote gezin en de pioniersarbeid op het nieuwe land zullen hem in het begin volledig in beslag hebben genomen. In de jaren 1882-1883 kreeg Derk bovendien een zware persoonlijke slag te verwerken met het verlies van zijn ouders en zijn jongste broer.

Hoewel over zijn bedrijfsuitkomsten weinig bekend is, lijkt Derk Mansholt erin geslaagd te zijn van Thorum een bloeiende onderneming te maken. Hij heeft waarschijnlijk geprofiteerd van zijn eigen experimenten met kunstmest en van die van zijn broer met zaadveredeling. Wellicht kreeg hij na het overlijden van zijn ouders en de verkoop van de ouderlijke boerderij in 1886 ook de beschikking over extra kapitaal.[20] Thorum had daarnaast steeds voldoende kennis en arbeidskracht in huis, inclusief burenhulp in drukke tijden. Drie zoons studeerden na elkaar aan de landbouwschool in Wageningen en verbleven na terugkeer enige tijd op de ouderlijke boerderij. De oudste, Ubbo, werkte bijvoorbeeld mee van 1889 tot 1895. Hij hervatte daarna zijn opleiding en werd in 1901 benoemd tot Rijkslandbouwleraar in de provincie Groningen. Hij werd alom geprezen om zijn pionierswerk met proefvelden en plantenveredeling, maar overleed al op 41-jarige leeftijd, na een slopende ziekte.[21]

Zoon Bert, Sicco's vader, was geboren in 1875 en werkte van zijn 14$^e$ tot zijn 27$^e$ mee in de boerderij 'alleen voor de kost en met twee jaar onderbreking in Wageningen', schreef hij later aan zijn zoon.[22] Hij was de gedoodverfde opvolger. Zijn jongere broer Theo verliet het bedrijf in 1902. Theo was daarna werkzaam als landbouwattaché, achtereenvolgens in Londen, Parijs en Berlijn, als Rijkslandbouwconsulent, inspecteur van de Landbouw en directeur-generaal van het ministerie van Landbouw, Nijverheid en Handel. Tijdens de Eerste Wereldoorlog fungeerde hij als hoogste ambtenaar op het terrein van de landbouw. Verder was hij de grondlegger van de Buitenlandse Landbouwvoorlichtingsdienst, door hem opgericht in 1921.[23]

Van de overige vier kinderen kwamen er twee terecht buiten de landbouwsector. De oudste stiefdochter Hendrika trouwde met Johan Leopold, een leraar uit Groningen die in 1897 benoemd werd tot directeur van de Rijkskweekschool voor onderwijzers in Nijmegen.[24] Zoon Willem werd arts en promoveerde in 1903 op het aan zijn ouders opgedragen *Alcohol en tuberculose*. Hij werd uiteindelijk geneesheer-directeur van het academisch ziekenhuis in Groningen. Al in 1906 pleitte hij, enigszins in de vrijdenkerstraditie van zijn vader en diens vriend Multatuli, vóór reglementering van prostitutie en het 'dulden' van bordelen. Hij was lid van de Vrijzinnig-Democratische Bond en zat voor die partij enige jaren in de Provinciale Staten van Groningen. Begin 1919 trok hij zich uit de politiek terug.[25]

De tweede stiefdochter Wiepke trouwde met Hendrik Jan Louwes van de boerderij Nieuw-Midhuizen in de Westpolder. Deze was samen met zijn schoonvader actief in de beweging voor algemeen kiesrecht. Beiden zaten ze ook in het hoofdbestuur van de Groninger Maatschappij van Landbouw. De jongste dochter Theda ten slotte bleef ongehuwd en deed de huishouding op Thorum tot 1906. In dat jaar werd de boerderij overgenomen door Bert. Theda verliet de boerderij voor een opleiding tot huishoudlerares. Na een studiereis door Duitsland, Denemarken en België werd zij in 1913 benoemd tot directrice van 'De Rollecate' in Deventer, de eerste opleiding tot landbouwhuishoud-

Opa Derk Roelfs Mansholt
(1842-1921)

lerares in Nederland. Zij voerde voortdurend propaganda voor een rationele, goed doordachte aanpak in de huishouding en wordt beschouwd als pionier op het gebied van het onderwijs voor plattelandsvrouwen.[26]

Op Thorum was volop aandacht voor cultuur en wetenschap. Er werd gestudeerd, gesport – schaatsen en zeilen waren favoriet – en gemusiceerd door de hele familie: ooms en tantes, neven en nichten. De band tussen de verschillende gezinsleden was hecht en innig. Verdraagzaamheid en respect voor elkaar werden benadrukt. Derk Mansholt vormde het middelpunt. Hij was een uitzonderlijke en veelzijdige persoonlijkheid, een voortdurende bron van inspiratie voor de rest van de familie.[27] Herman Louwes, een neef van Sicco, herinnerde zich later:

Opa Derk was wel streng van uiterlijk, maar warm van hart en vol daadwerkelijke belangstelling voor zijn kleinkinderen; hij leerde ons scheepjes maken, geen blokken hout met een lapje erop, maar zulke die werkelijk zeilen konden, organiseerde wedstrijden in het schijfschieten met een buks, etc. (...) Het was een tijd van felle, principiële tegenstellingen op velerlei gebied, van gelovigen en vrijdenkers, van vooruitstrevende en

25

conservatieve stromingen, van strijd voor de school etc. Maar hoezeer er ook een eigen standpunt werd ingenomen, hoe bewust dat ook beleefd werd, over eens anders overtuiging werd steeds met eerbied gesproken en respect daarvoor werd allen bijgebracht. Ik heb dat van daaruit en ook van ons eigen ouderlijk huis uit, dat ook door de nabijheid zo nauw met dat van onze grootouders samenleefde en er overigens in de geest zo innig mee verbonden was, steeds ervaren en leren beseffen, dat daar zeer hoge normen van eerbied voor eens anders overtuiging werden hoog gehouden.[28]

Na de dood van haar ouders nam 'tante Theda' de taak op zich broers, zusters en hun kinderen bijeen te houden in de geest van opa Derk, als 'latent familie-centrum'. De door haar georganiseerde reünies waren 'hoogtijdagen met de ongedwongen sfeer van een goed gezin, waar iedereen blij was iedereen te zien,' aldus opnieuw Herman Louwes.[29]

De invloed van dit 'goed gezin' reikte ver. Herman Louwes bijvoorbeeld werd in 1930 voorzitter van de Groninger Maatschappij van Landbouw en in 1938 voorzitter van het Koninklijk Nederlands Landbouwcomité. Van 1945 tot 1960 stond hij aan het hoofd van het toporgaan van het agrarische bedrijfsleven in Nederland: de Stichting voor de Landbouw (na 1954: het Landbouwschap). Zijn broer Stefan was de geestelijke vader van de landbouwcrisiswetgeving uit de jaren dertig. Hij was in de oorlog als topambtenaar verantwoordelijk voor de voedselvoorziening. Stefan Louwes overleed plotseling in 1953. Hij was toen directeur-generaal voor de voedselvoorziening onder zijn bijna twintig jaar jongere neef, minister van Landbouw Sicco Mansholt. Op dat moment was overigens ook nog een andere neef bestuurlijk actief in Den Haag: Derk Mansholt, zoon van Theo, was directeur van de Dienst Uitvoering Werken, de naoorlogse werkverschaffing bij het ministerie van Sociale Zaken. De vleugels van Derk Roelfs' nakomelingen strekten zich ver uit over de landbouwwereld. Omstreeks 1950 was er zelfs min of meer sprake van een 'familieregering', aangemoedigd door de rest van de clan. Toen Sicco in 1955 tien jaar minister was, stuurde zijn 76-jarige tante Theda hem een grammofoonplaat van Schuberts *Unvollendete*.[30]

Sicco Mansholt heeft zijn grootvader niet meegemaakt als boer op Thorum. Toen hij geboren werd, woonde grootvader al een paar jaar in de stad. Toch was opa Derk ook voor hem een bron van inspiratie, al kleurde hij diens beeld meer of minder rood naar gelang het in zijn politieke kraam te pas kwam. In zijn in 1975 verschenen autobiografie *De crisis* karakteriseerde hij hem als 'een bewogen mens, boer en socialist. Geen praatjesmaker, erg edelmoedig, een man die alles aankon.' Hij zou van zijn boerderij een van de beste van de streek hebben gemaakt, linkse politici met zijn geld hebben gesteund en strijdbare pamfletten tegen de regering hebben geschreven. 'Grootvader had een mooie bariton. Hij zong Schubert, Mendelssohn en Händel,' vertelde hij later in een interview.[31]

In een interview uit 1989 noemde hij hem een realist, een idealist en vooral een activist, die de moed had onpopulaire standpunten uit te dragen. Hij had zich gekeerd tegen vrijhandel, tegen drooglegging van de Zuiderzee en vóór grondnationalisatie, 'hetgeen toen gelijk stond met vloeken'. In hetzelfde interview vertelde kleinzoon dat hij voor een lezing over protectionisme, die hij kort daarvóór gehouden had, dankbaar gebruik had gemaakt van grootvaders boekje uit 1889 over de graanhandel. Wat de grondpolitiek betrof, stelde hij zelfs dat Derk Roelfs Mansholt in principe gelijk had. Uiteindelijk moest de grond in handen van de gemeenschap komen. 'Maar,' voegde hij daar meteen aan toe, 'de tegenstand is zo groot dat het idee niet haalbaar is. Het is op dit moment geen praktische politiek.'[32] Sicco Mansholt beschouwde zijn grootvader vooral als een man met originele kijk op agrarische, economische en politieke vraagstukken. Onconventioneel en toekomstgericht, opvallende karaktertrekken.

De 'rode' herenboer Derk Roelfs Mansholt werd in de socialistische beweging met meer achterdocht bekeken dan in zijn eigen boerenkring. Ten eerste was hij geen socialist en ten tweede een verklaard tegenstander van de strategie van figuren als Domela. Voor het politieke métier was hij niet in de wieg gelegd. Zijn standsgenoten accepteerden hem als één van hen. Hij was volledig geïntegreerd in de Westpolder, ondanks zijn Duitse komaf. In het verenigingsleven van de Groninger boeren speelde hij schijnbaar moeiteloos een vooraanstaande rol. Derk Roelfs Mansholt zou vooral school maken via zijn familie. Op nationaal niveau traden verscheidene kinderen en kleinkinderen in zijn voetsporen, niet alleen in de landbouworganisaties, maar ook in de onderzoekswereld, het onderwijs, de ambtenarij en de politiek. Een enkeling uit de volgende generatie zou deze lijn verder doortrekken naar Europa en pionier worden op het terrein van het gemeenschappelijk landbouwbeleid.

## Bert en Wabien en het socialisme

'Vader was een wat in zichzelf gekeerde man. Trad niet meer dan strikt noodzakelijk naar buiten op,' zo begon Sicco jaren later een korte typering van zijn vader Lambertus Helbrig, kortweg Bert. Vader hield ervan om te zwerven met een bootje in de natuur. 'Hoe stiller en eenzamer, hoe liever.' Onder een foto van zijn vader noteerde hij: 'Zelfbewust, principieel. Verder driftig, léék nuchter, maar was romantisch kunstgevoelig.'[33]

Vader ontmoette zijn latere vrouw in 1905. Vier jaar eerder had zich een tragische gebeurtenis voorgedaan die van blijvende invloed op zijn leven is geweest. De kinderen heeft hij dit nooit verteld. Pas in 1988 vond zijn jongste zoon Ubbo een verlovingskaartje uit 1898 van vader met Itje Alida Loots. Hij ontdekte ook een rouwkaart van Itje uit april 1901 met de naam van vader als verloofde erop. 'Vader sprak er nooit over,' schreef Ubbo hierover aan zijn broer Sicco, 'hij is hierna uit de polder weggegaan en heeft gewerkt als voluntair of als bedrijfsleider in Uithuizen. Zeker om alles van zich af te kunnen zetten'. Itje was overleden aan tbc en Ubbo, die huisarts was, meende dat vader ook besmet was geraakt. 'Zoals je weet had hij een litteken aan de hals, ik vermoed nu dat dat ook tuberculose is geweest. Ook daar was hij gesloten over. Want ik heb hem er wel eens naar gevraagd natuurlijk.'[34]

Om plaats te maken voor Bert, had grootvader omstreeks 1900 al een aantal keer gesolliciteerd naar een hoge ambtelijke functie.[35] Door het overlijden van de verloofde van de bedrijfsopvolger zag hij zich gedwongen voorlopig op Thorum te blijven. Zijn zoon trok omstreeks 1901 inderdaad weg uit de polder en werkte daarna vier jaar als bedrijfsboer in Uithuizen.[36] In deze periode voltrok zich zijn overgang tot de sociaaldemocratie, de politieke stroming die de socialistische idealen via het parlement wilde verwezenlijken. Hij raakte bevriend met de voorzitter van de plaatselijke werkliedenvereniging, Derk Bartels, die meer dan twintig jaar later de eerste SDAP-burgemeester in de provincie Groningen zou worden.

Na afloop van een verkiezingsbijeenkomst in Ulrum in 1905 sprak hij Tweede Kamerkandidaat en prominent SDAP-lid Willem Vliegen aan. Mansholt was het geheel eens met de sociaaldemocratische principes en wilde graag lid van de partij worden, maar had één probleem. Als landbouwer was hij protectionistisch. Was dat een bezwaar? 'Gaat U dat bespreken met mej. Wabien Andreae, die is lerares in de economie aan de HBS in de stad Groningen,' antwoordde Vliegen.[37] Bertus volgde zijn raad op, bezocht deze lerares vervolgens regelmatig in de stad en trad op 10 mei 1906 met haar in het huwelijk. Het paar vestigde zich op Thorum.

In een van de familiealbums die Sicco na zijn pensionering samenstelde, plakte hij een afbeelding van zijn moeder als jonge vrouw naast een foto van haar werkkamer in Groningen. Onder het portret schreef hij: 'Zelfbewust, principieel, idealistisch, strijdvaardig, maar ook een warm hart en een tikkeltje dweepziek,' onder de foto van het interieur: 'In deze kamer is 't begonnen. Daar heeft Wabien Bert voor de partij èn voor zich gewonnen.'[38]

Wabien Andreae was geboren in 1874 als dochter van Sicco Leendert Andreae en Minke Römer. Haar vader was afkomstig uit een Fries geslacht van rechters, advocaten en notarissen; moeder was geboren te Lemmer in een rijke familie met veel 'chirurgijns', later medici. Een oom van Wabien was van 1883 tot 1908 algemeen secretaris en penningmeester van de Friesche Maatschappij van Landbouw.[39] Haar ouders woonden in de kapitale villa 'Arnichem' in Zuidhorn in het zuidwesten van de provincie Groningen. Vader was er kantonrechter en schoolopziener. Na een opleiding tot onderwijzeres stond Wabien enige tijd voor de klas in Amsterdam. Daarop behaalde zij een lesbevoegdheid economische vakken ('de middelbare akten voor de staatswetenschappen' heette dat toen). Zij was een van de eerste vrouwen die deze vakken doceerde op een hbs, de hogereburgerschool.

Omstreeks 1900 trad zij toe tot de SDAP. Zij sprak op verkiezingsbijeenkomsten en organiseerde vormingscursussen voor arbeiders. Evert Kupers, van 1929 tot 1949 voorzitter van de grootste Nederlandse vakvereniging (NVV), kreeg op zondag economieles van haar. In 1905, toen zij haar latere echtgenoot leerde kennen, was ze secretaris van de partijorganisatie in het district Zuidhorn, een gedreven activiste die snel op de barricaden stond. In *La crise*, de oorspronkelijke Franse versie van zijn herinneringen uit 1974, schreef Sicco Mansholt dat zijn conservatieve grootvader Andreae, naar wie hij vernoemd was, Wabiens revolutionaire natuur niet kon verkroppen en haar daarom het huis had uitgejaagd. In de Nederlandse bewerking liet hij het laatste zinsdeel schrappen.[40]

Wabien had twee broers en twee zusters. Haar oudste broer Pé was advocaat en leraar aan de hbs te Leeuwarden en Sneek. In 1908 schreef hij een *Beknopt overzicht van de staatsinrichting van het Koninkrijk der Nederlanden*, een leerboek voor het middelbaar onderwijs dat een negentiende druk haalde in 1947. Hij was politiek actief in de Vrijzinnig-Democratische Bond. Zijn zusters Frederica en Gesiena ('tante Sienke') waren respectievelijk lerares biologie en lerares Engels (gepromoveerd in 1925 op *The dawn of juvenile literature in England*). Gajus ten slotte was als tabaksplanter werkzaam bij de Deli Maatschappij in Medan op Sumatra. Hij schreef regelmatig naar zijn ouders in Zuidhorn en, na de dood van zijn vader in 1911, naar zijn moeder in Groningen. Daarna circuleerde de correspondentie in de familie. Op de jonge Sicco maakten de Indische brieven van oom Gajus grote indruk. Oma Andreae was na 1922 vaak te vinden bij Sicco's ouders in Glimmen. Ze maakte de laatste jaren min of meer deel uit van het gezin en overleed in de zomer van 1932 in Groningen.

Moeder hield van de rust van het platteland, maar zij was geen boerin. Zodra zij haar intrek in Thorum genomen had, voltrok zich een aantal radicale veranderingen op de boerderij. De bedsteden werden weggebroken en midden in de voorkamer verscheen een dubbel bureau-ministre, waaraan de twee tegenover elkaar konden schrijven, lezen en praten. Naast de keuken werd een huisje gebouwd voor een bedrijfsleider. Diens vrouw verrichtte de taken van de boerin. Wabien en Bert wilden hun tijd vooral wijden aan de partij. Volgens Sicco's nicht Hetty, die 's zomers vaak logeerde, was de boerderij van het ene jaar op het andere *totaal* veranderd. Dat werd haar in de zomer van 1907 meteen duidelijk:

> Het huis was als nieuw. (...) Alles ademde frisheid, licht en ruimte. Een gelukkig jong echtpaar ontving hun bezoekers, gezeten om de theetafel voor het raam, de jonge echtgenoot sterk en rustig, de jonge moeder zacht en bekoorlijk in een moderne reformjapon met een klein wit kanten kraagje. (...) Hier was meer gebeurd dan de opvolging van de ene generatie door de andere: hier was een nieuw gezicht op mensen tot leven gebracht.

In de winter van 1907 werd de hele familie uitgenodigd het kerstfeest te vieren. 'Een grote verrassing,' herinnerde Hetty zich, 'want daar stond de eerste kerstboom die we ooit zagen, vol met lichtjes, ballen en slingers'. Het viel haar op dat het echtpaar zich openlijk uitsprak voor een vorm van gezinsplanning, in die tijd zeer ongebruikelijk. Hun kinderen mochten niet te veel in leeftijd verschillen. De grootte van het gezin werd dus enigszins beperkt. De kleintjes zaten de eerste jaren ook niet huilend vastgebonden op een stoel, zoals de meesten van hun leeftijdsgenoten, maar 'vrij' in een box.[41] Sicco Leendert was de tweede van vijf kinderen. Zijn broer Dirk Roelf (geboren 1907) was het oudste kind, Ubbo Johan (1912) het jongste. Na Sicco volgden zijn twee zussen: Aleid (1909) en Minke (1911).

Een voormalige landarbeider van Sicco's vader was positief over hem als werkgever. Hij betaalde steeds het hoogste loon. Bij hem werd niet gestaakt, omdat hij de eisen van de vakbond meteen inwilligde. Er werd op Thorum gebroken met de traditie dat de jeneverfles op tafel kwam als het werk gedaan was. Moeder kocht dat af met de belofte dat er elke dag koffie zou zijn. Zoals veel sociaaldemocraten in die tijd waren zowel vader als moeder overtuigd geheelonthouder. De arbeiders mochten bij Mansholt ook gewoon binnenkomen, terwijl andere boeren hen ijskoud bij de deur lieten staan. Wabien organiseerde zelfs huishoudelijke bijeenkomsten voor hun vrouwen.[42]

Economisch ging het Thorum tot 1919 voor de wind. Dat blijkt uit een overzicht met uitkomsten voor een bedrijf op kleigrond, opgenomen in een studie van vader uit 1920. Deze cijfers hadden vermoedelijk betrekking op zijn eigen

Mansholt schreef in 1978 bij deze foto van zijn moeder: 'Wabien als jonge vrouw: zelfbewust, principieel, idealistisch, strijdvaardig, maar ook een warm hart en een tikkeltje dweepziek.'

boerderij. De winst schommelde in de periode 1906-1919 tussen 12 en 41 procent. In hetzelfde stuk voorzag de auteur overigens een zo sterke prijsdaling, dat de komende jaren met verlies zouden worden afgesloten.[43]

Intussen deed het socialistische partijwezen zijn intrede in Groningen, met herenboer Mansholt en zijn echtgenote op de voorste rij. Tussen 1906 en 1922 groeide Thorum uit tot ontmoetingsplaats en vakantieverblijf voor leidende SDAP-politici. Sicco schreef in *De crisis* dat de Groninger boeren hun dit niet in dank afnamen. De Mansholts werden uit de kring gestoten: 'De meesten wilden niets met ons te maken hebben. Dat heb ik in mijn jeugdjaren erg sterk gevoeld. We leefden apart van de andere boeren: ze zeiden van ons: "Dat zijn rooien"'. Vaders zaaizaad zou zelfs zijn geboycot aan de Groningse beurs.[44] Voor de periode tot ongeveer 1920 lijkt dit toch niet helemaal juist te zijn. De verhouding met de boeren in de Westpolder bleef goed, hoewel de bezoekjes van neven en nichten in de loop der jaren wat korter werden. Zij kregen namelijk het gevoel dat oom en tante steeds meer 'greep' op hen probeerden te krijgen. Aan de politieke lessen van tante viel niet te ontkomen. Voor nicht Hetty was de lol eraf toen zij onder het eten een aantal listige vragen kreeg over een partijcongres, vragen die zij niet goed beantwoordde.[45]

V.l.n.r. Sicco, Minnie, Ubbo, Dirk en Aleid omstreeks 1915.

Omstreeks 1920 was het tij wellicht gekeerd. Het socialisme had een grote aanhang gekregen en leek de richting van de toekomst. Moeder was lid geworden van de gemeenteraad en streek de boeren tegen de haren in door gratis schoolmelk te eisen voor de kinderen van hun onderbetaalde arbeiders en maatregelen ter bestrijding van de werkloosheid alsmede aansluiting op de provinciale waterleiding. Zij was klein van stuk, maar goed gebekt. Haar voortdurende interrupties schokten de raad. Op 18 augustus 1921 bijvoorbeeld was zij zo fel dat de burgemeester haar het woord ontnam en onmiddellijk de vergadering sloot.[46] Vader was inmiddels toegetreden tot het dagelijks bestuur van de provincie Groningen, als eerste SDAP'er. Dat gebeurde in 1916. Hij zou 23 jaar lang gedeputeerde blijven.

Op landelijk niveau groeide L.H. (Bert) Mansholt uit tot een van de belangrijkste landbouwspecialisten van de partij. Zo was hij de auteur van de landbouwparagraaf in het zogenaamde 'Socialisatierapport' uit 1920. Daarin pleitte hij onder meer voor geleidelijke nationalisering van de grond ten behoeve van de gemeenschap, in het voetspoor van zijn vader. Gemeenschapsbezit zou een ongestoord gebruik waarborgen. De gebruiker hoefde zijn kapitaal dan niet te steken in de aankoop van grond of het betalen van pacht, maar kon het juist aanwenden om zijn eigen bedrijf te verbeteren. Overname van de grond door de gemeenschap – tegen een redelijke schadevergoeding – was volgens

Mansholt voorwaarde om te komen tot 'de grootste, meest doeltreffende en stelselmatige productie'.[47] Al met al was Thorum omstreeks 1920 inderdaad een centrum van 'rooie' activiteit dat door veel Groninger herenboeren met argwaan bekeken zal zijn, des te meer omdat er vlot werd toegegeven aan looneisen van arbeiders.

Beide ouders probeerden daadwerkelijk invulling te geven aan de politieke idealen van hun partij, elk op eigen wijze. 'Vader en moeder vulden elkaar goed aan in de politiek,' stelde Sicco in *De crisis*:

> Gewoon door hen tweeën gade te slaan begreep ik al heel vroeg dat er twee soorten politici zijn: degenen die kunnen regeren, goede beheerders zoals mijn vader, en mensen van de politieke actie, zoals mijn moeder. Je moet tussen die twee rassen van politici een scherp onderscheid maken. Beiden zijn onmisbaar en zij vullen elkaar aan. Maar hun rol is volkomen verschillend en daar let men vaak onvoldoende op.[48]

Vader was overtuigd reformist. In 1913 schaarde hij zich al aan de zijde van de voorstanders van regeringsdeelname van de SDAP en in 1918 keerde hij zich 'principieel-parlementair' tegen de revolutionaire taal van Troelstra. Wabien was wel onder de indruk van de retoriek, maar werd door haar echtgenoot gekalmeerd. Een van haar zusters berichtte kort na het mislukken van Troelstra's 'revolutiepoging' aan moeder Andreae: 'Bert was 't gelukkig ook heelemaal niet eens met de Leider, die is nogal kalm, 'n goed man voor Wabien die heftiger is, maar zich tenslotte toch altijd door haar man laat leiden.'[49]

Moeder was impulsief en geneigd tot politieke actie. Nadat zij een conceptadvies gelezen had over landbouwcrisisbeleid in de jaren dertig, een advies waaraan haar echtgenoot had meegewerkt, verzuchtte zij:

> Wat al lang in m'n onderbewustzijn borrelde, kwam opeens boven: een oplossing voor de crisisweeën – niet minder! Was ik maar 's een poosje minister. Dat zo'n wanordelijke huishouding zo lang voortsleept is me een raadsel. De mannen die aan de touwtjes trekken, moesten toch lang het probleem opgelost hebben. Mijn gedachten gaan daar veel over.[50]

Tot feitelijke actie kwam het niet. Al in 1916 had moeder in een aantal artikelen in *De Socialistische Gids* de algemene stelling verkondigd dat de zorg voor het gezin belangrijker was dan de klassenstrijd. Elke normale vrouw zou volgens haar de vervulling van 'moederschapsplichten' laten prevaleren boven beroepsarbeid. Dat lag aan de kracht van het moederinstinct. Thuis voelde zij dat precies zo. De 'moederschapsplichten' tegenover haar vijf kinderen wogen zwaarder dan haar politieke ambities. In de zomer van 1918 was zij nog bijna in de Tweede Kamer terechtgekomen, tot haar eigen schrik. Zij stond nummer vier op de kandidatenlijst van de SDAP in Groningen, maar die plaats bleek niet zo onverkiesbaar als ze aanvankelijk had gedacht.[51]

In 1919 werd ze overigens wel gekozen in zowel de gemeenteraad van Ulrum als de Provinciale Staten van Groningen en het volgende jaar accepteerde zij bovendien het aanbod deel te gaan uitmaken van de juist opgerichte Onderwijsraad, een permanent adviesorgaan van de regering. Dat werk viel kennelijk te combineren met het huishouden, het Tweede Kamerlidmaatschap niet. Toen de partij haar in 1922 een tweede plaats toekende op de Groningse kandidatenlijst, stond zij die dan ook af aan haar vriendin en oud-collega De Vries-Bruins. Deze 'tante Agnes' kwam regelmatig bij de familie over de vloer. Zij werd gekozen en bleef lid van de Tweede Kamer tot 1946.

Traumatische ervaring

Anders dan Sicco's grootvader – die weliswaar allerlei politieke activiteiten ontplooide, maar in de eerste plaats boer bleef – koos zijn vader principieel voor het socialisme. Had Derk Roelfs Mansholt nog tevergeefs gezocht naar een socialistische variant die bij de landbouw paste, zijn zoon wilde de agrarische sector juist laten passen binnen de sociaaldemocratie. In 1922 nam hij het besluit de familieboerderij bij opbod te verkopen. Boer-zijn in de geïsoleerde Westpolder viel moeilijk te combineren met de steeds drukkere werkzaamheden op politiek-bestuurlijk vlak. De knoop werd pas doorgehakt na het overlijden van grootvader op 1 augustus 1921. Het lijkt erop dat Sicco's ouders zich hierdoor als het ware bevrijd hebben gevoeld. De Mansholts werden niet uitgestoten, maar maakten zichzelf 'los' om zich volledig te kunnen wijden aan de verwezenlijking van hun politieke idealen.

Sicco ervoer de verkoop van Thorum totaal anders. Zijn ouders zouden ertoe gedwongen zijn. Oom Willem, de directeur van het academisch ziekenhuis, zou voor zijn kindsdeel een onbetaalbare pacht hebben geëist. De zware hypotheek die vader had moeten nemen, kon hij niet betalen. Zo werd hij van zijn eigen land verdreven. Opnieuw uit *De crisis*:

Het was voor mijn ouders een grote ramp. De verslagenheid van beiden is me steeds bijgebleven en heeft mij in het politieke denken sterk beïnvloed. Die grote onzekerheid in het bestaan door de vrije grondprijzen en het volkomen onbeschermd staan tegenover speculatieve aankoop van grond heeft mij overtuigd dat uiteindelijk én in het belang van de boer én in het belang van de gemeenschap als geheel de grond in handen van de staat behoort te zijn.[52]

In een interview uit 1989 bevestigde Mansholt dat deze ervaring bepalend was voor zijn politieke overtuiging dat de grondprijzen in de hand moesten worden gehouden. Het rationeel werkende familiebedrijf mocht niet ten prooi vallen aan een keiharde marktpolitiek.[53]

Waarschijnlijk heeft hij als veertienjarige de verkoop van Thorum inderdaad ervaren als een grote klap voor zijn ouders. Maar die klap was, zoals gezegd, minder groot dan hij dacht. Persoonlijke correspondentie bevestigt dat. Een brief die een vriendin op 15 juni 1920 aan moeder schreef, bevat namelijk al deze passage: 'Met heel veel belangstelling hebben we van jullie plannen gelezen. 't Lijkt me alles mooi toe. Als nu de oude heer Mansholt er maar vrede mee kan hebben! 't Is wel een heel ding voor hem. Maar Bert zal zooiets niet doen, als hij 't niet goed uitvoerbaar acht. En het voordeel dat je je kinderen bij je kunt houden is wel heel groot! Ook voor jou lijkt me 't verhuizen naar een droger klimaat uitstekend.' Twee maanden later informeerde een zus van moeder: 'Zijn jullie al bezig het nieuwe huis te bouwen in Haren?'[54]

Kennelijk waren er dus plannen van de boerderij te gaan voordat grootvader overleden was. Vader en moeder waren toen ongeveer 45 jaar oud. De oudste kinderen waren inmiddels tieners geworden en konden voor een vervolgopleiding alleen in de stad terecht. Dat maakte de beslissing Thorum te verkopen misschien gemakkelijker. De gezondheid van vader kan ook een rol hebben gespeeld. Hij had vaak last van zijn maag en van reumatiek. Daarnaast waren de economische vooruitzichten slecht. In een brief van 6 maart 1921 aan een van haar dochters bracht grootmoeder Andreae de bouwplannen van haar schoonzoon in verband met diens overtuiging dat de vette jaren van de boeren voorbij waren. De graanprijzen waren veel te laag. Dit strookte overigens met vaders bijdrage aan het 'Socialisatierapport' van 1920. Daarin voorspelde hij dat er magere jaren in het verschiet lagen.[55]

In 1922 verhuisde de familie van de Westpolder naar het dorpje Glimmen, gemeente Haren, tien kilometer ten zuiden van de stad Groningen. In het bos aan de rand van het dorp had vader de villa 'Huis ter Aa' laten bouwen, in een omgeving die sterk afweek van het Groningse polderlandschap: geen uitgestrekte akkers, maar intieme percelen, begrensd met bomen en struikgewas. Rondom het huis lag een tuin van één hectare, waarin moeder honderden zeldzame plantjes zou kweken.

Het gezin kon zich zaken permitteren die indertijd bepaald niet voor de doorsnee-SDAP'er waren weggelegd: een motorboot voor familie-uitstapjes, een auto – merk Buick – een dienstmeisje, vakanties in binnen- en buitenland, een tweejarige stage van zoon Dirk in Canada, een kuur van Aleid in Zwitserland, en zelfs een boerderij in Frankrijk. Daarnaast had de familie nog aandelen, al was dat geen stabiel bezit, zeker niet na de Beurskrach van 1929. Zo meldde vader Sicco op 19 september 1930: 'Gister kreeg ik bericht dat de suikerfabriek over '29 zéér slechte resultaten opleverde en een groot tekort aanwijst; zóó dat ik op mijn aandeelen n.b. 2000 gulden zal moeten storten! Daarmee is het halve salaris van den Gedeputeerde naar de maan. En waar is het eind nog?'[56]

Kortom, Sicco's ouders beschikten dus over het nodige kapitaal, naast vaders aandeel in de opbrengst van Thorum. De Mansholts waren salonsocialisten, maar tegelijk ook schuldbewust. 'We leven in een kapitalistische maatschappij, ons leven wordt daardoor een compromis,' schreef moeder in een van haar brieven. Het prijsgeven van deze privileges bracht het socialisme echter niet dichterbij. In hun bevoorrechte positie moesten de Mansholts hun 'arbeidsloos inkomen' juist inzetten om de beweging vooruit te helpen.[57]

Waar het familiekapitaal vandaan kwam, is niet met zekerheid te zeggen. Was er flink gespaard in de jaren 1906-1920? Liet grootvader nog andere bezittingen na: contant geld, aandelen in landbouwcoöperaties, zijn huis in de stad? Uit correspondentie van grootmoeder Andreae blijkt dat er mogelijk van moeders kant omstreeks 1920 een aardig bedrag vrijkwam.[58] Alles bij elkaar was dat genoeg voor het huis in Glimmen, de auto, de boot en misschien ook voor de mede-eigendom van een boerderij in Frankrijk. In 1924 zou vader namelijk samen met Gajus, de tabaksplanter, een grote boerderij hebben gekocht, vijftig kilometer ten zuidoosten van Parijs.[59] Over de aankoop zelf is in het familiearchief niets terug te vinden.

Gajus Andreae was vermogend. In 1898 vertrokken naar Sumatra, was hij in 1914 opgeklommen tot hoofdadministrateur van een van de grootste tabaksondernemingen in Nederlands-Indië, de Deli Maatschappij. De hoofdadministrateur was de topman van de maatschappij in Indië. Hij had in 1924 driehonderd Europeanen onder zich en veertigduizend koelies, vooral Javanen en Chinezen. Oom Gajus overleed plotseling in 1924, enkele weken voordat hij voorgoed zou repatriëren om plaats te nemen in de Nederlandse directie van het bedrijf.[60]

Uit correspondentie omstreeks 1927 blijkt dat de familie eigenaar was van een boerderij in Frankrijk, de Ferme de Richebourg te Rozoy-en-Brie in het departement Seine-et-Marne. Het bedrijf was 165 hectare groot en werd gerund door de Nederlandse familie Diddens. Er werden bieten, aardappelen, vlas, tarwe, gerst, haver, erwten en bonen verbouwd. Een kwart bestond uit grasland met in totaal ruim honderd koeien. Op het erf liepen nog zo'n negentig kippen. Elke zomer reden de Mansholts met de Buick naar de Richebourg. Sicco was er dan meestal te vinden op de tractor of op de voorste paarden, 'niet bij te houden door de anderen', schreef Diddens later in een brief aan vader. Maar de onderneming werd geen succes. Al in het begin van 1929, aan de vooravond van de grote landbouwcrisis, zag vader zich gedwongen de boerderij te verkopen. Op 24 februari van dat jaar schreef hij Sicco: 'Van morgen af zijn de Richebourg en Buistratan niet meer aan ons, en daarmee zijn heel wat illusies in rook vervlogen.' Zetboer Diddens kwam in dienst van de nieuwe eigenaar. Sicco heeft daarna nog een aantal zomers voor hem gewerkt en gaf zijn naam ook op als referentie bij latere sollicitaties.[61]

Hoe de opbrengst van de Richebourg besteed werd, is onduidelijk. Uit vaders brieven valt af te leiden dat hij een deel ervan blijkbaar in de aankoop van een nieuwe motorboot heeft gestoken. Het is evenmin bekend of de familie geld erfde na het overlijden van grootmoeder Andreae in juli 1932. Vaststaat dat er strijd is gevoerd over haar nalatenschap.[62]

Wat verdienden Sicco's ouders met hun bestuurlijke werkzaamheden? Indertijd waren publieke functies niet gekoppeld aan riante salarissen. De beloning had vaak het karakter van een schadeloosstelling. Waarschijnlijk waren de Mansholts juist in staat politiek en bestuurlijk actief te zijn omdat zij zelf ruime financiële armslag hadden. Moeder werd in 1923 lid van de gemeenteraad van Haren. Het lidmaatschap van de Provinciale Staten hield zij aan tot 1927. In 1931 stopte zij met het raadswerk. Vader was uit hetzelfde hout gesneden als zijn generatiegenoten Wibaut, De Miranda en Drees, de grote wethouderssocialisten uit de jaren twintig en dertig. Nationaal stond de SDAP weliswaar buitenspel, vooral vanwege de echo van Troelstra's 'revolutiepoging' uit 1918, maar in een aantal provincies en grote gemeenten had de partij een belangrijke bestuurlijke inbreng.

Op landelijk niveau zat de SDAP niet in de regering, maar deskundige partijgenoten waren vaak wél nauw bij de besluitvorming betrokken, bijvoorbeeld via het lidmaatschap van invloedrijke commissies. In Mansholts geval waren dat de staatscommissie-Diepenhorst ter bestudering van het Pachtvraagstuk en de staatscommissie ter bestudering van de uitgifte der Zuiderzeegronden, de commissie-Vissering. De eerste werd door kenners getypeerd als 'een uitermate productieve commissie die een eervolle plaats zou gaan innemen in de vaderlandse landbouwgeschiedenis'.[63] Zij produceerde de blauwdruk voor de latere Pachtwet, een fundamentele regeling voor de landbouw in Nederland.

De commissie-Vissering zou onder meer voorstellen een gedeelte van het nieuwe land in blijvende staatsexploitatie uit te gegeven, conform de ideeën van de SDAP. Op aandringen van Mansholt besloot men in de eerste polder, de Wieringermeer, ook een proef te nemen met lange kavels van 75 hectare, per schip te bereiken via treksloten. Deze percelen kregen de naam 'Mansholtkavels'. Vader bleef daarna als lid van de Zuiderzeeraad (vanaf 1932) en als lid van de raad openbaar lichaam de Wieringermeer (vanaf 1937) nauw betrokken bij de ontwikkelingen rondom de nieuwe polders.[64] In 1934 had hij zitting in een commissie die advies uitbracht over de in de toekomst te volgen landbouwcrisispolitiek. Vermeldenswaard is nog dat uit familiecorrespondentie blijkt dat vader vergaderingen bijwoonde van de zogenoemde 'Tariefcommissie'. Deze commissie had tot taak geschillen te beslechten tussen de handel en de fiscus over invoerrechten.[65]

Bertus Mansholt was van 1916 tot 1939 in de eerste plaats gedeputeerde. Zijn aandacht ging in het bijzonder uit naar waterstaatszaken en de aanleg van wegen. In brieven aan zijn zoon stipte hij af en toe aan waarmee hij zich bezig had gehouden: op stap met een minister naar een proefboerderij; gedebatteerd over de drinkwatervoorziening; 'een prachttocht door de provincie met de nieuwe d.g. bij Waterstaat'; een moeilijke vergadering, waarin het hem toch was gelukt 'de heeren ervan te weerhouden een monster van een watertoren te laten bouwen'. Verder ging hij er niet op in, althans niet op papier.[66] In huiselijke kring zal er volop over zijn werk gesproken zijn. Vader trad weinig op de voorgrond, maar had merkbaar invloed, ook buiten de SDAP. Hij werd alom gerespecteerd als deskundige, zowel op het terrein van de waterstaat als op dat van de landbouw, en had gemakkelijk toegang tot op het hoogste niveau van de besluitvorming. Hoewel overtuigd socialist, stond hij als technocraat toch enigszins buiten de politiek en als bestuurder er een beetje boven. Zoals veel socialisten-oude-stijl had hij moeite met het instituut Koninklijk Huis. De Mansholts deden bijvoorbeeld niet aan Koninginnedag. Als klein kind begreep Sicco dat niet altijd. Hij had graag met een vlaggetje gelopen, maar mocht dat niet. Moeder zorgde er wél steeds voor dat er die dag thuis iets gezelligs werd gedaan.[67]

'Toon karakter, direct vanaf het begin'

'Hier was meer gebeurd dan de opvolging van de ene generatie door de andere: hier was een nieuw gezicht op mensen tot leven gebracht,' stelde niet Hetty vast bij haar eerste bezoek aan Thorum-nieuwe-stijl in 1907. Dit nieuwe gezicht hing vooral samen met de pedagogische opvattingen van moeder

Lambertus Helbrig Mansholt (1875-1945), Wabina Andreae (1874-1966) en hun kinderen.
V.l.n.r. Dirk, vader Bert, Aleid, Ubbo, Sicco, moeder Wabien en Minke.

Wabien. Zij schreef erover in *De Socialistische Gids* en bracht haar opvattingen thuis in praktijk. Het gezin stond bij haar centraal. Binnen dat gezin heerste een intieme sfeer. In een artikel uit 1918 ging zij hierop nader in. Uitgangspunt was dat een ouder vertrouwelijk en onbevangen moest omgaan met een kind en 'tijdig reageren als zich onverwacht een mooie of leelijke karaktertrek bij het kind openbaart'. Het kind moest worden gerespecteerd, mocht individuele neigingen volgen en had recht op een eigen plek in een gezin, een plek waar het 'een persoonlijkheidje' kon zijn. Het gezin moest voor het kind 'iets aparts (zijn), waar het zich te allen tijde uiten kan in vertrouwelijkheid aan iemand die het liefheeft en begrijpt'.[68]

In de geborgenheid van het gezin probeerden Sicco's ouders hun kinderen op verantwoorde wijze tot persoonlijkheidjes te laten uitgroeien. De Mansholts hadden, zoals gezegd, ook voldoende tijd en middelen om zich dat te kunnen veroorloven. Het grootste deel van de bevolking verkeerde in die jaren in een minder luxe positie. In de meeste arbeidersgezinnen ging het er in de eerste plaats om dat er brood op de plank kwam. Pedagogische opvattingen werden uitgedeeld door vaders harde hand. Sicco herinnerde zich zijn opvoeding als 'enerzijds streng, maar toch zó dat het niet als zodanig werd gevoeld'. De afstand tussen ouders en kinderen was kleiner dan in traditionelere families. Alles draaide volgens hem om het gezin. Vader en moeder hadden steeds tijd voor de kinderen. Er was ook een sterke band.[69] Op de grote boerderij in de Westpolder waren de gezinsleden sterk op elkaar aangewezen. Omdat zij de afstand tot de dorpsschool voor de kleintjes te groot vond, verzorgde moeder zelf ook nog het onderwijs van de eerste twee klassen.[70] Zij was immers oud-onderwijzeres.

Vader en moeder drongen hun eigen opvattingen niet op aan de kinderen. Een sterke persoonlijkheid moest zelf tot een oordeel kunnen komen over waarden en normen, over wat goed was en wat slecht. De opvoeding was primair gericht op zelfstandigheid en karaktervastheid. Illustratief is de volgende passage uit de eerste brief die Sicco van zijn vader ontving toen hij was gaan studeren:

Besef je, dat nu de ernst van het leven aankomt, dat plichtsbetrachting hoge eis is, dat nalaten van *alles* waarvoor je vader en moeder niet recht in de ogen zou kunnen zien verwacht mag worden – dan komt alles wel 'recht' (…) En bovenal: toon *karakter*, direct vanaf het begin. Keur af wat slecht is, kom op tegen wat gemeen is of klein. Zó krijg je op den duur de achting van de *goede* elementen aan je toe, en de slechte - wel, hun mening kan je koud laten. (…) *Zoek met zorg je vrienden uit*. Sluit je niet te gauw aan, maar wees ook niet te gesloten – Wees voorkomend tegen je medeleerlingen, neem hun eigenschappen goed waar, en zoek daarna nauwere aansluiting bij hem of hen die je sympathiek vindt. Beter één goede vriend dan tien 'kennissen'. Ziezo dat is een hele preek. Je vindt me zeker wat zwaar op de hand, maar denk dan maar dat vader 't zegt om je bestwil – Bezorgd om je ben ik niet, omdat ik weet dat je van goede inborst bent. Doch ook de besten kunnen bedorven worden, als de omstandigheden er toe leiden en men niet zelfstandig is.[71]

De drang de maatschappij te hervormen kregen de kinderen met de paplepel ingegoten. Sicco memoreerde later weliswaar dat zijn ouders nooit iets opdrongen, 'maar', voegde hij daaraan toe, 'ieder ogenblik van ons leven werd doordrenkt door hun strijd voor een betere maatschappij en hun grote liefde voor de mensen in nood. Ik geloof dat wij hun levenswijze en hun moraal hebben overgenomen. Wij waren als het ware aangestoken.'[72] Dit legde ook een druk op de kinderen. Kon een van hen wel zelfstandig tot een ander oordeel komen dan dat van hun ouders? Eigenlijk niet, zo valt af te leiden uit een van moeders brieven:

Wij hebben feitelijk niets anders gedaan dan een milieu scheppen, waarin jullie je vrij naar je aard kon ontwikkelen. Door vele gesprekken met Leidje [dochter Aleid, JvM] schijn speciaal ik daarin nogal tekort geschoten te zijn. Want Leid beklaagt zich nogal 's over gebrek aan zelfstandigheidsgevoel. Ze zegt: wanneer ik iets zus of zo vind dan kom ik altijd tot de conclusie, dat niet ik het zo vind maar dat het moeders oordeel is. – Toen ze nog in Groningen op school was is ze daarover 's diep in de put geweest en het is voor mij een reden te meer geweest om haar naar Amsterdam te laten gaan. Om tot zelfstandigheid te komen! Of ze nog eens tot de ontdekking zal komen dat haar oordeel is zoals het is – nìet omdat het vader en moeders oordeel is – maar omdat het sociaal democratisch inzicht en daàrdoor juist is?[73]

Waaruit bestond het geestelijke fundament dat Sicco Mansholt van huis uit meekreeg? Waarop baseerde hij zijn levenswijze en moraal? Wat was zijn plechtanker? Je zou kunnen zeggen dat dit rustte op drie pijlers: rationalisme, socialisme en naturalisme. De eerste was opgericht door grootvader Derk Roelfs, de vrijdenker en Multatuliaan die zeer geëngageerd was, originele en kritische ideeën had en tegelijk individualist en romanticus was. De tweede werd gevormd door de socialistische idealen van vader en moeder, idealen voor een betere samenleving. En de derde vloeide min of meer voort uit de eerste twee: de overtuiging dat de natuur het allerhoogste was en dat er daarbuiten geen goddelijke kracht bestond. Al het bestaande zou op den duur uit natuurlijke oorzaken verklaard kunnen worden.

In *De crisis* stelde Mansholt dat hij het gevoel had de werkelijkheid te kort te doen wanneer hij in God zou geloven. Op een verstandelijke manier zocht hij wel naar een verklaring van 'het waarschijnlijk steeds onverklaarbare van de zin van het leven', maar hij besefte dat de mens niet op alle vragen antwoord zou krijgen. Gelukkig, vond hij, want anders zou er geen plaats zijn voor de droom en de verbeelding. 'Ik word bang als de wetenschap, net als de godsdienst, in een bijbel wordt vastgelegd.' In de Duitse versie *Der Krise* voegde hij daaraan toe: 'Die Katechismen – gleich welcher Art – hindern die Menschen am Fortschritt.'[74] Een paar maanden voor zijn overlijden in 1995 formuleerde Mansholt het nog als volgt: 'Geloof (ik) in iets? Ja, natuurlijk wel. Ik geloof in goed en slecht, mooi en lelijk. Maar geloof (ik) in God? Nee, beslist niet, noch in een hiernamaals, hemel en hel. De natuurwetenschappen leren ons de onvergetelijke schoonheid van het universum. Daar hoeven wij niets aan toe te voegen of af te doen met een "geloof".'[75]

De Mansholts hadden weinig op met religie. Grootvader had zich vierkant opgesteld achter Multatuli's idee dat er van wezenlijke vooruitgang geen sprake kon zijn zolang 'de kanker van het geloof' voortwoekerde. Sicco en zijn broers en zussen mochten van hun ouders de catechisatie op school niet bezoeken. In een van haar artikelen in *De Socialistische Gids* voer moeder ook stevig uit tegen mensen die zedelijkheidswetten afleidden uit de Bijbel. Waarom waren confessionele politici zo snel van de kook wanneer ze gesteld werden tegenover 'zedelijke maatstaven ontleend aan innerlijke tucht'?[76]

Sicco's ouders voedden hun kinderen niet op met God en de Bijbel, maar stelden kennis van de natuur en innerlijke tucht centraal. Leidraad was het humanistische ideaal van de wezenlijke vooruitgang van de mens. 'De opvoeding doet zoveel,' schreef Aleid eens aan haar broer Sicco. 'Zoveelen hebben nooit geleerd de natuur als iets hoogers te beschouwen. Je moet trouwens ook iets in je hebben om 't heerlijke van haar te begrijpen.'[77] De overtuiging dat de natuur 'iets hogers' was hield bij de Mansholts ook verband met het respect van de boer voor alles wat groeit en bloeit. Aan een geloof had Sicco Mansholt eenvoudig geen behoefte: als je het niet kon bewijzen, had je er niets aan.

Heeft Wabien haar eigen politieke ambities, die vanwege 'moederschapsplichten' niet in vervulling waren gegaan, overgeplant op Sicco? Ze bleef tot op hoge leeftijd haar zoon bestoken met kritische politieke vragen, zelfs toen hij lid was van de Europese Commissie in Brussel. Op Thorum speelde moeder al socialistische strijdliederen op de piano die door de kinderen in bed uit volle borst werden meegezongen.[78] In de brieven uit de periode van 1927 tot 1933 – zijn studententijd en de eerste jaren daarna – kwam de politiek echter nauwelijks aan bod. Zowel vader als moeder hielden het bij verantwoorde adviezen als: lees regelmatig de 'buitenlandse overzichten' in een goed blad; ga eens luisteren naar de redevoering van SDAP-leider Albarda in Deventer ('Interesseert je dat helemaal niet, Koosje? Je moet toch profiteren van de gelegenheid' – Koos(je) was de troetelnaam die zijn moeder en zijn broers en zussen gebruikten). Nadat Sicco haar geschreven had dat hij toch wel de behoefte voelde 'om iets te begrijpen van de politieke wereld', trakteerde zijn moeder hem voor zijn 21$^e$ verjaardag op een abonnement op het socialistische dagblad *Het Volk*. 'Je komt door het Volk zoo goed in de verhoudingen die er in de maatschappij tusschen de menschen en de klassen bestaan,' legde ze hem uit.[79]

## Maar de cello gaat voor!

Omstreeks 1930 schreef moeder in *De Socialistische Gids* een aantal artikelen over erotiek, seksualiteit en huwelijk. Zij trok daarin ten strijde tegen wat zij in een van haar brieven aan Sicco 'de zgn. nieuwe moraal van de jeugd' noemde. Haar ideeën waren vrij traditioneel. Interessant is dat de stukken verschenen op het moment dat de problematiek ook voor haar eigen kinderen begon te spelen.

De kern van het probleem was volgens haar dat seksuele drang en erotiek in de puberteitsjaren nog gescheiden waren. Pubers waren weliswaar geslachtsrijp, maar nog lang niet toe aan huwelijk en gezin. 'Reiken jongeren naar dingen, die passen in een later stadium, dan kunnen ze die niet in volle diepte doorvoelen.' Vrije seksuele omgang vóór het huwelijk leidde volgens haar tot 'oppervlakkigheid, zorgeloosheid, gebrek aan verantwoordelijkheidsgevoel, allerlei eigenschappen die een slechte invloed op hun werk zullen hebben; eigenschappen die hen onmogelijk maken voor een goed lid van een socialistische gemeenschap en even onmogelijk als strijder voor het Socialisme'. Haar gevoel verzette zich ook tegen het gebruik van voorbehoedmiddelen, behalve als noodoplossing binnen een gezin dat groot genoeg was. 'Ik noem ze "cru", ik weet er geen beter woord voor. Ze halen de vrouw neer. Dat jonge menschen hun liefdeleven daarmee *beginnen* vind ik synisch, ontzettend.' Ouders, publieke opinie en zelfs de SDAP moesten zich volgens haar sterk maken voor het ideaal van onthouding tot aan het huwelijk. Als rem op de seksualiteit zouden pubers afleiding kunnen vinden in de muziek, literatuur, het kweken van planten, de idealen van een jeugdbeweging als de AJC.[80]

Wat vond haar zoon hiervan? In *De crisis* beweerde hij, zoals gezegd, ook de levenswijze van zijn ouders te hebben overgenomen. Gold dat ook deze zeer persoonlijke 'zedelijke maatstaven'? Sicco's reactie op de artikelen van zijn moeder is niet bekend. Aleid schreef hem kort na het verschijnen van een ervan: 'Was 't niet een gekke gewaarwording je Moeder over onderwerpen als liefde en huwelijk te hooren spreken? Heeft ze ook niet voor jou sommige gevoelens duidelijk in woorden gezegd, die je wel binnen in je voelde, maar niet goed formuleeren kon. Ik vraag me af ben ik in 't erotische stadium of in 't andere? In 't eerste stadium ben ik zeker al geweest, of ik er nog in ben? 'k Weet 't niet!' Moeders artikelen werpen wel een ander licht op een terugkerend thema in de brieven van thuis uit Sicco's studententijd (september 1927 - juli 1930): 'Hoe gaat het met het cello-spelen?'; 'Ik hoop dat je cellospel er niet onder lijdt!'; '(...) maar de cello gaat voor'; 'Oefen elke dag.'[81]

De cello kon niet verhinderen dat vader en moeder in januari 1929 een briefje kregen waarin hun 20-jarige zoon vertelde dat hij een meisje had. Ze was zeventien en hij hield erg veel van haar. Moeder ging er eens even goed voor zitten en schreef hem deze prachtige brief:

Glimmen, 26-1-29

*Lieve Koos,*

Je brief geeft ons veel te denken en het is niet zoo gemakkelijk dadelijk een meening te hebben. Voorop staat voor ons, dat je alleen zelf beoordelen kunt of hetgeen je voor het meisje voelt dat machtige allesoverwinnende gevoel is, dat alléén in staat is een leven lang een mooie verhouding tusschen elkaar te bewaren. Een kind, dat nog op de schoolbanken zit – ze mag dan ouder dan haar leeftijd zijn – kàn geen flauw besef hebben van al die factoren, die in het leven werken, en waartegen die liefde bestand moet zijn. Ze zal je aardig en lief vinden, van je houden ... en weet per slot niet welke gewichtige stap je gaat doen.

Jij zelf bent eigenlijk nog te jong. Maar als je een meisje van je leeftijd gevonden had, die ook al eens in de wereld rondgekeken had, dan zou dat nog een ander geval wezen. Maar toch, jij hebt over allerlei levensproblemen en levensbeschouwingen nog weinig nagedacht. Iets wat op een gevestigde mening lijkt betreffende maatschappij en godsdienst en huwelijk, een zoeken naar je standpunt daartegenover, je moet er eigenlijk nog mee beginnen. En hoe kan je daarom beseffen hoe het meisje zich zal ontwikkelen. Dat duurt nog jaren vóór haar karakter zich gezet heeft, vaste lijnen heeft gekregen. Was je véél ouder en beheerschte je voor je zelf de problemen dan zou je – als je daarbij al veel menschenkennis bezat – uit haar kunnen afleiden, hoe ze zal zijn als ze een vrouw is geworden. Nu kan je daar alleen maar naar raden. Zooals zij raadt hoe jij in den grond van je wezen bent. Het wordt een lot uit de loterij. De toekomst staat voor jullie op losse schroeven.

Daarom zouden vader en ik jullie willen aanraden: beschouw jullie verhouding als een eerste kennismaking. Neem die kennismaking ernstig, maak er geen flirtation van, maar probeer ernstig samen een levensovertuiging, een levensbeschouwing te vormen. Doe elkaar geen beloften waardoor je later er tegen op zou zien om van je plannen te gaan afzien, wanneer bij een van beiden twijfel opkomt.

Schrijf eens of je het met deze denkbeelden niet eens bent. En als je er anders over denkt, motiveer dat eens. We moeten heel openhartig alles met elkaar bepraten, is het niet? Wij willen jullie onze meening niet opdringen, dat leidt tot niets. Zelfstandig moeten jullie tot je besluit komen, na overweging van wat wij vinden.

Je moet ons nu eens eerst een lange brief schrijven over het meisje en het milieu, waarin ze opgegroeid is. Ik zal daar vragen over doen, je brief zegt ons daarover niets. Waar heeft ze haar leven tot nu doorgebracht?

Hoeveel kinderen zijn in het gezin en vertel van hen ook iets? Wat waren haar plannen? In welke klas van de HBS zit ze en was ze van plan de school af te loopen?

Vertel ons iets van haar ouders, hoe ze zijn, welke leeftijd, hoe lang zullen ze nog in Indië blijven? Hebben ze alleen dit meisje achtergelaten en bij wie is ze? Waar zien jullie elkaar?

Je zegt, dat je veel met de ouders gesproken hebt, wil je ons daarvan vertellen? Ik zou zoo graag precies willen weten, wat haar ouders er van vinden. Uit de beantwoording van deze vragen kunnen we zoo'n beetje nagaan hoe haar opvoeding tot nu toe is geweest en welke plannen ze voor de toekomst had.

Hoe ben je met haar en de familie in aanraking gekomen?

Vader gaat naar de post en ik wil deze brief nog graag mee hebben.

Dag ons jongen,

*Moeder.*

Het meisje heette Nel Keyzer en haar vader was landbouwconsulent in Indië. 'Ze is zooveel eenvoudiger en natuurlijker als zooveel andere meisjes. Ook houdt ze niet van veel uitgaan zooals zoo vaak bij Indische meisjes voorkomt,' schreef hij nog terug.[82] Uit latere brieven valt niet meer af te leiden dan dat de verkering hooguit een half jaar geduurd heeft.

Crisis: geen tabaksplanter zoals oom Gajus

Nadat Thorum verkocht was, veranderde Sicco's leven ingrijpend. Hij was gewend aan het gemoedelijke dorpsschooltje in Vierhuizen, vijf kilometer lopen vanaf de boerderij. Daar heerste nog rust en orde, eenvoudig omdat het zo hoorde. Vanaf 1922 moest hij naar de hbs in de stad Groningen, maar van leren kwam weinig terecht. Hij zat in een rumoerige klas die de baas over de leraren speelde, spijbelde vaak en bleef twee keer zitten. Zijn beide zussen haalden hem in. In 1927, na vijf jaar, haalde hij het diploma van de driejarige hbs.[83] Sicco wilde het liefst boer worden en was verder alleen geïnteresseerd in knutselen en techniek. Broer Dirk vertelde later in een interview: 'Als Sicco en ik moesten leren, hadden we stapels folders over motorfietsen en auto's in onze boeken en schriften verstopt. Daar zaten we dan uren over te kletsen. We wisten alles van motors af.' Met drie jaar hbs kon Sicco niet naar Wageningen. Maar het is de vraag of hij dat wilde. Hij had namelijk het plan opgevat om naar Indië te gaan, net als oom Gajus. Planter worden in Deli, dat was zijn ideaal.

Student aan de Middelbare
Koloniale Landbouwschool in
Deventer (van 1927 tot 1930).
In zijn vrije tijd vaak op het
water te vinden.

Vanaf september 1927 bezocht Sicco de Middelbare Koloniale Landbouwschool (MKLS) in Deventer. Hij woonde in een kosthuis, de eerste twee jaar
in het dorpje Twello aan de overkant van de IJssel, het derde en laatste in
't Joppe, een gehucht onder Deventer. Hij ging op de fiets naar school. Vakanties bracht hij door bij zijn ouders. De MKLS was in 1912 opgericht als oplei-
dingsinstituut voor jongens die zich op de landbouwpraktijk in de tropen
wilden voorbereiden. Afgestudeerden werden in de regel employé op een
cultuuronderneming gespecialiseerd in suiker, tabak, rubber, koffie of thee.
De employé had als hoofdtaak leidinggeven en toezicht houden op het werk
van inlandse arbeiders. Het curriculum was praktijkgericht en bestond onder
meer uit Nederlands-Indisch staatsrecht, koloniale economie, landmeten en
waterpassen, tuinbewerking, hout- en metaalbewerking, tekenen van bouw-
constructies en machines, motorenkennis en elektriciteit. De school had in

het begin geen goede naam. Er zouden enkel jongens zonder 'studiehoofd' op zitten, die niet terecht konden in Wageningen.[84]

Het eerste jaar was Sicco nog enthousiast, vooral over het vak metaalbewerking, het laatste beklaagde hij zich herhaaldelijk over de gebrekkige kennis van een aantal leraren. Een van hen had volgens hem geen flauw benul van de praktijk van het ploegen en dat had hij hem tijdens de les ook onder de neus gewreven. Een paar maanden voor zijn examens schreef hij naar huis dat hij niets geleerd had, dat hij er alleen maar zat voor het papiertje en dat niemand in Indië daarin geïnteresseerd zou zijn.[85] Vriend en klasgenoot Jan Posthumus, een notariszoon uit Franeker, liet zich in een van zijn brieven aan Sicco ook weinig vleiend uit over het niveau zijn medestudenten. Aan driekwart van de jongens had je niets: ze waren 'slap, zonder eenige vooruitstrevende richting'. In Delft, waar broer Siep studeerde, zat toch een heel ander soort dat zich naast de studie ook bezighield met politiek, muziek en toneel.[86] Diezelfde Siep Posthumus zou in 1946 lid van de Tweede Kamer worden voor de PVDA.

'Koosje, je moet ons alle weken schrijven, al is 't maar een briefkaartje,' schreef moeder in een van de eerste brieven vanuit Glimmen aan haar studerende zoon.[87] Zij hield hem wekelijks op de hoogte van lief en leed in de familie, het weer en haar tuin. Vader was zakelijk en korter van stof. Vrijwel elke week schreef Sicco terug. Hij hield nauwkeurig bij wat hij uitgaf en vertelde kort over koetjes en kalfjes. Af en toe bevatten zijn brieven gedetailleerde technische uiteenzettingen met tekeningen, bijvoorbeeld van motoren en scheepsconstructies. Sicco werd lid van een roei- en zeilvereniging, richtte met een paar vrienden een boksclubje op en sloot zich aan bij een studentenvereniging; in 1929 werd hij voorzitter van de afdeling 'studie- en sportbelangen' van deze vereniging. Een klasgenoot herinnerde zich hem als 'een opvallende jongen met veel vrienden (…) Hij had veel belangstelling voor het onderwijs en rookte altijd een pijpje.'[88]

Op 15 juli 1930 kreeg Sicco het diploma van de MKLS. Uit zijn eindlijst blijkt dat hij ook examen had gedaan in de vakken Javaans en Maleis. Hij slaagde met zessen, zevens en één acht voor 'Landmeten en waterpassen'. Na het examen schreef hij vader dat hij in de tabak ging. Hij had getwijfeld tussen thee en tabak, maar ten slotte voor het laatste gekozen omdat het meer afwisseling bood. In het najaar van 1930 volgde hij een aanvullende cursus tabak aan de MKLS en nam hij paardrijlessen. De laatste maanden van het jaar werkte hij enige tijd als monteur in een garage in Groningen. Dat leverde hem in januari 1931 nog een fraai getuigschrift op: 'S.L. Mansholt heeft blijk gegeven een handig, energiek persoon te zijn en heeft veel doorzicht in het beoordelen en verrichten van verschillende practische werkzaamheden en is bij practisch werk volkomen op zijn plaats. [Getekend:] Hüsemann's Automobielbedrijf.'

De eerste vijf maanden van 1931 bracht Mansholt vrijwillig door in militaire dienst. Om bij een cultuuronderneming in Indië aan de slag te kunnen was de vervulling van militaire dienst namelijk een vereiste. Hij was gelegerd in Den Haag, waar hij regelmatig langsging bij oom Theo, de directeur-generaal. In brieven aan zijn ouders beschreef hij de 'lanterfanterij' ('We zijn de hele dag bezig, maar presteren niks'), de techniek van het geschut en het kloppen van de paleiswacht:

> 't Was nou te doen met het zachte weer. Anders een hard gelag. Iedereen trekt de stad uit en wij loopen, als leeuwen achter de tralies, voor het paleis heen en weer. Zondagmiddag waren dicht bij 't paleis schermutselingen tusschen politie en 'hongerbetogers'. Dit zijn door de communisten opgezette betogingen van werkloozen. Het bracht vrij wat menschen op de been. Ze zijn niet tot bij het paleis toegelaten.

Begin oktober 1930 had hij alvast een open sollicitatie gestuurd naar de Deli Maatschappij, op aanraden van grootmoeder Andreae die de directie goed kende. Toen was al duidelijk dat de vooruitzichten slecht waren. Van de ongeveer honderd jongens die in juli te Deventer eindexamen hadden gedaan, hadden er in oktober nog maar vier een betrekking.

Op 11 april 1931, twee weken nadat Sicco als paleiswacht de werklozen aan zich voorbij had zien trekken, stuurde vader hem een brief met afschrift van het bericht dat grootmoeder ontvangen had van H. Cremer van de Deli Maatschappij: Cremer kon niet voldoen aan het verzoek haar kleinzoon te engageren. Vanwege twee slechte oogsten 'en in verband met de algemene wereldmalaise, waaronder uit den aard der zaak ook de tabak, dus ook de Deli-Maatschappij gebukt gaat, zal gedurende de eerstkomende jaren geen nieuw personeel naar Deli worden uitgezonden'. Dat was een grote teleurstelling. Mismoedig schreef Sicco zijn ouders op 15 april terug: 'Ik heb nou 't gevoel dat ik zonder vast doel zwerf. Deli stond me zoo vast voor oogen dat ik nooit over iets anders meer dacht. Wat nu?'

Allereerst informeerde vader bij oom Theo of het niet mogelijk was dat zijn twee oudste zoons voor twee jaar naar Suriname konden gaan. Dat bleek niet het geval te zijn. Dirk kon uiteindelijk als arbeider aan de slag in de Wieringermeer en Sicco kwam op voorspraak van neef Stefan Louwes in het begin van 1932 als voluntair terecht op het Rijkslandbouwproefstation te Groningen. Daar hield hij zich bezig met plantmateriaal, bodemstructuur en bemesting. Hij schreef zijn vriend Jan Posthumus, die geluk had gehad en in augustus 1931 was aangenomen als jongste employé op een theeplantage in de Preanger, dat hij er weinig plezier in had: tabelletjes invullen en 'met juffers op een verkalkt laboratorium uit bekerglaasjes cacao lurken'. Hij voelde er wel wat voor om toch maar de thee in te gaan. Posthumus beloofde voor hem eens rond te kijken.

Omstreeks februari 1933 verruilde Sicco het laboratorium in Groningen voor een stage op de kaasfabriek *Bamestra* in Midden Beemster, Noord-Holland. In overleg met vader en oom Theo had hij het plan opgevat naar Spanje te gaan om er een kaasfabriek op te richten. Dit liep begin oktober 1933 op niets uit. Oom moest zijn pogingen staken om Sicco geplaatst te krijgen: de Nederlandse zuivelindustrie zou het hem hoogst kwalijk nemen wanneer hij als topambtenaar concurrentie vanuit Spanje zou stimuleren. Op eigen houtje had hij zich nog gewend tot zijn vroegere baas, oud-minister-president Ruys de Beerenbrouck – op dat moment voorzitter van de Tweede Kamer – en tot de hoofduitvoerder van het landbouwcrisisbeleid, regeringscommissaris Stefan Louwes.

Die laatste poging had succes. Louwes schreef op 7 november aan oom Theo dat hij van plan was een nieuwe mobiele controledienst op te richten en dat Sicco daar aan de slag kon. 'Ik krijg langzamerhand een beetje het gevoel, dat het ons gelukken gaat om de landbouw de kop boven water te doen houden, natuurlijk niet zonder een heele reeks vergissingen en helaas ook lasten, zij het dan geen ondragelijke, voor andere groepen,' voegde hij daaraan toe. Sinds 1931 steunde de Nederlandse regering de landbouwsector met prijs- en afzetgaranties. Louwes speelde, zoals gezegd, een vooraanstaande rol bij het ontwerpen en uitvoeren van deze steunpolitiek, het zogenaamde landbouwcrisisbeleid. Dit behelsde een aantal diepingrijpende maatregelen, vooral gericht op productiebeheersing, importbeperking en het verwerken van overschotten. In de praktijk kwam het erop neer dat biggen en kalveren moesten worden gemerkt en dat graanoverschotten met verf ongeschikt moesten worden gemaakt voor menselijke consumptie.[89] Goede controle was cruciaal om het beleid overeind te houden. Met fraude en smokkel kon veel geld worden verdiend.

Sicco ontving op 13 november 1933 bericht dat hij met ingang van de volgende dag in tijdelijk dienstverband was aangesteld bij de afdeling Hoofdcontrole van het Regeringsbureau voor de uitvoering van de Tarwewet 1931 in Den Haag. Het salaris bedroeg honderd gulden per maand. Als jong ambtenaar kreeg hij veel verantwoordelijkheid – hij runde de afdeling Rogge – en dat beviel hem goed. In een aantal brieven berichtte hij over zijn werk. 'Op 't bureau steeds drukker, en ook interessanter,' schreef hij bijvoorbeeld op 28 november naar huis.

De heele dag ratelt onze telefoon en uit alle deelen van 't land krijg je dan
je controleurs. De 'vliegende colonne' is gister naar de grens gesnord. Ze
moeten heel listig zijn, want ze worden natuurlijk direct overal gesigna-
leerd. De smokkelaars en 'verdachte' groote firma's staan allemaal met
elkaar in contact. Nog steeds sta ik verstomd over de wijd vertakte en
hechte organisatie die in enkele jaren uit de grond is gestampt om de cri-
siswetten uit te voeren. Oók sta ik verstomd over de smerige praktijken
van zoovele 'nette menschen' en zaken. Je komt hier in nauw contact met
dingen waarvan je als buitenstaander nauwelijks besef hebt. Dan wordt
het je duidelijk dat er onverbiddelijk moet worden opgetreden. Dat brengt
met zich mee dat je precies de statuten en reglementen en wetten moet
kennen. Want die moet je door en door kennen om op te kunnen treden.
En dat hier wordt opgetreden, dat beloof ik je. Soms in enkele seconden
wordt iemand per telefoon z'n heele bestaan in de grond geboord of tot
hooge boete veroordeeld.

Naarmate de crisis duurde, sloop er steeds meer politiek in de brieven die
gewisseld werden tussen Sicco en zijn ouders. 'We zijn allen zeer onder den
indruk van de ellendige berichten die uit Duitschland komen,' schreef vader
op 30 maart 1933. 'Het lijkt of de hele westersche beschaving dreigt onder te
gaan. Ook in ons land komt hand over hand de fascistische geest op. En ook
economisch is nog geen licht te zien. Integendeel: ik lees juist dat nu noodgedwongen het mengpercentage van boter in margarine van 25 op 40 procent
wordt verhoogd.' Sicco antwoordde op 9 april: 'Ja, wat zijn de berichten uit
Duitschland beroerd. Het krant lezen is één doorloopende ergernis aan de
domme politiek van Hitler.' Op een kaasmarkt in Purmerend was hij Herman
Louwes tegen het lijf gelopen, die er campagne voerde voor de Vrijheidsbond.
'Door de boeren hier wordt hij zeer bewonderd, wat geen wonder is omdat als
je hem zo hoort het wel lijkt of de Vrijheidsbond een Liberale boerenpartij is
geworden. We hebben in een café'tje aan de markt een uurtje zitten praten.'
Een paar weken later werd Louwes gekozen tot lid van de Tweede Kamer.
    Zelfs in de 'gezellige' brieven van zus Aleid uit Amsterdam sijpelde 'de
politiek' door, op 20 maart 1934 bijvoorbeeld:

Met sliknatte voeten zaten we zaterdagmiddag op een lezing van Joris
Ivens voor de Bond van Jonge Kunstenaars over communistische film-
kunst en zijn films Regen en Branding. Maandagavond ben ik ook naar
een lezing van hem geweest in de Handwerkersvriendenkring. Vroeger
beschouwden we die menschen als ondieren en bruten, maar ik ben er

meer van teruggekomen, ze zijn vaak heel bijzonder. 'k Ben maandagavond in de discussie nog in debat met hem geweest, maar werd tenslotte
als zijnde socialist en links burgerlijk door de heele communistische zaal
uitgehoond!

Intussen had Jan Posthumus niet stilgezeten. Nadat Sicco hem in februari
1932 had geschreven dat hij al tevreden zou zijn met een baantje in de thee,
informeerde Jan zo nu en dan bij zijn baas Emile Hellendoorn. Deze was verantwoordelijk voor meer plantages in de buurt. Eind november 1933 hoorde
Sicco via Jan dat er een vacature was. Hij schreef meteen een sollicitatiebrief,
die hij afsloot met: 'Daar ik nog steeds aan een werkkring in Indië boven die in
Nederland verre de voorkeur blijf geven, ben ik met een eventuele aanstelling
bij uw maatschappij ten zeerste ingenomen.' Blijkbaar kreeg hij per kerende
post een positief antwoord. 'Wat heb je geboft hè, na dat lange wachten,'
schreef moeder hem op 4 december. Onmiddellijk vroeg hij ontslag in Den
Haag en begon hij met het organiseren van de reis.

Op 7 maart 1934 vertrok Sicco met stoomschip Slamat vanuit Marseille naar
Batavia, naar zijn nieuwe vaderland: Nederlands-Indië. Aan boord schreef hij
zijn ouders ten afscheid:

Wat is alles toch vlug gegaan. Ik kan het niet zo snel verwerken. Hoewel
ik steeds erg heb verlangd naar Indië te gaan, besef ik nu pas goed wat het
wil zeggen niet meer onder jullie vleugels te zijn. En de laatste jaren, de
tijd dat ik niet thuis was vooral, ben ik gaan beseffen wat een heerlijke en
goede jeugd we hebben gehad. Hoe jullie steeds voor òns hebt geleefd.
Hoe jullie steeds hebben gestreefd goede menschen van ons te maken èn
door opvoeding èn door jullie eigen leven. Vooral dat laatste zal ik steeds
als een ideaal voorbeeld beschouwen. Ik hoop dat het mij nog eens zal
gelukken ook zoo'n gezin te stichten waar dezelfde heerlijke intieme,
vertrouwelijke sfeer heerscht. Maar nu ga ik met de beenen van de grond
en ben aan het droomen. Voorlopig heb ik genoeg aan mezelf.[90]

De theefabriek van Pasir Nangka. Hier werkten tweehonderd mensen. Een veelvoud vond werk in de tuinen, op de hele onderneming meer dan tweeduizend mannen en vrouwen.

# - 2 -

# PASIR NANGKA

Onderweg naar Indië verbaasde Mansholt zich over de luxe aan boord. Van huis uit was hem ingeprent hard te werken en matig te zijn, deugdzaam socialist. De reis was prachtig, maar hij voelde zich toch wat ongemakkelijk: 'Iedere hut heeft z'n eigen bediende. Een Javaan. Je wordt op je wenken bediend. (...) Je krijgt een gevoel alsof je eerste klas reist. Ik begrijp maar niet waar de verwennerij voor noodig is. 't Maakt de menschen al gemakzuchtig voor ze in Indië zijn.'[1] 'Kom maar als kapitalist terug!' schreven zijn oud-collega's van het Crisisbureau in een afscheidstelegram.

Begin april 1934 kwam Mansholt in Indië aan. Na een bezoek aan zijn vriend Jan Posthumus reisde hij verder naar Pasir Nangka, een theeplantage in Tjiandoer, een van de zogenaamde Preanger Regentschappen op West-Java. Daar ging hij op 1 mei aan de slag. De onderneming lag nabij het plaatsje Tjibeber aan de spoorlijn tussen Soekaboemi en Bandoeng. Mansholt was 25 jaar en begon onderaan. Uit zijn aanstellingsbrief: 'U wordt voorlopig als voluntair te werk gesteld op een salaris van [125 gulden] per maand, benevens vrije woning, erfkoelie en overige emolumenten, welke usantieel worden toegestaan.' De overtocht was voor eigen rekening. Meubels konden in bruikleen worden verstrekt. Bij voldoende ijver en bekwaamheid volgde een vaste aanstelling als employé. 'Het spijt mij, dat de tijdsomstandigheden een ietwat sober begin voor U tengevolge hebben,' besloot administrateur Hellendoorn.[2]

Zowel mentaal als financieel gaapte een diepe kloof tussen de rode boerenzoon uit Groningen en de 'heren van de thee'. Hij kwam in een heel andere wereld terecht met een tropisch klimaat en vreemde omgangsvormen, waar een taal werd gesproken die hij niet beheerste. De boomlange Mansholt – omstreeks 1.90 meter – stak meer dan een kop uit boven de plaatselijke bevolking met een gemiddelde lengte van nog geen 1.60.

'Zooals Gajus destijds zijn ouders, zul jij ons wel doen deelen in 't lief en leed dat Indië je zal brengen', had vader hem kort voor zijn vertrek op het hart gedrukt.[3] Dat heeft zijn zoon inderdaad geprobeerd. In de periode van april 1934 tot december 1935 schreef hij vrijwel elke week over zijn ervaringen.

Zo'n vijftig brieven zijn bewaard gebleven. In dezelfde periode ontving hij ruim honderd brieven van thuis, vaak twee dunne velletjes aan beide zijden volgekrabbeld.[4] Moeder gaf het nieuws over de familie, het huis en de tuin. Vader informeerde naar de promotiekansen en schreef vaak over de boot en de inpoldering van de Wieringermeer. Sicco was kort van stof. 'Je schrijft echt als iemand die het druk heeft en toch zooveel mogelijk wil vertellen zonder philosopheren,' stelde zus Aleid vast.[5] Het weer, de flora en fauna en het werk in de tuinen en op de fabriek kwamen steeds aan bod. Interessant zijn de passages over koloniale overheersing, de levensstandaard van de koelies, de antisocialistische sfeer in Indië en de opkomst van het fascisme.

Het dagelijks werk op de plantage

In een van haar eerste brieven hield moeder hem het voorbeeld van oom Gajus voor:

> Waardoor hij zoo schitterend geslaagd is in 't leven was door bepaalde eigenschappen, die de maatschappij in haar ambtenaren bizonder noodig heeft: arbeidzaamheid, trouw (betrouwbaarheid), een vaste lijn en een heel zuivere eerlijkheid. Daarbij had hij beslist organisatietalent en een belangstelling voor z'n werk zoo groot, dat z'n werk z'n alles was. Het geluk heeft hem daarbij gediend.[6]

Hoewel bij Sicco dezelfde eigenschappen sterk aanwezig waren, zou hij niet slagen. De algemene economische situatie en zijn eigen sociale betrokkenheid waren daaraan debet, zoals nog zal blijken. Verder had hij weinig geluk met promotiekansen.

Vanaf het begin nam het werk hem volledig in beslag. 'Kultuur Mij. Pasir Nangka' bestond uit een kinaplantage van 700 hectare en twee theeondernemingen van respectievelijk 800 en 1200 hectare.[7] De laatste droeg de naam *Onderneming Pasir Nangka*. Aan het hoofd daarvan stond de administrateur, die in een groot huis woonde met zwembad. De onderneming was weer verdeeld in enkele afdelingen die gerund werden door employés. De employé woonde in een ruim huis op zijn eigen afdeling. Op een van deze afdelingen bevond zich een moderne theefabriek, waarin zo'n tweehonderd mensen werkten. Een veelvoud vond werk in de tuinen, op de hele onderneming meer dan tweeduizend mannen en vrouwen.[8]

De staf bestond op 1 mei 1934 uit slechts zes man: de administrateur, drie Europese en twee Chinese employés. Vanwege ziekte van een van hen kwam

Mansholt aanvankelijk in de fabriek terecht. Hij betrok een woning op een nabijgelegen afdeling, kreeg een 'kokkie' in huis en deed de tuin met een kebon (tuinjongen). Met trots schreef hij zijn ouders over het fabricageproces (verflenzen, rollen, fermenteren, drogen, sorteren, verpakken) en het eindproduct. De dagindeling was als volgt:

Om de andere dag ben ik vroeg in de fabriek. Om 4 uur 's morgens. De andere dag om half zes. (…) Om half zeven brengt de kebon me wat boterhammen met koffie en pl.m. 8 uur ga ik naar huis ontbijten. Dan heeft Ipak, de kokkin, de kamers gedaan en tafel gedekt. Dat kan ze keurig. Een lekker bord soep, boterhammen met kaas en jam en djeracks of pisangs na. Djeracks zijn een soort mandarijnen. Om plm. kwart voor negen ga ik even naar de fabriek en tegen half een zwemmen met de Hellendoorn's en Witte's. Heerlijk is dat. Dan eten om half twee en daarna naar de fabriek, net zoolang tot die klaar is. Dat hangt natuurlijk van de oogst af.[9]

Op 1 september 1934 ging Mansholt de tuinen in. Hij kreeg de kleinste afdeling, Tjibogo, 75 hectare 'productieve aanplant', maar in totaal veel groter omdat er stukken bos in lagen. Hij startte met zeventig pluksters, veertig wieders en een ploeg van twaalf snoeiers. Vier maanden later waren daar tachtig mannen en vrouwen bijgekomen. Een employé had overigens nauwelijks contact met het werkvolk, de koelies. Hij besprak het werk alleen maar met hun chefs, de mandoers, die de instructies overbrachten. Er was afstand tussen baas en arbeider. De koelie knielde voor de employé. Niet uit onderdanigheid, maar vanwege de adat, de inheemse wijze van respect betuigen. Mansholt kon dat niet doorkruisen.[10]

'Het werkvolk ging mee met de persoon waar ze achting voor hadden, anders bleven ze weg,' vertelde Hellendoorn dertig jaar later. Hij had op ondernemingen die hij leidde nooit stakingen gehad. 'Het was wèl zo dat het volk wat probeerde als er een jonge snuiter kwam.' Mansholt merkte dat snel. 'De derde of vierde dag was er niemand,' herinnerde hij zich. 'Ik ging toen de kampong in met een stuk brandhout en klopte op de houten huizen. Toen kreeg ik meer mensen dan ik nodig had.'[11]

Uit de brieven blijkt dat de nieuwe employé een omvangrijk takenpakket had. Hij controleerde de pluk en onderhield de tuinen, maar was ook koopman, arts, kruidenier, manusje van alles. Elke dag kocht Mansholt voor de fabriek zo'n drieduizend pond theeblad in, geplukt in de kampongtuinen van de plaatselijke bevolking. 's Ochtends, tussen het werk door, 'behandelde' hij de zieke en gewonde arbeiders. Cruciaal was zijn rol bij de voedselvoorziening.

De arbeider at vooral rijst en betrok deze van de onderneming. Mansholt zorgde ervoor dat er voldoende goedkope rijst beschikbaar was. Daarmee kon een hoge beloning (in natura) worden betaald en dat garandeerde een ruim aanbod van volk.[12]

Tot slot waren er nog allerlei onregelmatige klussen: met een aantal monteurs stelde hij de machines in de fabriek opnieuw af; hij verzorgde enige tijd de boekhouding en ontwierp dan ook de begroting; hij ging met Hellendoorn op jacht naar schadelijke dieren; herstelde met een ploeg van dertig man de weg naar de fabriek; bouwde een kippenhok voor mevrouw Hellendoorn; speelde Sinterklaas voor de kinderen van de employés. Kortom, veel afwisseling en een grote verantwoordelijkheid. Mansholt voelde zich in zijn element. Eind 1935 kreeg hij, vanwege ziekte van een collega, een aantal maanden het beheer over een oppervlakte van vierhonderdvijftig hectare met een bevolking van twaalfhonderd mensen, dus inclusief voedselvoorziening (de levering van rijst). 'Ik heb nog nimmer zo prettig gewerkt als in die drukke tijd,' schreef hij zijn vader een paar jaar later.[13]

Hij was niet alleen positief over het werk, maar ook over zijn chef Hellendoorn en diens eerste employé Witte: 'Beschaafde menschen, niet van die echt burgerlijke Indische typen die je zooveel onder de planters en vooral hun vrouwen treft.' Met administrateur Hellendoorn, een Indo-Europeaan, ging hij zeer gemoedelijk om en dat was in planterskringen vrij zeldzaam. 'Op de meeste (bijna alle) ondernemingen heerscht een stijve sfeer tusschen "hoog" en "laag". En op enkele heb ik 't meegemaakt dat de employé's zelfs grof worden uitgescholden – 't Moest me gebeuren!'[14]

Hoe zat het met de liefde in Indië? Hij had er nauwelijks tijd voor. Het werk nam hem volledig in beslag. Er waren geen vakanties en de vrije zondag bestond niet in Indië.[15] In het voorjaar van 1935 kwam er een kindermeisje bij de Hellendoorns, Toke Sijpkens uit Drachten. 'Een aardig, kalm meisje. Anders ook een baan de heele dag achter een paar kinderen aan te sjouwen. Dat 'n meisje met dergel. ontwikkeling niet wat hooger ambities heeft,' schreef Sicco na een eerste ontmoeting. Later nam hij haar mee naar Soekaboemi ('We hebben gegeten bij een Chinees, boodschappen gedaan en daarna thee gedronken (…) Daarna een bioscoopje en om half twaalf naar huis.') en naar Bandoeng, samen met Jan Posthumus. Eerst het zwembad, dan het concertgebouw ('Beethovens sonate en concert van Brahms. 't Doet je goed weer eens muziek te hooren.') en tot slot een danszaal. Dat waren eigenlijk de enige uitstapjes – met de auto van Hellendoorn – die hij zich in anderhalf jaar kon permitteren. 'Wie is Toke?' schreef vader in een volgende brief. Het antwoord bleef uit. Toke kwam later niet meer in de brieven voor.[16]

## Op panterjacht

De theeplantage lag op een vruchtbare berghelling. Het was er warm, maar niet ondraaglijk. 'Ik zit hier pecies 950 m. hoog,' schreef Mansholt kort na zijn aankomst. 'Een heerlijk klimaat; 's nachts koel, soms, in de O. moesson zelfs nachtvorst. Overdag soms vrij warm in de zon, maar bijna altijd zoel zacht.'[17] De berghellingen op Java waren door Europeanen ontgonnen – met inheemse werkkrachten – ten behoeve van hun cultures: thee, koffie, rubber, suiker, tabak, kina. Anders dan de lagere delen waren de hellingen dunbevolkt. Boven op Pasir Nangka merkte je niet zoveel van de typisch Indische atmosfeer. Mansholt was er als het ware in opgeborgen. Voor verre uitstapjes had hij geld noch tijd. ''k Krijg wel erg het gevoel helemaal buiten de wereld te staan, dat je op een eiland zit, alleen door een smal strookje land met de bewoonde wereld verbonden: de weg naar Tjibeber,' noteerde hij op 10 juni 1935. Na meer dan een jaar Indië was zijn langste verlof vijf dagen geweest.[18]

Het eerste half jaar liet hij nog wel eens een paard naar zijn huis brengen als de fabriek vroeg klaar was. Hij trok dan de ongerepte natuur in: 'Prachtige avonden zijn dat dan, die mooie zonsondergangen en schitterende vergezichten. Meestal rij ik dan naar de afdeeling Babakan Badoe, dan heb je zo'n mooi gezicht op de kegel van de [vulkaan] Gedeh. Ook liggen daar mooie stukken oerbosch.'[19] Later ging hij met Hellendoorn regelmatig op jacht naar zwijnen, stekelvarkens en panters. De beesten vraten de tuinen aan of bedreigden de paarden. In een van de brieven werd uitvoerig geschreven over een mislukte jachtpartij naar een tijger, een uitstapje dat Hellendoorn had georganiseerd. Met panters hadden de twee meer succes, zo blijkt uit een andere brief:

Vorige week kwamen Hellendoorn en ik juist van een varkensstrooptocht terug. Toen iemand ons kwam vragen een panter te schieten die in Tjilangkab vier schapen had doodgebeten en verscheurd. Nou, je begrijpt dat we direct voorbereidingen maakten, Tjilangkab ligt Z.O.waarts een uur ongeveer tusschen groote bosschen met kampong tuinen (thee) afgewisseld. We hebben een primitief schuilhokje tegen een boom laten maken, van takken en bladeren, op 3 m. hoogte. In een bosch waarin sporen zijn gevonden. Een van de doode schapen op 5 m. afstand er van vastgebonden aan een paaltje. Om half zes betrokken we onze post, met mondvoorraad, jassen, twee geweren en een revolver en 2 zaklantaarns. Na een uur, 'k zat zoo'n beetje te soezen, zag ik plotseling op 8 m. afstand een panter tevoorschijn komen. 'n Prachtbeest, z'n staart zwaaide heen en weer. Hellendoorn kon hem door een boom niet zien. Voorzichtig greep ik m'n geweer, dat hoorde hij toch en keek plotseling naar me. Meteen schoot ik net op z'n kop. Met een sprong van wel 5 m. verdween hij in 't onderhout. We hebben wel een bloedspoor kunnen vinden, maar hij zelf is verdwenen. De volgende dag met honden en vijf jagers (inlandsche) vele bosschen en ravijnen afgeloopen, maar niks gemerkt. We zijn echter blijven zitten, ook al omdat het natuurlijk heel gevaarlijk is in donker door het bosch te trekken waar een aangeschoten panter in loopt.

Om half negen hoorde ik (en Hellendoorn ook) kraken van botten. Geweer in de aanslag. Hellendoorn deed de lamp aan en weer stond er een panter, nu bij het aas. Direct heb ik twee schoten gelost. Weer verdween het beest met een sprong, maar ik was er zeker van dat beide schoten raak waren. De verdere nacht om beurten gewaakt. 't Werd koud en 't latwerk van takken erg hard, zoodat we blij waren dat 't morgen werd. Direkt op zoek en op 70 m. afstand vonden we de tweede panter morsdood.[20]

Toen duidelijk was dat hij terug zou keren naar Nederland, nam Mansholt zich voor een lange vakantie te nemen en wat rond te reizen voordat hij aan boord zou gaan. Hij had wat gespaard en moeder stuurde hem de inhoud van haar 'reispotje' – ze had haar zoon in 1937 een bezoek willen brengen. 'Het zal wel de reis van je leven zijn,' schreef ze hem. Ongeveer zes weken trok hij rond, eerst te paard door Java, van kampong naar kampong. Onderweg maakte hij tientallen foto's, onder meer van de Boroboedoer. Daarna met de trein naar Oost-Java en te voet door het oerwoud – met hulp van twee koelies – naar de vulkaan Goenoeng Raoeng. Na een klauterpartij langs de lavaruggen bereikte hij de kraterrand op een hoogte van 3500 meter. 'Nimmer vergeet ik dat overweldigende ogenblik,' herinnerde hij zich veertig jaar later. 'Achter mij: Java, een hele rij vulkanen, links in de verte Madoera, voor mij Bali, de piek van Lombok en naar het zuiden de wijde Indische Oceaan. En alles goud gekleurd door de ondergaande zon.'

Daarna daalde hij af naar Banjoewangi van waaruit hij in een zeilprauw overstak naar Bali. Een leprozendokter gaf hem een lift naar Denpassar. ('De menschen, soms verschrikkelijk verminkt, zagen er onverzorgd uit. De regeering schijnt er zeer weinig tegen te doen'.) Vanuit Bali terug naar Soerabaja waar hij de trein nam naar Bandoeng. Jan Posthumus haalde hem van het station. Na een lange wandeling langs oude kraters in de buurt van Garoet vloog hij de volgende dag naar Batavia, 'prachtig over en tussen de bergen door'. Het ticket had hem negen gulden gekost, schreef hij zijn ouders, vier meer dan een treinkaartje voor dezelfde afstand. In Batavia stapte hij op de boot naar huis.[21]

## De inlander

Het werk op de plantage, de relatief koele omgeving en het natuurschoon bevielen Mansholt uitstekend. Toch mislukte hij als employé. Uit de briefwisseling komt naar voren dat zijn houding tegenover de inlanders een belangrijk breekpunt vormde. Hij had respect voor hun cultuur en trok zich hun lot erg aan. Dat was in planterskringen vrij ongebruikelijk.

Het gangbare standpunt werd min of meer gedeeld door Jan Posthumus, die het al in 1931 voor zijn vriend op papier zette: 'Je moet ze beschouwen als kinderen en dan loopt 't het best'. Op de plantage in Garoet ervoer Jan dat de inlander nog lang niet toe was aan zelfbestuur. Het volk had leiding nodig. 'De menschen die 't hier over nationalisme e.a. hebben zijn de schreeuwers en ontevredenen voor een zeer groot gedeelte. De normale Inlander vindt 't zoo heel weinig. Hij weet best, dat wanneer 't tot zelfbestuur komt, 't weer een onderdrukkers- en uitzuigersbeweging wordt zooals vroeger onder de Inl[andsche] vorsten.' De Europeaan had weliswaar veel bedorven, maar kon volgens Posthumus met de juiste aanpak veel goeds verrichten, mits hij de touwtjes strak hield.[22]

De 'normale inlander' kwam er bij Mansholt beter af. Al in zijn vroegste brieven toonde hij belangstelling voor het vakmanschap van de ambachtslieden en respect voor de Indische cultuur in het algemeen. Hij schreef met bewondering over de constructie van een bovengrondse waterleiding gemaakt van bamboe en besloot een uiteenzetting over met de hand gemaakt gereedschap – geïllustreerd met kleine tekeningen – met de opmerking: 'Ik vind het kunstwerken!' Een fraaie bloemschikking door zijn Indische hulp bracht hem tot de verzuchting: 'Wat hebben de inlanders toch meer smaak dan de burgerman bij ons. (…) Als ik dat dan vergelijk met een specimen van mijn ras die ik laatst bezig zag met het rangschikken van gele dahlia's in een geelkoperen "vaas met lofwerk" Brrr! 't Is jammer dat de inlander gauw geneigd is alles van de blanken over te nemen.'

De inlander had het niet breed, maar zag er volgens Mansholt toch keurig uit: 'fleurig katoenen baadje, twee keer schoon per dag, vaak keurig in de vouw gestreken met sarong tot op de grond en een kleurige hoofddoek. De mannen in zoo'n soort pyjamabroek en dun baadje. Als ze netjes zijn ook in sarong.' Verder was het volk 'vrolijk en op 't oog gezien gelukkig'. De deur stond altijd open voor een familielid in nood. Een kardinaal verschil met de Europese arbeider was dat de inlander zelden spaarde. 'Hebben ze nog wat geld, dan is 't stom om te werken. (…) En daarom zal het ook heel moeilijk zijn hem op te heffen uit dat primitieve leven dat hij leidt. En de Europeesche

59

werkgever zorgt wel dat hij niet te veel krijgt, om hem zoodoende geregeld aan 't werk te houden (uit eigenbelang natuurlijk).'[23]

De lage verdiensten van de inlander waren hem vanaf het begin een doorn in het oog. 'Jullie moet wel goed beseffen,' waarschuwde hij zijn ouders, 'dat jullie wat *hoeveelheid* werk betreft een onbetaalbare luxe drank drinkt. (...) De theecultuur zooals ze nu is, is gebonden aan arbeiders met een heel, heel lage levensstandaard. Zoodra die op een behoorlijk peil is, is 't afgeloopen met de thee. 'k Zie tenminste nog niet in hoe je de cultuur zult kunnen mechaniseeren.'[24] In verschillende brieven schetste hij de economische omstandigheden van het werkvolk aan de hand van recent cijfermateriaal: de beloning per pond geplukte thee, de prijs van de rijst, de daglonen van wieders. Naarmate hij langer in Indië zat, werden zijn conclusies negatiever.

Op 16 juli 1934 berichtte hij vanuit de fabriek:

Een inlander heeft weinig noodig voor z'n directe levensbehoeften. De rijst kost per kilo tussen 39 en 44 cent. Verder verbouwt hij wat in z'n tuintje en 't huis bouwt hij van bamboe enz. uit 't bosch, of krijgt hij van de onderneming waar hij werkt, zooals hier. De timmerlieden, smeden enz. verdienen hier plm. 70 cent per dag. De wat pientere fabrieksarbeiders pl.m. 40 cent. De pientere vrouwen 25 cent. De sorteer- en uitzoekvrouwen ong. 16 cent. Dat is wel weinig, maar dat uitzoeken van steeltjes uit de thee kan iedereen doen. Maar ze zitten dan [wel] 's morgens om kwart over vier al aan de tafels tot 's avonds ong. 6 uur, met slechts 2 uren vrij! (zoo een cent per uur!!).

Een maand later noteerde hij dat zijn uitzoekkrachten nog maar elf cent per dag verdienden. 'Ik vind het verschrikkelijk weinig, ik kan nog maar niet begrijpen hoe ze er van kunnen rondkomen.' Het aanbod van werkvolk was op dat moment groot omdat een aantal suikerondernemingen had moeten sluiten. 'Daar moet groote armoede heerschen, maar zoo iets lees je niet gauw in Indische bladen! Slechts als er een Europeaan in de kampong leeft worden er lange stukken aan gewijd.'[25]

In de tuinen was het ook geen vetpot. Het wieden gebeurde door dagloners. Mannen verdienden dertien cent, vrouwen tien en kinderen zes of zeven. Commentaar van Mansholt: 'Ja, die loonen zijn wel erg laag.'[26] De plukkers kregen in oktober 1934 0,85 cent per pond blad uitbetaald. Per dag plukten ze twintig pond. Ze werkten dan aan een stuk door van zes uur 's ochtends tot drie à vier uur 's middags voor zeventien cent. Commentaar van Mansholt:

Ja, 't is wel erg weinig. Een gezin van man, vrouw en drie kinderen heeft per maand ongeveer noodig 8 gantang rijst = 8 x 8,5 liter. De prijs is 50 cent per gantang. Werken man en vrouw in de pluk dan verdienen ze pl.m. [9 gulden en 50 cent] Verder hebben ze noodig pl.m. 5 cent voor 't heele gezin aan een vischje enz. per dag = [1 gulden en 50 cent]. Rest: [4 gulden]. De kinderen lopen meest naakt. Man en vrouw in resp. katoenen jasje en broek en katoenen baadje en doek. Wat gerekend mag worden op [1 gulden] per drie maanden per persoon = 66 cent per maand. Rest nog 11 cent per dag voor licht, huishoudelijke benoodigdheden, snoeperij enz. enz. 't Is tellen en piekeren om rond te komen.[27]

Drie maanden later was de situatie nog slechter. De prijs van rijst was gestegen tot 58 cent per kilo en in de tuinen was weinig blad. De plukkers kregen gemiddeld tien cent per dag (negen à tien uur werken aan één stuk). Een gezin met veel kinderen verdiende nog net de rijst; voor kleding schoot niets over. 'En toch nog vrolijk,' schreef Mansholt naar huis. Er werden hele verhalen gezongen, als de employé in de buurt was vooral klaagliederen over dure rijst en weinig blad. En wanneer Mansholt dan eindelijk vermoeid thuiskwam, volgde de ontlading:

Dan moet je 's avonds een tijdschrift openslaan en een groote foto vinden van een mooie twee zits Packerd auto, 12 cylinders die gekocht is door den heer Brandenburg van Oltsende (onze directeur eigenaar!), welke auto waarsch. de duurste in Indië is, volgens bijschrift en die…….. 16.000 [gulden] heeft gekost!! Wat een poen! Om dat nog te publiceren, wat een herscnloos gevoelloos wezen! Zit hier godverdorie nog maar steeds brieven te schrijven of de plukloonen niet wat gedrukt kunnen worden![28]

De economische vooruitzichten bleven slecht. Volgens Mansholt werd de malaise voor 99 procent afgewenteld op de inlander. Na anderhalf jaar Indië was voor hem de maat vol. Persoonlijk kon hij dan wel goed zijn voor zijn arbeiders, dat nam niet weg dat hij de status quo overeind hield. 'En daarmee veroordeel ik mijn positie,' concludeerde hij. 'Die armoe hier, dat ik kinderen voor 4 cent, vrouwen voor 7 ½ cent en mannen voor 10 cent van 's morgens zes tot 's middags half een moet laten werken, nauwelijks genoeg om hun droge rijst te verdienen, staat me fel tegen.' Hij had inmiddels besloten terug te keren.[29]

'Hier in Indië zijn allen nogal fascistisch getint'

In een groot aantal brieven schreeuwde Mansholt als het ware om 'links' nieuws. Een bloemlezing: 'De kranten hier doen niets dan afbreken en kankeren op alles wat rood is. Zou je me in couvert de Soc. Gids geregeld willen sturen?' (25 juni 1934); ''k Word zoo langzamerhand misselijk van al 't gedraai en gelieg hier door de krant, niet in 't minst met betrekking tot de politiek in Nederland' (16 juli); 'Graag ontvang ik betreffende Amsterdam inlichtingen vanuit het roode kamp. De berichten hier zijn sterk rechts getint' (23 juli); 'Steeds kijk ik uit of er niet een Soc. Gids bij de post is. Als ik niet wat tegengif krijg ben ik straks een doortrapte kapitalist (wat ideeën betreft althans)' (ongedateerd, 1934); 'Zouden jullie me ook de laatste congresverslagen van de SDAP kunnen sturen. 'k Moet toch op de hoogte blijven hier. De kranten hier huldigen over 't algemeen de "doodzwijgen" methode' (4 februari).' Uiteindelijk kwam er half april 1935 een brief in Glimmen aan die opgelucht begon met: ''k Geniet van de Soc. Gidsen en Soc. Democr. [het weekblad van de SDAP]. Die lectuur werkt als louterolie: al de rommel die ik tot nu toe heb geslikt er weer uit!'[30]

Langzaam maar zeker ontwaakte Mansholts politieke bewustzijn. Het was hem thuis weliswaar met de paplepel ingegeven, maar pas in Indië besefte hij hoe sterk het was. Hij was er nauwelijks drie maanden of hij kwam al met een opvallend scherpe politieke analyse:

> Hier tracht de regeering door allerlei kortzichtige maatregelen elke uitbreiding van links te voorkomen. Geen vergadering, geen spreekbeurten. Alles in 't belang van 't volk. Geen vrije meeningsuitingen. Heusch, het verschilt niet zooveel met Duitschland van heden. Concentratiekampen zijn hier ook. Maar 't zal veranderen, daar ben ik van overtuigd. En hoe meer de regeering 't volk de mond snoert, hoe meer het verlangen naar vrijheid door zelfbestuur zal groeien.[31]

Hij zag met lede ogen aan dat 'het gezag' fascistische ideeën aanmoedigde en tegelijkertijd weigerde de inlander meer ruimte te geven. De NSB kreeg volgens hem in Indië ook meer aandacht dan de SDAP. *Volk en Vaderland*, het weekblad van de NSB, werd gratis naar Pasir Nangka gestuurd, terwijl een oud-studiegenoot, die als employé op Sumatra werkte, ontslag kreeg toen ontdekt werd dat hij het socialistische dagblad *Het Volk* ontving. De aanhang van de NSB nam gestaag toe. Mansholt werd er ook persoonlijk mee geconfronteerd. Al in februari 1935 berichtte hij: 'Hier in Indië zijn allen nogal fascistisch getint, waardoor 'k me vaak moet bedwingen om niet te fel mijn richting te verdedigen.'³²

In Nederland behaalde de NSB bij de Provinciale-Statenverkiezingen in april 1935 – de eerste maal dat de partij aan verkiezingen deelnam – een grote overwinning: acht procent van de stemmen. Op 16 juli vertrok partijleider Mussert per vliegtuig naar Indië voor een 'inspectiereis' van zes weken. Hij trok er volle zalen en werd tweemaal ontvangen door de gouverneur-generaal, achteraf beschouwd het hoogtepunt in de geschiedenis van de partij. Op 18 augustus was hij te Soekaboemi. 'Hier hebben we de houzeeër Mussert gehad,' schreef Mansholt de volgende dag. 'Net iets voor de doorsnee Indischman, van politieke scholing totaal gespeend. Het is toch droevig dat zulke "ontwikkelde" menschen zich laten vangen door dat holle, inhoudslooze gepraat.' Twee collega-employés waren fanatiek pro-NSB. Een van hen had hij een dag voor Musserts optreden zowel een *Volk en Vaderland* als een *Socialistische Gids* laten lezen. 'Hij is *niet* naar Soekaboemi gegaan en heeft bedankt als lid,' besloot hij triomfantelijk. Hoe was de situatie overigens in Nederland? Kon vader hem vertellen hoe de fascisten zich opstelden bij hun debuut in de Groningse Staten? Per kerende post ontving hij een kernachtig antwoord: ''t Was meer dan belachelijk van aanmatiging, onkunde en onwaarachtigheid!'³³

Mansholt was geprikkeld door de slechte sociale positie van de inlander en het monddood maken van links. Zijn ouders schreef hij dat hij het zat was te zwoegen en te draven voor rijke patsers. Moest hij krachtig politiek stelling nemen? Dan kon hij een carrière in Indië wel op zijn buik schrijven. Wat te doen? Vader vond eind 1934 al dat hij beter zijn biezen kon pakken, maar zo ver was hij zelf nog niet, al gaf hij vader in een brief van 6 mei 1935 wel toe: 'De mij zeer antipathieke sfeer welke in 't algemeen onder m'n landgenooten hier heerscht en daarnaast het steeds ondergeschikt blijven van zulke in kapitalistische ondernemers wegen heel zwaar.'³⁴ Moeder probeerde hem nog enige moed in te spreken. Een planterscarrière in Indië was immers zijn wensdroom. Hij kon maar beter blijven zitten, niet met zijn hoofd tegen de muur stoten, ervaring opdoen en inzicht verwerven. Zo stak de maatschappij nu eenmaal in elkaar en dáárom willen wij ze veranderen, doceerde zij:

Wij zitten hier toch ook midden in het kapitalisme, we leven voor de helft van arbeidsloos inkomen. Toen ik heel jong was, heb ik dat niet gewild. Ik heb toen geen ander geld willen gebruiken dan wat ik zelf verdiende. Ik heb dat jaren volgehouden. Toen zag ik in, dat het nooit zou kunnen helpen om het socialisme nader te brengen. We leven in de kapitalistische maatschappij, ons leven wordt daardoor een compromis. Dragelijk wordt dit, doordat onze handelingen bepaald worden door ons socialistisch program. Dit geeft richting bij het betalen van loonen, van contributies. Er vloeit uit voort dat je alle bewegingen en instellingen steunt, die werken naar het socialistische doel. De socialistische beginselen leren ons ons arbeidsloos inkomen zo juist mogelijk te besteden, aan hulp aan anderen, aan zo gezond mogelijke genoegens, vermijding van alle hyper moderne, kapitalistische verfijningen.

Het blijft altijd een compromis, maar we werken in de richting om daar tenslotte uit te komen. Dat gaat niet opeens. Er is al zo'n chaos in de kapitalistische productie – het ligt niet op onze weg die chaos te vergroten, maar om ordening te scheppen om te komen tot planmatige productie. Daarvoor hebben we in de eerste plaats nodig: inzicht, gegevens. Je zit op een goeie plaats om inzicht te krijgen in een kapitalistisch grootbedrijf. Om de verhoudingen te bestuderen. Kennis is het enige wat ons helpen kan. Waarom worden vaders landbouwadviezen zo gewaardeerd? Omdat ze berusten op jarenlange practische ervaring en overdenking – Je moet je daarom ook niet ongelukkig voelen, wanneer je je niet dadelijk een oordeel over allerlei toestanden kunt vormen. Schort dat oordeel gerust eerst wat op en bestudeer de feiten en verhoudingen in hun historisch verband.[35]

Volgens moeder had de socialistische beweging mensen die de koloniën kenden hard nodig. Het zou voor zijn politieke scholing beter zijn als hij wat langer bleef en zich op de hoogte stelde van allerlei andere Indische toestanden, 'ook van de inlandse beweging en haar leiders'. Vader daarentegen begreep volkomen dat Sicco grote moeite had met 'het ultra kapitalistische gedoe' en de haat tegen de sociaaldemocratie. Zonder theoretische bespiegelingen stelde hij: 'De beknotting van de vrije meeningsuiting en de daardoor ontstane sfeer zouden voor mij ondragelijk zijn. Je moet je dus wel heel ernstig beraden of je 't aan kunt, daar onder het belangrijkste deel van je leven te werken (...).'[36]

'Ik kom weer bij jullie'

Vanaf het moment dat Sicco op Pasir Nangka begon, 1 mei 1934, ging het eigenlijk alleen maar bergafwaarts. De onderneming maakte nauwelijks winst. De wereldmarkt voor thee was in elkaar geklapt. Het aanbod was groot en de prijs laag. Een aantal landen had afgesproken de productie te beperken, maar niet alle theeproducenten hadden zich bij dit kartel aangesloten. Mansholt zag de kans op een voorspoedige carrière vrij snel in rook opgaan. Zijn arbeiders verdienden steeds minder, uiteindelijk nauwelijks genoeg om voldoende rijst te kopen. Kampongtuinen in de omgeving werden ook geconfronteerd met een forse inkomensdaling. Omstreeks 1932 kocht de onderneming Pasir Nangka theeblad op voor twaalf cent per pond, eind 1934 kon Mansholt er niet meer dan drie cent voor geven.[37]

Sicco's vader zag hem liever gisteren dan vandaag terugkeren. Hij vond dat zijn zoon te hard werkte voor een te laag salaris: evenveel als een provinciale wegwerker in Groningen verdiende in acht uur, maar dan zonder diens pensioenaanspraken. En wat waren de promotiekansen? Het was toch algemeen bekend, merkte vader later op, 'dat de Indische cultures zijn gegrond op de uitbuiting van het inheemsche volk, en ook dat de Indische machthebbers fel anti-socialistisch gezind zijn'. Hij was niet blij geweest met Sicco's keuze voor Indië, maar had zich er ten slotte bij neergelegd. De twijfel begon weer te knagen nadat hij in juli 1934 'Rubber' had gezien in Amsterdam, een film van Gerard Rutten en Johan de Meester die zich afspeelde op een plantage in Indië.[38] 'Prachtig,' schreef hij, 'maar als 't beeld juist is, dan zijn het meerendeel der rubbermenschen met hun vrouwen een onbeschaafde troep, gedegenereerd door klimaat en alcohol.' In de volgende brieven drong hij er dan ook des te sterker bij zijn zoon op aan duidelijk uiteen te zetten wat de perspectieven waren. En, nadat hij gelezen had dat de aandelen Pasir Nangka erg hoog stonden, voegde hij daaraan toe dat Hellendoorn maar eens aan zijn jas moest worden getrokken: daar kon wel een behoorlijke salariëring van af.[39]

Vader zou er vast niet in geslaagd zijn Sicco 'om' te krijgen als hij hem geen aantrekkelijk alternatief had kunnen bieden. In december 1934 begon zich dat af te tekenen. Al in zijn eerste brieven had Sicco vader gevraagd hem geregeld te informeren over de ontwikkeling van de Nederlandse landbouw, vooral het crisisbeleid en de ontginning van de Wieringermeer. Bij beide was vader nauw betrokken. Op 5 december berichtte moeder dat zijn oudste broer Dirk een boerderij in de Meer zou krijgen. 'Je moet me maar helemaal op de hoogte houden hoor,' antwoordde Sicco, 'dan boer ik zoo'n beetje mee'. Al in haar volgende brief, gedateerd 18 december, informeerde moeder of hij eigenlijk wel in Indië wilde blijven:

We zullen het niet wispelturig vinden of er gebrek aan doorzettingsvermogen in zien. Vader is tegenwoordig wat bekommerd en ik geloof, dat het voornamelijk is om jou en dat hij je liever op een boerderij in de Wieringermeer zag, zoals Dirk. Ik voel dit helemaal niet als hij en ik voor mij zou liever in een mooi warm zonnig land in een mooie natuur wonen

Theeplanter op Java sinds april 1934. 'U
wordt voorlopig als voluntair te werk
gesteld op een salaris van 125 gulden per
maand, benevens vrije woning, erfkoelie
en overige emolumenten, welke usantieel
worden toegestaan.'

dan in de koude winderige bloem-arme Wieringermeer. (...) Door vader's
invloed zul je misschien tussen de sollicitanten nog opgenomen worden.
Zeker is dat natuurlijk niet. Ze hebben een lijst van 50 (...) ik denk dat je
een goede kans zoudt maken.

Tegelijkertijd ontving Mansholt een enthousiaste brief van Dirk, die hem uitvoerig vertelde over zijn nieuwe boerderij: 'Ik ben nu een vrij man!'[40]
   Een week later volgde een lange brief van vader, geschreven op oudejaars-
avond. Sicco werd weldra 27. Hij kon toch niet doorgaan met hard te werken
voor een salaris waarvan hij zo weinig overhield? Zijn werkgever moest maar
eens positieve toezeggingen doen wat betreft een vaste baan, vooruitzichten
en promotie. Zo niet, dan kon hij beter overstappen naar een andere maatschappij of terugkeren. Vader had voorkeur voor het laatste: 'Je mist [in Indië]
toch ook het meer beschaafde milieu zoals men dat hier kent, en hebt geen
contact met mensen die je politiek na staan. (...) 'k Heb altijd het gevoel gehad
dat je hier op den duur een gelukkiger en voller leven zoudt hebben. Prachtig
leek het me toe, indien je b.v. naast Dirk een flinke boerderij had gehuurd om

dan samen de duurste machines te gebruiken.' De komende twee jaar zouden in de Wieringermeer een groot aantal uitstekende bedrijven in pacht worden uitgegeven. Hij moest nog maar eens goed nadenken.[41]

In zijn antwoordbrief schetste Sicco zijn toekomstplan: hij zou nog ongeveer vijf jaar gewoon employé blijven met af en toe een salarisverhoging van 25 gulden. Dan volgde bevordering tot eerste employé (salaris: 350 gulden) en 'heel veel later' misschien tot administrateur. Dat was ten dele een kwestie van geluk. Hij schatte dat het voor 80 procent van hemzelf afhing. Hij had geen spijt van zijn keuze voor Indië en zou er het liefst blijven. 'Maar 't komt er niet op aan wat ik 't liefst wil, maar *wat beter* is.' Hij zou graag wat meer informatie willen. Hoe groot was het risico om twee boerderijen te beginnen in de Wieringermeer?

Vader stuurde hem vervolgens de exploitatiebegroting van de boerderij van Dirk. De nettowinst werd geschat op 2645 gulden per jaar (Sicco verdiende op dat moment 1800 gulden per jaar). Dirk had de beschikking over de beste en modernste machines, zodat hij alles zelf kon doen behalve de oogst. 'Voor mij, die in hart en nieren mij boer gevoel, zou 't geen vraag zijn als ik voor de keus stond: hier boer of in Indië planter. (...) Als ik niet bijna 60 jaar was, zou ik zelf wel overwegen m'n laatste levensjaren als boer te slijten,' besloot vader.[42]

Langzaam begon bij Mansholt de balans de andere kant uit te slaan. De toestand in Indië werd steeds moeilijker – toenemende armoede, lage veilingprijzen voor thee, opkomend fascisme – het alternatief in de Wieringermeer steeds aantrekkelijker. Vader en moeder waren positief over zijn kansen een boerderij in de buurt van Dirk te krijgen en er werd een behoorlijke stijging van de tarweprijzen verwacht. In mei voerde vader de druk verder op: ''t Beste deel van je leven daar te wezen, bijna zonder contact met mensen die in ontwikkeling en beschaving en levensopvatting met je gelijk staan, zonder omgang met families, waar je allicht een goede levensgezellin zoudt vinden – dit alles heeft op den duur toch véél tegen. En dan vrees ik ook altijd nog, dat je anti-kapitalistische gevoelens je promotie in de weg zullen staan, zodra men daarvan de lucht krijgt.'[43]

Op 23 juni 1935 was de kogel door de kerk: 'Vaders brief heeft me heel wat hoofdbrekens gekost. Veel wikken en wegen en nu ook het besef bijgebracht dat ik toch wel een uitzonderlijk gelukskind ben. Vader en moeder, 'k ga op jullie aanbod in en kom weer bij jullie!' Wat dat aanbod precies inhield is niet duidelijk. Sicco verwees naar een brief van 4 juni, maar die is verloren gegaan. Waarschijnlijk heeft vader hem geschreven dat hij het financiële risico acceptabel vond en dat Sicco een bepaald bedrag van hem kon lenen. Sicco had Hellendoorn, zijn chef, nog om raad gevraagd. Die meende dat hij in Indië carrière kon maken, maar dan moest hij wél geduld hebben en veel geluk. Hij vervolgde:

> De hoofdzaak is echter, en daar legde Hell. zéér de nadruk op, het gezin dat uit elkaar wordt gerukt als de kinderen nog maar een jaar of 10-12 zijn! Er zijn nog zooveel andere dingen die ik hier zal gaan missen als ik ouder word en 't werk niet meer 't geheele leven beheerscht zooals nu. 'k Bedoel 't contact met menschen die je geestelijk bijstaan, het meeleven met de heele maatschappij. (…) Na al wat ik hier schrijf moet je niet denken dat ik de toekomst hier zwart zie. Nee, het werk is prachtig en het leven mooi, maar 'k voel ook dat ik hier op den duur wel veel zou missen. Ik weet dat wanneer ik hier wegga ik heel veel moois de rug toekeer, maar dat ik een toekomst tegemoetga die me meer kan geven dan hier ooit mogelijk is. 'k Geloof dat ik jullie later erg dankbaar zal zijn dat jullie m'n koers hebben gewijzigd.[44]

Vaders plan was geslaagd. Moeder was blij dat hij zijn socialistische gevoelens niet langer hoefde te smoren: 'Ik hoop dat je naast je bedrijf, evenals vader, tijd zult vinden om je aan de beweging te wijden. Ook daar ligt een mooi arbeidsveld en een mooie toekomst voor je.'[45]

Toch dreigde er een kink in de kabel te komen. Vaders aanbod was voorbarig. De boerderij naast die van Dirk werd eerst toegewezen aan een concurrent. Daarna hoorde vader op een vergadering over de Wieringermeer dat het alternatief dat hij voor zijn zoon in gedachten had, blijvend door staatsboeren zou worden geëxploiteerd, conform de ideeën die hij zelf ooit in het *Socialisatierapport* uiteengezet had. Misschien moest zijn zoon wel wachten op een lap grond in de nieuwe Noordoostpolder. Dat zou nog vijf jaar duren.

Buiten Sicco om stuurde hij onmiddellijk een sollicitatiebrief naar Sikke Smeding, verantwoordelijk voor het in cultuur brengen van de Wieringermeer. Uit het concept voor die brief: 'Hoewel zijn werkkring hem zeer goed bevalt, zijn de vooruitzichten onvoldoende [doorgestreept: en vooral is het voor het leven aldaar een groot bezwaar, dat onder zijn collega's-employé's een fel fascistische geest heerscht.]' En: 'Voor zoover U aan mijn oordeel waarde mocht hechten kan ik hieraan nog toevoegen dat ik Sicco in alle opzichten voor het leven en werken in de polder geschikt acht. [Doorgestreept: Dit is eens iemand. Hij is energiek, intelligent en]'.[46] Sicco was teleurgesteld, maar kwam niet terug op zijn beslissing.

## Koloniale dwaasheid

Na het besluit terug te keren, waren Mansholts ogen helemaal opengegaan: koloniale overheersing deugde niet. Dat bleek wel uit het vrijwel volledig afwentelen van de economische crisis op de inlander. 'Was deze niet zoo lijdzaam en niet steeds door geweld de mond gesnoerd dan zou de toestand hier heel anders zijn,' schreef hij op 29 juli 1935. 'Daaruit volgt ook dat het koloniaal systeem staat of valt met onderdrukking en beknotting van vrije meenings uiting.' Er werden volgens hem geweldige winsten gemaakt in Indië, maar die kwamen land en bewoners niet ten goede. Hoewel er overvloed was aan rijst en tarwe, heerste er in delen van Java voedselarmoede, hier en daar zelfs hongersnood. Het werk beviel hem nog altijd goed, maar andere zaken begonnen toch zwaarder te wegen, merkte hij in oktober van hetzelfde jaar:

> En wel in de eerste plaats m'n gewetensvrijheid. Overtuigd ben ik van het intens rotte van een koloniale overheersching. (...) Die armoe hier staat me fel tegen. Maar dat ik dat moet verkroppen, dat ik m'n geweten maar moet sussen, dat ik niet mag leven zooals ik wil, dat ik geen sociaal democraat mag zijn, zal ik nooit verdragen. En dat is de kern waar alles voor mij om draait. Zou ik die gevoelens onderdrukken ter wille van een loopbaan hier, dan zou me dat alle levenslust ontnemen, dat weet ik zeker. En als soc.democraat zal ik in de cultures hier géén promotie maken. Reeds nu sta ik als rood bekend (...).[47]

Hieruit trokken vader en moeder de conclusie dat hun zoon zo snel mogelijk weg moest uit Indië, los van de reactie van Smeding op de sollicitatiebrief. Als Sicco tegen 1 januari 1936 ontslag nam, zou hij in februari aan de slag kunnen op de boerderij van Dirk. Daar kon hij ervaring opdoen en wachten tot hij zelf aan de beurt was. Beide broers gingen hiermee akkoord. 'Goed bericht. 'k Verlang er naar terug te komen,' luidde het antwoord uit Indië.[48]

Vanwege ziekte van een andere employé zou het ontslag een maand worden uitgesteld. Op 1 februari 1936, na er eenentwintig maanden te hebben gewerkt, keerde Sicco theeplantage Pasir Nangka de rug toe. Hij was in die periode 'tot volle tevredenheid als geëmployeerde werkzaam geweest,' schreef administrateur Hellendoorn in een korte werkgeversverklaring. En: 'De Heer Mansholt heeft blijk gegeven van economisch inzicht en organisatie-vermogen, waardoor hij niet alleen zeer goed voldeed, doch gunstig uitstak boven de jongelui, die normaal door de landbouwscholen voor de cultures worden afgeleverd.

69

Op eigen verzoek werd hem ontslag verleend, daar hij zich verder op den Nederlandschen landbouw wenschte toe te leggen.'[49]

Op 12 februari 1936 ging Mansholt aan boord van de Joh. de Witt. Het schip maakte een tussenstop in Medan. Daar woonde een nichtje van hem met haar gezin. Hij ging er op bezoek en zij berichtte daarop tante Wabien 'dat we 't buitengewoon gezellig met hem hebben gehad en dat hij er zeer goed uitziet (...). Alleen: wat is hij kaal geworden!'[50]

'De herinnering aan Indië zal wel worden als de herinnering aan een boek dat je met genoegen gelezen hebt,' voorspelde Hellendoorns echtgenote. 'Het treedt uit de werkelijkheid terug en staat zijn plaats af aan de nieuwe roman die opengeslagen ligt.'[51] Zij kreeg geen gelijk. Na de Tweede Wereldoorlog zou Mansholt op het hoogste niveau betrokken zijn bij de besluitvorming over twee Nederlandse militaire acties tegen Indonesische onafhankelijkheidsstrijders. De politieke scheiding werd in 1949 bezegeld met de soevereiniteitsoverdracht, de economische in 1957 met de nationalisatie van de Nederlandse ondernemingen. Aan het eind van zijn carrière keerde Mansholt terug; als voorzitter van de Europese Commissie bezocht hij Indonesië samen met zijn vrouw. Op 15 september 1972 lunchten zij op Pasir Nangka! De fabriek en de huizen waren verdwenen. Het bedrijf had zich geconcentreerd op een andere afdeling. Er restte alleen nog maar een kleine kampong.[52]

In het autobiografische De crisis uit 1975 benadrukte hij nog hoe slecht de medische zorg op Pasir Nangka was: 'Er brak eens een epidemie uit in een kampong. De kinderen kregen een opgezwollen maag, enorm groot, en er waren er al twee dood.' Over dit soort trieste gebeurtenissen had hij in zijn brieven gezwegen. In De crisis concludeerde hij: 'Plantages van duizenden hectaren, grote moderne fabrieken, maar geen cent voor medische zorg. Koloniale dwaasheid.'[53]

In een van zijn brieven naar huis had hij wél voorspeld dat over vijftig jaar geen thee meer zou worden gedronken van Pasir Nangkakwaliteit. 'Hopelijk is de levensstandaard van dit arme volk dan wel zoo gestegen dat de thee onbetaalbaar wordt.'[54] Anno 2019 maakt de plantage met een groot aantal andere deel uit van een enorm staatsbedrijf. De thee van het merk Pasir Nangka wordt nog steeds verkocht: Java 'Pasir Nangka'. 'Das Erscheinungsbild ist eine volle kräftige Tasse,' luidt de aanprijzing op www.palais-jalta.de.

# - 3 -

# Pionieren in de Wieringermeer

## De polder in

Op 21 augustus 1930, na zes maanden pompen, viel zo'n 20.000 hectare Zuiderzeebodem droog: de Wieringermeer. Een kale vlakte, waarin geen levend wezen viel te bekennen. 'Zo moet de wereld er bij het begin der schepping hebben uitgezien,' zouden de eerste bezoekers tegen elkaar hebben gezegd. Het plan voor de afsluiting en gedeeltelijke inpoldering van de Zuiderzee was in 1918 in een wet vastgelegd. Een grote overstroming van twee jaar daarvóór en de moeilijke graanvoorziening tijdens de Eerste Wereldoorlog speelden een doorslaggevende rol bij de besluitvorming. Er zouden vier polders worden drooggelegd met een totale oppervlakte van 220.000 ha. De kleinste, de Wieringermeerpolder, was het eerst aan de beurt.[1]

Zowel omvang als organisatie van het Zuiderzeeproject was uniek. Tot dan was het gebruikelijk drooggevallen gronden meteen te verkopen of te verloten, hoewel de ervaring leerde dat dit vaak slecht uitpakte. Over boeren op vroegere inpolderingen ging het volksrijmpje: 'De eerste werkt zich dood, de tweede lijdt nood, de derde verdient zijn brood.' Bij de nieuwe polders nam de staat daarom niet alleen de waterbouwkundige kant voor zijn rekening, maar ook het in cultuur brengen en de sociaaleconomische opbouw. De onherbergzame vlakte moest worden omgevormd tot een rationeel ingericht, vruchtbaar landbouwgebied. Deze taak werd opgedragen aan de Dienst voor de Wieringermeerpolder, ressorterend onder het ministerie van Waterstaat. De dienst stond onder leiding van directeur Sikke Smeding. Op basis van de ervaringen met een kleine proefpolder werd besloten tot ontginning in drie etappes: 1. verkavelen, begreppelen, draineren, egaliseren en – na voldoende ontzilting – inzaaien; 2. twee à drie jaar staatsexploitatie tot de grond voldoende cultuurrijp was; 3. verpachting met deskundige begeleiding voor zes jaar tegen een 'mobiele' pachtsom die de eerste twee jaar laag was en in het vijfde jaar opliep tot normale waarde.[2]

Sicco Mansholt en zijn oudste broer Dirk voelden zich sterk aangetrokken tot de Wieringermeer. Inpoldering van de Zuiderzee was vaders stokpaardje. Achter de schermen had hij zich intensief beziggehouden met de inrichting en exploitatie van het nieuwe land. Dirk trok in 1931 naar de Wieringermeer, eerst met zo'n tweeduizend anderen als arbeider 'in de greppel', later speciaal belast met de zorg voor de machines. Eind 1934 was hij een van de eerste pioniers aan wie een akkerbouwbedrijf werd uitgegeven, een kavel van 75 hectare. Dat was wellicht geen toeval. Met deze kavel kreeg vader toch ook de beloning voor zijn adviezen. Sicco werd nauwkeurig op de hoogte gehouden van het reilen en zeilen van het bedrijf. In september 1935 ontving hij bijvoorbeeld het bericht dat de haveroogst er beter was dan vader ooit in de Westpolder gehaald had. De zomertarwe kwam op 58 hectoliter per hectare, terwijl de opbrengst in Groningen dat jaar hooguit 40 hectoliter was.[3] De vooruitzichten leken dus bijzonder goed. Dat maakte de beslissing om er in Indië een punt achter te zetten minder moeilijk.

In maart 1936 trok Mansholt de polder in. Hij meldde zich bij de directeur. 'De "machtige" Smeding zei: "Ga éérst maar eens een paar jaar als arbeider werken en toon wat je wáárd bent",' herinnerde hij zich later. Hij startte bij zijn broer, dat hadden zijn ouders al geregeld toen hij in Indië zat. De correspondentie met Glimmen droogde omstreeks deze tijd enigszins op vanwege de komst van de telefoon. De eerste helft van 1937 verbleef Mansholt op de boerderij van de familie Poot. Hij hield zich toen onder meer bezig met het opgraven en nakijken van draineerbuizen. Later ook met ploegen. 'Dat gaat langzaam maar goed,' schreef hij zijn ouders. 'Op de eerste versnelling met drie scharen, want door de luzerne trekt het zwaar. De grond lijkt me best, iets onregelmatig, maar dat schijnt voornamelijk te zijn waar ik nu bezig ben.' In De crisis vertelde hij over deze periode: 'Een boterham 's morgens vroeg in de regen met verkleumde handen, in de luwte van de trekker ... dat was wat anders dan Indonesië. Ik moet bekennen dat ik dan wel eens met weemoed terugdacht aan de palmen.'[4]

In mei 1937 verloofde Mansholt zich met de 23-jarige Henny Postel uit Lochem. Hij had haar leren kennen via tante Theda. Uit een brief die Henny hem op 28 mei stuurde, blijkt dat hij al bezig was met een vragenlijst van de Wieringermeerdirectie. Boeren en boerinnen werden streng geselecteerd: de polder moest worden gereserveerd voor de besten. In een volgende brief meldde zij dat een medewerker van Smeding informatie had ingewonnen bij een oud-leraar van haar.[5]

De selectie van pachters was geen sinecure. Voor de eerste veertig boerderijen in 1934 hadden zich tweehonderd gegadigden gemeld. In de jaren daarna waren er ongeveer twintig kandidaten per boerderij. De directie keek naar de theoretische en praktische bekwaamheid van de kandidaten, naar de persoonlijke geschiktheid, de gezinsomstandigheden, de gezondheid en naar de urgentie van de sollicitatie. Een medewerker van de directie verzamelde informatie in de woonplaats van de kandidaat. Boeren die op het oude land mislukt waren, werden overgeslagen. Bovendien gold de eis dat de kandidaat beschikte over 300 gulden bedrijfskapitaal per hectare bouwland. Hij mocht daarvoor eventueel een beroep doen op naaste bloedverwanten. Kleine, niet-kapitaalkrachtige boeren werden in feite geweerd.[6]

In de tweede helft van 1937 reed Mansholt elke zondag met de motor naar zijn meisje in Lochem en weer terug. De huwelijksdatum werd gepland op 17 januari 1938. Eind september 1937 zou het paar van directeur Smeding te horen krijgen of het in aanmerking kwam voor een kavel. Mansholt was niet gerust. In Indië had hij enige tijd de verantwoordelijkheid gedragen voor een oppervlakte van 450 hectare. Hij schreef zijn ouders dat hij twijfelde een bedrijf te accepteren dat slechts 45 hectare groot was.[7] Vader reageerde daarop enigszins geïrriteerd:

Deze twijfel begrijp ik niet. Je kunt van een intensief bestuurde boerderij met die prachtige verkaveling en uitstekende bodem iets moois maken – volkomen je arbeid en belangstelling waard, en duizenden zullen je deze positie benijden. Natuurlijk is een bedrijf van 75 ha voordeliger te exploiteren, mede wegens de daarop drukkende geringere kapitaalslasten. Maar overschat deze factor niet. (...) Natuurlijk is de zuivere opbrengst voor 't ene bedrijf 75 x X t.o.v. 't andere 45 x X, doch aangenomen mag worden dat ook 45 x X een redelijk bestaan waarborgt. Tegenover een geringer totaal inkomen staat, dat je je intensiever met alle onderdelen kunt bemoeien en vooral ook: dat je meer tijd hebt om je te wijden aan zaken van algemeen, maatschappelijk belang.
Het toeval wilde dat juist dezer dagen een invloedrijk Soc. Dem. Statenlid voor Noordholland mij zei, dat ze zo graag in de Staten een praktiserend landbouwer hadden, en daarbij noemde hij Dirks naam, die hij kent. Ik ben er niet op ingegaan, omdat naar mijn mening D. te veel door het bedrijf wordt geabsorbeerd. Met jou is dat anders. En loopt het zo, dat je in de toekomst Statenlid zou worden, dan ligt ook de weg tot gedeputeerde open. (...) Met 45 ha zou 't gedeputeerdeschap naast het bedrijf kunnen worden waargenomen; met 75 ha gaat het bezwaarlijk. Zo blijven meer mogelijkheden: lid van commissies, studies, publiceren, raadslid-wethouder enz.[8]

Op 23 september had Sicco een laatste gesprek met Smeding. Daarin zei hij hem nog dat zijn verloofde hoopte door haar opleiding tot landbouw-huishoudlerares ook nuttig werk te kunnen doen voor de vrouwen in de polder. Enkele dagen later volgde het goede nieuws: het paar zou een boerderij krijgen met ruim 56 hectare bouwland aan de Hoornseweg bij het dorpje Middenmeer. 'Een stralende toekomst ligt voor ons open,' noteerde Henny opgelucht. Begin oktober 1937, ruim anderhalf jaar na zijn komst in de Meer, ploegde Mansholt voor het eerst op zijn eigen land.[9] De officiële toewijzing vond plaats in november, vlak voor de winterzaai. Pas op 1 mei 1938 kon het echtpaar de boerderij betrekken. Tot die tijd verbleven de twee in een woonboot in de tochtsloot naast hun land.

## Fletum

Mansholt noemde zijn boerderij Fletum, naar het veredelingsbedrijf van zijn oom in de Westpolder. Opvallend was dat de gebroeders Mansholt binnen drie jaar waren geselecteerd voor twee van de grootste bedrijven in de polder – uit een overzicht uit 1941 blijkt dat van de 244 uitgegeven akkerbouwbedrijven nog geen kwart groter was dan 50 ha.[10] Samen hadden zij ruim 130 ha. Dat betekent dat de familie in betrekkelijk korte tijd een flink bedrag aan bedrijfskapitaal heeft kunnen opbrengen. Nota bene in een periode waarin de landbouw nog in een diepe crisis verkeerde. Waar kwam dat geld vandaan? In februari 1938 liet Mansholt zijn ouders weten dat hij voor 'kort geld' steeds een beroep kon doen op de vader van Henny, eigenaar van een leerlooierij in Lochem. Omstreeks die tijd werd de bedrijfsinventaris aangeschaft. In latere brieven repte hij alleen over betalingen van rente aan zijn eigen vader. Waarschijnlijk kwam het leeuwendeel van het bedrijfskapitaal uit Glimmen.

Vader boerde min of meer mee met zijn zoons. Elk jaar gaf hij zijn oordeel over het teeltplan en dan werd er altijd wel wat veranderd. Sicco hield hem voortdurend op de hoogte van de stand van de gewassen, de oogst en de opbrengst. 'Zware donderbuien brengen veel stagnatie in het vlas trekken en erwten zichten,' schreef hij op 21 juli 1939. En op 20 april 1941: 'Het vlas komt voor den dag en er komt al een groen waasje over 't land. De erwten staan ook boven de grond.' In de correspondentie van die jaren wemelt het van dit soort mededelingen, vaak eindigend met: 'Ziezo, nu zijn we 't land weer rond geweest.' Vader was ook regelmatig in de polder te vinden. Sinds 1 januari 1938 maakte hij zelfs deel uit van de negenkoppige Raad van het Openbaar Lichaam Wieringermeer – net als Herman Louwes.[11] Vader stopte in juni 1939 met zijn werk voor de provincie Groningen. De familie verhuisde in december 1940 naar Heemstede. Het Huis ter Aa werd in augustus 1941 verkocht.

Op 12 mei 1938 tekende Mansholt de akte van verpachting van boerderij H 33 in de Wieringermeer. Pachten van de staat beviel hem best: 'Als je een

Op 1 mei 1938 betrok het jonge echtpaar deze splinternieuwe, moderne boerderij met ruim 56 hectare bouwland in de in 1930 drooggevallen Wieringermeerpolder: Fletum. 'Een stralende toekomst ligt voor ons open,' schreef Henny.

goede boer bent, weet je zeker dat je kunt blijven en je kunt je kapitaal als bedrijfskapitaal gebruiken in plaats van het in de grond te steken.' Hij nam één arbeider in dienst, Jan Schut uit Groningen, met wie hij in het begin dag en nacht op de tractor zat. 'De arbeider overdag en ik ging er om 7 uur 's avonds op, en kwam tegen zes uur 's ochtends thuis,' schreef hij in *De crisis*. 'Dat deden alle jonge boeren in die tijd, om zo snel mogelijk de schulden af te betalen. Een harde maar mooie tijd.' Alleen in de oogstperiode moest extra mankracht worden ingehuurd. Vanwege zijn hoge werktempo kreeg Mansholt van zijn arbeiders de bijnaam 'Vlugvlug'. Het gebruik van machinale trekkracht was toen nog vrij nieuw in de Nederlandse landbouw. Dat scheelde enorm veel werk.[12] Er zat in die tijd nog geen cabine op de tractor. In latere interviews verklaarde Mansholt dan ook dat in deze periode zijn gehoor blijvend schade had opgelopen.

'Een prachtige verkaveling en een uitstekende bodem,' had vader geschreven. Maar wat was er nog meer te vinden in de acht jaar oude polder? Allereerst zo'n 3500 inwoners verdeeld over drie planmatig aangelegde dorpjes, elk met honderd woningen, en tientallen boerderijen gebouwd op basis van een beperkt aantal hoofdvormen. Ook in de details was een streng doorgevoerde standaardisering toegepast. Het geheel straalde vooral soberheid en doelmatigheid uit. Een flink aantal bedrijfsonderdelen was gemaakt van beton, zodat het onderhoud tot een minimum beperkt was. Schuren waren voorzien van ventilatiekokers. De op de tekentafel ontworpen wegen waren kaarsrecht. Plantsoenen en bloemperken waren er niet: die vielen buiten het karakter van de polder. 'De beplanting dient niet gezien te worden als een versieringselement, doch als een onderdeel van het land, waarop deze zich organisch behoort aan te sluiten. Daarom vindt men er slechts krachtige boomrijen of heestergroepen en rond de dorpen beschermende windsingels en voor ontspanning bestemde boschjes,' legde de Wieringermeerdirectie in een brochure uit.[13]

De modelpolder werd op alle mogelijke manieren wetenschappelijk begeleid. Pachters werden voortdurend voorgelicht via circulaires en lezingen. De bodem, het plantenmateriaal, het vee en de boeren zelf werden ijverig bestudeerd. Sociografen van de Stichting voor het Bevolkingsonderzoek in de drooggelegde Zuiderzeepolders stortten zich op de polderbewoners. Zelfs Mansholts Groningse tongval werd onderzocht. Een van de wetenschappers herinnerde zich later:

Voor alle bewoners werd een vragenlijst ingevuld en de bruikbaarsten werden onderzocht voor gegevens over fonetische verschijnselen. Van hen werden foto's van mondstanden gemaakt en er werden van de allerbesten ook teksten vastgelegd op grammofoonplaten. Ik herinnerde dat ik me geneerde aan iemand als Mansholt te vragen om die foto's maar hij vond dat allemaal geen bezwaar en zijn spraak moet ook op band vastgelegd zijn. We lieten ook enkelen, waaronder Mansholt, klanken zeggen met een kunstmatig gehemelte. Ik vond dat zelf iets vreselijks, omdat ik er misselijk van werd. Maar Mansholt deed het zonder er enige moeite mee te hebben.[14]

Ruim dertig jaar later memoreerde Mansholt dat hij veel geleerd had van de eerste jaren in de Wieringermeer, als beginnende boer. Hij droomde er toen nog steeds van, dat de tarwe er slecht bij stond of dat het alleen maar regende in augustus.[15]

Uit de bedrijfsbalansen kan worden afgeleid dat Fletum uitstekende resultaten boekte, behalve in 1942. Het zaaiplan voor het eerste jaar (april 1938-maart 1939) bestond uit 9,5 ha wintertarwe, 24 ha zomertarwe, 16 ha haver, 5,5 ha. suikerbieten en 1 ha contractkool. In latere jaren werden ook erwten, bonen, suikerbietenzaad, karwij en vlas verbouwd. Het boekjaar 1939 werd afgesloten met een winst van 7713 gulden, de volgende drie jaren met een winst van respectievelijk 14.041 ('zeer goede resultaten'), 12.483 en 7158 gulden. Ter vergelijking: in Indië verdiende Mansholt 1800 gulden per jaar. In 1942 werden er ook aardappels en spinaziezaad verbouwd en was er bovendien een aantal koeien gekocht (met het oog op de boterproductie voor eigen gebruik). De totale pachtsom was in dat jaar gestegen van 3358 naar 4932 gulden. Verder was het weer slecht en was er een groot tekort aan arbeiders. Dat leverde een verlies op van 1970 gulden[16]

In 1942 besloot Mansholt zich toe te leggen op de aardappelselectie. Hij trok er een gespecialiseerde arbeider voor aan.[17] De cijfers over 1943 zijn verloren gegaan. Uit de correspondentie blijkt wel dat het beeld aanzienlijk gunstiger was dan het voorgaande jaar. De tarweoogst was waarschijnlijk zeer goed.[18] In 1944 deden de aardappels het uitstekend en werd een vrij goede prijs gemaakt voor het vlas. De tarweoogst was een stuk minder dan in 1943. De suikerbieten hadden last gehad van zwarte luis, omdat er geen bestrijdingsmiddelen waren. Het volgende jaar was beter. In mei 1945 sloot Mansholt de boekhouding af met een geschatte winst van 16.000 gulden.[19]

## Zaken van algemeen, maatschappelijk belang

Op aandrang van de voorzitter van de Nederlandse Landarbeidersbond Jan Hilgenga, tevens lid van de Tweede Kamer voor de SDAP, sloten de beide broers Mansholt zich aan bij een werkgeversorganisatie, de Hollandsche Maatschappij voor Landbouw. 'Sociaal-democraten kunnen daar nog wel iets goeds doen,' had Hilgenga hun vader geschreven.[20] Verder speelde Sicco op lokaal niveau een vooraanstaande rol in het coöperatieve verenigingsleven, met name bij de zaaizaadvereniging, waarvan hij omstreeks maart 1942 voorzitter werd. In verband met de afzet van zijn eigen producten bezat hij ook aandelen in een coöperatieve suikerfabriek en een coöperatieve vlasfabriek. Bij de laatste maakte hij namens de leden van de Wieringermeer enige tijd deel uit van het bestuur.[21]

Mansholt hield genoeg tijd over voor 'zaken van algemeen, maatschappelijk belang'.[22] Met Henny was hij actief op sociaal-cultureel gebied. Hij zette een avondschool voor arbeiders op – een afdeling van het Instituut voor Arbeidersontwikkeling (IAO) van de SDAP en het Nederlands Verbond van Vakverenigingen (NVV) – en gaf er twee avonden les in wat hij zelf 'maatschappijleer' noemde. In 1939 sprak hij bijvoorbeeld over de invloed van het fascisme op de landen rondom Duitsland en Italië. In het najaar van 1940 meldde Sicco zich aan voor een cursus 'Inleiding in de wijsbegeerte' verzorgd door het Instituut voor Geestelijke Zelfwerkzaamheid. 'Een mooie kluif voor de lange winteravonden,' schreef hij zijn ouders. Als vader, in verband met de verhuizing, een goede bestemming zocht voor zijn oude boeken, dan kon hij bij hem terecht. Bovenaan het verlanglijstje stonden *Deutscher Sozialismus* van Werner Sombart en *Von kommenden Dingen* van Walther Rathenau.[23]

Langzaamaan rolde Mansholt ook de gemeentepolitiek in. De eerste stappen in die richting zette hij eind 1938. Hij maakte zich sterk voor de uitgifte van kleine pioniersbedrijfjes aan landarbeiders. Omdat de overheid niet thuis gaf, besloten de grote pachters in de Meer zich garant te stellen. 'Ten laste van onze boerencredietvereniging komen een dertiental gegadigden, hetgeen zware eisen stelt,' schreef Sicco in 1941 aan zijn ouders. In augustus van dat jaar kreeg zijn eigen vaste arbeider een boerderijtje op 15 hectare.[24]

Mansholt speelde een belangrijke rol bij de actie van de gezamenlijke politieke partijen in de Wieringermeer om zo spoedig mogelijk tot een normaal gemeentebestuur te komen. Sinds 1938 functioneerde een aan het Openbaar Lichaam verbonden bestuurscommissie als gemeenteraad. Van een democratisch gekozen bestuur was geen sprake. Na enige vertraging vanwege het uitbreken van de oorlog werd De Wieringermeer uiteindelijk op 1 juli 1941 een zelfstandige gemeente.[25] Uit persoonlijke correspondentie blijkt overigens dat verschillende personen die belast waren met bestuurlijke taken op plaatselijk niveau – in afwachting van zelfstandigheid – al vanaf 1938 Mansholt om advies vroegen over uiteenlopende politieke kwesties. Hij werd min of meer beschouwd als officieuze woordvoerder van de sociaaldemocraten in de polder.

De activiteiten die Mansholt ten behoeve van de socialistische beweging aan de dag legde, ontstegen al snel het plaatselijke karakter en verdienen apart vermelding. Hetzelfde geldt voor de landbouwpolitieke ideeën die hij samen met zijn vader in deze periode ontwikkelde. Op plaatselijk niveau strekte de maatschappelijke betrokkenheid zich ook uit tot de sport. Mansholt was voorzitter van het bestuur van de IJsclub Wieringermeer en stond zelf regelmatig op het ijs. Op 17 januari 1942 reed hij met drie collega-boeren de Elfmerentocht in Friesland, ongeveer honderd kilometer lang. 'Een prachtige tocht over schitterend ijs,' berichtte hij. 'Het woei vrij stevig. We hadden toen de smaak te pakken en hebben dus donderdag j.l. ook aan de elf steden tocht [van 198 kilometer] meegedaan. (…) 't Was een mooie tocht maar toch meer een prestatierit dan een rit zuiver voor je genoegen. Om 8 uur waren we binnen. Gestart zijn we om 7.45, dus in ruim 12 uur gereden.'[26]

De socialistische beweging

Bij zijn terugkeer uit Indië was Mansholt vrij nauwkeurig op de hoogte van de meest recente ontwikkelingen in de SDAP, ondanks een afwezigheid van bijna twee jaar. De hoofdlijnen waren immers door vader en moeder geschetst in hun brieven. Details had hij bestudeerd in de *Socialistische Gids* en andere SDAP-lectuur die zijn ouders hem hadden gestuurd. Hij had zich daarin extra verdiept, enigszins ter compensatie van de afstand tot thuis en als 'tegengif' voor de berichtgeving van de overwegend rechtse pers.[27]

In de periode dat Mansholt in Indië zat vonden er ingrijpende veranderingen plaats in de partij, zowel ideologisch als programmatisch en tactisch. Het partijcongres van april 1934 markeerde het begin van het einde van de orthodox-marxisten in de partij. Het revolutionaire karakter werd ingeruild voor mildere standpunten ten aanzien van democratie, koningshuis en militaire dienst. Hoewel de balans pas definitief zou doorslaan in de jaren 1935-'36, werd een belangrijke stap gezet in de richting van het dragen van regeringsverantwoordelijkheid. Over de afloop van het congres berichtte vader: 'Het bezonken inzicht blijkt dus hoe langer hoe meer te zegevieren.'[28]

Een volgende stap was de aanvaarding van het plansocialisme, het idee van planmatige beheersing van de economie door de overheid. Dat betekende in de praktijk dat de regering de economische crisis actief moest bestrijden door middel van het scheppen van werkgelegenheid. In de herfst van 1935 verscheen *Het Plan van de Arbeid*, uitgewerkt door een wetenschappelijk bureau onder leiding van Hein Vos. Dat bureau was een joint venture van partij (SDAP) en vakbeweging (NVV). In het Plan werd onder meer bepaald dat de overheid gedurende drie jaar in totaal 600 miljoen gulden moest lenen om de economie te stimuleren en tweehonderdduizend mensen aan een baan te helpen. De socialistische beweging koos daarmee in feite voor het verbeteren van de positie van de arbeider *binnen* het kapitalisme. Marxisme en klassenstrijd werden impliciet overboord gezet.[29]

Aan het Plan was anderhalf jaar gewerkt. Mansholt keek er reikhalzend naar uit, zo valt uit zijn Indische brieven af te leiden. Het werd volgens hem hoog tijd voor een actieve politiek. Tante Agnes (De Vries-Bruins) stuurde hem al in oktober 1935 een exemplaar van het Plan en vader schreef hem de 21e: 'A.s. donderdag gaan moeder als afgevaardigde voor de afdeling Haren der SDAP en ik als genodigde voor 't partijbestuur, naar het congres van partij en vakverbond ter behandeling van het Plan van de Arbeid. Het werk van een aantal voormannen uit onze beweging is in dit "Plan" neergelegd, een boek van 320 bladzijden! 't Is een hele studie.' Het wekte veel verwachtingen, maar vader reageerde sceptisch. Moeder berichtte enthousiast over het congres: heel interessant en tjokvol met vijftienhonderd afgevaardigden en genodigden. Het Plan was onderzocht door zes secties. Zij had zelf deelgenomen aan de discussie in de sectie 'Hoofdlijnen'; vader had 'Landbouw' voor zijn rekening genomen. 'Je kunt wel zeggen dat de héle beweging er alles op zet om het Plan te doen slagen.' Met het oog op zijn terugkeer uit Indië – het besluit was kort daarvóór gevallen – was moeder vast begonnen met het aanleggen van een 'planbibliotheek'. Dan kon Koosje zich dadelijk oriënteren als hij thuis was.[30]

In november draaide de propagandamachine op volle toeren in het hele land. Hein Vos sprak die maand ook in Groningen. Hij logeerde in Glimmen, waar hij flink aan de tand werd gevoeld. Vader bleef twijfelen. Waarschijnlijk botsten de moderne economische theorieën die aan het Plan ten grondslag lagen met zijn 'klassieke' opvattingen over degelijke financiën en een sluitende begroting. Wellicht had hij moeite met de afstand tussen het Plan en het socialisatierapport uit 1920, waaraan hij een belangrijke bijdrage had geleverd. Per saldo pakte zijn oordeel positief uit: 'Psychologisch heeft (het Plan) een gunstige werking, omdat het de grote massa weer enig vertrouwen geeft in de toekomst.'[31] *Het Plan van de Arbeid* bracht de socialistische beweging nieuw elan.

Hendrik Brugmans, de latere pionier voor Europese eenwording, was erbij toen Vos het Plan in Groningen verdedigde. In zijn memoires schreef hij dat hij het gevoel kreeg dat hier een nieuwe generatie aantrad, 'de derde generatie in de geschiedenis van het socialisme'. De eerste had bestaan uit dappere propagandisten en de tweede uit voortreffelijke parlementariërs en wethouders. Het was de taak van de derde generatie 'door te breken naar een geordende samenleving van vrije mensen', aldus Brugmans.[32]

De koerswijziging van de SDAP kreeg definitief haar beslag met de vaststelling van een nieuw beginselprogram in 1937. Daarin werd de nationale gedachte geaccepteerd als 'historische lotsgemeenschap'. De democratie werd volledig omarmd, terwijl het beginsel van nationale ontwapening uit het program was geschrapt. De partij stond voortaan open voor alle bevolkingsgroepen, niet alleen arbeiders. Daarmee waren de belangrijkste obstakels verdwenen, die het voor andere partijen vrijwel onmogelijk hadden gemaakt de SDAP als regeringspartner te accepteren. Overigens zou het nog tot augustus 1939 duren voordat sociaaldemocraten in het kabinet werden opgenomen. Er is geen correspondentie uit 1937 bewaard gebleven waarin de Mansholts zich hebben uitgelaten over het program. Gezien eerdere uitlatingen zal men er positief op hebben gereageerd. Vader had zich immers steeds op het standpunt gesteld dat de SDAP moest streven naar het dragen van politieke verantwoordelijkheid, op welk niveau ook. Toen Stuuf Wiardi Beckman, die een belangrijke rol had gespeeld bij de totstandkoming van het program, het later nog eens verdedigde, reageerde Sicco enthousiast: 'een uitstekende inleiding (...) ons program wàs en ìs juist.'[33]

Naast het oude marxisme en het plansocialisme oefende in deze jaren ook het religieussocialisme van de Woodbrookers of 'Barchembeweging' invloed uit op de koers van de partij. Mansholt volgde omstreeks november 1937 een plattelandscursus in Barchem samen met zijn verloofde. Volgens Henny was dat de enige keer dat hij in contact kwam met de beweging, waartoe hij zich beslist niet aangetrokken voelde. Ze ontmoetten er Willem Schermerhorn, de latere minister-president. Schermerhorn publiceerde in die tijd regelmatig over de plaats van de landbouw in de moderne maatschappij. Hij zou toen meteen onder de indruk zijn geraakt van Mansholts uitgesproken meningen. De jonge Mansholt was een man met uitstraling naar wie geluisterd werd. Cees Egas, een arbeider bij Dirk die na de oorlog voor de PVDA in de Tweede Kamer zou terechtkomen, beschrijft in zijn memoires een ontmoeting met hem op een gewestelijke vergadering van de SDAP in 1939. 'Hij was toen al een man met veel gezag,' herinnerde Egas zich.[34]

Mansholts partijpolitieke ster rees snel. Hij was jong en ambitieus. De boerderij nam hem allengs niet meer volledig in beslag en gaf voldoende financiële armslag. Voor de partij was hij extra waardevol: sociaaldemocratische boeren waren dun gezaaid. Bovendien kwam hij uit een bekend rood nest, dat goede contacten had met vele vooraanstaande figuren uit de beweging. Begin juni 1939 maakte Mansholt voor het gewest Noord-Holland deel uit van een commissie die advies moest uitbrengen aan het partijbestuur over het houden van tweejaarlijkse congressen. Hij had voorgesteld, zo schreef hij vader, 'kleingoed van organisatorische aard' voortaan van de agenda af te halen. Partijsecretaris Cees Woudenberg had zijn uitnodiging aanvaard om op Fletum te komen eten met zijn vrouw, zoon en schoondochter.[35] Dat was het begin van een hartelijke vriendschap met de Woudenbergs, die sindsdien regelmatig op bezoek kwamen of korte vakanties doorbrachten op de boerderij.

Overige correspondentie uit 1939 bevestigt dat Mansholt aan de weg timmerde. In november was hij vrijwel elk weekend weg voor vergaderingen: naar Alkmaar voor het gewest, naar het partijbureau in Amsterdam en naar de jaarvergadering van de Socialistische Vereniging tot Bestudering van Maatschappelijke Vraagstukken. Op deze laatste vergadering kwam hij in contact met SDAP-Tweede Kamerlid en econoom Jacob van Gelderen, die had meegewerkt aan *Het Plan van de Arbeid*. In zijn oratie uit 1937, *Automatisme en planmatigheid in de wereldhuishouding,* had Van Gelderen een aantal plansocialistische ideeën op internationaal niveau getild. Hij vertelde Mansholt beïnvloed te zijn door de landbouweconomische artikelen van zijn vader uit de jaren twintig. In het daaropvolgende gesprek had Mansholt zijn eigen ideeën geformuleerd over de problematiek van grond- en pachtprijzen. Van Gelderen vroeg hem dit nader uit te werken voor een artikel in *Socialisme en Democratie*.[36] Mansholt was daarmee bezig toen de oorlog uitbrak.

Op 29 november 1939 werd Mansholt gekozen in het partijbestuur van de afdeling Noord-Holland. Een paar dagen daarvóór had Woudenberg hem gevraagd de taak op zich te nemen namens de partij voorlichting te geven over de bestaande steunregelingen aan noodlijdende boeren en tuinders. De daaropvolgende winter lagen de eerste politieke lezingen en spreekbeurten voor boerenvergaderingen in het verschiet. Mansholt besloot de brief hierover aan zijn vader met opmerkelijk nieuws:

> Het volgende is *vertrouwelijk*: Woudenberg ziet aankomen dat v.d. Sluis (...) zich in 1941 niet meer herkiesbaar zal stellen voor de 2e kamer. Het Partijbestuur wenst een landbouwer in de 2e kamer op zijn plaats en heeft mij hiervoor gevraagd. Woudenberg stelde er prijs op te verklaren dat ook de grote waardering voor jouw werk in verleden en heden hiertoe heeft geleid! (...) Hij acht de kans groot dat de Partijleiding accoord zal gaan met hun voorstel. Ik besef dat het voor mij een zware taak zal zijn, waarvoor ik hard moet werken, doch het opent toch perspectieven die hiertoe uitnodigen.[37]

Woudenbergs referentie naar vaders werk was natuurlijk veelzeggend. Uit de eerder aangehaalde brief van vader van 14 september 1937 kon al worden afgeleid dat hij Sicco toch min of meer beschouwde als zijn opvolger op politiek en bestuurlijk vlak. Mansholt wilde de agrarisch-politieke lijn doortrekken die zijn vader in de partij had uitgestippeld, aangepast aan de gewijzigde omstandigheden.[38] Uit de correspondentie blijkt dat beiden uitvoerig van gedachten hebben gewisseld over die lijn. Dat was al begonnen in het voorjaar van 1934 toen Sicco nog maar net in Indië zat.

## Landbouwpolitieke richtlijnen

'We trachten voor de regering de lijnen uit te stippelen langs welke de landbouwcrisissteun voor 't komend jaar moet worden toegepast,' schreef vader op 10 juli 1934. De Economische Raad had hem gevraagd zitting te nemen in een commissie die speciaal voor dit doel in het leven was geroepen. Deze Raad was in 1933 ingesteld en bestond uit ongeveer vijftien door de kroon

Oogst 1939. 'Zware donderbuien brengen veel stagnatie in het vlas trekken.'

benoemde onafhankelijke deskundigen met ruime ervaring op economisch gebied. De commissie vergaderde achter gesloten deuren.[39] In zijn brieven naar Indië bracht vader verslag uit. Het is van belang hierop wat dieper in te gaan omdat deze materie regelmatig op de landbouwpolitieke agenda zou terugkeren en omdat de brieven fraai illustreren dat Mansholt sterk beïnvloed was door de ideeën van zijn vader.

'De steun a/d landbouw *moet* omlaag,' schreef vader op 10 juli. Meer dan 25 procent van de rijksuitgaven – 220 miljoen gulden per jaar – werd daaraan besteed. Dat kwam volgens zijn berekeningen erop neer dat elke hectare cultuurgrond de staat 100 gulden per jaar kostte. Tweederde daarvan ging naar het grootgrondbezit, de rest kwam terecht bij de boeren die de grond bewerkten. Dat moest worden omgedraaid. Het was immers niet te verdedigen dat het arbeidsloze inkomen met het leeuwendeel van de steun ging strijken. Tegelijk wilde vader het totale bedrag per hectare met een kwart verlagen. Hij stelde een systeem voor waarin 50 gulden van de bedrijfswinst bij de boer zou terechtkomen en 25 gulden bij de grondeigenaar. De regering moest paal en perk stellen aan het opdrijven van pacht- en koopprijzen door de hypotheekrente met dwang naar beneden te brengen. Daarnaast moest zij boeren die steun ontvingen dwingen een bepaald aantal arbeiders per hectare in dienst te nemen. De werkloosheid onder de landarbeiders zou dan automatisch verdwijnen.[40]

Sicco was het met hem eens dat de koe bij de horens moest worden gevat, maar betwijfelde of de werkloosheid onder landarbeiders automatisch zou verdwijnen. Aan de andere kant zou de steun aan de boeren worden ingekrompen. Kon dat? En voor hoe lang? 'Je vergist je, als je denkt dat door regeringsdwang niet alle landarbeiders bij de boeren geplaatst kunnen worden,' luidde vaders antwoord. Nederland had twee miljoen hectare cultuurland en was dus groot genoeg om alle werkloze landarbeiders op te nemen. Bovendien moesten de boeren worden verplicht sociaal verantwoorde lonen te betalen. De hoogte van de steun moest dat mogelijk maken. Over de conclusies van de commissie rapporteerde vader:

'k Heb het stel professoren en andere autoriteiten in die commissie een aardig eind in m'n richting gekregen. Zo zelfs dat de meerderheid zich verklaart voor 't aantasten v.d. voorrechten v.d. grondeigendom, 't instellen v. pachtcommissies met *dwingende* bevoegdheid de pachten vast te stellen; 't continuatierecht v.d. pacht; wettelijke verlaging v.d. hypotheekrente enz. 't Is de vraag natuurlijk in hoeverre de minister ons advies zal volgen. Er zal regeling en ordening in de productie mòeten komen en blijven, – zal 't niet spoedig weer op een débacle uitlopen.[41]

Op dat moment – eind 1934 – begon men in landbouwkringen serieus te denken aan regeling en ordening. Tot 1933 was het beleid primair gericht op ondersteuning van de inkomens van de boeren. In 1934 werden de verschillende incidentele maatregelen gestroomlijnd en voorzien van een passende uitvoeringsorganisatie. Drie jaar later zou de positie van de pachters belangrijk worden verstevigd in een wettelijke regeling.

Het grootste en daarbij centrale deel van de overheidsbemoeiing met landbouwcrisisaangelegenheden viel sinds december 1934 onder de regeringscommissaris voor de Akkerbouw en Veehouderij, Stefan Louwes.[42] Mansholt werd door vader op de hoogte gehouden van de laatste ontwikkelingen in Den Haag: 'De minister, (directeur-generaal van Landbouw) Roebroek en de regeringscommissarissen vormen met Stephan als voorzitter een vaste commissie,' schreef hij in een van zijn brieven uit die tijd. Hij had neef Louwes meteen maar gevraagd een radiorede te houden voor de VARA.[43] De arbeiders in de steden werden geconfronteerd met hogere prijzen voor levensmiddelen en voelden zich gedupeerd. Misschien kon de regeringscommissaris bij hen enig begrip kweken voor de steun aan de landbouw.[44]

Louwes hield uiteindelijk twee radiopraatjes waarin hij vooral de steunverlening aan de rundveehouders en de melkproducenten verdedigde. Mansholt senior stelde zich in een eigen redevoering achter de door Louwes ontworpen regeringsmaatregelen en drong aan op samenwerking tussen het kabinet en de oppositionele SDAP.[45] Onder druk van de crisis bepleitte de Mansholtclan een opmerkelijk politiek monsterverbond.

Het beeld van Mansholts landbouwpolitieke ideeën in de jaren 1934-1940 dat uit de correspondentie oprijst is fragmentarisch. Vaststaat dat het landbouwcrisisbeleid van Louwes, de opvattingen van vader over grondpolitiek en de landbouwparagraaf in *Het Plan van de Arbeid* zijn denkbeelden mede hebben gevormd. Vanaf eind 1938 riep Mansholt op om te komen tot één duidelijke lijn. Hij had ontdekt dat er binnen de SDAP verschillend werd gedacht over landbouwpolitiek. Hij keerde zich vooral tegen de ideeën van Jan Willem Matthijssen, lid van het partijbestuur, redacteur van *Het Volk* en voorzitter van de SDAP-fractie in de Amsterdamse gemeenteraad. Matthijssen was weliswaar nauw betrokken bij de opstelling van het Plan, maar werd ook wel gezien als marxistische stoorzender. Hij was een verklaard tegenstander van steun aan grote tarweboeren en zag meer in het stimuleren van eigen, kleine bedrijfjes.[46] Daartegenover formuleerde Mansholt enkele uitgangspunten, die een rol zouden spelen bij de ontwikkeling van het naoorlogse landbouwbeleid. Deze principes waren mede gebaseerd op zijn eigen ervaring als boer in de Wieringermeer en op directe contacten met agrarische partijgenoten in Noord-Holland.

Ten eerste was het volgens hem niet juist het beleid te richten op het instandhouden van kleine bedrijfjes. De uitbreiding van het kleinbedrijf moest juist zoveel mogelijk geremd worden 'uit het oogpunt van rentabiliteit en om zoveel mogelijk te kunnen blijven concurreren op de wereldmarkt'. Ten tweede was het noodzakelijk dat de SDAP zo snel mogelijk met een welomlijnd landbouwprogram kwam. De landbouwparagraaf in *Het Plan van de Arbeid* was te oppervlakkig. Het probleem van de kleine bedrijven met hoge productiekosten werd onvoldoende onderkend en over grondeigendom werd praktisch gezwegen. 'Nodig is toch dat we moeten kunnen uitstippelen wat er gebeuren moet om met de hoge tegenwoordige exportmogelijkheden en wereldmarktprijzen de landbouw zo produktief en concurrerend mogelijk te maken,' schreef hij zijn ouders op 21 november 1938. Nauwelijks twee maanden later leidde dat tot de bondige conclusie: 'De sociaal-democraten moeten er dunkt me wel zeer goed op worden gewezen dat een eerste vereiste voor onze landbouw is dat ze *economisch* gedreven wordt.'[47]

Derde punt was dat de overheid leiding moest geven aan de productie. In zijn brieven heeft Mansholt dit niet verder uitgewerkt. Zijdelings stipte hij zo nu en dan een aantal elementen aan: tijdig invloed uitoefenen op de gewassenkeuze; de reglementering en het toeslagsysteem in de tuinbouw vervangen door een beleid gericht op ordening en sanering; de conserven-industrie beschouwen als een deel van de tuinbouw en bij die ordening betrekken; de wereldmarktpositie van boter verbeteren; suiker uit Indië substitueren door eigen productie.[48] Het vierde punt had betrekking op de grondpolitiek. Over dit element hebben vader en zoon uitvoerig van gedach-ten gewisseld in de eerste maanden van 1940, taaie kost in moeilijk te volgen landbouweconomenjargon. Voor beiden vormde de grondprijs het kardinale punt. In de volgende paragraaf wordt dit nog apart toegelicht.

Hoewel Mansholt tijdens de bezetting wel andere dingen aan zijn hoofd had dan het uitstippelen van landbouwpolitieke richtlijnen, valt uit brieven aan vrienden en familie af te leiden dat dit hem toch steeds bezighield. Voor de partijtop was hij immers al vóór de oorlog de nieuwe landbouwspecialist. Mansholt leek er klaar voor, maar de oorlog dwong hem tot wachten. De politieke partijen waren monddood gemaakt en de socialistische pers was gelijkgeschakeld in nazi-organisaties. Het bleef vooralsnog bij studeren en plannenmakerij. Mansholt werd eind 1942 gevraagd het landbouwgedeelte te beoordelen van het manuscript 'Ordening' van de Leidse hoogleraar eco-nomie Cornelis Weststrate. Hein Vos, die hij voor de oorlog al ontmoet had, schreef hem op 16 juni 1944 of hij eens met hem kon praten 'over de vraag of de productiviteit zich in gunstige of ongunstige zin heeft ontwikkeld in deze jaren, en in welk tempo eventueel de uitvoer der verschillende producten zou kunnen worden hervat'.[49]

### Algehele socialisatie van de grond

Inhoud en uitkomst van de correspondentie over de grondpolitiek herinne-ren sterk aan de publicaties van grootvader Derk Roelfs van een halve eeuw eerder. Net als de landnationalisten van 1890 kwamen vader en zoon tot de conclusie dat een *sociaal* verantwoorde politiek nauw samenhing met de prijs van landbouwgrond. In principe moest immers een redelijke beloning voor het werk van boer en landarbeider in de prijzen van landbouwproducten zijn inbegrepen. In de praktijk was daarvoor nauwelijks ruimte vanwege de dure grond, een belangrijke kostenpost die de prijzen opdreef. Veel boeren dreig-den te bezwijken onder de vaste lasten.

In een van zijn brieven schetste Mansholt het voorbeeld van bollenkwekers die op veel te dure grond waren terechtgekomen en zuchtten onder zware lasten. De kwekers hadden geprobeerd tot een schuldenregeling te komen, maar waren gestuit op talrijke kleine beleggers en onwillige crediteuren. De regering had de kwekers jarenlang gesteund, maar dat was allemaal in de zakken van de kapitaalverschaffers terechtgekomen. Grote landhonger had de prijzen opgedreven en grond tot een ogenschijnlijk veilige belegging gemaakt. Maar in wezen was grond *als productiemiddel* allerminst stabiel. De hoge prijs stemde niet overeen met de waarde. Om deze scheve verhouding recht te trekken diende de overheid over te gaan tot herwaardering. Optrekken van de waarde via hogere garantieprijzen was echter funest voor de export en zou leiden tot stijging van de kosten van levensonderhoud. De grondprijs moest dus omlaag. Dat zou tot gevolg hebben dat de minst productieve gronden – die men uit sociale of strategische overwegingen tóch in bedrijf wilde houden – automatisch bij de staat terechtkwamen. De gemeenschap zou blijven zitten met de slechtste gronden en voor de kosten opdraaien. Dat was niet juist. Er restte volgens Mansholt eigenlijk maar één oplossing: algehele socialisatie.

Hij plaatste wel twee belangrijke kanttekeningen: grondeigenaren hadden recht op schadeloosstelling op basis van de bestaande grondprijzen en er mocht geen dwang worden toegepast. Mansholt besefte dat dit scenario op korte termijn weinig realistisch was.[50] Daarom werkte hij een tussenoplossing uit onder de kop 'Nieuwe gronden moeten in het bezit van de gemeenschap blijven'. Hij was van plan hiervan een brochure te maken. Mansholts stijl zou later mede worden gekenmerkt door de directe, politiek geladen bewoordingen waarin hij zijn boodschappen verpakte. Het concept dat hij zijn vader 11 maart 1940 stuurde, was een van de eerste producten met dit persoonlijke stempel. Uit dat concept:

De positie der pachters is door de nieuwe pachtwet belangrijk verstevigd. Wel moet hierbij de opmerking worden gemaakt dat de goede werking van deze wetsbepalingen nog belangrijk zou worden versterkt indien ook de grondbezitter niet meer vrij zou zijn in de keuze van den pachter. Hierdoor toch zou aan de neiging om met den pachter geheime afspraken te maken buiten den officieel vastgestelde pachtprijs om, de kop worden ingedrukt. Maar dan komt de vraag op: wanneer de overheid de prijzen der producten regelt en de pachtprijzen vaststelt, is het dan niet veel rationeler den particulieren grondbezitter-niet-exploitant geheel uit te schakelen?
De leuze: 'boerenland in boerenhand' doet nog altijd opgeld. (…) Indien men met deze leuze wil te kennen geven dat een goede exploitatie van den bodem het best is gewaarborgd indien de gebruiker van den grond tevens de eigenaar is, dan moet de juistheid (hiervan) met beslistheid ontkend worden. Goede exploitatie van de grond is gewaarborgd indien

de pachter zeker is van een langdurig gebruiksrecht. Dit wordt voor hem en zijn nakomelingen praktisch een vast gebruiksrecht indien de staat eigenaar is en hij en zijn nakomelingen zich dit gebruiksrecht waardig tonen. De nationalisatie van de grond, met de bedoeling deze in pacht uit te geven, zal het enorme voordeel meebrengen dat de boer niet langer zijn en anderer kapitaal in grond behoeft te beleggen, doch zijn middelen ter beschikking houdt voor het aanschaffen van de bedrijfsinventaris en het toepassen van een intensieve bodemexploitatie. (…)
In de Wieringermeer voldoet het Staatspachtsysteem aan alle redelijke eisen. Vele flinke boeren die anders wegens gebrek aan kapitaal nimmer een bedrijf zouden hebben kunnen bemachtigen, kunnen nu hun volle krachten daar ontplooien en niemand van deze boeren zal het gevoel hebben dat hij geen bezitter van den grond is doch 'slechts' de gebruiker. Er is evenwel nog een groot aantal uitmuntende jonge boeren, dat zelfs niet bij machte is Staatspachter te worden, omdat hun het nodige bedrijfskapitaal ontbreekt. Welnu, voor dezen zal Staatsexploitatie van boerderijen de mogelijkheid openen, hun gaven productief te maken.[51]

Daarmee trad Mansholt in de voetsporen van zijn vader en grootvader. De brochure zag nooit het daglicht omdat kort daarop de oorlog uitbrak. Inmiddels had Mansholt wel een artikel op zijn naam staan waarin hij op basis van landbouweconomische argumenten concludeerde dat de grondprijs omlaag moest en de grond uiteindelijk gemeenschapsbezit moest worden.[52]

De leus 'Boerenland in boerenhand' was een gevleugelde uitdrukking van Landbouw en Maatschappij, een boerenprotestbeweging die veel aanhang verwierf tijdens de crisisjaren en naar fascisme neigde. Mansholt keerde zich tegen die beweging. Eind 1940 zouden Landbouw en Maatschappij en de boerenafdeling van de NSB samensmelten tot Agrarisch Front.

## De motor van het gezin

Hoe kwam een Wieringermeerboer indertijd aan een vrouw? Volgens Sicco's zus Minke selecteerde tante Theda gewoon een van haar leerlingen op De Rollecate als de juiste vrouw voor haar broer. Toen Sicco in Indië zat, stuurde tante het meisje voor een stage naar Glimmen. Zij raakte bevriend met zijn zus Aleid en leerde hem voor het eerst kennen uit de brieven die er aan tafel werden voorgelezen. Na zijn terugkeer werd een ontmoeting gearrangeerd.[53]

In de zomer van 1935 dook Henny inderdaad al op in enkele brieven. Moeder schreef over 'Hennie, m'n hulp van tante Theda', en vader meldde kort daarop

In mei 1937 verloofde Mansholt zich met de 23-jarige Henny Postel uit Lochem, directrice van een aantal landbouwhuishoudscholen in de Achterhoek.

vanaf de boot op de Maas dat 'het meisje Henny Postel' ook aan boord was. 'Ze deed juist eindexamen op tante Theda's school. 't Lijkt een flink aardig meisje,' noteerde hij op 24 juni 1935. Let wel: het aanbod van vader om naar de Wieringermeer te komen dateerde van een paar weken daarvóór. Op 15 mei had hij zijn zoon nog gewaarschuwd dat hij er in Indië moeilijk in zou slagen een goede levensgezellin te vinden.[54] Sicco accepteerde het aanbod op 23 juni. Kennelijk had de familie – buiten hem om – het plan opgevat dat hij meteen aan de slag moest op een bedrijf dat vader voor hem had uitgekozen, *met* een meisje van tante.

Liefdesrelatie of verstandshuwelijk? Uit de brieven die Henny halverwege 1937 aan haar verloofde stuurde blijkt dat er – wat haar betreft – sprake was van het eerste. Zij viel als een blok voor hem. Van huis uit was Henny remonstrants. Zij was ook bevestigd. De eerste brieven bevatten nog persoonlijke getuigenissen als: 'Weet je, het besef dat God met ons was, maakt alles zo mooi,' en: 'Te voelen dat er diep in ons een plan rijst van goddelijk leven, dat wij samen volbrengen zullen.' Maar al na een paar weken ruimde God het veld. 'Door jou heb ik de weg leren zien die ik verder in het leven zal gaan,' liet zij Sicco weten. 'Nu al heb je zo'n grote invloed op m'n denken, doen en laten en

89

geef je me leiding (...).' Diep onder de indruk van de rust en zelfverzekerdheid die hij uitstraalde, klampte zij zich aan hem vast: 'Soms kan ik me haast niet meer voorstellen hoe ik toch geleefd en gedacht moet hebben, voordat jij in mijn leven kwam en ik geloof dat ik toen veel oppervlakkiger en minder belangstellend tegenover allerlei heb gestaan.'[55]

Was de liefde wederzijds? Er zijn helaas geen brieven van Mansholt aan Henny bewaard gebleven. 'Ik kan je moeilijk schrijven hoe gelukkig ik me voel met Henny naast me,' schreef hij op 9 juni 1937 aan zijn ouders. Was dat vanwege Henny of omdat hij gevonden had wat hij zocht: een goede boerin, huisvrouw en moeder van zijn kinderen? Hoe dat ook zij, moeder Wabien was in elk geval opgelucht, vooral toen zij hoorde dat haar zoon in de smaak viel bij Henny's ouders. 'Wij hebben zo dikwijls met bezorgdheid gedacht aan de eenzaamheid die Sicco had in Indië, terwijl hij zo houdt van huiselijkheid. Ik begrijp dat hij er nu dubbel van geniet,' feliciteerde zij Henny.[56]

Uit de Westpolder ontving het 'boerenpaar' na de verloving in juni 1937 een korte gelukwens van de voorzitter van de Groninger Maatschappij van Landbouw:

Ik zou willen zeggen: moge het gezin, dat jullie wilt gaan vormen voor onzen boerenstand en ons volk van evenveel betekenis worden, als dat van onze Grootvader Derk is geweest. Van deze naam Mansholt geldt: noblesse oblige! Het doet mij zoveel innerlijk genoegen, dat jij en Dirk in onzen boerenstand blijven en onze goede Groninger tradities in het nieuwe land gaat hooghouden. (...) Herman.[57]

Het huwelijk was kennelijk door de familie geregisseerd, niet ongebruikelijk in boerenkringen. Sicco vond dat blijkbaar prima. In januari 1938, op huwelijksreis in Zwitserland, schreef hij achter op een briefkaart: 'Lieve vader en moeder, 'k heb helemaal niet het gevoel dat er nu zo veel verandert tussen jullie en mij. Jullie opvoeding en liefde gaat immers door, de opvoeding heeft op deze leeftijd meer het karakter van een voorbeeld en liefde stoort zich niet aan leeftijd.'[58] Op en na de huwelijksreis bleven zijn 'voortdurend opvoedende ouders' prominent in beeld.

De familie Postel hoorde tot de notabelen van Lochem. Henny's vader was, samen met een van haar ooms, directeur van een leerfabriek. Moeder Postel werd alom gerespecteerd in het stadje vanwege haar charitatieve werk, vooral ziekenbezoek. De kinderen Mansholt zouden opgroeien met fruit uit de bongerd van hun grootouders in Lochem. Regelmatig werd nieuwe voorraad gestuurd.[59]

Henny bleek een goede keus. Zij had moderne opvattingen over de taak van de boer en de boerin, mede ontleend aan de dagelijkse praktijk. Daarover schreef zij óók in haar brieven. Voor haar huwelijk was zij directrice van een aantal landbouwhuishoudscholen in de Achterhoek. Ze probeerde boerinnen ertoe aan te zetten zich verder te ontwikkelen, bijvoorbeeld door zo nu en dan een boek te lezen. 'Vaak houden ze zich bezig met nutteloze handwerkjes en de meesten voelen zich daar nog gelukkig bij ook,' schreef ze. 'Soms denk ik wel dat het onzin is met hen over deze dingen te praten, omdat die dingen die eeuwen door bestaan hebben en vastgegroeid zijn, toch niet te veranderen zouden zijn.' Henny voerde ook gesprekken met boeren in de omgeving. Velen smeekten om weer in de werkverschaffing te mogen worden opgenomen. Daaraan ergerde zij zich. Was het niet vreselijk, dat de mentaliteit al zo verworden was dat deze boeren liever hun eigen bedrijfje verwaarloosden?[60]

Henny zette zich later in voor de vrouwen in de Wieringermeer. Zij werd voorzitter van de boerinnenbond, organiseerde volkshogeschoolcursussen en hield zich onder meer bezig met kleuteropvang. Eind 1939 sprak zij – op uitnodiging van haar schoonvader – voor de VARA-radio over de taken van de boerin in het huishouden en het gezin.

Henny was de motor van het gezinsleven. Haar echtgenoot werd de eerste jaren volledig in beslag genomen door het bedrijf, de partij en de gemeentepolitiek. Al in 1938 werd hun eerste kind geboren: Gajus, vernoemd naar de tabaksplanter. Hij had een hazenlip en onderging kort na zijn geboorte een aantal ingrijpende operaties. Een paar jaar later volgden Lideke (naar Henny's moeder), David Jan en Theda. In brieven aan haar ouders en schoonouders schreef Henny uitvoerig over haar kinderen: Gajus' moeizame herstel, de eerste stapjes, ongelukken, woordjes. De eerste huwelijksjaren waren druk en gelukkig tegelijk. Henny week af en toe uit naar haar ouders in Lochem 'om verwend te worden'.[61]

Tijdens de oorlog veranderde het beeld. In het volgende hoofdstuk komt dat uitvoeriger aan bod. Sicco was vaak van huis en zat ten slotte ondergedoken. De druk werd Henny zo nu en dan te veel. Zij droeg niet alleen de zorg voor het gezin en het huishouden, maar ook voor een wisselend aantal onderduikers. In augustus 1942 stuurde Sicco haar nog een weekje naar Lochem: 'Wel goed dat ze er even uit is. Het werd erg druk voor haar.' Later kon dat niet meer. Ze werd moe en raakte overspannen. 'Ze loopt af en toe erg onzeker. Soms draait alles voor haar ogen en moet ze zich vasthouden om niet om te vallen. We hopen maar dat de oorlog spoedig een einde neemt. Dan zal alles wel weer in 't goede spoor komen,' schreef Mansholt in augustus 1944 aan zijn ouders.

In april 1945 werd het nog erger. Sicco werd gezocht door de Sicherheits-dienst. Henny, die hoogzwanger was van Theda, werd thuis stevig verhoord. Uit voorzorg werd besloten de boerderij te ontruimen. Henny dook onder bij een bevriende boer en de kinderen werden verspreid over verschillende adressen. Een paar dagen later zetten de Duitsers de Wieringermeer onder water. Halsoverkop moest Henny de kinderen verzamelen en op zoek naar een logeeradres buiten de polder. Zij kwam uiteindelijk terecht bij houthan-delaar Eecen in Oudkarspel. Daar werd Theda geboren.[62]

Meteen na de oorlog ging Gajus enige weken naar Zwitserland om aan te sterken. Pas in augustus 1945 was het gezin weer bij elkaar. De Mansholts ves-tigden zich in een villa aan de prinses Marielaan in Wassenaar. Of het gezin vanaf dat moment werkelijk compleet was, is nog maar de vraag. Op 24 juni was Mansholt namelijk benoemd tot minister. In een brief aan een vriendin verzuchtte Henny in die tijd: 'Zelf spreek ik hem nu minder dan ooit!'[63] Het ministerschap nam hem zo in beslag dat huishoudelijke zaken schriftelijk herinnering behoefden.[64] Een huwelijkscrisis leek nabij. De kinderen zagen hun vader zelden of nooit. Een andere vriendin zag het aan met lede ogen en schreef – buiten haar om – een brief aan Henny's man, 'niet als critiek, maar als een praatje van iemand die het goed met je meent'.[65] De brief geeft een fraai inkijkje in de intieme sfeer. Een paar citaten:

Gajus heeft jou nodig en je betekent heel veel in zijn leven, alleen door 't feit al, dat je zijn vader bent en ik weet wel, dat je tegenwoordig werk 't bovenmenselijke van je vergt, maar je mag je kinderen toch niet hele-maal daaraan opofferen, want die zijn ook weer een deel van dit land en die hebben je ook nodig. Gajus geniet van een uurtje meccanoknutse-len met jou of een spelletje, waar jij ook aan meedoet. Je eigen ouders waren natuurlijk ook een zeer werkzaam paar mensen, maar misschien, als je eerlijk bent, heb je toch als kind ook wel eens iets gemist of gedacht, waren zij er nu ook maar eens bij en misschien heb je een natuur, die daar geen behoefte aan heeft, maar dan moet je niet vergeten, dat niet alle mensen hetzelfde zijn (...).

Even verderop volgt deze treffende passage:

Sicco, ik geloof dat mannen zo gauw denken dat het genoeg is, een vrouw te trouwen, een gezin te maken en te zorgen, dat zij kinderen in haar armen heeft en dan te denken, nu is het wel goed. Maar daarmee ben je er niet. Een vrouw, die van een man houdt, wil meer zijn, wil zij niet het gevoel krijgen, dat zij er alleen nog maar is om zijn lichamelijke behoeften te voldoen. Jouw Henny voelt zich toch al zo veel minder dan jij en als je haar dan nog zo weinig mee laat leven met je eigen problemen, dan krijgt zij zo het gevoel, wat doet het er toe, dat ik hier nog ben, hij zou 't niet eens merken, als ik er niet was. Dat is niet zo, en jij bedoelt het niet zo, maar toch denkt een vrouw zo, omdat het huwelijk voor haar een vervulling is, voor jullie [mannen] een stuk, een deel van je leven, waarin je werk en het bereiken van iets groots daarin, het voornaamste is (...). Door een goed huwelijk, ben je als man in staat om zo ver te komen, omdat je weet, dat er een mens is, die je begrijpt zonder woorden, die je kent in al je stemmingen, die raadt wat je graag wilt, die je sombere buien soms weglacht, die de kinderen stil houdt als je moet studeren, maar die dan o zo graag ook eens een klein beetje aandacht voor zichzelf zag, want goede vrouwen vragen heus maar kleine beetjes voor zichzelf. (Je gaat) zo in je werk op en vindt dat zo doodgewoon, dat je vergeet, dat je een vrouw hebt. Maar Henny wordt er opstandig onder en kan nog moeilijk inzien dat zij je deze jaren moet afstaan aan de gemeenschap, maar je moet oppassen, dat er toch niet iets moois wordt doodgemaakt, wat je heel moeilijk weer zult kunnen laten opbloeien.

Henny zou zich schikken in haar lot. Ze had de neiging zichzelf weg te cijferen. Vol overgave wierp zij zich op de kinderen en het huishouden, en na 1945 ook nog op allerlei sociale verplichtingen die het ministerschap met zich meebracht.

Op Mansholts favoriete foto zit hij zelf op de trekker met hoog opgetaste tarweschelven achter zich. Bovenop het tarwestro lachen drie van zijn kinderen. Een ideaal familieplaatje, maar het klopt niet helemaal. De foto dateert namelijk uit 1950 en het tafereeltje is in scène gezet. Mansholt zag zichzelf graag als *familyman*. Maar hoe was hij eigenlijk als vader en opvoeder? Volgens zijn jongste dochter was hij weliswaar vaak van huis – tot haar twaalfde was hij zelfs nooit op haar verjaardag – maar had hij toch grote invloed. Áls vader er was, dan was hij er ook echt voor de kinderen. Meestal werd er wat gedaan met het hele gezin, zeilen of iets bouwen bijvoorbeeld. Intussen werd er dan volop gepraat. Over vaders werk werd niet veel gezegd. Er werd wel gediscussieerd over de politiek in het algemeen en over wetenschap en techniek. Mansholt ontspande op het water. Toen het gezin in Wassenaar woonde, ging men elk weekend naar Warmond, de Kaag op. In de Brusselse periode lag Mansholts hoogaars[66] in Breskens. De opvoeding was gericht op zelfstandigheid en individualisme. Er bestond geen van bovenaf opgelegde

'Op Mansholts favoriete foto zit hij zelf op de trekker met hoog opgetaste tarweschelven achter zich. Bovenop het tarwestro lachen drie van zijn kinderen.'

discipline. Vader kon goed luisteren. Hij had weinig humor, maar kon met bepaalde personen goed lachen. Dochter Theda herinnerde zich vooral zijn tomeloze energie.[67]

Volgens zoon Jan was Mansholt een goede vader. 'Hij gaf vertrouwen en zekerheid en ook liefde op zijn manier.' Wanneer het echt nodig was, dan was hij aanwezig, vaak zeer concreet, met hulp of wat dan ook. Vader was handig en had groot technisch inzicht. Jan herinnerde zich dat hij als kleine jongen naast hem stond, terwijl vader in zijn vrije tijd bezig was met meubels maken op de als timmermanswerkplaats ingerichte zolder in Wassenaar. Hij bevestigde dat landbouw thuis geen dominerend gespreksonderwerp was. Vaders onafhankelijkheid, moed en oprechtheid werkten inspirerend. Hij had vaak originele ideeën en imponeerde met zijn enorme fysieke en geestelijke kracht.[68]

Over Mansholts rol als echtgenoot schreef haar broer aan Henny bij het overlijden van Sicco: 'Hij was geen lieve man/echtgenoot in de traditionele zin van het woord, en soms hadden we het gevoel dat hij zich wel eens wat dankbaarder had kunnen tonen, tegenover jouw enorme trouw en zorgzaamheid. Maar wat heb je, via hem, veel positieve invloed kunnen uitoefenen op een wereld vol problemen, en wat een fantastisch rijk leven hebben jullie daardoor gehad!'[69] Dit oordeel was overigens mede gekleurd door een huwelijkscrisis uit het begin van de jaren zeventig. Dat speelde precies in de tijd dat Mansholt afscheid nam van de Europese Commissie en oud-kabinetschef Alfred Mozer een meesterlijke typering van hem neerzette in een speech, waarvan de eerste zin luidde: 'Am besten gefällt mir an Mansholt natürlich seine Frau.'[70]

Het gezin trok, zoals gezegd, in april 1945 uit de Wieringermeer. De Wieringermeerpolder viel in december van dat jaar opnieuw droog. De boerderij werd herbouwd en Mansholt hield daarna het bedrijf aan via een zetbaas. Dirk Mansholt keerde na de oorlog terug en werd later opgevolgd door zijn zoon. Het telefoonboek leverde tot 2004 nog het nummer op van een bedrijf van de gebroeders Mansholt in Slootdorp, Wieringermeer: www.movieprops.nl, gespecialiseerd in de verhuur van militaire voertuigen uit de Tweede Wereldoorlog.

# - 4 -
# OORLOG

Hakenkruisvlaggen en bruinhemden

Op 10 mei 1940 vielen Hitlers troepen Nederland binnen. Mansholt zat vol agressie. Deelnemen aan het verzet was eenvoudig 'een logisch gevolg van de geladenheid waarin je leefde tussen '35 en '40', legde hij later in een interview uit.[1]

In de brieven zien we de spanning oplopen. Hitler kwam in 1933 aan de macht. Nadat hij de tegenstand binnen eigen grenzen had uitgeschakeld, richtte hij zich op het buitenland. Al op 2 juli 1934 schreef Mansholt zijn ouders vanuit Indië: 'Wat brengt de krant iedere dag toch nare berichten uit Europa. Zijn de menschen nou helemaal gek?' Kort daarop berichtte vader hem over een werkbezoek aan Duitsland: veel hakenkruisvlaggen en bruinhemden. Alles leek rustig, 'maar 't kan de rust zijn van een niet werkende vulkaan'! Een paar weken later werd de Oostenrijkse kanselier Dolfuss door nazi's vermoord. Sicco antwoordde:

Wat wordt het tenslotte een verwildering in Europa. Wat een beestachtigheden van de nazi's. Een ding is goed: hoe meer ze zoo doorgaan, hoe eerder ze ten onder gaan. 'k Kan me begrijpen dat je je onbehaaglijk voelde in Duitschland, Vader. 't Zou me een doorloopende ergernis zijn al die stomkoppen zoo gewichtig in hun uniform te zien doen. 't Tekort aan hersens wordt zeker aangevuld door mooie pakjes en grote mond.[2]

Het ging van kwaad tot erger. In januari 1935 vond een volksstemming plaats in het Saargebied. De meerderheid koos voor aansluiting bij het Duitse Rijk. 'Wat is dat een tegenvaller,' schreef moeder. 'Geen partij is me zo antipathiek als de fascistische. Ik zou onder dat regime niet kunnen leven.' Een half jaar later dreigde Mussolini Abessinië onder de voet te lopen. Nu was het weer de beurt aan Sicco: 'Wat toch een beestmensch om nu nog een oorlog te beginnen. En dan die schijnheilige argumenten. Een ding is ten minste een goede kant: aan het fascisme doet het een geweldige afbreuk.'[3] Dat was nog maar de vraag. Vooralsnog hadden Hitler en Mussolini de wind in de zeilen.

In januari 1936 ontving Mansholt een brief van tante Theda. Zij had haar kerstvakantie doorgebracht in Duitsland en was er geconfronteerd met 'de smaad en 't onrecht dat de joden moeten ondergaan'. Het was ellendig en ontmoedigend. Waarom werd daartegen niet krachtiger geageerd door de Volkenbond? In Düsseldorf had tante de dochter van haar oudste zus bezocht, Sicco's nicht. Zij was getrouwd met een joodse arts en wilde met haar gezin zo snel mogelijk weg naar Amerika.[4] Het nazisme kwam steeds dichterbij en raakte ook de familie al.

In 1937 of 1938 werd Mansholt lid van het Comité van Waakzaamheid, een club van Nederlandse intellectuelen tegen het nationaalsocialisme. Het Comité droeg een overwegend linkse signatuur en telde zo'n 1200 leden. In het bestuur zat 'tante Agnes', A.E.J. de Vries-Bruins.[5] Als lid ontving Mansholt veel materiaal over wat er in Duitsland gebeurde. SDAP-secretaris Woudenberg, die midden tussen de Amsterdamse joden leefde, vertelde hem ook regelmatig over de steeds grotere angst die daar heerste. Vader hield hem bovendien goed op de hoogte: het Groningse provinciebestuur had bijvoorbeeld ontdekt dat vlak over de grens nieuwe wegen waren aangelegd die plotseling ophielden. 'Het was zo dat je eigenlijk met grote angst zag wat er zou gaan gebeuren,' herinnerde Mansholt zich ruim veertig jaar later.[6]

Op 10 april 1940 – een dag na de Duitse aanval op Denemarken en Noorwegen – schreef Henny haar schoonouders: ''t Ziet er ernstig uit en 't lijkt er wel op of ze nu aan zullen pakken en de boel uitvechten, wat het ook kosten mag. En wij moeten maar machteloos afwachten, wat de gevolgen zullen zijn van deze daden.' Precies een maand later trokken Hitlers troepen Nederland binnen. Op 14 mei werd de Rotterdamse binnenstad zwaar gebombardeerd. 1150 mensen kwamen om; 80.000 raakten dakloos. Het Nederlandse leger capituleerde op 15 mei. Het eerste wat Mansholt na de capitulatie hoorde, was dat een aantal vooraanstaande partijgenoten de veilige weg had gekozen door zichzelf van kant te maken. Onder hen bevonden zich Van Gelderen en de Amsterdamse wethouder Boekman.[7] Met beiden had Mansholt in voorgaande jaren contact gehad.

Veel van wat er in de oorlogsjaren gebeurde, is moeilijk te achterhalen. Hoe ging het met Mansholts bedrijf? Bleef hij actief in de SDAP? Wat heeft hij precies gedaan in het verzet? Uit de persoonlijke correspondentie rijst een beeld op dat lang niet compleet is. Bepaalde informatie kwam niet in de brieven terecht. Kort na de Februaristaking in 1941 schreef Mansholt bijvoorbeeld aan zijn ouders: 'Er zijn vreselijke dingen gebeurd in Amsterdam. Vele bijzonderheden zijn me meegedeeld door een ooggetuige, zó weerzinwekkend en beestachtig dat je ze niet voor mogelijk hield. Maar we kunnen beter hierover niet schrijven.'[8] In verschillende brieven stipte hij onderwerpen aan waarvan hij schreef dat hij er wel meer over zou vertellen als hij een keer in de buurt was.

Achteraf bleek pas dat Mansholt betrokken was bij ondergronds politiek overleg en gevaarlijke verzetsactiviteiten. Hij maakte bijvoorbeeld enige tijd deel uit van een club van jonge SDAP'ers die regelmatig in Dordrecht bijeen-kwam om zich te beraden over de toekomst. Verder organiseerde hij voedsel voor partijgenoten in de steden, onderduikers en verzetsmensen – een hand-vol brieven bevat cryptische verwijzingen hiernaar. Op zijn eigen boerde-rij herbergde hij een wisselend aantal 'logé's'. Dat kwam zo nu en dan ook in de brieven ter sprake. Mansholt was later in de bezettingstijd nog mede-verantwoordelijk voor het vervoer van wapens voor het verzet, wapens die door geallieerde vliegtuigen in Noord-Holland waren gedropt. Daarover werd natuurlijk niet gerept. Van oktober 1944 tot mei 1945 werden drieduizend wapens en tien ton springstoffen vervoerd van de *dropping fields* naar de Wieringermeer.[9] Van daaruit werden ze verscheept naar elders. Mansholt zorgde voor vervoersvergunningen en leverde de dekladingen waaronder de boel verstopt werd – aardappelen, kool, bieten. Hij sloeg zich nooit op de borst voor wat hij in de oorlogsjaren gepresteerd had. Wel gaf hij in een interview uit 1972 aan: 'Ik kwam er veel rijper en evenwichtiger uit dan ik er inging'.[10]

## De SDAP ondergronds

De top van de SDAP besloot in mei 1940 eerst de kat uit de boom te kijken. Op 16 juli namen de Duitsers het NVV over. Zij benoemden NSB-Kamerlid Jan Woudenberg – niet te verwarren met Cees, zijn broer – tot bewindvoer-der. Een paar dagen later wees de bezetter Meinoud Rost van Tonningen, een van de felste Nederlandse nazi's, aan tot *Kommissar für die marxistischen Parteien*, inclusief SDAP. Op zalvende toon probeerde Rost vervolgens de sociaaldemocraten voor zijn karretje te spannen: hij roemde het grote ver-leden van de partij en stelde voor samen te werken. Cees Woudenberg en partijvoorzitter Vorrink weigerden pertinent. Niettemin kreeg Rost een paar belangrijke aan de SDAP-gelieerde clubs aan zijn zijde: de VARA en aanvanke-lijk ook de sportbond en het Instituut voor Arbeidersontwikkeling. De krant *Het Volk* werd gewoon overgenomen.[11]

In juni en juli 1940 had het defaitisme alom toegeslagen. De Duitse hegemo-nie strekte zich uit over het Europese vasteland. In politieke kringen heerste onzekerheid, ook bij de sociaaldemocraten. Diverse vooraanstaande partij-genoten sloten zich aan bij de Nederlandse Unie, die door de Duitsers werd gedoogd en in korte tijd een massale aanhang verwierf, mede als protest tegen de NSB. Volgens de leiders van de Unie was de tijd van de oude politieke partijen voorbij. De vooroorlogse hokjesgeest moest doorbroken worden. Nederland diende zo goed mogelijk te worden ingeschakeld in de 'nieuwe orde'. Woudenberg, Vorrink en fractieleider Drees keerden zich tegen de Unie. Drees had weliswaar oog voor de sympathieke motieven van partijgenoten die zich erachter schaarden, maar vreesde dat de Unie uiteindelijk toch een verkeerde weg zou inslaan. Het partijbestuur vergaderde op 18 september over de Unie, maar kwam niet met een duidelijk advies.[12]

Omstreeks deze tijd ontmoette Mansholt een van de leiders van de Nederlandse Unie, de latere minister-president Jan de Quay, in het Noord-Zuid Hollandsch Koffiehuis, tegenover het Centraal Station in Amsterdam. De Quay vroeg hem de leiding op zich te nemen van de boerenafdeling van de Unie. Mansholt weigerde: 'Er is maar één keus en dat is het verzet.'[13] In de correspondentie komen we het gesprek niet tegen. De Quay kon zich het dertig jaar later niet meer herinneren, maar sloot niet uit dat Mansholt gelijk had.[14] Uit de brieven blijkt wel dat Mansholt wat de Unie betrof aan de kant stond van Drees en Woudenberg, en dat hij goed op de hoogte was van de verschillende stromingen in de top. In augustus 1941 richtte vader zich in een open brief tegen de Unie. Hij had daar met Sicco over gesproken.[15] Kort daarop zetten de Duitsers – om andere redenen – de Unie de voet dwars. Een publicatieverbod maakte verdere actie onmogelijk. In december 1941 verdween de Unie van het toneel. Alle oude partijen waren in juli van dat jaar door de bezetter verboden. De NSB bleef alleen over.

Tijdens de oorlog had Mansholt intensief contact met Cees Woudenberg, de secretaris-penningmeester van de SDAP. Voor zijn politieke toekomst was dat van groot belang. De rol die Woudenberg in de partij speelde, moet namelijk niet worden onderschat. Hij onderhield de relaties met de gewestelijke partijsecretarissen en wanneer een besluit van het partijbestuur hem niet zinde, kon hij die secretarissen, de 'Keesmannen', daartegen in stelling brengen. Partijvernieuwer Wim Thomassen, die herhaaldelijk tegenover hem kwam te staan, meende dat Woudenberg in veel sterkere mate de baas was dan men bereid was te zien: 'Al zouden alle mannetjes plotseling weg zijn, dan blijft de figuur Sint Bureaucratius op de achtergrond aanwezig en daar was Kees de personificatie van.'[16]

Naarmate de bezetting langer duurde, vielen steeds meer leidende figuren weg en nam de invloed van Woudenberg verder toe. Van oktober 1940 tot de spoorwegstaking van september 1944 sjouwde hij het land door om het contact te onderhouden met het gewestelijke schaduwapparaat, dat op zijn beurt voeling hield met het lagere kader. Na de oorlog verklaarde Woudenberg tegenover de Parlementaire Enquêtecommissie regeringsbeleid 1940-1945 dat hij zich steeds door één gedachte had laten leiden: 'Ik probeer de SDAP in stand te houden, en komt dan de dag van de bevrijding, dan is de SDAP er nog.' Daarom vermeed hij ook welbewust elk contact met het georganiseerde verzet.[17]

Woudenberg en Mansholt zochten elkaar tijdens de oorlog regelmatig op. In november 1940 berichtte de laatste bijvoorbeeld aan zijn ouders dat hij een 'geweldig bezoek' aan Woudenberg had gebracht: 'Hij heeft het zwaar. Van zijn bestaan beroofd en van een half jaar salaris dat hij nog tegoed had (ingehouden). De schoften!' Daarna dook Woudenberg nog regelmatig op in de brieven, meestal in korte notities als: 'Woudenberg was hier een dag en een nacht. Weer heel wat bijgepraat.' Mansholt verwees in zijn correspondentie een aantal keer naar brieven van Woudenberg, maar die zijn niet teruggevonden. Soms ging hij ook met hem op pad, samen op de fiets naar partijgenoten in Den Helder bijvoorbeeld.[18]

In september 1941 was Mansholt als 'Keesman' actief om de zestien Noord-Hollandse SDAP-afdelingen op één lijn te krijgen wat betreft de reactie op het Duitse besluit om gemeenteraden en Provinciale Staten op te heffen. Wethouders en gedeputeerden zouden met ingang van 1 september 1941 in feite niet meer zijn dan ambtenaren met een adviesfunctie. Mansholt vond dat SDAP-wethouders onmiddellijk moesten aftreden. Sommige partijgenoten maakten een onderscheid tussen ontslag *nemen* en ontslag *vragen*, maar dat was volgens hem niet essentieel:

*Men moet aan de datum van 1 Sept. vasthouden.* En geen zaakwaarnemer worden van een overheid die onze wetten en geest met voeten treedt. (...) Heeft men geen antwoord op 1 Sept. dan legt men functie neer op die datum en doet hiervan mededeling. Pensioen, brood, concentratiekamp e.d. zijn factoren die hierin niet mogen meetellen. (...) Dit is geen tijd van schipperen.[19]

De SDAP kon volgens Mansholt eenvoudig niet verder. Het tij was inmiddels ook gekeerd. De vriendelijke toon van de bezetter was vervangen door hardhandig optreden. Vanaf oktober 1940 bevatten de brieven al regelmatig mededelingen over gearresteerde partijgenoten. 'Zo langzamerhand gaat het nazi-regime zich met onze binnenlandse politieke aangelegenheden bemoeien,' merkte Mansholt daarbij op.

Drees is naar Duitsland [Buchenwald]. Ook Waslander [SDAP-wethouder in Utrecht]. Persoonlijke kwesties met [NSB-topman] Van Genechten! (...) Ook [de fractieleiders van de drie grote confessionele partijen] Deckers, Schouten en Tilanus 'zitten'. Suurhoff [SDAP-Tweede Kamerlid] aan de Amstelveenseweg, in 't huis van bewaring waar ook [de joodse partijgenoten] De la Bella en Polak zijn ondergebracht. Polak schijnt zich goed te houden. 'k Zou je meer kunnen schrijven, maar ik doe 't begrijpelijkerwijze liever niet.[20]

In maart 1941 volgden meer arrestaties: Woudenberg (tijdelijk, zo bleek later), de Amsterdamse raadsleden van de SDAP en alle NVV-bestuurders die weigerden zich onder de nieuwe leiding te scharen. Toen de echtgenote van het Tweede Kamerlid Marinus van der Goes van Naters begin augustus 1941 de kinderen kwam halen – na twee weken vakantie op Mansholts boerderij – bleek dat ze goede berichten van hem uit Buchenwald had ontvangen. Maar in de brief die Mansholt hierover aan zijn ouders schreef, voegde hij daar onmiddellijk aan toe: 'Ze had weer veel verhalen die we maar beter [mondeling] kunnen vertellen.'[21]

Drees, die tegelijk met Van der Goes in Buchenwald zat, heeft waarschijnlijk diezelfde verhalen opgetekend in *Van mei tot mei* dat in 1958 verscheen: de komst van vierhonderd Amsterdamse joden, slachtoffers van de razzia van februari 1941; de dood van zestig van hen in de enkele maanden dat ze in Buchenwald waren en het transport van de rest, op één na, naar Mauthausen waar ze binnen een paar weken allemaal de dood in werden gejaagd.[22]

Ingrijpend voor de partij waren de arrestaties van Wiardi Beckman in januari 1942 en van Vorrink in april 1943. Drees werd in oktober 1941 vrijgelaten, kwam uiteindelijk in een centrale positie terecht en zou – zoals gezegd: met Woudenberg – de SDAP-kar door de oorlog trekken. Dit beïnvloedde het debat over de naoorlogse toekomst van de partij, een debat dat werd gevoed door een aantal brochures, verspreid via de kanalen van Woudenberg en uitvoerig besproken in 'huiskamerbijeenkomsten'. Moest de partij na de oorlog terugkeren of opgaan in een brede volkspartij? Moesten de banden met het NVV worden verbroken? In de brieven aan zijn ouders bracht Mansholt geregeld verslag uit van dergelijke bijeenkomsten in kleine kring. Hij sloot ook de laatste brochures in.[23]

Drees' eerste herinnering aan Mansholt, zo vertelde hij in 1964 voor de radio, was van een SDAP-huiskamerbijeenkomst in Enkhuizen tijdens de oorlog. Twintig mensen bij elkaar, dat mocht nog van de Duitsers. 'Mansholt is uit de Wieringermeer gekomen,' werd hem verteld. Drees was meteen onder de indruk: 'Een landbouwer met grote ervaring, van een bekende familie en zó actief in de voedselvoorziening.'[24]

Waar Mansholt precies stond in het debat over de toekomst van de partij, is moeilijk te zeggen. Waarschijnlijk niet ver van het standpunt van Woudenberg dat erop neerkwam dat men oude kleren niet moest weggooien voor men nieuwe had. Dat viel tussen de regels door al te lezen in een brief uit oktober 1941:

> Zondag geanimeerde vergadering: Vos, Woudenberg, Vorrink en Wiardi Beckman waren er ook. De laatste hield een uitstekende inleiding over de mogelijkheden en wensen van de partij na de oorlog. Het stramien waarop werd geborduurd was: Wij hebben de anderen (kathol., AR en Vrijzinnig Dem. èn lib. en CH) niet veel nieuws te bieden, d.w.z. ons program wàs en ìs juist. De anderen zullen tot òns moeten komen wil er van vruchtbare samenwerking sprake kùnnen zijn.[25]

In 1942 verenigde het ondergrondse partijbestuur zich met een nota waarin Woudenberg voorstelde onmiddellijk na de bevrijding alle vroegere leden terug in partijverband te brengen.[26] Aan het eind van de oorlog zou het debat opnieuw in een stroomversnelling raken. Het vernieuwingsstreven werd toen op sleeptouw genomen door politici uit verschillende partijen die in het gijzelaarskamp Sint-Michielsgestel meer begrip voor elkaars standpunten hadden gekregen. In Mansholts brieven uit die tijd is daarover niets terug te vinden.

Hetzelfde geldt overigens voor de discussies in de zogenoemde 'Dordtse kring' over de ontwikkeling na de oorlog. In het autobiografische *De crisis* uit 1975 schrijft Mansholt dat dit eigenlijk het begin van zijn politieke activiteit was. Later vertelde hij dat hij vijf à zes bijeenkomsten had bijgewoond, thuis bij Took Heroma-Meilink, die na de oorlog voor de PVDA in de Tweede Kamer zou terechtkomen. Volgens een van de deelneemsters, Hilda Verwey-Jonker, bestond het gezelschap vooral uit oud-leden van de sociaaldemocratische studentenclub (Vos, Jaap Burger, Bart Ruitenberg, Jaap van Praag). Later kreeg de kring een bredere basis met onder anderen Mansholt en Thomassen. Een enkele keer werden niet-SDAP'ers uitgenodigd: Van Walsum (CHU) en Stokman (RKSP) bijvoorbeeld.

'Wij kwamen bijeen in Dordrecht bij het echtpaar Heroma, dat een huisartsenpraktijk had, waar de toestroom van bezoekers niet zo op zou vallen (onze adressen zaten in de patiëntencartotheek),' aldus Verwey-Jonker. Zij herinnerde zich ook dat de club van tijd tot tijd berichten verzamelde en controleerde voor het illegale blad *Het Parool*.[27] Burger verdween plotseling en dook op in Engeland. In augustus 1943 werd hij minister in het kabinet-Gerbrandy, belast met de voorbereidingen van het herstel van het bestuur na de oorlog.[28] Volgens Dick Laan, later lid van de Tweede Kamer, vicevoorzitter van de KVP en gedeputeerde in Noord-Holland, vonden dit soort bijeenkomsten ook plaats bij Mansholt thuis. Als katholieke jongere sprak hij er voor het eerst met socialisten en onkerkelijken.[29]

Mansholts boerderij werd een toevluchtsoord voor ondergedoken en hongerende partijgenoten. Naast de Woudenbergs kwam bijvoorbeeld ook de Haarlemse burgemeester Reinalda af en toe langs. Verder Siep Posthumus, Hein Vos en de familie Van der Goes van Naters. Dat zijn althans een paar namen die in de brieven worden genoemd. En – dat bleek hierboven al – niet alles werd daarin vermeld, dus ook niet alle namen. Bovendien zijn er uit de periode van oktober 1943 tot mei 1944 nauwelijks brieven bewaard gebleven. Kort daarvóór schreef Henny nog: 'Donderdag kregen we Van de Kieft met z'n vrouw en Woudenberg te logeren. 's Middags kwamen er 5 heren van 't bedrijfsschap voor hout te weten In 't Veld, An[onleesbaar], Bruynzeel, De Jonge en [onleesbaar]. Een deel van 't Partijbestuur was dus bij elkaar.'[30] Dit betrof misschien een clandestiene bijeenkomst van het partijbureau van de SDAP bij Mansholt thuis. Het is niet bekend of dat vaker voorkwam.

Partijgenoten die na september 1944 bij de boerderij aanklopten, hadden aan de politiek weinig boodschap: zij kwamen om voedsel. Mansholt gaf hun te eten. In de hongerwinter verstuurde hij voedselpakketjes. Drees woonde destijds als evacué in Voorburg. 'Op zekere dag,' herinnerde hij zich, 'kwam er een boot aan met levensmiddelen, afkomstig van Mansholt. Toen werd ik me extra bewust van de betekenis van deze figuur.'[31]

## Voedsel organiseren

Uit de in het vorige hoofdstuk aangehaalde cijfers bleek al dat het boer Mansholt voor de wind ging. Hij maakte flinke winst en was in staat grote sommen af te lossen aan zijn ouders. Die stelden zich bovendien soepel op. Eind 1944 boden zijn ouders zelfs vrijstelling aan van het betalen van rente, als tegemoetkoming in de kosten van de voedselpakketten voor familieleden en partijgenoten.[32]

Ook de andere bedrijven in de Meer draaiden uitstekend. De grondkamer – het rechterlijk college belast met pachtzaken – stelde voor de pacht te verhogen met zestien procent met ingang van het oogstjaar 1941-'42. Er werd meteen een vergadering belegd, waarop besloten werd dat Mansholt namens alle pachters – 264 op dat moment – protest zou aantekenen. Men had kennelijk het volste vertrouwen in hem als behartiger van het boerenbelang. 'Overtuigen zal niet meevallen,' schreef hij zijn ouders, 'omdat tot dusver de nettowinsten zo zijn geweest, dat een pachtverhoging is te rechtvaardigen.' Hij voerde aan dat de vooruitzichten slecht waren: te weinig kunstmest en een groot tekort aan arbeiders.[33] Over het resultaat is in de correspondentie niets aangetroffen.

'Het lot van de boeren, mits zij niet door oorlogshandelingen getroffen werden, stak gunstig af bij dat van de meeste andere Nederlanders,' concludeerde Gerard Trienekens, autoriteit op het gebied van de voedselvoorziening in oorlogstijd, in *Voedsel en honger in oorlogstijd* uit 1995[34] Dat gold ook voor Mansholt. Voor een groot deel van zijn producten had hij een gegarandeerde afzet tegen aantrekkelijke prijzen. Al vanaf de mobilisatie in augustus 1939 werd graan centraal aangekocht door het onder Stefan Louwes ressorterende voedselvoorzieningsapparaat. Bijzonder gunstig was dat spoedig na de komst van de bezetter de relatief lage Nederlandse landbouwprijzen tot het Duitse niveau werden opgetrokken. 'Dit betekende over de hele linie forse verhogingen tussen 1939 en 1941,' aldus Trienekens.[35] Gemeenschappelijk Europees landbouwbeleid *avant la lettre*.

Louwes had zich tot doel gesteld de exportgerichte Nederlandse landbouw in korte tijd om te vormen. 'Zelfvoorziening' was het credo. Hij werd gesteund door de bezetter, die er belang bij had dat de productie en distributie van voedsel efficiënt geregeld werden. De boer moest zich toeleggen op het verbouwen van aardappelen, graan en oliehoudende zaden. De meeste kippen en varkens – graaneters, dus voedselconcurrenten van de mens – dienden zo snel mogelijk te worden geslacht. De teelt van koolzaad werd gestimuleerd met hoge prijzen. Per hectare leverde dat namelijk acht keer zo veel vet op als een koe (via de boter, per hectare grasland). Er werd ook propaganda gemaakt voor het scheuren (omploegen) van grasland en in 1941 kwam er een scheurpremie.[36] Doel was de veestapel in te krimpen.

Mansholt moest indertijd in principe alles inleveren en ontving dan een vaste prijs. Bij de tarwe en het koolzaad werd op het moment van dorsen door controleurs vastgesteld hoe groot de oogst was. De productie werd geregistreerd door de provinciale voedselcommissarissen en de onder hen ressorterende plaatselijke bureauhouders. Dankzij Louwes was de naleving van de regels niet zo effectief als de Duitsers wensten. De commissarissen waren namelijk vertrouwelingen van hem en de bureauhouders speelden vaak onder een hoedje met de boeren. De opbrengst mocht natuurlijk niet afwijken van hetgeen in redelijkheid kon worden verwacht. Wat dat betrof was de bezetter dik tevreden. In de zomer van 1942 lag het percentage geleverde landbouwproducten – in verhouding tot de totale nationale opbrengst – aanzienlijk hoger dan in Duitsland.[37] Het distributieapparaat heeft tijdens de oorlog goed gefunctioneerd, met uitzondering van de periode na september 1944 in het westen van het land. De boeren hebben kennelijk steeds voldoende ingeleverd. Niet alles, want er was ruim aanbod op de zwarte markt. Dat stak natuurlijk. Voor de gewone man was alles op de bon, terwijl de boer genoeg te eten had en intussen volop leek te profiteren van de zwarte markt. Er groeide een kloof tussen stad en platteland.

Voedselproducenten hebben in oorlogstijd meestal een streepje vóór. Dat was tussen 1940 en 1945 ook het geval. Aangezien twintig procent van de beroepsbevolking in die tijd in de landbouw werkte, had dat een merkbaar negatief effect op het rantsoen van de rest. De boeren mochten namelijk een bepaald deel houden van alle producten waarin zij 'zelfverzorgend' waren. Na 1943 was het ook mogelijk premies in natura te krijgen (olie of suiker), bijvoorbeeld als er voldoende koolzaad of aardappelen werden ingeleverd. Trienekens schat dat de boer de beschikking had over anderhalf maal de hoeveelheid calorieën van een normale verbruiker.[38]

Een deel van Mansholts voorraden kwam aanvankelijk terecht bij vrienden en familie. Vanaf oktober 1941 reisden regelmatig koffers heen en weer met aardappelen, meel en erwten. De kerstkaarten van dat jaar gingen vergezeld van pakjes meel. Vaak werden met brieven ook bonkaarten meegestuurd. Mansholt had namelijk met de boeren in de polder afgesproken dat ze hem regelmatig bonnen zouden sturen voor mensen die zonder zaten. Vanaf 1942 leverde Fletum ook olie, boter, kaas en eieren. Van tevoren moest dan wel even een flesje of een blik worden gestuurd. In een brief uit juli 1942 was sprake van een door Mansholt geregelde levering van fruit aan zijn ouders.[39] Waarschijnlijk heeft hij zijn eigen producten regelmatig ingezet bij ruiltransacties.

Behalve in 1942 boerde Mansholt tijdens de oorlog bovengemiddeld. De brieven aan zijn ouders bevatten ook meer plussen dan minnen. Na lang klagen kreeg Mansholt in het najaar van 1940 uiteindelijk vijftien liter benzine per hectare om te kunnen ploegen. Brandstof was en bleef schaars. In februari 1941 werd zijn beste paard gevorderd. Dat bleek toch een meevaller: ''k Maakte een goede prijs: 1200 [gulden],' noteerde hij verbaasd. In dezelfde brief meldde hij dat hij extra kunstmest kreeg om suikerbietenzaad te kunnen telen. In het voorjaar van 1941 diende Mansholt een aanvraag in om een varken te mogen houden. Kort daarop bestelde hij een koe. 'Zal er een kalfje bij nemen om wat te mesten,' liet hij vader weten. 'Zodra we boter hebben, zullen we ook jullie rantsoen wat vergroten.' In juli van dat jaar werd de tractor voorzien van een kolengestookte gasgenerator.[40]

Aardappelen werden in de oorlog het belangrijkste volksvoedsel. In het voorjaar van 1942 besloot Mansholt zich toe te leggen op aardappelselectie. Veel pootgoed ging naar Duitsland. Mansholts spinaziezaad werd verkocht via een zaaizaadvereniging – 'steeds boven de maximum telersprijzen', meldde hij vader in een van de brieven. Ook het vlas haalde een goede prijs dankzij de linnenpremie die de bezetter had ingesteld. In 1942 hadden Mansholt en zijn collega's grote problemen de oogst tijdig van het land te krijgen. Het jaar daarop dreigde opnieuw een tekort, maar Mansholt schreef dat hij zelf geen reden tot klagen had. Waarschijnlijk sprongen zijn onderduikers bij. In 1944 had hij veel last van ongedierte in de bieten en het koolzaad. Bestrijdingsmiddelen waren er nauwelijks.[41] Op 16 juli van dat jaar berichtte hij zijn ouders:

> De vorige week was Stephan Louwes hier een middag. Toen ik hem vertelde van de schade in het koolzaad (wegens 'verslag'; er zijn percelen met opbrengstvermindering van 70%) wilde hij het nauwelijks geloven. Wij zijn het land ingegaan en daar kon hij zich zelf overtuigen. Daar het voor het gehele land zo blijkt te zijn, is dat een kwaad ding voor onze vetvoorziening.[42]

De invloed van Louwes, met wie Mansholt regelmatig contact had, was groot. Het hele voedselvoorzieningsapparaat stond of viel met hem persoonlijk. De bezetter liet de voedselproducenten ook relatief ongemoeid: 'In der Nährungspolitik treiben wir Wirtschaft, kein Politik,' verklaarde de hoogste autoriteit op dit terrein in Nederland.[43] De Duitsers waren bang zichzelf in de voet te schieten als het monopolie van Louwes zou worden aangetast.

Het Dagelijks Bestuur van de Hollandsche Maatschappij voor Landbouw (HML) vroeg Mansholt in mei 1941 of hij streekvertegenwoordiger wilde zijn voor de commissie-Posthuma. De door Hitler aangestelde *Reichskommissar* Seyss-Inquart had deze commissie twee maanden daarvóór persoonlijk geïnstalleerd. Daarachter stak waarschijnlijk Mussert, die enige greep wilde krijgen op de organisatie van Louwes. Voorzitter werd Folkert Posthuma, een NSB-sympathisant die tijdens de Eerste Wereldoorlog als minister van Landbouw verantwoordelijk was geweest voor de voedselvoorziening. De commissie kreeg tot taak propaganda te maken om de landbouwproductie op te krikken. Naast Posthuma maakten de voorzitters van de drie verzuilde landbouworganisaties en de voorzitter van het aan de NSB-gelieerde Nederlands Agrarisch Front er deel van uit. De streekcommissies moesten Posthuma's boodschap verkondigen op lokaal niveau. De Duitsers wachtten af: vooralsnog bleef Louwes volledig verantwoordelijk voor de voedselproductie en -distributie.[44]

Na lang aandringen door de HML stemde Mansholt uiteindelijk toe. De Maatschappij dreigde immers te worden ontbonden, als ze niet zou meewerken. Maar al op de eerste vergadering – eind juli of begin augustus – kreeg hij het aan de stok met de door Posthuma benoemde voorzitter van zijn afdeling, een NSB'er. Het conflict draaide om het bestaansrecht van de commissie en de zelfstandigheid van de leden. Mansholt ontving kort daarop een vinnige brief van Posthuma, die hem voor de voeten wierp dat hij zou hebben gezegd dat de commissie overbodig was. Dat had hij niet, antwoordde Mansholt. Wel vond hij dat ze slechts een aanvullende taak had die verband hield met de oorlogsomstandigheden. 'Fundamenteel blijft de arbeid en het streven van die landbouworganisaties welke voortkomen uit en steunen op de Nederlandse boeren en die voor het vervullen van (hun) taak nauw contact onderhouden met de regering.' Posthuma stelde vervolgens dat bij het vervullen van de taak als lid der streekcommissie eigen inzicht overbodig was. Waarop Mansholt antwoordde: 'Ik doe nimmer iets dat met mijn inzichten niet strookt.' Als Posthuma *Kadavergehorsam* eiste, zou hij zich terugtrekken.[45]

Op 3 september 1941 – twee dagen na de opheffing van gemeenteraden en Provinciale Staten ('geen tijd van schipperen') – bedankte Mansholt. Hij weigerde iedere verdere samenwerking met Musserts Agrarisch Front. De voorzitter van de HML, Floor den Hartog, steunde hem en stuurde het dossier-Mansholt naar de voorzitter van het Nederlands Landbouwcomité (NLC), Herman Louwes. Deze vroeg zijn jongere neef of hij ermee akkoord ging dat de correspondentie over zijn zaak zou worden gebruikt 'als "springplank" voor een ernstige kritiek op Posthuma.' Die confrontatie zou begin november hebben plaatsgehad. ''k Weet niet welke noten daarbij zijn gekraakt,' schreef Mansholt aan zijn vader. Herman Louwes had hem wel duidelijk gemaakt dat hij niet bereid was mee te werken aan nazificering. Kort daarvóór was de Nederlandse Landstand ingesteld, een openbaar lichaam met verordenende bevoegdheden waarin alle landbouworganisaties moesten opgaan. Op 25 november 1941 werden het NLC en de HML ingelijfd bij de Landstand. De besturen traden af, leden zegden hun lidmaatschap op en de organisaties werden ontbonden.[46]

Net als voor de Nederlanders had de Landstand voor de Duitsers geen betekenis. De leiders waren onbekwaam en de boeren wilden er niets van weten.[47] Het werd net zo'n fiasco als het Agrarisch Front en de commissie-Posthuma. Op 6 november 1941 schreef Mansholt:

Het departement gaat ondertussen gewoon door met haar besprekingen met de oude organisaties alsof er geen landstand bestaat. De voorzitter van de afd. W[ieringermeer] der CBTB vertelde me dat een van de hoofdbestuursleden op het dep. van Landb. de raad had gekregen gewoon door te gaan, zich aan de landstand niet te storen en nooit mede te werken.[48]

De overgrote meerderheid van de boeren in de Wieringermeer weigerde volgens Mansholt de contributie voor de Landstand te betalen.[49] Met Posthuma liep het ten slotte slecht af. Nadat hij door Mussert was benoemd tot gevolmachtigde voor Landbouw en Visserij in diens schaduwkabinet, werd hij op 3 juni 1943 door het verzet geliquideerd.

Van belang was nog dat de drie centrale boerenorganisaties, mede onder druk van de maatregelen van de bezetter, steeds meer gingen samenwerken, met elkaar én met de landarbeidersbonden. Na de gelijkschakeling van de arbeidersbonden in de zomer van 1941 en de overheveling van de boerenorganisaties naar de Landstand werd het overleg illegaal voortgezet. In de loop van 1942 vond een eerste ontmoeting plaats tussen Herman Louwes en Marinus Ruppert, de voorzitter van de Christelijke Landarbeidersbond.[50] Na de oorlog groeide daaruit de Stichting voor de Landbouw, de voorloper van het Landbouwschap uit 1954.

## Hongerwinter

'Er is hier in de winkels vrijwel niets meer te krijgen,' schreef vader op 15 september 1944 vanuit Heemstede. 'Lange files fietsers trekken voortdurend de Haarlemmermeer in en komen beladen met aardappels terug.' Hij had juist een mud gekocht voor 20 gulden. Verder had hij zichzelf en moeder alvast opgegeven voor de centrale keuken in Haarlem. Sicco hoefde niemand met meel te sturen: de reis was te gevaarlijk. 'We hebben overal gescharreld voor zelfrijzend bakmeel. Een grote stapel met pakken hebben we nu.'[51]

Twee dagen later begon de Slag om Arnhem. Duizenden inwoners vluchtten de Veluwe op. Omstreeks die tijd ontmoette Mansholt houthandelaar Jan Eecen uit Oud-Karspel en beiden vonden dat er iets gedaan moest worden. 'Mansholt had radiocontact met de overkant,' vertelde Eecen twintig jaar later. Uiteindelijk slaagden de twee er met hulp van anderen in veertien vrachtwagens met dekens en kleding naar Arnhem te krijgen. Die wagens werden ook ingezet bij de evacuatie.[52]

Ter ondersteuning van de slag riep de Nederlandse regering in Londen onmiddellijk op tot een algemene spoorwegstaking. Als represaille blokkeerden de

Duitsers het scheepvaartverkeer. Het westen van Nederland werd afgesneden van de bevoorrading met voedsel en brandstof. Alsof dat nog niet erg genoeg was, daalde het percentage ingeleverde producten naar twintig procent. De rest verdween in het zwarte circuit.[53] Louwes beschikte over te weinig voedsel om eerlijk te kunnen verdelen: een hongerwinter leek onafwendbaar.

'Honderden mensen kwamen langs de boerderij vragen om wat eten,' vertelde Mansholt jaren later in *De crisis.* 'Ze kwamen van Amsterdam, van heel ver, van meer dan 100 km, en zij duwden een karretje om wat aardappelen, suikerbieten of weet ik wat te halen. En 's nachts sliepen ze op het stro in de schuur.'[54] Hij was zelf voortdurend op pad. Uit de brieven valt af te leiden dat Mansholt zich in deze periode bezighield met het organiseren van voedsel op grote schaal, als een van de leidende figuren van de illegale voedselvoorziening. Gevaarlijk werk waarvan veel levens afhingen.

''t Is maar goed dat we nu nog wat voorraden hebben, want de winkels hier zijn leeg en er wordt niets aangevoerd,' schreef vader op 27 september 1944. Mansholt stuurde op 3 oktober een 'boodschapper uit Haarlem' met een zakje meel en een brief:

De berichten die ons uit de grote steden bereiken zijn niet bevredigend. De laatste 14 dagen ben ik druk bezig om de plaatselijke bureauhouder van de voedselcommissaris te helpen zoveel mogelijk voeding naar Amsterdam te krijgen. De voedselcommissaris is o.i. hierin niet voortvarend genoeg. Reeds 3 weken geleden hebben wij er op aangedrongen, dat zo veel mogelijk aardappelen zouden worden vervoerd. Toen waren er nog schippers die wilden varen. Tenslotte zijn wij op eigen houtje begonnen met schepen op te sporen, gasolie te vorderen en te verzenden. Plm. 1000 ton is nu weg. We hebben nog ca. 3000 ton beschikbaar, met veel moeite houden we een tiental dorsmachines aan het draaien. Brandstof is er niet meer. De vlamkolen die er nog zijn moeten beschikbaar blijven voor de zuivelfabrieken in de omgeving en de bakkers. Er kan dus slechts electrisch worden gedorscht. Een 14 dagen geleden hebben wij al 1000 ton tarwe aangeboden. De voedselcommissaris vond het nog niet nodig. Nu ziet hij de zaak scheef lopen en vraagt onze hulp bij de verzending. 'k heb Stephan opgebeld hierover en wij hebben van hem machtiging alle schepen die er zijn te vorderen. Met behulp van de politie gebeurt dat nu. 3000 ton zaaitarwe kan nu worden verscheept.

'Op de boerderij gaat het werk rustig door,' vervolgde Mansholt zijn brief. Een deel van de pootaardappels zouden wel ter consumptie aan Amsterdam moeten worden geleverd. Verder had de Alkmaarse chirurg F.J. Frederikse hem gevraagd of hij tarwe kon brengen naar circa 60.000 evacués uit Arnhem die zich in Apeldoorn bevonden. Het slot van diezelfde brief:

> Leek me onjuist er tarwe uit het westen heen te brengen vanwege dreigend tekort. 'k Heb het nu zover, dat 4 grote vrachtwagens met Rode Kruis papieren op weg naar de NO polder zijn om daar tarwe te halen. Het is de bedoeling dat ze daar dan heen en weer rijden. (...) Deze brief gaat met een vrachtwagen van onze aankoopvereniging. Die neemt een pakje mee van ten hoogste 10 kg. Dat wordt bezorgd bij Coöp. Aankoopver. Volharding, Houtmarkt 19, Haarlem (1 kaas, 2 pak boter, gort, meel). Daar kunnen jullie het afhalen.[55]

Uit een briefkaartje dat Henny de volgende dag naar haar schoonouders stuurde, blijkt dat deze vrachtwagen verder gevuld was met ongeveer 2000 van dergelijke pakjes, bestemd voor Haarlem en Amsterdam.[56]

De elektriciteitsvoorziening en de aanvoer van broodgraan werd daarna een groot probleem. De Duitsers voerden een strenge controle in op Rode Kruisauto's en het 'regelen' van schepen ging steeds moeilijker. De Wieringermeer bleek het enige gebied dat nog voldoende kon leveren. Mansholt wist de boeren en de ambtenaren van Voedselvoorziening op één lijn te krijgen. Uit het overleg met de autoriteiten werd hem ook duidelijk dat er een groot tekort aan aardappelen was. De voorraad reikte tot half december, daarna dreigde hongersnood. Een tekort aan brandstof bedreigde bovendien de polder. Eind december zou er niet meer voldoende zijn om het gemaal Leemans draaiende te houden, waarna de polder langzaam zou onderlopen. Mede op aandrang van Mansholt besloot men de trekkers in de Wieringermeer stil te leggen en alle antraciet en gasolie te reserveren voor het gemaal. Na 10 oktober was Fletum zonder stroom. Elektrisch wassen ging niet meer en ook het koken en het lezen werd een probleem. Henny kon alleen nog heel eenvoudig breiwerk zien.[57]

Zes weken na het begin van de spoorwegstaking besloten de Duitse autoriteiten het transportverbod op te heffen. Dat leidde niet tot een snelle bevoorrading aangezien veel schepen waren gevorderd of verstopt. De situatie werd steeds nijpender. Op 24 november moest het aardappelrantsoen verlaagd worden tot één kilo per week. De week daarop werd ook het broodrantsoen teruggebracht tot één kilo. De mensen in de steden richtten vrijwel al hun energie op het verkrijgen van voedsel en brandstof. Eind november slaagde Mansholt erin een brief bij zijn ouders te laten bezorgen, tegelijk met twee mud kolen en een paar zakken aardappelen. 'Wij dorschen nog met 22 machines en leveren per week ca. 1500 ton graan af. Overig Holland pl.m. 1000 ton. Dat is onvoldoende.' Een betere organisatie van de scheepvaart bood vanaf 5 december enig soelaas, maar toen eind december 1944 de vorst inviel, leek Holland reddeloos verloren.[58]

Op 24 december ontvingen Mansholts ouders vijf zakken kolen en drie zakken aardappels.[59] Henny schreef in een volgende brief dat een flinke hoeveelheid aardappelen en meel spoorloos was. Veel schippers waren kennelijk niet te vertrouwen. Sicco's broer Ubbo had toen maar een en ander met de fiets meegenomen; een vriend van Aleid was met een bakfiets langsgekomen; Siep Posthumus was op de fiets geklommen om voedsel op te halen voor vrienden uit Haarlem, Den Haag en Delft. Verder had ze veel mensen aan de deur gehad die er 'zo wanhopig slecht' uitzagen.[60]

Op 21 januari 1945, midden in de Hongerwinter, overleed vader Mansholt vrij plotseling. De honger en de kou hadden er – voor zover bekend – niets mee te maken. Kort daarvoor was Sicco nog enthousiast over de gesprekken die ze samen hadden gevoerd. Vader zakte 's morgens in elkaar na het vegen van een sneeuwpaadje. ''t Was een complicatie van het hart,' schreef Henny aan haar ouders. Sicco en zijn broers, schoonzoon Ernst, de buren en enkele vrienden waren bij de begrafenis aanwezig. 'We zullen vader wel missen. Hij was nog zo het middelpunt van alles, had zo'n zuiver en eerlijk oordeel en was nog zo vol belangstelling.'[61] Na de begrafenis trok moeder in bij Aleid en Ernst in Wassenaar.

In de loop van februari verslechterde de algemene toestand. Op 8 februari ging er vanuit de Wieringermeer nog een boot met graan richting Den Haag.[62] Mansholt had 200 kilo aardappelen en 20 kilo erwten meegestuurd voor familieleden. 'Tarwe is er beslist niet. De aard. is geen eerste kwal. en we zijn nu zelfs door het pootgoed heen,' verzuchtte Henny in een begeleidend briefje.[63] Een week later waren alle peulen op en de aardappelkuilen leeg. Henny gaf daarna nog uit eigen voorraad in noodzakelijke gevallen aan goede bekenden.

't Is zo ellendig. Heel veel gezinnen steunen op wat wij ze gaven en wij weten er nu geen raad meer mee. (…) Daarnaast heb ik sinds drie weken de verzorging van 't hele bedrijf en de huishouding daar Sicco niet meer thuiskomt en nu vol op reis is (…). Ik wil een meisje als hulp in huis nemen en er komt nog een ondervoed meisje uit Utrecht en voor onbepaalde tijd Hugo vd Goes van Naters uit Wassenaar die we al 2 zomers hier hadden en nu door ondervoeding er aan te gronde dreigt te gaan. Zo is 't overal narigheid en je bent wel verplicht het hele huis daarvoor open te houden.[64]

Verzet met de voeten in de modder

Sicco kwam sinds januari 1945 niet meer thuis. Hoe diep zat hij eigenlijk in het verzet? Het is moeilijk om daarvan een enigszins compleet beeld te krijgen. Bronnen zijn schaars. Het verzet hield geen administratie bij. 'We zullen doen wat we kunnen doen,' dat was het uitgangspunt in 1940. 'Eenvoudigweg door de geladenheid,' verklaarde Mansholt veertig jaar later. Het begon met het helpen van onderduikers. Ten slotte zou hij er zelf zo'n veertien herbergen, in huis, in gaten onder de grond en in strobulten. Hij wist al vrij snel dat de joden gruwelijk behandeld werden in concentratie-kampen. Maar hij begreep toen ook wel dat collega-boeren dat niet wilden geloven.[65]

In een brief van 11 november 1940 vertelde hij zijn ouders het relaas van een oud-leraar van hem uit Deventer, die hij toevallig ontmoet had: '3 ½ maand opgesloten in Weimar omdat hij vrijmetselaar was. Geen brieven, geen zon gezien, 37 pond afgevallen. 't Is gruwelijk.' Kennelijk had de man in Buchenwald gezeten, dat net buiten de stad lag. Het was waarschijnlijk de eerste keer dat Mansholt een ooggetuigenverslag uit een concentratiekamp had gekregen. De eerste onderduiker kwam in februari 1941, volgens de brie-ven althans. Een jongen uit Rotterdam die gewerkt had op het kantoor van Standard Oil. Meer is niet bekend.[66]

De gebeurtenissen rondom de Februaristaking van 1941 ('geheel spontaan; een prachtig staal van solidariteit') bevestigden dat de nazi's er weerzinwek-kende methoden op nahielden. Op 20 maart 1941 vond de gedwongen ontrui-ming plaats van het joodse werkdorp in de Wieringermeer, een proefboerderij waar (vooral Oost-Europese) joden werden opgeleid tot boer als voorberei-ding op een vertrek naar Palestina. Driehonderd werkdorpers kwamen op straat te staan. Meer dan de helft van hen zou het einde van de oorlog niet halen. Op 25 juli 1941 schreef Mansholt zijn ouders:

Ons gezin is alweer met twee leden uitgebreid: twee joodse jongens uit het werkdorp. Ze zijn er nu allen uitgejaagd. Wat er mee gaat gebeuren is nog niet bekend. (...) Van zes jongeren is reeds bericht van overlij-den binnengekomen uit Duitsland. Ze werkten in de steengroeven van Mauthausen. Je kunt je de stemming van de overgeblevenen voorstellen. Onze beide jongeren slapen in de machine bergplaats waar ze met mate-rieel uit het kamp een kamertje hebben ingericht. Ze eten bij ons.

Henny vulde een paar dagen later aan: 'Gajus maakt het best en heeft in de twee jodenjongens weer goede vrienden gevonden.' Na een maand trokken de jongens weer verder. Hun plaats werd ingenomen door andere 'logé's'.[67]

Een aantal onderduikers sliep in de bedden bestemd voor het werkvolk in drukke oogsttijd. In geval van nood, bij razzia's bijvoorbeeld, waren er twee schuilplaatsen onder de grond, een in de schuur onder een luik en een achter in het land aan de rand van een diepe sloot: een gat afgedekt met balken, takken, stro en aarde. Daarin kon ongeveer acht man. Een drainagepijpje zorgde voor de luchttoevoer. Plassen deed men in een pannetje, de grote boodschap op het land. Razzia's werden van tevoren aangekondigd door de telefoniste in de Wieringermeer, die informatie kreeg toegespeeld via een informant aan Duitse zijde.[68]

Halverwege 1942 schreef Henny haar schoonouders: 'Sicco besteedt al z'n vrije tijd aan het onderbrengen van logé's, maar 't valt niet mee, iedereen is bezet en toch moet er geholpen worden.' Fletum was kennelijk vol. In verschillende brieven werden de onderduikers op de boerderij terloops genoemd als 'de jongens', 'nieuwe huisgenoten' of 'onze logé's'. Zo lang de oogst niet aan kant was, liet de bezetter hen relatief ongemoeid. Daarna was het uitkijken geblazen. In februari 1945 werden alle jongens 'tijdelijk uit logeren' gestuurd. De Duitsers zaten achter Mansholt aan en hadden Fletum al drie keer doorzocht. Het risico van ontdekking was te groot geworden. De boerderij mocht niet als verzetshaard worden aangemerkt. 'We missen nu erg hun steun (ook geestelijk), maar het gevoel van veiligheid is nu wel teruggekomen,' schreef Henny. De was en enig verstelwerk deed ze nog wel, maar ze hoefde niet meer elke dag voor zestien personen te koken.[69]

Na de eerste zorg van het helpen van mensen aan onderduikadressen volgde de rest vanzelf, vertelde Mansholt in De crisis: 'Verzet door het geven van inlichtingen, illegale blaadjes, radio, het bekende programma van het eerste jaar.'[70] Wat die inlichtingen behelsden, wordt uit de correspondentie niet duidelijk. Volgens het boek Verzet in West-Friesland uit 1990 was Mansholt lid van een spionagegroep onder leiding van de Heldse burgemeester Govert Ritmeester. Mansholt kon zich later maar één contact met die groep herinneren, namelijk het verzoek een nieuw adres te vinden voor de op zijn boerderij ondergedoken leider van het Zeeliedenfonds. Anderen wisten zich wel te herinneren dat zij samen met Mansholt informatie hadden verzameld over Duitse versterkingen langs de Noordzeekust, materiaal dat al in 1941 of 1942 Engeland bereikte.[71]

De illegale blaadjes die Mansholt noemde, waren waarschijnlijk Het Parool en een aantal SDAP-brochures. Regelmatig gaf hij zijn ouders het laatste nieuws door van het front of andere berichten die hij had opgepikt van Radio Oranje, ook na mei 1943. Een van de brieven ging uitvoerig in op het gebruik van de antenne en de wijze waarop vader het best stoorzenders kon uitfilteren – een uitweiding over techniek: typisch Mansholt.[72] In mei 1943 moesten alle toestellen worden ingeleverd. Overtreding kon daarna worden bestraft met inbeslagneming van alle bezittingen of opsluiting in een concentratiekamp. Mansholt gaf er geen gehoor aan en verstopte zijn toestel.

Het programma van het eerste jaar breidde zich na de Februaristaking uit tot de opvang van politieke vluchtelingen en ontsnapte gevangenen en het organiseren van de voedselvoorziening voor onderduikers in de steden.[73] Het optreden van de bezetter werd steeds bruter. In de brieven schreef Mansholt over de angst van Woudenberg voor het lot van zijn schoonzoon, een joodse violist (november 1941); over de diepe indruk die het fusilleren van vier Delftse studenten op hem maakte (februari 1942); het verdrijven van alle joden uit Alkmaar en Schagen (maart 1942); over de 'vreselijke dingen' die in Amsterdam gaande waren, terwijl hij weinig hulp kon bieden: 'Het gaat allemaal zo geraffineerd' (juli 1942); over de moord op een aantal gijzelaars in Rotterdam als represaille voor een aanslag van het verzet: 'Waar is het einde?' (augustus 1942)[74] De maat raakte vol.

Eind april 1943 brak er een algemene staking uit, nadat de Duitsers alle oud-militairen hadden opgeroepen zich te melden voor krijgsgevangenschap. In de Wieringermeer hadden overvalwagens enige dagen rondgereden. Een aantal mensen was opgepakt en de NSB-burgemeester had klappen gekregen van de stakende bevolking. 'Hier is de plaatselijke politie geweest om naar S. te informeren,' schreef Henny, 'maar hij is op reis. (…) Ik heb het gevoel dat er spannende dingen te gebeuren staan als de grote massa weigert op te komen.'[75]

Ongeveer tegelijkertijd scherpte de bezetter de anti-joodse maatregelen verder aan. Grootscheepse deportaties volgden. Op 24 mei 1943 berichtte Mansholt zijn ouders met ingehouden woede:

Uit A'dam komen ellendige berichten. Sedert vanmorgen worden ook 'gestempelde' joden gehaald. Binnen 6 weken moet het jodenvraagstuk geheel zijn 'opgelost'. Berichten over de toestand in Polen maken de toestand ook hier wanhopig. (…) Zojuist komt iemand uit A'dam op bezoek, waar ik meermalen zaken mee doe. Bracht enkele laatste groeten over van bekenden. Je wordt moedeloos als je niet weet hóe nu hulp te bieden. (…) In Westerbork zaten 400 joden uit gemengde huwelijken. Kwam een hoge Duitser, chef van de betrokken dienst, en stelde voor de keuze: Polen … of laten castreren en dan vrij! Een 50-tal koos het laatste.

De kerken hadden fel geprotesteerd tegen het beleid van de bezetter en vooral de bisschoppen namen volgens Mansholt een zeer moedige houding aan. Des te erger was het feit dat de studerende zonen van Herman Louwes de loyaliteitsverklaring[76] hadden getekend:

> Begrijpen dergelijke mensen dan niet waar het om gaat?! En dat ze zich nog bedienen van het smoesje, dat de verklaring toch van nul en gener waarde is. Ik acht een dergelijk argument van nul en gener waarde. Er is maar één houding, en dat is principieel alles afwijzen, verzetten tegen die vreselijke barbaren. Enfin, 'k weet dat jullie er net zo over denken.[77]

In de loop van 1943 raakte Mansholt betrokken bij het illegale 'Natura'-apparaat dat de voedselvoorziening van het verzet – vooral in West-Nederland – verzorgde. Aan de top stond oud-marineofficier Jan Bottema, die de distributie regelde. Mansholt zamelde het voedsel in en zorgde voor het vervoer. Hij leverde uit eigen voorraad, kocht in bij collega's tegen normale prijzen en tipte knokploegen over te kraken boeren die zich met zwarthandel bezighielden. Producten die waren gereserveerd voor de verplichte inlevering werden ook 'geroofd', soms met hulp van ambtenaren en politie. Mansholt werkte met een groep van tien à twintig man. Tot de vaste kern behoorde Johan de Veer, assistent-voedselcommissaris in Noord-Holland. De boerderij van De Veers ouders in Schagen was een van Mansholts onderduikadressen.[78]

'Wij hadden vijf, zes modderschuiten uit de buurt tot onze beschikking waarin we onder meer granen, suikerbieten, aardappelen en koolzaadolie vervoerden,' vertelde Mansholt in *De crisis*. Verborgen in een schuur draaiden vier oliemolens, 'een goede afleiding voor de onderduikers'. Het vervoer werd gedekt met officiële papieren afkomstig van Stefan Louwes. Alleen Mansholt was daarvan op de hoogte. Na de oorlog getuigden ook anderen dat Louwes alle medewerking gegeven had om Natura zo soepel mogelijk te laten draaien, de latere staatssecretaris en minister Hans de Koster bijvoorbeeld, leider van een spionagegroep en organisator van de Natura-afdeling Meel, brood, vet en olie.[79] Uit de eerder aangehaalde brief van 3 oktober 1944 bleek overigens al dat Mansholt op dat moment in het *legale* circuit vergelijkbaar werk verrichtte, met hulp van Louwes. Hij zat in een prima positie om een en ander te kunnen ritselen voor onderduikers en voor het verzet.

Over de betrokkenheid van Bottema en Mansholt bij Natura worden we uit de boeken van Loe de Jong niet veel wijzer. In de verslagen van de Enquêtecommissie 1940-1945 is het zoeken naar een speld in een hooiberg. Een getuige herinnerde zich dat ene Bottema van Natura contact onderhield met 'de kern', een overlegorgaan van verschillende verzetsgroepen. Een ander vertelde dat de illegale Persoonsbewijzencentrale in de hongerwinter honderdvijftig voedselpakketten kreeg 'van de heer Mansholt'.[80] Bottema liep uiteindelijk tegen de lamp. Tijdens een controle bleek zijn ausweis niet te deugen. Hij vluchtte, maar stuitte volgens Mansholt op twee SD'ers. Op 19 december 1944 werd hij gefusilleerd.[81] In de persoonlijke correspondentie worden Bottema noch Natura genoemd. Wel maakte Mansholt een paar keer melding van 'ander werk dat, zo lang de oorlog duurt, vóór móet gaan', en werd zowel door Henny als door Mansholts vader verwezen naar bepaalde – erg kostbare – voedselzendingen.[82]

In illegale opslagplaatsen in de Wieringermeer zou omstreeks april 1945 een enorme hoeveelheid voedsel liggen.[83] Deze voorraad was mede bestemd voor de Binnenlandse Strijdkrachten (BS), de bundeling van de grootste verzetsorganisaties waartoe de Nederlandse regering in Londen in september 1944 had opgeroepen. Wapens voor de BS werden sindsdien regelmatig door Engelse vliegtuigen afgeworpen op een aantal *dropping fields* in Noord-Holland. De wapens werden per auto verder vervoerd, totdat op 11 oktober 1944 een van deze transporten op een groep collaborateurs stuitte. Dit mondde uit in een bloedbad, dat later bekend werd als 'de slag bij Rustenburg'.[84] Daarop besloot 'laadmeester' Adrie de Graaf de wapens voortaan per boot te vervoeren. De Graaf was een neef van oud-minister-president Colijn. Hij boerde in de Wieringermeer, was er wethouder voor de ARP en een goede vriend van Mansholt. De Graaf was een van de belangrijkste figuren van het verzet in de Meer. Hij fungeerde op dat moment ook als gewestelijk voedselofficier van de BS en schakelde Mansholt waarschijnlijk meteen in bij de transporten per boot. Mansholt zorgde, zoals gezegd, voor de dekladingen en de juiste papieren en was ook op de hoogte van de opslagplaatsen in de polder.

In Mansholts archief bevindt zich een verslag van de verzetsgroep Wieringermeer van 18 juli 1945 dat een en ander bevestigt. In een boek uit 1947 over de geschiedenis van de BS in het noorden van Noord-Holland is een tekening opgenomen van het kale hoofd van een jonge, sterk vermagerde Mansholt met het onderschrift 'Sicco, één der mannen die voor voedsel en transport van wapens zorgden'. Verderop in dat boek werd een van de transporten beschreven vanuit de Wieringermeer naar Amsterdam: '132 stens, 40 geweren, 4 bazooka's, 4 brens, handgranaten en nog wat kleingoed.' In totaal zouden tussen oktober 1944 en de bevrijding drieduizend wapens en tien ton springstoffen in de Wieringermeer zijn terechtgekomen in veertig transporten. Een speciaal opgeleide groep maakte de onderdelen

„Sicco"

Eén der mannen die voor voedsel en
transport van wapens zorgden.

Uit *De mannen van overste
Wastenecker,* p. 35.

schoon en zette ze in elkaar in montagewerkplaatsen. Vandaaruit werden ze
gedistribueerd.[85]

Een boot in een tochtsloot een eind van Mansholts land vandaan was in
gebruik als wapendepot. Han Postel, Henny's jongere broer, fungeerde er als
magazijnmeester. Hij had in Delft gestudeerd en dook begin 1943 onder op
Fletum. Volgens Han had Mansholt weinig op met wapens. Hij liep er nooit
mee rond en liet zijn deel van het wapentransport later ook over aan een illegaal groepje rondom De Graaf en Jan Blijdorp, waarbij Han zich had aangesloten. Mansholt bleef wél verantwoordelijk voor de deklading. Na de droppings
werd alles met puntertjes via de sluis bij Medemblik naar de Wieringermeer
gebracht. Daarna volgde transport vanuit de Meer naar Rotterdam, Utrecht,
Den Haag enzovoort.[86]

Van de parachutes waaraan de gedropte wapens omlaag kwamen maakte
Henny bloesjes voor zichzelf en de kinderen. Die parachutes waren gemaakt
van dunne Amerikaanse stof van prima kwaliteit. Ze moesten uiteraard snel
worden opgeruimd.[87]

In *De crisis* schreef Mansholt dat zich 36 uur na de invasie in Normandië van 6 juni 1944 twee filmrollen tussen een zending gedropte wapens bevonden met een documentaire over de landing, bestemd voor een adres in Vught. 'Eerst zelf gekeken. (...) We zaten in een boerenschuur, op stropakken en zagen het wonder gebeuren. We huilden, het gaf nieuwe moed.'[88] Mansholt was dus al bij de droppings betrokken vóór de overschakeling op transport per schip (na oktober 1944). 'Ik heb die film zelf gezien met Sicco en het maakte grote indruk,' bevestigde Han Postel zestig jaar later.[89]

Verschillende verhalen over Mansholts verzetsverleden zijn achteraf opgetekend uit de mond van medestrijders en de juistheid ervan is moeilijk te achterhalen. Zo zou hij ervoor gezorgd hebben dat het waterpeil in de polder verlaagd werd, zodat de met wapens volgestouwde boten onder de bruggen doorkonden. Een oud-KP'er schetste hem als een geboren leider: iemand die rust uitstraalde, zijn mannen altijd dekte en nooit twijfelde. Opvallend was wél dat hij wapengeweld schuwde: 'Moffen werden niet omgelegd, maar in onderbroek en op sokken de polder ingestuurd.' Een derde, de vroegere wapeninstructeur van de BS, kwam met de volgende anekdote op de proppen: 'We kregen eens een inval van de SD tijdens een vergadering in Noord-Scharwoude. Sicco voerde het woord. Zonder een spier op zijn gezicht te vertrekken, overbluftte hij ze door te zeggen: We zitten hier namens het Rode Kruis.'[90] Mansholt zou de schuilnaam *Sikkel* hebben gebruikt, maar hijzelf ontkende dat. Hij herinnerde zich wel dat hij ooit de naam *Lieftinck* had opgegeven, toen hem op een bepaald moment in een café naar zijn naam werd gevraagd en hij op een van de tafeltjes een pakje F. Lieftinck rooktabak zag liggen.[91]

In een radio-uitzending uit 1978 haalde Mansholt met oud-verzetsman Cees Haeck herinneringen op aan de droppings. 'Je weet wat je aan hem hebt. Dat was ook zo in het verzet,' begon Haeck. Mansholt vertelde dat hij via Haeck al snel in contact kwam met wapens en munitie. Beiden waren er vaak bij als de Lancasters hun lading afwierpen op de *dropping fields*. Op het veld waren vijftig à zestig man aanwezig om de zware kratten te bergen, maar soms waren er wel driehonderd man ingeschakeld, voor een deel als bewakingstroepen. Volgens Mansholt ging er veel verloren. Tijdens het gesprek refereerde hij ook aan de bloedige slag bij Rustenburg: 'Dan word je nog kwader.'

Een van de droppings kwam naast het veld op een aantal kassen terecht. 'De vliegtuigen gingen helemaal open en dan donderden daar de parachutes uit met zes ton wapens.' Maar er werden ook andere zaken gedropt: fietsbanden, sokken, sigaretten. Mansholt tegen Haeck en zijn interviewers:

Dat dat zo lang goed gegaan is, is onbegrijpelijk. Ik heb zo'n idee, de Duitsers moeten dat geweten hebben, want dan kwamen er jagers uit Bergen en de parachutes lagen nog op het veld. Die stomme Amerikanen, ondanks het feit dat we hebben laten seinen: 'Zwarte parachutes', stuurden ze witte en rode. Aan iedere kleur moest je zien wat er in de kisten zat die eraan hingen. Waanzin. En dan kwam er nota bene soms een vracht fietsbanden naar beneden, niet zonder merk maar er stond 'Dunlop' op. Nou, wie durft met een Dunlopband in 1944 te rijden? En sigaretten. Chesterfield! Kwam ook naar beneden. Wie rookt er Chesterfieldsigaretten in 1944? Stomme lui.

Op de vraag van een van de interviewers of hij zelf mensen had moeten liquideren antwoordde Haeck: 'Daar praten we maar niet meer over.' Later wilde hij wel toegeven dat er af en toe infiltranten betrapt waren bij de droppings en dat er dan geen alternatief was: 'Het is hij of ik.' Mansholt vulde aan: 'Drie Duitsers hebben we een keer gevangen genomen, niet geliquideerd. Ze wisten te veel. We hebben ze opgeborgen in een klooster in Nieuwe Niedorp. (Haeck: "Ze waren blij toe.") Maar je kwam voor gevallen te staan dat het niet anders kon.'[92]

Verschillende brieven uit de periode van 'Dolle Dinsdag' 5 september 1944 tot aan de bevrijding bevestigen dat Mansholt behoorlijk diep in het verzet zat. Een daarvan, waarschijnlijk van eind november van dat jaar, verwees zelfs indirect naar de wapentransporten: 'Wij zijn zeer onder de indruk van de mensenjachten in de grote steden (...). 'k Heb een vermoeden dat Amsterdam zich te weer zal stellen. Dit kan veel bloed kosten, maar het is de inzet waard.'[93]

Na Dolle Dinsdag en de slag om Arnhem werd het verzet actiever en nam de Duitse repressie almaar toe. Op 24 september brachten de Mansholts 's avonds nog een bezoek aan broer Dirk en zijn vrouw. Henny over de afloop: 'Sicco en ik ontkwamen ternauwernood aan een paar Duitsers door met de fiets plat aan de kanaalkant in de modder te gaan liggen. Hoewel ze ons gezocht hebben, waren we onvindbaar, maar sindsdien wagen we geen pleziertochtjes meer.' Een paar dagen later werd Sicco's fiets geroofd door een Duitse deserteur: 'De man dreigde met een pistool en er was geen ontkomen aan. Er was juist niemand in de buurt.'[94] Niet lang daarna volgde de eerste zoekactie van de Duitsers in de Wieringermeer. Ook Fletum kwam daarbij aan de beurt. Henny bracht verslag uit:

Do. avond 8 uur werden we gewaarschuwd dat de groene in aantocht was en dat er dit maal groot alarm was gegeven. Sicco direct naar Slootdorp om de nodige maatregelen te nemen, terwijl de jongens de plaats op 't land in orde hebben gemaakt. (…) In totaal zijn er ruim 1000 militairen geweest, waaronder veel gewone soldaten (…) die met mitrailleurs en kanonnen wachtposten hebben uitgezet langs alle wegen. Niemand mocht de polder in of uit de hele dag. De eigenlijke razzia werd gehouden door de groene en om 12 uur 's middags kwamen ze bij me. Sicco had [de twee knechts] naar 't land gestuurd stekbieten poten (de anderen waren niet gekomen) en was zelf in de schuur bezig de zaaimachine klaar te maken, toen er hard op de grote deuren werd gebonsd en geroepen: 'Aufmachen'.

6 man stonden klaar met handgranaten en bajonetten. S. bleef uiterst kalm, stond hen in Duits te woord en ze vroegen steeds naar verstopte auto's en radio's. Hebben de schuur doorzocht, niets overhoop gehaald en ook niets gevonden. Stonden voor ons in de keuken, heel onvoorbereid, waar ik druk aan het gehakt braden was, Antje kasten schoonmaakte en de kinderen druk speelden. Gajus en Lideke zeiden maar steeds daaag en gaven direct een handje toen ze 't vroegen. "Aha, Schweinenbrate", zei er een en keek heel brutaal in al m'n pannen die opstonden. Een ander kroop in de kelder en bleef daar rustig op z'n hurken de zaak bekijken zodat ik m'n hart vasthield voor alle voorraden. Daarop klosten ze door de kamer, gingen naar boven met Sicco, waar ze alle kasten opendeden, maar niets door elkaar haalden. Bij D.J. op de kamer kwamen ze met veel lawaai, zagen het wiegje en slopen er op hun tenen weer uit. Op zolder maakten ze alle koffers open en zijn tenslotte heel correct uit de voordeur vertrokken.[95]

Op 24 januari 1945 trof de Duitse Feldgendarmerie tien lege kratten aan op Mansholts boerderij. De kratten waren afkomstig van droppings. Gelukkig was de lading – onderdelen voor radio's – kort daarvoor per fiets naar de Zaan vervoerd. Vanaf dat moment werd Mansholt verdacht van illegale activiteiten en was hij daarom vaak 'op reis'.[96]

In februari 1945 volgden meer bezoeken, met een veel grimmiger karakter. Men zocht toen speciaal naar onderduikers en schuwde daarbij het geweld niet. Mansholt zelf was ondergedoken in Schagen. ''t Is voor ons niets plezierig steeds op onze hoede te zijn,' schreef Henny op 2 februari. 'Met de jongens alles best. Veel spannende momenten, óók voor mij, en de nachten duren soms lang.' Kort daarop werd toch besloten de onderduikers elders onder te brengen. Op 9 februari fusilleerden de Duitsers de rayonleider van de LO (de Landelijke Organisatie voor Hulp aan Onderduikers), een van de grote verzetsorganisaties. Een maand later werd in de omgeving van Fletum een NSB-politieagent die controleerde op smokkel op de weg doodgeschoten.[97]

In april nam het geweld verder toe. De Sicherheitsdienst zocht intensief naar Mansholt. Uit een brief die hij 8 april aan zijn moeder schreef:

Henny is drie uren verhoord, maar ze hebben niet veel ontdekt. 'k Was al gedurende een week of zes 's nachts niet thuis, maar overdag moest ik het er maar op wagen. Er was te veel te doen. Ze kwamen met z'n elven om halfzeven 's morgens. Maar toen was ik er nog net niet. (…) Gisteren was de Grüne uit Medemblik er. Dat waren bruten. Veel gestolen en o.a. alle bessensapflessen kapotgeslagen, woedend dat het geen wijn was! Enfin, als 't erger niet is.[98]

Een week later kwam 'de Grüne' terug. Henny was hoogzwanger. Ze kreeg een stengun in de rug en Boersema, de knecht, werd tot tweemaal toe tegen de muur gezet om te vertellen waar zijn baas was. Zij wisten het niet – hij had hun dat ook nooit verteld. De kleine Gajus, zes jaar oud, werd gevraagd: 'Hoe ziet je vader eruit,' waarop deze prompt antwoordde: 'Hij heeft zwarte krullen!' Ze zochten van 's morgens acht tot 's avonds zes en verlieten uiteindelijk razend het erf, luid roepend dat ze binnenkort wel zouden terugkomen.

De volgende dag besloten Henny en haar broer Han uit voorzorg de boerderij te ontruimen. De kinderen werden over verschillende adressen verspreid. Op 16 april 's ochtends om vier uur reden de wagens het erf al af. Henny erachteraan. Zij kon onderduiken bij een bevriende boer in de buurt. De volgende nacht zou de inventaris volgen. Zelf sliep Mansholt bij de familie De Veer in Schagen.[99] Het liep uiteindelijk toch heel anders af.

### De ramp van 17 april 1945

'De vreselijke ramp, die eigenlijk al lang dreigde, is nu werkelijkheid geworden. Het is ontzettend wat er met onze polder is gebeurd,' luidden de eerste zinnen van een lange brief die Mansholt op 30 april 1945 aan zijn moeder schreef.[100] De Duitsers hadden de dijk opgeblazen. De Wieringermeer stond onder water. Mansholts verslag spreekt voor zichzelf:

Dinsdag de 17e werd 's ochtends om vijf uur bekend gemaakt dat de polder vóór twaalf uur 's middags verlaten moest worden omdat ze onder water zou worden gezet. Hoewel dat de mensen in grote haast alles deed oppakken en wegvoeren, was men toch vrij algemeen van mening dat het nog wel wat mee zou vallen. Je kon het ook eigenlijk niet geloven! Het was een prachtige zomerse voorjaarsdag. Het koolzaad stond in volle bloei. Alle gewassen stonden prachtig door het gematigde voorjaar. De tuinen waren vol bloemen en bloeiende heesters. (…)

Om twaalf uur weerklonken er twee zware dreunen, kort na elkaar. In machteloze woede om zo'n misdaad moest je dat aanhoren.

Het water heeft in het begin slechts zeer langzaam gestroomd. (…) 's Avonds om half negen was in onze buurt het water in de kanalen nog zo goed als niet gestegen. Maar toen kwam het bericht dat het achter Wieringerwerf al met geweld over de wegen liep. Dat duidde op een grote doorbraak. Een stuk dijk van ca. 200 meter lengte is bezweken. Daarna nog een 2e stuk van 125 meter. Je begrijpt dat hierdoor een grote vloed de polder in stroomde. Vooral achter Wieringerwerf werd het voor velen onmogelijk nog de vaste wal te bereiken. Men reed daar met de wagens door het wild stromende water. Ruim honderd mensen zijn naar de terp gegaan en een gedeelte zit er nog. Die hebben zich daar huisjes van stropakken gebouwd en voelen er zich op hun gemak. Er is aan de luierweg een meisje verdronken. Hier en daar ook vee dat van de weg afraakte in de volle sloten. Enkelen hebben slechts hun vege lijf kunnen redden.

Door de kanalen kwamen geweldige massa's water zetten. Het gierde onder de bruggen bij Middenmeer en om zes uur 's morgens stond de hele havenkade al blank. Het was tevens haast je rep je om nog iets te redden. Hele karavanen wagens trokken door het water. Om ca. elf uur gingen de laatste mensen uit Middenmeer. De droogstaande stukken weg werden steeds korter en 's avonds stond het water al aan de oude dijk. Het steeg soms met een snelheid van 1 meter per minuut. De volgende ochtend was het één grote watervlakte, hier en daar stak het koolzaad er nog bovenuit. Een troosteloos gezicht. Al spoedig was het water zo hoog dat men met bootjes de polder in kon.

Het water in de polder steeg tot een gemiddelde hoogte van drie à vier meter; op sommige lagere delen stond zes meter. Een paar dagen later stak een zware storm op. Door de wilde golfslag zouden de meeste huizen en veel schuren instorten.

Waarom de Duitsers de polder onder water zetten, is niet helemaal duidelijk. Seyss-Inquart en consorten in Den Haag waren tegen. Waarschijnlijk werden zij overruled door de commandant van het legeronderdeel dat kort daarvóór vanuit Friesland via de Afsluitdijk naar Wieringen was gegaan. Deze commandant vreesde geallieerde luchtlandingen.[101]

Mansholt zag nog kans in de middag na de doorbraak bewoners van verafgelegen boerderijen met de fiets te bereiken. Een oud-inwoner herinnerde

December 1945: wat er overbleef van Mansholts boerderij acht maanden nadat de Duitsers de Wieringermeerdijk hadden opgeblazen.

zich dat hij langskwam: 'Opschieten met de spullen,' zei Sicco, 'want het water komt er al aan. De dijk is doorgestoken.'[102] Toen Mansholt zijn moeder de feiten opdiste, kon hij zijn emoties al nauwelijks de baas, zoals hierboven bleek. Daarop volgde nog een aangrijpend relaas over wat hem persoonlijk overkomen was. Om zeven uur 's ochtends, op zijn onderduikadres, had hij gehoord dat de dijk zou springen:

> Even duizelt het je bij zo'n bericht. Onmiddellijk de wagens opgehaald. Ik was een slag vóór, omdat de hele inboedel zo de polder uitgereden kon worden. Dat was vóór twaalf uur klaar en toen gingen de wagens naar het dorp om daar te helpen. Ik kon zelf niet op de boerderij komen omdat de Grüne Polizei zeer actief was nu ze ook drie keer bij de boerderij is geweest! (...) Hennie had 's morgens de kinderen weer verzameld en was uitgeweken naar Abbekerk waar ze enkele dagen kon logeren.
> Dinsdagmiddag vijf uur ben ik de polder uitgereden, werd nog gecontroleerd door een Grüne, maar dat ging goed. Om zes uur was ik weer terug, maar bij Abbekerk werd m'n fiets afgenomen door de landwacht, die een groep van veertig jongeren had opgepakt. En bij die groep was A.C. de

Graaf! Die hadden ze herkend en gearresteerd. Hij is snel afgevoerd in richting Hoorn. Maar even buiten Abbekerk hebben ze hem vermoord! De beesten. Maar ze zullen hun gerechte straf niet ontgaan!

Ik ben voorzichtigheidshalve niet weer de afzetting gepasseerd en moest alles overlaten aan [de knechts]. Die hebben het kleine gereedschap en voorraden voedsel en kunstmest kunnen redden. Alle machines zijn achtergebleven. Jan Eecen in Oud-Karspel bood een gedeelte van zijn huis aan. Hennie heeft daar een mooie kamer en twee slaapkamers. [Het dienstmeisje] is bij haar. In Zuid Scharwau, twintig minuten lopen daarvandaan, heb ik een huisje van het gezin Boersema. De koe staat daar op stal en ook de paarden zijn goed ondergebracht. Zelf ben ik elders, want de Grüne is nog zeer actief.

Het aantal onderduikers dat op dat moment in de Wieringermeer verbleef, werd achteraf geschat op ruim tweeduizend. Een onbekend aantal werd gepakt. Er vielen 29 slachtoffers. Onder hen, als gezegd, de 42-jarige Adrie de Graaf. Negen jaar later onthulde *minister* Mansholt een monument op de plek waar zijn vriend was doodgeschoten. De provinciale weg waaraan het gebeurde heet sindsdien A.C. de Graafweg.[103]

Het slot van Mansholts laatste oorlogsbrief – vijf dagen later was het voorbij – was gericht op de toekomst. Mansholt had het vermogen een deur achter zich dicht te trekken en alles achter zich te laten. De knop ging dan om.

Zo langzamerhand kunnen we weer alles overzien en plannen gaan maken voor de toekomst. Werk heb ik natuurlijk in overvloed, maar het zal noodzakelijk zijn een betaalde functie aan te nemen. Althans iets wat nog wat inkomsten geeft, maar dat zien we na de oorlog wel. Gelukkig is het laatste jaar een goed jaar geweest. De meeste producten waren al afgeleverd. (…) Ik heb de stellige verwachting dat ik uit de molestuitkering een nieuwe inventaris kan aanschaffen. De importeur heb ik reeds geschreven onmiddellijk een nieuwe Caterpillar dieseltrekker te bestellen. (…) Ik heb het laatste restant van mijn aflossing aan jullie overgemaakt. Hiermede ben ik schuldenvrij (…).

Het zal nu wel zeker enige jaren duren eer wij weer normaal kunnen boeren. Gedurende die tijd zal ik zeker voor de Partij veel werk kunnen doen, maar misschien dat er ook op het gebied van de wederopbouw nog wel een taak zal zijn weggelegd.

Gajus is ziek. Hij heeft dysenterie en dat pakt hem lelijk aan. (…) Jan was erg verkouden door al dat getrek, maar is nu weer beter. Lideke is best en speelt de hele dag in de tuin. Hennie ziet er wat smalletjes uit. Het is een buitengewoon enerverende tijd voor haar geweest. (...) We hebben veel aan vader moeten denken dezer dagen. Wat zou hij zich dat hebben aangetrokken. Hij heeft zo veel voor de Wieringermeer gedaan. Maar zijn werk is niet vernietigd! Hij heeft de grote lijnen aangegeven van verhouding, wijze van uitgifte der gronden, wijze van beheer. En dat alles blijft behouden. We zullen de polder weer opbouwen en over 10 jaar zal ze zeker weer zover zijn als ze nu was.[104]

De invloed van de jaren 1940-'45 op de persoon Mansholt was groot. 'Voor mij is alles begonnen met de oorlog,' vertelde hij later. Op 10 mei 1940 was hij 31 jaar oud. Hij ging 'geladen' de oorlog in, naar eigen zeggen agressief en radicaal. De jaren van bezetting en verzet maakten hem rijper, zowel politiek als emotioneel.

Vanwege zijn organisatietalent en karaktervastheid kwam hij aan het eind van de bezetting als vanzelf bovendrijven; een ander type politicus dan dat van voor de oorlog. Mansholts bestuurlijke scholing bestond immers uit vijf jaar oorlog en illegaliteit. 'Dan bekijk je de problemen op een volkomen nieuwe manier. In de geest van de illegaliteit was alles mogelijk. Je hoeft je niet te houden aan de strikte regels uit het verleden. Je doet wat nodig is.'[105] Sicco Mansholt hield na 1945 vast aan deze eigen, onconventionele politieke stijl. Dat zou hij van 1945 tot eind 1957 doen als minister in Den Haag en daarna tot 1973 als Europees commissaris in Brussel.

# - 5 -

# Minister van Voedselvoorziening

'Iemand moet het toch opknappen'

In het kleine museum van Het Genootschap voor de geschiedenis van de Wieringermeer in Middenmeer hangen twee proclamaties uit 1945 aan de muur, fel oranje gekleurd. De ene is gedrukt kort vóór de inundatie, de andere vlak daarna. De inhoud is vrijwel gelijk: de aankondiging dat 'in naam der Koningin' de ondergetekende op de dag van de bevrijding het ambt van waarnemend burgemeester aanvaardt. Het meest in het oog lopende verschil schuilt in de laatste regel. Onder de eerste versie staat 'A.C. de Graaf, waarnemend burgemeester'; onder de tweede 'S.L. Mansholt, waarnemend burgemeester'. Middenin de tweede versie is ook nog een korte passage ingelast, gewijd aan het doodschieten van De Graaf.[1]

Mansholts waarneming duurde drie weken, tot de terugkeer op 12 mei van de door de Duitsers afgezette burgemeester Loggers. Tot die datum was hij ook voorzitter van een adviescommissie voor de Wieringermeer, een commissie die al was gevormd in de illegaliteit.[2] De gemeente lag onder water, maar er was toch volop werk. Bewoners moesten tijdelijk elders worden gehuisvest, ronddrijvende spullen moesten worden opgepikt en zo veel mogelijk voedsel en wapens in veiligheid gebracht.

De eerste naoorlogse brieven dateren van 22 mei 1945. Henny stuurde er twee op die dag: een naar haar ouders in Lochem en een naar haar schoonmoeder in Heemstede. Bovenaan de eerste krabbelde ze nog: 'We gaan vanavond onverwachts naar een Canadezenfuif in het Troelstraoord.' Henny en de kinderen verbleven de eerste weken na de bevrijding bij de familie Eecen in Oudkarspel. Sicco fungeerde op dat moment ook als voedselofficier voor de Binnenlandse Strijdkrachten in Noord-Holland. Aan de tweede brief had hij de volgende passage toegevoegd:

'k Heb het waarnemend burgemeesterschap aan Loggers overgedragen en ben nu loco. Dat is een hele verlichting van mijn taak. Het werk met de Provinciale Voedselcommissaris vergt nog veel tijd, terwijl voorts de verzorging van de BS in Noord Holland in grote lijnen door mij moet worden behartigd. We hebben wel contact met het Militair Gezag. Flinke lui hier, met radicale plannen en dito oplossingen voor moeilijkheden. De rantsoenen gaan snel vooruit. (…) Toch ziet de toekomst er nog zorgelijk uit. We moeten niet verwachten dat het royaal wordt, het eerste jaar. Wat is zo'n oorlog toch een vreselijke catastrofe. In Duitsland is de toestand bijna hopeloos. Hoe dit ooit weer op gang moet komen?[3]

Uit de brieven valt op te maken dat Mansholt in die dagen een belangrijke schakel vormde tussen het ambtelijk apparaat van Stefan Louwes, de uit de illegaliteit voortgekomen BS en het door de Nederlandse regering in Londen op touw gezette Militair Gezag (MG). Na de capitulatie zou het MG het bestuur op zich nemen tot een nieuwe regering was gevormd. In het najaar van 1944 had Louwes zich al in verbinding gesteld met de leiding van het MG in het bevrijde zuiden om een en ander voor te bereiden. Enkele dagen vóór de bevrijding zocht de militaire top opnieuw contact met hem. Het apparaat van voedselcommissarissen en bureauhouders bleek nog volkomen intact en men besloot Louwes en zijn ambtenaren volledig in te schakelen. Mansholt zou later voor de Parlementaire Enquêtecommissie 1940-1945 getuigen dat dit een juiste beslissing was. 'Wat de voedselvoorziening betreft (is) het snelle herstel in de eerste weken voornamelijk te danken aan het initiatief van de heer Louwes.'[4]

Cijfers bevestigen dat. Het eerste kwartaal van 1945 bestond het dagelijks menu in het westen uit 619 calorieën. In het tweede kwartaal steeg dat tot 1376. Daarbij speelden geallieerde voedselpakketten een grote rol, aldus Mansholt voor de Enquêtecommissie. Henny verwees daarnaar ook in haar brieven. 'De voeding wordt belangrijk beter,' schreef ze op 22 mei. Het broodrantsoen kon weliswaar nog niet omhoog, maar de inhoud van de uitgedeelde pakketten maakte veel goed: 'Men krijgt per week 500 gr. droge biscuits, de kinderen zelfs 900 gr. Ook proefden we weer chocola, terwijl 't pakket blikjes eipoeder, corned beef, soms, en stamppot bevatte.' Door Sicco's werk had ze een kijkje gekregen achter de schermen van 'de geweldige organisatie' van Louwes en ze moest toegeven: ''t Is toch niet zo'n chaos als het ons eerst veel toe leek.'[5]

De volgende brief was van 20 juni 1945. 'Terwijl we plannen maakten over een nazomervakantie in een eigen huis in Heemstede of in de buurt van de polder is er anders over Sicco beschikt,' begon Henny. Mansholts leven was ingrijpend veranderd. 'De partij' had hem een ministerspost aangeboden en hij had ja gezegd! Twee dagen daarvóór had hij het verzoek gekregen bij Drees in Den Haag te komen ('Wij kenden hem als partijgenoot en hadden hem deze winter ook van allerlei gestuurd'). Op 28 mei had koningin Wilhelmina aan Drees en Schermerhorn de opdracht gegeven een kabinet te formeren. Mansholt ging naar Den Haag en ontmoette er Hein Vos. Drees vroeg Mansholt voor Landbouw en Voedselvoorziening en Vos voor de portefeuille van Handel en Nijverheid. Zelf wilde hij Sociale Zaken nemen. Gedrieën gingen zij vervolgens naar Schermerhorn in Delft.

''t Is iets zo volkomen onverwachts dat we er beduusd van waren,' verzuchtte Henny. Een zware, ondankbare klus waaraan ook nog eens praktische bezwaren kleefden: 'Sicco heeft geen officiële kleding, moet zich straks presenteren bij de koningin en we zullen veel mensen moeten ontvangen. Voorlopig is mijn bevalling een excuus, maar ook een handicap als ik met hem mee zal moeten.' Dat hij de Wieringermeer niet meer van nabij kon helpen opbouwen, ging hem aan het hart. Aan de andere kant wilde hij het vertrouwen dat men in hem had niet beschamen. 'Sicco voelt het als een plicht dit aan te nemen. "Iemand moet het toch opknappen," zegt hij.'[6]

Op 24 juni 1945 werd Mansholt beëdigd als minister in het kabinet-Schermerhorn-Drees, een 'nationaal kabinet voor herstel en vernieuwing'[7], dat het licht zag zonder dat er verkiezingen aan te pas waren gekomen. De oude Tweede Kamer van mei 1940 kwam pas voor het eerst op 25 september 1945 bijeen. Mansholt had de formateurs gezegd dat hij van plan was na twee jaar het ministerspluche opnieuw te verruilen voor de tractor. Dat zou heel anders uitpakken. Henny woonde in die tijd nog steeds in Oudkarspel. De minister kwam alleen zondags even langs. Van tevoren maakte Henny dan lijstjes van de dingen die ze hem beslist moest zeggen. Hij bivakkeerde vaak op het ministerie in Den Haag of werkte en sliep bij zijn zus Aleid in Wassenaar. 'Zo lang de minister in huis is, mag Aleid onbeperkt stroom gebruiken, wat een luxe,' schreef Henny aan haar schoonmoeder. Zij beviel op 14 juli van een dochter. Op dat moment was haar echtgenoot op werkbezoek in Limburg. Pas vanaf begin augustus woonde het gezin weer samen in Wassenaar.[8]

Waarom Mansholt? Drees' eerste herinnering aan hem dateerde van een illegale bijeenkomst tijdens de oorlog. Hij kende de familie[9] en was onder de indruk geraakt van de grote activiteit van de boer uit de Wieringermeer. In zijn boek *Van mei tot mei* memoreerde Drees dat Mansholt voor hij minister werd al het nodige had gepresteerd voor de voedselvoorziening van het verzet. Ondanks zijn jonge leeftijd – hij was 36 – had Mansholt binnen de SDAP verder weinig concurrentie op het terrein waarop hij gespecialiseerd was, de landbouw. Dat was van belang omdat Drees ernaar streefde drie partijgenoten op de centrale sociaaleconomische departementen te krijgen. Daarmee zou een goede samenwerking verzekerd zijn. De formateurs hadden aanvankelijk ook de communisten een stem willen geven via een ministerschap zonder portefeuille. Zij hadden immers een belangrijk aandeel gehad in het verzet, hun aanhang was tijdens en kort na de bezetting sterk gegroeid en de Koude Oorlog bestond nog niet. Het aanbod werd afgeslagen. De communisten eisten namelijk twee portefeuilles, inclusief Voedselvoorziening, maar Drees en Schermerhorn wilden niet tornen aan hetgeen Mansholt was toegezegd.[10]

Naast verzetsprestaties hebben andere factoren een rol gespeeld. Ten eerste lag Mansholt goed bij een aantal prominente figuren in de SDAP met wie Drees indertijd vaak overleg pleegde: Woudenberg, Van der Goes van Naters, NVV-voorzitter Evert Kupers (kleermakerszoon uit Groningen; rondom 1905 had hij als jongeman elke zondag trouw lessen staatshuishoudkunde gevolgd bij Wabien Andreae). Mansholts persoonlijkheid moet indruk op hen hebben gemaakt en ook op Schermerhorn. Bovendien: de partij had hem al in 1939 een verkiesbare plek op de lijst voor de Tweede Kamerverkiezingen beloofd, mede als eerbetoon aan het werk van zijn vader. Daarnaast was er de familieband met de gebroeders Louwes: boerenleider Herman, de 'burgemeester' van het platteland, en topambtenaar Stefan, architect van de *Agrarpolitik* en de voedselvoorziening.

De 'bureaucratische connectie' van Mansholt met neef Stefan zou voor Drees wel eens van doorslaggevend belang kunnen zijn geweest. De Nederlandse politiek moest na 1945 opnieuw greep krijgen op het ambtelijk apparaat. Drees en Louwes voelden dat haarfijn aan. De wortels voor Mansholts ministerschap zijn min of meer terug te vinden in een brief die Drees al op 26 maart 1945 aan hem stuurde. Daarin vroeg hij hem namens een 'officiële instantie' en met medeweten van Louwes of hij zitting wilde nemen in een commissie van vijf deskundigen 'die zowel nu als na de ommekeer enerzijds den Directeur-Generaal van de Voedselvoorziening zou kunnen adviseren, anderzijds mee zou kunnen werken aan voorlichting van de bevolking'. Het doel was een brug te slaan tussen het ambtelijk apparaat en de Nederlandse bevolking.[11] 'Officiële instantie' sloeg op het in augustus 1944 door de regering in Londen ingestelde College van Vertrouwensmannen. Dit college werd geacht tijdens de bezetting de regering te vertegenwoordigen en regelingen voor te bereiden die direct na de bevrijding in werking zouden kunnen treden. Drees was lid van dat college. Over het functioneren van de commissie is verder niets bekend. Het Militair Gezag heeft een en ander doorkruist. Waar het om gaat, is de lijn Drees-Mansholt-Louwes, een lijn die dus al vóór de bevrijding was uitgestippeld.

Voedselvoorziening

'Het was een goed kabinet, dat eerste,' noteerde Mansholt in *De crisis*. Het toonde daadkracht en er werd goed samengewerkt. 'In het begin was het voor mij bijna een voortzetting van het illegale werk. Het was eigenlijk een groot avontuur.' Mansholts hoofdtaak was de bevolking te eten te geven. Daarbij stuitte hij vaak op ongekende problemen die geheel nieuwe oplossingen vroegen. Gevraagd door de Enquêtecommissie 1940-1945 naar zijn beleid in de periode van juni tot september 1945, antwoordde hij met reeksen cijfers en de opmerking: 'Het komt er tenslotte niet op aan hoe men organisatorisch werkt, maar wat er in feite gebeurt.' Lef en vindingrijkheid speelden een belangrijke rol. In *De crisis* schetste hij het volgende beeld:

De eerste zorg was voedsel kopen en nog eens kopen in het buitenland. (…) Ik sliep vaak op het departement in mijn werkkamer, waar op een grote kaart aan de wand de posities van de schepen met levensmiddelen stonden aangegeven. De grote zorg is altijd geweest dat de distributiebonnen gehonoreerd moesten worden. (…) We hebben spannende dagen en nachten beleefd, of er op tijd gelost kon worden in de havens. (…) We ruilden soms. Als België krap zat in suiker en ik kon een suikerschip afstaan, ruilde ik het voor een schip met vetten, dat dan gedirigeerd werd naar Rotterdam.[12]

De minister was een superkoopman en de hele wereld was zijn markt. Mansholt voelde zich als een vis in het water. Aan de Duitse uitgave van *De crisis* voegde hij zelfs toe: 'Diese Zeit unmittelbar nach dem Krieg war die beste Zeit meines Lebens.' Hij was altijd vóór acht uur op het departement en had 's avonds nooit haast om naar huis te gaan. Eén keer per week hield hij een stafvergadering met de topambtenaren van zijn departement, die meestal tot diep in de nacht duurde. 'Hij geeft er zich ten volle aan,' schreef Henny aan een van haar vriendinnen, 'trouwens het hele ministerie is zo vol bezieling aan het werk en dat geeft wel veel vertrouwen. Ik hoop zo dat hij dit tempo volhoudt en niet te veel van zichzelf vraagt.'[13]

Van de bevrijding tot aan het voorjaar van 1948 was de voedselvoorziening precair. In het begin verbeterde de situatie vrij vlot door de voedselpakketten en aanvoer uit pakhuizen overzee. Tijdens de oorlog had de regering in ballingschap namelijk een enorme voorraad levensmiddelen ingeslagen. Hierdoor was Nederland in 1945 ruimer van goederen voorzien dan veel andere West-Europese landen. Met name broodgraan en vetten waren in flinke hoeveelheden voorhanden.[14]

Het probleem was de aanvoer. Dat bleek bijvoorbeeld de eerste week van juli 1945, toen de Rotterdamse haven plat lag als gevolg van een staking. Mansholt waarschuwde zijn collega's voor een dreigend tekort aan graan en suiker: 'Er is genoeg voor 6 dagen.' De gunstige voorraadpositie van Nederland strekte zich uit tot de eerste helft van 1946. In maart van dat jaar was Mansholt nog in staat een schip dat met 50.000 ton graan op de Atlantische Oceaan voer, uiteindelijk naar Frankrijk te dirigeren toen de politieke situatie in dat land uit de hand dreigde te lopen. Dat gebeurde overigens op verzoek van de Fransen en in overleg met de VS. Om het belang hiervan te onderstrepen: Nederland had indertijd zelf 24.000 ton per week nodig.[15]

De 'reliefzendingen van SHAEF' – de technische term voor de geallieerde voedselpakketten – eindigden in september 1945. Daarna was Nederland aangewezen op regeringsaankopen tegen keiharde dollars. Het nijpend gebrek aan deviezen kwam boven aan de politieke agenda te staan. Aangezien er een wereldtekort aan voedsel was, dreigden de prijzen bovendien de pan uit te rijzen. Onder aanvoering van de Amerikanen lukte het de beschikbare levensmiddelen onder een stelsel van aankooptoewijzingen te brengen, de zogenaamde *allocaties*, die werden vastgesteld door de *Combined Food Board* in Washington. Deze *Board* bestond uit vertegenwoordigers van de Verenigde Staten, Canada, Groot-Brittannië, Frankrijk en een aantal importerende landen, waaronder Nederland. In overleg met collega-ministers werden de toewijzingen geregeld. De *Board* fungeerde als wereldverdeelorgaan van levensmiddelen en grondstoffen. Eerst werd gezorgd dat de mensen in leven bleven; dierlijke consumptie van graan kwam pas op de tweede plaats.[16]

De wereldmarktordening door de *Food Board* hield stand tot het najaar van 1947. Uit Mansholts uiteenzettingen in de ministerraad kan worden afgeleid dat die ordening niet van een leien dakje ging. Economische en politieke motieven legden steeds meer gewicht in de schaal, humanitaire steeds minder. Al in maart 1946 wees Mansholt erop dat de Amerikaanse en Canadese boeren miljoenen tonnen graan achterhielden, speculerend op forse prijsstijgingen. Toen de VS in oktober 1946 een einde maakten aan de prijsbeheersing van vlees, leek het hek van de dam. De veevoerprijs steeg. Steeds meer tarwe kwam terecht in Amerikaanse voederbakken, terwijl Mansholt zich gedwongen zag bakkers voor te schrijven een bepaald percentage aardappelmeel in het brood te verwerken. De VS leverden sindsdien bij voorkeur aan landen waar politieke winst te behalen was, Italië bijvoorbeeld. Mansholt stelde voor Moskou om graan te vragen. De Fransen en de Denen hadden er al goede resultaten geboekt.[17]

Halverwege 1947 keerde Mansholt teleurgesteld terug uit Washington. De *Food Board* had berekend dat het wereldtekort aan tarwe dat jaar 25 miljoen ton bedroeg. Het was een grote puzzel hoe alles verdeeld moest worden. Mansholt had niet gekregen wat hij wilde en probeerde nog een *deal* met de Canadezen te sluiten. 'Als het hem lukt een contract voor elkaar te krijgen, dan zal dit de grootste transactie zijn die Nederland ooit gedaan heeft,' schreef Henny op 14 juli aan haar moeder.[18] Blijkbaar ketste dit af. Twee maanden later hield Mansholt zijn collega-ministers namelijk voor dat hij zich gedwongen zag het broodrantsoen te verlagen. Tarwe en maïs waren politieke wapens geworden. De Britten en Amerikanen wilden niet langer meewerken aan internationale verdeling. Voor Nederland leek er niets anders op te zitten dan zich tot Rusland te wenden. Ook Drees steunde dat plan.[19] Intussen werd in de VS al enige maanden gewerkt aan een program dat daarvoor een stokje zou steken: het Marshallplan.

Op de *binnenlandse* markt ging het beleid de eerste drie jaar gepaard met omvangrijke regelgeving en strenge controle. De schaarse landbouwproducten moesten op rechtvaardige wijze worden verdeeld: als voedsel voor de bevolking, grondstof voor het bedrijfsleven en bron van deviezen. Dat laatste was van groot belang om de wederopbouw te kunnen bekostigen. 'Exporteren of sterven,' luidde het devies van Piet Lieftinck, de minister van Financiën.[20] In 1946 en 1947 bestond ongeveer de helft van de Nederlandse uitvoer uit agrarische producten. De wereldmarktprijzen waren de eerste jaren na de oorlog relatief hoog. Mansholt garandeerde de boeren afzet van hun producten tegen een 'lonende prijs' die onder de wereldmarktprijs lag. De Nederlandse loon- en prijspolitiek was bovendien bewust gericht op versterking van de concurrentiekracht. Door de kosten van het voedselpakket te drukken, konden de lonen laag blijven. Brood, melk en vlees bijvoorbeeld werden flink gesubsidieerd ten behoeve van de consument. Zonder subsidie zou een brood niet 19 à 20, maar 27 cent kosten. Al met al lagen de prijzen van Nederlandse landbouwproducten in die tijd zo'n twintig procent onder het West-Europese gemiddelde.[21]

Mansholts ministerie beheerste zowel de productie als de prijsvorming, de verwerking, de afzet, de import en de export. Het bedrijfsleven was daarbij overigens nauw betrokken. Ter illustratie de regelgeving rondom de kip en het ei omstreeks 1947. Allereerst de verdeling van kuikens – de schaarse productiemiddelen – over verschillende boerderijen. Deze was in handen gelegd van de voedselcommissarissen en hun bureauhouders. Zij wonnen vooraf advies in bij plaatselijke commissies waarvan de leden werden benoemd door het georganiseerde bedrijfsleven. Over de prijs van het ei legde 'hoofdeierboer' Mansholt in september 1947 de volgende verklaring af in de Tweede Kamer:

De kosten die nodig zijn om een kip op productie te houden zonder loon voor de boer, doch inclusief opfokkosten, kwamen neer op [14 gulden en 74 cent]. Indien men uitgaat van een bedrijf van 400 kippen, waarbij we kunnen aannemen, dat één man een halve arbeidsdag werkt, betekent dit, dat hieraan ten koste wordt gelegd in totaal 7021 [gulden]. We mogen verder bij deze berekening uitgaan van een gemiddelde produktie van 160 eieren per kip (…). Dat is dus in totaal 64.000 eieren, zodat de kostprijs van een ei in werkelijkheid is 10 [gulden en] 97 cent, zonder dat het ondernemersloon voor de boer er in begrepen is. Wel is de arbeid, die door hem werd verricht er in begrepen en deze wordt volledig beloond. De (zomer) prijs werd door de overheid vastgesteld op rond 11 ½ cent (1 [gulden] 96 per kg), de winterprijs is bepaald op 2 [gulden]28 per kg. Dit betekent, dat de gemiddelde prijs, welke op het ogenblik voor een ei aan de producent wordt uitbetaald, 12 cent is. Dit betekent ook, dat ruim 1 cent ondernemerswinst per ei boven het loon wordt gegeven.[22]

De eierproductie vormde dan nog maar de ene kant van de medaille. Mansholts ambtenaren becijferden in die tijd ook precies hoeveel er geconsumeerd mocht worden. Per week kreeg de normale verbruiker in januari 1948: 2000 gr. brood, 25 gr. bloem, 100 gr. versnaperingen, 333 gr. suikers, 1875 gr. melk, 50 gr. kaas, 125 gr. boter, 125 gr. margarine, 200 gr. vlees, 31 gr. koffie, 125 gr. thee, 6,5 gr. cacao, 250 gr. sinaasappelen en één ei per twee weken.[23]

Kortom, het beleid werd gedicteerd door de cijfers. Officiële stukken, ministerraadsvergaderingen en Kamerdebatten werden gedomineerd door kilogrammen, aantallen calorieën, opbrengstcijfers in guldens, kostencalculaties en winstmarges. Mansholt doorspekte zijn bijdragen steeds met statistisch materiaal. Hij beschikte vaak over de meest recente gegevens, wat hem een voorsprong gaf in het debat. Hij ging er ook handig mee om. De invoering van de zomertijd ketste in het voorjaar van 1946 bijvoorbeeld af op Mansholts rekensom dat het verlies van één uur maal tienduizenden landarbeiders niet opwoog tegen de voorspelde kolenwinst. 'Men kan immers 's morgens vroeg niet aan het werk – en zeker niet bij het huidige gebrek aan laarzen – wanneer het land nog nat is.'[24]

De distributie van levensmiddelen bracht Mansholt regelmatig in direct contact met de bevolking: radiopraatjes; vergaderingen van boeren en arbeiders; boze brieven. Na een serie lastige telefoongesprekken over de verlaging van het vleesrantsoen kreeg de familie Mansholt een geheim nummer.[25] De distributie lag gevoelig. Elke Nederlander werd er immers mee geconfronteerd. Minstens zo gevoelig lag het speurwerk van de onder Landbouw

Minister van Voedselvoorziening sinds 24 juni 1945. Landbouw staat tot 1948 op het tweede plan.

ressorterende CCD, de Centrale Controledienst. Op het platteland werd de dienst als een plaag gezien. De boer, die eeuwenlang koning op zijn eigen erf was geweest, moest zich gedragen naar de aanwijzing van bevoegde ambtenaren. Tweehonderdduizend boeren en dertigduizend tuinders werden door vijfduizend CCD'ers – de cijfers zijn van 1946 – intensief gecontroleerd. Voorkomen moest worden dat producten aan distributie werden onttrokken. Vooral voor vlees, dat erg schaars was, bestond een grote zwarte markt. De smokkel naar België was berucht. In november 1946 werd bijvoorbeeld bepaald dat er in een strook van vijfentwintighonderd meter langs de grens geen vee en paarden mochten staan.[26]

De geleide economie bleef bestaan tot 1948 (een paar schaarse artikelen zouden pas later van de bon gaan). Mansholt wilde daarna zo snel mogelijk af van prijscontrole, distributie en subsidies. Al in december 1945 kondigde hij de vrije prijsvorming aan van gruttterswaren, peulvruchten, biscuit, koek en cacao. Toen bleek ook dat de prijzen van bepaalde artikelen onmiddellijk daalden als de handel ervan werd vrijgegeven. Het systeem van distributie, strenge controle en vaste marges kon daar niet tegenop. Overheidsingrijpen legde het af tegen de vrije markt. Pogingen van Mansholt het starre systeem te liberaliseren ketsten aanvankelijk af op het bedrijfsleven zelf, dat zich had gehecht aan gegarandeerde quota en marges. Na zijn besluit de subsidie op bloem te verlagen brak er in augustus 1947 zelfs een bakkersstaking uit.[27]

Eind 1945 sprak Mansholt in de Tweede Kamer al de verwachting uit dat groente, melk en varkensvlees 'binnenkort' vrijgelaten konden worden en dat brood iets later zou volgen. Dat bleek voorbarig. Het duurde nog enige jaren voordat melk, vlees en brood van de bon gingen. Deze artikelen waren niet alleen schaars, maar werden ook flink gesubsidieerd ten behoeve van de consument. Hierdoor konden de loonkosten relatief laag blijven en dat was gunstig voor de export. Verdere liberalisatie werd doorkruist door een chronisch deviezentekort, een slechte oogst in 1947 en algemene wereldschaarste. In september 1947 moest een aantal rantsoenen zelfs worden verlaagd. Mansholt sprak toen ook dreigende taal: zonder Amerikaanse hulp – het Marshallplan – zou het land 'recht naar de catastrofe' lopen. De gestegen consumptie gaf een gevoel van schijnwelvaart. In werkelijkheid was Duitsland als achterland verloren en Indië niet langer een bron van inkomsten, maar een blok aan het been.[28] De onderhandelingen met de VS waren nog gaande. Mansholts sombere schets was bedoeld extra sympathie op te wekken in Washington.

In afwachting van de Marshallhulp redde Nederland het de eerste maanden van 1948 met extra kredieten. Ook particuliere Amerikanen staken een handje toe om *the poor Dutch* er weer bovenop te helpen. Uit de notulen van de ministerraad van 22 maart van dat jaar: 'Minister Mansholt deelt mede dat Henri Ford II van plan is aan het gehele personeel van de Ford Company in Europa (ongeveer dertigduizend man) een voedselpakket te zenden. Er is gevraagd of Nederland bereid is deze te leveren. De betaling geschiedt in dollars.' Op 3 april 1948 ging het Amerikaanse Congres akkoord met het Marshallplan: miljarden dollars aan hulp. Twee dagen later verklaarde Mansholt in de ministerraad dat de distributie van suiker, chocolade en brood weldra kon worden opgeheven en drie weken daarna liep het eerste schip met hulpgoederen de haven van Rotterdam binnen. Het bracht onder meer tarwe, sojaolie, landbouwmachines en staal. Aan de kade nam Mansholt symbolisch het eerste zakje tarwe in ontvangst.[29]

Dit luidde het einde in van de schaarsteperiode. De volgende maanden zouden steeds meer artikelen uit de distributie verdwijnen. In juni 1948 sprak Nederland bovendien in Beneluxverband af dat op korte termijn een eind zou worden gemaakt aan de subsidiëring van levensmiddelen.[30] Voor Mansholt vormde dit een steun in de rug. Liberalisatie en vrije prijsvorming waren volgens hem in het belang van zowel boeren als consumenten. Op 22 juni 1948 besloot het kabinet de melkdistributie af te schaffen. In november van dat jaar gingen bloem, brood en suiker van de bon en een maand later volgden de eieren. In juni 1949 werd de distributie van boter, vet en spijsolie beëindigd; in november 1949 die van kaas, vlees en rijst. Als laatste ging op 14 januari 1952 de koffie van de bon.[31]

Het voedselvoorzieningsbeleid was een succes. Van 1938 tot 1948 nam de Nederlandse bevolking met 12 procent toe, maar intussen dronk men gemiddeld 30 procent meer melk dan vóór de oorlog en at men 2 procent meer groente, 30 procent meer fruit en 70 procent meer vis.[32] Mansholt oogstte lof. Hij beheerste de materie, toonde grote managerscapaciteiten en stond zijn mannetje in het kabinet en in de Kamer. Maar dit succes dankte hij toch vooral aan het apparaat van Louwes en aan de medewerking van de boeren. Mansholt zelf was ervan overtuigd dat het de Nederlandse boeren ook zonder Marshallhulp gelukt zou zijn de voedselvoorziening op peil te houden en tegelijk een forse exportinspanning te leveren, ook al had het herstel dan misschien langer op zich laten wachten.[33]

## Het kernvraagstuk

Het landbouwbeleid stond tot 1948 op het tweede plan. Zo lang de schaarste overheerste, had de voedselvoorziening prioriteit. Mansholt liet in die jaren wel regelmatig zijn gedachten gaan over de ontwikkeling van de Nederlandse landbouw op lange termijn, maar dan moest hij op zijn tellen passen. Halverwege december 1945 bijvoorbeeld, aan de vooravond van zijn eerste optreden in de Tweede Kamer, pleitte hij op een boerenvergadering in Arnhem voor het samenvoegen van bedrijven die kleiner waren dan vijf hectare. Dat zou moeten leiden tot een rationelere productie tegen lagere prijzen. Een paar dagen later stapte Mansholt het Kamergebouw binnen voor zijn debuut, met lood in de schoenen, herinnerde hij zich later:

Toen ik door het groene gordijn binnenstapte, bibberde ik. Ineens werd ik aan mijn mouw opzij getrokken. Daar zat tante Agnes [– het SDAP-Kamerlid De Vries-Bruins –] en die fluisterde mij toe: 'Sicco, je hoeft niet ongerust te zijn. Denk maar aan je moeder en je vader. Je weet er heel wat meer van dan al die mensen hier'.[34]

Op de agenda stond de *Nota omtrent een aantal punten van Regeeringsbeleid* van het kabinet-Schermerhorn-Drees. Mansholt beperkte zich tot de prijzen en het aanbod van landbouwproducten, maar kwam vooral onder vuur te liggen voor zijn uitspraken in Arnhem.[35] Daarmee had hij het kernvraagstuk aangeroerd: het probleem van de kleine boeren.

De vertegenwoordigers van het groene front in de Kamer wilden wel eens weten wat voor vlees ze in de kuip hadden. Dit front was een machtsblok van overwegend confessioneel-liberale Kamerleden die nauwe banden hadden met boerenorganisaties. De jonge minister was socialist, stamde uit een familie van Groninger herenboeren en kende de praktijk vooral vanuit grote akkerbouwbedrijven. Hij had alleen de middelbare koloniale landbouwschool bezocht. Dat voorspelde niet veel goeds. Waarom kregen de boeren eigenlijk zulke lage prijzen? Was de minister uit op schaalvergroting en socialisering? Wist hij wel waarover hij sprak?

Mansholts slaagde er eigenlijk vrij gemakkelijk in de kou uit de lucht te nemen: *deze* bewindsman wist wat hij deed en had hart voor het boerenbedrijf. Daarnaast formuleerde hij een aantal consistente ideeën, waaraan hij als minister en later als Europees commissaris steeds zou blijven vasthouden. Die ideeën wijken nogal af van de bestaande karikaturen van Mansholt als de *Bauernkiller* die de kleintjes van hun land verdreef en de roofridder die de Europese boeren bakken met geld toespeelde.

Mansholt nam het gezinsbedrijf als uitgangspunt. Hij zag het als zijn eerste taak bedrijven die figuurlijk beneden de maat bleven tot een hoger peil te brengen. Wanneer het kabinet de prijs van een artikel zou baseren op het bedrijf dat in de slechtste omstandigheden verkeerde, liep de export spaak en stokte het economisch herstel. Hij was er dus niet op uit alle kleine bedrijven groter te maken:

Alle oneconomische eenheden moeten zoo mogelijk worden samengevoegd tot grotere eenheden en wel zoodanige eenheden, dat hierop ten minste een gezin een rationeel bedrijf kan voeren en een loonend bestaan kan verkrijgen. (...) Wij zullen dus moeten komen tot een redelijke prijs voor onze producten, die het mogelijk maakt, dat op het goed geleide en verkavelde bedrijf een loonend bestaan kan worden verkregen.[36]

Er werd weliswaar geen dwang toegepast, maar in de praktijk kwam Mansholts prijszetting toch neer op geleidelijke, 'koude' sanering ten gunste van het economisch rendabele gezinsbedrijf. Maar hoe hoog moest de lat worden gelegd en wie bepaalde dat? In die tijd had zeventig procent van alle boeren een bedrijf kleiner dan vijf hectare.[37] Welk deel daarvan was rendabel?

Politiek pikant was dat de kleine boeren vooral in het kinderrijke Brabant en Limburg woonden – waar de grond relatief duur was en weinig productief – en dat zij doorgaans Rooms-Katholieke Staatspartij (vanaf 1946 Katholieke Volkspartij, KVP) stemden. In een KVP-rapport uit 1947 werden deze keuterboeren nog gezien als een garantie voor hoge productie per eenheid, blijvende godsdienstzin en politieke stabiliteit. De KVP wilde dat de overheid deze boertjes zou steunen en bepleitte een minder scherpe prijsstelling, maar Mansholt vond het asociaal onrendabele bedrijven overeind te houden op kosten van de gemeenschap. Hij weigerde met subsidies te blijven strooien. Kleine boeren werden in bepaalde kringen dan wel beschouwd als 'een hechte steun voor Kerk en Staat', voor het kabinet gold dat alleen boeren op economisch verantwoorde bedrijven duurzaam een hechte steun voor de gemeenschap vormden.[38]

In de loop van 1946 raakte Mansholt er steeds meer van overtuigd dat maatregelen moesten worden genomen. Uit kostprijsberekeningen bleek dat, wanneer een bedrag aan loon werd ingecalculeerd ('64 cent per uur voor een volwaardige arbeider'), een groot aantal boeren eigenlijk nooit een redelijk bestaan had gehad. In overleg met het georganiseerde bedrijfsleven wilde hij toen tot enige schaalvergroting komen. Eigendomsrechten mochten volgens hem de meest rationele productie niet in de weg staan. Bij ruilverkaveling zou het belang van de grond*gebruiker* ook meer gewicht in de schaal moeten leggen dan dat van de particuliere eigenaar.[39]

Maar politiek was dat niet haalbaar. Confessionelen en liberalen trapten onmiddellijk op de rem als er ook maar één vinger werd uitgestoken naar het privébezit. 'Geruisloze socialisatie,' klonk het dan. De soep van Mansholt was overigens niet zo heet als zijn partijgenoten hem vaak opdienden. Dat bleek al uit zijn invulling van het begrip 'socialisatie': in overleg met de landbouworganisaties opgestelde wettelijke maatregelen ter bevordering van een zo goed mogelijk grondgebruik in dienst van het algemeen belang.[40] Een herverkavelingswet voor heel Nederland maakte geen schijn van kans. Mansholt moffelde zijn ideeën over doelmatig grondgebruik niet weg, maar nam zeker geen overhaaste stappen.[41] De eerste kleine stap in de richting van sanering van de Nederlandse landbouw was de indiening van het wetsontwerp Vervreemding landbouwgronden in juli 1948. Op basis daarvan konden onder meer maatregelen worden genomen om versnippering te voorkomen op het moment dat bedrijven werden verkocht. Deze wet zou pas in 1953 in het *Staatsblad* terechtkomen.[42] Groter was het 'sanerende' effect van de medio 1948 ingezette industrialisatiepolitiek. Veel landarbeiders, kleine boeren en hun beoogde opvolgers trokken de fabrieken in. Daardoor kwam het kernvraagstuk, via een omweg, dichter bij een oplossing.

Landbouw tot 1948: op het tweede plan

In de landbouw moest na de oorlog eerst orde op zaken worden gesteld. De vooruitzichten in 1945 leken slecht. Door inundaties en andere verwoestingen was 10 procent van de landbouwgrond voorlopig onbruikbaar. De rest was uitgemergeld door gebrek aan kunstmest. De rundveestapel was met 20 procent verminderd in vergelijking met 1938, de varkensstapel met 50 procent en het aantal kippen met 90 procent. Bovendien leken de kansen voor de exportgerichte landbouw zeer klein: Engeland had de eigen productie opgevoerd en in Duitsland was de situatie vooralsnog hopeloos. Landbouweconomen vreesden dat zich tijdens de oorlog ingrijpende structuurveranderingen hadden voltrokken, waardoor Nederland niet langer goedkoop veevoer zou kunnen invoeren.[43] Dat was altijd de kurk geweest waarop de veredelingslandbouw gedreven had. In de loop van 1945 kon ongeveer de helft van de verwoeste grond weer in cultuur worden gebracht. Met het oog op de export en de aankoop van zaaizaad en dergelijke had Mansholt ook al in 1945 een aantal landbouwattachés aangesteld op de belangrijkste ambassades.[44]

Toch ging het de meeste boeren het eerste jaar na de bevrijding relatief voor de wind. De afzet werd gegarandeerd. Oude schulden konden versneld worden afgelost. Door selectie gedurende de oorlog was het fokmateriaal verbeterd, men was vertrouwd geraakt met kunstmest en de groenteconsumptie was enorm gestegen.[45] Achteraf beschouwd was alles aanwezig voor een krachtige doorstart. De oogstresultaten waren dan ook relatief gunstig. Het eerste jaar was het vooral alle hens aan dek om de oogst te bergen. In 1946 was de opbrengst van tarwe en haver al ongeveer gelijk aan het gemiddelde in de periode 1930-1939. Rogge en gerst zaten op 90 procent vanwege kunstmestgebrek. De suikerproductie lag op 101,3 procent en de aardappelproductie op 116 procent.[46]

Mansholt zat vanaf het begin in het kamp van de pessimisten. Dat bleek al bij het eerste echte 'landbouwdebat' in de Tweede Kamer, eind januari 1946. Het probleem was niet de productie, maar de afzet. De boer moest zich volgens Mansholt niet rijk rekenen door de gunstige oorlogsjaren. Hij had slechts in schijn geprofiteerd. Kon ons land zich nog wel met het buitenland meten? Om die strijd te kunnen aangaan was het absoluut noodzakelijk een eind te maken aan tien jaar crisispolitiek. De Nederlandse boer diende zijn kracht te zoeken in kwaliteitsproducten tegen een lage prijs. Hij moest nieuwe uitvindingen toepassen, mechaniseren en intensiveren.[47]

Aanpassing van de productie en verlaging van de prijzen: dat zat er de eerste drie jaar nog niet in. Mansholt was veroordeeld tot het voeren van landbouwpolitiek ad hoc. Hij moest rekening houden met schaarste en distributie en met de consumentensubsidies in het kader van het algemene loon- en prijsbeleid. Voor de oogst van 1945 moest extra steun worden verleend aan kleine zandbedrijven, als noodmaatregel. Die bedrijven zaten in de knel door gebrek aan kippen, varkens en kunstmest. Met ingang van de oogst van 1946 weigerde Mansholt nog langer afzetgaranties te geven en vanaf dat moment zouden de landbouwdebatten beheerst worden door getouwtrek over prijzen. In overleg met het georganiseerde bedrijfsleven, c.q. de Stichting voor de Landbouw, ging Mansholt voortaan per product na of minimum garantieprijzen moesten worden vastgesteld. Die prijzen werden gebaseerd op de kosten van het gemiddelde, rationeel producerende bedrijf. De politieke *bottleneck* werd, zoals gezegd, gevormd door de kleine boeren op de zandgronden. Na onderhandelingen met de Stichting kwam er voor 1946 uiteindelijk toch weer een tegemoetkoming voor één jaar uit de bus van zestig miljoen gulden.[48]

In het hoofdstuk over het landbouwbeleid in de periode 1948-1958 komt het zogenaamde 'groene front' uitvoerig aan bod. Een deel daarvan, de Stichting voor de Landbouw, moet hier alvast worden aangestipt. De Stichting werd op 2 juli 1945 opgericht door de zes verzuilde centrales van boeren (liberaal, katholiek, protestants) en landarbeiders (socialistisch, katholiek, protestants), het georganiseerde agrarische bedrijfsleven. Het doel was samen te werken om de belangen te behartigen van het platteland bij de regering. Aan de wieg van de Stichting stond Herman Louwes. 'De boerengemeenschap van het dorp of de polder (…) wortelt in de lotsverbondenheid van te werken naast elkander op denzelfden grond onder denzelfden hemel in eenzelfde worsteling met natuur en lot,' vond Louwes. Organisatorische verdeeldheid strookte niet met het boerenleven.[49]

Nog vóór de oprichting van de Stichting nodigde Mansholt het beoogd bestuur ervan – onder leiding van Louwes – uit voor een gesprek. Tijdens dat gesprek op 27 juni 1945, drie dagen na zijn beëdiging, verklaarde de minister dat hij de Stichting voortaan beschouwde als representatief orgaan voor de land- en tuinbouw. Daaruit ontstond een vast maandelijks overleg tussen de minister en het hoofdbestuur.[50] 'Dit werd de kracht van de Stichting,' benadrukte de eerste secretaris ervan 35 jaar later. Een organisatie die niet deelnam aan de Stichting zette zichzelf namelijk buiten spel. 'De minister had er ook wel voordeel van,' voegde hij er onmiddellijk aan toe, 'want die zei in de Kamer, als men daar al te lastig was: "dat heb ik al besproken met het landbouwbedrijfsleven." Dat werkte dus naar twee kanten gunstig.'[51] Voor de legitimiteit van het landbouwbeleid was het vooroverleg met de Stichting vaak belangrijker dan het debat in het parlement.

De andere kant van de medaille was dat druk van de 'boerengemeenschap' Mansholt goed van pas kon komen in het kabinet. Van januari tot oktober 1947 knokte Mansholt bijvoorbeeld in de ministerraad voortdurend om meer geld voor de boeren op lichte gronden, tevergeefs. Veel 'zandboeren' in het zuiden haalden de garantieprijzen niet. Een droge zomer volgde op een strenge winter, de prijzen van kunstmest en veevoer rezen de pan uit en 1947 dreigde uit te draaien op een rampjaar. Onder grote druk van de boerenorganisaties in het zuiden trok de Stichting voor de Landbouw in augustus aan de bel bij de Tweede Kamer: 'Zoals het er thans voor staat, dient òf de koers der regering te veranderen, òf de landbouw zal deze zelf veranderen, door zijn medewerking te weigeren aan alles, wat hem tenslotte zelf dupeert.'[52] De Kamer aanvaardde in september een motie waarin werd aangedrongen op een toeslag voor lichtere gronden. Met die steun in de rug kreeg Mansholt het kabinet zo ver dat het in principe bereid was tot enige compensatie, als noodmaatregel vanwege het slechte weer. Hij had daarvoor wel met zijn portefeuille moeten rammelen.[53]

Het vaststellen van de toeslag had daarna nog heel wat voeten in de aarde. Tussen het kabinet en het bestuur van de Stichting werd begin februari 1948 nog uitvoerig onderhandeld over het pakket. Henny schreef er haar moeder zelfs over:

> Deze week was er 2 x een nog al heftige vergadering van de Stichting voor de Landbouw en de regering d.w.z. Beel, Drees, Lieftinck en Sicco. Men kwam niet tot overeenstemming over de melkprijs. De Stichting eist veel te veel en 't zal in landbouwkringen wel erg kraken. 't Lijkt me geen beste troef voor Sicco zo vlak voor de verkiezingen.[54]

Herman Louwes beweerde dat *alle* boeren getroffen waren. Hij dreigde dat de landbouw zonder behoorlijke beloning niet langer zou meewerken. Op 1 maart 1948 kwam het kabinet eindelijk over de brug. Mansholt liet de strakke kostprijsberekeningen los. De cijfers mochten gerust met een korreltje zout worden genomen: 'gezien de smalle basis, zullen we ook het boerengevoel voor deze zaak moeten gebruiken en ook moeten trachten door waarneming in den lande deze en andere factoren hier te laten gelden.'[55] Op 16 mei zouden de verkiezingen voor de Tweede Kamer plaatsvinden. Niet alleen het boerengevoel, maar ook de politieke neus speelde een rol bij de toekenning van steun.

'Een eind maken aan tien jaar landbouwcrisispolitiek,' daarmee kon in 1947 nog geen begin worden gemaakt vanwege het weer en de nood van de kleine zandboer. Toch kondigde Mansholt alvast een zesjarenplan aan met 'noodzakelijke maatregelen ter bevordering van rationalisatie'. Het plan zou voorzien in de uitbreiding van landbouwonderwijs, verbetering van voorlichting, uitvoering van cultuurtechnische werken ter verlaging van de productiekosten (onder meer herverkaveling) en vergaande mechanisatie (onder andere 15.000 tractoren). In december 1947 verklaarde Mansholt in de Kamer dat het plan nog enige studie vergde, maar daarna is er nooit meer iets van vernomen. De aan het plan ten grondslag liggende opvattingen zouden wél in hoge mate bijdragen aan de snelle mechanisatie na 1947.[56] Dat werd vooral mogelijk gemaakt door de Marshallhulp en de dollars die in de tweede helft van 1948 het land bereikten.

## Internationale samenwerking: van FAO tot Marshallplan

Uit 1945 dateren Mansholts eerste internationale contacten: overleg met collega-ministers uit andere landen en deelname aan conferenties over de verdeling van schaarse voedingsmiddelen. In oktober 1945 was Mansholt met Stefan Louwes aanwezig bij de oprichtingsvergadering van de FAO (Food and Agriculture Organisation), de voedsel- en landbouworganisatie van de Verenigde Naties, in Quebec. Hij hield er een redevoering waarin hij het voedselvraagstuk van een voortdurend stijgende wereldbevolking vergeleek met een wedloop tussen dokter en boer. Mansholt hoopte dat de FAO erin zou slagen een internationale marktordening op te zetten waarbij aanbod en afzet op elkaar werden afgestemd. Terug in Nederland verklaarde hij in de Tweede Kamer dat hij wilde 'voorgaan' in de FAO. Dat was puur eigenbelang. De Nederlandse afzet was immers in het geding: in Rusland en Oost-Europa werden nog weinig vlees en melk gebruikt.[57]

Louwes kreeg verlof tijdelijk in dienst te treden van de FAO als speciaal adviseur van directeur-generaal John Boyd Orr. Hij hield Mansholt regelmatig op de hoogte van de stand van zaken. In september 1946 stelde Boyd Orr voor een *World Food Board* op te richten met grote bevoegdheden en ruime financiële armslag, maar de Amerikanen en de Engelsen voelden niets voor zo'n toporgaan. Zij wensten liberalisatie van de wereldhandel, eventueel gecorrigeerd door overeenkomsten per product voor een beperkte tijdsduur. In november 1946 benadrukte Mansholt in de Kamer nog het belang van de FAO als internationaal forum waar productie en consumptie op elkaar konden worden afgestemd. Hij bracht het spookbeeld van de dumpingpraktijk uit de jaren dertig in herinnering. Maar het echec van de FAO als 'wereldverdeelorgaan' was toen al onafwendbaar.[58]

Vrijwel direct na het mislukken van de *Food Board* richtte Mansholt zich op een nieuw kompas: het Marshallplan. Dat werd op 5 juni 1947 gelanceerd door de Amerikaanse minister van Buitenlandse Zaken en had – in vergelijking met de FAO – een beperkt doel: het economisch herstel van Europa. Achter de uitgestoken hand van de Amerikanen school het motief van anticommunisme. De volgende tien maanden werd druk onderhandeld over omvang, voorwaarden en organisatie van de hulp. De Russen waren eveneens uitgenodigd, maar lieten het, zoals verwacht, snel afweten. De Amerikanen zetten de Europeanen ertoe aan gezamenlijk vast te stellen wat nodig was. Op 12 juli 1947 startten zestien delegaties het overleg daarover in Parijs. Gelokt door Marshalldollars zette West-Europa de eerste stap op weg naar integratie.

Louwes was in de loop van 1947 hoofd van het regionale FAO-bureau in Rome geworden. Hij schreef Mansholt regelmatig over de actuele situatie rondom het plan. Via Mansholt probeerde hij ook een voet tussen de deur te krijgen in Parijs. Zijn bureau zou als secretariaat kunnen functioneren van de studiecommissies van de zestien Marshallgegadigden. Als de FAO er niet bij zou worden betrokken, werd het nooit iets met die club. 'De moeite, tot nu toe gedaan, om er iets wezenlijks van te maken, is dan verloren,' aldus Louwes.[59] Op 11 juli, aan de vooravond van de conferentie, antwoordde Mansholt vanuit Parijs:

Beste Stephan, Je drie brieven betreffende de hulp, welke F.A.O. kan leveren ten behoeve van de voorbereiding en uitvoering van het 'Plan Marshall' heb ik ontvangen. Het is buitengewoon te betreuren, dat Rusland zich nog niet heeft kunnen opwerken tot gezamenlijke arbeid aan de reconstructie van Europa. Inderdaad hebben Frankrijk en Engeland hieruit de juiste conclusie getrokken door nu te trachten West-Europa zo mogelijk met een gedeelte van Midden-Europa op de uitvoering van het plan te concentreren.

Hij zag voor Louwes' bureau een belangrijke taak weggelegd in het kader van de '*fact finding* voorbereiding en nadere uitwerking'. In dezelfde brief schreef Mansholt dat hij hem als kandidaat naar voren wilde schuiven voor het directeur-generaalschap van de FAO. België was akkoord. Binnenkort zou hij erover spreken met Fransen en Britten.[60] Louwes antwoordde op 23 juli. Kort daarvóór had zijn huisarts bij toeval een te hoge bloeddruk bij hem ontdekt, een oude kwaal. Hij kon de kandidatuur niet aanvaarden: 'het spijt mij, dat ik je deze last moet aandoen.' Het werk was te onregelmatig. Het directeur-generaalschap zou vermoedelijk zijn dood betekenen.[61] Louwes zou in juli 1948 terugkeren naar Nederland.

Op een FAO-conferentie in 1951 met neef Stefan Louwes, directeur-generaal van de voedsel-voorziening. [Beeldbank NA]

De onderhandelingen over het Amerikaanse plan mondden op 16 april 1948 uit in het Verdrag van Parijs, waarin onder meer de oprichting was vastgelegd van de Organisatie voor Europese Economische Samenwerking (OEES), een intergouvernementele organisatie met zestien leden, belast met de coördinatie van de Marshallhulp. Dit markeerde zowel het begin van Europese samen-werking als de breuk tussen Oost en West. Intussen was de Koude Oorlog namelijk in alle hevigheid losgebarsten. Na de machtsovername door de com-munisten in Tsjecho-Slowakije in februari 1948 sloten Engeland, Frankrijk en de Beneluxlanden op 17 maart 1948 het Pact van Brussel, dat een defensief bondgenootschap in het leven riep: de Westerse Unie, opmaat voor de NAVO. Bij de discussie over het Pact in de ministerraad plaatste Mansholt nog een kanttekening: 'Is het niet mogelijk in het verdrag op de voorgrond te stellen dat de deelnemende regeringen vrijelijk gekozen moeten zijn en moeten staan op democratische grondslag?' Hij voorzag namelijk problemen bij een zeer rechtse of zeer linkse regering in Frankrijk. Zijn collega van Buitenlandse Zaken achtte opname van een dergelijke clausule niet goed mogelijk, maar hij betwijfelde – zo staat letterlijk in de notulen – 'of Amerika een totalitaire regering (b.v. van De Gaulle) zou aanvaarden'.[62]

Een draai om de oren namens het verzet

Mansholts ministerschap was in het begin bijna een voortzetting van zijn illegale werk. Wat dat betreft nam hij een bevoorrechte positie in. Veel verzetslieden voelden zich aan de kant geschoven en raakten gefrustreerd. Slappelingen werden volgens hen opnieuw in het zadel getild. Hadden zij dáárvoor hun leven op het spel gezet? Op 6 juli 1945 kreeg Henny bezoek van Klaas Smit en Jan Blijdorp, twee oud-illegalen die onder meer betrokken waren bij de wapentransporten. 'Heel plezierig met hen gepraat,' schreef ze de volgende dag aan haar ouders:

> 't Is voor die echte werkers wel hard dat ze nog in 't vergeetboek staan en ten onrechte ondergaan in de massa, terwijl er na de capitulatie allerlei onbekenden zijn opgedoken met balken en sterren, waar niemand ooit van gehoord heeft. Ook [oud-verzetsman] Hil belde vanmorgen over dergelijke problemen. Hij wilde een raad oprichten van de illegaliteit en de legaliteit omdat daartussen zo'n grote verwijdering dreigt te ontstaan. Die raad zou dan van advies dienen bij de regering en er misschien toe kunnen bijdragen dat de misstanden ook op dat gebied onder ogen worden gezien.[63]

Veel kameraden uit het verzet hadden moeite de draad weer op te pakken. Er waren er die zich als vrijwilliger aanmeldden voor de strijd in Indië tegen de Japanners. Een enkeling zou emigreren. Jan Blijdorp belandde uiteindelijk in Canada.[64]

Het verzet stond bij Mansholt niet in het vergeetboek, maar het zat ook niet in zijn portefeuille. Zo nu en dan was er ruimte voor een klein gebaar. Halverwege juli 1945 kondigde Mansholt bijvoorbeeld via de radio aan dat hij van plan was de 'foute' elementen uit de Centrale Controledienst te vervangen door oude werkers uit de illegaliteit. Tot 1948 was het standpunt van Landbouw ten aanzien van het in dienst nemen van academici die 'fout' waren geweest ook strenger dan dat van andere departementen. Dat gebeurde welbewust, zo liet Mansholt de directeur van de Stichting Toezicht op Politieke Delinquenten, Jaap le Poole, weten. In individuele gevallen kon Mansholt hulp bieden aan oud-illegalen. Hij regelde bijvoorbeeld de wederopbouw van de boerderij van Trien de Boer – platgebrand na de slag bij Rustenburg – en benoemde medestrijder Johan de Veer tot provinciaal voedselcommissaris in Noord-Holland.[65]

Mansholt beperkte zich in de ministerraad doorgaans tot zijn eigen portefeuille. Eind oktober 1945 mengde hij zich toch een keer in een discussie over de naoorlogse zuivering. Hij was juist terug uit Quebec en er moest hem iets van het hart: het enorme aantal gearresteerde foute Nederlanders was in het buitenland eenvoudig niet uit te leggen. Het maakte daar een slechte indruk. Hij was er in Canada op aangesproken en had eigenlijk geen weerwoord.[66] Verdere toelichting gaf hij niet. Kennelijk meende hij dat de criteria op basis waarvan mensen werden opgepakt niet deugden.

Een ander punt van kritiek op de zuivering was dat kleintjes gepakt werden, terwijl de groten vrijuit gingen. Lieftinck bracht dit op 11 februari 1946 naar voren bij de discussie in de ministerraad over de beoordeling van Stefan Louwes. Kort na de oorlog had de Grote Adviescommissie der Illegaliteit (GAC) – een invloedrijk gezelschap bestaande uit zeventien oud-verzets-groepen – een klacht tegen hem ingediend. Op verzoek van Louwes stelde Mansholt een commissie in om diens beleid tijdens de oorlog te onderzoeken. Deze commissie concludeerde dat Louwes 'een bij voortduring op de belan-gen van de Nederlandsche bevolking gericht beleid' had gevoerd.[67] Lieftinck was het daarmee niet eens. Een enthousiaste, pro-Duitse radiorede en het advies aan een aantal Wageningse studenten om de loyaliteitsverklaring te tekenen moesten Louwes volgens hem zwaar worden aangerekend.

Mansholt wees wat het advies betrof op verzachtende omstandigheden. Louwes had gesproken in besloten kring vóórdat Radio Oranje negatief had geadviseerd. Hij had een afweging gemaakt tussen tekenen en gedwongen tewerkstelling in Duitsland en was tot de conclusie gekomen dat het laatste koste wat kost voorkomen moest worden. Minister Vos vond het rapport van de door Mansholt ingestelde commissie zwak. Het was juist te negatief over Louwes. De contacten die deze had met de illegaliteit kwamen daarin hele-maal niet naar voren. Men was slechts ingegaan op enkele bezwaren en had de rest buiten beschouwing gelaten. De overige ministers volgden Mansholt en Vos. In een vergelijkbaar geval – dat van secretaris-generaal Hans Hirschfeld – verklaarde Mansholt later dat 'de waardering [door de desbetreffende topamb-tenaar] van de geestelijke waarde van de illegaliteit' voor hem de doorslag gaf. Hirschfeld had volgens Mansholt gehandeld tegen de wensen en belangen van het ondergronds verzet. In navolging van Drees en ter wille van de eenheid van het kabinet schikte Mansholt zich in een voor Hirschfeld gunstige afloop.[68]

'Stefan heeft een fout gemaakt voor Wageningse studenten,' vertelde Mans-holt in 1993, vele jaren later. 'Dat was de schuld van Staf, die heeft er bij hem op aangedrongen te zeggen: "Teken maar."' Cees Staf was een goede vriend en protegé van Louwes. Hij was sinds 1939 provinciaal voedselcommissaris in Gelderland en klom in 1941 op tot president-directeur van de Nederlandsche Heidemaatschappij. Op aandrang van Seyss-Inquart accepteerde hij in de zomer van 1942 de functie van bijzondere gevolmachtigde voor de voortgang van de opbouw van de Noordoostpolder. Of hij 'een beetje fout' was, is moeilijk te beoordelen. Staf slaagde er namelijk wél regelmatig in te verhinderen dat arbeiders onttrokken werden aan de polder om elders, bijvoorbeeld in Duitsland, tewerk te worden gesteld.[69]

In 1945 werd Staf directeur-generaal grondgebruik en landbouwherstel en in januari 1947 benoemde Mansholt hem tot directeur-generaal van de landbouw. In Henny's brieven uit 1947 en 1948 komt Staf ook een enkele keer voor: Sicco was door hem uitgenodigd voor de jacht en hij verheugde zich daarop erg. Pas jaren later hoorde Mansholt dat Staf tijdens de oorlog 'iets' gedaan had wat niet door de beugel kon. Het dossier daarover zou gestolen zijn, aldus opnieuw Mansholt in 1993. Waarschijnlijk ging het om een wervende toespraak die Staf in november 1941 zou hebben gehouden als voorzitter van de commissie tot uitzending van landbouwers naar Oost-Europa, bij het vertrek van vierhonderd (vooral nazi-)boeren naar de Oekraïne. Staf beweerde zelf dat de pers hem de woorden in de mond had gelegd die een nazifunctionaris bij diezelfde gelegenheid had uitgesproken. Hoe dat ook zij, Mansholt kon tijdens zijn ministerschap goed met hem opschieten, al was er toen al sprake van politieke rivaliteit – in verkiezingstijd zette Staf plagerig een bord met *Stem CHU* in zijn tuin. Staf werd in 1951 minister van Oorlog en Marine voor de CHU.[70]

Duitsers bleven na de oorlog 'moffen'. Midden juli 1945 sprak Mansholt via de radio nog fel over al het vee en de paarden die door 'de moffen' waren geroofd. Hij beloofde er alles aan te doen het rechtmatig eigendom van de Nederlandse boer terug te krijgen[71] óf een schadeloosstelling te regelen. Dat laatste vormde mede de achtergrond van het meest opmerkelijke pleidooi dat hij in de periode 1945-1948 in de ministerraad afstak: de annexatie van een flinke lap Duits grondgebied. Mansholt wilde namelijk een groot deel van de Eemsmond drooggleggen. Dat moest grondig worden aangepakt: eigendomsrechten mochten de meest rationele inpoldering niet in de weg staan. Een deel van het Duitse achterland zou bij Nederland moeten worden getrokken, inclusief de stad Emden! Na de inpoldering zou de Eems over Nederlands grondgebied lopen. Het stamgebied van het geslacht Mansholt, inclusief de verdronken dorpjes Thorum en Fletum, zou dan wellicht aan de provincie Groningen kunnen worden toegevoegd. Bovendien: 56.000 Duitsers zouden in één klap bij Nederland horen. Mansholt wist een aantal collega's mee te krijgen, vooral omdat de annexatie van het waddeneiland Borkum een onderdeel van het plan was. De 5000 Duitse bewoners zouden moeten worden weggevoerd, zodat er 20.000 NSB'ers geïnterneerd konden worden. Het inpolderingplan passeerde de ministerraad nét niet. Het werd in mei 1946 afgestemd met zes tegen zeven.[72]

Oorlog en verzet hadden Mansholt persoonlijk geraakt en gemaakt. Zijn directe politieke stijl had alles met '40-'45 te maken. Dat leidde in de eerste wilde jaren na de oorlog tot een uniek incident. In de zomer van 1946 verscheen een artikel in de *Nieuwe Langendijker Courant* waarin beweerd werd dat Mansholt in de oorlog paarden had gevorderd voor de bezetter. Hij gaf zijn chauffeur direct opdracht naar de redactie te rijden, stormde het kantoor binnen en vroeg naar de journalist. Uit *Trouw* van 10 juli 1946:

'Ik kom hier niet als minister maar als mensch. (...) U hebt mij diep beledigd. U had zich tot de illegale werkers moeten wenden om te informeeren wat er waar is van dergelijke nonsens. Dan zoudt u de waarheid hebben gehoord.' En meteen hief de minister zijn arm op en diende den onthutsten redacteur een raken draai om de ooren toe.[73]

Mansholt liep niet te koop met zijn verzetsverleden. Maar iedereen met wie hij te maken kreeg, wist er natuurlijk van. Hij had daarom vaak een streepje voor, bij Wilhelmina bijvoorbeeld. De koningin bemoederde hem en vroeg hem regelmatig om advies, ook na haar aftreden in 1948.[74] Zij was zeer geïnteresseerd in de lotgevallen van verzetslieden. Er ontstond al vrij snel een hartelijk contact. In tegenstelling tot wat Mansholt altijd gehoord had, was Wilhelmina spraakzaam, gezellig en ontspannen. Kort na het leegpompen van de Wieringermeer, in het voorjaar van 1946, vroeg zij hem er samen een bezoek te brengen.

Al spoedig was het wel en wee van de bezettingstijd onderwerp van gesprek. Sterk was ze geïnteresseerd in alles wat we persoonlijk beleefd hadden in de oorlogstijd. Wilde alles weten van het verzet, de houding van de bevolking. Ze vroeg bijzonderheden over de houding van de Nederlandse autoriteiten in die periode. (...) Bij Abbekerk reden we de polder binnen, dicht bij de plek waar we de eerste wapens die gedropt waren in een schip hadden geladen voor verder vervoer. Daar wilde ze alles van weten en zelfs die plaats bezoeken. Daarvoor moest de officiële ontvangst in Wieringerwerf maar wachten.

Na het bezoek aan de polder en een picknick op Wieringen stond Wilhelmina erop dat Mansholt haar zou vergezellen naar Den Helder, waar de minister van Oorlog een monument zou onthullen ter herdenking van de gevallenen.

Op een gegeven moment had Mansholt het gevoel niet langer te kunnen weigeren zonder onbeleefd te zijn. Het argument dat hij niet passend gekleed was – in grijs colbert, niet in jacquet – wuifde zij lachend weg: 'Jaquets moeten we óók afschaffen.' Ze vond dat we na de oorlog opnieuw moesten beginnen 'en al die rompslomp van het verleden' beter konden missen. Mansholt zag nog kans zijn collega te bellen, die blij was dat hij meekwam. 'Wilhelmina was zichtbaar verheugd en gaf me een mandje eieren en krentebroodjes mee naar huis. De kinderen hadden dat nog nimmer geproefd!' De volgende winter belde ze hem plotseling op een dag op, 's ochtends om half zeven, en vroeg hem met spoed naar het paleis te komen. Zij wilde namelijk éérst zijn mening horen over verontrustende telegrammen uit Indonesië. 'Dat kon ik natuurlijk slechts onder groot voorbehoud geven. Maar mijn argumentatie dat dit niet mijn directe verantwoordelijkheid was, maar die van mijn collega van Overzeese Gebiedsdelen (...) kon ze niet erg waarderen: "Maar, mijnheer Mansholt, ik vraag uw oordeel als méns, niet als minister".'[75] Dit was niet de enige keer dat Mansholt om advies werd gevraagd. In Mansholts archief bevindt zich een bedankbriefje van Wilhelmina's kabinet van 4 januari 1947 voor 'uw bijdrage in de radiorede'. Waarschijnlijk had dat betrekking op een tot de oud-illegalen gerichte passage in haar nieuwjaarsrede: 'Laat u niet ontmoedigen en wanhoopt niet wanneer gij het doel, waarvoor gij hebt gestreden, nog veraf ziet.' Oud-illegalen moesten zich niet laten verleiden tot daden die in strijd waren met de geest van het verzet.[76]

Kort daarop probeerde Wilhelmina persoonlijk de naoorlogse vernieuwing nog een nieuwe impuls te geven. Het kabinet-Beel was een half jaar aan het bewind en het doel waarvoor het verzet gestreden had, hoe vaag ook, leek steeds verder weg. Op 20 januari 1947 prijkte een brief van de koningin op de agenda van de ministerraad. Die brief behelsde een felle aanklacht tegen de algehele 'verslapping in het handhaven der richtlijnen die den grondslag moeten vormen van de vernieuwing van ons openbare leven en het geestelijk herstel van ons volk'. De pijlen van de koningin richtten zich ook tegen de mildere bestraffing in zuiveringsprocessen en tegen het gratiebeleid.

Alle ministers droegen bouwstenen aan voor een genuanceerd antwoord, dat op 24 februari in de ministerraad besproken werd. Mansholt was niet tevreden over de gematigde conclusies, maar zijn collega's wilden niet dat daaraan getornd zou worden. Wilhelmina was teleurgesteld en stak dat niet onder stoelen of banken. Mansholt liet haar weten dat hij een ander soort antwoordbrief had gewild, meer in de geest van de koningin, maar dat hij daarvoor geen enkele steun had gekregen.[77] Achteraf schreef hij de veranderende houding tegenover het verzet en de bestraffing van 'foute' Nederlanders vooral op het conto van minister van Justitie Van Maarseveen (KVP), die 'een totaal andere mentaliteit' had dan zijn voorganger – en partijgenoot – Kolfschoten.[78]

De brief maakte duidelijk dat het vernieuwingsstreven, waarvan de koningin een overtrokken voorstelling had gehad, definitief gestuit was. Net als zovelen uit het verzet raakte zij hierdoor ernstig gefrustreerd. Dat heeft haar ertoe gebracht vaart te zetten achter het besluit afstand te doen van de troon (de troonsafstand vond plaats op 4 september 1948).

Veel oud-verzetsstrijders haakten gedesillusioneerd af. Cees Haeck bijvoorbeeld, Mansholts kameraad die nauw betrokken was bij de wapendroppings. Na de oorlog kwam hij terecht bij de Stichting 1940-1945. Daarna werkte hij bij de sociale dienst van het ministerie van Oorlog ten behoeve van het oud-verzet in Noord-Holland. Maar hij kreeg steeds minder faciliteiten en zag langzaam dezelfde mensen terugkeren die vóór 1940 de lakens hadden uitgedeeld. In 1947 keerde hij zich definitief af van de politiek. Mansholt stelde zich weliswaar achter de vernieuwers-in-de-geest-van-het-verzet, maar hechtte sterk aan de sfeer van de oude SDAP en aan de parlementaire democratie. Hij wist van huis uit dat in de politiek teleurstellingen en successen elkaar afwisselden. 'Je vecht door (...). Je kunt wel een slag verliezen, maar er zijn daarna nog zo veel slagen te winnen.' Anders dan veel andere verzetslieden wist Mansholt hoe het politieke bedrijf werkte.[79]

Het gratiebeleid werd uiteindelijk na het antwoord van het kabinet-Beel op de brief van de koningin toch nog enigszins aangescherpt. Met vier stemmen tegen twee – acht van de veertien ministers waren niet aanwezig – besloot het kabinet op 29 december 1947 de adviezen te volgen om het gratieverzoek van de joodse verraadster Ans van Dijk af te wijzen. Zij was veroordeeld tot de doodstraf. Mansholt stemde vóór afwijzing van het gratieverzoek. Van Dijk was de enige vrouwelijke oorlogsmisdadiger die geëxecuteerd zou worden.[80]

## Collectief regeren

'In de eerste periode is het collectief regeren zeer belangrijk geweest,' getuigde Hein Vos voor de Parlementaire Enquêtecommissie 1940-1945. Er werd ook tussen de ministers onderling veel geregeld.[81] Het kabinet-Schermerhorn-Drees werd weliswaar gedomineerd door katholieken en sociaaldemocraten, maar droeg toch een stempel van nationale eenheid. In de praktijk was er weinig tijd voor politieke spelletjes. Het parlement kwam er de eerste maanden ook niet aan te pas. Op de 'tijdelijke' zitting vanaf 25 september volgde een 'voorlopige' die duurde van 20 november 1945 tot aan de verkiezingen van 17 mei 1946.[82]

De notulen van de ministerraad zijn sober in deze periode. Ze bevestigen dat er veel werd geregeld en vrij weinig gediscussieerd. Schermerhorn, Lieftinck (Financiën) en Drees (Sociale Zaken) speelden de eerste viool. Mansholt keek zelden over zijn eigen muur. In de raad voor economische aangelegenheden, een onderraad waar knopen werden doorgehakt over lonen, prijzen, subsidies enzovoort, kwam hij vaker aan bod. Wanneer de belangen van het platteland in het geding waren, vond Mansholt minister-president Schermerhorn – de zoon van een veehouder – vaak aan zijn zijde.[83]

Mansholt runde niet alleen een ministerie, maar bedreef ook politiek. Voor dat doel had hij, net als Schermerhorn, een persoonlijk kabinet in het leven geroepen, los van de bureaucratie. Dat kabinet bestond uit jonge partijgenoten die politieke contacten onderhielden met de partijtop en de Kamerfracties en die gevoelige onderwerpen op hun bord kregen, onderwerpen die Mansholt liever niet aan reguliere ambtenaren toevertrouwde. Dit botste met de Nederlandse traditie dat een ambtenarenapparaat volstrekt onpartijdig behoorde te zijn en vormde dan ook een steen des aanstoots voor de andere partijen in de Kamer en voor de ambtelijke top. Als Mansholts politieke rechterhand fungeerde Barend van Dam. Van Dam, afkomstig uit het verzet, begon in september 1945 als adviseur bij de directie Voedselvoorziening. In het najaar van 1946 volgde zijn promotie tot politiek secretaris.[84]

Van Dam had mede tot taak nota's en ministerraadsstukken van Mansholts collega's door te ploegen en daarover advies uit te brengen. Mansholt gaf dat onomwonden toe in december 1947. Een groot deel van de Kamer viel toen over hem heen omdat het salaris van de politiek secretaris voor het eerst duidelijk op zijn begroting prijkte. Mansholt verdedigde zich door te wijzen op het collegiale karakter van het kabinet. Bij discussies in de ministerraad had hij gemerkt dat hij zo nu en dan over onvoldoende achtergrondinformatie beschikte om een gefundeerd oordeel te kunnen geven. Naast adviezen van een neutraal apparaat wilde hij advies van een functionaris die met de politieke aspecten rekening hield.[85] De Kamer accepteerde deze simpele uitleg niet. Er was inderdaad meer aan de hand, zo blijkt uit een verklaring van Mansholt, dertig jaar na dato:

Toen we daar na de oorlog kwamen, ik kwam daar net als Schermerhorn uit het niets, van de ene dag op de andere, hadden we natuurlijk het grootste wantrouwen tegen die troep [ambtenaren] die daar was blijven zitten, men had ponden boter op het hoofd. We wilden een beleid dat dwars inging tegen dat van vroeger. Vandaar dat ik een klankbord wilde in de persoon van Barend van Dam. Vooral ook vanwege dat zuiveringsproces.

Voor Drees lag dat anders, die had vertrouwen in de Haagse wereld, die keek ook wat bevreemd naar die Schermer-boys. (...) We hadden in die tijd ook de sociale verzekering, de Indische kwestie. Logisch dat je mensen nodig had om je daarbij te helpen.[86]

Onder het kabinet-Beel (1946-1948; een coalitie van KVP en PVDA) verliep het tij voor de politieke vernieuwers, inclusief de Schermerboys. Het grootste deel verdween op 3 juli 1946, tegelijk met Schermerhorn. De in februari 1946 opgerichte Partij van de Arbeid had een onverwacht grote verkiezingsnederlaag geleden. De entourage van Mansholt werd aanvankelijk ongemoeid gelaten. Beel liet de vakministers in de regel hun gang gaan. Mansholt vertelde Beels biograaf dat hij zich niet kon herinneren in de twee jaren van het kabinet-Beel ooit een agendapunt met de premier te hebben doorgenomen of in een tête à tête punten buiten de agenda met hem te hebben besproken.[87] 'Beel' betekende een ruk(je) naar rechts; meer herstel en minder vernieuwing, maar ook: meer politieke invloed vanuit het parlement. Tegenstellingen kwamen vaker aan het licht, ook in het kabinet. De start van dat kabinet was al moeizaam. Mansholt luchtte zijn hart tegenover Henny, die het doorbriefde:

Over het nieuwe ministerie valt nog weinig te vertellen. De nieuwelingen zijn beëdigd en met elkaar hadden ze j.l. woensdag de eerste ministerraad. Er ontspon zich een fel debat tussen Vos [die op Verkeer en Waterstaat terecht was gekomen] en Beel. De 1e was zeer terecht ontstemd toen bleek dat ook nog de [staats]mijnen bij [Vos' opvolger, de KVP'er] Huisman waren getrokken. Beel noemt het Dep. van Handel en Nijverheid nu Economische Zaken. Niet juist want dan zou Landbouw er ook onder moeten vallen. Dit alles was niet volgens afspraak, maar 't was al in de stukken vastgelegd dus onveranderbaar. De leiding van Beel is wat stuntelig en hij was die middag niet in staat een goede sfeer te scheppen.[88]

Later verbeterde de sfeer. Beel slaagde er redelijk in de partijpolitiek buiten de deur te houden. Er groeide een team op basis van Beels persoonlijke integriteit en diens goede verhouding met Drees, de aanvoerder van het PVDA-smaldeel, die op vrijwel dezelfde golflengte zat. Het zakelijke element werd ook enigszins verweven met het persoonlijke. Er werden zelfs speciale bijeenkomsten voor ministersvrouwen georganiseerd. Bij het afscheid in september 1948 merkte Henny in een van haar brieven op dat er toch een band was gegroeid tussen 'de dames van het oude kabinet'.[89] Voor de heren zal hetzelfde hebben gegolden.

Exit Van Dam

Op voorstel van KVP-fractieleider Romme en ARP-woordvoerder Stapelkamp nam de Tweede Kamer op 18 december 1947 een amendement aan om een bepaalde post van de Landbouwbegroting te verminderen met een bedrag dat overeenkwam met het jaarsalaris van Mansholts politiek secretaris. Mansholt trok de post in en verklaarde dat hij zich eerst nader wilde beraden hoe hij Van Dams werk 'binnen de departementale sfeer' zou laten opknappen. Het ontslag volgde uiteindelijk, na herhaald aandringen van Romme bij Beel, op 1 april 1948. Van Dam werd weggepromoveerd tot voorzitter van het productschap van zuivel.[90] Tot zover een korte samenvatting van de feiten. Wat stak daarachter?

Ten eerste staat wel vast dat de Kamer getipt was over de (partij)politieke activiteiten van Van Dam. Ten tweede speelde bij de confessionele partijen het – tegen de PVDA gerichte – antidoorbraakmotief een rol. Dat werd enigszins versluierd door het meer algemene bezwaar dat de politieke ambtenaar 'een staatsrechtelijk bedenkelijke figuur' was: 'Leven we in Nazi-Duitsland of in Rusland?' had CHU-fractieleider Tilanus tijdens het debat zelfs uitgeroepen.[91] Ten derde speelde bij de PVDA een rol dat Romme Van Dam ervan verdacht de Indiëpolitiek van de KVP te doorkruisen. Van Dam onderhield namelijk nauw contact met Rommes rivaal Schermerhorn, de voorzitter van de Commissie-Generaal voor Nederlands-Indië, die het kabinet in een andere richting duwde dan Romme wilde. Volgens Van Dam was de KVP-leider erop uit zijn schoonvader – in juni 1947 trouwde Van Dam met een dochter van Schermerhorn – uit te schakelen.[92] Ten vierde: oud-verzetsstrijder Van Dam zou al in oktober 1947 hebben gedreigd te zullen opstappen, gedesillusioneerd door het Indiëbeleid, de mislukte zuivering en de 'oude machten' die overal de kop opstaken.

Het 'politieke' kabinet kwam overigens gewoon weer terug. Mansholt: 'Toen Van Dam de hals was afgesneden door Romme viel daar niks aan te doen. Ik heb het toen verder op een andere manier gedaan door een directoraat internationale zaken te creëren met allemaal linkse mensen. Men wist dat wel, maar dat viel niet te bestrijden.' Van Dam had de hielen nog niet gelicht of Jaap van der Lee, Van Dams assistent en PVDA-lid, kreeg het voorbereiden van de ministerraadsnotulen op zijn bord, aanvankelijk via detachering vanuit de juridische afdeling van het ministerie.[93]

Mansholt wist dat Van Dam niet goed lag bij de ambtelijke top van zijn departement. Misschien kwam de manoeuvre van Romme hem goed uit, omdat hij als minister niet meer verder wilde met Van Dam? In Mansholts archief bevinden zich twee lange brieven van Van Dam uit 1948 die dat lijken te bevestigen. De eerste is van 8 april. Van Dam was er juist uitgewerkt en spuwde zijn gal. Waarom had hij nog niets van Sicco gehoord over een nieuwe aanstelling? Als hij niet op een andere plek kon terugkomen was dat toch 'symptomatisch voor de toestand waarin ons land verkeert en de invloed die de sociaal democratie op die toestand kan uitoefenen'. Waarom werd hij bijvoorbeeld niet belast met de verzorging van de export? Van Dam vermoedde dat Mansholt boven deze internationale post al maanden 'de zware figuur van Louwes' liet zweven, 'tot schade van jou en van onze politiek'. Waarom dan niet op een andere positie? 'De Wageningers' van het ministerie hadden volgens Van Dam weinig kaas gegeten van de voedingsmiddelen-industrie. Daar kon hij – als ingenieur uit Delft – wel wat aan doen, mits hij een apparaat achter zich kreeg. Als politiek secretaris had hij alles via Sicco moeten spelen. Hij kon niet terugvallen op een groot aantal ambtenaren, zoals Staf. Dat was hem slecht bevallen. Hij had ook de indruk gekregen dat Sicco steeds meer aan de hand van Staf – nota bene lid van de CHU – was gaan lopen. (Maar maakte niet duidelijk waarop dat gebaseerd was.)

Ik meen oprecht, dat een van de oorzaken dat ik er op je departement ten slotte ben uitgewerkt juist ligt in ons verschil van afstamming. Bij jou werkt je boerensentiment ook vaak in de richting van isolatie. (...) Tegenover mij als stedeling heb je je blijkbaar toch altijd wat vreemder gevoeld dan tegenover de man 'ook van het platteland' Staf. (...) Jouw opgaan in de politiek der landbouworganisaties tot schade van de algemene politieke lijn is er mede een gevolg van.[94]

Mansholt belde daarop Van Dam en maakte hem duidelijk voor Louwes te hebben gekozen op grond van diens ervaring, bekwaamheid en verdiensten. Dat blijkt uit de brief die Van Dam op 27 april 1948 schreef naar aanleiding van dat gesprek, een brief waarin Louwes werd neergezet als een man van de restauratie. 'Hij is een geniaal improvisator en daardoor op zijn plaats in de oorlog geweest.' Louwes' crisisbeleid hield toch niet meer in dan 'hier een stut en daar een stut zonder dat er een de toekomst der gehele landbouw omvattende conceptie aan ten grondslag lag'. Mansholt speelde zijn tegenstanders in de kaart als hij Louwes handhaafde in de top van zijn ministerie. Hij dekte hem met zijn politieke verantwoordelijkheid en stelde hem in staat onder één hoedje te spelen met diens broer, de voorzitter van de Stichting voor de Landbouw. 'Waarom heb je in Louwes zo veel meer vertrouwen dan in mij? Omdat hij een Groninger boer is?'[95]

Van Dam meende dat Mansholt met al zijn boerensentiment zich gevangen had laten nemen door de professionele landbouworganisaties. Mogelijk was er sprake van oud zeer. Van Dam was namelijk lid van de Grote Adviescommissie der Illegaliteit, het voormalig verzet dat verantwoordelijk was voor de aanklacht tegen Louwes na de oorlog. Hoe dat ook zij, de val van Van Dam symboliseerde in feite de restauratie van het oude bestel. Geen tijd meer voor progressieve experimenten of socialistische stokpaardjes. De Marshallhulp begon binnen te lopen en het einde van de schaarsteperiode kwam in zicht. Mansholt had de steun van de boeren hard nodig voor een nieuwe aanpak. De keuze van de minister van Landbouw lag voor de hand: vóór expertise en tegen politiek gedram. Mansholt liet Van Dam toch vrij makkelijk vallen, terwijl Louwes – familielid en man van de boeren en van de ervaring – terug mocht keren.[96]

Geen boerin maar ministersvrouw

Mansholt had in juni 1945 gezegd dat hij hooguit twee jaar zou blijven. Op 30 december 1946, kort nadat de Wieringermeer opnieuw drooggevallen was, zette hij zijn handtekening onder een nieuwe akte van verpachting met een looptijd tot 1 november 1955. Zolang hij minister was zou hij het bedrijf door een zetbaas laten runnen. Henny meende zich te herinneren dat al in 1947 de knoop werd doorgehakt en het boerenbestaan in feite werd opgegeven. Sicco kreeg na twee jaar de smaak van het ministerschap te pakken.[97]

Mansholts keus was opmerkelijk gezien de problemen waarmee hij op dat moment worstelde: tegenvallende resultaten voor de PVDA; het vernieuwingsstreven failliet; het besluit tot militair optreden tegen Indonesië; zijn politieke secretaris onder vuur; een slecht jaar voor de landbouw. Voor het geld hoefde hij het niet te doen. Bij een discussie in de ministerraad in 1948 liet een collega zich ontvallen dat hem geen enkel land bekend was, waar de ministerssalarissen zo laag waren als Nederland. Volgens Mansholt was het salaris niet eens toereikend om regelmatig gasten thuis te ontvangen.[98]

Thuis in Wassenaar schikte Henny zich in haar lot: geen boerin maar ministersvrouw. Langzaam groeide zij in haar rol. Uit een brief van 21 juni 1946 aan haar moeder:

> Gister avond hadden we een diner bij [minister van Buitenlandse Zaken Herman] v. Royen, waar S. als enige Holl. minister was behalve v. R. Er waren de Z.Afr. ambassadeur en vrouw, de Amerikaanse, Fransche, de Australische en vrouwen en verder enkele onbekende genodigden. (...)

Sicco in smoking van [zijn zwager] Ernst [Steller], ik in jouw blauwe haute met een corsage van zacht lila iris uit de tuin, erg mooi - een idee van Aleid. V. Royen is zeer op Sicco gesteld, (...) staat ook geheel achter de politiek van de PVDA al is hij geen lid. Zo'n bijeenkomst is wel interessant, maar 'k moet nog wennen en ik voel me niet thuis in die deftigheid.[99]

Ter vergelijking een soortgelijk verslag uit een brief aan haar moeder van 24 april 1948. Henny voelde zich al wat beter thuis in haar nieuwe omgeving:

Afgelopen maandag was ik bij de ontvangst van Mrs Roosevelt in de Ridderzaal. 't Was een goede bijeenkomst en 't gaf me een gevoel van trots dat juist 2 vrouwen uit de PVDA haar mochten toespreken en hóe (...) 's avonds was er een intiem diner op Soestdijk, waar behalve 't prinselijk paar mevr. R., [de PVDA-minister van Wederopbouw en Volkshuisvesting Joris] in 't Veld, Drees, Sicco, de burgemeester van Nijmegen en de Com v.d. koningin in Zeeland mee aanzaten op speciaal verzoek van mevr. R. Na 't eten vertoonde de prins een filmpje van de wederopbouw. Sicco zat aan tafel naast mevr. R en had een aardig gesprek met haar. Maar meestal is ze zelf aan 't woord en gunt zich niet van behoorlijk te luisteren.[100]

Er zijn weinig brieven bewaard uit de periode-Schermerhorn-Drees, maar daaruit viel wel af te leiden dat Mansholt onder hoogspanning leefde en dat het gezinsleven erbij inschoot. De eerder aangehaalde brief waarin Henny's vriendin Ine Eecen Sicco de oren waste, was veelzeggend. Dat had ook effect. In het voorjaar van 1947 nam Sicco Henny namelijk mee naar een vergadering van Beneluxministers in België. Hij knoopte er een romantisch uitstapje aan vast naar Waulsort aan de Maas en vertelde er over de vakanties die de familie-Mansholt er in de jaren twintig doorbracht. Uitstapjes in het weekend kwamen daarna wel vaker voor.[101]

De inhuldiging van koningin Juliana in 1948 maakte Henny van dichtbij mee. Zij moest naar officiële recepties, diners en andere festiviteiten. Maar eigenlijk had ze daarvoor helemaal geen geld. 'De toiletten kosten me hoofdbrekens en er wordt geen enkele textielpunt voor gegeven, een zotte beweging,' schreef ze aan een vriendin.[102]

# - 6 -

# KOLONIALE OORLOG IN INDONESIË

Zwarte bladzijde

Terwijl Nederland begon aan de wederopbouw, kwam Indië in opstand. Door de oorlog en de Japanse bezetting was de politieke situatie in alle koloniale gebieden in Zuidoost-Azië radicaal veranderd. Nauwelijks hadden de Japanners zich overgegeven, of Indië rukte zich los: op 17 augustus 1945 proclameerden Soekarno en Hatta de Republik Indonesia. Het duurde daarna nog ruim vier jaar voordat de Nederlandse regering de echtscheidingspapieren tekende. Op 27 december 1949, na 350 jaar koloniale heerschappij, werd de soevereiniteit van het omstreden gebied plechtig overgedragen. Intussen hadden chaos, burgeroorlog, guerrillastrijd en twee politionele acties tienduizenden slachtoffers geëist.

Mansholt was als minister medeverantwoordelijk voor het gebruik van militair geweld. 'Het was nog nauwelijks een politionele actie te noemen,' zei hij achteraf. 'Die term was ook camouflage. Het was eenvoudig een leger dat optrad tegen de bevrijders van Indonesië.'[1] De acties kostten ongeveer honderdvijftigduizend Indonesiërs en bijna vijfduizend Nederlanders het leven.[2] In *De crisis* uit 1975 nam Mansholt er duidelijk afstand van:

Als ik dan nu terugblik op dat moment van het besluit tot de eerste en zelfs de tweede militaire actie, dan beschouw ik dit als een van de zwarte bladzijden uit mijn politieke loopbaan. Ik heb wel geprotesteerd, maar niet de daad bij het woord gevoegd. Ik heb zelfs daar de politieke medeverantwoordelijkheid genomen en daarvoor is geen verontschuldiging.[3]

Mansholt vond dat hij fout was geweest: 'We hadden nóóit over mogen gaan tot het gebruiken van geweld,' verzuchtte hij in 1981. 'Ik had moeten aftreden op het moment van de eerste politionele actie.' Hij schaamde zich er min of meer voor: 'Onbegrijpelijk dat het kabinet niet onmiddellijk gebarsten is.' Achteraf bezien was het volgens hem totaal overbodig geweest, 'die hele strijd die we gehad hebben, dat gehannes en geharrewar. We hadden met een royaal gebaar kunnen zeggen: nou, goed, jullie je zelfstandigheid, laten we een accoord bereiken over de bezittingen die er zijn, financiële regelingen treffen.'[4]

Mansholt had achteraf gemakkelijk praten. De offers waren ook niet door hemzelf gebracht maar door de soldaten die mede onder zijn verantwoordelijkheid naar het slagveld waren gestuurd. Op dat moment zat hij hoog en droog in Den Haag. Dertig à veertig jaar na dato besefte hij dat daarvoor geen verontschuldiging was. Hij kon wel een paar 'zakelijke' verklaringen aanreiken. Ten eerste: wanbegrip en onkunde. Het hele kabinet bestond volgens Mansholt uit 'provincialen', die gedurende de oorlog afgesloten waren geweest van de buitenwereld en niet door hadden dat er over de hele wereld een bevrijdingsbeweging op gang gekomen was. Het kabinet had dat moeten opvangen, 'maar met onze kruideniersmentaliteit wilden we er ons te veel mee bemoeien, zeggen hoe ze het precies moesten doen'. Die bemoeizucht gold zowel de conservatieve diehards, die de oude koloniale toestand terugwilden, als de progressieven, die Soekarno's Republiek niet wilden erkennen. Die Republiek stond in hun ogen voor de heerschappij van Java over de rest. De Nederlandse politiek, inclusief de PVDA, hield halsstarrig vast aan het keurslijf van een Verenigde Staten van Indonesië met een koninklijk stempel. De Republiek zou niet meer dan een van de deelstaten zijn. 'Dat leidde ook daar tot het halsstarrig volhouden aan de vorm van een republiek met volledige onafhankelijkheid. Eigenlijk volkomen logisch,' aldus Mansholt. Daarna volgde een politiek van mislukkingen. Uiteindelijk waren militaire acties het gevolg.

Ten tweede: Mansholt zelf was in die jaren haast volledig in beslag genomen door het probleem van de voedselvoorziening en de opbouw van de landbouw. Hij beschouwde zich niet als Indiëkenner en liet het aan anderen over. 'Ten onrechte,' stelde hij achteraf vast. Hij zou zich vooral te veel hebben geconformeerd aan Schermerhorn, die steeds streefde naar een zo groot mogelijke onafhankelijkheid van Indonesië als binnen de Nederlandse verhoudingen politiek haalbaar was. Mansholt zag hem voortdurend vechten tegen conservatieve krachten, óók in de PVDA, en kon geen reden bedenken *plus royaliste que le roi* te zijn. Militair optreden leek de laatste mogelijkheid om recht en orde te krijgen.[5] Het vooroorlogse oppositietrauma van de socialisten zou bij Mansholt geen rol hebben gespeeld.

Wat er in Indonesië gebeurde, was een soort oorlog met een goed doel, dat wil zeggen, de vestiging van een zelfstandig Indonesië in goede banen te leiden. Dan kun je dus spreken over rebellen dit, rebellen dat, er werd dus opgetreden daartegen. Fout! Dat erken ik, maar in de hele context van de discussie van dat moment bleek het voor ons te zijn – laten we het zo maar zeggen – een noodzakelijk element, waar we het ongelofelijk moeilijk mee hebben gehad, waar we uiteindelijk niet de konsekwentie hebben getrokken: we doen niet mee, we gaan uit de regering.[6]

Gehechtheid aan het regeringspluche was voor Mansholt niet doorslaggevend. 'Het was eenvoudig niet sterk genoeg in de schoenen staan om te zeggen: dat maak ik niet mee,' luidde zijn conclusie *achteraf*.[7] Strookt die conclusie met het beeld dat oprijst uit de historische bronnen? Wat was Mansholts positie in de ministerraad en in zijn eigen partij en hoe kwam hij tot zijn oordeel?

## Achter Schermerhorn

Medeverantwoordelijkheid voor het besluit tot militaire actie. Wat zou Mansholts grootvader daarvan gevonden hebben? Opa Derk, die in 1874 in de *NRC* de koloniale oorlog in Atjeh had gehekeld, hetgeen hem een levenslange vriendschap met Multatuli opleverde. Hoe zwaar telden Mansholts eigen ervaringen in Indië? 'Het koloniaal systeem staat of valt met onderdrukking en beknotting van vrije meenings uiting,' schreef hij zijn ouders al op 29 juli 1935. Op 9 oktober van hetzelfde jaar meldde hij zelfs dat hij er als sociaaldemocraat niet kon leven.[8]

Brieven van vrienden uit Indië had hij sinds 1940 niet meer ontvangen. Wat was er geworden van Jan Posthumus, Mansholts oude kameraad uit Deventer? Jan was in 1938 in Nederland getrouwd en daarna teruggegaan naar Bandoeng, naar de plantages. Tijdens de oorlog kwam zijn vrouw in een Jappenkamp terecht. Jan eindigde als dwangarbeider aan de Birmaspoorlijn. Beiden repatrieerden in juli 1946. Mansholt regelde voor hem een baan bij Staatsbosbeheer: hij werd verantwoordelijk voor de aanplant van bomen langs het Nederlandse wegennet. Jan Posthumus overleed in 1972, één week voor zijn pensionering.[9]

In de bewaarde oorlogsbrieven komt Indië maar één keer voor. Na de overrompeling door de Japanners schreef Sicco zijn ouders: 'Ja, Indië zijn we voorlopig kwijt. Toch ben ik niet zo sceptisch t.a.v. haar toekomst als vader.'[10] Het is niet duidelijk waarop dat sloeg. Wellicht hebben de twee over Indië gesproken; een brief is niet teruggevonden. Vaders pessimisme sloeg in elk geval op de bezetting, maar strekte zich mogelijk ook uit tot de periode daarna.

Er speelde misschien nog een ander persoonlijk element: hoe dacht Mansholt over Soekarno, de leider van het Indonesische verzet tegen Nederland? Voor veel mensen uit het *Nederlandse* verzet, Mansholts kameraden, was het kort na de oorlog onverteerbaar als er ook maar een greintje begrip werd getoond

voor de Republiek.[11] Soekarno en Hatta, zijn tweede man, waren collaborateurs, te vergelijken met Mussert. Ze hadden geheuld met de Japanners.
Aanvankelijk was het oordeel van het *hele* Nederlandse kabinet over Soekarno
uitgesproken negatief. Er zijn geen aanwijzingen dat Mansholt er in die tijd
anders over dacht. Pas in september 1946 werd besloten dat eventueel met
Soekarno overleg zou kunnen worden gevoerd. Drees bleef van mening dat
Nederland de Indonesiërs eigenlijk niet mocht afschepen met een dictator
en een collaborateur.[12] Zijn beoordeling van de toestand in Indië was altijd
enigszins gekleurd door een soort 'Soekarnosyndroom'.[13] Mansholt was wat
rekkelijker. Hij schaarde zich achter Schermerhorn, die meer begrip leek te
tonen voor Soekarno's verleden.

In april 1946, kort voor de Tweede Kamerverkiezingen, sprak een deel van
het Nederlandse kabinet, onder aanvoering van Schermerhorn, voor het eerst
op de Hoge Veluwe met een delegatie van de Republiek. KVP-lijsttrekker
Romme – de partij had op dat moment meer lijsttrekkers en Romme was nog
geen lid van het parlement – spuwde hierover zijn gal in het beruchte artikel
'De week der schande' in *de Volkskrant* van 15 april, één dag na het begin van de
besprekingen. Hij richtte zijn pijlen vooral op het geheime, buitenparlemen-
taire karakter ervan. De komende jaren zouden Schermerhorn en Romme zich
ontwikkelen tot de aanvoerders van twee tegenovergestelde richtingen binnen
het regeringsblok. Romme vond dat Nederland het tempo moest bepalen en
dat het eindproduct een Nederlands stempel moest dragen. Een ruime meerderheid van het Nederlandse parlement was het met hem eens. Het draagvlak
voor zijn rivaal werd steeds kleiner. Tragisch was dat Schermerhorns ideeën
nauwer aansloten bij hetgeen veel Indonesiërs wilden: zo groot mogelijke
onafhankelijkheid. Tragisch was ook dat Romme weliswaar een meerderheid
van tien miljoen Nederlanders achter zich wist, maar dat er tienmaal zo veel
Indonesiërs waren. Hun werd niets gevraagd. Democratie en evenredige ver-
tegenwoordiging strekten zich niet uit tot de koloniën.

Mansholt zei pal te staan achter Schermerhorn, maar dat valt nauwelijks
af te leiden uit de notulen van de ministerraad. Mansholt liet het woord aan
anderen. Zijn eerste substantiële bijdrage aan het Indiëdebat – volgens de
notulen althans – dateerde van 17 en 18 juli 1947, de nacht waarin de knoop
werd doorgehakt om militair in te grijpen. In het geregeld overleg tussen de
PVDA-ministers, de partijvoorzitter, de leider van de Tweede Kamerfractie en
de Indiëspecialisten van de partij nam Mansholt een prominentere plaats in
dan in de ministerraad. Na de verkiezingen van 17 mei 1946 kwam uit de koker
van dit partijoverleg het idee Schermerhorn naar voren te schuiven als lid van
een Commissie-Generaal voor Nederlands-Indië. Deze speciale commissie

– het werd uiteindelijk een driemanschap[14] aangevuld met luitenant-gouver-neur-generaal Van Mook, de hoogste gezagsdrager in Indië – zou begin september 1946 door het kabinet-Beel worden belast met het ontwerpen van een nieuwe rechtsorde voor Nederlands-Indië, inclusief het hervatten van besprekingen met de Republiek. Schermerhorns deelname was de laatste hobbel geweest bij de formatie van dat kabinet. De PVDA had in mei 1946 dan wel een klinkende verkiezingsnederlaag geleden, via deze omweg probeerde de partij zich alsnog te verzekeren van continuering van het Indiëbeleid. Politieke tegenstanders kwamen dan ook al snel met het verwijt op de proppen dat in de achterkamer een mooi 'baantje' was geregeld voor een man die was gezakt voor het premierschap. Daarmee waren de drakentanden gezaaid.[15]

Voor Mansholt vormde het *niet* benoemen van Schermerhorn een breekpunt. Henny schreef eind juni 1946 aan haar moeder: 'Over 't gaan naar Indië van Schermerhorn zal maandag worden beslist. Daar zal nog veel van afhangen. Sicco stelt deze kwestie n.l. zeer principieel en indien S. niet aangewezen wordt, wil hij bedanken (vertrouwelijk!).'[16] Nadat de PVDA-top Schermerhorn over de streep had getrokken – hij had er weinig zin in – was dit een breekpunt voor de hele partij geworden. De KVP gaf toe. Schermerhorn zou worden ingekapseld in een commissie van vier en gebonden aan Haagse instructies. Beel ging er kennelijk van uit dat het kabinet de teugels stevig genoeg in handen zou hebben en af en toe een ruk naar rechts kon geven. Op 14 september 1946 vertrok Schermerhorn naar Nederlands-Indië. Hij hield er een onthullend dagboek bij dat in 1970 werd uitgegeven.

Uit dat dagboek, aangevuld met enige andere bronnen, komt de connectie Mansholt-Schermerhorn inzake Indië duidelijk naar voren. Schermerhorn vertelde in een interview in 1972 dat hij indertijd van Mansholt en diens secretaris Barend van Dam 'uitstekende *inside information*' kreeg over de verhoudingen in het kabinet-Beel. Mansholt zou talloze brieven naar Batavia hebben gestuurd. 'Ik zal hem daar al de dagen dankbaar voor zijn.'[17] Dat laatste lijkt overdreven. Het dagboek zelf bevat slechts verwijzingen naar twee brieven. Een daarvan is teruggevonden in het archief-Schermerhorn.

Schermerhorn verkeerde in een lastig parket. Het beeld dat uit de notulen van de ministerraad oprijst is dat van een onontwarbare kluwen.[18] Beide partijen, de Nederlandse regering en de Republiek, hadden de hakken in het zand gezet. Desondanks slaagde de Commissie-Generaal erin een overeenkomst met de Republiek te sluiten: het Linggadjati-akkoord van 15 november 1946. Het akkoord bepaalde onder meer dat uiterlijk 1 januari 1949 de Verenigde Staten van Indonesië (VSI) zouden worden opgericht, die samen met Nederland in een unie verbonden zouden zijn. De Republik Indonesia (op Java en Sumatra) zou deel uitmaken van de VSI. Toen in Den Haag duidelijk werd wat dit akkoord behelsde, werd Schermerhorn meteen gevraagd om een en ander zo snel mogelijk mondeling te komen toelichten. Eind november kwam hij aan op Schiphol. Uit het dagboek:

> De eerste discussie ontstond in de auto naar huis met Barend van Dam, die uitstekende inside information had van Mansholt. Daaruit begon het mij voor het eerst een beetje te schemeren, dat de situatie in Nederland anders lag dan wij hadden ingeschat.

Velen verweten Schermerhorn buiten zijn boekje te zijn gegaan. Voordat hij op het matje moest komen bij het kabinet, sprak hij nog met Mansholt en Van Dam, 'waarbij Mansholt mij uitvoerig de situatie in de ministerraad heeft uiteengezet en verteld, dat er een paar leden zijn geweest, o.a. Lieftinck, die ons door dik en dun hebben verdedigd en die ook ten aanzien van de instructie ons standpunt hebben ingenomen'.[19] Tot dat moment had niemand Schermerhorn bericht hoe de vlag erbij hing. Een aantal KVP-ministers had zich faliekant tegen zijn aanpak uitgesproken.

De koude douche in Nederland had tot gevolg dat Schermerhorn, na zijn terugkeer in Batavia in januari 1947, ertoe overging een paar prominente PVDA'ers belangrijke gedeelten van zijn dagboek te sturen. Daartoe behoorden Mansholt, Lieftinck en partijvoorzitter Vorrink.[20] Logisch, want zij hadden hem deze klus tijdens de formatie in de maag gesplitst. Als hij het 'voor de zaak nuttig' achtte, schreef Schermerhorn op 10 maart, mocht Mansholt de dagboekbladen aan de ministers Vos en Drees laten lezen.[21] Of dit ook is gebeurd, is onbekend. Vaststaat dat Schermerhorn via Mansholt een voet aan de grond probeerde te krijgen in zijn eigen partij en in het kabinet, teneinde zijn opvattingen ten aanzien van Linggadjati te promoten.

Er liep al langer een lijntje tussen Mansholt en Schermerhorn. Dat bleek al uit de passage uit Henny's brief. Van belang was ook de rol van Van Dam, die als politiek secretaris niet alleen nauwe contacten onderhield met de partijtop, maar ook advies uitbracht over heikele onderwerpen. Het archief-Mansholt bevat een aantal aantekeningen van Van Dam over de Indische kwestie. Hij toetste het beleid aan resoluties van de PVDA. Vanaf maart 1947 kreeg hij ook de dagboeken, rechtstreeks van de auteur Schermerhorn, die op 7 juni van dat jaar zijn schoonvader werd.[22]

'Linggadjati' was in november 1946 weliswaar geparafeerd door de onderhandelaars, maar nog niet ondertekend door beide regeringen. Het moest eerst nog door het Nederlandse parlement worden gesleept. In december

1946 passeerde het de Tweede Kamer, of eigenlijk toch weer niet: het werd namelijk eerst door het kabinet – in overleg met de Commissie-Generaal – op Nederlandse maat gesneden. In de Kamer werd dit nog onderstreept in de motie Romme-Van der Goes van Naters.[23] Deze 'aankleding' zou een fatale stap blijken. Concreet behelsde dit onder meer dat het kabinet vasthield aan een eigen interpretatie; dat het Nederlandse staatshoofd vooralsnog soeverein bleef; dat een politieke overeenkomst vergezeld moest gaan van een regeling van de schulden en garanties voor het Nederlandse bedrijfsleven; dat Nieuw-Guinea een afzonderlijke status zou kunnen krijgen.[24]

De aankleding gebeurde weliswaar onder druk van Romme, die de PVDA-top had laten weten anders zijn fractie niet mee te krijgen, maar met instemming van Vorrink, Van der Goes en minister Jonkman van Overzeese Gebiedsdelen. Schermerhorn keek toe vanuit de diplomatenloge en verzette zich niet tegen de motie. Ruim twee maanden later schreef hij Mansholt over Jonkmans politieke manoeuvres:

> Kijk Sicco, ik ben blij, dat (Jonkman) nu zoo ver gekomen is, maar zeg je nu, dat dit staatkunde in grote stijl is, dan zeg ik beslist neen! Die hadden wij gehad, indien hij (...) tegen Romme had gezegd, dat het kabinet de handen vrij moest houden en het er dan op gewaagd! Nu zitten wij in de ellendige positie, dat wij weer terug moeten krabbelen. Want dat wij dat moeten, lijkt mij volmaakt zeker.[25]

Mansholt was overigens niet direct bij de aankleding betrokken. Evenmin als Drees, die later verklaarde dat zijn partijgenoten zich door Romme hadden laten inpakken: de aankleding was in wezen een verwerping van het akkoord.[26] Ze markeerde het begin van een vertrouwenscrisis tussen Nederland en de Republiek, die niet meer zou worden gelijmd. Mansholt en Drees waren daar natuurlijk wel medeverantwoordelijk voor.

## 'Eindeloos geleuter'

Wat nu? De PVDA was onder het juk van de KVP doorgegaan. De Republiek was niet van plan hetzelfde doen. Eind december 1946 verslechterde de militaire situatie. Het door partijen overeengekomen bestand werd regelmatig geschonden. Legerleider Spoor bepleitte op 20 januari 1947 in de ministerraad krachtig militair ingrijpen om het Nederlandse gezag te accentueren en de Republiek te 'helpen' door het wegzuiveren van 'kwade elementen'.[27]

Intussen probeerde Schermerhorn meer speelruimte van het kabinet te krijgen, maar hij kon slechts rekenen op Vos en Mansholt. Internationaal bleek de 'aankleding' onverkoopbaar. Ondertekening op korte termijn was een dwingende eis, ook al omdat de bodem van de Nederlandse schatkist in zicht kwam. Lieftinck zat dringend verlegen om Indische baten. Militaire aanwezigheid zou op een bepaald moment ook niet meer te betalen zijn. Halverwege februari bedacht Max van Poll, namens de KVP lid van de Commissie-Generaal, de truc dat de Indonesische onderhandelaars het naakte Linggadjati zouden ondertekenen en tegelijk zouden verklaren dat Nederland zich tot niets meer zou verbinden dan de aangeklede versie.[28] Daarmee was de richting aangegeven voor een uitweg.

Tegen deze achtergrond schreef Mansholt op 5 maart 1947 een uitvoerige brief aan Schermerhorn. De brief is van belang om zijn positie beter te kunnen duiden.

Beste vriend Schermerhorn, Ik voel me wat schuldig je niet regelmatig te schrijven, maar ik vertrouw dat je begrijpt dat het niet een gevolg is van een gebrek aan medeleven met de strijd die je voert. Door regelmatige gesprekken met Barend loos ik veel wat me op het gemoed drukt en dan vindt dat zijn weg wel. (...)

Ik zal trachten kort te zijn, maar naar ik hoop duidelijk. Nog steeds meen ik dat er tusschen jou en Jonkman geen *volledig* vertrouwen bestaat. Ik had gehoopt dat het na je bezoek hier wat dat betreft in orde zou komen. Want dat is naar mijn mening absoluut noodzakelijk om tot een bevredigende oplossing van de moeilijkheden *hier* te komen. Ik wil niet suggereren dat er van Jonkmans zijde een uitdrukkelijk wantrouwen bestaat. Maar ik voel duidelijk een zeker scepticisme aan zijn zijde in jouw *aanvoelen* van het vraagstuk, misschien ook in je staatkundige capaciteiten. (...) Ik beschouw dit als een van de voornaamste redenen waarom ook Jonkman het einde van de teugel in den Haag wil vasthouden. Daarbij komt natuurlijk, dat hij een zeer sterk gevoel bezit voor zijn ministeriële verantwoordelijkheid. Voeg daarbij dat hij in het politiek leven *in Nederland* een nieuweling is. Dat hij, door zijn werk, bijna geen tijd vindt contact te onderhouden met onze politieke vrienden, waardoor hij kans loopt een wat eenzame figuur te worden. Ik heb de laatste tijd getracht hem hier uit te helpen. Hij *moet* in regelmatig contact worden gebracht met Partijbestuur, kamerfractie. Dàar moet hij de politieke opvoeding krijgen om goed te voelen wat *in Nederland* op het spel staat, welke sentimenten hier onder het volk leven. (...)

Al met al is jouw positie moeilijk. En hoe langer hoe meer vrees ik dat de

Reg. in den Haag van de werkelijkheid in Indonesië vervreemdt! Misschien óók Jonkman. Het is voor mij eenvoudig. Het is het vertrouwen in jou en je belichting van het geval in je dagboek, naast mijn zij het dan ook geringe kennis van het land en volk die me in staat stellen een oordeel te vormen. (...)

Eerst nog enkele indrukken hier uit het land. Zo ooit, dan blijkt toch wel na het debat in de 1e kamer dat de oppositie wordt gevoerd door een betrekkelijk kleine groep. (...) Dat neemt niet weg, dat het Nederlandsche volk het geenszins onverschillig laat wat er met Indië en in – gaat gebeuren! Maar de massa van de arbeiders is zózeer overtuigd dat er een redelijke oplossing moet komen (en kòmt) dat ze zich niet gaat opwinden over het geblaas en gekijf van de oppositie. In zekere zin haast beangstigend zelfverzekerd! Want dit staat voor mij als een paal boven water: Er is geen sprake van dat de Nederl. arbeidersmassa 'er op los slaan' in Ind. zal tolereren! En daarom acht ik het zéér ongewenscht dat er op de een of andere wijze in Indië zó wordt gemanoeuvreerd dat wij in een positie geraken dat wij in 'ons recht' zouden zijn geweld te gebruiken (Onder geweld te verstaan: een grote actie).

Ik zeg dit, omdat ook meermalen in de M'raad de voorstelling over tafel rolt dat we slechts hebben te zorgen, dat wij internationaal sterk staan, en het recht aan onze zijde hebben indien het zover is dat we 'er op los' moeten. Hoewel ik meen, dat dit nimmer zal gelukken, omdat men er bev. in de Ver. Staten tòch niets van begrijpt! (mede door onze stupide voorlichting!) of niet wil begrijpen.

Maar ook al zou een ernstige verdragsschennis van de zijde der Republiek aanleiding zijn om van onze zijde de oplossing in geweld te zoeken, dan geloof ik zeer beslist, dat dit zéér ernstige repercussies in het land zal hebben. En indien dan de PVDA de regering zou moeten steunen, dan kan ze zich wel opbergen. Geweld màg niet worden toegepast (uitdrukkelijk zonder ik hiervan uit acties zoals Palembang[29] enz., en vanzelfsprekend ook optreden na de ondertekening v. L[inggadjati]). (...)

Er zijn voor mij maar twee wegen: ondertekenen van L. of terugtrekken en opgeven. (...) Mijn grote vrees is, en ik heb dit meermalen in de M'raad gesteld: na de grote conceptie van jou en de forsche politiek die is gevoerd (jà: ondanks òns!) zijn we weer de kruideniers geworden. En we zijn, verdomme, weer op weg om de schuit te missen! Waarom kúnnen wij de grote lijn, die in heel dat ontzaglijke gebeuren in het Oosten ligt, niet volgen? Waarom raken wij steeds verstrikt in miezerig gedoe? Begrijp me ik schakel jou, van Mook en ook v. Poll hier uit. Maar het is in de M'raad, zoals het zo vaak is: eindeloos geleuter en "gelawaai" (Trouwens niet slechts in de Ind. Politiek, maar ook in de binnenlandsche, ontbreekt de grote lijn en vooral de *bezieling* geheel!) (...)[30]

Dat was duidelijke taal, ofschoon Mansholts bewering 'ik heb dit meermalen in de M'raad gesteld' niet wordt bevestigd door wat er in de notulen staat. Opvallende elementen uit de brief zijn dat Mansholt zijn eigen oordeel vooral baseerde op dat van Schermerhorn, dat PVDA-ministers via de partijtop en de Kamerfractie voortdurend voeling moesten houden met hetgeen in de partij leefde, dat de oppositie volgens Mansholt niet zou bijten en dat geweld in principe niet mocht worden toegepast. Waarom ging hij dan binnen vijf maanden toch akkoord met – in het Indonesisch – de *agresi militer belanda*?

Schermerhorn beschreef Mansholts brief in zijn dagboek als 'zeer verhelderend, maar niet in elk opzicht opwekkend'. Het was absoluut noodzakelijk dat het akkoord zo spoedig mogelijk ondertekend werd. 'Wanneer het Kabinet thans niet het standpunt inneemt dat Mansholt in zijn brief formuleerde, maar vasthoudt, dan gaan wij automatisch de weg van het geweld op.' De volgende dag ging een brief terug, vergezeld van dagboekaantekeningen. In deze brief keerde Schermerhorn zich onder meer fel tegen de KVP en tegen de twee deskundigen die minister Jonkman naar Indië had gestuurd om die partij gerust te stellen, volkenrechtsgeleerde J.H.W. Verzijl en bankier S. Posthuma. De remmende invloed van die twee op de Commissie-Generaal was volgens Schermerhorn funest voor de onderhandelingen.[31]

## Naar de eerste politionele actie

Het tij verliep snel voor de Commissie-Generaal. Met allerlei kunstgrepen probeerde het kabinet in Den Haag de coalitiepartijen bij elkaar te houden. In de ministerraad van 15 maart 1947 stelde Jonkman zelfs voor plaats te maken voor KVP-leider Romme op Overzeese Gebiedsdelen.[32] Uiteindelijk slaagde Schermerhorn erin een verlossende brief los te peuteren van de zijde van de Republiek en op 17 maart kreeg hij van het Nederlandse kabinet groen licht. Acht dagen later werd door beide partijen het 'naakte' Linggadjati getekend, conform de methode-Van Poll, vier maanden nadat het akkoord gesloten was.

Inmiddels was de positie van de Republiek versterkt, hetgeen natuurlijk weer gevolgen had voor de verdere onderhandelingen. Aan de andere kant was Den Haag druk bezig de poten onder de stoel van de eigen onderhandelaars weg te zagen. Romme werd door minister-president Beel in april nog eens naar voren geschoven, dit keer als vervanger van Van Mook. Meteen nadat hierover de eerste berichten verschenen waren in de Indische pers, stuurde Piet Sanders, Schermerhorns rechterhand, een brief naar Mansholt. Daarin stelde hij dat door Rommes benoeming de Commissie-Generaal in feite de nek zou worden omgedraaid. In de ministerraad zouden Drees, Vos en Mansholt op 14 april 1947 de benoeming van Romme uiteindelijk blokkeren.[33]

Intussen was in Nederland een ongekende hetze gaande tegen de Commissie-Generaal, de club die Indië verkwanselde. Het vertrouwen van Mansholt in de voorzitter ervan was nog altijd groot. Achter de schermen adviseerde Mansholt hem op de ingeslagen weg voort te gaan en vooral zijn poot stijf te houden.[34]

Eind april ontving Mansholt een sombere brief van Schermerhorn. Den Haag zat klem. De financiële toestand van Nederland was 'catastrophaler' dan men aanvankelijk had gedacht. Een deel van het kabinet bepleitte 'zeer extreme maatregelen'. Maanden waren verloren gegaan door de parlementaire behandeling in Nederland, 'een zielige vertooning, waarbij men de hoofdproblemen uit den weg ging'. Het belang van de Nederlandse schatkist stond daarbij voorop. Maar het kabinet vertrouwde hem deze taak niet toe. Het distantieerde zich van Schermerhorn uit politieke overwegingen. Partijvoorzitter Vorrink had hem geschreven dat Mansholt en Vos de enige PVDA-ministers waren die hem nog voluit steunden. De rest was 'om' of twijfelde sterk. Schermerhorn: 'Wanneer dan zoo de kaarten liggen, nadat ik eerst de zaak uit de soep getrokken heb, dan begrijp je, dat ik er wel een behoefte aan gevoel om ergens in Den Haag eens een paar harde klappen op tafel te geven en G.V.D. te zeggen.' Hij zou spoedig naar Nederland reizen om de oppositie te bezweren. Eerst wilde hij het aangekondigde bezoek van Beel en Jonkman aan Batavia afwachten.[35]

Dat bezoek zou een keerpunt betekenen. Er was op dat moment – mei 1947 – nog geen begin van overeenstemming met de Republiek over de uitvoering van de afspraken uit Linggadjati. Dat bracht Van Mook ertoe een militair alternatief te formuleren, wat meteen indruk maakte op beide ministers. Schermerhorn sloot zich bij hem aan. Hij vroeg de regering een principebeslissing over het alternatief. Daarmee zou de onderhandelingsdruk kunnen worden opgevoerd. Dit was een beslissende stap aangezien Schermerhorn het initiatief uit handen gaf. Aan de Republiek zou een aantal concrete eisen worden gesteld aan de hand waarvan kon worden getoetst of Linggadjati werd uitgevoerd. Wanneer daaraan binnen een bepaalde termijn niet voldaan zou zijn, volgden politionele acties.[36]

Bij zijn komst naar Nederland zag Schermerhorn zich dus voor de taak gesteld deze 'ultimatumpolitiek' – het militaire alternatief als reële mogelijkheid – bij

Schermerhorn (tweede van links) en Van Poll (tweede van rechts) vertrekken weer naar Indonesië, 6 juni 1947. Mansholt (links) en Romme komen hen uitzwaaien. [Coll. Spaarnestad Fotoarchief/Anefo]

zijn partijgenoten te bepleiten. Zondagmiddag 1 juni sprak hij drieëneenhalf uur met de top van de PVDA. 'Mansholt heeft compleet geluisterd, Vos alleen aan het eind een paar opmerkingen gemaakt, waaruit zijn bezwaar tegen militaire actie bleek,' noteerde hij teleurgesteld in zijn dagboek. De twee begrepen waarschijnlijk dat Schermerhorn het spel verloren had, al had hij dat zelf misschien niet eens in de gaten. Op 2 juni stemden alle ministers *in principe* in met de mogelijkheid van een militaire actie, als stok achter de deur. Ook Mansholt. Hij benadrukte wel dat de actie 'een internationaal te rechtvaardigen omvang' moest hebben.[37]

Een paar dagen later vertrok Schermerhorn weer. De Mansholts brachten hem naar het vliegtuig. Henny schreef kort daarop aan haar moeder:

We vonden S. er dit keer zorgelijk uitzien. De situatie blijft ook zorgelijk en 't kost de grootste moeite om langs de weg van vreedzaam overleg tot een regeling te komen. Sicco heeft het niet gemakkelijk. Hij en Vos zijn de enigen die hierin een principiële houding aannemen. De gevolgen van militair optreden zouden zowel in ons land als internationaal grote gevolgen hebben en daarvan zijn de stemmen in de regering nogal verdeeld. Sicco is heel voorzichtig in zijn uitlatingen en dat is ook geboden.[38]

Halverwege juni 1947 leek militair ingrijpen onontkoombaar. Schermerhorn had geen enkele ruimte meer om te manoeuvreren. Met het oog op de eenheid in de PVDA drukte Vorrink hem op het hart zich aan te sluiten bij het alternatief van Van Mook.[39] Die werd geconfronteerd met ambivalente signalen uit het kamp van de Republiek. Tegemoetkomende onderhandelaars werden door Soekarno teruggefloten.[40]

Het besluit tot 'politionele actie' hing de ministerraad wekenlang als een zwaard van Damocles boven het hoofd. Vanaf 19 juni werden ultimatums gesteld, geherformuleerd en – op aandrang van Drees, Vos en Mansholt – verzacht; er werd geschorst voor onderling beraad van het PVDA-smaldeel; 's nachts kwam men ijlings bijeen om zich te buigen over raadselachtige antwoorden van Soekarno; er werd ingepraat op onwillige collega's; nieuwe vraagpunten kwamen ter tafel; een inschatting werd gemaakt van de reactie van de Amerikanen; op aandrang van de PVDA-ministers moest vervolgens opnieuw gewacht worden op de uitkomst van overleg met de Indonesische vicepremier. Op 16 juli draaide legerleider Spoor ten slotte de aarzelende Van Mook de duimschroeven aan. Hij dreigde ontslag te nemen als er niet onmiddellijk een eind aan de anarchie werd gemaakt. De politiemacht ('gendarmerie') in het gehele gebied, zowel dat van Nederland als dat van de Republiek, moest zo snel mogelijk onder het gezag van het 'federale' Nederlands-Indisch bestuur komen, conform Linggadjati.[41] Concreet betekende dat voor de Republiek dat terrein moest worden prijsgegeven waar zij de facto gezag uitoefende. Dat was opnieuw een breekpunt.

## Mansholt toch achter oorlogsverklaring

Op 17 juli 1947 om negen uur 's avonds begon een bijzondere zitting van de ministerraad die zou duren tot in de vroege ochtend van de 18e. Dit was de vergadering waarin de knoop werd doorgehakt en Van Mook een *onvoorwaardelijke* machtiging tot militair optreden werd verleend. 'Voordat het zover was, hebben we niet alleen uitvoerig van gedachten gewisseld, maar ook lange tijd stilzwijgend nagedacht,' schreef Jonkman later in zijn memoires.[42]

Jonkman had vooraf telefonisch contact gehad met de landvoogd, luitenant-gouverneur-generaal Van Mook. De Republiek had niet voldaan aan de gestelde ultimatums. Aan de Nederlandse eis maatregelen te nemen op het terrein van de binnenlandse veiligheid was geen gevolg gegeven. Vernielingen van Nederlandse fabrieken waren aan de orde van de dag, naast voortdurende bestandsschendingen. Van Mook had de hoop op een definitieve machtiging eigenlijk al opgegeven. Hij adviseerde in een door minister-president Beel rondgedeeld telegram 'in volledige overeenstemming met de Commissie-Generaal en alle adviseurs' tot een politionele actie van de Nederlandse strijdkrachten ter verwezenlijking van het federalisme van Linggadjati. Tegenvoorstellen van de Republiek waren enkel bedoeld om de zaak te rekken. 'De Nederlandse Regering heeft nu voldoende lankmoedigheid betracht,' concludeerde Beel.[43]

De drie PVDA-ministers met de meeste twijfels – Drees, Mansholt en Vos – gingen die nacht alle drie 'om'. Drees *was* dat eigenlijk al: de botte afwijzing door de Republiek van de Nederlandse verantwoordelijkheid voor orde en rust in *republikeins* gebied was voor hem doorslaggevend. Vos hield het langst stand. Hij hoopte op Amerikaanse en Engelse hulp, maar werd klemgezet door Beel, Jonkman en Drees. Aan het eind liet hij vooralsnog 'tegen' aantekenen vanwege gewetensbezwaren, maar dat was niet definitief. Beel verlangde dat hij de volgende vergadering uitsluitsel gaf. Vier dagen later, nadat de Republiek de Nederlandse eis om de vijandelijkheden te staken had afgewezen, zou Vos zich bij de rest aansluiten.[44]

Het was de eerste keer dat Mansholts bijdrage aan een discussie over Indië tot uitvoerige notulen leidde. Daaruit kan worden afgeleid dat hij door zijn collega's niet dan met de grootst mogelijke moeite over de streep is gesleept. Het stemgedrag van de rest – minus Vos – stond bij voorbaat eigenlijk al vast. Mansholt ging overstag. Die stap had grote politieke betekenis. Wanneer hij, samen met Vos, voet bij stuk had gehouden, had dat tot een ministerscrisis of zelfs tot een kabinetscrisis kunnen leiden. De twee wisten zich immers gesteund door de linkervleugel van hun partij. Het besluit had – in het geval van een kabinetscrisis – moeten worden uitgesteld. Wat bracht Mansholt die nacht precies naar voren en waarom gaf hij ten slotte toe?

Mansholt stak pas van wal nadat de posities van Drees en Vos duidelijk waren geworden. Hij gaf toe eigenlijk geen aannemelijke oplossing van het conflict te zien, ook niet via militair optreden: 'Als spreker zich tracht te realiseren hoe de huidige impasse na twee jaren van overleg kon ontstaan, dringt zich bij hem de vraag op of men zich bij het stellen van voorwaarden aan de Republiek wel voldoende heeft afgevraagd of deze door de wederpartij,

redenerend vanuit haar Oosterse gedachtewereld, wel konden worden aanvaard.'[45] In principe was hij het eens met de grote lijn van de gevolgde procedure. Hij erkende ook dat het gezag van de Nederlandse regering in het geding
was. Stil zitten na het verstrijken van het ultimatum betekende onherroepelijk gezichtsverlies. Toch vroeg hij zich af of het niet alsnog mogelijk was tot
een oplossing te komen door de verantwoordelijkheid voor de veiligheid van
het binnenland te verleggen naar een centraal federaal bestuursapparaat, de
Federale Raad. Dan zou de Republiek misschien zonder gezichtsverlies haar
standpunt kunnen verlaten. Jonkman, Drees en Lieftinck achtten dat politiek
onhaalbaar. De PVDA-fractie had dit kort daarvóór in de Kamer nog verdedigd, maar Romme had het afgewezen.[46] Met de KVP-ministers benadrukten
zij dat de Republiek éérst aan de gestelde voorwaarden moest voldoen.

Op dat moment bereikte Beel een nieuw telegram van Van Mook dat meteen
werd voorgelezen. Daarin werd klip en klaar gesteld dat het antwoord van
de Republiek volledig onbevredigend was: 'Door Schermerhorn, Van Poll,
Idenburg [Van Mooks plaatsvervanger] en mij is volledig duidelijk gemaakt dat
wij geen behoefte hadden aan verder praten.' De laatste maanden waren duizend rapporten met bestandsschendingen opgemaakt en naar vertegenwoordigers van de Republiek gestuurd, maar daarop was niet eens geantwoord. Van
Mook eindigde: 'Duidelijk bleek dat er in Djocja [het machtscentrum van de
Republiek] een volslagen gebrek aan realiteitszin bestaat en dat het onmogelijk
is om met deze groep als zodanig tot een werkelijk zakelijke uitvoering van
Linggadjati te komen. Samenwerking zal, zolang de dreiging van terreur niet
is weggenomen, onmogelijk blijven.'[47] Lieftinck stelde daarop onomwonden:
'De regering die nu niet ingrijpt is niet waard regering te heten.'

Minister-president Beel stelde ten slotte voor de knoop door te hakken en
Van Mook te volgen. Bij een negatief besluit zou de regering volgens hem haar
verantwoordelijkheid niet langer kunnen dragen. Dat zou het einde betekenen van de rooms-rode coalitie. Mansholt vroeg nog om schorsing voor
overleg met zijn 'politieke vrienden', maar dat werd door Beel van de hand
gewezen. Van Mook wilde immers 'ten spoedigste' instructies. Ten einde
raad stelde Mansholt de verantwoordelijke minister, Jonkman, de vraag 'of
deze geen andere reële mogelijkheid meer ziet'. Jonkman herinnerde hem
eraan dat in de vorige fase alleen Schermerhorn van mening was geweest dat
een Federale Raad eventueel kon worden ingesteld vóórdat de Republiek aan
de gestelde voorwaarden had voldaan. 'Nu steunt ook de heer Schermerhorn
het advies van de Landvoogd. Met de bestaande personeelsbezetting in Indië
is dus een andere oplossing – stel deze ware aanwezig en aanvaardbaar – niet
uitvoerbaar.' Jonkman en Beel voerden tot slot de druk nog verder op door te

benadrukken dat het voortbestaan van het kabinet de enige mogelijkheid was om het Linggadjati-akkoord te realiseren.

Het voorstel van Beel – niet minder dan een oorlogsverklaring aan de Republiek! – passeerde vervolgens de raad met het genoemde voorbehoud van Vos. Beel liet daarna een telegram van Schermerhorn voorlezen dat kennelijk tijdens het debat was binnengekomen. De inhoud van dat stuk – het beruchte telegram CG 192 – leidde niet tot een wijziging van het besluit. De kogel was door de kerk. Beel sloot de vergadering.[48] Jonkman schreef dertig jaar later in zijn memoires: 'Vroeg in de morgen thuisgebracht heb ik mij – moe en treurig – bij het uitstappen afgevraagd, of ik nu een oorlogsmisdadiger was. Die gedachte heb ik van mij afgezet, overtuigd aan het genomen besluit te mogen meewerken krachtens de Nederlandse rechtsorde van ons Koninkrijk.'[49]

Kon Mansholt zichzelf bij thuiskomst nog in de spiegel kijken? Jonkman *geloofde* in de uitvoering van Linggadjati binnen de rechtsorde van het Koninkrijk. Bij Mansholt lag dat anders. Hij was ervan overtuigd dat militair ingrijpen geen oplossing kon brengen. Stond hij op dat moment en in dit speciale geval niet sterk genoeg in zijn schoenen om te zeggen: dit maak ik niet mee? Het staat wel vast dat hij zich mede heeft laten leiden door partijpolitieke adviezen van Vorrink en door het oordeel van Schermerhorn. Barend van Dam vertelde later dat het feit dat Mansholt niet aftrad vooral op het conto van Vorrink moest worden geschreven. 'We hebben nu de kans om iets te regelen en we moeten er niet te snel mee uitscheiden,' zou hij hem hebben voorgehouden.[50]

Opmerkelijk is dat tijdens die beslissende vergadering met behulp van drie verschillende documenten benadrukt werd dat Schermerhorn achter de actie stond: het telegram van Van Mook dat aan het begin ter tafel kwam, het tweede stuk dat halverwege het overleg werd voorgelezen en telegram CG 192 van Schermerhorn zelf. Bij elkaar opgeteld heeft dit Mansholt doen overhellen naar het militaire alternatief. Partijgenoten wierpen Schermerhorn later voor de voeten dat geen oorlog zou zijn uitgebroken als hij in CG 192 een resoluut 'neen' had laten horen. Dat gaat wat ver. Zijn 'neen' had er waarschijnlijk wél toe geleid dat Mansholt tegen zou hebben gestemd. Uit de notulen van de ministerraad en het dagboek van Schermerhorn kan worden afgeleid dat de voorstanders van militair ingrijpen zeer zware druk hebben uitgeoefend op de Commissie-Generaal om haar – en daarmee de PVDA – achter de actie te krijgen.[51]

Verder was CG 192 inderdaad zeer verwarrend. Schermerhorn probeerde daarin duidelijk te maken de weg van de internationale bemiddeling te prefereren boven militair ingrijpen – in reactie op Van Mooks eerste telegram – maar gaf tegelijk uiting aan zijn bitterheid en teleurstelling over het antwoord van de Republiek – min of meer parallel aan Van Mooks tweede bericht. Het telegram eindigde dan ook wanhopig:

> Aangezien Djocja de geestelijke pesthaard is zal militaire actie alleen doel treffen indien deze herhaal deze Republiek daaraan ten gronde gaat. Ik acht daarom de consequentie van begin van iedere beperkte militaire actie voortzetting tot rep[ubliek] vernietiging en dientengevolge begrip *quote* politionele *unquote* actie te minimaliserend.

Beel en Jonkman erkenden op 28 juli, tien dagen na het fatale besluit, dat zij uit de telegrammen niets anders konden concluderen dan dat de landvoogd en de Commissie-Generaal eensluidend waren geweest in hun advies. Uit de reactie van Mansholt bleek dat hij er inmiddels achter was dat Schermerhorn met CG 192 had willen benadrukken dat hij over de prioriteit van een militaire actie anders dacht dan Van Mook.[52] Op 18 juli was dat besef niet tot hem doorgedrongen. Uit de memoires van PVDA-fractieleider Van der Goes van Naters blijkt dat hij niet de enige was: 'Schermerhorns pesthaardtelegram heeft een verpletterende indruk gemaakt op onze fractie: "Als *hij* zegt dat het onvermijdelijk is, dan moet het wel zo zijn."'[53]

Na een dramatische vergadering schaarde de hele PVDA-fractie, behalve het Indonesische lid Nico Palar, zich achter de regering, dus achter de actie. Palar barstte in huilen uit en voegde de rest toe, terwijl hij de fractiekamer uitrende: 'Begrijpen jullie dan niet dat ik aan de andere kant vecht en dat ik jullie strakjes misschien wel dood moet schieten?'[54]

In de partij moesten alle zeilen worden bijgezet om de boel bij elkaar te houden. Een meerderheid van de op 19 juli bijeengekomen partijraad liet zich niet overtuigen. Vorrink gaf daarop te kennen dat alle PVDA-ministers, het volledige partijbestuur, behalve Palar, en vrijwel de gehele fractie zouden opstappen als de partijraad het standpunt van de regering niet zou steunen. Dat had het gewenste effect. Twee dagen later deelde het partijbestuur officieel mee dat de partij zich onder druk van de feiten achter de regering had gesteld. De toestand was onhoudbaar vanwege de bestandsschendingen. Er kon alleen voortgang worden gemaakt, als er orde en rust heersten, ook op republikeins gebied. Linggadjati bleef richtsnoer, de Verenigde Staten van Indonesië einddoel. Dat doel kon volgens het partijbestuur 'onvergelijkelijk veel beter worden bereikt, als de Partij van de Arbeid door haar eigen vertegenwoordigers binnen de regering daaraan haar voortdurende medewerking kan verlenen, dan wanneer zij tot een machteloze oppositie wordt gedwongen en de reactie haar stempel gaat drukken op de koers van de Nederlandse politiek'.[55]

Veertig jaar later klonk uit de mond van Jaap Burger, bevriend met Mansholt en destijds als oud-minister prominent lid van de fractie, precies dezelfde rechtvaardiging: als de PVDA-ministers waren afgetreden, hadden we het beleid van de reactie gekregen. 'Nou dan was het een complete koloniale oorlog geworden.'[56] Dit was echter alleen maar een excuus voor een keus waarvoor hij en zijn partij zich achteraf pas schaamden. 'Fout' was wél het oordeel van de 7265 leden die tussen eind juni en eind december 1947 uit de partij stapten, ruim zes procent van het totale ledenbestand.[57]

Noodlottig misverstand?

Op 20 juli 1947 ging het Nederlandse leger tot actie over, een actie die nota bene het koloniaal klinkende etiket *Product* opgeplakt kreeg. De strijd duurde tot 4 augustus van dat jaar. Op die dag ging een staakt-het-vuren in, dankzij de Veiligheidsraad. Deze eerste politionele actie was weliswaar militair succesvol, maar betekende toch het begin van het einde. Mede onder druk van de PVDA kreeg het leger geen toestemming door te stoten naar Djocja. Vanuit zowel partijpolitiek als internationaal oogpunt was dit wellicht een juiste beslissing. Militair gezien was het een blunder. Een langdurige aanwezigheid van een grote legermacht was onbetaalbaar. Bovendien werd de tegenstander intussen de gelegenheid geboden zichzelf politiek en militair 'op te bouwen'.

In de eerste week van augustus maakte Mansholt zich in de ministerraad nog sterk voor het plan Schermerhorn naar de VS te sturen om de Nederlandse positie te bepleiten in de Veiligheidsraad. De KVP-ministers voelden daarvoor helemaal niets. Beel vreesde dat Schermerhorn er opnieuw zou gaan onderhandelen, buiten de regering om. 'De PVDA zal het moeilijk kunnen verwerken als een van haar belangrijkste vertrouwensmannen op een zijspoor wordt gezet,' waarschuwde Mansholt. Hij kreeg weliswaar de steun van Drees, maar niet van harte. Beel trok dan ook vrij simpel aan het langste eind.[58] Exit Schermerhorn.

Doorstoten naar Djocja of niet? Nadat het beperkte doel van Product was bereikt – ontsluiting van economisch waardevolle gebieden op Java en Sumatra – en het staakt-het-vuren was ingegaan, bleef het Nederlandse gezag in Batavia aandringen op de bezetting van Djocja. Onder druk van de KVP, de militaire top in Indië én koningin Wilhelmina ging Beel uiteindelijk overstag.[59] Maar een aanval op Djocja was en bleef voor de socialisten een brug te ver. Eind juli was binnen de PVDA krachtige oppositie de kop opgestoken. Op een buitengewoon partijcongres dat op 15 en 16 augustus plaatsvond moest Vorrink opnieuw alles uit de kast halen om de eenheid te bewaren. De uitkomst was dat de PVDA-ministers zouden opstappen, als het kabinet het besluit nam naar Djocja op te rukken.[60]

Bij de daaropvolgende discussie in de ministerraad nam Drees het voortouw namens de PVDA. Mansholt steunde de partijlijn: hernieuwd overleg en internationale hulp bij het zoeken naar een oplossing. Opmerkelijk was dat Mansholt op een bepaald moment tevergeefs voorstelde de soevereiniteit over te dragen aan een door de Veiligheidsraad te benoemen commissie, 'een grote sprong naar het einddoel van Linggadjati'. Op 18 augustus eindigde de stemming over het voorstel Van Mook toestemming te geven naar Djocja op te trekken in zes tegen zes, PVDA contra KVP.[61] Beel liet de koningin daarop weten dat het kabinet bij een tweede stemming waarschijnlijk zou vallen. Hij kreeg alvast een formatieopdracht tot reconstructie, maar wachtte eerst de uitkomst af van een speciale vergadering van de Veiligheidsraad.[62]

De koningin, door Beel overtuigd dat optrekken naar Djocja noodzakelijk was, had intussen herhaaldelijk bij de directeur van haar kabinet, Marie Anne Tellegen, geïnformeerd waarom dat niet gebeurde. Tellegen liet zich op 21 augustus door Drees voorlichten over de argumenten *tegen* optrekken. Hij had haar te spreken gevraagd op aandrang van Mansholt. Uit de aantekeningen die Drees van het gesprek maakte: 'Mej. Tellegen zou het wel wenselijk vinden dat Mansholt, nu hij er voor voelt, zelf vroeg de Koningin te mogen spreken, nog morgen. Hij is bij haar persona grata. De Koningin zal overigens volgens Mejuffrouw Tellegen zeer betreuren als Mansholt en ik uit het Kabinet zouden treden.' Drees belde Mansholt diezelfde avond op. 'Hij zal een bespreking aanvragen,' noteerde Drees. 'Uitgangspunt zal niet zijn een poging de Koningin te overtuigen, maar wel om de ernst van onze motieven te doen begrijpen. Mansholt acht het ook zelfs voor de voedselsituatie in Nederland uiterst gevaarlijk, gezien de stemming in Amerika.'[63]

Over een bespreking van Mansholt met koningin Wilhelmina over deze zaak is niets bekend. Waarschijnlijk ging dat gesprek niet door, omdat binnen enkele dagen duidelijk werd dat het niet meer nodig was. Het kabinet-Beel bleef namelijk zitten, omdat de uitkomst van de vergadering van de Veiligheidsraad Nederland eenvoudig geen andere keus liet. Op 25 augustus werd een resolutie aangenomen met het voorstel een Commissie van Goede Diensten in te stellen. De Republiek werd erkend als partij in een internationaal geschil. Het vraagstuk van een opmars naar Djocja leek een gepasseerd station.

Het resultaat van de militaire actie was een blijvende internationale bemoeienis, precies wat de PVDA gewild had. In januari 1948 wierp die bemoeienis al vruchten af. Aan boord van het Amerikaanse oorlogsschip Renville spraken de partijen af het overleg te hervatten. Nederland *moest* wel: de voorgestelde oplossing was door de Amerikanen min of meer gekoppeld aan de Marshallhulp.

De vreugde bleek van korte duur. Een maand later al verzandden de discussies in het Nederlandse kabinet opnieuw in staatsrechtelijke haarkloverijen, vergelijkbaar met de aankleding van Linggadjati. Mansholt hield zich afzijdig.[64] Voordat het jaar verstreken was werd Djocja alsnog onder de voet gelopen.

Het scenario van de tweede actie was vergelijkbaar met dat van de eerste. Het geschil was weliswaar geïnternationaliseerd, maar de Nederlandse publieke opinie trapte intussen steeds harder op de rem. De verkiezingen van 7 juli 1948 betekenden een ruk naar rechts. De rooms-rode coalitie werd aangevuld met ministers uit de VVD en de CHU tot een bredebasiskabinet. Jonkman en Van Mook werden vervangen door respectievelijk de KVP'ers Sassen (die getrouwd was met een nicht van Romme) en Beel. Daartegenover stond dat Drees premier werd. Mansholt twijfelde over een ministerschap, althans dat beweerde hij achteraf:

> Mijn aarzeling om zitting te nemen in het nieuw te formeren kabinet was het gevolg van de toch wel duidelijke politiek van de KVP om te trachten de touwtjes in handen te krijgen inz. het beleid t.a.v. Indonesië. Achteraf is dan ook gebleken wat een heilloze weg er is ingeslagen. Ik was tenslotte bereid om te blijven omdat de PVDA-fractie in de Tweede Kamer daarop aandrong en omdat Drees premier werd. Grote bezwaren had ik echter tegen het praktisch uitschakelen van de PVDA op het terrein van de buitenlandse – de defensie – en Indonesiëpolitiek.[65]

De ruk naar rechts had onmiddellijk gevolgen voor het Indiëbeleid. Aan de andere kant werd de internationale positie van de Republiek steeds sterker, ook in de VS. Het Amerikaanse ministerie van Buitenlandse Zaken raakte onder de indruk van de anticommunistische kracht van de Republiek, die er zonder hulp van het Westen in het najaar van 1948 in slaagde een door Moskou gesteunde couppoging neer te slaan. Het Nederlandse kabinet beklaagde zich erover dat het *State Department* verschillende situaties 'als het ware door een Indische bril' begon te zien. Mansholt stelde voor de relatie met de Amerikaanse ambassadeur te 'verinnigen'.[66] Vóór de tweede actie zou het kabinet daarin echter niet meer slagen.

Waarom kwam die tweede actie eigenlijk? Ten eerste vanwege de bestandsschendingen en grotere militaire dreiging van de Republiek. Guerrilla-eenheden werden stelselmatig naar door Nederlandse troepen beheerste gebieden gestuurd; Indonesische dorpshoofden die met Nederlanders samenwerkten werden vermoord – de gevreesde 'complete koloniale oorlog' was er dus al. Ten tweede – dat bleek achteraf – omdat de PVDA zich vrij onnozel door coalitiegenoot KVP en de leiding in Batavia in de luren heeft laten leggen. Romme had gedreigd het kabinet op te blazen als het niet de eerste klap zou uitdelen. Hij wilde de Republiek vernietigen.[67]

De tweede actie was gericht op het doorkruisen van onderschepte plannen van de Republiek om op 1 januari 1949 en masse op te rukken. De besluitvorming aan Nederlandse kant was buitengewoon chaotisch en de rol van Mansholt daarin was betrekkelijk klein. Hij was zich weliswaar bewust van de negatieve gevolgen, maar legde zich bij de actie neer uit binnenlands-politieke overwegingen. Op 13 december 1948 besloot het kabinet eenstemmig om Beel, in de functie van Hoge Vertegenwoordiger van de Kroon, opdracht te geven een en ander voor te bereiden. Beslissend was dat de Republiek met haar infiltraties het bestand geschonden had. Maar nog diezelfde avond ontving het kabinet een handreiking van de Republiek in de vorm van een persoonlijke brief van vicepresident Hatta. De PVDA-ministers trokken daarop de eerder gegeven machtiging in en het kabinet-Drees kwam ten val.

Meteen werd een lijmpoging ondernomen. Die had al snel succes omdat de Amerikanen zich inmiddels positief over Hatta's brief hadden uitgelaten en vanwege het dreigement dat de socialistische vakbeweging NVV 'ernstige moeilijkheden' zou maken als de PVDA haar zin niet kreeg. Dit dreigement werd naar voren gebracht door Mansholt en gepresenteerd als een 'stemmingsbeeld' dat hem ter ore was gekomen via oud-minister Vos en NVV-voorzitter Kupers. Maar het *was* politieke chantage, zonder twijfel. Besloten werd de actie uit te stellen en Hatta drie dagen de tijd te geven zijn brief toe te lichten.[68]

Beel in Batavia kreeg het besluit doorgeseind, maar weigerde om het uit te voeren! Hij was de eindeloze correspondentie zat, wist zich gedekt door Romme en Sassen en gaf Hatta niet meer dan 24 uur. Een antwoord bleef uit. Drees hoorde dat Hatta ziek was en dat Soekarno met zijn voornaamste ministers op reis was gegaan naar India. Kortom, zij *wilden* niet antwoorden. Het kabinet gaf Beel daarop groen licht.[69]

De actie werd een militair succes. Djocja viel, maar de Veiligheidsraad nagelde Nederland voor de hele wereld aan de schandpaal: de Republiek had geen drie dagen bedenktijd gekregen, Nederland had het door de Veiligheidsraad opgelegde bestand opgezegd zonder alle partijen in te lichten en Soekarno bleek helemáál niet naar India te zijn. Nederlands internationale positie was volkomen onhoudbaar geworden en de nederlaag tegen de Republiek onafwendbaar.

Mansholt vond de militaire acties achteraf principieel fout en accepteerde daarvoor de *historische* verantwoordelijkheid. Drees niet. Vier jaar nachtmerries en tóch principieel fout, die draai kon Drees niet maken. Niet alleen legde hij de *morele* verantwoordelijkheid voor de acties geheel bij de Republiek, maar ook wierp hij de *politieke* verantwoordelijkheid voor de internationale nederlaag verre van zich, van zijn kabinet en zijn land: 'Die tweede politionele actie, dat is zo'n noodlottig misverstand geweest! Dat is bij het krankzinnige af.'[70]

Daartegenover stelde Mansholt – inderdaad: te gemakkelijk achteraf – dat hij eigenlijk had moeten aftreden. Hij had zich door de omstandigheden laten meeslepen in de militaire acties, net als Schermerhorn en net als het hele kabinet. Dat was moeilijk te verwerken, een zwarte bladzijde.

We hebben oerstom gedaan in die tijd. Het ontwakend nationalisme hebben we zelfs durven vergelijken met collaboratie met de Jappen. So what? De Jappen hebben ons eruit gegooid. Dan kun je van die Indonesiërs niet verwachten dat ze achter ons gaan staan. (…) Ik kan geen excuses aanslepen. Ik beken schuld. Dat was fout.[71]

# - 7 -

# LANDBOUW EN POLITIEK 1948-1958

Van scheurpremie tot veekoekenpositie

De landbouwwereld kent een eigen jargon. Wie de Kamerstukken uit de jaren 1948 en 1949 doorbladert, struikelt meteen over fraaie termen als *scheurpremie*, *klaverruiter* en *castreerplicht*. Een leek kan zich daarbij misschien nog iets voorstellen. Moeilijker wordt dat bij *fokzeugenregeling*, *volkorenbrooddienst*, *Druifluiswet*, *komgrondencommissie*, *fustvraagstuk* en *zij-aanvoerharkkeerder*. Om maar te zwijgen over *boerengeriefhout*, *perzikscheutboorder* en *internationale veekoekenpositie*. Wie verder bladert vindt overigens onder het kopje visserij nog heel andere staaltjes. Wat bedoelde de minister met *snoekbaarsbroed* en wat was het *rijkspootvisfonds*? Wat ving een visser met 'een beug van acht tot tien perkjes met wijde mazen'?

Sicco Mansholt was twaalfeneenhalf jaar minister van Landbouw, Visserij en Voedselvoorziening, tot 1 januari 1958. Uit de notulen van de ministerraad, de *Handelingen* van de Tweede en Eerste Kamer, kranten en latere interviews rijst een imposant beeld van hem op: een krachtige sectorminister van een goed georganiseerd departement dat zich het vuur uit de sloffen voor hem liep, overtuigend in het parlement, sterk in de onderhandelingen met Financiën over de begroting, en in de ministerraad zo nu en dan met de vuist op tafel slaand, omdat hij zich verzekerd wist van de steun van het groene front. Natuurlijk kreeg hij ook kritiek, maar die woog niet op tegen de positieve kanten.

Mansholt was een sterke minister. Dat blijkt bijvoorbeeld uit de volgende korte aantekening die minister-president Drees op 27 december 1954 maakte: 'Mansholt heeft geen verdere wijziging willen aanbrengen [in de door hem voorgestelde melkprijs] dan hij reeds vrijdag in uitzicht had gesteld. Wij voelden allen dat het te veel is, maar hij zegt de verantwoording anders niet te kunnen dragen, dus de Ministerraad is tenslotte weer gezwicht.'[1] Waarom zwichtte het kabinet? – en het was bepaald niet de eerste keer. Wat bracht Mansholt ertoe dóór te drukken? Had dit nog iets te maken met zijn socialistische overtuiging? Wilde Mansholt zelf vooral opkomen voor het boerenbelang of was hij de gevangene van de landbouworganisaties? Schreef

181

het Landbouwschap hem de wet voor? Voor de buitenwereld presenteerde de landbouw zich in elk geval als één groen front, een krachtig machtsblok, zowel in als buiten het parlement met een eigen spreekbuis in het kabinet die, zelfs als *alle* andere ministers voelden dat het te veel was, tóch nog zijn zin kreeg.

De landbouw leek een staat in de staat: Mansholt duldde geen inmenging en kwam daarmee kennelijk weg, zijn collega's tandenknarsend achterlatend. Jelle Zijlstra (ARP) beschrijft in zijn memoires hoe hij in 1952 voor het eerst als minister het gebouw van Economische Zaken betrad. Zijn voorganger Van den Brink (KVP) waarschuwde meteen: 'Pas op voor Mansholt, want hij is een wet aan het voorbereiden (...) waarmee hij jouw beleid zou kunnen doorkruisen op allerlei gewichtige terreinen.' Vanuit Financiën bereikte Zijlstra kort daarop de waarschuwing 'dat in discussies in de ministerraad de minister van Landbouw wel eens ervan uitgaat dat zijn opponenten het ingewikkelde systeem (van prijzen, kosten en subsidies) niet helemaal begrijpen'.[2]

Ernst van der Beugel (PVDA), achtereenvolgens topambtenaar, staatssecretaris en raadadviseur op Buitenlandse Zaken in de periode 1952-1960, zag zich herhaaldelijk in de wielen gereden door Mansholts voortvarende plannen op het terrein van de Europese integratie. In een interview dat gepubliceerd werd in 2001 zette hij Mansholt neer als een ambitieuze en rücksichtlose machtspoliticus die bezig was met de belangen van een deelsector, zonder zich te bekommeren om algemene economische aspecten. Diezelfde Van der Beugel kwam al in 1964 met de volgende scherpe formulering:

Ik weet dat landbouw altijd met groot succes gepropageerd heeft dat niemand het eigenlijk kan begrijpen. Daar hebben ze veel succes mee gehad. Dat is ook een belangrijke achtergrond van de krachtige positie die zij in het interdepartementale leven inneemt. Maar het is gewoon niet waar. Wij praten niet over nucleaire formules, maar over dingen die iedereen met gezond verstand moet kunnen begrijpen. (...) Het zich afschermen van de departementen door te zeggen dat het zo ongelofelijk ingewikkeld is, dat het niet begrepen zal worden, is een onjuiste gang van zaken. Het is slechts een verdedigingsmiddel voor het handhaven van een autonome politiek.[3]

## Markt- en prijsbeleid met boerengevoel

Had Van der Beugel gelijk? Kon iedereen met gezond verstand het wel begrijpen? Het landbouwjargon en de grote hoeveelheid aan ingewikkelde regelingen maakten dat weliswaar niet onmogelijk, maar toch heel moeilijk.

De meeste verwarring werd gesticht door het zwalkende markt- en prijs-beleid. Politiek was dat het centrale punt: de boereninkomens hingen er immers van af. Rond 1950 ging zo'n tachtig procent van het begrotings-debat over landbouwprijzen. Mansholt zelf typeerde het beleid indertijd als 'opportunistisch'. Hij wilde op korte termijn kunnen reageren op verande-rende marktsituaties. Het doel dat hem daarbij voor ogen stond, had twee kanten: enerzijds zo hoog mogelijke productie tegen lage kosten, anderzijds een redelijk bestaan voor boeren en landarbeiders.[4] Let wel: dit was een doel-stelling op lange termijn. Het instandhouden van onrendabele bedrijven met hoge productiekosten paste daarin niet. Het economische aspect stond dus op enigszins gespannen voet met het sociale.

Het beleid was opportunistisch en Mansholt zelf opereerde al net zo. Hij stak bij boerenvergaderingen andere verhalen af dan in de beslotenheid van de ministerraad. In een toespraak voor de Nederlandse Zuivelbond in 1951 benadrukte hij dat landbouwbeleid niet alleen een kwestie van prijzen en afzet was, maar ook van 'maatschappelijke sfeer'. Een boer moest zijn plicht kunnen doen. Dat was het uitgangspunt. De regering diende volgens Mansholt dan ook het vertrouwen te scheppen dat de inspanning zin had: de boer had recht op een redelijke beloning voor zijn arbeid en mocht niet het gevoel krijgen achter te blijven in vergelijking met andere bevolkingsgroepen.[5] In de raad voor economische aangelegenheden (REA), een onderraad van de minister-raad, stelde Mansholt daarentegen dat het er hem alleen om te doen was 'een klimaat te scheppen, nodig om de prijs op het gewenste niveau te doen uitko-men'. Als uitgangspunt hanteerde hij dat tachtig procent van de Nederlandse boeren een redelijk inkomen moest kunnen halen.[6]

Het ene complex hing samen met het andere. Dat maakte het landbouwbe-leid misschien extra ingewikkeld. De akkerbouwer wilde dat Mansholt hem aan een goed inkomen hielp, maar hoge prijzen voor graan of aardappelen leidden tot duur voer en dat was juist nadelig voor de veeboer. De consu-ment wilde op zijn beurt eerste kwaliteit melk en kaas, maar wel zo goed-koop mogelijk. Dat lag moeilijk. De prijzen konden namelijk niet te laag zijn omdat de minister de producent op 'het gemiddelde, rationeel werkende bedrijf' een redelijk inkomen garandeerde, via de melkprijs. Die garantie zelf gaf al genoeg aanleiding tot politiek gekrakeel: hoe hoog moest de lat precies worden gelegd? De regering moest bovendien rekening houden met de reële waarde van de door haar geleide lonen. Als de boer er via de prijs iets bij kreeg, dreigde de consument automatisch in te leveren: melk, brood of vlees werd duurder. Mansholt kon dat opvangen door de subsidiekraan open te draaien en het verschil bij te passen. Dat leidde dan weer tot allerlei politieke

Slootjespringen met M.J. Koenraadt, de beheerder van Fletum in de Wieringermeer. Mansholt hield de pachtboerderij aan tot zijn vertrek naar Brussel in 1958. [© Nico Naeff/ Nederlands fotomuseum]

verwikkelingen. Afwentelen op de belastingbetaler was namelijk relatief gunstig voor mensen met lagere inkomens en kwam het beste te pas in de electorale kraam van de PVDA.

Het subsidiestelsel was intussen niet alleen de belastingbetaler, maar ook het buitenland een doorn in het oog. Nederland riskeerde er zelfs Marshall-dollars mee te verspelen. Dat blijkt uit een verslag van Mansholt van een bespreking in september 1950 met de zogenaamde ECA-missie, Amerikaanse diplomaten belast met de coördinatie van de Marshallhulp. Het kunstmatig laag houden van de kosten voor levensonderhoud werd door hen getypeerd als 'een vorm van dumping'. Dat belemmerde de liberalisatie van de handel, was slecht voor de internationale verhoudingen en op den duur onbetaalbaar. Mansholt hield hun voor 'dat na de moeizaam verkregen overeenstemming met de Vakbonden over lonen en prijzen aan afschaffing van subsidies op dit ogenblik niet kan worden gedacht'. De Amerikanen stelden daartegenover dat het probleem niet lag bij de bonden, maar bij de grote winsten van de Nederlandse industrie. Die winsten lieten volgens hen een stijging van de lonen zeer goed toe, *zonder* dat de prijzen verhoogd behoefden te worden.[7]

Al met al was de landbouw in die tijd een ingewikkelde zaak. Niet alleen vanwege de eigen taal en problematiek, maar ook door het opportunistische beleid, de spanning tussen het economische en sociale aspect, de dubbele tong van de minister en de samenhang met andere vraagstukken. Daarachter scholen weer bepaalde politieke keuzes en vooronderstellingen. Alléén met gezond verstand was het haast niet te vatten.

Het markt- en prijsbeleid was gegrondvest op gedetailleerde kostprijs-berekeningen, 'nucleaire formules' afkomstig van het Landbouw Economisch Instituut (LEI), een joint venture van overheid (Mansholts ministerie) en bedrijfsleven (de Stichting voor de Landbouw). Het LEI stond onder leiding van de Tinbergen onder de landbouweconomen: Jan Horring, een partij-genoot met wie Mansholt regelmatig rechtstreeks contact had. Het functio-neerde tegelijk als boekhouder, agrarisch planbureau en wetenschappelijk instituut. Het LEI telde voor een bepaald product alle kosten nauwkeurig bij elkaar op, inclusief het loon van landarbeiders en een vergoeding voor de handarbeid van de boer en zijn gezinsleden. Uitgangspunt vormde een goed geleid bedrijf, dat in aard, ligging en kwaliteit van de grond als gemiddeld kon worden beschouwd.[8]

Bovenop de kostprijs kwam een winstpercentage van twintig procent. Op basis van dit materiaal stelde Mansholt, in overleg met zijn collega van Economische Zaken, een richtprijs vast. Afzet tegen die prijs werd gegaran-deerd. Dit was de praktijk tot eind 1948. Mansholt benadrukte in de Kamer dat hij zich daarbij mede liet leiden door 'het boerengevoel' en 'waarneming in den lande'.[9] Dat gaf hem enige ruimte om te manoeuvreren. Hij ging er bijvoorbeeld van uit dat een gemengd bedrijf op zandgrond een relatief lage graanprijs kon compenseren met de opbrengst van vlees en eieren.

De resultaten van het beleid werden zichtbaar op de rekening van het Landbouwegalisatiefonds (LEF). Dit fonds vormde een apart hoofdstuk van de rijksbegroting en ressorteerde onder de minister van Landbouw. Uit het LEF betaalde Mansholt onder andere de subsidies voor brood, melk en vlees en de kosten voor geïmporteerd graan, suiker, koffie en oliën. Er gingen enorme bedragen om in het fonds: van het in 1948 geschatte tekort van 650 miljoen gulden op de totale rijksbegroting kwam maar liefst 602 miljoen voor rekening van het Landbouwegalisatiefonds. Met het LEF kon Mansholt slagvaardig ope-reren zonder dat collega's of parlement hem voor de voeten liepen. Geld uit het fonds kon hij ook direct aanwenden voor een actieve afzetpolitiek-in-rui-me-zin. Eind 1949 plukte hij bijvoorbeeld 700.000 gulden uit het fonds om Drenthe versneld runder-tbc-vrij te maken met het oog op een melkorder van het Amerikaanse leger. Voor de eerste helft van 1951 kreeg de fabriek van de

Drentse Ondermelk Organisatie (DOMO) een contract voor negentigduizend liter per dag.[10]

Mansholt stak veel geld in onderwijs, voorlichting, onderzoek, cultuurtechnisch werk en de bestrijding van landbouwziektes. Dat was onomstreden. Het parlement had vooral moeite met zijn prijsbeleid. Debatten over de melkprijs waren berucht: tientallen pagina's *Handelingen* over een hele cent erbij of een halve eraf; daarnaast – in een ruimer, algemeen economisch kader – vaak nog een dik pak ministerraadsnotulen over precies hetzelfde. Begin 1955 liet Mansholt zich tegenover de pers ontvallen dat het kabinet tien à twaalf uur had vergaderd over de melkprijs.[11] Het aantal pagina's notulen lijkt dat te bevestigen.

Het groene front streefde naar afzetgaranties tegen zo hoog mogelijke prijzen. Het was dus nooit goed: Mansholts prijs was steevast te laag. De minister bestreed de kritiek met de cijfers van het LEI. Hij probeerde bovendien welbewust door middel van scherpe prijzen de boeren bij de les te houden. De prijs moest volgens hem steeds een prikkel inhouden om te komen tot rationeler produceren. In de loop van de jaren vijftig nam de kritiek op Mansholts *grond*politiek sterk toe. Dat sloeg overigens niet op de bezitsverhoudingen, maar op het prijsbeleid. De koop- en pachtprijzen (een belangrijke kostenpost in de berekeningen van het LEI) waren namelijk gefixeerd op het niveau van mei 1940. Deze prijsbeheersing voorkwam dat de baten weglekten naar andere sectoren en vormde min of meer de sluitpost van het garantiebeleid.

Mansholt gaf er steeds blijk van de ingewikkelde materie volledig onder de knie te hebben, óók vanuit eigen praktijkervaring. Dat gaf hem een voorsprong op ambtenaren, boerenvertegenwoordigers en landbouwwoordvoerders in het parlement die nooit een boerderij hadden gerund. 'Hij verveelde de Kamer niet, maar trad daar knap en beminnelijk op,' liet CHU-leider Tilanus in zijn memoires optekenen.[12] In het parlement was Mansholt kort van stof. Hij wekte niet de indruk voorgekauwde stukken op te lepelen. Bij het jaarlijkse debat over zijn begroting schetste hij eerst de grote lijnen, mede aan de hand van door de Kamer in eerste termijn gestelde vragen over allerlei details, vooral over het markt- en prijsbeleid. Iedereen kwam aan bod en werd met respect behandeld. Mansholt kon prima improviseren. In tweede termijn slaagde hij er vaak in compromissen aan te reiken en een en ander glad te strijken.

Mansholt werd door de landbouwers en hun vertegenwoordigers beschouwd als een van hen. Radicale uitingen van Mansholt over grondpolitiek en de sanering van kleine bedrijven waren vooral bestemd voor de eigen achterban en werden met een korreltje zout genomen. Aan het eind van zijn ministerschap zou Mansholt in de Eerste Kamer nog verklaren dat hij weliswaar *persoonlijk* voorstander was van socialisatie van de grond, maar dat hij dit als minister welbewust niet had nagestreefd. Het beleid was daarop niet gericht geweest.[13] Alles draaide om de prijzen.

## New look: 'de vrije ontplooiing van het bedrijf is essentieel'

De eerste jaren na de oorlog was Mansholt veroordeeld tot het voeren van landbouwpolitiek ad hoc. Schaarste en distributie bepaalden de koers. Toen het economische herstel in zicht kwam, trok de overheid zich langzaam terug. In juni 1948 sprak de Nederlandse regering in Beneluxverband af de consumentensubsidies zo spoedig mogelijk af te schaffen. Mansholt kon eindelijk een andere weg inslaan. De uit de jaren dertig daterende 'old look' was hem een doorn in het oog: elk initiatief tot rationalisatie en kwaliteitsverbetering werd in de kiem gesmoord. Het was tijd de markt meer vrijheid te geven, zij het ingeperkt door garanties tegen economische wisselvalligheden, de les van de crisisjaren.

Mansholts ministerie dokterde lange tijd aan een *new look*, een minder strak stelsel van heffingen en subsidies gericht op het halen van 'basisprijzen' voor een aantal belangrijke landbouwproducten. Mansholt wilde in 1949 op het nieuwe systeem overstappen, maar het kostte hem veel moeite zijn collega's te overtuigen. Zij vreesden te royale garanties, ondanks Mansholts – al eerder aangehaalde – stelling dat het beleid erop gericht was tachtig procent van de boeren een redelijk inkomen te verschaffen, wat een sanerend effect op de rest impliceerde. Een van de kernpunten van de *new look* was het stimuleren van de productie van importvervangend veevoer. Dat bleek wél een doorslaggevend argument om de meeste collega's over de streep te krijgen. Het nieuwe systeem – waarbij een extra beloning was ingecalculeerd voor de productie van eigen voer – zou leiden tot een dollarbesparing van dertig procent. Financiën had daarnaar wel oren en premier Drees concludeerde ten slotte in de ministerraad: 'Ondanks de geopperde en door mijzelf gedeelde bezwaren, zullen de voorstellen van de minister van Landbouw moeten worden geaccepteerd.'[14]

Op 11 november 1948 presenteerde Mansholt 'de nieuwe landbouwpolitiek' aan het parlement. Die politiek behelsde de keus voor het instrument van de prijspolitiek. Bedrijfssteun via inkomenstoeslagen werd afgewezen. Melk, vlees, bloem en suiker golden als 'basisproducten', later ook aardappelen, tarwe en 'varianten' als aardappelmeel, bacon en voedergraan. De minister wilde de prijzen van deze producten een min of meer vast karakter geven via een bepaald systeem van marktordening, in het geval van bloem bijvoorbeeld door middel van een aan bakkers opgelegd 'bijmengingspercentage'. Het idee was dat de basisprijzen grote invloed zouden hebben op de prijzen van allerlei vrijgelaten artikelen, vooral grondstoffen. Onderlinge concurrentie zou een optimale (lees: lagere) prijs opleveren.

In de dagelijkse praktijk-van-pootaardappel-tot-karbonaadje betekende dit het volgende. De overheid garandeerde voor het karbonaadje (varkensvlees) een bepaalde basisprijs: de kostprijs inclusief stimulans voor eigen voerproductie *plus* winstpercentage. Gestoomde aardappelen vormden prima veevoer. De optimale productie en prijs daarvan kwamen tot stand via het marktmechanisme. Hetzelfde gold ook voor de pootaardappel aan het begin van de productieketen. 'Meer vrijheid' sloeg dus niet op *alle* agrarische producten. Bovendien bleven binnen- en buitenlandse markt van elkaar gescheiden om eventuele excessieve prijsbewegingen te kunnen opvangen.

Mansholt was intussen overgestapt van het kabinet-Beel naar het kabinet-Drees/Van Schaik (augustus 1948-maart 1951). Het eerste was van roomsrode snit, het tweede breed samengesteld uit ministers van KVP, PVDA, CHU en VVD. De PVDA kreeg in het nieuwe kabinet weliswaar de premier, maar moest programmatisch fors inleveren, vooral op sociaaleconomisch gebied en op het terrein van de Indonesiëpolitiek. Drees/Van Schaik had economische liberalisatie hoog in het vaandel staan. Mansholts nieuwe aanpak paste daar precies in, maar vloeide toch niet direct voort uit het regeringsprogram. De *new look* zat al veel eerder in de pen. Curieus was dat die aanpak juist *niet* leek te passen bij Mansholts partij. De PVDA wenste anno 1948 nog vast te houden aan strakke overheidsleiding. In de Kamer voegde PVDA-woordvoerder Anne Vondeling Mansholt dan ook toe: 'Regering, gij verlaat de goede weg. Keer op uw schreden terug.' Mansholt was het niet met hem eens. Garantieprijzen verzwakten volgens hem de eigen verantwoordelijkheid van de boer. Daar wilde hij vanaf.[15]

Mansholt was boer en socialist. Maar als hij moest kiezen, wat deed hij dan? Niet alleen partijgenoten, ook de Stichting voor de Landbouw en Mansholts politieke tegenstanders wreven zich indertijd de ogen uit. De Stichting vreesde dat de prijzen zouden kelderen en de boeren aan hun lot zouden worden overgelaten, zoals in het begin van de crisisjaren dertig. Ze schreef in haar *Jaarverslag 1948* over het nieuwe beleid: 'De boer bekijkt dit met een zeker wantrouwen, want hem staat het oude volksgezegde voor de geest: "Een boer en een soldaat zijn slechts geëerd zolang de oorlog duurt."'[16] ARP-woordvoerder Willem Rip verklaarde in maart 1949 in de Eerste Kamer: 'Wij hebben een socialistische Minister. Die moet zijn vóór geleide economie en vóór geruisloze socialisatie van de bodem, maar hij spreekt het laatste jaar met zoveel verve over bedrijfsvrijheid en vergroting van de eigen verantwoordelijkheid; hoe zit dat?'[17]

Mansholt gaf op die vraag niet direct antwoord. Hij koos voor de boeren, dat was duidelijk. Zelf goot hij er een socialistisch getint sausje overheen. Hij wilde een krachtige, levensvatbare boerenstand die een zo groot mogelijke bijdrage aan de Nederlandse welvaart leverde. Dat was een *algemeen* belang. De boer moest dan niet alleen de eigen bevolking voeden, maar óók exporteren. Dat kon alleen met scherp geprijsde kwaliteitsproducten. Mansholt koos vervolgens welbewust voor liberalisatie en particulier initiatief, tégen geleide economie en geruisloze socialisatie. Ingrijpen van bovenaf kon niet op tegen concurrentie en vrije handel. Niet de overheid, maar de markt leverde de scherpste prijzen op. Jan Horring van het LEI verkocht de *new look* indertijd als de 'liberal-socialist solution'.[18] Mansholt zou later in het parlement nog eens onderstrepen: 'De vrije ontplooiing van het bedrijf is essentieel, indien die vrije toegang niet indruist tegen het algemeen belang.'[19] De overheid had wél tot taak de boer te beschermen tegen bepaalde risico's, bijvoorbeeld door de markt van een aantal basisproducten enigszins naar haar hand te zetten.

De kritiek van Vondeling bij de lancering van de *new look* zat Mansholt niet lekker en op 13 januari 1949 schreef hij hem een lange brief.[20] In de partij mocht volgens hem geen ongewisheid bestaan over het beleid. Hij wees hem allereerst op de Beneluxafspraak de consumentensubsidies af te schaffen. Daar kon hij als minister niet omheen. Daarnaast gaf hij aan, welke rol hij in gedachte had voor het georganiseerde bedrijfsleven. Hij benadrukte

dat slechts door een innige samenwerking tussen georganiseerd bedrijfsleven en Overheid de toekomstige vraagstukken kunnen worden opgelost. Politiek betekent dit, dat de georganiseerde landbouw (over het algemeen niet socialistisch ingesteld) wordt gedwongen een grote mate van verantwoordelijkheid te aanvaarden. Het is met name in Nederland voor een socialistisch Minister een onmogelijke taak een landbouwbeleid uit te voeren zonder dat dit wordt gedragen en mede uitgevoerd door de meerderheid van de boeren. Het is je bekend, dat tot medio 1948 slechts in beperkte mate een landbouwbeleid kon worden gevoerd, omdat de landbouw voor een groot gedeelte ondergeschikt moest worden gemaakt aan de voedselvoorziening (...). Een stelsel van straffe maatregelen (...) was hiervoor noodzakelijk. Ten dele vormde het een logische voortzetting van de crisispolitiek van Louwes in de jaren 1930/1940 (de 'old-look'). Wat is nu politiek gezien het middel om in korte tijd tot de wezenlijke

Mansholt en Chas F. Brennan, secretary of agriculture, op bezoek bij veehouder Cees Kemps in Oirschot, juli 1951. [Collectie Landbouwvoorlichting]

'new-look' te komen? Naar mijn mening door de georganiseerde land-bouw voor het harde feit te plaatsen, dat de regering niet van plan is de 'old-look' voort te zetten, zonder nauwkeurig mede te delen op welke wijze compensatie zou worden gevonden in de 'new-look'. Het is immers juist noodzakelijk, dat een groot stuk verantwoordelijkheid voor de 'new-look' wordt gedragen door de georganiseerde landbouw.

Enerzijds wenste Mansholt de boeren voor het 'harde feit' te plaatsen dat er een eind kwam aan de oude steunpolitiek. Anderzijds wilde hij hun leiders medeverantwoordelijk maken voor 'de wezenlijke *new look*', mits zij hem compensatie aanreikten.

Wat bedoelde hij daarmee precies? Wrong Mansholt zich niet in allerlei bochten om tot een voor zijn eigen partij aanvaardbare interpretatie te komen? Daar leek het op. Hij schreef Vondeling dat zijn ambtenaren al meer dan een jaar bezig waren het nieuwe beleid nader uit te werken. In de Kamer had hij zich op de vlakte moeten houden, omdat hij het bedrijfsleven had uitgeno-digd met concrete voorstellen te komen. Daaraan werd op dat moment nog hard gewerkt. 'Zeer verheugend is het feit, dat de georganiseerde landbouw, bij monde van de voorzitter van de Stichting voor de Landbouw, de Heer H.D. Louwes, zich zeer nadrukkelijk heeft uitgesproken vóór "planning" en geleide economie in de landbouw,' liet hij zijn partijgenoot alvast weten.

Zou Louwes zich werkelijk hebben uitgesproken vóór planning en geleide economie? Dat leek onwaarschijnlijk, maar was toch niet onlogisch: *zijn* Stichting kreeg immers een deel van de verantwoordelijkheid toegeschoven. De twee begrippen kregen in dat kader – en uit de mond van een liberale herenboer, lid van de Eerste Kamer voor de VVD – toch een heel andere betekenis. Louwes' planning was niet die van het PVDA-verkiezingsprogram.

Mansholt stelde daarnaast dat het georganiseerde bedrijfsleven de overheid zou kunnen helpen met het pareren van kritiek op het nieuwe beleid. Vondeling zat daar niet op te wachten. Zijn vertrouwen in het verantwoordelijkheidsbesef van de sector was minder groot. Mansholt was boer, Vondeling niet. Dat verschil speelde op de achtergrond zeker mee. Tot zover de brief. Daaruit bleek in ieder geval dat de *new look* niet alleen een economische, maar ook een politieke kant had.

Hoe werkte het systeem in de praktijk? Mansholt leek niet van plan overschotten af te nemen tegen een gegarandeerde prijs. Hij wilde slechts 'meehelpen met de afzet'. Maar dat was theorie. Wanneer het nodig was, kon hij door prijsgaranties ondersteuning geven aan de markt. Daarmee bleef de deur naar gegarandeerde prijzen op een kier staan. Het 'medeverantwoordelijke' groene front liet zich die kans niet ontglippen. Toen het stelsel ging draaien, schoten de minimumprijsregelingen en garantiefondsen als paddestoelen uit de grond: in april 1949 werd de mogelijkheid geopend boter, kaas en melkpoeder in te leveren tegen een bodemprijs, in mei 1950 kwam er een Consumptieaardappelen-Egalisatiefonds enzovoort. Het bedrijfsleven legde min of meer per product een 'sociale' bodem in de markt, als sluitstuk voor Mansholts 'economische' liberalisering. Het was aanvankelijk bereid zelf de kosten te dragen.[21] Mansholt ging akkoord: *wederzijds* vertrouwen was een van de kernpunten van de nieuwe koers.

Daarmee werd het paard van Troje binnengehaald. Onder politieke druk kon gemakkelijk een relatief hoge bodemprijs worden vastgesteld die oneconomische productie stimuleerde (melkplas, boterberg). Mansholt dacht wellicht dat hij die druk zou kunnen weerstaan. Hoe dat ook zij, het was op dat moment ook niet aan de orde. Na 1948 volgden zes vette jaren waarin de afzet over het algemeen geen problemen opleverde; het vangnet van garanties hoefde nauwelijks te functioneren, maar het gaf wel een gevoel van zekerheid dat boeren steunde bij het nemen van risico's. De nieuwe politiek bleek een doorslaand succes, maar Mansholt had dan ook behoorlijk de wind mee. De oogsten waren

goed en de vraag naar Nederlandse landbouwproducten was groot. De devaluatie van de gulden in september 1949 bleek een opsteker. Nederlandse producten werden voor Belgen en Duitsers spotgoedkoop. De Bondsrepubliek
ontwikkelde zich tot de motor van de Nederlandse landbouw.[22]

In 1950 dreigde de Koreacrisis roet in het eten te gooien. De prijzen van
grondstoffen stegen drastisch en protectionisme stak de kop op. Het ministerie van Landbouw hield de Nederlandse boer de hand boven het hoofd door
prijsstijgingen van geïmporteerd veevoer niet door te berekenen. Mansholt
slaagde erin een flink bedrag aan Marshalldollars naar de landbouw te sluizen.
Dat geld werd gestoken in projecten van structurele aard: onderzoek, cultuurtechnische werken, een vijfjarenplan ter bestrijding van runder-tbc. Een
deel werd gebruikt ter financiering van een borgstellingsfonds ten behoeve
van kleine boeren. Zij hadden dringend krediet nodig om de lange weg van
aardappel naar karbonaadje te overbruggen.[23] Al met al kreeg de sector in 1950
en 1951 juist extra impulsen, ondanks Korea. De Stichting voor de Landbouw
stak in haar jaarverslag Mansholt een pluim op de hoed: 'Men overdrijft
waarschijnlijk niet, indien men zegt, dat de waardering van de bedrijfsgenoten voor hun minister voortdurend toeneemt.'[24]

Tien jaren na de bevrijding opende Horring een herdenkingsartikel met: 'En
als de voorspoed dan komt, geeft de landman niet zelden uitdrukking aan zijn
verwondering door zijn hoeve "Nooitgedacht" te noemen. In deze geest zouden wij in Mei 1955 de gehele Nederlandse landbouw "Hoeve Nooitgedacht"
willen dopen.'[25] Een deel van het succes schreef hij op het conto van het 'voor-
waardenscheppend' overheidsbeleid. De nieuwe landbouwpolitiek had stabiliteit in de markt gebracht. Tussen 1950 en 1955 kon Mansholt kritiek op
onderdelen vrij gemakkelijk wegwuiven. De resultaten waren immers per
saldo positief. Toch voltrok zich een kentering omstreeks het moment waarop
Horrings artikel verscheen. De prijzen op de wereldmarkt daalden scherp
omdat steeds meer landen er hun overschotten dumpten. De Nederlandse
boer kon dat niet bijbenen. De afzet werd een probleem en de 'garanties' dreigden te veranderen van slaperdijken in wakende dijken.

Veel boeren dreigden in 1955 rechtstreeks in hun portemonnee te worden
getroffen. Op welk niveau en in welke vorm moesten de garanties gaan
werken? Het probleem was allereerst dat er enorme kostprijsverschillen
waren. Voor melk bijvoorbeeld schommelden de productiekosten tussen
18,5 cent (Noord-Hollandse kleiweide) en 26 cent per liter (Brabants zand).
Wat koos het LEI als uitgangspunt? Zou de regering de recente welvaarts-
loonronde – zes procent in oktober 1954 – meenemen in de calculaties? Wat
zei Mansholts boerengevoel? Eind 1955 werkten de garanties voor suiker,

rogge en melk. Mansholt omschreef de toestand op dat moment nog als 'nergens buitengewoon slecht'.

De onrust onder de boeren nam het jaar daarop steeds verder toe. Ze voelden zich verongelijkt te midden van de algemene stijging van de welvaart. In april, twee maanden vóór de Tweede Kamerverkiezingen, schetste Mansholt in de Eerste Kamer een somber scenario: verdere kostenstijgingen, dalende prijzen en structurele overschotten van granen, zuivel, eiwitten en vetten. Hij gaf toe dat de garanties tekortschoten en was van plan bij de prijsbepaling méér rekening te houden met de eigenaarslasten en met de hoogte van de pacht als kostenfactor. Landarbeid moest volgens hem ook beter worden gewaardeerd.[26] Dit impliceerde een flinke prijsverhoging. Een mooie belofte, vlak voor de verkiezingen!

Tijdens de kabinetsformatie van 1956 slaagde Mansholt erin een aanzienlijk bedrag los te peuteren van formateur Drees. De ministerraad ging in het voorjaar van 1957 akkoord, niet dan nadat Mansholt tot tweemaal toe met zijn portefeuille had gerammeld. Ondanks de bestedingsbeperking van dat jaar – totaal: 700 miljoen gulden – werd de boeren 200 miljoen gulden (structureel, dus jaarlijks terugkerend) toegeschoven. Het LEI mocht voortaan rekenen met 'werkelijke' eigenaarslasten. Minister Mansholt zag zich wél door zijn collega's gedwongen een deel van het geld enige tijd vast te zetten op een zogenaamde geblokkeerde rekening en de latere uitbetaling ervan te koppelen aan saneringsmaatregelen. Vertegenwoordigers van het groene front in de Kamer slaagden erin die koppeling ongedaan te maken. De minister betreurde dat *namens het kabinet*.[27] Wat hij er zelf van vond, laat zich raden.

## Minister voor het groene front

'Het is (...) voor een socialistisch Minister een onmogelijke taak een landbouwbeleid uit te voeren zonder dat dit wordt gedragen en mede uitgevoerd door de meerderheid van de boeren,' had Mansholt Vondeling op het hart gedrukt. Hij was van plan een groot stuk van de verantwoordelijkheid bij de georganiseerde landbouw zelf te leggen.[28] Wat betekende dat precies? Mansholt liep zeker niet aan de leiband van Herman Louwes. Daarvoor was hij te eigenzinnig. De minister bleef verantwoordelijk voor het beleid. Hij lanceerde de nieuwe koers in november 1948 in de Kamer, pas in juni 1950 volgde de Stichting voor de Landbouw met een nadere invulling, zoals afgesproken.[29] Dat laat onverlet dat in de beslotenheid van het maandelijks overleg tussen Mansholt en de top van de Stichting waarschijnlijk al in een vroeg stadium de piketpalen werden geslagen.

Zus Aleid en haar gezin emigreren in 1953 naar Nieuw-Zeeland. Sicco en moeder Wabien zijn aanwezig bij het vertrek. [Beeldbank NA, public domain]

Overigens moet ook een kanttekening worden gemaakt bij de centrale positie van Herman Louwes. De voorzitter van de Stichting/het Landbouwschap was afkomstig uit het liberale Koninklijk Nederlands Landbouwcomité (KNLC) en moest steeds op zijn tellen passen. De katholieke en protestantse boerenorganisaties hechtten namelijk sterk aan zo veel mogelijk vrijheid in eigen, verzuilde kring. Louwes probeerde een eind te maken aan de onderlinge verdeeldheid, maar kon zijn wil niet dwingend opleggen. Bondgenoten vond hij vaak eerder op het ministerie dan onder de leiders van de bij het schap aangesloten organisaties. Andersom was Mansholt alléén niet in een positie om de boeren een dictaat op te leggen – als hij dat al wilde. Hij maakte Louwes welbewust medeverantwoordelijk. *Gezamenlijk*, als tweemanschap, waren zij in staat vrijwel alle neuzen in de landbouw dezelfde richting op te laten wijzen.

In die tijd was ongeveer zestig à zeventig procent van de Nederlandse boeren en landarbeiders georganiseerd in zes centrale organisaties, die nauw verbonden waren aan een bepaalde zuil en de daarbij behorende politieke partij. De zes werkten sinds 1945 samen in de Stichting voor de Landbouw.

Op lager niveau bestonden de drie centrale boerenorganisaties uit autonome gewestelijke bonden, diepgeworteld in het platteland en vaak invloedrijker dan de centrales. Bij de Katholieke Nederlandse Boeren- en Tuindersbond (KNBTB), prevaleerde het belang van de kleine boeren in het zuiden. In het KNLC domineerden de grote akkerbouwers en veehouders uit Groningen, Friesland, Drenthe en Zeeland. De meeste leden van de Nederlandse Christelijke Boeren- en Tuindersbond (NCBTB) hadden een gemengd bedrijf.[30] Een socialistische boerenorganisatie was er niet. (De gebroeders Mansholt waren in 1938 in de Wieringermeer, op aandrang van vader, lid geworden van de Hollandsche Maatschappij voor Landbouw die overkoepeld werd door het KNLC.) De Rooms Katholieke Landarbeidersbond (RKLB) en de Nederlandse Christelijke Landarbeidersbond (NCLB) waren gelieerd aan de vakcentrales KAB (Katholieke Arbeidersbeweging) en CNV (Christelijk Nationaal Vakverbond); de algemene Nederlandse Landarbeidersbond (ANLB) aan het socialistische NVV.

De naoorlogse geest van samenwerking dreigde snel te verzanden – eind 1945 begonnen de boerenorganisaties bepaalde taken van de Stichting al weer terug te nemen. Op verzoek van Louwes probeerde Mansholt daar verder een stokje voor te steken. Hij legde een speciale heffing op melk, suikerbieten, aardappelen, groenten en fruit. De opbrengst daarvan werd doorgesluisd naar de Stichting. Het eerste jaar waarin deze regeling van kracht werd, 1947, ontving de Stichting één miljoen gulden aan heffingsrechten, het dubbele van het bedrag dat zij voor dat jaar op haar begroting had gezet. In ruil maakte de Stichting het de regering mogelijk 'een stuk beleid' te realiseren, aldus Mansholt in een toespraak bij het afscheid van de Stichting en de instelling van het Landbouwschap in 1954. Uit die toespraak:

Het is n.l. wel buitengewoon moeilijk om nu nog na te gaan, waar eigenlijk het zwaartepunt van het beleid heeft gelegen, in een orgaan als de Stichting voor de Landbouw of bij de Overheid. Vanzelfsprekend: voor het beleid als zodanig is de Regering en in casu de Minister van Landbouw verantwoordelijk. Maar ik geloof te mogen vaststellen, dat het beleid in de afgelopen jaren er een is geweest van intense samenwerking, ook in de tegenstellingen en dat ook vanuit die tegenstellingen een stuk beleid is opgebouwd. (...) Ik wil U wel eerlijk bekennen dat er momenten zijn geweest, dat ik met een beetje tegenzin dien dag van de maandelijkse vergaderingen naderen zag. Dat er dan ernstige moeilijkheden waren, kan ik niet direct zeggen, doch wel, dat er dan bepaalde moeilijkheden waren, die toch een oplossing moesten krijgen.[31]

De omzetting van Stichting naar 'Schap' vloeide voort uit de Wet op de Bedrijfsorganisatie van 1950. Op basis van deze wet zou de maatschappij moeten worden ingericht in product- en bedrijfschappen; corporaties waarin arbeiders en ondernemers met elkaar samenwerkten. De schappen kregen publiekrechtelijke bevoegdheden en werden overkoepeld door de Sociaal-Economische Raad (SER). Behalve in de landbouw zou deze 'publiekrechtelijke bedrijfsorganisatie' (PBO) overigens nauwelijks van de grond komen.

In de landbouwsector bracht de PBO weinig nieuws. Na negen 'privaatrechtelijke' jaren had de samenwerkingsgedachte er definitief wortel geschoten. Mansholt was bereid het Landbouwschap ruime bevoegdheden te geven. In het parlement had hij gepleit voor een 'durvend beleid'.[32] Dat zou later worden geregeld, in nauw overleg – zoals gebruikelijk. Nieuw was wél dat de positie van de landarbeiders werd versterkt. Terwijl het hoofdbestuur van de Stichting nog bestond uit zes 'boeren' en drie 'landarbeiders', was het bestuur van het Landbouwschap paritair samengesteld: 12-12. Boer en arbeider trokken gemeenschappelijk op, uniek in de wereld. Maar dat was vóór 1954 ook al het geval. Het anker daarvan was dat de werkgevers in de landbouw *zelf* belang hadden bij hogere lonen. Die werden als 'beloning voor de arbeid van de boer' namelijk meegeteld in de calculaties van het LEI, waarop de minister zijn markt- en prijsbeleid baseerde.

Het contact tussen Mansholt en de vertegenwoordigers van het georganiseerde bedrijfsleven was in het algemeen prima. Boerenleiders werden goed 'verzorgd'. Regelmatig werd hun mening gevraagd. Hij betrok hen in een vroeg stadium bij allerlei onderhandelingen en nam zelfs boeren op in internationale delegaties.[33] In het binnenland liet de minister zich regelmatig zien op tentoonstellingen, boerenvergaderingen, openingen van nieuwe laboratoria, enzovoort. Hij ging vaak de boer op, ook letterlijk. Dat leverde niet alleen fraai fotomateriaal op – de minister tussen de koeien in Brabant, op de kaasmarkt in Alkmaar, turend door een microscoop in Wageningen, op de trekker in de Wieringermeer, aan de Driekusdans in Middelburg – maar ook goodwill in het land. Door het directe, vaak informele contact met boeren in allerlei vergaderingen én daarbuiten wist hij wat er leefde en kon hij de leiders van hun organisaties meteen van repliek dienen. Op de opmerking van KNBTB-voorzitter Gérard Mertens – begin 1953 naar voren gebracht in de Eerste Kamer – dat er in de landbouw onrust heerste omdat de prijzen te laag waren, antwoordde Mansholt: 'Ik dacht de boeren nogal goed te kennen en ik heb nogal veel contact met mijn vrienden onder de boeren, maar ik merk van die onrust niets.'[34] Een typerende reactie.

Het was niet mogelijk beleid uit te voeren zonder de meerderheid van de boeren erbij te betrekken. Mansholt regelde dit via het Landbouwschap. Het groene front speelde met hem mee. De miljoenenclaim die Mansholt tijdens de formatie van 1956 op tafel legde, kwam bijvoorbeeld niet uit de lucht vallen. Toen het met Drees gesloten compromis ten prooi dreigde te vallen aan de bestedingsbeperking, gaf het front een 'ruk aan de bel', precies op tijd want Mansholt stond in het kabinet vrijwel alleen. Op 1 februari 1957 protesteerden zevenduizend boeren in Utrecht voor een betere beloning voor boer en landarbeider. Mansholt kreeg het kabinet uiteindelijk toch mee, maar niet zonder tegenzin. Drees zou Mansholt achteraf verwijten dat hij een groot deel van het beleid vastlegde 'door alles alleen te regelen met het Landbouwschap, en dan met de vuist op tafel te slaan en met ontslag te dreigen'. Het conflict over de claim tijdens de formatie van 1956 ontstond volgens hem omdat Mansholt zeer specifieke toezeggingen had gedaan, 'zonder sanctie van zijn medeministers, en zonder dat er gelegenheid geweest was voor normaal-ambtelijk overleg, of raadplegen van de SER, etc'. Mansholt was weliswaar uiterst bekwaam, maar ook sterk eigenzinnig en erg moeilijk.[35]

Maar uiteindelijk volgde het hele kabinet Mansholt en ook Drees was dus voor honderd procent medeverantwoordelijk. Mansholt slaagde er intussen in het georganiseerde bedrijfsleven stevig aan zich te binden door hetgeen hij uit het vuur wist te slepen. Een meerderheid in de Tweede Kamer, de confessionele partijen voorop, zou het de minister niet in dank hebben afgenomen als hij *minder* uit het vuur had gesleept.[36]

Hoe lang was eigenlijk de arm van het groene front in het parlement? In 1951 had achttien procent van de parlementsleden een agrarische achtergrond. Velen van hen bekleedden topbestuursfuncties in landbouworganisaties. Het boerenelectoraat stemde vooral op de grote confessionele partijen en de VVD. Mansholts partij had er nauwelijks enige achterban.[37] De Tweede Kamerfractie van de KVP telde de meeste 'groene' leden: in 1956 bijvoorbeeld acht van de dertig (vóór de uitbreiding van de Kamer in november dat jaar). In het parlement vormde het groene front een macht van belang, over de politieke scheidslijnen heen. Via de vaste Kamercommissie voor de Landbouw oefende het front grote invloed uit op het beleid. Bij commissievergaderingen ging de deur op slot voor niet-ingewijden in landbouwgeheimen en werd er goed zaken gedaan. Het groene front beschouwde landbouw als zijn eigen domein en had maar één behoefte: in zijn eigen koninkrijk te heersen, zonder inmenging van anderen.[38]

Knap, beminnelijk en praktisch waren terugkerende kwalificaties die parlementsleden Mansholt indertijd toedichtten. Zij hadden een hoge pet van hem op. Drie weken vóór de verkiezingen van 1956 schreef Willem Droesen, de belangrijkste landbouwwoordvoerder van de KVP in de Tweede Kamer,

In 1954 reed Mansholt opnieuw de Elfstedentocht, twintig kilo zwaarder dan in 1942.
Kamervoorzitter Kortenhorst stelde er een debat met de minister speciaal voor uit.
[Collectie IISG]

aan zijn fractieleider Romme dat hij natuurlijk het liefst een partijgenoot op
Landbouw zag ('de langdurige aanwezigheid van een socialist als hoofd van
dit Departement houdt een ernstig gevaar in voor besmetting van het grote
ambtelijke apparaat in Den Haag en de provincie'), maar als de post *niet* zou
toevallen aan de KVP, 'dan acht ik Mansholt de meest geschikte, misschien de
enige geschikte man'.[39] Andersom had Mansholt ook respect voor zijn 'tegenstanders' in het parlement. Zij speelden volgens hem een grote rol bij de
totstandkoming van het beleid. Dat kwam, schreef hij vijfendertig jaar later,
'zeker niet in de laatste plaats door de kwaliteit van de parlementariërs. Die
stonden in die periode met beide benen in de maatschappij, hadden daarin
hun functies en speelden stuk voor stuk een belangrijke rol. Ze waren echte
volksvertegenwoordigers.'[40]

Droesen maakte in zijn brief wel de kanttekening dat Mansholt tot dat moment, mei 1956, vooral de wind mee had gehad. De vooruitzichten waren slecht en de minister moest nu maar eens laten zien wat hij kon.[41] Mansholts laatste periode duurde van oktober 1956 tot en met december 1957 en verliep niet gemakkelijk. In het kabinet – het vierde van Drees, opnieuw met brede basis – lag hij voortdurend in de clinch met andere ministers. Hij vroeg altijd méér geld voor 'zijn' boeren. Wanneer hij door koppig volhouden ten slotte tóch iets had weten los te peuteren, dan kreeg hij er in de Kamer amper de handen voor op elkaar. Daar lag hij vooral onder vuur vanwege de pachtprijs-beheersing. Die was moeilijk te verdedigen, omdat alle andere prijzen en ook de lonen steeds verder omhoog kropen. De roep grond- en pachtprijzen los te laten werd almaar luider. Het probleem was dat loslaten een forse kostprijs-verhoging zou opleveren en dat was slecht voor de export. In dure productie-gebieden was de roep het luidst, maar juist daar zou toegeven het averechtse effect hebben dat onrendabele productie in stand zou worden gehouden. Mansholt wilde de prijsbeheersing slechts opheffen in ruil voor maatregelen ter sanering van het grondgebruik. Verlaging van de productiekosten bleef het alfa en omega van iedere landbouwkundige ontwikkeling. Maar het beleid moest natuurlijk wel voldoende draagvlak in de Kamer hebben.

Na de kentering omstreeks 1955 kreeg Mansholt steeds meer moeite de druk van het groene front het hoofd te bieden. Het front verlangde een behoorlijke pacht, zelfs voor een gemengd bedrijfje op zand, en desnoods via protec-tie. Mansholt hanteerde de vuistregel dat een minimumprijsgarantie geen 'winst' mocht opleveren in gebieden waar dat in normale omstandigheden niet mogelijk was. Daartegenover formuleerde het Landbouwschap steeds scherpere eisen onder druk van de centrale organisaties, die op hun beurt weer de hete adem in de nek voelden van machtige gewestelijke bonden als de Noord-Brabantse Christelijke Boerenbond (NCB). Als compromis rolde uiteindelijk de 200 miljoen gulden uit de bus die Mansholt aan de bestedings-beperking van 1957 wist te koppelen.

Mansholt liet zich leiden door de eisen van het groene front, maar niet hele-maal. Als minister maakte hij een eigen afweging, waarbij algemene belangen werden betrokken en méér rekening werd gehouden met de ontwikkelingen op langere termijn. Daartoe was hij als lid van het kabinet natuurlijk gedwon-gen. Af en toe liet hij ook duidelijk merken dat hij behoefte had aan tegenwicht. 'In het kader van de algemene politieke beschouwingen ware meer aandacht aan het landbouwbeleid te schenken,' schreef hij in 1952 in een toelichting op zijn begroting. 'Daarbij zou in het bijzonder het aspect van de belangen van de consumenten wellicht meer tot zijn recht kunnen komen.' In de ministerraad liet hij zich in verband met de begroting van het Landbouwegalisatiefonds eens ontvallen: 'Het is wenselijk dat de Kamervoorzitter aandrang uitoefent op andere leden om wel gebruik te maken van hun recht mede te spreken in voorbereidingscommissies.'[42]

Tegengeluiden kwamen met name uit Mansholts eigen partij. De PVDA was vooral een partij voor werknemers. Die stonden in twee opzichten tegenover de boeren: als landarbeiders en als consumenten. Landarbeiders en boeren hadden elkaar gevonden in het garantiestelsel en in het Landbouwschap. Dat leverde weinig problemen op. De kwestie van het consumentenbelang lag ingewikkelder. Omstreeks 1950 werd zo'n dertig procent van het arbeidersbudget aan landbouwproducten besteed.[43] Vertegenwoordigers van de vakbeweging verdedigden de belangen van de consument, niet alleen in het parlement maar ook in de Stichting van de Arbeid, het toporgaan waarin vakcentrales en werkgeversverenigingen met elkaar én met de regering overleg voerden. In de beslotenheid van de Stichting van de Arbeid gingen confessionele vakbondsleiders – 'bevrijd' van hun groene partijgenoten, de spreekbuizen van de landbouworganisaties – er eerder toe over het landbouwbeleid te hekelen. Hoe reageerde Mansholt daarop?

In januari 1955 moest hij er bijvoorbeeld zijn besluit verdedigen om een kostprijsverhoging van melk niet op te vangen met extra subsidies. Dat leverde een fraaie illustratie op van de wijze waarop het debat met de sociale partners werd gevoerd. Mansholt verwees allereerst naar de Benelux-afspraken. Daarnaast was het volgens hem van belang 'dat de boeren bemerken dat prijsverhogingen op weerstand stuiten. Er is geen tegendruk, als aan de verlangens van de boeren uit de algemene middelen wordt voldaan. De landbouw moet ervaren dat er grenzen zijn, dat het publiek niet alles neemt.' Dat was een aspect van het verhaal, dat Mansholt in de Kamer anders belichtte, namelijk wat gunstiger voor de boer.

Maar er was ook een andere kant. Vertegenwoordigers van het socialistische NVV en de katholieke KAB drongen er namelijk op aan dat de minister zijn prijzen niet op gemiddelde, maar op efficiënte bedrijven zou baseren, met andere woorden: flink naar beneden zou bijstellen. Mansholt weigerde met het argument dat dit de kleine zandboeren in grote moeilijkheden zou brengen. In principe moest de boer juist beschermd worden tegen een wereldmarkt waar iedereen zijn overschotten dumpte. KAB-voorzitter Middelhuis spuwde daarop zijn gal: het kabinet had de arbeiders dat jaar beloofd dat zij eindelijk zouden mogen meedelen in de welvaart, maar zij werden vooral geconfronteerd met hoge prijzen. Hoe kon hij de massa, zijn leden tevreden houden? Zij zouden hem eenvoudig voor de voeten werpen: 'Al dat praten over welvaartsvermeerdering is boerenbedrog. Juist in de duurste weken voltrekt zich deze [melkprijs]verhoging.' De KAB eiste niets minder dan een tussentijdse loonronde.[44] Wat daarvan terechtkwam, is in dit verband niet zo belangrijk. Het gaat om de indruk van het lawaai van de 'tegenkrachten'. Voor Mansholt stond het inkomen van de boeren en de landarbeiders centraal, niet de voedselprijs van de consument. Voor veel partijgenoten-werknemers lag dat anders.

## Het ministerie op de kaart gezet

Het ministerie van Landbouw dateerde van 1935, was van 1937 tot 1939 en in 1944 korte tijd samengevoegd met andere ministeries en kreeg pas onder Mansholt vaste grond onder de voeten. De eerste jaren was het ministerie verspreid over zeventien locaties in Den Haag. Mansholt zelf zat in een groot departementsgebouw aan de Bezuidenhoutseweg dat hij deelde met zijn collega van Handel en Nijverheid (na 1948 Economische Zaken). In het najaar van 1956 werd alles geconcentreerd in één nieuw gebouw, schuin tegenover Economische Zaken. Dat was min of meer symbolisch: het bestaansrecht van een 'eigen' ministerie voor de boeren stond daarna niet meer ter discussie tot in de jaren negentig van de vorige eeuw. Naarmate Mansholt er langer zat, werd zijn ervaring groter, strekte zijn netwerk zich verder uit en nam zijn partijpolitieke gewicht toe.

De positie van Landbouw tussen de andere ministeries was sterk, niet alleen vanwege de koppeling met de voedselvoorziening. Het relatieve gewicht van de sector was na 1945 fors toegenomen als gevolg van de ontwrichting van andere sectoren (scheepvaart, industrie, koloniale handel) en de grote vraag naar voedsel op de wereldmarkt. In 1950 bijvoorbeeld had bijna de helft van de Nederlandse uitvoer een agrarisch karakter, terwijl 23 procent van de door de tien OEES-landen uitgevoerde landbouwproducten uit ons land afkomstig was.[45]

De kracht van het ministerie school ook in de wijze waarop Mansholt het naar zijn hand wist te zetten: ruime bevoegdheden voor de top, krachtige persoonlijkheden op de juiste plek in de organisatie en een heldere structuur. Verder had hij kennis van zaken en slaagde hij erin zijn medewerkers te inspireren. Zelfverzekerd leiderschap straalde als het ware af op zijn omgeving. Hij personifieerde de kracht van het departement. Van der Lee, een van Mansholts naaste medewerkers, typeerde zijn stijl van werken als volgt:

Mansholt was een *workaholic.* Zijn werk was, denk ik, een van de allerbelangrijkste elementen in zijn leven. (...) Hij werd gedreven door, laten we maar zeggen, het idee om te werken aan de toekomst van het land. Ook door zijn socialisme. (...) Hij was geen intellectueel, zeker niet. Hij was zeer rechtschapen, integer en ook zeer direct. (...) Met hem werken was echt buitengewoon inspirerend. Als hij tien mensen om zich heen had die hij vertrouwde en met wie hij goed overweg kon, dan werd het een voortdurend, ja, flitsend, spel van woorden en gedachten. Dan had hij de leiding en voerde hij de boventoon, maar hij luisterde ook veel naar jonge mensen.[46]

Het departement functioneerde als brein van de Nederlandse landbouw. De cultuur op het ministerie kenmerkte zich door professionalisme, een apolitieke instelling en sterke praktijkgerichtheid. De ambtenaren – veel jonge landbouwingenieurs uit Wageningen – identificeerden zich zo sterk met de landbouwsector, dat hun werkdrift bij de oplossing van problemen die van boeren tijdens de oogsttijd evenaarde.[47] Het departement was als een groot agrarisch bedrijf, bestuurd door een echte herenboer.

Van september 1950 tot het moment dat Mansholt naar Brussel ging, zag het organisatieschema van het ministerie er zo uit:

De eerste twee jaren was er nog een vijfde Directie (Grondgebruik en Landbouwherstel). In september 1947 werden de meeste afdelingen daarvan overgeheveld naar de Directie van de Landbouw. De rest, inclusief de Directie zelf, werd opgeheven. De Directie Internationale Organisaties (DIO) nam in september 1950 de taak over van de afdeling Buitenlandse Betrekkingen van het Regeringscommissariaat voor de Buitenlandse Agrarische Aangelegenheden, dat toen werd opgeheven. De andere twee afdelingen van dit RecoBAA,

Buitenlandse Handelsaangelegenheden en Buitenlandse Voorlichting, kwamen respectievelijk terecht bij de Directie van de Landbouw en de Directie van de Voedselvoorziening.[48]

Met de visserij hield de minister zich nauwelijks bezig. Hij liet dat over aan zijn ambtenaren. In het parlement werd er ook weinig over gesproken. Het aantal vissers was – in vergelijking met de boeren – klein en bovendien ontbrak het hen aan krachtige belangenorganisaties. Het zwaartepunt van het departement lag bij de Directies van de Landbouw en van de Voedselvoorziening. Beide werden geleid door krachtige figuren die van Mansholt veel ruimte kregen. DIO was een vreemde eend in de bijt. Tegenstanders plakten er het etiket 'Politbureau van Mansholt' op.

Volgens Van der Lee, directeur DIO, was het weliswaar geen 'rood nest', maar wél een zeer Europees gezinde club: 'De minister wilde eenvoudig een apparaatje hebben dat zijn beleid op internationaal gebied zou uitwerken en documenteren én dat beleid voor hem zou voeren.' Mansholt betrok Horring bij de invulling ervan: één jurist (Van der Lee), vier indologen, drie economen en maar vier 'Wageningers'. DIO was op het departement helemaal niet gewild, maar zij zat onder de paraplu van de minister en daar kon niemand aan komen.[49] Dat laatste gold ook voor het, al eerder genoemde, Kabinet. Dat stond enigszins los van de vier Directoraten en onderhield het contact met het parlement, het Kabinet van de Koningin en met het secretariaat van de ministerraad.

Mansholts beruchte 'politieke entourage' bevond zich vooral in het Kabinet en in DIO, maar bijvoorbeeld ook in de afdeling juridische zaken, die rechtstreeks onder de secretaris-generaal viel en van 1948 tot 1952 geleid werd door Ivo Samkalden (minister van Justitie voor de PVDA in het laatste kabinet-Drees). Politieke tegenstanders beklaagden zich over die entourage, zoals Romme in het geval-Van Dam uit 1947. Van Dam stapte toen op, maar de rest bleef zitten. KVP-minister Beel, die in 1951 opnieuw op Binnenlandse Zaken was terechtgekomen, vond het ten tijde van de zogenaamde huurwetcrisis in 1955 bijvoorbeeld niet juist 'dat in de naaste omgeving van de heer Mansholt enkele hoofdambtenaren bij voortduring politiek bedrijven'.[50] Van der Beugel – de spin in het web op Buitenlandse Zaken – wond zich er een halve eeuw later nog over op: 'Die heren hadden wel departementale functies, maar ze werden gebruikt voor het lobbywerk van Mansholt. Naar de Kamer toe, naar de boeren toe, naar iedereen toe die maar van belang was. Dat was in Nederland een ongekende zaak.'[51]

Mansholt eiste van zijn ambtenaren dat zij zich volledig inzetten en honderd procent loyaal bleven. Dan bleef hij ook pal achter hen staan, zoals in

Bezoek van de landbouwattachés, juni 1952. 'Mansholt had hun aantal sterk uitgebreid en kreeg daarmee de beschikking over een eigen buitenlandapparaat.'

maart 1951 in een woordenwisseling met de top van de Friese Maatschappij van Landbouw. De Maatschappij had kritiek geleverd op het melkprijsbeleid en kreeg daarop van Mansholt het etiket 'oneerlijke organisatie' opgeplakt. De heren togen naar Den Haag om verhaal te halen, maar kwamen van een koude kermis thuis. De minister ging namelijk frontaal in de tegenaanval. Hij beschuldigde de Friezen van subjectieve voorlichting en wierp hen voor de voeten dat ze zijn beleid in de pers hadden vergeleken met het oude cultuurstelsel in Indië (waarbij de inlander verplicht werd bepaalde gewassen te verbouwen ten behoeve van het gouvernement). Dat was ronduit beledigend voor zijn ambtenaren en voor Mansholt onaanvaardbaar. De minister waste de Friezen de oren, over de melkprijs werd niet gesproken.[52]

Voor zijn ambtenaren kon Mansholt ook keihard zijn. In 1954 dwong hij Bart Buitendijk, werkzaam bij het Directoraat van de Voedselvoorziening, het voorzitterschap van de in januari 1953 opgerichte – nog heel kleine – Consumentenbond op te geven. Na kritiek van de bond op het melkprijsbeleid – bij monde van Buitendijk, oud-voorzitter maar nog wel bestuurslid – dreigde Mansholt hem begin 1955 met ontslag op staande voet. Kort daarna werd Buitendijk overgeplaatst naar een ander departement. In de ministerraad en in het parlement stelde Mansholt dat het ontoelaatbaar was dat een beleids-ambtenaar zich in het openbaar uitliet over vraagstukken, waarover hij de minister adviseerde. Kabinet en Kamer gingen daarmee akkoord. Buitendijks positie was onhoudbaar geworden vanwege de voortdurende kritiek in de *Consumentengids* op prijsverhogingen van landbouwproducten. Mansholt liep het risico steun van de boeren te verliezen, als door een van zijn ambte-naren zo negatief over hen geschreven werd.[53]

In 1955 ontsloeg Mansholt secretaris-generaal Jan Bonnerman. Mansholt, die graag delegeerde, vond dat de s.g. geen leiding gaf aan het departement, waardoor de minister te veel zelf moest doen. Drees, aan wie Mansholt de zaak voorlegde, suggereerde nog er een directeur-generaal naast te zetten, maar berustte uiteindelijk in het ontslag.[54] Bonnerman was in mei 1946 van start gegaan, maar in de daaropvolgende jaren min of meer vermalen tus-sen machtige directeuren als Staf en Louwes. De eerste werd in 1951, zoals gezegd, minister van Oorlog en Marine voor de CHU, de tweede overleed in 1953. Bonnerman werd er door Mansholt verantwoordelijk voor gehouden dat de leemte onvoldoende was opgevuld.

In 1956 werd Huib Patijn, het hoofd van de afdeling Algemeen Beheer (onder andere personeelszaken), tot secretaris-generaal benoemd. Mansholt had ver zijn nek uitgestoken om hem op die plaats te krijgen, ook in de privésfeer.[55] Dat had uiteindelijk het gewenste effect. Favoriet Patijn kwam aan de top en zou daar blijven tot zijn pensioen in 1970.

Mansholt gaf talent ook een kans, soms dwars door de hiërarchie heen. Van der Lee had eens een jonge katholiek 'besteld' bij Norbert Schmelzer, coming man van de KVP en vertrouweling van Romme. Dat werd Wim van Slobbe, die later mee mocht naar Brussel. Over zijn eerste ontmoeting vertelde Van Slobbe: 'Mansholt maakte er handig gebruik van door mij de opdracht te geven een ontwerpje voor een lezing te maken die hij voor de katholieke werkgevers moest houden.' De nieuweling werd dus meteen in het diepe gegooid. Van Slobbe werkte eraan tot diep in de nacht. Hij stemde zijn ver-haal precies af op het werkgeverspubliek. Tot zijn verbazing bleek Mansholt uiteindelijk geen letter aan zijn stuk te hebben veranderd. 'Maar hij droeg het helemaal op zijn eigen manier voor en daardoor kreeg het een andere allure, zelfs zo dat ik zélf niet meer doorhad dat het mijn eigen verhaal was. Het was iets heel anders geworden.'[56]

Het contact tussen Mansholt en zijn naaste medewerkers was open en informeel, zeker voor die tijd. Een enkeling kwam ook wel eens bij hem thuis, maar dat was een uitzondering. In de particuliere brieven wordt wel gerept over jachtpartijen met Staf en op familiefoto's staat af en toe een bekend gezicht: Drees op de boot in driedelig grijs; minister Hofstra later op diezelfde boot, maar dan in zwembroek. Het contact met partijgenoten en collega-ministers had overigens wel een ander karakter dan dat met – aan hem onder-geschikte – ambtenaren. Stefan Louwes was een uitzondering, maar die was tegelijk zijn neef. Van der Lee werd een vriend van de familie, die regelmatig over de vloer kwam. Hij had nauw en vertrouwelijk contact. Mansholt kon hem bij wijze van spreken altijd uit bed bellen.[57]

'Met hem werken was echt buitengewoon inspirerend,' zei Van der Lee ruim veertig jaar later. Het had ook een keerzijde. Dat blijkt uit een notitie voor Mansholt van diezelfde Van der Lee uit april 1958, opgesteld in overleg met minister Samkalden. In feite een ludieke observatie van twee politieke vrienden: waarmee zou een eventuele opvolger van Van der Lee rekening moeten houden? Na een opsomming van Mansholts positieve kanten volgde:

> Wat de buitenwereld – gelukkig – niet merkt is hoe moeilijk het eigenlijk is met U samen te werken. Samenwerken met U vereist een constante, inspannende aandacht, eensdeels omdat U uiterst intelligent bent, anders-deels omdat U physiek veel sterker bent dan wie dan ook. Vervolgens omdat het veel omzichtigheid vereist U af te brengen van gedachten die niet juist zijn, maar waaraan U uit de aard van Uw vasthoudendheid lang blijft vasthouden, en tenslotte, omdat iedere systematiek U vreemd is. U werkt – zoals dat een politicus betaamt – op politieke inzichten en impul-sen en U hebt daarbij het voordeel deskundiger dan wie dan ook te zijn op het terrein waarvoor U verantwoordelijk bent. Uw logisch denken ech-ter is in belangrijke mate 'self made'. U hebt het nadeel niet academisch geschoold te zijn en daardoor de discipline van het systematisch denken te ontberen.[58]

### Vechten voor landbouw in de ministerraad

In de ministerraad nam Landbouw na 1948 volop deel aan de discussies. Niet zelden bestookte Mansholt collega's met zijn specifieke deskundigheid, of met afwijkende cijfers waaruit zou blijken dat het kabinet te weinig rekening hield met de belangen van het platteland. Dan vond hij stadsmensen als Drees en Suurhoff (van 1952 tot 1958 minister van Sociale Zaken voor de PVDA) vaak tegenover zich. Bij hen bestond toch een zekere aversie tegen de boe-ren. Voor de typische vraagstukken van het platteland hadden zij – volgens Mansholt althans – weinig begrip.[59] Lieftinck, de minister van Financiën, was coulanter omdat de landbouw veel deviezen verdiende. Daarnaast bestond er voortdurende rivaliteit tussen Landbouw en Economische Zaken, maar dat had meer van doen met het afbakenen van territorium dan met beleid.[60]

'Mansholt is lichamelijk en geestelijk tegen iedereen en elke inspanning opgewassen,' schreef Drees in 1965.[61] Dat bleek een sterke troef in het kabinet. Ingewijden wisten dat begrotingsonderhandelingen met Lieftinck uitmondden in fysieke uitputtingsslagen. Mansholt bleek daartegen als enige bestand. Een oud-topambtenaar van Financiën schreef in zijn memoires over een van die begrotingsbesprekingen:

> Lieftinck kon met weinig slaap toe en wist vaak te profiteren van een verzwakkende tegenstand als de besprekingen lang voortduurden. Mansholt had zo mogelijk nog meer uithoudingsvermogen en leek een zeker genoegen te scheppen in marathonzittingen (…). In 1952 waren de heren het om ongeveer 5 uur in de ochtend eens geworden. Daar had niemand op gerekend. Mansholt had zijn chauffeur gezegd dat hij net als in vorige jaren, wel niet eerder dan om 8 uur 's ochtends zou hoeven worden opgehaald. Met enige moeite is ten slotte toch iedereen veilig thuisgekomen.[62]

In de ministerraad gaf Mansholt zich niet snel gewonnen. Dreigende taal schuwde hij niet: als het kabinet tot die-en-die bezuinigingen besloot, zou hij geen beleid meer kunnen voeren.[63] Hij wapperde ook wel met zijn portefeuille. Op 10 december 1956 bijvoorbeeld, wat nota bene gepaard ging met het dreigement: 'Spreker heeft in de vorige jaren reeds verschillende malen de portefeuillekwestie moeten stellen.'[64] Kennelijk werd dat wapen op den duur niet bot. In het laatste geval – de koppeling van hogere garantieprijzen aan de bestedingsbeperking – trok Mansholt immers opnieuw aan het langste eind. Uit de particuliere briefwisseling valt af te leiden dat hij toen werkelijk op het punt had gestaan het bijltje erbij neer te gooien.[65] Het was hem politiek dodelijke ernst.

Uit de notulen van de ministerraad valt niet precies op te maken op welke toon Mansholt zijn zwaarbeladen termen over tafel slingerde. Tact en nuance waren niet zijn sterkste punten. Oud-staatssecretaris van Sociale Zaken Van Rhijn (PVDA) herinnerde zich wél een tactische manoeuvre vóór een kabinetszitting: 'Mansholt moest altijd opboksen tegen de combinatie Drees-Lieftinck (…). Tijdens de ministerraad zat hij aan de hoek van de tafel, buiten Drees' zicht. Bij de eerste vergadering van een nieuw kabinet was hij heel vroeg present, en bezette de stoel recht tegenover Drees.'[66] Oud-minister van Economische Zaken Van den Brink (KVP) liet zich eens ontglippen dat

Mansholt af en toe onbeschoft tekeerging tegen voorzitter Drees.[67] Mansholt kon zeer driftig worden. Vanuit de nek kleurde zijn kale hoofd dan langzaam-aan rood, en dan was het oppassen geblazen.

De minister van Landbouw werd door collega's gerespecteerd en gevreesd. Dat bleek bijvoorbeeld uit een brief van Lieftinck aan Drees uit 1954. Lieftinck was toen nota bene al twee jaar minister-af en werkte op dat moment bij de Wereldbank in Washington. Hem was ter ore gekomen dat het besluit zou zijn genomen de melkprijs voortaan te baseren op een marginaal bedrijf op zand. Daarvoor wilde hij Drees toch wel even waarschuwen. Onder aan de brief schreef hij: 'p.s. Laat Mansholt hiervan niets weten.'[68]

Niettemin was het eindoordeel van Lieftinck over de rol van Mansholt als sectorminister positief. Bijna veertig jaar later vertelde hij:

Achteraf moet je zeggen dat Mansholt met zijn beleid de agrarische sector niet alleen tot herstel heeft gebracht, maar ook tot grote bloei. Dat is voor een belangrijk deel zijn verdienste. (...) Ik kon wel met Mansholt opschie-ten. Zijn benadering sprak me aan. Hij beschouwde het boerenbedrijf als een onderneming waar een reëel inkomen verdiend moest worden. Drees zei dan steeds dat er op de boerderij zoveel reële inkomsten waren die een gewone werknemer niet had. Groenten, vlees, melk, eieren. Drees vond dat je dat mee moest nemen in je berekeningen. Mansholt was wat royaler. Maar zijn beleid heeft een duidelijke positieve invloed gehad op de economie. Als je de balans opmaakt moet je waarderen wat hij voor Nederland heeft gedaan.[69]

## Minister voor de Partij van de Arbeid

Mansholt vocht in het kabinet als een leeuw voor de landbouw, maar wat had zijn partij eigenlijk op het ministerie van Landbouw te zoeken? Waarom handhaafde de PVDA hem zo lang op zijn post? De socialisten hadden nau-welijks enige achterban onder de boeren. In Noord-Holland stemden mis-schien nog een handvol voormalige vrijzinnigdemocratische boerenkiezers op de partij en in Friesland wellicht een deel van de leden van de kleine Bond van Landpachters en Hypotheekboeren.[70] Verder had de PVDA enige aan-hang onder departementsambtenaren en landbouwwetenschappers. De kans op een electorale doorbraak in de landbouwsector leek uitgesloten. De boer voelde zich van oudsher sterk verbonden met god en grond. Mansholt was weliswaar populair op het platteland, maar zijn partij beslist niet.

Het traditionele gebrek aan belangstelling voor landbouwvraagstukken in zijn eigen partij liet Mansholt veel ruimte om te manoeuvreren. Partij-standpunten werden in feite geformuleerd door enkelingen als Cees Egas, Henk Vredeling (Tweede Kamerlid sinds 1956), Anne Vondeling en Mansholt zelf. De eerste twee waren actief geweest in de ANLB, de landarbeidersbond. Vondeling was een landbouwkundig boekhouder met uitgesproken ideeën over sanering, die bij het groene front reacties uitlokten vergelijkbaar met die van een rode lap op een stier. Mansholt was een klasse apart, ook al omdat hij van boerenkomaf was.

Gilles Borrie, een partijgenoot die in de jaren vijftig onder meer deel uit-maakte van 'de agrarische sectie' in de PVDA, herinnerde zich dat Mansholt binnenskamers wel werd aangevallen door Egas of Vondeling. 'Hij gaf altijd rustig en – zelfs voor een leek als ik op dat terrein – begrijpelijke antwoorden op de vele vragen. Kritiek wist hij meesterlijk te pareren. Mansholt was toch een persoonlijkheid die, ondanks alle kritiek op het beleid, respect afdwong bij de boeren.' Op de tweejaarlijkse agrarische partijcongressen kwam dat duidelijk naar voren. De meeste boeren waren kritisch en kwamen vol-gens Borrie de zaal binnen met het idee hem eens te zullen kielhalen. Maar Mansholts antwoorden bleken ijzersterk. Hij was zo kalm en imponerend dat de zaal helemaal tot rust kwam en de boeren ten slotte weggingen met een gevoel van trots dat Mansholt toch maar een van hen was.[71]

In 1956 zette Vondeling in een artikel in *Socialisme en Democratie* op een rij-tje wat Mansholt in tien jaar Landbouw voor de partij had weten binnen te sle-pen: 1. Een betere verdeling van het agrarische inkomen (via de beheersing van koop- en pachtprijzen had de partij ervoor gezorgd dat de beloning van land-eigenaren minder snel toenam dan die van landarbeiders); 2. wettelijke verster-king van de positie van de grondgebruiker die geen eigenaar is; 3. invoering van de gedachte van bedrijfssanering in enkele belangrijke wetten.[72] Vondelings toon was weliswaar positief, maar het resultaat viel toch tegen. Punt een, de pachtprijsbeheersing, was volgens hem bezig op drift te raken; punt twee was eigenlijk niet typisch PVDA en punt drie nog erg vrijblijvend. Wat dat laatste betrof ijverde Vondeling achter de schermen voor een steviger aanpak. Begin 1957 schreef hij aan partijgenoot en oud-minister Van de Kieft: 'Overigens ben ik van mening dat Mansholt zijn garantiebeleid direct had moeten koppelen aan de saneringspolitiek en op die wijze zowel de landbouworganisaties als de niet-socialistische partijen had moeten – en mijns inziens kunnen – dwingen, maar het is geen partijbelang, dat van de daken te schreeuwen.'[73]

De grondslag van Mansholts ministerschap in 1945 was de wens van Drees de centrale sociaaleconomische departementen in 'rode' handen te krijgen. Dat zou de slagvaardigheid van het kabinet ten goede komen. Tot 1948 was

het logisch dat de PVDA vasthield aan de belangrijke portefeuille met distributie en de voedselsubsidies. Mansholts succes was een reden om zijn ministerschap ook na dat jaar te prolongeren: de landbouw als oefenplaats van de door
de PVDA gepropageerde 'geleide economie'. Daarnaast speelden ook andere
factoren een rol, buiten de partij om. De verkiezingsuitslag en de loop van de
formatie bijvoorbeeld. Ambieerde een van de coalitiepartijen de landbouwportefeuille? Zo ja, had men een kandidaat in huis die door het groene front
minstens even hoog werd aangeslagen? Tijdens de formaties van 1946, 1948,
1951, 1952 en 1956 kwam het eerste op bepaalde momenten soms voor. Maar
dan luidde het antwoord op de tweede vraag steeds nee.

Als minister hoorde Mansholt automatisch tot de top van zijn partij. Zijn
politieke gewicht nam toe naarmate hij langer minister was, vooral na augustus 1948 toen Drees het ministerschap van Sociale Zaken verruilde voor het
premierschap en Vos buiten het kabinet terechtkwam. Aangezien Drees er als
voorzitter van de ministerraad de voorkeur aan gaf zich enigszins op de vlakte
te houden als de partijpolitiek in het geding was, speelde de PVDA-fractie
gevoelige kwesties steeds vaker via Mansholt. Hij zat er niet alleen voor de
landbouw, maar ook voor zijn partij. Na het vertrek van Lieftinck in 1952 was
hij samen met Drees de enige die nog over was uit het eerste naoorlogse kabinet. Mansholts ruime ervaring gaf hem enige voorsprong in de ministerraad.

Mansholt lag goed in de Tweede Kamerfractie en de top van de PVDA. De
'Indische connectie' Schermerhorn – Van Dam – Mansholt verdween weliswaar van het toneel in 1947, maar hij hield als minister nog genoeg 'politieke
entourage' over. Bij de oude garde in de partij was de naam *Mansholt* een
begrip – in Groningen en in de Wieringermeer overigens niet alleen bij de
oude garde. In september 1952 werd Mansholts vriend Jaap Burger gekozen tot leider van de Tweede Kamerfractie van de PVDA. Burger kon via
Mansholt achterhalen hoe de besluiten in de ministerraad tot stand waren
gekomen. Minister-president Drees hield de fractie in principe op afstand.
Siep Posthumus, de broer van vriend en studiegenoot Jan, nam al sinds juli
1948 als secretaris van de fractie een invloedrijke positie in. Zowel Burger als
Posthumus vormden belangrijke steunpilaren voor Mansholt in de fractie.

In het 25-koppig partijbestuur kon Mansholt onder anderen bouwen op
Woudenberg (secretaris-penningmeester tot februari 1949), Schermerhorn
(vanaf 1947), Vos en Jan Barents. Vos was van 1948 tot 1951 bestuurslid,
fungeerde van 1953 tot 1955 als waarnemend partijvoorzitter en was daarna
tot 1961 vicevoorzitter. Barents, bestuurslid vanaf 1951, was hoogleraar in
de wetenschap der politiek in Amsterdam en tegelijk actief als ideoloog op
de linkervleugel van de partij. Hij was de naamgever van de zogenoemde

In actie op de kaderdag van de PvdA in Utrecht, oktober 1955. [Collectie IISG]

Nova Zemblagroep in de partij, die het militaire optreden tegen Indonesië afkeurde. In het archief-Mansholt bevindt zich een aantal persoonlijke brieven van hem uit het begin van de jaren vijftig met adviezen over veiligheidsvraagstukken: defensie, Binnenlandse Veiligheidsdienst, de evacuatie van de top van de PVDA in het geval van oorlog.[74] In het partijbestuur zat ook een aantal figuren met een verzetsverleden (Goedhart, Scheps, Stufkens), die zich nauw met hem verwant zullen hebben gevoeld. Daarnaast waren er een paar 'oudgedienden' die Mansholts ouders goed kenden: Liesbeth Ribbius Peletier, oud-secretaris van de Bond van Sociaal-Democratische Vrouwenclubs, en Jan Tuin, van 1932 tot 1963 voorzitter van de SDAP/PVDA in het district Groningen. Overigens mochten PVDA-ministers de vergaderingen van het partijbestuur bijwonen en een adviserende stem uitbrengen.[75]

Na 1948 bemoeide Mansholt zich in de ministerraad steeds vaker met zaken buiten zijn portefeuille. Zijn politieke gewicht nam toe, na 1952 des te sterker vanwege het goede contact met de leiding van de fractie. Hij speelde een belangrijke rol in 1954 bij het debat over het bisschoppelijk mandement en een jaar later bij de huurwetcrisis. Mansholt bemoeide zich ook steeds vaker

met buitenlandse aangelegenheden. Hij was een man van internationaal formaat geworden. Europese collega's van Landbouw, die hij inmiddels allemaal
goed kende, nam hij omstreeks 1953 op sleeptouw met een plan voor een
*Green pool*, een opmaat voor het beleid dat hij na 1958 in Brussel zou ontwikkelen. In Washington sprak hij met de top van het *State Department* over
Europese integratie en over ontwikkelingshulp. Hij reisde in 1956 vier weken
door Pakistan en India en pleitte, na terugkeer, voor concrete projecthulp.

Partijgenoten kwamen regelmatig bij Mansholt over de vloer. Daar vonden
ook de 'beruchte' vergaderingen plaats van Europagezinden in de PVDA. 'Men
sprak over hoe 't nu zat, hoe het verder moest,' herinnerde Van der Lee zich,
die het gezelschap bijeenriep. 'Dat waren strikt informele bijeenkomsten. Er
werd een kopje koffie geschonken. Niet eens een glas wijn. Dat was toen nog
niet aan de orde.'[76] Nog informeler waren de bezoekjes van partijgenoten op
Mansholts boot. In de zomer voer hij daarmee regelmatig op de Kaag. Collega
Joseph Luns (KVP) kwam hem daar eens tegen met zijn politieke vrienden.
Luns stond, getooid met een strooien hoed, bij een sluisje waar juist het luxueuze motorjacht voorbijvoer met de PVDA-partijtop op het dek. Men voelde
zich, volgens Luns, duidelijk gegeneerd en betrapt. Hij nam daarop zijn hoed
af en riep: 'Salvé, de verworpenen der aarde!'[77]

Met het beruchte mandement uit het voorjaar van 1954 beoogden de Nederlandse bisschoppen de eenheid in de eigen zuil te versterken. Vanaf de kansel
werden geloofsgenoten opgeroepen geen socialistische kranten te lezen, zo
min mogelijk naar de VARA te luisteren, en geen lid te zijn van het NVV.
Anders dreigden sancties. Het lidmaatschap van de PVDA – nota bene de
coalitiepartner van de KVP sinds 1946 – werd 'onverantwoord' genoemd. Dat
was nog net geen verbod, maar wel een regelrechte aanval op het doorbraak-
karakter, een essentieel element van de partij.

In een speciale vergadering van het partijbestuur sloot Mansholt zich onmiddellijk aan bij *hardliners* als Burger en Schermerhorn. Als er voor katholieken
geen ruimte was in de PVDA, dan moest de partij uit de regering stappen. De
KVP diende zich hierover duidelijk uit te spreken. Het PVDA-bestuur bleek
overigens in meerderheid *niet* bereid het zo hard te spelen, uit angst voor een
breuk in de regeringscoalitie. De volgende dag schreef Mansholt een brief aan
Drees waarin hij hem vroeg het mandement op de agenda van de ministerraad
te zetten. Het is een van de weinige brieven van hem die in het archief-Drees
terechtgekomen zijn. Mansholt schreef hem zeer zelden. Dat is toch opmerkelijk voor een partijgenoot die twaalfeneenhalf jaar collega-minister was in
zes kabinetten.

Waarde Drees, De actie van de bisschoppen, nml. de afkondiging van het mandement is een politieke gebeurtenis van ernstige aard. Over de diepe betekenis hiervan voor de politieke verhoudingen in ons land en zelfs daarbuiten en voor de volksgemeenschap als geheel zijn wij het wel eens. Dat heb ik gisteravond op de vergadering van het PB duidelijk gemerkt en ik had niet anders verwacht. Wel is mij gebleken dat er verschil van mening bestaat over eventuele politieke consequenties. (...) Dit wordt actueel indien vaststaat dat de katholieken in feite geen volwaardig lid van de partij kunnen zijn. Naar mijn mening is dat reeds nu het geval, maar indien onze katholieke partijgenoten zelf menen dat dit nog niet het geval is hebben wij dit te aanvaarden. De vraag is of het verstandig is dit standpunt in te nemen en we hiermede niet juist aan de verlangens der KVP tegemoet komen!
Het is duidelijk waar dit mandement politiek gebruikt wordt door de KVP en zelfs aan deze partij een ander karakter geeft, het van invloed is op de politieke verhoudingen, verhoudingen tussen de partijen en dus in het Kabinet. Ik acht het dan ook gewenst, dat in de eerstvolgende minister-raad het katholieke mandement in bespreking wordt gebracht.[78]

Mansholt was eropuit de KVP-ministers een uitspraak over het mandement te ontlokken.
Een week later kwam de zaak inderdaad aan de orde in de ministerraad. Mansholt stelde dat de bisschoppen te ver waren gegaan door te dreigen met sancties. 'Met het mandement worden scheidsmuren opgetrokken die van historische betekenis kunnen zijn. (...) Het maakt veel kapot wat op politiek terrein aan begrip en samenwerking was gegroeid.' Maar hij kreeg bij minis-ter-president Drees en bij vicepremier en minister van Binnenlandse Zaken Beel (KVP) geen poot aan de grond. Zij stelden dat het mandement niet meer was dan een geestelijk woord voor de eigen geloofsgenoten. Geen enkele minister was er verantwoordelijk voor. De KVP-ministers noch Romme waren volgens Beel door de bisschoppen geraadpleegd. Samenwerking tus-sen PVDA en KVP werd in het mandement ook niet afgekeurd. Daarmee werd het punt min of meer van de agenda afgevoerd. Mansholt kreeg bij andere PVDA-ministers geen steun voor verdere actie en liet het er vrij snel bij zitten. Dreigen met aftreden had immers geen zin. Hij wist dat de top van zijn partij in meerderheid niet bereid was de samenwerking met de KVP op te zeggen, hoe hard Burger en de zijnen ook trokken.[79]
Partijpoliticus in de ministerraad: bij de zogenaamde huurwetcrisis in mei 1955 kwam dit aspect van Mansholts ministerschap nog sterker naar voren.

De brede basis vertoonde omstreeks die tijd steeds meer barsten. De rechtse meerderheid in het parlement gaf de socialisten nauwelijks ruimte. De Tweede Kamerfractie van de PVDA onder leiding van Burger was de compromissen-politiek zat en ging steeds meer naar links hangen. Mansholt schaarde zich als enige minister achter de eisen van zijn fractie. In het partijbestuur steunde hij Vos, die gesteld had dat het onderwerp – de koppeling van een huurverhoging aan een belastingverlaging die nauwelijks ten goede kwam aan de lagere inkomens – hem wel een crisis waard was.

Aan de vooravond van het beslissende Kamerdebat riep Burger hem speciaal terug uit het buitenland. Mansholt bezocht Scandinavië en stond op het punt een uitstapje te maken naar de poolcirkel. Bij toeval hoorde parlementair journalist Henry Faas dat telefoongesprek. 'Het was duidelijk, dat er een conflict was met Drees en dat de hulp van minister Mansholt onmisbaar was om hem eronder te krijgen. Mansholt kwam met de pest in zijn lijf terug, want hij had zich op zijn reis verheugd,' aldus Faas. Mansholt was precies op tijd en stelde zich op naast de PVDA-fractie, tegenover de rest van het kabinet. Het wetsontwerp werd verworpen – de PVDA-fractie stemde tegen – en het kabinet kwam ten val.

De minister-president luchtte nog diezelfde avond zijn hart bij Beel. De houding van Mansholt kon hij eenvoudig niet begrijpen. Er was een duidelijke tegenstelling gecreëerd tussen de fractie aan de ene kant en Drees als leider van het kabinet aan de andere. De fractie én Mansholt hadden zich *tegen* hem gekeerd, terwijl de partij er toch almaar op bleef aandringen dat hij opnieuw lijstaanvoerder zou worden. Wilde de PVDA van Drees af, of juist niet? Een paar dagen na het Kamerdebat vond een partijraad plaats over de verkiezingen van 1956. Dat was allang bekend en heeft mogelijk de uitkomst van het huurdebat beïnvloed. Op die partijraad liet de demissionaire premier doorschemeren dat hij zich *niet* meer beschikbaar wilde stellen als kandidaat. Dit 'dreigement' droeg er mede toe bij dat de PVDA-fractie eieren voor haar geld koos. Burger schoof een compromis naar voren en slaagde er vrij vlot in het kabinet te lijmen.[80]

## Kandidaat-premier en opvolger van Drees?

Ten tijde van de huurwetcrisis in 1955 was Mansholt bijna tien jaar minister van Landbouw. Hij doorbrak welbewust de homogeniteit van het kabinet, op aandringen van de PVDA-fractie. Wat wilde Mansholt? Het kabinet ten val brengen? Het is onwaarschijnlijk dat de fractie de meerderheid van de partij bereid zou hebben gevonden Drees het bos in te sturen. In de ministerraad stelde

KVP-aanvoerder Beel zich pal achter de minister-president op. Mansholts partijgenoten in het kabinet wilden nog allerlei plannen door het parlement loodsen. Crisis of leiderswisseling konden zij missen als kiespijn.

In 1956 zou de premier zeventig worden. Fractieleider Burger had weliswaar moeite met zijn dualistische opstelling, maar besefte al te goed dat zijn partij met Drees electoraal goud in handen had. Intussen liep Mansholt zich warm aan de zijlijn. In 1956 werd hij zevenenveertig. Eind 1954 leek hij de enige die in de markt was voor de opvolging van Drees, die had laten doorschemeren zich in 1956 te willen terugtrekken. PVDA-campagneleider Meyer Sluyser vertelde Drees op 14 december 1954 dat hij tot dan toe alleen over Mansholt had horen spreken als mogelijke opvolger van Drees in zijn 'algemene politieke positie'.[81]

Bij de verkiezingen van 1946 was Mansholt lijsttrekker geweest voor de PVDA in de kieskringen Den Helder en Haarlem. Twee jaar later was hij aanvoerder van de Groningse lijst en stond hij in Assen op nummer drie. De PVDA had toen acht verschillende lijsttrekkers, verdeeld over alle achttien kieskringen. In 1952 stond Drees overal bovenaan, terwijl Mansholt in vijf kringen meedeed op plaats twee, vijf of zes. Eind 1954, toen de kwestie van de opvolging van Drees zich aandiende, was Mansholt, na de minister-president, de meest 'nationale' PVDA-politicus.[82]

Toen Mansholt begin 1955 door de KVP-fractie in de Tweede Kamer het vuur na aan de schenen werd gelegd in verband met (alweer) een melkprijsverhoging, reageerde het weekblad *Vrij Nederland* daarop met de stelling dat het de katholieken er alleen maar om te doen was een socialistische minister voor aap te zetten:

> Nu men er in het land rekening mee moet houden dat dr. Drees er wellicht toe besluiten zal zich overeenkomstig de in socialistische kring geldende gebruiken [bij het bereiken van de 65-jarige leeftijd] langzamerhand uit het actieve politieke leven terug te trekken, begint uiteraard de partij van Romme er ernst mee te maken, mogelijke candidaten voor de opvolging bij voorbaat vast een beetje van hun populariteit te ontdoen. Minister Mansholt moet men zeker tot die candidaten rekenen. En de interpellatie-Droesen over de melkprijzen toonde wel alle kenmerken van deze wetenschap.[83]

*De Volkskrant* – toen nog katholiek – draaide de zaak om: partijvoorzitter Vos, het NVV en de socialistische vrouwen hadden krachtig geprotesteerd tegen de verhoging van de melkprijs. Waarom had de PVDA-fractie de KVP dan niet gesteund? Omdat de socialisten een kandidaat-premier de hand boven het hoofd wilden houden.[84] Burger slaagde er inderdaad in de aandacht van Mansholt af te leiden door de prijsverhoging in een breed sociaaleconomisch kader te plaatsen en daarover een parlementair debat uit te lokken. Dat 'brede' debat zou ruim drie maanden later uitmonden in de al genoemde huurwetcrisis.

Na die crisis en de geslaagde lijmpoging meldden verschillende dagbladen dat de PVDA-fractie Mansholt nog altijd beschouwde als de aangewezen opvolger van Drees.[85] Maar dan moest hij nog wel een paar jaar aan de zijlijn wachten: intussen was namelijk duidelijk geworden dat de zittende minister-president, gedragen door de partijafdelingen, de kar nog één keer wilde trekken.

Stak Drees zijn gedoodverfde opvolger een spaak tussen de wielen? Op 14 februari 1955 was oud-minister Stikker bij hem op bezoek. In zijn dagboek noteerde Drees:

Ik heb hem verteld met welke moeilijkheden wij hebben te kampen t.a.v. kwesties van lonen en prijzen, belasting, huren; maar ook de tegenstellingen in het kabinet met Mansholt over landbouwprijzen maar ook over de buitenlandse politiek waarin hij zijn eigen gang gaat, en enigszins ook met de fractie en het NVV. Ik heb hem gezegd dat ik in 1956 niet weer voor een Kamerkandidatuur in aanmerking wil komen en dat ik dat Vos heb meegedeeld.

Twee dagen vóór het gesprek met Stikker had *Vrij Nederland* al gezinspeeld op het vertrek van Drees en een mogelijk lijstaanvoerderschap van Mansholt. Uit de notitie van Drees kan worden afgeleid dat hij dacht dat Vos achter het artikel zat. Drees liet zich weliswaar niet direct uit over Mansholts kandidatuur, maar uit hetgeen hij wél noteerde, bleek dat hij weinig enthousiast was.[86] Mansholt had hoge verwachtingen van Europese integratie, terwijl Drees zich daarover geen illusies maakte. Via zijn Directie Internationale Organisaties voer Mansholt een eigen Europese koers. Op het vrijwel onontgonnen terrein van de hulp aan minder ontwikkelde landen was hij al net zo actief. Hij sprak erover met koningin Juliana en rechtstreeks met de Amerikaanse regering, buiten het kabinet om.

Mansholt was ambitieus, maar had ook veel respect voor Drees. Waarnemend partijvoorzitter Vos en fractieleider Burger hebben hem er begin 1955 waarschijnlijk toe aangezet een gooi te doen naar het politiek leiderschap. Drees had immers laten doorschemeren in 1956 te willen opstappen. Later bleek dit prematuur. In de volgende maanden, vooral rondom de huurwetcrisis, werd langzaamaan duidelijk dat het vertrouwen in Drees onverminderd groot was, zowel in het kabinet als in het parlement en zijn eigen partij. Op 18 oktober 1955 vroegen Burger en partijvoorzitter Vermeer, die op 22 februari van dat jaar de hamer had overgenomen van Vos, aan Drees of hij zich ten slotte toch kandidaat wilde stellen. Drees' antwoord was: 'Ja.'

Daarmee was voor Mansholt de weg naar de top van de partij voorlopig afgesneden. Maar niet definitief: Drees was oud en moest op een bepaald moment toch worden opgevolgd. In een brief uit mei 1958 wees Van der Lee er Mansholt nog zijdelings op dat hij, met het oog op zijn politieke toekomst, in zijn Brusselse kabinet óók katholieken moest opnemen. Wanneer hij *opnieuw* een gooi naar het minister-presidentschap wilde doen, moest hij immers acceptabel zijn voor de KVP.[87] Dit lijkt de eerdere poging uit 1955 te bevestigen. Jaap Burger schreef Mansholt ruim vier jaar later – toen de PVDA overigens geen deel uitmaakte van het kabinet – dat de partijtop erover gesproken had hem te vragen als lijsttrekker voor de Tweede Kamerverkiezingen in 1963. 'Mij leek zulks niet verantwoord,' merkte hij daarbij op. 'Niemand toch weet of er na de verkiezingen van een PVDA minister presidentschap dan wel of een voortgezette oppositierol sprake is. Voor het laatste is een beroep op jou stellig overbodig,' aldus Burger.[88] Mansholt bleef na 1958 nog jaren in beeld als mogelijke kandidaat voor het minister-presidentschap, maar zijn partij behaalde slechte resultaten en kwam vooralsnog niet aan bod.

Tijdens de formatie van 1956 kwam het nog tot een stevige botsing tussen Mansholt en Drees, de grote winnaar van de verkiezingen. Mansholt had aanvankelijk zijn zinnen gezet op de portefeuille van Buitenlandse Zaken en legde tegelijk de al eerdergenoemde claim voor landbouw op tafel. Formateur Drees ging op het eerste niet in en weigerde, wat het laatste betrof, de knoop door te hakken. Mansholt zocht daarop de publiciteit. Eind augustus bepleitte hij in een redevoering in Kampen een flinke verhoging van de gegarandeerde melkprijzen. Drees was boos omdat hierdoor een principiële beleidswijziging tot stand dreigde te komen buiten de ministerraad om. Verder was hij ervan overtuigd dat het groene front niet minder zou eisen dan Mansholt in feite had toegezegd.[89]

Begin september circuleerden in de pers verschillende namen van mogelijke opvolgers van Mansholt. Informateur De Gaay Fortman had van Drees begrepen dat hij hem niet graag in een kabinet zag terugkeren. De grote terughoudendheid van Drees ten aanzien van een nieuw premierschap moest volgens Lieftinck, die korte tijd formateur was, zelfs vooral gezocht worden in

Mansholt en Drees op een partijcongres in maart 1957. 'Qua leeftijd,
karakter en politieke stijl lagen de twee ver uit elkaar.'
[Beeldbank NA, public domain]

zijn verhouding tot Mansholt. CHU-onderhandelaar Staf verzuchtte: 'Wat wil Mansholt nu? Hij poneert een landbouwpolitiek [een wijziging van het garantiestelsel met bijbehorend prijskaartje], stelt dat deze aan zijn persoon gebonden is en gaat dan solliciteren.'[90] Burger hield daarentegen vast aan Mansholt. Hij schreef Drees dat een andere figuur op Landbouw minstens hetzelfde zou kosten. 'Als die vrees juist zou blijken, zouden we onze positie op het platteland nodeloos hebben ondermijnd als we Mansholt lieten gaan.'[91]

Drees gaf toe, tot verbazing van collega Zijlstra van Economische Zaken, bij deze verkiezingen tevens lijsttrekker van de ARP, die in zijn memoires opmerkte: 'Drees voelde zich politiek gechanteerd want hij dacht (mijns inziens ten onrechte) dat hij Mansholt per se weer in het kabinet zou moeten opnemen.' Zijlstra noemt dit zelfs de enige belangrijke politieke beoordelingsfout die hij Drees ooit had zien maken. Hij had hem toen ook gezegd: 'Je verliest geen stemmen want boeren houden wel van Mansholt maar zij stemmen niet op de PVDA.'[92] Mansholt beweerde achteraf dat Drees hem uiteindelijk tegen zijn zin had moeten slikken. 'Volstrekt onwaar,' aldus Drees. Het ging om een zakelijke tegenstelling, er was geen ruzie. 'Mansholt en ik hadden op verschillende gronden en bij verschillende groepen een zodanig vertrouwen dat men in de partij een scheuring niet begrepen en niet aanvaard zou hebben.'[93] Dat is juist. Drees dacht in 1956 meer aan de Tweede Kamerfractie en aan de linkervleugel van zijn eigen partij dan aan de boeren. Dit laat onverlet dat hij Mansholt eigenlijk liever kwijt dan rijk was.

Drees en Mansholt hadden waardering voor elkaar, ondanks alle meningsverschillen. Opmerkelijk was dat deze PVDA-kopstukken indertijd de enige ministers waren zonder academische scholing. Drees ontving in 1948 een eredoctoraat in de economie in Rotterdam, Mansholt werd acht jaar later in Wageningen eredoctor in de landbouwkunde. Beiden voerden sindsdien, niet zonder trots, in al hun officiële contacten de doctorstitel. Wie anno 2019 door Wageningen fietst, komt via de Doctor Willem Dreeslaan in de Mansholtlaan terecht. Men is er de titel kennelijk vergeten. Rotterdam eert Drees met de Dreessingel. Naar Mansholt, de man van het platteland, is in de stad Rotterdam niets vernoemd.

Qua leeftijd, karakter en politieke stijl lagen de twee ver uit elkaar. Drees was ruim 22 jaar ouder, afkomstig uit de stad en in wezen enigszins conservatief. Zijn vader was overleden toen hij vijf jaar oud was. Het gezin leefde sindsdien aan de rand van de armoede. Mansholt was afkomstig uit een gegoede boerenfamilie en had een onstuimig karakter. Drees was de punctuele bestuurder die haarfijn wist aan te geven wat politiek haalbaar was, Mansholt de man van de intuïtie en de daad, die de onorthodoxe aanpak niet schuwde.

Drees bewonderde het organisatietalent van zijn jongere partijgenoot. Mansholt was volgens hem 'geestelijk en lichamelijk opgewassen tegen iedereen en elke vorm van inspanning'. Drees was verbaasd over de beheersing van de materie en het vermogen van Mansholt om met het Landbouwschap tot een akkoord te komen. Hij vond hem uiterst bekwaam, sterk eigenzinnig en erg moeilijk. In een interview vertelde Drees eens dat hij maar één man kende, die nog hardnekkiger was dan Mansholt, namelijk De Gaulle. 'Dat is een eigenschap die grote waarde heeft,' voegde hij daaraan toe, 'maar zij kan ook haar bezwaren meebrengen in het overleg met anderen. Een aantijging is het niet.'[94]

Anderzijds had Mansholt grote bewondering voor de minister-president. Een oud-topambtenaar van Landbouw herinnerde zich dat zijn minister in die tijd een gravure van Drees boven zijn bed had hangen.[95] Mansholt zelf erkende later dat er meningsverschillen waren over het landbouwbeleid en over Europa. Het eerste ging om de centen, het laatste leverde, aldus Mansholt, 'werkelijk grote politieke moeilijkheden' op. Drees zag niets in het idee van een *politieke* Europese gemeenschap. Hij wilde niet bij meerderheidsbesluit door het buitenland geregeerd worden. Mansholt had waardering voor Drees' vasthoudendheid als de buitenlandse politiek in het geding was, maar vond hem als onderhandelaar niet soepel genoeg. Drees kon zich onvoldoende verplaatsen in de mentaliteit van de tegenstander. Hij was wél een garantie voor stabiliteit, zowel naar buiten toe als naar binnen. Voor experimenten en fantasie was in de periode 1948-1958 weinig plaats. Daarom heeft Nederland in die jaren ook wel wat kansen gemist, althans dat beweerde Mansholt dertig jaar later.[96] Daarbij moet dan wel gezegd worden dat Mansholt zelf een kei was in het sluiten van 'fantasieloze' compromissen, tien jaar lang medeplichtig was en ook niet vaak uit de band sprong.

## Landbouwpolitiek testament

KVP-woordvoerder Droesen, jarenlang de belangrijkste tegenspeler van de minister in de Tweede Kamer, maakte in december 1957, bij Mansholts laatste optreden in de Kamer, de balans op. Aan de creditzijde noteerde hij: zeer grote uitbreiding van onderzoek, onderwijs en voorlichting, een stevige aanpak van cultuurtechnische werken, snelle veeteeltkundige verbeteringen, een goede verstandhouding en regelmatige samenwerking met het bedrijfsleven, het beginsel van het garantiebeleid, bevordering van de internationale samenwerking en een aantal belangrijke wetten (onder meer Ruilverkavelingswet, Landbouwwet, Pachtwet). Aan de debetzijde: de grondpolitiek en de *toepassing* van het garantiebeleid.[97]

Mansholts laatste redevoering in de Tweede Kamer omvatte zijn landbouwpolitieke 'geloofsbelijdenis' en testament voor de toekomst. Wat wilde hij
bereiken en waarom?

Wat is het, dat ons steeds heeft bewogen in het landbouwbeleid? Waarom
is er een specifiek landbouwbeleid, dat als het ware een ander karakter
draagt dan dat van andere sectoren van het bedrijfsleven?
We kunnen dan aan de ene kant waarnemen een zekere wens naar behoud
van wat er is. (…) Zonder dit nu te willen romantiseren, kunnen wij toch
wel vaststellen dat in het algemeen de landbouw en alles, wat er in leeft
en werkt, wordt gezien als een onmisbare factor in de maatschappij. Het
zijn niet alleen economische, maar het zijn vooral sociale, sociologische en
politieke factoren die hier een rol spelen. Deze factoren zijn vaak ondefi-
nieerbaar, maar ondanks dat zijn ze toch zeer wezenlijk. Hierin schuilt
een gevaar, het gevaar n.l., dat men de landbouw als het ware statisch gaat
zien, dat men vergeet, dat het wezenlijke, wat landbouw betekent, ook in
dat sociologisch-politieke opzicht niet alleen behouden kan blijven, ook
bij een wijziging van zijn structuur, neen, zelfs pas betekenis krijgt door
een noodzakelijke structuuraanpassing. D.w.z. dat slechts een dynamische
ontwikkeling in de agrarische structuur de landbouw in staat kan stellen
zijn wezenlijke taak te verrichten in de volksgemeenschap. (…)
Aan de andere kant wordt het landbouwbeleid bepaald door vrees, nl. de
vrees, dat de landbouw wederom zal verzinken in een onzekerheid, in
een verpaupering van weleer. Voor ieder is het duidelijk geworden dat
de crisis van 1933 een structuurverschijnsel was, (veroorzaakt door) factoren, die zeer moeilijk te wijzigen waren: de geringe mogelijkheid van
aanpassing en de geringe mogelijkheid van productiviteitsstijging, niet
alleen in ons land, maar eigenlijk in de gehele wereld, en vooral (…) in de
arme wereld, waar de landbouw het hoofdbestaan is. Het is dan ook de
armoede in een groot gedeelte van de wereld, die als het ware de oorzaak
is van het naar beneden trekken van het levensniveau van de landbouw,
ook in de landen van West-Europa en vooral ook in Nederland
Dat heeft ons ertoe gebracht aan het landbouwbeleid ten grondslag te
leggen: a. de produktiviteit van de arbeid zoveel mogelijk te verhogen;
b. een politiek van bescherming ter verzekering van een redelijk bestaan
te voeren (…). (Het laatste) kan en mag niet los worden gezien van het
eerste. (…)
Wat is de reden, dat ik dit nu nog zeg? Dat is, dat ik de vrees heb, dat men
te veel rekent op een zeker automatisme in dit geheel. (…) Het verbeteren

van het 'klimaat', waarin de landbouw moet werken, door bescherming van de markt, door steun en door protectie, is naar mijn mening een groot gevaar voor de structuur. Wij zullen dus tegenkrachten in werking moeten stellen (...) Ik zeg er echter dan bij: zonder de bijzondere positie van de landbouw in Nederland geweld aan te doen. D.w.z. – en ik beschouw dit als een van de kernpunten – waar de landbouw is gestoeld op het zelfstandige gezinsbedrijf, dienen wij dat te bevorderen. Dan zal iedere structuuraanpassing moeten leiden tot versterking van deze structuur en (...) tot gezonde familiebedrijven.[98]

Waar wilde Mansholt precies naartoe met de Nederlandse boer? Aan de ene kant stelde hij de onontbeerlijke dynamiek in de landbouw, de noodzakelijke aanpassing van de sector om volwaardig te kunnen meedraaien in een moderne maatschappij. Daartegenover stond de voortdurende vrees voor een crisis, inherent aan structurele eigenaardigheden van de sector, vooral het geringe vermogen zich snel te kunnen aanpassen. Welke kant moest het op? Mansholt koos voor het eerste: volwaardig meedraaien. Hij waarschuwde ervoor te veel toe te geven aan de vrees voor een crisis. Steun en protectie dreigden dan vanzelfsprekend te worden en dat was funest voor een gezonde landbouwkundige ontwikkeling.

Die gezonde ontwikkeling vormde het uitgangspunt van het *new look*-beleid dat Mansholt eind 1948 lanceerde, toen de tijd van schaarste achter de rug leek. Hij wilde de markt meer invloed geven op de prijsvorming, maar wel op een geordende wijze. Mansholt had als minister de beschikking over ruime bevoegdheden, een uitgebreid instrumentarium en loyale ambtenaren. Van belang was het geïnstitutionaliseerde overleg met het bedrijfsleven, dat nauw betrokken werd bij plannenmakerij en beleidsuitvoering. Mansholt wist zich hierdoor in de regel van tevoren verzekerd van voldoende draagvlak in het parlement, waar de landbouworganisaties goed vertegenwoordigd waren. Daarnaast was er ook een sterke persoonlijke inbreng: Mansholts expertise en 'boerengevoel', zijn organisatietalent, het zelfverzekerde optreden in het parlement, de vasthoudendheid bij begrotingsonderhandelingen en het toenemende prestige. Hij hield het niet voor niets meer dan twaalf jaar vol.

De inzet van Mansholt was duidelijk – op papier althans –, maar in de praktijk ging die verscholen achter incidentele, 'opportunistische' maatregelen. Dat was nu eenmaal het karakter van het markt- en prijsbeleid. Dit incidentele karakter hing weer samen met wisselende oogstresultaten en schommelingen van wereldmarktprijzen. De *new look* werd breed gesteund, al stond Mansholts eigen partij er in het begin sceptisch tegenover. De resultaten waren

Afscheid van het Nederlandse parlement. Na Mansholts laatste rede in de Tweede Kamer stelde de Kamervoorzitter 'een motie van hulde' voor, waarin Mansholt bedankt werd voor twaalfeneenhalf jaar 'onbezweken trouw, toewijding en bekwaamheid'. [Coll. Spaarnestad Fotoarchief/Anefo]

positief, totdat omstreeks 1955 voor een aantal belangrijke producten het gemiddelde Nederlandse kostprijsniveau onder de wereldmarktprijs terechtkwam. Daarvóór was er ook wel kritiek vanuit het groene front. In andere economische sectoren waren de resultaten namelijk nog veel gunstiger dan in de landbouw, zodat de kloof tussen stad en platteland alleen maar groter werd.

Wilde Mansholt af van onrendabele bedrijven? Ja, hij streefde immers naar een moderne, dynamische landbouw. Maar die ontwikkeling zou zich dan wel moeten voltrekken op basis van vrijwilligheid en onder goede begeleiding. Voor 'koude' sanering via scherpe prijzen was onvoldoende draagvlak. Mansholt was daar persoonlijk ook geen voorstander van, in tegenstelling tot partijgenoten als Vondeling.

De vrees voor een crisis kreeg na 1955 de overhand. In de ministerraad voerde Mansholt een felle strijd voor steun en protectie. Dat bracht hem verschillende keren in botsing met collega's, vooral Drees. Het was hem intussen ook wel duidelijk dat dit voor de verdere ontwikkeling van de Nederlandse landbouw een doodlopende weg zou zijn. De problematiek ontsteeg het nationale niveau.

# - 8 -

# EEN BOER VAN DE WERELD

### Persoonlijk stempel

Mansholts leven bestond in de periode 1948-1958 natuurlijk niet alleen maar uit landbouw en politiek. Hij had een gezin, ontving vrienden en bezocht familieleden. In zijn vrije tijd werkte hij met zijn handen of ontspande zich op zijn boot. Hij maakte graag verre reizen en 's winters bond hij regelmatig de schaatsen onder. *What made him tick?* Die vraag lijkt extra relevant omdat Mansholt erin slaagde de politieke omstandigheden min of meer naar zijn hand te zetten. Hij drukte er zijn persoonlijk stempel op. Een Amerikaans proefschrift uit 1975 over Europese politiek wijdde een paragraaf aan 'the Mansholt Mystique' als bepalende factor bij de totstandkoming van het Europees landbouwbeleid in de jaren zestig.[1] Dichter bij huis erkende Van der Beugel, overigens bepaald geen lid van de Mansholtfanclub:

> Mansholt was in de eerste plaats een man met een groot persoonlijk charisma. Mansholt hád iets. Een zeer speciaal charisma, het charisma van de heldere recht-door-zee-boer. En hij was buitengewoon helder. Hij was helemaal niet recht door zee, maar hij had wel dat charisma. Een – dat zeg ik niet als verwijt, maar dat was gewoon zo – echte machtspoliticus.[2]

Een aantal elementen van Mansholts politieke stijl werd hiervóór al aangestipt: hij was intelligent, maar had lak aan systematiek; hij was pragmatisch op zijn eigen beleidsterrein en links daarbuiten. Bestuurlijk geschoold door vijf jaar oorlog en illegaliteit, bekeek hij problemen op een onconventionele manier. In het parlement trad hij beminnelijk op, beknopt formulerend en zoekend naar praktische oplossingen. Mansholt had een goede politieke neus. Hij dwong respect af door zijn verzetsverleden, deskundigheid en zelfverzekerd leiderschap. Delegeren ging hem gemakkelijk af. Op zijn departement omringde hij zich met een *braintrust* van gelijkgezinde ambtenaren, zonder zich te bekommeren om hiërarchische verhoudingen. Hij ging regelmatig de boer op en gaf blijk van belangstelling voor de dagelijkse praktijk. Een vijandig gezinde zaal zette hij schijnbaar moeiteloos naar zijn hand.

Door zijn lengte stak Mansholt vaak met kop en schouders boven zijn omgeving uit. Hij was atletisch gebouwd, ging steeds goed gekleed, had een opvallend kaal hoofd en straalde energie uit. Zijn uithoudingsvermogen kwam goed van pas bij lange vergaderingen. Hij bediende zich geregeld van gespierde taal. Politiek was voor hem een bloedserieuze zaak. Overtuigd van zijn eigen gelijk, ging hij rücksichtslos op zijn doel af: Mansholt was een drammer met een onstuimig temperament. Op die manier slaagde hij er doorgaans wél in van alles in beweging te zetten. Kortom, een bijzonder politicus met een eigen, dynamische stijl.

Bij Mansholts afscheid uit de Nederlandse politiek typeerde Kamervoorzitter Kortenhorst hem als 'niet een man om met zijn beginselen te transigeren en zijn mening achter stoelen en banken te verstoppen; een strijdbaar man, voor zover geen *diehard*, geen regent, die aan een botsing de voorkeur gaf boven een verantwoord compromis.' Aan het eind van zijn betoog stelde de voorzitter 'een motie van hulde' voor, waarin Mansholt bedankt werd voor twaalfeneenhalf jaar 'onbezweken trouw, toewijding en bekwaamheid'. Deze motie, een parlementair-historisch curiosum, werd aangenomen met applaus.[3]

In zijn particuliere correspondentie komt Sicco Mansholt als persoon wat dichterbij. Uit de periode 1948-1958 is helaas weinig over. Interessant zijn vooral een tiental reisbrieven uit mei 1953 (de Verenigde Staten en Canada) en februari en maart 1956 (India en Pakistan). Mansholt hield van verre reizen. Dat verruimde zijn blik en inspireerde hem. Hij had ook 'iets' met water, zeeën en oceanen. Wat gebeurde er aan de overkant? Hoe werd daar geboerd? Mansholt was geïnteresseerd in de voedselvoorziening van de hele wereldbol. Hij voelde zich verbonden met *alle* boeren. In een brief uit India gaf hij bijvoorbeeld een nauwkeurige beschrijving van de gewoonte koemest te drogen in de zon, in plakken te snijden en te gebruiken als brandstof. Daarop volgde het commentaar: 'Hout is schaars en kolen zijn er niet. 'k Vind het een te betreuren gebruik: koemest hoort op het land, maar dat kun je ze pas leren als ze andere brandstof hebben.'[4]

Europese integratie, ontwikkelingshulp en internationale economische vraagstukken lagen hem na aan het hart. Daarvan gaf hij in het parlement en in de ministerraad ook duidelijk blijk. De reisbrieven bevestigen dat, zij het op een meer persoonlijk, 'micro'-niveau. Daarnaast bevatten ze een aantal fraaie passages die recht uit het hart gegrepen lijken. Op zijn reis door de Verenigde Staten logeerde hij bijvoorbeeld een nacht op de boerderij van een voormalig onderminister van Landbouw. Hij schreef daarover aan Henny: ''s Morgens heb ik geholpen in de boerderij: een stuk land geploegd met de trekker. Heerlijk weer en ik heb genoten door eens helemaal alleen te zijn.'[5]

Over Henny en hun vier opgroeiende kinderen, over vakanties en andere momenten van ontspanning, zijn gezondheid en financiën sijpelt wel wat door in de persoonlijke correspondentie, maar dat levert slechts een fragmentarisch beeld op. Duidelijk is wel dat Henny de steunpilaar van het gezin was en bleef. Toen haar man in 1956 zes weken in India en Pakistan verbleef, schreef zij schoonmoeder Wabien: 'De weekends zonder Sicco zijn 't meest ongezellig, de werkdagen missen we hem niet zo.'[6]

Henny droeg het gezin, onderhield de sociale contacten en nam ook nog allerlei representatieve verplichtingen op zich. Zij voerde de schoolgesprekken over de kinderen en hield ouders en schoonmoeder telefonisch of per brief op de hoogte van lief en leed: 'Deze week heb ik tante Agnes [de Vries-Bruins] opgezocht in Rust en Vreugd, waar ik haar zittend bij een tafeltje, met haar zuster Aly aantrof samen een sigaret rokend (stilletjes, want 't is daar eigenlijk verboden).'[7] Een andere keer meldde ze terloops: 'A.s. vrijdagavond hebben we nog een diner van de landbouwattaché uit Nieuw Zeeland bij ons aan huis.'[8] Henny fungeerde dan als gastvrouw. Dat deed zij ook als de 'Europeanen' van de PVDA over de vloer kwamen. Mansholt voelde zich overigens goed thuis op diners, cocktailparty's en meer informele bijeenkomsten. Hij legde vlot contacten.

In het voorjaar van 1949 stuurde Mansholt zijn vrouw in overspannen toestand – zij klaagde over hoofdpijn en nachtmerries – naar haar ouders in Lochem om even op adem te komen. Hij koppelde er meteen een kort verblijf aan vast voor hen beiden in jachtslot Sint-Hubertus op de Hoge Veluwe. Vanuit het slot bereikte moeder een brief waarin Henny vertelde dat zij zo genoot: Sicco was die avond weliswaar even op en neer naar Den Haag voor een diner en een officiële lunch de volgende morgen, maar hij had haar beloofd dat hij daarna onmiddellijk zou terugkeren. Dit soort 'vakanties' zetten niet veel zoden aan de dijk. Toch lijkt het erop dat Henny in de loop van 1949 haar evenwicht hervond. Ze werd in die tijd behandeld door een neuroloog-psychiater en ze kreeg een nieuw dienstmeisje.[9] Latere brieven bevatten geen verwijzingen meer naar slapeloosheid en overspanning, wél klachten over werken in het weekend en in vakantietijd. Al varende op de Kaag, schreef zij in de zomer van 1949 aan haar moeder: 'Vanmorgen kwam v.d. Lee Sicco ophalen voor ministerraadszaken op het departement. Hopelijk de eerste en de laatste maal dat hij zich op laat halen.' Het jaar daarop, na een weekend bij de Van Eecens, verzuchtte zij: 'Sicco's tassen bleven gesloten gelukkig.'[10]

Een enkel keer ging Sicco zonder gezinsleden op pad: wedstrijdzeilen (IJmuiden-Den Helder) of schaatsenrijden. In 1954 reed hij opnieuw de Elfstedentocht, twintig kilo zwaarder dan in 1942. Kamervoorzitter Kortenhorst

Aan boord van de Thorum, omstreeks 1950.

stelde de behandeling van een visserijwetsvoorstel er speciaal voor uit. Dit keer ging hij op noren, al nam hij voor de zekerheid Friese doorlopers en lage schoenen mee op zijn rug. Hij vertrok om half zeven 's ochtends in het gezelschap van de commissaris van de Koningin van Friesland en de schipper van het Statenjacht. Het werd een zware tocht: lange stukken met tegenwind, zand op het ijs bij Stavoren en een groot aantal valpartijen, vooral in het laatste stuk na Bartlehiem. Om half acht 's avonds kwam minister Mansholt 'fris en monter' over de finish in Leeuwarden, althans zo stond het in de krant.[11]

In principe was het weekend voor zijn gezin. Klachten van Henny betroffen niet de regel, maar de uitzonderingen. Zijn vrouw steunde hem door dik en dun. Na moeilijke besprekingen met de Beneluxpartners berichtte ze haar moeder: 'Die Belgen waren zo vasthoudend en oneerlijk en hielden zich niet aan het in 1950 opgemaakt protocol. (...) Het is niet gemakkelijk met zulke bondgenoten te werken, maar uiteindelijk moeten ze toch steeds voor Sicco's eerlijkheid zwichten.'[12]

Over Mansholts financiën worden we niet veel wijzer. Een van de brieven uit 1949 bevatte een verwijzing naar een bezoek van zetboer Koenraadt. In 1956, na een periode van strenge vorst, merkte Mansholt in een andere brief op dat de wintertarwe wel verloren zou zijn. 'Goed dat Koenraadt alvast maar zomertarwezaaizaad heeft gekocht.' De pachtboerderij in de Wieringermeer werd dus nog steeds aangehouden. Over de opbrengst tasten we in het duister. Een brief van Henny's ouders uit 1952 bevatte de mededeling dat zij *opnieuw* besloten hadden alle kinderen 2000 gulden te schenken, deels in staatsobligaties en deels in contanten. Dat was in die tijd een aanzienlijk bedrag. De familie Mansholt was, zoals gezegd, niet onbemiddeld en waarschijnlijk kon het gezin, als dat nodig was, een beroep doen op Sicco's moeder. Eind 1949 stuurde Henny haar bijvoorbeeld de rekening voor reparaties en onderhoud aan de boot met de toevoeging: 'Zou 't ook goed zijn er bij 't betalen bij te vermelden dat de boot jouw eigendom is, in verband met praatjes over rijke ministers?'[13] Praatjes over Mansholts rijkdom leidden er in mei 1948 zelfs toe dat een uitgever veroordeeld werd tot een onvoorwaardelijke gevangenisstraf van zes weken wegens belediging. Het draaide om de passage 'Men fluistert, dat minister Mansholt belanghebbend is in de coöperatieve vlasfabriek Dinteloord' in het weekblad *De Nieuwe Post*. Pikant was dat hij inderdaad aandelen had, in ieder geval tot en met 1945 en waarschijnlijk ook daarna.[14] Als boer had hij die overigens gewoon nodig om zijn vlas zo goed mogelijk te kunnen afzetten.

Nogmaals: het beeld is niet compleet. Het overlijden van neef Stefan Louwes in 1953 en de dood van tante Theda in 1956 kwamen in de teruggevonden brieven niet aan bod. Andere, vrij ingrijpende familieaangelegenheden werden pas later aangeroerd: Wabien trok in bij haar jongste dochter Minnie in Eefde; Aleid, de andere dochter, emigreerde in 1953 met haar gezin naar Nieuw-Zeeland. Een aantal relevante brieven is waarschijnlijk verloren gegaan. Toen hij in 1953 in Amerika was, verheugde Mansholt zich op een bezoek aan Zus Leopold,[15] het nichtje dat zich kort voor het uitbreken van de Tweede Wereldoorlog in Californië had gevestigd. Het staat vast dat Mansholt hierover een brief naar huis schreef, maar het is niet bekend waar die gebleven is.

Uit een van de brieven uit 1951 blijkt nog dat er dat jaar een gezwel in zijn buik ontdekt werd. Mansholt werd met spoed geopereerd. Hij was toen 42, nooit ziek geweest. Aanvankelijk liet het zich ernstig aanzien, maar al vrij snel werd duidelijk dat het niet kwaadaardig was. 'We zijn erg opgelucht, hoewel dus nog niet geheel van zorgen vrij,' schreef Henny haar ouders. Misschien moest hij nog nabestraald worden. Op dat moment speelde de formatie van het tweede kabinet-Drees. Mansholt herstelde vlot. Binnen een paar dagen hervatte hij zijn werkzaamheden. Na de formatie nam hij een paar weken rust in Zuid-Frankrijk.[16]

## 'Dat moeten we in Holland ook hebben'

Mansholts internationale contacten breidden zich na 1948 steeds verder uit. Hij ging vlot de grens over en bewoog zich makkelijk, waar ook ter wereld. Na een vraaggesprek in de VS schreef hij Henny in 1953: 'Die Amerikaanse reporters kennen hun zaak. Directe vragen over de meest precaire onderwerpen. Maar ik ben er goed afgekomen. Als je hier een paar dagen bent, gaat het met het engels wel.'[17] Na 1945 drongen de vakministers van Landbouw hun collega's van Buitenlandse Zaken enigszins van het toneel. Er werd voortdurend overlegd, eerst om de voedselvoorziening veilig te stellen, later vooral om producten te kunnen afzetten. In agrarisch opzicht was Nederland in die jaren een zwaargewicht. Mansholt groeide uit tot *primus inter pares*, de man met de meeste dienstjaren. Hij kende alle ambtsgenoten uit Europa en Noord-Amerika en sprak hen regelmatig.

Mansholt was geïnteresseerd in alles wat zich op landbouwkundig gebied over de grens afspeelde. Op reis nam hij foto- en filmcamera mee om een en ander vast te leggen: het landschap, machines en gereedschappen, boerderijen, het vee en de gewassen op het land – op de foto's en filmpjes is vaak geen mens te bekennen. Daarnaast probeerde hij via zijn landbouwattachés op de hoogte te blijven van de meest recente ontwikkelingen. Mansholt had hun aantal sterk uitgebreid en kreeg daarmee de beschikking over een eigen buitenlandapparaat. Dat werd herhaaldelijk ingezet voor internationaal lobbywerk.

Van 1950 af probeerde Mansholt steun te krijgen voor een gemeenschappelijke aanpak van de landbouw in West-Europa. Dat leidde tot nog intensievere contacten, niet alleen met collega-ministers en hun topambtenaren, maar ook met de boerenorganisaties in de verschillende landen. In het volgende hoofdstuk wordt daarop ingegaan. De Amerikanen hadden vanaf het begin grote belangstelling voor Mansholts plannen. Zij beschouwden de landbouwintegratie, naast het gemeenschappelijk kolen- en staalbeleid, als een van de weinige werktuigen om daadwerkelijk de economische integratie van Europa te bevorderen. Van der Lee raakte bevriend met de Amerikaanse landbouwattaché in Den Haag, die Washington uitvoerig inlichtte over de voortgang. 'Mansholt is zelf ook verscheidene keren naar Amerika geweest; (...) dan werd de Europese landbouwintegratie uitvoerig besproken op het departement van Landbouw en ook op het *State Department*,' aldus Van der Lee.[18]

Van een van die reizen zijn vijf brieven bewaard gebleven. Mansholt stuurde ze in mei 1953 naar zijn vrouw in Nederland. Gedurende die maand trok hij kriskras door de Verenigde Staten en Canada in een auto, per trein en met het vliegtuig. In telegramstijl somde hij daarin allerlei ontmoetingen op. De reis had grotendeels een officieel karakter. Verschillende uitnodigingen waren gecombineerd. Mansholt had de gelegenheid aangegrepen een en ander aan het programma toe te voegen wat hem persoonlijk interesseerde.

De eerste vier dagen waren gevuld met een lunch met de consul-generaal en de handelscommissaris, een ontmoeting op de Hollandse club met een groep Nederlanders, een bezoek aan een melkfabriek, cocktail en diner bij landbouwattaché Beukenkamp, een wandeling met de vertegenwoordiger van Nederland bij de Wereldbank, oud-minister Lieftinck ('We hebben een bankje uitgezocht op een mooi plekje en even zitten praten.'), lunch met een groep Amerikaanse landbouwattachés, een bespreking op de Nederlandse ambassade ('Ik heb ronduit over de houding van politieke partijen in Nederland gesproken. Men schijnt dat erg op prijs te hebben gesteld.'), een vraaggesprek met de landbouwcommissie van het Huis van Afgevaardigden, lunch op het ministerie van Landbouw en een rondetafelconferentie met topfunctionarissen van dat ministerie, een gesprek met de Amerikaanse minister van Landbouw Benson ('Hij maakt een prettige indruk. Rustige man met een diep geloof.'), diner met een aantal senatoren bij ambassadeur Van Roijen, een interview met een internationaal weekblad, besprekingen met topfiguren van Amerikaanse landbouworganisaties, lunch met de *overseas writers club*, diner bij de landbouworganisaties met speech, een persconferentie, een bezoek aan het *State Department* ('waar ik voor een kring hoge Amerikanen een uiteenzetting heb gegeven van de West-Europese integratie. Enkelen waren heel goed geïnformeerd, maar anderen weer niet.'), opnieuw diner bij Van Roijen en een bespreking met de directeur van de *Mutual Security Administration*, verantwoordelijk voor de coördinatie van de militaire en economische hulp aan Europa.[19]

De brieven zijn vooral interessant vanwege de persoonlijke observaties. Mansholt keek er zijn ogen uit. Na een wandeling in Washington berichtte hij: ''t Was prachtig weer, maar erg warm. Maar we liepen dan ook in ons overhemd. Dat doen de Amerikanen veel.' En na een eerste bezoek bij een ambtenaar thuis: 'Hun huisje is heel efficiënt ingericht. Alles platte grond. Grote ramen. Kleine keuken met alle gemakken van wasmachine, elect. fornuis, koelkast, bordenspoelmachine en zelfs een afvalemmer onder de gootsteen.'

Na vier dagen New York en Washington trok hij er met een klein gezelschap per auto op uit, richting Chicago. 'Eindelijk was het zover,' schreef hij Henny.

Om 11 uur vertrokken we (…). De wegen zijn uitstekend en er is overal maximumsnelheid. (…) De stadjes zijn lelijk: schreeuwerige plakkaten en veel *drugstores* en uitgelegenheden langs de weg. Tussen Columbus en Indianapolis hebben we doorgebracht in een *cabin*. Dat zijn hotels in paviljoenvorm langs de grote route. Erg gemakkelijk. Je huurt voor 5 dollar zo'n huisje, rijdt je auto ervoor en redt jezelf. Betaalt vooruit en kunt weer gaan wanneer je wilt. Keurig netjes en onder goed toezicht van de *state service of tourists*. Eten in een eenvoudig restaurant, niet duur. Douchecel, radio en centraal verwarmd. Dat moeten we in Holland ook hebben.

Vervolgens reisde Mansholt via Indianapolis naar Vincennes. Hij werd opge-haald door de voormalig *undersecretary of agriculture* McCormick die een grote boerderij in de buurt had.

De avond was erg gezellig: een groep gasten uit de buurt om kennis te maken met het plattelandleven. (…) om 7 uur op en na 't ontbijt een tocht met McCormick langs een aantal bedrijven. Wat zijn de mensen hier gast-vrij en hartelijk! En goede, hardwerkende boeren. Weinig arbeidskrach-ten, dus practisch alles door henzelf eventueel met zoons. Landbouw op een hoog peil, op bepaalde punten bev. kunstmestgebruik achter de onze. De laatste tijd een grote verbetering van het grasland. Golvend land met veel bomen en bossen. Alles in volle voorjaarskleur. (…)
Om 6 uur waren we weer terug. (…) En daarna hebben de Cormicks een lopend diner gegeven. Veel gasten (…). Drukke gesprekken en grote har-telijkheid. Daarna iemand aan de piano en Amerikaanse liedjes zingen. Er waren *country agents* (landbouwconsulenten) en leiders van boerenor-ganisaties. Ze wilden veel van Holland weten en wisten er meer van dan de gemiddelde Nederlander van hùn land! De avond duurde tot twaalf uur en nu zit ik dan in bed te schrijven met een snurkende Beukenkamp naast mij (…). M'n slordige schrift komt van 't schrijven op m'n knieën bij een klein leeslampje dat van een oude petroleumlamp is gemaakt. Dat vinden ze antiek! De smaak waarmee de Amerikanen hun huis inrichten is abominabel.[20]

In een volgende brief schreef hij over zijn ervaringen in Chicago. Het was er warm. 'Heb er een dunne katoenen broek bijgekocht,' liet hij Henny weten, 'dan spaar ik m'n pakken wat.' En over Chicago zelf:

Een echt Amerikaanse grote stad met een '*skyline*' = rij wolkenkrabbers (...) en zo groot als de provincie Utrecht. Smerig en eindeloos triest zijn de negerbuurten. Een schril contrast met de rijke en overdadig luxueuze stadsbuurten langs het Lake Michigan, dat meer een zee is. We logeerden in hotel Ambassador, door de consul generaal besproken. Een erg luxueus en snobistisch geval, waarom je eigenlijk alleen maar kunt lachen. (...) Grote suite met slaapkamer, badkamer en tussenkamer + televisie. Dat laatste is ook een ervaring. Slechte programma's. Zelfs de gemeenste wor-stelwedstrijden waar het woest toe gaat worden daarop vertoond.
De volgende ochtend om half zes op om om zeven uur op de grote vruchtenveiling te zijn. Fruit uit heel Amerika komt daar aan: Californië, Florida, Mexico. Interessant om te zien hoe dat wordt behandeld. Onze veilingen zijn beslist beter. Daarna bespreking met hoofdbureau van de grootste Amerikaanse landbouworganisatie: het *Farm Bureau*. Spreken voor de radio: weer een vlot vraaggesprek van plm. 1 kwartier. Zonder moeilijkheden erdoor gerold. Lunch met de leiders. 's Middags bespre-kingen met de Kamer van Koophandel. Aan de lunch een speech + vragen beantwoorden. 's Avonds een diner aangeboden door de consul-generaal (stom vervelend) en om half twaalf naar bed.
's Ochtends naar de grote vleeshallen: eerst de veemarkt waar dagelijks een 10.000 koeien verhandeld worden. Een 'machtig' gezicht zou Gajus zeggen! Toen naar een van de grootste slachterijen (Swift). Dat viel tegen. Wel een grote fabriek, maar alles nogal smerig.[21]

De volgende dag met het vliegtuig naar Des Moines, Iowa: 'Een heel mooie vlucht (...). Prachtige landbouwgebieden. Rechte wegen, alles haaks op elkaar.' Mansholt logeerde er op de boerderij van een oud-topambtenaar van het Amerikaanse ministerie van Landbouw. Hij bezocht er onder meer de land-bouwhogeschool Iowa State College. 'Prachtig ingericht buiten de stad (35 mijl van hier) plm. 8000 studenten!'[22]
Na Iowa volgden Californië en Fraser Valley, Canada, ten oosten van Van-couver, waar hij een aantal Nederlandse emigranten opzocht: 'Ze moeten heel hard werken om de eerste betaling op een eigen bedrijf te kunnen doen en dan nog blijft het ploeteren. Maar de goeden redden het allemaal en op den duur kunnen ze allemaal een behoorlijk bestaan opbouwen.' Vervolgens over de

Rocky Mountains via Calgary naar Lethbridge. Daar waren grote irrigatiewerken in uitvoering.

Op de tocht daarheen kwamen we door een indianenreservaat, ongeveer 150.000 ha groot. Er wonen daar bijeen 5000 in dorpjes. Ze hebben veel paarden en doen wat aan veehouderij in de grote vlakten. Liefst rijden ze de hele dag maar. We zagen toevallig hoe ze met een lasso een paard uit een kudde vangen. Ik heb dat gefilmd. 'k Hoop maar dat het goed is geworden. Daarna een grote ranch bezocht: plm. 70.000 acres. Het vee wordt op de hellingen en vlakten gehouden. Alleen maar voor de slacht. Wel erg extensief, maar het is daar ook zo droog, dat men er al niet veel anders kan doen. Met een kleine vrachtauto over de prairie gestoven. Af en toe kwamen er cowboys voorbij draven, grote hoeden op en mooi versierde zadels.

Na Lethbridge ging de reis naar Medicine Hat en van daaruit per trein naar Regina. Daar stond een vliegtuigje gereed voor een tocht van The Pas tot in de grote noordelijke wildernis: woest land met veel meren en rotsachtige grond. 'Toch liggen er ook vruchtbare gebieden in die men zal gaan ontginnen. Daar liggen goede mogelijkheden voor Nederlandse boeren en op den duur zal het er ook wel minder eenzaam worden. Tenslotte zijn de prairies meer naar het zuiden ook zo begonnen.'

Van The Pas trok hij naar Winnipeg. Daar volgde het bekende programma: gesprekken met boerenleiders, interviews, een bezoek aan de universiteit, officiële ontvangsten, een lezing voor Nederlandse emigranten en een rondrit langs een aantal boerderijen. Dan per vliegtuig naar Toronto, de laatste stop voor de terugreis naar Europa.[23]

Waarschijnlijk was het belangrijkste doel van Mansholts reis goodwill te kweken voor zijn Europese plannen. In bijna alle plaatsen die hij bezocht werd Mansholt wel een paar keer geïnterviewd. De brieven bevatten diverse verwijzingen naar vraaggesprekken, vaak terloops. 'Zo juist een berichtje dat ik morgen weer word gevraagd voor de radio om over de Europese samenwerking te spreken. Zal op vliegveld gebeuren,' schreef hij bijvoorbeeld vanuit Des Moines.[24] De laatste alinea van elke brief was in de regel bestemd voor Henny en de kinderen:

Als ik in bed lig, kan ik nu soms niet begrijpen zo ver weg te zijn. 'k Moet dan steeds maar denken hoe het bij jullie is. Maar ik voel me uitstekend. Nooit hoofdpijn of andere klachten. Word al bruin van de zon. En maar opletten dat ik niet te veel eet (...) Wel, het is nu 11.30 en ik verlang naar m'n bed. Dag lieve vrouwke. Veel kusjes voor de kinderen.[25]

## Minister van Ontwikkelingshulp avant la lettre

Bij de oprichting van de FAO in 1945 had Mansholt het internationale voedsel-vraagstuk vergeleken met een wedloop tussen boer en dokter. Hij had gehoopt dat de organisatie zich zou ontwikkelen tot 'wereldverdeelorgaan', maar dat bleek politiek niet haalbaar. In de loop van 1947 groeide de kloof tussen Oost en West. De Marshallhulp scheidde de bokken van de schapen. De *verdeling* van de hulp markeerde het begin van de Europese samenwerking. Tegelijk werd een andere kloof langzaamaan zichtbaar: die tussen Noord en Zuid.

Mansholt signaleerde het probleem van 'de achtergebleven gebieden' in een vroeg stadium. Hij stond aan de wieg van de Nederlandse ontwikkelings-samenwerking. In oktober 1949 besloot het kabinet, op initiatief van Mans-holt, als een van de eerste lidstaten deel te nemen aan het programma van de Verenigde Naties voor Internationale Technische Hulp.[26] Mansholt dacht grootschalig. Bij de verdediging van zijn begroting schetste hij in de regel eerst het internationale kader. In 1952 gebruikte hij *opnieuw* het beeld van de boer en de dokter, maar dan toegespitst op ontwikkelingslanden. Twee jaar later pleitte hij voor welvaartsverhoging in Afrika, India en Pakistan. Daarachter stak, naast idealisme, ook welbegrepen eigenbelang: het scheppen van afzetgebied. De wereldmarkt dreigde overstelpt te worden door Ame-rikaanse overschotten.[27]

In de zomer van 1954 ondernam Mansholt een poging een aparte post op de Rijksbegroting opgenomen te krijgen voor hulp aan ontwikkelingslan-den: 100 miljoen gulden per jaar – ruim 0,5 procent van het nationaal inko-men – voor een periode van drie jaar. Dit plan was neergelegd in de nota 'De Nederlandse bijdrage tot de ontwikkeling van achtergebleven gebieden', ondertekend door zes ministers. Het concept was geschreven door Van der Lee's Directie Internationale Organisaties. Minister Luns van Buitenlandse Zaken had er daarna de scherpste kantjes afgehaald.[28]

De bedoeling was dat Nederland met het genoemde bedrag een 'enigszins spectaculair initiatief' zou nemen binnen de Verenigde Naties. Andere wes-terse landen zouden zich dan moreel en politiek genoodzaakt voelen om met een vergelijkbare bijdrage over de brug te komen. De nota was vooral inge-geven door de vrees dat gedekoloniseerde gebieden ten prooi zouden vallen aan het communisme. 'Het vraagstuk van de onderontwikkelde landen is geleidelijk tot één van de belangrijkste geworden, waarvoor de wereld zich geplaatst ziet,' luidde de eerste zin. De hoogontwikkelde landen gingen zich steeds sneller ontwikkelen, terwijl er bij de rest stagnatie optrad. Het vraagstuk lag vooral *politiek* veel slechter dan daarvóór:

> De algemene nationale bewustwording en het toenemende verkeer maken de tegenstellingen steeds duidelijker, terwijl deze bovendien begrijpelijkerwijze door de communistische propaganda worden beklemtoond. (...) Wil het Westen ook maar enigermate de politieke leiding behouden, dan zal het moeten tonen dat het zijn verantwoordelijkheid ten aanzien van de vrije wereld ernstig neemt. De grote gedachte van het Marshallplan zou opnieuw in toepassing moeten worden gebracht. Terwijl de communisten omvangrijke programma's hebben ter verhoging van de levensstandaard van de landen die in hun invloedssfeer geraken, ontbreekt een enigszins grootse conceptie die daarmee te vergelijken is in het Westen grotendeels. (...)
> In zekere zin zou men de bijdrage, die de Westerse wereld levert aan de ontwikkeling der achtergebleven gebieden niet slechts kunnen kenschetsen als het uitdragen van de ervaringen en ideologie der democratie, maar ook als het kweken van een mate van *goodwill* voor de democratie, en zelfs als het betalen van een verzekeringspremie tegen het verloren gaan van de *goodwill* ten koste van het communisme.[29]

De nota werd op 30 augustus 1954 behandeld in de ministerraad.[30] Daar stuitte het stuk op grote weerstand, vooral bij Drees. '(De) oude heer (strekte) zijn armen in wanhoop ten hemel,' schreef Van der Lee later.[31] De minister-president verweet Mansholt dat hij het kabinet min of meer voor het blok zette. Hij wilde niet dat Nederland voorop liep en vond het gevaarlijk de indruk te wekken dat de middelen gemakkelijk te vinden zouden zijn. Dan was het hek van de dam.

Mansholt stelde daartegenover dat de VN na tien jaar technische hulpverlening niet veel verder waren. Het gevaar bestond dat het westen zich liet verstikken in studies, waardoor er niets van de grond kwam. Landen begonnen zich af te wenden, terwijl het vraagstuk juist op grootse wijze aangepakt moest worden. Nederland diende het voortouw te nemen: wanneer Amerika het deed, zou dat te veel weerstand uitlokken. Drees wilde in VN-verband wél enige bereidheid tonen, maar geen bedrag noemen. Volgens Mansholt was dat niet meer dan 'een slag in de lucht'. Uiteindelijk kreeg de premier zijn zin: geen cijfer. Drie weken later werd 'ontwikkelingshulp' weliswaar genoemd in de troonrede, maar daar bleef het dan ook bij.[32]

Mansholt liet het er niet bij zitten. Begin november 1954 was hij opnieuw in de vs. Daar sprak hij zowel over landbouwoverschotten als over ontwikkelingshulp. Hij zou de Amerikanen zelfs verteld hebben dat zij konden rekenen op een Nederlandse bijdrage van 75 à 100 miljoen gulden. Beel en Luns beklaagden zich hierover bij Drees.[33] Het leek erop dat Mansholt onder een hoedje speelde met de Amerikanen. Hij had in de ministerraad immers gezegd dat Den Haag het voortouw moest nemen, juist omdat Washington het *niet* kon.

Mansholt nam ook contact op met koningin Juliana. In de ministerraad verklaarde hij achteraf dat zij hem gezegd had hierover een brief naar de Amerikaanse president te willen schrijven. Hij had haar toen gesuggereerd een rede te houden voor een studentencongres – daar had hij eigenlijk zelf als spreker moeten optreden. Een paar jaar daarvóór had zij hem al gevraagd haar op de hoogte te stellen van de problematiek van de landbouw en de voedselvoorziening in de wereld.[34] De directeur van het Kabinet van de Koningin beklaagde zich intussen bij de minister-president over Mansholt. Buiten de ministerraad om zou de minister er bij de koningin op hebben *aangedrongen* een brief naar Eisenhower te schrijven over ontwikkelingshulp. Later kwam de directeur opnieuw langs om bezwaar te maken tegen hetgeen Mansholt deed 'in verband met de wens van de koningin om een rede te houden over de hulp aan onderontwikkelde gebieden voor een congres aan jongeren'. Kennelijk hielp hij haar met de tekst. Drees tekende daarbij aan: 'Het bezwaar ligt natuurlijk in hoofdzaak in het feit dat Mansholt dat aan háár [de koningin] vraagt zonder daarover eerst met Buitenlandse Zaken en het Kabinet te hebben gesproken.'[35] Hij was woedend.

Luns vreesde politieke opschudding. De Nederlandse regering liep het risico ervan beschuldigd te worden zich te verschuilen achter multilaterale verwikkelingen om bilateraal niets te hoeven doen. Drees waarschuwde dat een door de koningin getrokken beleidslijn gedekt moest worden door de verantwoordelijkheid van het kabinet. Mansholt wees op de diepe bewogenheid van de koningin. Hij verwachtte dat zij vooral een beroep op de jeugd zou doen, niet een bepaalde beleidslijn zou verdedigen.[36] Dat bleek juist. In de op 18 juni 1955 in de Pieterskerk in Leiden uitgesproken rede 'De welvaart der wereld als gemeenschappelijke verantwoordelijkheid' deed de koningin een appel op de naastenliefde en riep zij de jeugd op een 'vrijwillig keurkorps' te vormen. De tekst was ten dele geïnspireerd op eerder werk van Mansholt en Van der Lee. De passage over de wedstrijd tussen dokter en boer bijvoorbeeld. De suggestie dat de landen van het westen een deel van hun nationale inkomen moesten afstaan voor een aanpak op wereldschaal, als 'aandrijvingskapitaal', klonk ook bekend. Een bedrag werd overigens ook dit keer niet genoemd.[37]

Ontwikkelingshulp zat in de lift. Op 22 december 1955 schaarde de Tweede Kamer zich achter de motie-Ruygers (PVDA) voor méér hulp en een actiever beleid. De regering werd verzocht jaarlijks een bedrag van 25 miljoen gulden uit te trekken voor bilaterale projecten.[38] Een maand later al bereikte de ministerraad een nota van Mansholt over Nederlandse deelname aan een internationaal plan voor de vergroting van de afzetmogelijkheden van magere melkpoeder. Het plan was afkomstig van een FAO-werkgroep onder voorzitterschap van landbouwattaché Beukenkamp. Het behelsde uitbreiding van de fabrieken voor de verwerking van melkpoeder in Calcutta, Madras en Karachi. Mansholt vroeg extra geld om het plan versneld uit te voeren, mede met behulp van een 'demonstratief schoolmelk-voedingsprogramma'. Als overweging voerde hij tegenover Drees zelfs expliciet aan: 'Een verbeterde afzet [van melkpoeder] zal in verband met de garantieprijs voor melk, ook voor de Regering een direct voordeel opleveren!'[39]

Kort daarop, begin februari 1956, vertrok Mansholt voor vier weken naar India en Pakistan. Hij was uitgenodigd door de presidenten van beide landen. Van der Lee had dat geregeld via Indiase en Pakistaanse topambtenaren bij de FAO in Rome met wie hij regelmatig contact had. Bij zijn terugkeer deelde Mansholt onder meer mee dat beide landen bij hun snelle economische ontwikkeling westerse technische en economische hulp niet konden ontberen. Hij had dat, namens Nederland, ook toegezegd. Landbouwexperts en waterbouwkundigen zouden worden uitgezonden. 'Nederland moet er als de kippen bij zijn, niet alleen ten voordele van deze zich sterk ontwikkelende landen, doch ook voor een vergroting van het afzetgebied voor Nederland als exporterend land, onder meer van magere melkpoeder en pootgoed,' aldus de minister op Schiphol tegenover het ANP.[40]

Om zijn toezeggingen – twee technici en een *pilotproject* – gestand te kunnen doen, claimde hij 150.000 gulden ten laste van de begroting van Buitenlandse Zaken. Nederland moest een eerste teken geven dat het het probleem niet alleen in theorie, maar ook metterdaad wilde oplossen. Daarnaast was het volgens Mansholt in het verkeer met Aziatische landen meer en meer gebruikelijk geworden een goodwillreis af te sluiten met afspraken op het gebied van technische hulpverlening. De ministerraad ging op 11 juni 1956 weliswaar akkoord, maar stelde uitdrukkelijk dat het om 'een tijdelijk bilateraal geval' ging. Dat laatste had overigens weinig effect. Voortaan zou er een aparte post op de begroting voor Buitenlandse Zaken staan ten behoeve van bilaterale programma's voor ontwikkelingshulp. Toen zich daarover een discussie ontspon in een later kabinet, herinnerde Mansholts oud-collega Zijlstra zijn ambtsgenoten eraan dat de geschiedenis daarvan terugging naar Mansholts reis naar India en Pakistan: 'Hij wilde voor reizende ministers een potje voor dit doel.'[41]

Brieven uit India en Pakistan

Van Mansholts reis naar India en Pakistan in het vroege voorjaar van 1956 zijn vijf brieven bewaard gebleven. Hij heeft er waarschijnlijk meer geschreven, maar die zijn 'onderweg' zoekgeraakt. Net als de vooroorlogse brieven uit Indië circuleerden ze in de familie. Moeilijk leesbare gedeelten schreef moeder Wabien eerst over 'in het net'. Qua inhoud en toon staan deze brieven niet zo ver af van die van twintig jaar daarvóór: volop aandacht voor landschap en bodemgesteldheid, maar óók voor de problemen van de plaatselijke bevolking. Het hart van de oud-planter begon in de tropen wat sneller te slaan. 'Hier ontrolt zich de reis als een sprookje, zij het dan een modern sprookje waar vliegtuigen en auto's ingelast worden,' begon zijn tweede brief uit India. 'Wat is dit een land met mogelijkheden.' En de vierde eindigde met: 'Als ik de laatste weken overzie, dan is het als een droom. Wel een voorrecht om zo'n prachtige reis te mogen maken.'[42]

De brieven brengen de man Mansholt veel dichterbij dan tien jaar vergadernotulen. Reizen naar onbekende bestemmingen, de ongerepte natuur, pionierswerk in minder ontwikkelde gebieden; de verfrissende activiteit van de plaatselijke bevolking in die gebieden: dat lag hem allemaal na aan het hart. De reis werd gemaakt in het gezelschap van Van der Lee en landbouwattaché en Azië-deskundige Kees Maliepaard.

Eerste etappe was Rome. Van daaruit vlogen de drie naar Libanon waar zij een kleiner vliegtuig namen richting Karachi. Na aankomst schreef Mansholt het thuisfront:

We vlogen over de besneeuwde hoge bergruggen en waren al spoedig boven de Syrische woestijn. Wat een vreselijke woestenij. Maar indrukwekkend door de grootsheid. Van Beiroet tot Karachi is het één aaneenschakeling van woestijnen, steppen, afgespoeld bergland. Slechts afgewisseld door smalle stroken geïrrigeerd land langs enkele rivieren. De Syrische woestijn is een golvende vlakte met enkele bergruggen. Dik geel tot grijsgeel zavel en vooral leem. De laatste op zichzelf wel vruchtbaar, maar er is geen water en dus practisch geen plantengroei. Slechts wat struikjes hier en daar verspreid. Uren vlogen we zo door. De piloot vroeg me of ik even wou vliegen. Na instrumenteninstructies heb ik een uur lang gevlogen. Wel inspannend om het toestel zuiver op z'n koers en op hoogte

Bezoek aan de Aarey milk colony Bombay in India, februari 1956. [Collectie IISG]

te houden. De geringste beweging van de stuurknuppel en het grote toestel gehoorzaamt. (…)
We landden om 7 uur in Karachi. Een snelgroeiende stad in een onvrucht-
bare, boomloze vlakte. Het regent er slechts in october en december, zware
buien die snel wegspoelen. En verder maar droog – droog. (…) Een lelijke
stad met honderdduizenden vluchtelingen in kampen. Troosteloos en
rommelig maar de Pakistanen bouwen hard aan moderne nieuwe woon-
wijken. 't Geheel maakte een actieve indruk.[43]

De volgende ochtend vertrok het gezelschap naar New Delhi, India. De drie
werden er ondergebracht in het paleis van de president. 's Middags werd
een krans gelegd bij het monument van Ghandi. 'De stad is prachtig aangelegd. Brede boulevards en schitterende parken, met grote gebouwen. Maar de
volksbuurten zijn er óók en we zullen natuurlijk veel zien wat nog verbeterd
moet worden.'[44]

India had grote mogelijkheden. 'Maar het zal heel veel inspanning kosten
om ze de "tools" te geven voor het benutten van de mogelijkheden,' voorspelde Mansholt.

En dan een land als een werelddeel met 360 miljoen mensen. Een moeilijke bodem. Een droog klimaat. Een industrialisatie die nog maar in de kinderschoenen staat en nog maar 7 jaar op eigen benen. Maar daardoor belangwekkend: Het *is* een revolutionaire tijd voor dit volk en je voelt dat de hartslag sneller gaat lopen dan als koloniaal volk. Overal tref je een liefde aan voor dit land en de moed aan te pakken, zij het in een bovenlaag, maar dan toch met een gewillige en in wezen intelligente dikke onderlaag. Natuurlijk moet ik steeds oppassen geen verkeerd beeld te krijgen. Ik verkeer nu eenmaal het meest in de bovenlaag van ministers, parlementsleden, boerenleiders en industriëlen en hoge bestuursambtenaren. En ze begrijpen nog steeds maar niet dat ik juist wil nagaan welk ontwikkelingspeil de bevolking als doorsnee heeft. Maar met enige moeite kom ik er wel achter.

Het analphabetisme is algemeen: 80%! Maar er zal snel verbetering komen. Want overal komen schooltjes. Bij Gwaliar (= 100 mijl Z.O. v. Delhi) heb ik enkele dorpjes opgezocht waar nooit een buitenlander komt (en waarsch. óók niemand uit Delhi) diep in het binnenland, geen harde weg maar een slingerende stoffige zandweg (of liever: droge leem) over dorre heuvels. Maar schooltjes waren er. Één onderwijzer met een 30 kinderen. En eenvoudige leerboekjes, een bord, een paar kaarten en een voorleesgeschiedenisboek. Een schoolgebouw van 2 lokalen uit zware klei opgetrokken, lemen vloer en kleine houten zitbankjes. En de kinderen een plankje op hun knieën om op te schrijven. Maar goed, ze leren lezen. Ze leren iets van hun land. Ze kunnen straks een krant en een boek lezen en dat geeft hen een heel ander beeld van de wereld. En vooral, ze zullen minder bloot staan aan allerlei politieke agitatie die nog steeds van communistische kant wordt gestimuleerd.[45]

In dezelfde brief vertelde Mansholt over zijn verblijf in het paleis van de maharadja van Patiala. Alles pracht en praal. De voorvaderen van de maharadja hadden zich volgens hem voor heel veel geld de meest onzinnige westerse zaken laten aansmeren, terwijl het land zelf prachtige dingen had. 'Want de Indiër is kunstzinnig en daarbij een goed handwerksman met veel geduld. En een volk dat kan bogen op een cultuur van minstens 2000 jaren! Toen onze voorouders nog in holle boomstammen de Vecht afzakten waren hier al miljoenensteden met prachtige paleizen en grote schoonheid.'[46] Een paar dagen later werd een bezoek gebracht aan Pandit Nehru, premier van India sinds de onafhankelijkheid. 'Een eenvoudige man met een intelligent gezicht.' Daarop volgden twee rustige dagen met uitstapjes naar de Taj Mahal in Agra en een suikerfabriek in een dorpje in de omgeving van Bombay. De wagons met riet werden er nog door olifanten op hun plaats geduwd. 'Een leuk gezicht. En als ze even rangeren moeten dan zwaait de slurf opzij en gooit de wissel om! 'k Heb er erg om gelachen.'

Het driemanschap zag kans er samen met de Nederlandse manager van de Gwalior Sugar Company op uit te trekken, per jeep. 'Toen kon ik tenminste eens rustig mijn gang gaan,' schreef Mansholt. 'We hebben de politie die me steeds moet bewaken, na veel praten, op de fabriek gelaten.' Het gezelschap bezocht een aantal dorpjes. De gastvrije ontvangst werd door Mansholt uitvoerig geschetst. Als cadeau schonk hij een van de dorpjes het materiaal om een nieuw schoollokaal te bouwen.[47] Over de nieuwe melkinrichtingen bij Bombay, de Aarey Milk Colony, was hij positief. Tienduizenden koeien had men ondergebracht in grote stallen buiten de stad. Daar stond ook een zuivelfabriek die melkpoeder verwerkte.

Vanuit Bombay vloog Mansholt naar het noorden, naar de Golf van Cutch. Hij logeerde er in een paleis van de maharadja van Jamnagar. 'Monsterlijk lelijk en heel veel malle kostbaarheden.' De maharadja had belangstelling voor landaanwinning. Grote slibvlakten waren decennia geleden afgedijkt in de hoop dat ze ontzilt zouden worden door tijdens de moesson alles onder zoet water te zetten. Dat was mislukt. Mansholt, bij uitstek deskundig vanwege zijn pionierarbeid in de Wieringermeer, kwam poolshoogte nemen. 's Morgens vroeg ging het gezelschap op pad met auto's en jeeps. Er volgde een lange reis door de wildernis, onderbroken door een korte picknick. 'Kleedjes uitgespreid door de bevolking en een paar slaapbanken om op te zitten. 't Was heerlijk om zo eens rustig tussen de gewone man te zijn en al het gedoe eens aan te zien.' Ter plaatse trok hij de conclusie dat irrigatie beslist nodig was. Mansholt stelde voor de technici te leveren voor een proefpolder van tweehonderd ha.[48]

De reis ging verder via Jodhpur, opnieuw Delhi, Amritsar en Lahore naar Peschewar in het noorden van Pakistan.[49] Daar was het een stuk koeler. 'De Pakistaners rillen er van en lopen in dikke wollen doeken gehuld, fraai geweven grove stof. 'k Heb er zoeen gekocht. Geschikt voor een divan kleed.' Per auto trokken de drie, in het gezelschap van de Nederlandse ambassadeur in Karachi, in zuidoostelijke richting. Mansholt gaf zijn ogen weer de kost:

Een vruchtbaar landschap met tarwe en veel citrus en ander fruit. (...) Als grote bijzonderheid ging het wat regenen: voor het eerst na 6 weken felle zon. Iedereen was erg dankbaar en de tarweprijs zakte onmiddellijk met 1 roepiah! Na bezichtiging van een suikerproefstation en grasland

proefstat. bezochten we de opgravingen van Taxila. Taxila was een stad pl.m. 200 jr. voor christus met veel tempels (boeddhistisch). (…)
Wat zijn die Pakistaners gastvrij en hartelijk! En intellectueel hoogstaand. Maar dat treft me ook steeds als we bij de boeren zijn. We kunnen er natuurlijk niet mee praten, maar met vertaling van anderen is er toch een gesprek te voeren waaruit blijkt hoe ze denken en voelen. Natuurlijk eenvoudig en religieus mohammedaan. Beschaafd en vooral niet onderdanig zoals een Indonesiër dat zo vaak heeft. Trots op hun land en zelfbewust. Maar van de moderne techniek moeten ze nog veel leren. (…) Er zijn moderne instituten, maar de boeren worden nog maar weinig bereikt. En als je bev. door de ruïnes van Taxila loopt (…) en je ziet hoe ze tòen woonden en uit hun beelden zie je hoe hun wagens, werktuigen en ossen waren, dan is de boer die een paar honderd meter verder werkt nog *niet* verder. Dezelfde ploeg, dezelfde kar, niets gewijzigd en dezelfde koeien.[50]

Dit vormde een groot contrast met het Thal-project, dat hij de volgende dag bezocht: een gigantische bevloeiing van 1,6 miljoen hectare. Er zou ruimte komen voor tienduizenden boerenbedrijfjes op wat eerst één droge vlakte was. 'Uren reden we per auto, bedrijven zien en werkplaatsen. Een moderne stad is in aanbouw. (…) Met grote bewondering hebben we dat gezien. Één probleem, dat van verzilting, is niet opgelost. Ik heb ze een expert beloofd.'
Mansholt reisde door naar Hyderabad in het zuiden. 's Middags dwaalde hij een uurtje door de stad. 'Daar komt bijna nooit een Europeaan,' merkte hij op.

Wat een gekrioel, net mieren. Allemaal kleine winkeltjes, aan de straatzij open. Overal handwerkslieden: leerbewerking, zilver, goud, borduren, weven, enz., enz. (…) Je begrijpt niet hoe ze zulke dingen voor lage prijzen kunnen maken. Nergens zijn de mensen opdringerig, alleen vol belangstelling en natuurlijk nieuwsgierig. Bijna geen vrouw te zien en als ze er lopen dan gesluierd. Behalve op het land, daar werken ze veel. Het blijkt me dat het niets met hun godsdienst te maken heeft: zo'n vrouw toont daar mee dat ze niet behoeft te werken.[51]

Vervolgens naar Karachi, waar het gezelschap overnachtte in het *Guest house* van de Pakistaanse minister-president. De eerste dag werd een druk programma afgewerkt: een kranslegging bij de graftombe van de stichter van het land, Mohammed Ali Jinnah, officiële besprekingen met de hoogste autoriteiten, bezoekjes aan een aantal fabrieken, een diner bij de minister-president. Dag twee startte met een bespreking met de top van het ministerie van

Landbouw. 's Middags trok Mansholt naar het strand waar de Nederlandse ambassadeur een *beach hut* had. 'Een prachtig uitzicht op de diepblauwe Arabische golf. (…) We hebben heerlijk in het heldere water gezwommen en (zijn) daarna verbrand door de zon.' 's Avonds was er rijsttafel bij de secretaris-generaal van Landbouw. Veel gasten en een lopend buffet: 'De beste manier om veel mensen te spreken.' Henny kreeg de groeten van de vrouw van de gastheer.

> Ze is z'n tweede vrouw maar de 1e vrouw is ook in huis met 2 kinderen. (…) Dat is voor ons iets dat we nauwelijks kunnen bevatten, maar voor Mohammedanen heel gewoon. Dergelijke verhoudingen zijn op strenge religieuze richtlijnen gebaseerd en huwelijkstrouw met de laatste vrouw wordt strict gerespecteerd. Sexuele verhouding met de 1e vrouw is dan uitgesloten en wordt door de 1e vrouw geaccepteerd.[52]

De volgende ochtend, in het vliegtuig naar Dacca, Oost-Pakistan, schreef Mansholt zijn laatste brief. Daarin noteerde hij enige algemene indrukken uit de hoofdstad en de politieke kanttekening: 'In Karachi is nu wel bevestigd wat ik in Lahore al vermoedde: de zeer invloedrijke groep van de rijke landadel en vorstjes heeft nog veel touwtjes in handen.' Mansholts recept tegen deze sociale ongelijkheid bestond uit technische en economische hulp. Dat bleek uit de rest van de brief. Geen 'revolutionaire' socialistische politiek, maar *samen* het kapitalisme van de grond tillen! De Pakistaanse regering had volgens Mansholt immers een sterk democratische inslag en bestond bovendien in meerderheid uit intellectuelen.

> De *prime minister* is een wat wilde man, intellectueel maar met grote wilskracht en doorzettingsvermogen. 'k Had een prettig gesprek met hem over m'n ervaringen en de technische hulp die ik heb aangeboden. (…)
> Een grote stroom *refugees* is na de scheiding van India naar Karachi gekomen en is op zeer primitieve wijze gehuisvest. Maar er wordt hard gebouwd. (…) Wel valt het op dat het aantal woningen voor de middenklasse in de meerderheid is. Een grote moeilijkheid is verder dat Karachi nog geen bevloeiingswater uit de Indus heeft. (…) Een nieuw havencomplex wordt aangelegd door een Nederlandse aannemers combinatie. Uitgestrekte industrieterreinen liggen klaar en zijn voor een deel al volgebouwd. Dan blijkt dat de Pakistanen in korte tijd veel tot stand kunnen brengen.
> Ik bezocht een fabriek van wollen en katoenen stoffen. In 1949 begon-

nen, klein. Nu 4000 man aan het werk. Grote hallen vól weefgetouwen. Uitgebreid met een leerfabriek en plastics. Alles in één hand! Philips is pas begonnen. Een fabriekje met 15 man personeel. Alles vrouwen die de radio's monteren.[53]

Vanuit Dacca zou hij nog doorreizen naar Chittagong aan de Golf van Bengalen. Mansholt zag geen kans meer een brief te sturen. Vier dagen later ging hij terug naar Nederland. Reisgenoot Van der Lee beschreef zijn indrukken van de reis in een artikel in *Socialisme en Democratie*. Hij was weinig positief over het bezoek aan de jutefabrieken in Dacca en Chittagong: 'Het karakter van de daar uit de grond gestampte massa-industrie (werpt) de vraag op of niet op deze wijze een ongeletterd industrieel proletariaat wordt geschapen, dat gemakkelijk ten prooi kan vallen aan subversieve invloeden.'[54]

In het archief van Mansholt bevinden zich twee fotoalbums die hij aangeboden kreeg na afloop van zijn reis, een uit India en een uit Pakistan. Een derde album van dezelfde reis bevat foto's die waarschijnlijk gemaakt zijn door Van der Lee. Aan dat album zijn namelijk door Van der Lee geschreven dagboeknotities toegevoegd.[55]

Van der Lee baseerde zijn artikel in *Socialisme en Democratie* mede op deze notities. In een aantal opzichten wijken ze af van de brieven die Mansholt naar huis stuurde. In Van der Lee's aantekeningen wemelt het bijvoorbeeld van namen, functies, plaatsen en afspraken. De toezeggingen van Mansholt en de ontvangen en uitgedeelde cadeaus werden door Van der Lee ook steeds nauwgezet genoteerd: 'Sicco biedt de zuivelinstallatie voortreffelijk aan'; 'Sicco krijgt Taj Mahal en geblikt fruit'; 'Sicco zegt regelmatige toezending van Wageningse publicaties toe'; 'Sicco nodigt de minister uit voor een bezoek aan Nederland en zegt hem bloembollen voor zijn tuin toe'; 'Sicco zegt experts op coöperatiegebied en flood-control toe'; 'S. krijgt een spinnewiel, lakens en wol'. Enzovoort.

Van der Lee noemde de jutefabriek in Dacca 'een waar slavenbedrijf'. Het bezoek aan Nehru ervoer hij als een teleurstelling. ('Een erg prettig gesprek over ons bezoek en over de toestand in India,' schreef Mansholt naar huis.) Van der Lee noteerde in zijn dagboek: 'Sicco is niet erg op dreef. Het gaat enige tijd over melkconsumptie en voorziening (...). Wij gaan na 20 min. weg.' Daartegenover stonden veel positieve ervaringen. Uit Van der Lees notities: 'De bevolking van een drietal dorpjes wacht op ons. Sicco is de grote sahib. Wij worden gezegend en met bloemenkransen omhangen'; 'Bezoek in ijltempo. Ik nogal vermoeid en weinig geïnteresseerd (...). Sicco toch altijd zeer bewonderenswaardig: ieder krijgt het volle pond van belangstelling.' Bij

Uit het fotoalbum dat Mansholt werd aangeboden na zijn bezoek aan Pakistan in februari en maart 1956: 'Examining the rifle of trible people.' [Collectie IISG]

het afscheid, na vier weken, zei een van de Indiase topambtenaren tegen Van der Lee dat hij al veel hoge gasten ontvangen had, maar nimmer zo iemand als Mansholt: 'He was one of us.'

## Uitgekeken op Nederland

Op 20 juni 1956, één week na de verkiezingen, verscheen in de pers het bericht dat Mansholt kandidaat was voor de functie van directeur-generaal van de FAO. Het ministerie van Landbouw ontkende dat, maar voegde daaraan cryptisch toe dat hij nog wel kandidaat zou kunnen *worden*.[56] Achter de schermen werd intussen druk gelobbyd door Van der Lee, de landbouwattachés en het hele diplomatieke apparaat. Het spande erom, maar uiteindelijk legde Mansholt het op 21 september na drie stemrondes af tegen de Indiër Binay Ranian Sen, die de zogenaamde Bandoeng-landen, oud-koloniën in Afrika en Azië, achter zich kreeg.[57]

Na tien jaar Landbouw had Mansholt het wel gezien in eigen land. Hij had de lijnen uitgezet. De ambtelijke top en het Landbouwschap konden het verder wel zonder hem. De problemen die om een oplossing vroegen, lagen op internationaal vlak en hij voelde zich daartoe sterk aangetrokken. Hij had gehoopt Buitenlandse Zaken te krijgen, maar daarvan kon geen sprake zijn. Dat wilde Drees noch de KVP. In kringen van Buitenlandse Zaken werden de pogingen van PVDA-fractieleider Burger in die richting ook met argusogen bekeken.[58]

Kort na de verkiezingen – hij was nog in de race voor de FAO-post – stuurde Mansholt formateur Drees een 'Aantekening voor de kabinetsformatie', een persoonlijk verlanglijstje. Hij begon met een opsomming van gewenste portefeuilles voor de PVDA. Landbouw zat daar niet bij! De portefeuille van Buitenlandse Zaken had zijn absolute voorkeur. De prioriteit moest volgens hem niet langer liggen bij het economische element, maar bij het politieke. Ontwikkelingshulp en Europese integratie moesten de speerpunten vormen. Hij wilde een 'revolutie' ontketenen:

Dit departement, dat het laatste bolwerk is van groepen die geen enkel reëel contact meer hebben met het politieke en maatschappelijke leven in Nederland is alleen aantrekkelijk indien de minister vrijheid heeft reorganisaties uit te voeren en zowel op het departement als in de buitenlandse dienst mensen te benoemen die begrip hebben voor de huidige politieke en maatschappelijk situatie in Nederland en de wereld.

Bij rekrutering zouden bij voorkeur jonge socialisten, katholieken en personen verwant aan protestantschristelijke partijen moeten worden aangetrokken. Mansholt wilde er eens flink de bezem door halen.[59] Mansholt bleef ten
slotte in 1956, na een kabinetsformatie met een recordlengte van bijna vier
maanden, op Landbouw. Hoe lang nog?

# - 9 -
# Een plan voor Europa

De opdracht

Op 1 juli 1968 kwam het gemeenschappelijk landbouwbeleid tot stand, Mansholts levenswerk. Hij had er in Brussel ruim tien jaar aan gewerkt. In het Verdrag tot oprichting van de Europese Economische Gemeenschap – ondertekend te Rome op 25 maart 1957 – hadden de zes lidstaten het initiatief in handen gelegd van een nieuw supranationaal orgaan, de Europese Commissie. Landbouwcommissaris Mansholt was sinds de oprichting op 1 januari 1958 de spil om wie alles draaide. Meer dan negentig procent van de landbouwproducten van België, Frankrijk, Italië, Luxemburg, Nederland en West-Duitsland zou voortaan vallen onder het regime van Brussel. Eenheid van markt, communautaire preferentie en gemeenschappelijke financiering vormden daarbij de belangrijkste uitgangspunten.

Het beleid was ontwikkeld in uiterst moeilijke omstandigheden. Het hing van compromissen aan elkaar. Mansholt en zijn medewerkers namen de zwakke kanten voor lief. Een van hen schreef dertig jaar later:

> Bepaalde kenmerken, die later zoveel kritiek zouden ontmoeten (...), waren toen al zichtbaar. Het prijsniveau was te hoog vastgesteld, er zaten gaten in de handelspolitieke bescherming en het gemeenschappelijk structuurbeleid was niet uit de verf gekomen. (...) Maar het belangrijkste van alles was toch dat aan de opdracht was voldaan en dat de landbouw geen beletsel meer vormde voor de beoogde economische integratie van West-Europa.[1]

'Aan de opdracht was voldaan.' Het is van belang dit te benadrukken. Die opdracht vloeide weliswaar voort uit het Verdrag van Rome, maar Mansholt hield zich al veel langer met deze kwestie bezig. Als minister had hij op 17 oktober 1950 een blauwdruk gepresenteerd onder de kop 'Europese samenwerking op het gebied van de landbouw'. Er loopt een rode lijn van dit eerste plan-Mansholt naar 1 juli 1968, het moment waarop hij de klus klaarde.

Het plan uit 1950 besloeg 29 punten verdeeld over vijf pagina's. Het beoogde de West-Europese betalingsbalans te verbeteren – ten opzichte van de

Amerikaanse – door de eigen productie van granen, oliën en vetten te verhogen. Dat kon enkel worden bereikt door middel van efficiënte allocatie, rationalisatie en specialisering. Vrije handel op één Europese markt zou wat dat betreft de beste resultaten opleveren. De praktijk was op dat moment heel anders. De ontwikkeling stagneerde omdat de nationale landbouwmarkten van elkaar waren afgesloten. Mansholt wilde die stagnatie doorbreken. Hij stelde voor een European Board for Agriculture and Food op te richten die belast zou worden met het vrijmaken van het handelsverkeer en het vaststellen van Europese 'verhandelingsprijzen'. De Board zou bestaan uit een beperkt aantal door de deelnemende regeringen aangewezen leden en verantwoording verschuldigd zijn aan een Raad van Ministers. Het toelaatbaar maximum van nationale bescherming kwam onder controle van de Board en zou geleidelijk omlaag moeten worden gebracht. De Board kreeg de beschikking over eigen middelen om 'een lonend prijspeil' te kunnen handhaven. Cruciaal was punt 27: 'De Raad van Ministers neemt zijn beslissingen met een gekwalificeerde meerderheid. Dit houdt in dat de afzonderlijke landen een deel van hun soevereiniteit prijsgeven; deze stap is noodzakelijk voor de ontwikkeling van een economische eenwording van Europa.'[2]

Was hij alleen maar op zoek naar afzetgebied of ging het hem alleen om politieke idealen? Hoe ver ging Mansholts Europese gezindheid eigenlijk anno 1950 en waar kwam die precies vandaan? Kort na zijn pensionering in 1973 schreef hij in een afscheidsbriefje aan de Duitse oud-commissievoorzitter Walter Hallstein:

En dan gaan mijn gedachten terug naar het begin van mijn politieke loopbaan, juist aan het eind van die verschrikkelijke wereldoorlog. Voor mij stond vast: Alles moest eraan worden gedaan om de hechte vriendschap tussen het Duitse en Nederlandse volk weer op te bouwen. Speelde daarbij misschien onbewust het feit mee dat het stamland van onze familie de Duitse Dollardkust is? Die wens om voorgoed een einde te maken aan de tegenstellingen heeft mij tot de Europese politiek gebracht en niet de angst voor het Oosten![3]

Maar het herstel van die Duits-Nederlandse vriendschap liet in 1945 nog op zich wachten. Bij het begin van zijn ministerschap was Mansholt vooral geïnteresseerd in voedselvoorziening en landbouwpolitiek op wereldschaal. Pas vijf jaar later werd hij op het spoor van Europa gezet door het plan van de Franse minister Schuman – op basis van de ideeën van Jean Monnet – om de Frans-Duitse productie van kolen en staal onder een gemeenschappelijke Hoge Autoriteit te plaatsen. Dat voorstel werd gelanceerd op 9 mei 1950.

In *De crisis* legde Mansholt vijfentwintig jaar later uit dat *economische* integratie – in het Schumanplan nog beperkt tot één sector – hem eigenlijk niet ver genoeg ging. De mogelijkheid van een nieuwe Europese burgeroorlog moest voorgoed worden uitgebannen:

> We zaten toen volop in de koude oorlog. De Sowjet-Unie werd als het grootste gevaar beschouwd en om dat af te wenden was het nodig zich te verenigen om een nóg grotere macht te vormen. (...) De Fransen hebben toen de ware moed gehad en zij hebben heel de rest van Europa meegesleept. Zij wilden een unie, een volledige versmelting van economische belangen (...) Jean Monnet heeft voorgesteld om met kolen en staal te beginnen. Hij wilde niet een simpel netwerk van akkoorden tot internationale samenwerking. Hij wilde integratie van politieke besluiten in gemeenschappelijke instellingen. Nog nooit had iemand zo'n plan durven indienen: het scheppen van organen met als voornaamste een gemeenschappelijke autoriteit met werkelijke macht.[4]

Mansholt was door het grote Congres van Europa van 7 tot 12 mei 1948 in Den Haag van de voorstanders van een verenigd Europa onmiddellijk tot het federalisme bekeerd. Dat beweerde hijzelf althans, achteraf. Negatieve ervaringen met de landbouw in de Benelux brachten hem twee jaar later tot de overtuiging dat verdere integratie niet mogelijk was zonder supranationaal *framework*.[5] Monnet en Schuman reikten hem in mei 1950 een oplossing aan, een doorbraak van het oude, intergouvernementele model.

Het is best mogelijk dat Mansholt in 1948 gegrepen werd door het federalistische ideaal, maar in de praktijk was daarvan weinig te merken. Het plan-Mansholt uit 1950 'leende' het recept van Monnet om een doorbraak te forceren voor de agrarische export. Meer niet. Pas in de loop van de volgende jaren kwam er een flinke scheut Europees idealisme bij om de politieke vaart erin te houden. Toch bleef het Nederlandse boerenbelang zoals de minister dat samen met de top van het Landbouwschap formuleerde doorslaggevend, tot aan Mansholts vertrek naar Brussel. Na 1958 was Mansholt honderd procent Europeaan, dat hoorde immers bij zijn functie. Daarvóór lag het percentage een stuk lager: in de zomer van 1956 wilde hij nog naar de FAO.

Eerst de kaas en dan Europa

'Exportaangelegenheden', dat was het belangrijkste agendapunt op de maandelijkse vergadering van Mansholt met het hoofdbestuur van de Stichting voor de Landbouw op 12 mei 1950, drie dagen na de lancering van het Schumanplan. Onder druk van de Amerikanen waren na 1949 in het kader van de OEES de kwantitatieve beperkingen van het handelsverkeer sterk verminderd. Veel lidstaten probeerden dat te compenseren met hogere invoerrechten. De uitvoer van Nederlandse landbouwproducten kwam daardoor in de knel. Brainstormend met de Stichting lanceerde Mansholt op die 12e mei 'Integratie van produktie en afzet in West-Europa' als recept tegen toenemend protectionisme. Hans Linthorst Homan, lid van de commissie Buitenland van de Stichting, schoof de suggestie naar voren de aanval in te zetten op bilateraal niveau en in de OEES, en tegelijk contact op te nemen met het georganiseerde bedrijfsleven en met instanties die zich bezighielden met Europese politieke integratie.[6] Daarmee waren de eerste stappen gezet.

Mansholt kende Linthorst Homan uit Groningen. Homan stamde uit een Drentse regentenfamilie. In 1937, op 34-jarige leeftijd, was hij benoemd tot commissaris van de Koningin in Groningen. In die functie werkte hij samen met Mansholts vader, de door de wol geverfde provinciebestuurder. In de jaren 1940-1941, tijdens de Duitse bezetting, vergaloppeerde Linthorst Homan zich als lid van het Driemanschap van de Nederlandse Unie. In besloten kring had hij, goedbedoeld maar naïef, een compromisvrede met de bezetter bepleit. Daarom werd hij na de oorlog geschorst als commissaris. Zijn eerste bestuurlijke functie na 1945 was het voorzitterschap van de federatie van coöperatieve zuivelbonden. Sindsdien draaide hij mee in de top van de Nederlandse landbouwwereld. Vanaf 1948 nam Mansholt hem mee naar verschillende internationale besprekingen (Benelux, OEES, FAO). Hetzelfde jaar volgde Homans benoeming, op voorstel van Herman Louwes, in het Europese comité van de IFAP, de internationale koepel van de georganiseerde landbouw.

Het ging Linthorst Homan niet alleen om de afzet van boter en kaas. Hij was namelijk zeer actief in de Europese Beweging, een gedreven federalist. Volgens Van der Lee was Mansholt overtuigd van 'de oprechtheid van Linthorst Homan wanneer het er om ging iets te verwezenlijken'. Hij kende hem persoonlijk en was ook goed bevriend met Homans broer Harry, die in de oorlog actief was geweest in het verzet, via Gibraltar in Engeland was terechtgekomen en van 1943 tot 1945 fungeerde als souschef van het Militair Gezag. Na de oorlog werd Harry commissaris van de Koningin in Friesland. Samen met hem reed Mansholt in 1954 de Elfstedentocht.

'Je moet zo veel mogelijk Hans Linthorst Homan inschakelen,' kreeg Van der Lee te horen, toen hij in 1951 met Mansholts plan de boer op moest. 'Gebruik hem maar, hij kent de landbouw goed, hij weet van alle mogelijke dingen af. En hij moet weer te paard komen.' Meer dan Mansholt, die steeds rekening hield met de Amerikanen, was Linthorst Homan een volstrekte Europeaan. In maart 1952 maakte Homan 'in particuliere hoedanigheid op uitnodiging van Mansholt' deel uit van de Nederlandse delegatie op de Voorbereidende Conferentie over de Organisatie van de Europese Landbouwconferentie te Parijs, een uitvloeisel van Mansholts plan. Een paar maanden later werd hij benoemd tot directeur integratie bij het Directoraat-Generaal voor de Buiten-landse Economische Betrekkingen van het ministerie van Economische Zaken.[7]

Linthorst Homan zou de volgende jaren een wezenlijk aandeel hebben in de formulering van de Europese politiek van Nederland. Als topambtenaar leidde hij de Nederlandse delegatie bij de onderhandelingen die leidden tot het Verdrag van Rome. Over zijn ervaringen met Mansholt in de periode 1950-1957 schreef hij in zijn memoires:

Stevig stuurde hij zijn koers en zijn mensen, en ik herinner me nau-welijks enig conflict in zijn team, waar ik het meest te maken had met zijn adviseurs mr. I. Samkalden en dr. J.J. van der Lee, beiden overtuigde Europeanen. Lichamelijk kon ik Mansholts tempo niet altijd "bij-benen". Ik denk ook aan autoritten door Europa, vaak door sneeuw en ijs. (...) Op alle uren van de dag en nacht stond hij klaar vraagstukken te bespreken en ontwerpen te maken. Hij kende pessimisme noch vermoeidheid.[8]

De invloed van Linthorst Homan op Mansholt is moeilijk te schatten. De minister 'stuurde' Homan, niet andersom. Homans diplomatieke gaven en zijn enthousiasme voor de Europese zaak kwamen goed van pas. Hij was op de hoogte van de agrarische problematiek en had prima contacten met inter-nationale landbouworganisaties. Via Homan kon Mansholt zich rechtstreeks wenden tot Europese boerenleiders, buiten de officiële ambtelijke kanalen om.

Op de stelling dat Mansholt al in het begin van de jaren vijftig, onder invloed van de Europese Beweging, supranationaliteit tot een geloofsartikel verhief – ook al bracht dat schade toe aan de Nederlandse belangen – valt nogal wat af te dingen.[9] Het is een mythe die zijn latere politieke tegenstanders rondbazuin-den. De afzet van landbouwproducten in het buitenland was een algemeen Nederlands belang en supranationaliteit een functioneel middel, geen doel op zichzelf. Mansholt was allesbehalve dogmatisch. Geloofsartikelen kende hij niet. De suggestie dat het plan van 1950 een federalistisch complot was van een paar ministers en topambtenaren slaat de plank al helemáál mis.[10] Ten eerste ging het Mansholt niet om het federalisme en ten tweede werd hij volledig gesteund door het georganiseerde boerenbedrijfsleven én het kabinet – zij het niet *con amore* door elke minister. Parlement en pers sloten zich daarbij aan.

Opmerkelijk was de wijze waarop in het jaarverslag van de Stichting voor de Landbouw uit 1949 het materiële motief – de afzet van kaas – gekoppeld werd aan 'de drang naar West-Europese samenwerking'. Uitgangspunt was dat boeren elkaar op nationaal niveau steeds meer als collega's waren gaan zien, niet als concurrenten. Toenemende solidariteit tussen agrarische bedrijfsgenoten uit *verschillende* landen was de volgende, logische stap. 'Het vormen van een Economische Unie (…) moet men dan ook zien als gedragen door deze niet-materiële overwegingen.' Europese boerensolidariteit zou de basis zijn voor het streven naar een gemeenschappelijke politiek, 'die welvaart aan de landbouw verzekert, en zo een grondslag legt voor een culturele en geestelijke ontplooiing van het platteland'.[11]

Dit 'niet-materiële' motief speelde bij het ontwikkelen van het plan-Mansholt een grotere rol dan het ideaal van een Europese federatie, óók bij de minister zelf, al was het ten slotte niet doorslaggevend. Het protectionisme dat omstreeks 1950 de kop opstak en de negatieve ervaringen in de Benelux brachten Mansholt namelijk als vanzelf tot een stelsel van bovennationale ordening. In die tijd bestond bijna de helft van de Nederlandse export uit landbouwproducten. 'Voor Nederland is het een kwestie van leven of dood. Indien de bescherming steeds meer toeneemt, zullen wij dit met nationale maatregelen niet meer kunnen pareren,' betoogde hij op 23 november 1950 in een speciale gecombineerde vergadering van de vaste commissies voor Handelspolitiek en voor Landbouw van de Tweede Kamer.[12]

De op uitvoer gerichte Nederlandse landbouw bleek moeilijk te combineren met de kleinschalige en traditionele Belgische. De Belgen hielden vast aan een protocol uit 1947 dat hun het recht gaf alle laaggeprijsde landbouwproducten die een bedreiging vormden voor hun eigen boeren te weren. Nederland had garantieprijzen en hield kunstmatig zijn lonen, pachten en grondprijzen laag. De Belgen konden daartegen niet op. In april 1951 besloot België de invoer van Nederlandse snijbloemen met tachtig procent te verminderen en in juli werd de invoer van sla en tomaten zelfs verboden. In maart en augustus van hetzelfde jaar moest de export van Nederlandse groente naar West-Duitsland korte tijd gestaakt worden omdat de Duitsers geen deviezen meer hadden. In september krompen de Amerikanen de invoer van kaas en andere zuivelproducten aanzienlijk in. Drie maanden later kondigde de Engelse regering een tijdelijke importstop aan. Met Frankrijk, dat zijn invoer centraal regelde door middel van quota, kon in januari 1952 nog een handelsakkoord worden gesloten, waarin nauwkeurig aangegeven was hoeveel tonnen kaas, boter, gecondenseerde melk en pootaardappelen Nederland het komende jaar mocht leveren. Kortom, de internationale structuur waarbinnen de Nederlandse export plaatsvond was erg labiel. Eind 1952 liet Mansholt zich in de Tweede Kamer ontvallen dat de levensstandaard met tien procent zou teruglopen indien Nederland zijn landbouwoverschot niet zou kwijtraken.[13]

Europese samenwerking in het kader van de OEES liep langzaamaan vast. Men was niet bereid het beschermingsniveau omlaag te brengen via meerderheidsbesluitvorming. Het streven naar een hechtere *politieke* samenwerking in de Raad van Europa – uitvloeisel van het Haagse Congres van 1948 – was al eerder gestuit op onwil van de tien lidstaten.[14] Alleen de sectorintegratie van het Schumanplan leek de Nederlandse landbouw nog enig perspectief te bieden. Op 21 juli 1950, ruim twee maanden na de gedachtewisseling tussen Mansholt en de Stichting, verscheen een eerste concept van het latere plan. Het was geschreven door partijgenoot en juridisch adviseur Samkalden, met hulp van Horring van het LEI en D.J. van Arcken, hoofd programmering en documentatie van de Directie van de Voedselvoorziening.

Het duurde meer dan drie maanden voordat Mansholt zijn plan langs de ministerraad geloodst had. Een deel, aangevoerd door Drees, vreesde een aanzienlijke stijging van het Nederlandse prijspeil. Via mondeling overleg in kleine kring slaagde Mansholt er ten slotte in de ministers van Financiën en van Economische Zaken te overtuigen. Van den Brink (Economische Zaken) voelde niets voor een gemeenschappelijke markt voor alle landbouwproducten en ging pas overstag nadat Mansholt hem verzekerd had dat dit voor producten als melk, groenten en fruit onmogelijk was. Op 11 oktober gaf de ministerraad zijn fiat.[15]

Het parlement reageerde positief op het plan, de communisten uitgezonderd. In de Tweede Kamer verklaarde Mansholt dat hij het vraagstuk van de Europese integratie als een van de belangrijkste onderdelen van zijn taak zag. 'Het welbegrepen Nederlands belang' ging hier volgens hem hand in hand met het politieke en economische belang van een groeiende Europese Gemeenschap.[16]

In de Eerste Kamer waarschuwde Herman Louwes (VVD) voor de connecties tussen landbouworganisaties en nationale politieke partijen. Op grote boerenvergaderingen in Duitsland, Zwitserland en Frankrijk had hij gemerkt hoe 'massaal en ontzaglijk' de weerstand in die landen was tegen Europese integratie. Mansholt beaamde dat de tegenstand groot was. Samenwerking was noodzakelijk, maar moest niet worden overhaast. Voorkomen moest worden dat men verder achteruitholde naar de jaren dertig.

In de pers kreeg het brede steun, al waren er ook wat kritische geluiden. Het liberale *Algemeen Handelsblad* oordeelde bijvoorbeeld dat landbouwintegratie zo weinig kans maakte dat zelfs een poging daartoe verspilde moeite was.[17]

## De Green Pool (1952-1953): mislukt complot

Het plan behelsde integratie die bij voorkeur alle landbouwproducten omvatte, met een zo groot mogelijke soevereiniteitsoverdracht. Nadat Mansholt brede steun verworven had in eigen land, trok hij ermee Europa in. Hoe zouden Groot-Brittannië en Denemarken reageren, respectievelijk de grootste afnemer en de belangrijkste concurrent? Bij de Britten, die juist uit de kolen- en staalonderhandelingen waren gelopen, viel de supranationaliteit slecht. Toen Van der Lee de plannen eind 1950 presenteerde aan de Engelse minister van Binnenlandse Zaken Chuter Ede kreeg hij te horen: 'Young man, you're totally mistaken, totally mistaken. What you're doing is building the Red Europe, that is Moscow, or the Black Europe, that's Rome. And we British, we won't work with that. We can work with you, with the Scandinavians, but the rest, no.'[18] Denemarken reageerde al even afwijzend. Mansholt zelf bezocht het land nog in januari 1953. Hij wierp de Denen toen voor de voeten dat ze zelf nooit ook maar één enkel constructief idee hadden geformuleerd.[19] Dan maar zonder Denemarken.

Supranationalisme was een essentieel element van het plan. Vrij snel werd duidelijk dat gedachtewisselingen over landbouwpolitiek in het kader van de OEES of de Raad van Europa weinig zin hadden. In beide gevallen was de club te groot. Mansholt vreesde dat zijn plan er onder tafel zou raken en stuurde aan op een akkoord tussen de zes 'supranationale' landen die op 18 april 1951 het Verdrag tot oprichting van de Europese Gemeenschap voor Kolen en Staal (EGKS) ondertekend hadden: België, de Duitse Bondsrepubliek, Frankrijk, Italië, Luxemburg en Nederland. Diezelfde zes leken een half jaar later in sneltreinvaart af te stevenen op een Defensiegemeenschap en op een politieke federatie. In het Nederlandse kabinet reageerde Mansholt enthousiast. Hij had kritiek op de 'tegenstribbelende' houding van zijn collega's Lieftinck (Financiën), Stikker (Buitenlandse Zaken) en Drees.[20] Sinds de winter van 1951 fungeerde Mansholt in het kabinet als de grootste promotor van Europese eenwording.[21]

Terug naar het landbouwplan. Er was inmiddels ook een ander, minder vergaand voorstel naar voren geschoven door de Fransen. Op een vóórconferentie zou eerst moeten worden vastgesteld welke landen bereid waren soevereiniteit af te staan. Die conferentie vond plaats van 25 tot 28 maart 1952 in Parijs. Drijvende krachten waren de Franse minister van Landbouw Pflimlin en Mansholt. Daarmee ging het *Green Pool*-overleg van start waaraan vijftien Europese landen deelnamen en dat zich twee jaar lang zou voortslepen. De Duitsers en vooral de Belgen stelden zich negatief op. Mansholt had zijn Belgische collega al in november 1950 zijn plan gestuurd, maar deze had tot maart 1952 niet eens de moeite genomen om daarop te reageren.[22]

In zijn openingstoespraak in Parijs presenteerde Mansholt landbouwintegratie als onderdeel van een algemene economische integratie van het Europese continent. Politieke eenwording kon alleen totstandkomen als regeringen bereid waren tegelijkertijd stappen te zetten in alle economische sectoren. Voorwaarde was dat deelnemende landen het supranationale grondbeginsel accepteerden. Om de bokken van de schapen te scheiden, gooide hij dan ook onmiddellijk de kardinale vraag op tafel wie daartoe bereid was.[23] De vergadering besloot een interim-werkgroep in te stellen om het te volgen pad te effenen. De werkgroep kwam onder voorzitterschap te staan van de Fransman Louis Rabot, later in Brussel een van de naaste medewerkers van Mansholt. Van der Lee werd vicevoorzitter. Over de omvang van de integratie en de mate van soevereiniteitsoverdracht werd geen overeenstemming bereikt.

Mansholt was het allereerst te doen om landbouwintegratie, maar hij hoopte te kunnen aanhaken bij een ontwikkeling die al eerder in gang was gezet en twee maanden later, op 27 mei 1952, zou leiden tot de ondertekening van het Verdrag tot oprichting van de Europese Defensiegemeenschap (EDG). Dat Verdrag bood in artikel 38 zelfs een opening om binnen zes maanden te komen met een voorstel tot het maken van een Europese grondwet, inclusief een algemeen supranationaal gezagsorgaan. Federalisten roken onmiddellijk hun kans.[24] Politieke eenwording zat in de lift. Mansholts verwijzing ernaar kwam niet uit de lucht vallen.

Mansholt verlegde zijn strategie. In juli 1952, kort na de Tweede Kamerverkiezingen, stuurde hij een brief naar de ministers Stikker en Drees waarin hij zijn persoonlijke standpunt uiteenzette ten aanzien van het idee om te komen tot de oprichting van een Europese Politieke Gemeenschap (EPG), de uitwerking van artikel 38. Over dat plan zou overleg plaatsvinden tussen de zes van de Kolen- en Staalgemeenschap. Mansholt vreesde dat de demissionaire Nederlandse regering geen standpunt zou formuleren, waardoor de zaak vertraging zou oplopen. Hij vond dat Nederland zich positief moest opstellen. De landbouwintegratie kon volgens hem alleen een stap verder komen in combinatie met andere sectoren, zoals de industrie. Nederland zou

Green Pool conferentie, Parijs, 16 maart 1953. V.l.n.r. M.C. van der Burcht van Lichtenbergh, Jaap van der Lee en minister Mansholt.

de opstellers van de Grondwet er ook toe moeten brengen verband te leggen tussen politieke en economische integratie. De voorgestelde 'politieke federalisatie' zou volgens Mansholt weinig te betekenen hebben, als de deelstaten op economisch gebied niet bereid waren het beginsel te accepteren 'dat geleidelijk aan één marktgebied zal moeten worden gevormd, dat overeenstemt met het gebied der politieke federatie'.[25]

Minister-president Drees was buitengewoon huiverig hard van stapel te lopen. Hij geloofde niet in de EDG – dat impliceerde herbewapening van Duitsland, hetgeen Frankrijk volgens hem nooit zou accepteren – en was bang de greep op de Nederlandse defensie-uitgaven te zullen kwijtraken. De wezenlijke betekenis van de Europese integratie lag volgens Drees *allereerst* op economisch gebied. Mansholt hield aanvankelijk vast aan *gelijktijdige* politieke integratie. Drees zat consequent op één spoor: het economische.

Discussies over een politieke autoriteit zouden volgens hem de aandacht alleen maar afleiden van waar het werkelijk om ging. Hij had dan ook grote bezwaren toen – drie dagen na de beëdiging van het nieuwe kabinet – bleek dat de opvolger van Stikker, Jan Willem Beyen, bereid was een Italiaans voorstel te accepteren om artikel 38 alvast te laten uitwerken door het parlement van de EGKS – voor deze speciale gelegenheid omgedoopt tot *Assemblée ad hoc*. Mansholt steunde Beyen en drong er bij hem op aan van de gelegenheid gebruik te maken via zijn collega's van Buitenlandse Zaken de landbouwbesprekingen vlot te trekken.[26]

Ongeduldig geworden door de stroperige voortgang van de *Green Pool* leek Mansholt zich sinds de zomer van 1952 meer te richten op 'politieke federalisatie'. Hij verlegde zijn aandacht van landbouwministers en boerenleiders naar vooraanstaande partijpolitici en ministers van Buitenlandse Zaken. Hij had uitstekende contacten met de PVDA-leden van de *Assemblée* – Marinus van der Goes van Naters, Paul Kapteijn en Gerard Nederhorst – én met de voorzitter ervan, de socialist Paul Henri Spaak, oud-minister van Buitenlandse Zaken van België. Op 13 november 1952 beschreef Mansholt in de Tweede Kamer zijn algemene strategie als volgt:

> Door een integratie die een zekere totaliteit van economisch-financiële vraagstukken omvat, en ook de vraagstukken op politiek gebied in deze economische integratie samen te vatten, kan voor de landbouw worden bereikt wat noodzakelijk is. Daarmede dient gepaard te gaan het scheppen van een zodanig politiek gezagsorgaan, dat daardoor ook duidelijk Westeuropees beleid tot uitdrukking kan worden gebracht.[27]

In december 1952 presenteerde Beyen een memorandum waarin geprobeerd werd de Europese integratie op economisch gebied – concreet: de geleidelijke verwezenlijking van een douane-unie met vrij verkeer van goederen en diensten én een gemeenschappelijk buitentarief – min of meer te koppelen aan de politieke gemeenschap. De door de *Assemblée* te redigeren Grondwet zou daarover duidelijke bepalingen moeten bevatten. Als er geen economische voordelen aan vastzaten, was de hele exercitie wat Nederland betreft zinloos. Aan het eind van het stuk werd nog gewezen op de mogelijkheid het *Green Pool*-overleg onder supranationale paraplu te brengen. Met het memorandum in de hand probeerde Mansholt de landbouw de EPG binnen te loodsen. Hij kreeg steun van Spaak, maar stuitte op verzet van Monnet, die adviseerde, omwille van de voortgang van de politieke integratie, verdere overdracht van soevereiniteit buiten de kaders van EGKS en EDG vooralsnog achterwege te laten.[28] Mansholt was in het begin nog sceptisch over de weg die Beyen aangaf. Het primaat lag wat hem betreft bij de politiek, dus bij de EPG.

Op 9 maart 1953 presenteerde de *Assemblée ad hoc* het ontwerpverdrag tot oprichting van een Europese Politieke Gemeenschap aan de ministers van Buitenlandse Zaken van de zes. Het concept behelsde een getrouwe uitwerking van de federalistische idealen: één Europees bestuur met een eigen parlement en regering en met een raad van nationale ministers als brug naar de lidstaten. Homan typeerde het moment van overeenstemming in de *Assemblée* in zijn memoires dan ook als 'een gebeurtenis van revolutionaire betekenis'.[29] Het concept bevatte onder meer richtlijnen voor de vorming van een gemeenschappelijke markt, waarvan de markt voor landbouwproducten deel zou uitmaken.

Intussen hadden Mansholt en zijn ambtenaren van april 1952 tot maart 1953 stad en land afgereisd om twijfelaars achter het landbouwplan te krijgen. Amerikaanse steun werd 'geregeld' en onwillige organisaties als het Duitse Bauernverband en de Belgische Boerenbond werden 'bewerkt' via Nederlandse zusterorganisaties. PVDA-politicus Henk Vredeling herinnerde zich nog dat hij indertijd als medewerker van de Landarbeidersbond door Van der Lee op pad werd gestuurd om de Deutsche Gewerkschaftsbund achter het plan te krijgen, met weinig succes.[30]

In het standpunt van de Duitsers en de Belgen zat nauwelijks beweging. Mansholt probeerde nog om de *Green Pool*-kring uit te breiden met niet-landbouwministers en waarnemers uit andere sectoren. Op 15 januari 1953 sprak hij daarover met Bondskanselier Adenauer, diens staatssecretaris van Buitenlandse Zaken Hallstein en minister van Landbouw Niklas. Adenauer ging alleen akkoord met een nieuwe voorconferentie van de zes ministers van Landbouw van de 'Schumanlanden'. Niklas gaf aan dat integratie moeilijk lag bij Duitse landbouworganisaties en dat de regerende CDU de steun van die organisaties hard nodig had bij de aanstaande verkiezingen. Om Mansholt gunstig te stemmen bood hij aan de afzet van Nederlandse landbouwproducten te garanderen. Mansholt ging er niet op in.[31]

De voorconferentie van de zes vond plaats op 14 maart 1953. Mansholt presenteerde er een vooruitstrevend memorandum dat aanhaakte bij het concept van de *Assemblée ad hoc*, maar dat werd meteen afgevoerd. Mansholt deed er het zwijgen toe, maar explodeerde toen zijn collega's bleven steken in een discussie over het gewenste type samenwerking. Uit het concept van de *Assemblée* vloeide volgens hem de gezamenlijke verantwoordelijkheid voort voor de oprichting van een landbouwgemeenschap. Als het overleg alleen maar uitdraaide op een complot van de zes tegen de overige West-

Europese landen (vooral Groot-Brittannië en Denemarken), zou hij onmiddellijk de vergadering verlaten. Vervolgens ging men er dan toch maar toe over Mansholts stuk te bespreken. Nadat zijn Italiaanse collega verklaard had zich er totaal niet aan te willen binden, deed de Belgische minister Héger daar nog een schepje bovenop: hij stond 'perplex' dat de Nederlandse minister van Landbouw zulke grote politieke zaken wilde regelen. Mansholt reageerde fel. Hij stond al even perplex dat een Belgische minister in zo'n belangrijke kwestie zijn eigen regering in de steek liet. De andere ministers moesten ingrijpen om aan de ruzie een eind te maken.[32]

De definitieve conferentie vond van 16 tot 20 maart 1953 plaats te Parijs. Daar voegde Spanje zich nog bij de vijftien deelnemers: de (inmiddels) twaalf van de Raad van Europa plus Oostenrijk, Portugal en Zwitserland. Er werd opnieuw een interim-commissie ingesteld, die zich daarna al snel ontpopte als een bolwerk van protectionisme. In oktober 1953 kwam Mansholt tot de conclusie dat de zaak naar een ander niveau moest worden getild.[33] Verdere behandeling *entre nous* had geen enkele zin meer. Er was te veel weerstand tegen het plan, vooral in landen met een omvangrijke, maar vrij zwakke agrarische sector. In die landen was de roep om protectionisme luid en de macht van de boeren relatief groot. Zelfs binnen de groep van zes liepen de landbouwbelangen te ver uiteen. De Duitse en Belgische organisaties steunden Mansholt niet.

## L'échec Européen

Mansholt weigerde de handdoek in de ring te gooien. Hij was er inmiddels van overtuigd dat integratie dringend noodzakelijk was. 'Europa' als ideaal drong steeds verder naar voren, terwijl de afzet van kaas langzaam maar zeker op het tweede plan terechtkwam. Illustratief is zijn bijdrage aan een debat op de algemene vergadering van de Centrale voor Nederlandse Verbruikscoöperaties op 25 juni 1953 te Amsterdam. Mansholt bracht naar voren dat het van revolutionaire betekenis zou zijn als er over vijftien jaar een geïntegreerd Europa was. Vanuit het publiek werd geroepen dat Frankrijk en Italië eerst zelf orde op zaken moesten stellen voordat er verder kon worden gegaan met integratie. Mansholt antwoordde:

Het orde op eigen zaken in het Italiaanse huis stellen komt mede voor onze verantwoordelijkheid. Wij zitten niet in hetzelfde huis, maar wonen wel in dezelfde straat. Het is van grote betekenis dat aan het einde van de straat, waaraan Italië woont, geen heibel ontstaat. Ik ben van mening dat we de stelling moeten omkeren: omdat Frankrijk en Italië niet in staat zijn orde op zaken in eigen huis te stellen, hoewel zij zich tot het uiterste inspannen – vooral op het gebied van de landbouw – om in de wedloop met de tijd voor te blijven, zullen wij inderdaad moeten integreren.[34]

Mansholt had er ruim drie jaar over gedaan (van mei 1950 tot juni 1953) om de stap te zetten van 'integratie van productie en afzet [van landbouwproducten] in West-Europa' naar de politieke medeverantwoordelijkheid voor het orde op zaken stellen in de verschillende huizen aan de Europese straat. Na de mislukking van de 'groene' gemeenschap van zes (of zestien) restte hem alleen nog de weg van de met de EDG verbonden politieke gemeenschap. Eind december 1953 stelde hij in de Tweede Kamer: 'Vanaf het moment, dat er in West-Europa een politieke gemeenschap zal zijn gecreëerd, zal het vraagstuk van de landbouworganisatie onmiddellijk aan de orde komen en het zal een van de taken van het executieve orgaan zijn om deze integratie te verwerkelijken.'[35]

Het probleem was dat de Franse regering het EDG-verdrag weliswaar getekend had, maar dat het parlement – waar verkiezingen de politieke machtsverhoudingen hadden gewijzigd – grote moeite had het te ratificeren. Mansholt bleek bereid tot vergaande concessies aan de Fransen. Wanneer het politiek-federale orgaan er eenmaal was, zou dat de economische vraagstukken later zelf wel kunnen regelen. Dit standpunt bracht hem vrijwel onmiddellijk in botsing met Drees. Op 29 april 1953 werd het Verdrag inzake de EPG – de Grondwet voor een federaal Europa – besproken door het kabinet. Mansholt was enthousiast. Hij drong aan op aanvaarding van 'de gemeenschappelijke politieke verantwoordelijkheid voor de gevolgen van de integratie'. De opbouw van de gemeenschappelijke markt moest snel ter hand worden genomen.

Daarna volgde de bijdrage van Drees als een koude douche. De minister-president voelde *helemaal niets* voor een verdrag dat aan economische integratie alleen maar wat vage woorden wijdde. De recente ervaringen met het plan-Mansholt hadden juist laten zien dat het de ministers van Landbouw van Italië, Duitsland en België aan de wil ontbrak om tot een gemeenschappelijke markt te komen. De club van zes was te klein, werd te veel gedomineerd door instabiele landen als Italië en Frankrijk en leidde tot een verhoging van het Nederlandse kostenpeil. De afschaffing van kwantitatieve invoerbeperkingen en de geleidelijke verlaging van tarieven moesten in het verdrag worden vastgelegd, anders zou er volgens Drees niets van terechtkomen. Hij was er namelijk zeker van dat de rest geen economische integratie wenste. Nederland zou dus worden opgezadeld met een ingewikkelde institutionele constructie 'zonder wezenlijke waarde voor ons land'. Drees waarschuwde dat hij aftrad als dat zou gebeuren. Toen daarna verschillende concrete onderdelen de revue passeerden, veegde Drees met elk daarvan de vloer aan.[36] Hij kon er op geen enkele manier een positieve draai aan geven. De minister-president geloofde er niet in. Dat was duidelijk.

Het kabinet koos uiteindelijk in meerderheid voor de kritische lijn-Drees. Nederland zou er vervolgens tegenover de andere vijf op blijven hameren dat eerst concrete invulling moest worden gegeven aan de economische kant: handelsbelemmeringen opruimen en tarieven omlaag. Dat wekte bij die vijf steeds meer weerzin op. Eind september 1953 pleitte Mansholt in een persoonlijke brief aan Beyen dan ook voor een soepeler opstelling. Duitsers en Italianen verlangden concessies, respectievelijk op monetair en sociaal gebied. Het kabinetsstandpunt was volgens hem te star. Met het oog op de totstandkoming van de politieke gemeenschap was het beter om wat toe te geven.[37]

Twee maanden later, op 23 november 1953, bezwoer Mansholt zijn collega's in de ministerraad zich niet blind te staren op de douane-unie. Het was een illusie te denken dat de andere vijf landen daarmee akkoord zouden gaan. De rest *wilde* namelijk geen gemeenschap met sterke economische bevoegdheden. Nederland moest zich niet in een hoek laten drijven. Als alternatief lanceerde hij een plan voor economische integratie over de hele linie, met behoud van een nationaal *parlementair* vetorecht. Hij kreeg geen enkele steun. Het kabinet weigerde 'een lege huls' te accepteren om de Fransen van dienst te zijn.[38]

Op 13 april 1954, toen langzaamaan duidelijk werd dat de Defensiegemeenschap het in de Franse *Assemblée* niet zou redden, ging Mansholt in de ministerraad nog een stap verder. Hij wilde de sprong naar de politieke gemeenschap wagen. Het creëren van een gemeenschap was op dat moment belangrijker dan het verkrijgen van garanties op economisch terrein. Er was volgens hem ook geen sprake van een lege huls maar van wezenlijke bevoegdheden. Voor het automatisme van de totstandkoming van de gemeenschappelijke markt was geen steun te krijgen en een 'strijdpositie' innemen tegenover Frankrijk was niet verstandig. Hij gaf er de voorkeur aan met de Fransen te zoeken naar 'een EG met minimale bevoegdheden'. In het EDG-verdrag had men misschien te veel willen regelen. Speciaal voor de landbouw was het volgens hem van belang dat er een orgaan zou komen dat de gemeenschappelijke verantwoordelijkheid van de zes vaststelde. Een recessie op agrarisch gebied kon voor Nederland namelijk vergaande gevolgen hebben. Ten slotte benadrukte hij, samen met Beyen, 'dat in de gehele evolutie van de voorbereidingen der EG soepelheid noodzakelijk is'.[39]

Mansholt en Beyen maakten vrij gemakkelijk de sprong van nationale naar gemeenschappelijke verantwoordelijkheid. Een deel van het kabinet, Drees voorop, had daarmee moeite. In de praktijk dreigde 'Europa' erop neer te komen dat onder Franse heerschappij Engeland de rug zou worden toegekeerd. Nederland zou min of meer worden opgesloten in een continentaal blok, wat zeer nadelig was voor de export. Mansholt wilde eenvoudig de Fransen binnenboord houden. Zijn voorstel was een wanhopige poging om nog een of ander verdrag uit het vuur te slepen. Die poging mislukte. De meerderheid van het Nederlandse kabinet was niet bereid de deur open te zetten.

Euroscepticus Drees contra federalist Mansholt? Dat is overdreven. Het ging meer om nuanceverschillen over de strategie dan om tegengestelde visies op het eindresultaat. Mansholt was positiever over de Franse bedoelingen. Over de grens had hij contacten gelegd met Europees ingestelde politici als Adenauer, Spaak en Monnet. Leiders van boerenorganisaties in Frankrijk waren Europa gunstig gezind. Anders dan Drees hoefde Mansholt er Groot-Brittannië niet *per se* bij te hebben. Landbouwintegratie was door de Britten immers beslist afgewezen. Het verschil in nuance werd ook gevoed door het verschil in karakter: de pionier met de blik over de grens, die een zaak van bovenaf en planmatig naar zijn hand placht te zetten tegenover de bestuurder die het vertrouwde pad bewandelde, behoedzaam manoeuvrerend *binnen* de bestaande politieke verhoudingen en het vastgestelde financiële kader. Drees had de neiging realiteiten als blijvend te taxeren, terwijl Mansholt uitging van 'maakbaarheid'. Daarnaast was er nog het element van de partijpolitiek. Als minister-president van een breed samengesteld kabinet begaf Drees zich zo min mogelijk op dat terrein, terwijl Mansholt zich ontwikkelde tot spreekbuis van de Europese voorhoede in de PVDA.

Al eerder werd gewezen op de informele vergaderingen van Europagezinden bij Mansholt thuis in Wassenaar. Tot die club behoorden onder anderen Van der Goes van Naters, Kapteijn en Nederhorst (de leden van de *Assemblée*), Burger, Posthumus en Samkalden. Van der Lee herinnerde zich ook nog Alfred Mozer, internationaal secretaris van de PVDA van 1951 tot 1958, Max Kohnstamm, van 1952 tot 1956 secretaris van de Hoge Autoriteit van de EGKS en daarna nog vele jaren de rechterhand van Monnet, en Conny Patijn, van 1950 tot 1956 directeur internationale organisaties van het ministerie van Buitenlandse Zaken, een neef van Mansholts latere secretaris-generaal. De club maakte zich sterk voor een PVDA-minister op Buitenlandse Zaken die de Europese integratie op dezelfde positieve wijze zou benaderen als Spaak dat deed in België. Drees hield dat af, maar uiteindelijk bleek de partijloze Beyen toch een gelukkige greep te zijn, voor de Europeanen althans.[40]

Volgens Mansholt waren er indertijd 'werkelijk grote moeilijkheden'. Drees zou niets hebben nagelaten de politieke ontwikkeling van Europa tegen te houden.

> We hebben heel wat af moeten vechten in de top van de PVDA, en dat gebeurde dan altijd in Den Haag, in het gebouw van de Verzekerings-maatschappij de Centrale (...) . Daar waren heftige vergaderingen, grote spannende vergaderingen rond Europa. Er is heel weinig naar buiten bekend geworden, van wat daar is gebeurd. Ik vind er nergens iets over genoteerd, ook niet in de boeken van Drees.[41]

Ook in het archief-Mansholt is hierover niets te vinden. Hein Vos was direc-teur van De Centrale, een sociaaldemocratisch bolwerk. Omdat het partijbu-reau in Amsterdam was, werd het gebouw in Den Haag wel vaker gebruikt voor politieke vergaderingen.

Het archief van Alfred Mozer, een van de voortrekkers van de Europese fede-ralistische beweging, bevat wél het dossier van een PVDA-commissie die zich in 1953 en 1954 intensief heeft beziggehouden met de conceptgrondwet van de *Assemblée ad hoc*. De commissie stond onder voorzitterschap van Jan Barents. De drijvende kracht erachter was Ivo Samkalden.[42] Deze was in 1952 benoemd tot hoogleraar in Wageningen, maar gaf Mansholt nog steeds juridisch advies. Hij stak waarschijnlijk ook achter het plan dat Mansholt op 23 november 1953 in de ministerraad gepresenteerd had en in feite neerkwam op het laten vallen van de douane-unie. Dat plan stuitte, zoals gezegd, op grote tegenstand. Een paar dagen later schreef Samkalden Mozer een brief, waarin hij de negatieve houding van het Nederlandse kabinet 'een internationale schande' noemde.[43]

Op 30 augustus 1954 werd het Verdrag tot oprichting van de Europese Defensiegemeenschap van de agenda van het Franse parlement afgevoerd. Ratificatie bleef uit. Het verzet tegen overdracht van een deel van de Franse soevereiniteit en tegen de herbewapening van Duitsland, ook al zou dat geschieden in het kader van de EDG, bleek te groot. Het hele gebouw van de politieke gemeenschap zakte daarop als een kaartenhuis in elkaar. De Europese integratie zat in het slop. Onder de voorstanders van supranatio-nale samenwerking heerste grote verslagenheid. Tegenstanders wreven hun in dat dit een 'onontkoombare realiteit' was gebleken, een politiek feit waar-bij men zich eenvoudig moest neerleggen.[44] Drees bleek het weer eens bij het rechte eind te hebben gehad.

De factor Mansholt in het integratieproces

Na de *Green Pool* bleek de politieke gemeenschap ook een doodlopende weg. Mansholt weigerde zich erbij neer te leggen, maar haalde pas vier jaar later, in 1958, zijn gelijk. Daarna zou hij een belangrijk aandeel hebben bij het op de rails zetten van 'Europa'. Het resultaat werd in hoge mate bepaald door politieke, institutionele en sociaaleconomische omstandigheden. Toch moet 'de factor Mansholt' daarbij niet worden onderschat. Hij combineerde de verschillende elementen tot één product: het gemeenschappelijk landbouwbeleid.

Zover was het in augustus 1954 nog niet. Eerst moest de Europese integratie opnieuw worden gelanceerd. Men koos na het mislukken van EDG en EPG voor een andere richting: de *economische* gemeenschap, een richting die eigenlijk al was aangegeven in het memorandum van Beyen uit 1952. Na jaren onderhandelen leidde dat in maart 1957 tot de ondertekening van het EEG-Verdrag. Zowel in het kabinet als daarbuiten heeft Mansholt een belangrijke bijdrage geleverd aan de formulering van het Nederlandse standpunt.

Hoe zwaar woog de factor Mansholt in het integratieproces? Met welke bagage trok hij omstreeks 1954 Europa in? Ten eerste was hij 'van huis uit', na acht jaar Wieringermeer en negen jaar Landbouw en Voedselvoorziening, natuurlijk bij uitstek deskundig op zijn beleidsterrein. Internationaal draaide hij langer mee dan de meeste andere landbouwministers. Nederland was bovendien een eerste klas landbouwland. Dat legde extra gewicht in de schaal. Mansholts netwerk strekte zich ver uit over de grens: hij werd door landbouwattachés (ongeveer 24, verspreid over de hele wereld en uitermate actief) op de hoogte gehouden van de actualiteit; had contact met invloedrijke Europeanen als Monnet, Spaak en Adenauer; grote ervaring met het werk in de FAO en persoonlijke relaties in de hoogste diplomatieke kringen. De ambassadeurs Van Roijen (Washington, 1950-1964), Stikker (Londen, 1952-1958) en later ook Beyen (Parijs, 1958-1963) waren allen oud-collega's.

Mansholt was een man van internationaal formaat. Illustratief was de wijze waarop hij via de Verenigde Staten druk probeerde uit te oefenen om zijn integratieplannen van de grond te krijgen. Eind 1951, op een FAO-vergadering in Rome, sprak hij de Amerikaanse minister van Landbouw aan, die hem beloofde contact te zullen opnemen met zijn collega van Buitenlandse Zaken. Het plan-Mansholt werd er goed ontvangen. De Amerikanen prezen het supranationale element en benadrukten dat het de West-Europese defensie ten goede zou komen. Begin maart 1952, één dag voor de landbouwconferentie in

Parijs, legden de VS zelfs een *statement* af over Europese landbouwintegratie van precies dezelfde strekking als het plan. Dit *statement* was mede gebaseerd op een notitie van Van der Lee.[45]

Op 6 mei 1953, tijdens zijn reis naar de VS en Canada, vertelde Mansholt de Amerikaanse regering dat het *Green Pool*-initiatief 'had (...) dwindled down to a commodity by commodity negotiation, which at best could only introduce protectonism'. Het *State Department* lichtte vervolgens alle posten in Europa in 'that Washington was disappointed at the trend of thinking on agricultural integration described by Mansholt, since it was not likely to promote arrangements of a kind which the US could support'.[46]

Andersom leek Mansholt als spreekbuis voor Washington te fungeren. Oud-staatssecrataris Van der Beugel herinnerde zich later, dat hij, als Nederland lastig was bij Europese onderhandelingen, eerst de wind van voren kreeg van de Amerikaanse ambassadeur en dan in de volgende ministerraad precies hetzelfde verhaal moest aanhoren van Europeanen als Mansholt.[47]

De *Green Pool*-ervaring was als bagage ook van belang. Met zijn plan had Mansholt naam gemaakt in Europese landbouwkringen. Hij had gemerkt waar de problemen lagen, wat de positie van de verschillende landen was en bij welke nationale politici en organisaties steun kon worden gevonden. De weerstand tegen integratie op het terrein van de landbouw bleek zo groot dat een meer algemene, fundamentele aanpak nodig was. Mansholt had geleerd dat een goede strategie soms belangrijker was dan de inhoud. Het mislukte plan kon elk moment opnieuw uit de la worden gehaald.[48]

De nederlaag bracht Mansholt ertoe des te feller te strijden voor een multilaterale oplossing. Terugkeer naar het bilateralisme van de jaren dertig was volgens hem desastreus. In de rede die hij hield bij zijn erepromotie in Wageningen in oktober 1956 benadrukte hij: 'De integratie van Europa – ook die van de landbouw in Europa – is een noodzakelijkheid waarvoor datgene wat velen als onmogelijk beschouwen, zal moeten buigen.' Tegenover de sceptische houding van Drees, die wilde wachten op Groot-Brittannië en de Scandinavische landen, stelde hij: 'Wij moeten nù beginnen het eens te worden. Zij komen er later wel bij.' In die tijd kwam hij ook tot de conclusie dat landbouw een belangrijk aanknopingspunt vormde voor verdere integratie. 'We moeten een Europees landbouwbeleid hebben,' zei hij tegen minister Zijlstra van Economische Zaken. 'Als er geen gemeenschappelijk landbouwbeleid komt, komt er geen gemeenschappelijk vrij verkeer in landbouwproducten. En als de landbouwproducten van Frankrijk niet vrij worden, maakt Frankrijk de industrie-invoer niet vrij.'[49]

In het kabinet was Mansholt een van de zwaargewichten. Het Nederlandse

Het gezin heft het glas na vaders erepromotie in Wageningen in oktober 1956.

staatsrecht gaf hem als minister in principe veel ruimte op zijn eigen beleidsterrein. Collega's over de grens konden daaraan niet tippen. Landbouw was ook een onderwerp waaraan de rest van het kabinet zich liever niet brandde. Tegelijk ontwikkelde Mansholt zich in de ministerraad tot een van de belangrijkste voorstanders van Europese integratie, vanaf 1952 in het gezelschap van Beyen en Zijlstra en na 1956 samen met Zijlstra, Samkalden (PVDA, Justitie) en Klompé (KVP, Maatschappelijk Werk; Klompé was lid geweest van de *Assemblée ad hoc*). Zij botsten steeds vaker op de behoedzame aanpak van Drees.

In organisatorisch opzicht had Mansholt zijn zaakjes goed voor elkaar. Het Europese beleid werd uitgewerkt door de Directie Internationale Organisaties van Van der Lee, in nauw overleg met de minister. Mansholt maakte slim gebruik van de rivaliteit tussen Buitenlandse Zaken en Economische Zaken. Hij steunde de claim van Buitenlandse Zaken op het coördinatorschap van het Nederlandse beleid inzake economische integratie, onder de voorwaarde dat dit 'de bevoegdheden van de Minister van LVV om zelf zijn standpunt te bepalen ten aanzien van aangelegenheden waarbij de Min. v. LVV betrokken is, onaangetast zou laten'. Hierdoor verkreeg Landbouw een grote bewegingsvrijheid op internationaal terrein. Als het interdepartementaal overleg niet tot resultaten leidde, bracht Mansholt de zaak in de ministerraad of pleegde hij persoonlijk overleg met zijn ambtgenoten.[50] Binnen het ambtelijk apparaat beschikte hij bovendien op het juiste moment over de juiste mensen, met name Van der Lee, Samkalden, Frits van Oosten (DIO), Linthorst Homan (EZ) en Conny Patijn (BZ).

Mansholt fundeerde zijn beleid op het permanente overleg met het agrarische bedrijfsleven. Dat gold ook voor zijn Europese politiek. Met een aantal topambtenaren en vertegenwoordigers van het Landbouwschap had hij in de jaren van de Green Pool en de voorbereiding van het EEG-Verdrag regelmatig vooroverleg in de zogeheten 'werkgroep Integratie'. Hij nam de landbouworganisaties ook op in het officiële circuit. Hierdoor wist hij zich verzekerd van een groot draagvlak. Het Landbouwschap zou in de jaren 1956-1957 vaak beter op de hoogte zijn geweest van de stand van de onderhandelingen voor het EEG-Verdrag dan de andere ministers en hun departementen. Via de Nederlandse organisaties probeerde Mansholt ook invloed uit te oefenen in het buitenland. Zo vroeg hij bijvoorbeeld Herman Louwes in 1951 contact op te nemen met Deense en Britse organisaties.[51]

Ten slotte droeg Mansholts bagage omstreeks 1954 het stempel van zijn partij, althans van de invloedrijke Europese voorhoede. Daartoe behoorden voornamelijk parlementsleden, die al eerder werden genoemd.[52] In het kabinet fungeerde Mansholt als hun spreekbuis. De club werd vanaf 1955 op sleeptouw genomen door het actiecomité voor de Verenigde Staten van Europa van Jean Monnet. Mansholts partijgenoten Jaap Burger en Max Kohnstamm waren daarbij nauw betrokken. Verder had PVDA-econoom Jan Tinbergen grote invloed op Mansholt. In september 1954, direct na het mislukken van de EDG, stelde Tinbergen in een discussie met partijgenoten, dat er sinds 1945 in Europa ten aanzien van de handel in landbouwproducten geen belangrijke vorderingen waren gemaakt. OEES en *Green Pool* hadden niets opgeleverd. Men moest volgens hem allereerst langs politieke weg streven naar de oprichting van een gezagsorgaan dat beslissingen kon nemen over de hoofden van de regeringen heen.[53]

## La relance: Messina, Hertoginnedal, Rome

In de ministerraad van 21 maart 1955 haakte Beyen aan bij de oproep van Jean Monnet om initiatieven te nemen tot verdere sectorgewijze integratie. Monnet dacht aan transport en energie. Hij was gedesillusioneerd door het echec van de defensie- en de politieke gemeenschap, had zijn ontslag aangeboden als voorzitter van de Hoge Autoriteit van de kolen- en staalgemeenschap en wilde zich verder volledig wijden aan de promotie van diepgaande integratie. Beyen stelde voor een initiatief te nemen om te komen tot het afschaffen van douanetarieven. Verdere integratie moest volgens hem een algemener karakter hebben. Hij schreef hierover een nota die op 28 maart door het kabinet besproken werd. Drees reageerde sceptisch: 'Men moet niet verwachten, als men langs de weg van internationaal overleg op weerstanden stuit, dat men langs de weg van supranationale organen wel bereikt wat men wil.' Zijlstra trok het kabinet ten slotte over de streep. Een Beneluxinitiatief kon volgens hem wél concrete resultaten opleveren. Hij stelde voor *simultaan* te spreken over de douane-unie en 'speciale organen'. Beyen mocht verder gaan met zijn plan, maar zag zich gedwongen een verwijzing naar de mislukte EPG te laten vallen. Mansholt was die dag afwezig. In de ministerraad van 12 april reageerde hij positief.[54]

Uit het contact tussen Beyen en Spaak vloeide een memorandum voort dat op 20 mei 1955 namens de Benelux werd aangeboden aan de regeringen van Frankrijk, Italië en de Bondsrepubliek. Voorgesteld werd een conferentie bijeen te roepen om verdragsteksten uit te werken die onder meer betrekking hadden op het vreedzaam gebruik van atoomenergie en de instelling van een gemeenschappelijke markt, respectievelijk de input van Monnet en die van Beyen. Het memorandum werd begin juni 1955 besproken door de ministers van Buitenlandse Zaken van de zes in Messina op Sicilië. Inhoudelijk kwam men weliswaar geen stap verder, maar procedureel wel. Besloten werd een intergouvernementeel comité van deskundigen in te stellen 'om het echte gerecht iets meer panklaar te maken'. Dit comité werd op zeer voortvarende wijze geleid door Spaak. In april 1956 kwam het rapport van dit comité gereed, dat de maand daarop – in Venetië – door de zes aanvaard werd als basis voor verdragsonderhandelingen. In het rapport werd bepaald dat landbouw deel zou uitmaken van het integratieproces. Het had de Nederlandse onderhandelaars, Linthorst Homan en de econoom en bankier Gerard Verrijn Stuart, veel moeite gekost dit erin te krijgen.[55]

De eigenlijke verdragsonderhandelingen begonnen op 26 juni 1956 in kasteel Hertoginnedal aan de rand van Brussel, opnieuw onder voorzitterschap van Spaak. Voor het eerst was er een aparte werkgroep met experts van de ministeries van Landbouw en van de boerenorganisaties.[56] Van der Lee maakte voor Landbouw deel uit van de Nederlandse onderhandelingsdelegatie. Over de landbouwartikelen in het Verdrag voerde de commissie Buitenland van het Landbouwschap direct besprekingen met Mansholt en zijn medewerkers, telkens als de Nederlandse delegatie terugkwam uit Hertoginnedal.[57] Dat de onderhandelingen een succes werden, was volgens Van der Lee vooral te danken aan Spaak. De Belgische minister van Buitenlandse Zaken had een enorm gezag, hield de vaart erin en dwong de onderhandelaars tot resultaten. Mansholt en Spaak hadden een uitstekend contact. Spaak kwam regelmatig naar Nederland of sprak met Mansholt af op het landgoed van oud-minister van Invoer en Bevoorrading (1944-1947) Paul Kronacker, vlakbij Antwerpen.[58] De tweede ronde met Spaak eindigde in februari 1957 met het conceptverdrag tot oprichting van de EEG en Euratom. Op 25 maart van dat jaar werd het Verdrag in Rome ondertekend.[59]

Het landbouwhoofdstuk van het EEG-Verdrag 'rammelde als een oude dorsmachine', schreef Linthorst Homan in zijn memoires. Spaak had in Hertoginnedal 'de tegenstellingen (...) met elkaar verbonden in een weinig fraaie tekst'. Er stond vooral in wat de lidstaten *konden* doen, niet wat ze *moesten* doen. Het protectionisme werd niet losgelaten en het gemeenschappelijk beleid in de verre toekomst geplaatst. Het Verdrag gaf geen duidelijke richtlijnen. De genoemde doeleinden konden onderling tegenstrijdig zijn en de opgesomde instrumenten vormden 'een winkel van sinkel waar alles te koop is'.[60] Het landbouwhoofdstuk omvatte de artikelen 38 tot en met 47. Centraal stond artikel 39:

1. Het gemeenschappelijk landbouwbeleid heeft ten doel: a. de produktiviteit van de landbouw te doen toenemen door de technische vooruitgang te bevorderen en door zowel de rationele ontwikkeling van de landbouwproduktie als een optimaal gebruik van de produktiefactoren, met name de arbeidskrachten, te verzekeren, b. aldus de landbouwbevolking een redelijke levensstandaard te verzekeren, met name door de verhoging van het hoofdelijk inkomen van hen die in de landbouw werkzaam zijn, c. de markten te stabiliseren, d. de [voedsel]voorziening veilig te stellen, e. redelijke prijzen bij de levering aan verbruikers te verzekeren.
2. Bij het tot stand brengen van het gemeenschappelijk landbouwbeleid en van de daarvoor te treffen bijzondere voorzieningen zal rekening gehouden worden met: a. de bijzondere aard van het landbouwbedrijf, welke voortvloeit uit de maatschappelijke structuur van de landbouw en uit de structurele en natuurlijke ongelijkheid tussen de verschillende landbouwgebieden, b. de noodzaak de dienstige aanpassingen geleidelijk te doen verlopen, c. het feit, dat de landbouwsector in de Lid-Staten nauw verweven is met de gehele economie.

De opname van de landbouw in het EEG-Verdrag was noodzakelijk om de Fransen mee te krijgen. Lange tijd was ook Monnet ervan overtuigd dat een gemeenschappelijke Frans-Duitse markt met vrije concurrentie in alle sectoren onhaalbaar was. De omslag bij hem vond plaats tijdens een diner in het najaar van 1956 met het hoofd van de delegatie van Frankrijk op Hertoginnedal en vertegenwoordigers van Franse landbouworganisaties. Kohnstamm, die daarbij aanwezig was, herinnerde zich later: 'Daar bleek, voor mij, en naar ik geloof ook voor Monnet, voor het eerst dat er een landbouwlobby was die ervóór was. (…) dat was doorslaggevend. Dan was er een kans.'[61]

Mansholt begreep dat het vanwege de grote onderlinge verschillen onmogelijk was om al in het Verdrag een landbouwpolitiek uit te stippelen. 'Ik heb er in die tijd naar gestreefd een zodanige redactie van het Verdrag te krijgen, dat daarin behalve de doelstellingen van de landbouwpolitiek ook een procedure was vastgelegd,' schreef hij in *De crisis*. De Commissie, het onafhankelijke politiek orgaan, moest met voorstellen komen, nadat zij de landbouw en de regeringen had geraadpleegd. De voorstellen werden gedaan aan de Raad van ministers, en die besliste na een advies te hebben gekregen van het Europees parlement.[62] In de Nederlandse ministerraad verdedigde Mansholt eind 1956 het voorstel van een 'zware Commissie' tegen kritiek van Drees. De Commissie moest druk kunnen uitoefenen op de Raad. 'Spreker neemt aan dat de Europese Commissie het meeste zal doen om te komen tot harmonisatie van de landbouw (…), maar als de voorstellen direct in het meest conservatieve deel, de raad van ministers, komen en unanimiteit is voorgeschreven, zal er niets van harmonisatie komen.'[63]

Wat de procedure betrof, kreeg Mansholt grotendeels zijn zin. Dat verklaart mede waarom hij, ondanks de povere landbouwparagraaf in het Verdrag, gematigd optimistisch bleef over de mogelijkheid iets van de grond te tillen. Net als Monnet rook Mansholt in het najaar van 1956, tijdens de onderhandelingen op Hertoginnedal, een kans voor de EEG. De een zag het draagvlak, de ander de macht. Monnet liet zich over de streep trekken door de positieve opstelling van de Franse landbouworganisaties, Mansholt door de bepalingen in het EEG-Verdrag over de bevoegdheden van de Commissie, vooral het initiatiefrecht.

Mansholt erkende meteen de politieke reikwijdte van het Verdrag van Rome. Dat bleek bijvoorbeeld uit de redevoering die hij op 3 oktober 1957 hield bij de behandeling van het wetsontwerp tot goedkeuring van het Verdrag in de Tweede Kamer. De grote bezorgdheid van de 'agrarische' Kamerleden over de Franse bedoelingen, de lengte van de overgangsperiode en het voortbestaan van allerlei protectionistische maatregelen in die periode veegde hij vrij eenvoudig van tafel. Mansholt gaf toe dat hij het graag anders had gezien. Als hij het vergeleek met zijn eigen plan, 'dan is dit verdrag (…) in meer dan één opzicht een zwakke afspiegeling daarvan'. Met de doelstellingen uit het Verdrag was niets mis: 'Dit kan een agrarisch program zijn van iedere Regering.' Het probleem was dat die doelstelling niet kon worden bereikt door middel van 'nationaal' beleid. Er was namelijk sprake van een structurele wanverhouding op de wereldmarkt. De productie was hoog, terwijl de koopkrachtige vraag ver achterbleef. Lage prijzen remden de agrarische ontwikkeling, drukten het inkomen van de boer en leidden alom tot protectie. Het Verdrag bood betere mogelijkheden voor het voeren van doelgericht beleid:

> In de eerste plaats wijs ik erop, dat nu voor de eerste maal een orgaan wordt gecreëerd met een zeer wezenlijke taak. (...) Er zijn bevoegdheden gegeven, die het mogelijk maken dingen te verwezenlijken, die wij op het ogenblik niet kunnen bereiken. Ik wijs dan op de bevoegdheden van de commissie. (Zij) heeft een zeer besliste verantwoordelijkheid voor het toepassen en uitvoeren van de verdragsbepalingen. Ik denk aan de taak van de commissie wat betreft het gemeenschappelijk landbouwbeleid, dat gedurende de overgangsperiode in 12 à 15 jaren moet worden gecreëerd; zij heeft tot taak reeds binnen twee jaren na de inwerkingtreding voorstellen te doen.

Met het Verdrag in de hand kon de Commissie het nationale beleid van de zes omsmeden tot een gemeenschappelijke politiek, die leidde tot een vrij verkeer van landbouwproducten. Daarnaast bood een grotere markt volgens Mansholt ook ruimte voor andere oplossingen. Hij wees op de mogelijkheid dat Nederland in de toekomst een deel van de Franse vlees- en eierenmarkt kon verzorgen. Grote bedrijven in Frankrijk zouden zich dan toeleggen op de productie van tarwe en suiker. Vervolgens passeerde nog een aantal andere, vrij essentiële punten de revue: de import van niet-Europees voedergraan, het voortbestaan van monopolieheffingen, de uniforme toepassing van plantenziektekundige maatregelen, het voeren van structuurpolitiek. Uit de gedetailleerde behandeling valt af te leiden dat de toekomstige landbouwcommissaris een groot deel van het scenario al in zijn hoofd had.[64]

## De EEG: een betrekkelijk kleine, protectionistische combinatie?

De weg van Venetië via Hertoginnedal naar Rome was bezaaid met obstakels. De belangrijkste daarvan werden opgeworpen door de Britten. Zij beantwoordden het door de zes in Venetië aanvaarde rapport-Spaak met een initiatief om in het kader van de OEES (de voormalige Marshallhulplanden) een vrijhandelszone op te bouwen door de onderlinge invoerrechten af te schaffen. De EEG zou zich als blok daarbij moeten aansluiten. De Raad van

Europa moest worden belast met de coördinatie tussen verschillende multi-laterale organisaties in West-Europa. Drees en het ministerie van Buitenlandse Zaken – vooral de op 7 januari 1957 tot staatssecretaris gepromoveerde Van der Beugel – hadden daarnaar wel oren. Van der Beugel was bereid tot grote concessies aan de Engelsen teneinde de vrijhandelszone mogelijk te maken, Mansholt absoluut niet. Dat Groot-Brittannië de landbouw erbuiten wilde laten was onacceptabel. Hij hield het kabinet in februari 1957 voor dat Nederland niet op het Engelse plan moest ingaan. De Britten waren er volgens Mansholt alleen op uit de EEG te torpederen: 'Dat moet men niet toelaten; de gemeenschappelijke markt is primair.'[65]

Op 29 april 1957, een maand na de ondertekening van het Verdrag van Rome, botsten Drees en Mansholt opnieuw. Mansholt vond de vrijhandels-zone een gevaar voor de goede werking van de EEG.[66] Drees antwoordde dat hij juist over belangrijke bezwaren van het EEG-Verdrag was heengestapt in de veronderstelling dat er een vrijhandelszone zou komen. 'Met de onder-tekening van dit verdrag heeft Nederland zich begeven in een protectio-nistische combinatie van betrekkelijk kleine omvang.' Nog in oktober 1957 pleitte Drees voor een vrijhandelszone. Mansholt en Samkalden stelden dat het geen zin had een standpunt in te nemen los van de vijf EEG-partners. Nederland kon niet op eigen houtje opereren. De Britse toezegging land-bouw bij de vrijhandelszone te betrekken in ruil voor een *waiver* (een alge-hele Britse ontheffing inzake agrarische tarieven) beschouwde Mansholt als 'een lege dop'.[67]

Drees zat in een lastig parket. Hij had zich sterk gemaakt voor een doua-ne-unie, terwijl – of: omdat? – hij er steeds van overtuigd was dat de andere vijf dat niet wilden. Hij suggereerde zelfs dat hij een veto had uitgesproken tegen het Verdrag als het perspectief van de vrijhandelszone er niet zou zijn geweest. In de ministerraad keerde Drees zich onder meer tegen een associatie van de Franse overzeese gebiedsdelen, rechtstreekse verkiezingen van het Europees parlement, het vrije verkeer van werknemers – hij voorzag een toestroom van duizenden Italianen – en de ongebruikelijk snelle behandeling van het Verdrag door de Kamer. Voor 'het hogere doel op lange termijn' gaven Mansholt, Sam-kalden en Klompé volgens hem te gemakkelijk toe aan Franse eisen.[68]

Drees had kennelijk meer vertrouwen in de Britse bedoelingen dan in de Franse. Bij 'Europeanen' als Mansholt lag dat precies andersom. Linthorst Homan herinnerde zich in zijn memoires talloze bezoeken van Britten aan Hertoginnedal waarbij ze zich beklaagden over discriminatie. Over het Engelse plan merkte hij op: 'Dus de OEES waarvan Londen steeds had verhinderd dat er problemen van invoerrechten zouden worden besproken, zou nu worden belast met precies dát, en de Raad van Europa, welks grote zwakte juist aan Londen had gelegen, zou nu politieke macht krijgen.' Daarop volgde de hem typerende optimistische conclusie: 'Enfin, beter gekeerd dan gedwaald.'[69] Mansholt was realistischer over de koersverandering, hoewel zijn oordeel natuurlijk gekleurd werd door de landbouwbril die hij droeg. Zijlstra, weliswaar Europeaan maar in de ministerraad meestal niet ver van de premier, was het dit keer niet met Drees eens. Over de episode-Hertoginnedal zei hij later:

> Vanaf het begin wilden de Britten de besprekingen zo moeilijk mogelijk maken en zand in de machine strooien. (...) De afleidingsmanoeuvre die bedacht werd, was: "Weet je wat, we maken een vrijhandelszoneconstructie waaraan de bestaande club als eenheid meedoet, dan doen de Britten ook mee. Dan hebben we een vrijhandelszone én de Europese Gemeenschap als geheel." Dat leidde natuurlijk tot afzichtelijke problemen, omdat de vrijhandelszone geen gemeenschappelijk buitentarief had. Er bestond alleen een vrij goederenverkeer tussen de landen die meededen. Ik zie het nog voor mijn ogen gebeuren. Waar het kon heeft Engeland gesaboteerd.[70]

Het is mogelijk dat Drees het Britse spel doorzag en 'meespeelde' om zich de Fransen en Monnet van het lijf te houden. Het besluit van Frankrijk – in de loop van 1956[71] – om het idee van de gemeenschappelijk markt daadwerkelijk te steunen, doorkruiste zijn plannen. Drees werd erdoor overvallen. Op 13 februari 1956 noteerde hij nog in zijn dagboek dat er weliswaar schot zat in de onderhandelingen over atoomenergie, maar dat de gemeenschappelijke markt een stuk verder in het verschiet lag. 'Die kunnen we wel op onze buik schrijven,' had Van der Beugel hem zelfs gezegd.[72]

De Franse regering sprong in 1956 op de rijdende trein van Spaak, Beyen en Mansholt. Monnet deed hetzelfde. Drees had zich tot dat moment fel gekeerd tegen de strategie van de 'constructeur' van Europa. Monnet had namelijk rechtstreeks contact opgenomen met de meest invloedrijke Europese parlementariërs en vakbondsleiders. Mansholt had hem eind 1955 geïntroduceerd bij PVDA-fractieleider Burger; Zijlstra bij Romme van de KVP. De Fransman probeerde hen achter een resolutie te krijgen waarin een supranationaal kernenergieorgaan werd voorgesteld. Drees reageerde verontwaardigd. Dit doorkruiste niet alleen de afspraken tussen de verschillende regeringen, maar was – aldus Drees in zijn dagboek – 'staatsrechtelijk een monstrum'. Monnet probeerde bij voorbaat een parlementaire meerderheid vast te leggen zonder dat er een discussie met de regering had plaatsgehad.[73]

Dat Drees via de EEG de Fransen naast zich kreeg, was al erg genoeg, maar dat hij bovendien door Romme en Burger in de wielen werd gereden, was helemáál mis. Volgens Kohnstamm waren die twee indertijd zelfs de belangrijkste steunpilaren van het Actiecomité voor de Verenigde Staten van Europa, de lobby van Monnet.[74] Toen Drees zich op 13 mei 1957 in de ministerraad liet ontvallen dat een snelle behandeling van het Verdrag van Rome alleen mogelijk was als de Kamer deze materie volkomen anders zou behandelen dan gewoonlijk, kreeg hij van Mansholt en Samkalden te horen dat dit juist zeer goed kon, omdat Burger en Romme zich hierover al hadden uitgesproken.[75] Bij voorbaat leek een parlementaire meerderheid vastgelegd. Het laat zich raden wie daarachter stak.

### Ein Bauer und ein Sozialist, das ist des Guten zuviel

In het archief-Mansholt in Amsterdam bevindt zich een map met verschillende notities van Van der Lee uit 1957 waarin hij Mansholt verslag uitbracht van gesprekken met onder anderen Monnet en de Franse minister-president Guy Mollet. In die gesprekken peilde Van der Lee de kansen van Mansholt op het voorzitterschap van de Europese Commissie van de EEG. De lobby daarvoor begon al in maart 1957 toen de inkt onder het Verdrag nauwelijks was opgedroogd. Jean Rey, de Belgische voorzitter van de Raad van Ministers van de EGKS, Amintore Fanfani, oud-premier van Italië, en Alfred Mozer, de internationale secretaris van de PVDA, waren eveneens voor Mansholt op pad, aldus Van der Lee.[76]

Op 22 november 1957 besloot het Nederlandse kabinet Mansholt aan te wijzen als kandidaat voor de Commissie. Mansholts kandidatuur was onderdeel van een politiek spel, waarbij niet alleen de nationaliteit en de politieke kleur van de negen EEG-commissarissen in het geding waren, maar ook drie voorzitterschappen (EGKS, Euratom en EEG), de uiteindelijke vestigingsplaats van de verschillende gemeenschappen en de positie van president van het Europese Hof van Justitie in Luxemburg. De beslissende conferentie hierover zou plaatsvinden in Parijs op 6 en 7 januari 1958. Het Nederlandse kabinet besloot op 27 december 1957 naar buiten toe hoog in te zetten op het voorzitterschap van Mansholt van de EEG, maar sprak binnenskamers een voorkeur uit voor het voorzitterschap van de EGKS (voor topambtenaar Spierenburg), terwijl het presidentschap van het Europese Hof nog achter de hand werd gehouden.[77] De voorkeur voor de EGKS was logisch, omdat de EEG nog helemaal niets voorstelde. Van der Beugel noteerde drie dagen later in zijn dagboek: 'Het wordt een lollige positie. Het kabinet wil Spierenburg als Voorzitter van de KSG, de Partij eist een socialistisch Voorzitterschap, Mansholt wil President van de Europese Commissie worden.'

In de eerste dagen van 1958 maakte Mozer – op verzoek van 'enkele leden' van de regering – een rondreis langs de verschillende partners om de eis van een socialistisch voorzitterschap voor het voetlicht te brengen. Bij zijn terugkeer op 4 januari vertelde hij Van der Beugel dat hij een lang gesprek had gehad met Adenauer, die zich optimistisch had uitgelaten over de kandidatuur van Mansholt. 'Ik geloof er niets van,' noteerde Van der Beugel in zijn dagboek.[78] Omstreeks diezelfde tijd ontving Drees een briefje van Burger met de klacht, dat de andere vijf aanstuurden op 'een katholieke, conservatieve dominantie', althans volgens Burger. Hij waarschuwde: 'Nederland is het enige land dat door een volstrekt "neen" kan verhinderen dat in Europa de socialisten als een *quantité negligeable* terzijde gesteld worden.' Drees antwoordde op 5 januari dat minister van Buitenlandse Zaken Luns in Parijs zou pleiten voor Mansholt bij de EEG en de Duitse kandidaat Hallstein bij de EGKS. Hij vond het wel vreemd om het argument te gebruiken dat *een socialist* voorzitter van de EEG moest worden, terwijl Mansholt alleen gesteund werd door de katholieke Luns en niet door zijn socialistische collega's Pineau (Frankrijk) en Larock (België).[79]

Dezelfde dag reisde Van der Beugel in het gezelschap van Mansholt af naar Parijs. Eigenlijk had Luns de zaak moeten opknappen, maar die was plotseling ziek geworden. Uit sonderende gesprekken met Franse en Duitse ambtenaren en politici begreep Van der Beugel al snel dat Mansholts kandidatuur hopeloos was. Na dertig uur vergaderen tussen de bewindslieden van Buitenlandse Zaken van de zes zou Hallstein ten slotte op 7 januari als voorzitter uit de bus komen. Mansholt werd vice-president. Van der Beugel noteerde in zijn dagboek: 'Hoewel hij tijdens de onderhandelingen buitengewoon moeilijk was in de lobby, heeft Sicco zijn verlies sportief genomen.' Op 10 januari bracht Van der Beugel verslag uit in de ministerraad: Mansholts kandidatuur was 'geblokkeerd door Duitsland en Italië, waarbij nog kwam dat Monnet zich duidelijk uitgesproken had voor de kandidatuur van Hallstein'. Het vastklampen van de Belgen aan Brussel als zetel van de EEG had de campagne voor Mansholt ook geen goed gedaan. De Benelux zou daarmee zijn deel van de koek wel hebben gekregen. Het PVDA-punt van het socialistische voorzitterschap werd gedekt door de benoeming van de Waalse vakbondsleider Paul Finet aan het hoofd van de EGKS.[80]

Volgens Van der Lee werd lange tijd niet gedacht aan Hallstein, Adenauers rechterhand voor buitenlandse zaken. Dat was een suggestie van Monnet, die aanvankelijk van mening was dat Mansholt het moest worden. Monnet

Ontvangst door bondskanselier Adenauer tijdens een bezoek in 1957 aan collega Heinrich Lübke (links) in Bonn. 'Ein Bauer und ein Sozialist, das ist des Guten zuviel.' [Collectie IISG]

veranderde op het laatste moment van gedachten, na overleg met Adenauer.[81] Alfred Mozer wist overigens dat de Bondskanselier anders over de Nederlandse kandidaat dacht dan hij Van der Beugel had voorgespiegeld. Toen de naam Mansholt viel, sprak Adenauer gevat: 'Wissen Sie, Herr Mozer, ein Bauer und ein Sozialist, das ist des Guten zuviel!'[82]

Mansholt vertrok in januari 1958 naar Brussel. Verlost van de 'kleine' Haagse politiek, kon hij zich daar pas werkelijk uitleven. Hij was overigens niet de enige die zich opgelucht voelde. Oud-minister Zijlstra herinnerde zich later: 'Toen Mansholt benoemd werd tot Commissaris voor Landbouw bij de EEG, zei Drees op een middag tegen mij: "We zijn hem gelukkig eindelijk kwijt." Ik zeg: "Drees, kwijt …? Ik moet je optimisme temperen, je krijgt hem over de band gespeeld terug." En zo is het gegaan.'[83] Mansholt nam een aantal getrouwen mee naar Brussel, Van der Lee bijvoorbeeld. Hij ging voortvarend van start en voelde zich in het begin allerminst geremd door een gebrekkige infrastructuur, nationale ballast of de taalbarrière. Als hij een woord niet wist, fluisterde Van der Lee hem dat in:

Zijn eerste rede in Frankrijk was voor de Franse landbouworganisaties, over de toekomstige Europese landbouwpolitiek. Dat was werkelijk nog een beetje van: *Maman fumons une pipe.* Dus ik vulde de woorden in waar hij naar zocht. Beyen had een diplomaat gestuurd om die rede te verslaan en heeft toen naar Den Haag geseind: De Europese vice-president Mansholt heeft een briljante rede gehouden in het Frans voor dat en dat congres, maar sinds de dagen van Sodom en Gomorra is er niet zo gescharreld met de geslachten als bij deze gelegenheid.[84]

Stresa, 3-12 juli 1958

Titel II, de vage landbouwparagraaf van het EEG-Verdrag, vormde het vertrekpunt voor verregaande integratie. In de rede die Mansholt op 3 oktober 1957 in de Tweede Kamer afstak, haalde hij het eerste lid van artikel 43 aan: 'Ten einde de hoofdlijnen van een gemeenschappelijk landbouwbeleid uit te stippelen, roept de Commissie, zodra het Verdrag in werking is getreden, een conferentie van de Lid-Staten bijeen om hun landbouwbeleid onderling te vergelijken, met name door een overzicht op te stellen van hun middelen en behoeften.' De conferentie moest het basismateriaal verschaffen, aan de hand waarvan de Commissie de hoofdlijnen van het beleid kon uitstippelen.[85] Een geactualiseerde versie van het plan uit 1950 zou daar dan bovenop kunnen worden gelegd.

Toen hij commissaris was, besloot Mansholt de conferentie ex artikel 43 te houden in Stresa aan het Lago Maggiore. Dat bleek een schot in de roos: een prachtige omgeving, veel zon, cultuur en ontspanning, goed eten en drinken. Na Messina, Venetië en Rome leverden de Italianen opnieuw een grote bijdrage aan Europese integratie door precies de juiste locatie ter beschikking te stellen. In *De crisis* schreef Mansholt over Stresa:

Ik maakte me allerlei zorgen. Ik was bang dat die conferentie op de grootste wanorde zou uitlopen. Er zouden veel te veel deelnemers zijn: behalve de ministers van Landbouw veel ambtenaren, de vertegenwoordigers van de boeren – en andere organisaties, enzovoorts. Het was een invasie daar aan de oevers van het Lago Maggiore. Maar het viel enorm mee. Wij konden goed werken, de atmosfeer was uitstekend, het was gewoon een plezier. De voorstellen van de Commissie werden goed ontvangen. Natuurlijk werden de voorstellen geamendeerd, maar alles bij elkaar was er echt de wil om er vaart achter te zetten en een gemeenschappelijke landbouwpolitiek te maken. Dat was het dynamische beginpunt van een lange weg.[86]

De conferentie duurde van 3 tot 12 juli 1958. Er waren zes nationale delegaties van twaalf à vijftien man en een afvaardiging van de Commissie, inclusief Hallstein, Mansholt en diens nieuwe kabinetschef Alfred Mozer.[87] De pers was goed vertegenwoordigd. Mansholt had nog geprobeerd de ministers van Economische Zaken bij de conferentie te betrekken, maar dat was afgeketst op de Duitse en Belgische ministers van Landbouw. In Nederland had Drees zich tevergeefs gekeerd tegen de opname van vertegenwoordigers van landbouworganisaties in de verschillende delegaties. Als men regeringen wilde raadplegen, dan moesten de belanghebbenden zelf daarbij volgens hem niet aanwezig zijn.[88]

Mansholt had een algemene agenda opgesteld, zodat van tevoren niet duidelijk was welke onderwerpen concreet aan de orde zouden komen. Hij had voor deze gelegenheid ook zijn vrouw meegenomen. Op de tweede dag van de conferentie schreef Henny een brief aan haar moeder. Zij begon met de 'stralende openingszitting':

> Met nog enkele dames heb ik alles bijgewoond, goed verstaanbaar door koptelefoons. Eerst Ferrari, de net benoemde minister van Landbouw van Italië, toen de burgemeester van Stresa, daarna Hallstein de voorzitter van de E.E.G. (5 kwartier) en tot slot Sicco 20 minuten. Na afloop gaf Ferrari een receptie en aten we samen met [de nieuwe Nederlandse minister van Landbouw] Vondeling en Alfred Mozer (...). Vandaag zullen de ministers van Landbouw hun rede houden, waarop Sicco morgen moet antwoorden. Hij is daar erg gespannen over en is van plan vannacht door te werken n.b. na een galadiner dat Hallstein vanavond aanbiedt. Zijn rede is in grote trekken klaar, maar hij moet ingaan op wat de andere 6 zullen zeggen en dat er in verwerken.[89]

Op de laatste dag volgde nog een tweede brief. Henny had wat willen lezen, maar was daaraan nauwelijks toegekomen. Ze had veel verplichtingen gehad. De vorige dag had ze 25 dames een boottocht aangeboden over het meer.

> 't Waren zeer inspannende dagen voor Sicco. We zagen elkaar nauwelijks en hadden zelfs op mijn verjaardag geen tijd om samen te eten en [toen] kwam Sicco pas om 2 ½ uur in bed. Omdat het bij velen al bekend was

geworden dat ik jarig was besloten we, ook al omdat Sicco toch iets moest aanbieden een *garden party* te geven op die dag. We huurden 2 speedboten met ski's en adviseerden badpakken mee. 't Feest werd een groot succes. Wel 50 van de 80 mensen zwommen (...). Men vond het de origineelste cocktail ooit gegeven en iedereen was enthousiast en 't maakte mijn verjaardag toch tot een feestdag.[90]

Mansholt nam het voortouw in Stresa. Hij stond geen diepgaande discussie toe over doeleinden en instrumenten en slaagde erin de Nederlandse consensus over beleidsdoelstellingen op Europees niveau te tillen. Dat was opmerkelijk omdat hierover in de andere landen tot op dat moment felle ideologische debatten waren gevoerd. Ondanks meningsverschillen werd men het eens over de hoofdlijnen van het beleid, het 'basismateriaal' waarop de Commissie haar latere voorstellen zou funderen. Er was voor elk wat wils: behoud van het familiebedrijf; sanering van marginale ondernemingen; uitbreiding van de onderlinge handel én de handel met derde landen; optrekken van het loonniveau in de landbouw naar dat in andere sectoren; een scherp prijsbeleid dat overproductie moest voorkomen. Prioriteiten werden niet gesteld. Mansholt creëerde voldoende ruimte om aan de slag te kunnen.[91]

Naast overeenstemming over de basis werden nog andere resultaten geboekt. Van belang was dat de Commissie pogingen van de Fransen om de conferentie een permanent karakter te geven wist te stuiten. Zij hadden gehoopt op die manier enige greep te kunnen houden op Mansholt c.s.[92] Misschien nog belangrijker, maar moeilijk meetbaar, was de 'ongeschreven consensus' van Stresa. De commissaris voor Mededinging Hans von der Groeben, ook aanwezig in Stresa, signaleerde in zijn memoires 'eine grosse Bereitschaft zur Zusammenarbeit und zu den notwendigen Kompromissen'.[93] Anders dan bij eerdere landbouwconferenties was eindelijk het besef doorgedrongen dat er gezamenlijk naar oplossingen moest worden gezocht. In zijn slotrede sprak Mansholt over een *esprit de coopération*.[94]

Iedereen die iets te betekenen had in de Europese landbouw was aanwezig in Stresa. Mansholt wist hen te overtuigen dat hij de juiste man op de juiste plaats was. Het hart van deze commissaris lag bij de landbouw. Hij beheerste de materie volkomen en had bovendien een visie op de toekomst. Tijdens de conferentie had hij steeds de nadruk gelegd op het versterken van het gezinsbedrijf en de verdere sociale ontwikkeling van het platteland. Hij had de lont getrokken uit een weinig tactische redevoering van Vondeling, zijn opvolger in Den Haag, die het volledig had opgenomen voor de belangen van de consument. Vondeling had zich gekant tegen agrarisch protectionisme en vond dat alle deuren en ramen wijd open moesten. Mansholt had daarop gereageerd met:

> (Ik ben) best bereid om te zeggen dat de ramen open moeten om een frisse wind door ons huis te laten waaien. Maar dat wil niet zonder meer zeggen dat altijd alle deuren open moeten, want ik geloof dat óók minister Vondeling, als het buiten stormt of ijskoud is, of wanneer er een onweer woedt, de huisdeur niet open laat staan. De mogelijkheid moet dan bestaan om de deur te sluiten.[95]

Volgens ooggetuigen vestigde Mansholt zijn prestige daadwerkelijk op Henny's verjaardagsfeest. Dynamiek en wilskracht werden samengebald in één fysieke topprestatie. 'Dat was nou typisch Mansholt,' zei Mansholts vicekabinetschef Wim van Slobbe, een van de toeschouwers. Van een andere, Henk Vredeling, is de volgende beschrijving, vijftien jaar later, van de stunt die Mansholt uithaalde op de *garden party*. Vredeling was door het NVV als adviseur toegevoegd aan de Nederlandse delegatie.

> Ik zie Mansholt nog zegevieren in Stresa in juli 1958, de eerste grote conferentie van de landbouwministers van de zes EEG-landen. Volgens mij heeft Mansholt zijn prestige bij die ministers en hun medewerkers voorgoed gevestigd toen hij een feest gaf in het huis waar hij bivakkeerde. Stresa ligt aan het Lago Maggiore in Italië en het huis grensde aan dat meer. Op de mooie zomeravond waarop Mansholt en zijn vrouw Henny de receptie gaven, was er rekening mee gehouden dat we zouden gaan zwemmen. Er was ook zo'n waterskiboot met toebehoren. Een Duits ambtenaar van de Europese Commissie – Von Stulpnagel, een mooie jongen – probeerde indruk te maken, vooral op het vrouwelijke deel van de gasten door de waterski's aan te doen, waarop hij aan de man in het bootje verzocht aan te trekken. Het mislukte; tot driemaal toe duikelde Von Stulpnagel, voor hij opgaf, terug in het water.
> Toen kwam Sicco Mansholt. Hij had nog nooit waterski's aangehad. Hij nam het over, en terwijl alle gasten ademloos toekeken ging hij het proberen. De eerste keer rees hij half uit het water, maar viel opzij. De tweede keer kwam hij overeind, hield de ski's eronder en stoof in wijde cirkels over het Lago Maggiore. De gasten applaudisseerden toen hij terugkwam. Volgens mij heeft Mansholt daar zijn gemeenschappelijke landbouwpolitiek gemaakt.[96]

# - 10 -

# Pionierswerk in Brussel

## Een tafel en wat stoelen

Iets organiseren uit het niets: de theepluk op Pasir Nangka, Java 1934; boerderij Fletum in de Wieringermeer drie jaar later; de voedselvoorziening, eerst voor het verzet en na juni 1945 voor heel Nederland; de *new look* van het landbouwbeleid; het plan voor Europa uit 1950; de eerste aanzetten tot ontwikkelingshulp omstreeks 1956. Mansholt was een baanbreker, de juiste man voor het totaal onbekende terrein van de afstemming van de landbouw van een aantal Europese landen op elkaar.

Vanaf 1 januari 1958 maakte Mansholt deel uit van de eerste Europese Commissie, samen met een Belg, twee Duitsers, twee Fransen, twee Italianen en een Luxemburger: de negen van Brussel. De Europese Economische Gemeenschap moest van de grond af worden opgebouwd. Iets uit het niets. De kantoren bevonden zich aanvankelijk niet alleen in de Belgische hoofdstad. 'Wij begonnen onze eerste vergadering in het oude hotel Brasseur in Luxemburg,' herinnerde Mansholt zich later:

In het grote hotel van zes verdiepingen hadden wij op de eerste etage twee kleine kamers genomen. (…) En daar zaten wij dan met een tafel en wat stoelen. Negen commissieleden zitten klaar. Europa moet worden opgebouwd. Wat hadden wij? Niets, behalve dan wat dossiers, de verdragsteksten en grote ideeën. Maar geen papier en niet eens een potlood. Ik roep een liftbediende en geef hem 20 frank. En hij naar de winkel vlak bij om onze allereerste kantoorbehoeften te kopen.

Wij beginnen elkaar eens goed te bekijken. Robert Marjolin, een Fransman, die ik ken. Hallstein, van wie ik niet goed weet wat ik aan hem heb. Jean Rey, al bijna mijn bondgenoot, die ik uit de Beneluxvergaderingen kende. De Italiaan Petrelli, een onbekende voor me. Emile Noël, de eerste secretaris-generaal (…).

We beginnen met elkaars politieke gevoelens te wegen. We zitten er om procedures uit te werken, allerlei voorbereidend werk te doen, een administratie op te zetten en technische medewerkers te zoeken. Zo hadden wij de tijd elkaar beter te leren kennen. Wij hadden nog geen familie bij ons. Er waren nog geen secretaresses, dus niemand hoefde een rol te spelen voor

Een van de eerste vergaderingen van de Europese Commissie, januari 1958. Aan tafel
van links naar rechts: Jean Rey, Mansholt, Hans von der Groeben en voorzitter Walter
Hallstein. 'En daar zaten wij dan met een tafel en wat stoelen. Negen commissieleden zitten
klaar. Europa moet worden opgebouwd' (citaat uit: Mansholt, De crisis, p. 69). [Collectie
Spaarnestad Fotoarchief]

zijn ondergeschikten. Negen man, alleen tegenover een geweldige taak.
Ondanks alles wat wij hadden meegemaakt waren wij vol vertrouwen, vol
optimisme. Wij leefden als het ware samen, 's middags en 's avonds samen
aan tafel en hele avonden om alle problemen te bepraten. Zo'n kleine politieke ploeg is iets buitengewoons, ideaal om werk te verzetten.[1]

Halverwege februari slaagde men erin de Europese zaken op te delen in acht
directoraten-generaal. Voorzitter Hallstein nam de administratie voor zijn
rekening (DG IX). Tot 25 maart 1958 zou de ploeg vervolgens beperkt blijven
tot de commissarissen, hun kabinetten – de chef, zijn adjunct en een secretaresse – en een minieme ondersteuning van door Jean Rey geregeld lager ambtelijk personeel, allemaal Belgen. De kabinetten bereidden de verschillende
dossiers voor en regelden de benoemingen.[2] Mansholt had daarvoor Van der
Lee meegenomen.

Het optimisme werkte aanstekelijk. De tweede Franse commissaris, Robert Lemaignen, voorzitter van een organisatie van werkgevers, had aanvankelijk geen flauw benul wat hij in Brussel moest doen. Zijn kandidatuur was weinig serieus geweest en hij schrok dan ook van zijn benoeming. In zijn memoires schrijft hij positief over de eerste ervaringen met zijn toekomstige collega's. Dat trok hem uiteindelijk over de streep. De sfeer was enthousiast. Het beloofde ook boeiend werk te worden. Waarom zou hij zich er niet helemaal op storten?[3]

Vrij vlot stond er een hecht team, geïnspireerd door het Europese avontuur. Het elan van het 'communautaire' apparaat straalde ook uit naar de bewindslieden van de lidstaten die regelmatig in Brussel bijeenkwamen. Er ontstond, aldus een van de Duitse hoofdrolspelers – staatssecretaris voor Europese Aangelegenheden Alfred Müller-Armack – een werksfeer die als het begin van een stuk geestelijke Europese integratie kon worden gezien. Van der Beugel, Luns' staatssecretaris die zijn kompas meer richtte op Atlantische samenwerking dan op Europese eenwording, schreef begin september 1958 in zijn dagboek, na een lang gesprek met Mansholt: 'Die blaakt van Europese Commissie enthousiasme en (zal) ons zeker grote moeilijkheden berokkenen.'[4]

Mansholt repte in het hierboven aangehaalde citaat van een *politieke* ploeg. Dat was een cruciaal punt. De Commissie volgde weliswaar nauwgezet het spoor van het Verdrag van Rome – economische integratie in drie etappes van vier jaar – maar beschouwde *politieke* aaneensluiting als hoogste doel. Hoe het eindstation-Europa er precies uitzag, was door de verdragsluitende partijen wijselijk in het midden gelaten. De opvattingen daarover liepen namelijk sterk uiteen. Het tot stand brengen van de gemeenschappelijke markt voor industriële producten was stap voor stap in het Verdrag beschreven. Voor de landbouw moest Mansholt een heel eigen marsroute uitstippelen.

## Voorzitter Hallstein

Walter Hallstein (1901-1982) gaf vanaf het begin werkelijk inhoud aan het voorzitterschap.[5] Hij leidde de club als was het een echte regering, zocht naar gemeenschappelijke punten en zette de lijnen uit. Onder hem kreeg de Commissie grote invloed. Hallstein was een uitmuntende jurist, bescheiden en diplomatiek. Al in 1929 werd hij hoogleraar in Rostock, later in Frankfurt. Hij vervulde zijn dienstplicht tijdens de oorlog, werd krijgsgevangen gemaakt kort na de invasie in juni 1944 en bracht het eind van de oorlog door in een kamp in Louisiana in de Verenigde Staten. De gevangenen verveelden zich en Hallstein slaagde erin een 'kampuniversiteit' van de grond te tillen om zijn landgenoten voor te bereiden op een nieuwe start. De nazi's in het kamp

Mansholt, kabinetschef Mozer, directeur-generaal voor de landbouw Louis Rabot en diens plaatsvervanger Helmut von Verschuer. Ideeën over de concrete uitwerking van het gemeenschappelijk landbouwbeleid werden intern ontwikkeld. [Collectie IISG]

beschouwden dat als landverraad en smeedden een complot om hem uit de weg te ruimen, maar daar werd een stokje voor gestoken.[6]

Hallstein was protestant en werd lid van de CDU. Hij was een overtuigd Europees federalist. In 1948 bezocht hij het Haagse Congres, in gezelschap van onder anderen de latere bondskanselier Konrad Adenauer. Twee jaar later werd hij benoemd tot staatssecretaris voor Buitenlandse Zaken onder diezelfde Adenauer. Hallstein had een belangrijk aandeel in de totstandkoming van de EGKS en het Verdrag van Rome.

Mansholt had respect voor hem: '(Hallstein) heeft duidelijk gezien dat de invloed van de Commissie in belangrijke mate afhangt van de activiteiten van haar leider.' Het respect was wederzijds. Hans von der Groeben, de tweede Duitser in de Commissie, stelde achteraf enigszins afgunstig vast dat Hallstein zijn bewondering voor Mansholts geestdrift en daadkracht niet onder stoelen of banken stak, iets wat hij bij de andere commissarissen zelden deed.[7] Toen Hallstein eind 1964 in een radio-interview de typering van Adenauer over Mansholt kreeg voorgelegd van bijna zeven jaar daarvóór ('des Guten zuviel') sprak hij afgemeten: 'Der Sozialist wird gemildert durch den Bauer und der Bauer durch den Sozialist.' Daarom was het geheel toch erg goed te verdragen. De hoofdzaak was dat hij een volbloedpoliticus was, precies wat de Commissie nodig had.[8]

Hallstein opereerde koel en afstandelijk. Hij had een gesloten karakter en hield niet van *smalltalk*. De voorzitter was gedreven door Europa en had weinig belangstelling voor andere zaken. Vanwege zijn geslotenheid werd Hallstein zo nu en dan verdacht van bijbedoelingen. Men vond hem een beetje een zonderlinge vrijgezel, zonder hobby's of privéleven. Commissaris Marjolin schreef in zijn memoires dat hij niet kon zeggen dat hij Hallstein in 1967, het jaar waarin hij afscheid van hem nam, veel beter kende dan tien jaar daarvoor, toen hij hem voor het eerst ontmoette.[9]

De voorzitter van de Commissie sprak niet tot de verbeelding van het grote publiek. Klein van postuur, stijf en met een *überdimensionale* bril was hij het toonbeeld van de nauwgezetheid van de Duitse ambtenaar. Adenauer vond hem een buitengewoon begaafde en ijverige man, maar met weinig psychologisch inzicht en juist in de politiek moest er volgens de bondskanselier 'auf jeden Fall (…) ein Schuss Psychologie dabei sein'.[10] De enige anekdote die over Hallstein in omloop was, sloeg op zijn gevleugelde uitdrukking: Als een jurist een kamer binnenkomt, moet de temperatuur in die kamer een paar graden dalen. Voor veel Fransen en Britten bleef hij de rechterhand van Adenauer. Vooral in Engeland was hij niet populair omdat hij als *Kleineuropäer* verantwoordelijk werd gehouden voor het definitief mislukken van de vrijhandelszone, eind 1958.[11]

Hallstein drukte meteen zijn stempel op de nieuwe organisatie: *teamspirit*, een fors ambtelijk apparaat en een eigen integratieconcept. Lemaignen prees Hallsteins managementkwaliteiten. Met opzet koos hij voor kleine, intieme vergaderruimtes. Daar vonden de eerste discussies plaats, zonder ruggespraak of pottenkijkers. Het ongemak droeg er mede toe bij dat de negen een hecht team werden.[12] Het taalprobleem loste zich snel op. Met uitzondering van Von der Groeben sprak men Frans met elkaar. Bij technische aangelegenheden viel elke commissaris terug op zijn moedertaal en werden tolken ingeschakeld. Hallstein zelf sprak vloeiend Frans, Engels en Italiaans.

De negen presenteerden zich naar buiten toe ook als een vriendenclub, speciaal in Straatsburg, voor het Europees Parlement. Tot 1965 was de aanpak voorzichtig en pragmatisch. De Commissie sprak namens 'Europa' en boekte verschillende successen.[13] Het niveau van de leden was hoog en de inzet groot. De meesten waren specialist op hun eigen beleidsterrein. Het verloop was gering. Met uitzondering van Lemaignen, de Luxemburger Rasquin (die al in 1958 overleed) en de beide Italianen bleef de eerste Commissie-Hallstein negen jaar bij elkaar. De grote continuïteit kwam het beleid ten goede. Het economische tij zat in die jaren overigens ook behoorlijk mee.

De eerste maanden moest de Commissie zien rond te komen met een voorschot van haar zusterorganisatie bij de Kolen- en Staalgemeenschap, de Hoge Autoriteit. De Commissie had nog geen geld. Het begrotingscomité ging pas in de herfst van 1958 aan het werk. Hallstein maakte van de gelegenheid gebruik om zijn slag te slaan en een enorme hoeveelheid ambtenaren te benoemen: duizend in 1958. De nationale regeringen werden voor een *fait accompli* geplaatst. Volgens secretaris-generaal Noël maakte deze 'rush de nominations' het mogelijk om in 1967 uit te komen op een apparaat van drieduizend. Noël was ervan overtuigd dat het er maar zeven à achthonderd zouden zijn geweest als Hallstein in 1958 met tweehonderd gestart zou zijn.[14] Het eerste jaar prijkte uiteindelijk een bedrag van 39 miljoen gulden op de EEG-begroting; het jaar daarop was dat al opgelopen tot 132 miljoen. De uitgaven stegen niet alleen vanwege het grote aantal aanwervingen, maar ook door de hoge salarissen die werden betaald. Men vreesde anders geen Franse en Italiaanse toppers te kunnen krijgen. Mansholts Nederlandse adjunct-kabinetschef was ambtenaar geweest bij het ministerie van Economische Zaken. Hij wist dat hij in Brussel meer ging verdienen, maar was toch verrast toen hij merkte dat het om een verzesvoudiging ging![15]

Hallstein was de man van de scherpe juridische formulering en de heldere procedure. Het federalisme in Europa 'constitutionaliseren', dat was zijn doel. Sleutelwoord in Hallsteins conceptie was de *Sachlogik*: het automatisme dat economische integratie stap voor stap zou leiden tot een politieke federatie. Door de druk der feiten vloeide de politieke integratie voort uit de economische en uit het wegvallen van de grenzen. Het grote Europese project had voor hem een eigen, logische dynamiek. De Commissie was de machinist op een locomotief die in 1958 op de rails was gezet. Hallstein neigde ertoe de politieke strijd uit de weg te gaan: de locomotief mocht niet stilvallen, de trein moest blijven rollen. Mansholt daarentegen zocht de confrontatie. Nadat de Franse president De Gaulle in januari 1963 een veto had uitgesproken over de toetreding van de Britten, wilde Hallstein bijvoorbeeld eenvoudig verder met de *business as usual*. Mansholt protesteerde: Europa was bezig met overstappen. Dan moest de Commissie niet slechts de locomotief draaiende houden, maar vooral goed weten op welk spoor en in welke richting gereden moest worden.[16] Mansholt besefte dat een botsing tussen *Sachlogik* en nationaal sentiment onafwendbaar was. Toch bleef het respect voor Hallstein groot. In intellectueel opzicht was Hallstein hem '*überlegen*' en dat erkende Mansholt ook.

## De organisatie

De commissarissen waren door de regeringen van de lidstaten benoemd voor vier jaar. De werkwijze van de Commissie was ongeveer dezelfde als die van de Nederlandse ministerraad. De Commissie vergaderde op woensdag. In geheim onderling overleg werd het beleid vastgesteld. Elk lid mocht meespreken over alle agendapunten. Het politieke gewicht van de commissaris was niet afhankelijk van zijn nationaliteit, maar van persoonlijke capaciteiten. Mansholt was daarvan een schoolvoorbeeld.[17] Bij de behandeling van ingewikkelde dossiers zaten specialisten of de kabinetschef op de tweede rij. Wanneer Mansholt niet kon, zat de (adjunct-)kabinetschef soms op zijn stoel, als plaatsvervanger.[18]

Naar buiten toe was er steeds eenheid van beleid. Meerderheidsbesluitvorming was in beginsel mogelijk, maar in de praktijk werd gestreefd naar unanimiteit. Tot 1965 vonden vrijwel nooit stemmingen plaats. In de regel werden ontwerpbesluiten een week van tevoren overgelegd aan collega's. Die konden dan commentaar geven, wijzigingen voorstellen of verzoeken het stuk op de agenda te zetten ter mondelinge behandeling. Controversiële zaken moesten plenair besproken worden.[19] Bij landbouw was dat meestal het geval. Mansholt presenteerde dan eerst een memorandum met hoofdlijnen. Al met al was de overgang van Den Haag naar Brussel voor Mansholt niet zo groot. Met twee belangrijke verschillen: de commissaris hoefde geen verantwoording af te leggen voor een volksvertegenwoordiging of politieke partij en de Raad van Ministers had het laatste woord, *niet* de Commissie.

Meteen in het begin nam Hallstein de belangrijke beslissing de permanente vertegenwoordigers (PV's) van de lidstaten – de ambassadeurs voor hun land bij de EEG – buiten de deur te houden. Hij tilde de Commissie op een hoger plan. De PV's werden wél ontvangen door individuele commissarissen, maar op de vergaderingen van de PV's, het overleg van het Comité des Représentants Permanents (Coreper), lieten de commissarissen zich vertegenwoordigen door hun hoogste ambtenaren.[20]

Het ambtelijke Coreper was bedoeld als hulpinstrument van de Raad van Ministers, het politieke, 'intergouvernementele' orgaan dat besliste op basis van voorstellen van de Commissie. Het functioneerde in de praktijk als verbindingsdienst tussen de zes regeringen en 'Brussel' en ontwikkelde zich steeds meer tot concurrent van de Commissie. Via hun topambtenaren in het Coreper probeerden de ministeries van Buitenlandse Zaken communautaire initiatieven naar zich toe te trekken en te vervangen door traditionele onderhandelingen tussen de zes. De Raad – bestaande uit regeringsvertegenwoordigers met *politieke* verantwoordelijkheid – neigde er steeds meer toe de 'nationale' PV-ambtenaren te volgen en commissievoorstellen terzijde te schuiven.[21] Tot december 1962 was Hans Linthorst Homan de Nederlandse PV, een eigenaardige positie voor een federalist. In zijn memoires herinnerde hij zich dan ook 'menig geval' waarin hij ongelukkig was met zijn instructies. Hij merkte dat de Raad de rol van de Commissie beperkt wilde houden: 'Ik (begon) hoe langer hoe ongelukkiger te worden.'[22]

Mansholt kon zich enigszins aan de toenemende invloed van het Coreper onttrekken via het Comité Spécial Agriculture (CSA), een door de zes ministers van Landbouw in 1961 opgerichte club van 'agrarische PV's'. Het Coreper verzette zich daartegen, maar zag wel in dat het gemeenschappelijk landbouwbeleid zo complex en technisch werd dat het dat zelf niet kon beheersen. De departementen van Buitenlandse Zaken verloren hun greep op een vitaal onderdeel van het Europese beleid.[23] Mansholt spon er garen bij. Hij kon zich concentreren op het CSA. De landbouw werd niet opnieuw ingekapseld door de lidstaten.

Het apparaat in Brussel was een wonderlijke mix van verschillende bestuurlijke tradities. Over de totstandkoming daarvan merkte Jean Rey ooit op dat de commissarissen vaak met bestuurlijke methodes op de proppen kwamen die ze goed kenden uit de eigen nationale praktijk. Collega's reageerden dan verbaasd, barstten in lachen uit en zeiden tegen elkaar nooit zulke originele ideeën te hebben gehoord.[24] De negen directoraten-generaal werden elk verdeeld in drie à vier directies. Daarnaast kwam er een algemeen secretariaat, een juridische afdeling, een bureau voor de statistiek en een afdeling pers en voorlichting. De laatste – geleid door Von Stulpnagel, de onfortuinlijke waterskiër van Stresa – zou zich nauwelijks ontwikkelen, omdat elk DG de eigen publiciteit naar zich toetrok. Regel was dat een directeur-generaal uit een andere lidstaat kwam dan zijn commissaris. Naast een DG had elke commissaris een persoonlijk kabinet van drie à vijf personen, meestal van dezelfde nationaliteit als de commissaris.[25]

Het Europese ambtenarenkorps ging van start met veel elan. Over de beginjaren vertelde een van Mansholts naaste medewerkers uit die tijd:

Iedereen had belangstelling voor wat er in Europa gebeurde. Dat was nieuw, uniek. De ambtenaren hadden het gevoel dat men het middelpunt van de wereld was. In het begin was het intellectueel niveau ook bijzonder hoog. Men had niet geschroomd de beste mensen naar Brussel te sturen. (...) Iedereen was gefascineerd door de integratiegedachte. Er was een speciale geest bij die eerste mensen. Men kwam elkaar ook voortdurend tegen. (…) Alles was nieuw. Kranten stonden vol. Alles was gefocust op wat er ging gebeuren in Europa, ook in de Verenigde Staten bijvoorbeeld.[26]

Commissaris Mansholt was een geval apart. De samenstelling van zijn kabinet en zijn directoraat-generaal (DG VI, landbouwzaken) droeg zijn persoonlijk stempel. Andere kabinetten hadden vooral tot taak een brug te slaan tussen commissaris en DG. Bij Mansholt was dit niet nodig. Hij had *zelf* voldoende expertise in huis. De sleutelfiguren van zijn directoraat had hij bovendien zelf uitgezocht: directeur-generaal Louis Rabot, een Fransman die hij kende van de *Green Pool*-episode, en de directeur marktorganisatie, de Nederlander Bé Heringa. Vóórdat DG VI gevormd was, had Mansholt al een groep om zich heen verzameld om de zaak van de grond te tillen: acht medewerkers uit verschillende lidstaten met een gemiddelde leeftijd van 37 jaar. Na de vorming van de verschillende directoraten-generaal kreeg elk van hen een directeurspositie. De meesten kwamen terecht bij een andere commissaris, maar Rabot bracht hen nog regelmatig bijeen aan de ronde tafel met Mansholt. Zij maakten deel uit van de denktank die eind 1959 de eerste landbouwvoorstellen zou produceren.[27]

Mansholts kabinet week ook af van de rest. Eind april 1958 meldde Van der Lee nog dat de kabinetten betrekkelijk weinig gewicht zouden krijgen. Hij was zelf al op zoek naar een andere post. In verband met zijn opvolging gaf hij ter overweging mee: 'U neemt reeds thans in de Commissie een zeer vooraanstaande plaats in en U bent in het apparaat algemeen bijzonder gezien. Men beschouwt U als een zeer sterke figuur met uitgesproken leiderscapaciteiten. Bovendien vindt men U als persoonlijkheid bijzonder innemend en men is van oordeel, dat U politiek groot gewicht hebt.' Politieke ondersteuning had hij dus niet nodig. Mansholt moest volgens Van der Lee vooral een figuur hebben met wie hij vertrouwelijk kon praten. 'U moet iemand hebben, die U niet te serieus neemt en die het wagen kan zo nu en dan een beetje de spot met U te drijven.'[28] Kort daarop aanvaardde Van der Lee het directoraat Geassocieerde Landen bij Lemaignen.

Mansholt koos Alfred Mozer (PVDA) tot opvolger. Daarmee sloeg hij de richting in van een politiek actief kabinet, waartegen Van der Lee uitdrukkelijk gewaarschuwd had. Mozer legde contacten en 'deed' de pers. Tweede man werd Wim van Slobbe. Hij was naar voren geschoven door de KVP, als tegenwicht voor Mozer. Van Slobbe moest de relaties onderhouden met de KVP en het departement van Economische Zaken in Den Haag, zijn vorige werkgever. Van 1958 tot 1965 was hij lid van het KVP-partijbestuur. Mansholt wilde ook een Fransman in zijn kabinet. Dat werd Georges Rencki, vooraanstaand lid

van La Campagne Européenne de la Jeunesse, een strijdbare Europese beweging van jongeren. Rencki vormde de *trait d'union* met het directoraat-generaal en onderhield de contacten met Europese landbouworganisaties.[29]

Mansholt haalde niet alleen een aantal uitstekende mensen bij elkaar, hij
bracht hen ook tot grote prestaties: 'Er werd veel gediscussieerd, vaak spranke-
lend,' herinnerde Van Slobbe zich. 'Iedereen kwam aan bod, vergelijkbaar met
een *braintrust* naar Amerikaans voorbeeld.' Mansholt had allerlei situaties snel
door, pakte meteen papier en pen en begon dan lijnen te trekken. 'Soms was
hij ongeduldig en hij moest wél vertrouwen in je hebben,' aldus Van Slobbe.
Ook Mozer wees op het belang van Mansholts informele werkwijze:

Het behoort tot zijn methode, dat hij zijn staf van medewerkers enige
keren per week in zijn werkkamer bijeenroept en de diverse problemen
met hen bespreekt. Daarbij bestaat de verplichting, dat men zijn mening
zegt. En daar iedereen weet, dat die mening en niet napraten verlangd
wordt, schaamt zich ook niemand voor afwijkende meningen. In zulk
team-work zijn de voorstellen ontstaan. Mansholt heeft ze nooit in kant
en klare vorm aan de geïnteresseerden en betrokkenen voorgelegd.
In iedere fase heeft hij contact gezocht met de desbetreffende beroeps-
organisaties. Met hen heeft hij gediscussieerd over de doelmatigheid van
de voorstellen. Ze konden dus nooit verrast zijn. Zo hebben de beroeps-
organisaties in de landbouw, de leden van de Economische en Sociale
Raad van de Gemeenschap[30] en de leden van de landbouwkundige commissie van het parlement in Straatsburg in iedere fase van de besprekingen
hun aandeel gehad. Deze besprekingen dragen niet het karakter van willekeurige debatten, waarbij aan het einde alles doodgepraat is. Steunend op
zijn staf van medewerkers, steunend op het gemeenschappelijk denkwerk weet hij wat hij wil en weet hij dit te verdedigen, te propageren, de
mensen ervan te overtuigen en ze ervoor te winnen. En hij schroomt niet
een goed voorstel over te nemen, waar het ook vandaan komt.[31]

In april 1958 had Van der Lee al vastgesteld dat Mansholt erg populair was
in het apparaat. Hij stond pal achter zijn ambtenaren, van hoog tot laag, en
werd door hen dan ook op handen gedragen. Mansholt nam het bijvoorbeeld
altijd op voor de vertalers, die vaak de schuld kregen als er iets misging. Na
afloop van de belangrijke marathonvergadering van 1962 gaf hij een 'familie-
feest' voor de stafmedewerkers en hun vrouwen, maar ook voor de chauffeurs
en kantoorbedienden. Dat was hoogst ongebruikelijk en werd zeer op prijs
gesteld.[32]

Kabinet en directoraat-generaal boden een stevige basis voor Mansholts enorme activiteit. Voeg daarbij de aanspreekpunten elders in de top van het apparaat, zijn eigen politieke inzicht, meer dan twaalf jaar bestuurservaring en veel technische expertise. En dat was nog maar de 'binnenkant'. Daarbuiten kon hij óók gebruikmaken van een omvangrijk internationaal netwerk, diverse partijpolitieke connecties in Europa en goede contacten met de pers. In het Europese Parlement kon hij op veel steun rekenen. Mansholt ontving, na zijn verhuizing naar Ukkel bij Brussel, regelmatig mensen thuis, ongedwongen. Niet alleen daar overigens. Een proefschrift over de rol van de Franse landbouw in de Europese integratie bevat zelfs de volgende noot als wetenschappelijk bewijs: 'One informed source told the author that Commissioner Mansholt and [de invloedrijke Franse boerenleider] Michel Debatisse have been attending a certain Brussels Pub at more or less regular intervals.'[33]

## Alfred Mozer

Waarom Mozer? De internationale secretaris van de PVDA kwam in februari 1958 bij Mansholt langs met een tas vol dossiers van kandidaten voor Brussel. 'Laat die tas maar zitten,' zou Mansholt hebben gezegd. 'Ik wil jou als mijn kabinetschef hebben.' Mozer, gevlucht uit Duitsland in de jaren dertig, was beduusd. Dat had hij niet verwacht. Hij had immers geen enkele ambtelijke ervaring, wist niets van landbouw en sprak zijn talen nauwelijks. 'Och, Hallstein zal jouw Duits wel begrijpen,' kreeg hij als antwoord.[34]

De rol die Mozer zou spelen in Mansholts Brusselse periode kan moeilijk worden overschat. Toch adviseerde Van der Lee negatief: Mozer kende de economische problematiek onvoldoende en had nooit gewerkt met een groot ambtelijk apparaat. Hij was te veel politicus, gewend aan een grote mate van zelfstandigheid. Wanneer Mozer verder ging met het benutten van zijn contacten, zou dat tot misverstanden leiden. Van der Lee concludeerde 'dat de benoeming (...), gezien het niveau en de achtergrond der andere kabinetschefs, Uw positie van gezag en vertrouwen eerder zou verzwakken dan versterken in de Commissie. Men zou hier ongetwijfeld een uitgesproken politieke manoeuvre in zien.'[35]

Mansholt trok zich er niets van aan. Hij kende Mozer goed. Voor Mansholt was hij een ideale perschef, politiek adviseur en rondreizend diplomaat tegelijk. Hij zat boordevol relativerende humor en had het lef tegen Mansholt in te gaan. Dat maakte hem waarschijnlijk extra geschikt. Doorslaggevend waren Mozers politieke contacten in de Bondsrepubliek. Veel topambtenaren en bewindslieden kende hij persoonlijk, en al vele jaren. Hallstein bijvoorbeeld, die qua persoonlijkheid in bijna alles zijn tegenpool was. 'Hallstein was dol op Mozer,' aldus Van Slobbe. Mozer kende Adenauer al sinds 1946. Volgens Van der Lee liep hij bij de bondskanselier in en uit. Documenten uit de archieven van Mansholt en Mozer lijken dat te bevestigen, zoals de aantekening van een telefoongesprek dat Mozer op 24 maart 1959 had met een vertrouweling van de bondskanselier. Dit stuk is typerend voor het soort inlichtingen dat Mozer verschafte. De man had hem verteld

> dat Adenauer in nooit gekende woede over [de Britse premier] MacMillan is ontstoken, nadat hem de gegevens ter hand waren gesteld over de voorstellen [over de militaire positie van de Bondsrepubliek en West-Berlijn],[36] die MacMillan aan [de Amerikaanse president] Eisenhower heeft gedaan en waaruit blijkt, dat MacMillan beweerd heeft deze mededelingen te mogen doen, met instemming van Adenauer. De kanselier voelt zich verraden en bedrogen. Van een dergelijke instemming van Adenauer was immers nooit sprake. (...) (Adenauers vertrouweling) heeft mij het verzoek van de Bondskanselier overgebracht hem zo gauw mogelijk te bezoeken. Hij wil vooral enkele persoonlijke indrukken over [de nieuwe Amerikaanse onderminister van Buitenlandse Zaken] Dillon horen.[37]

Mozer had een Hongaarse vader en een Duitse moeder.[38] Hij was geboren in 1905 en bracht zijn jeugd door in München, waar hij actief was in de sociaaldemocratische jeugdbeweging. In 1918 werd hij tot Duitser genaturaliseerd. Hij was textielarbeider, net als zijn vader. In 1923 zag hij in München de eerste nazi's marcheren. Werkloos geworden trok hij enige tijd als *Wanderbursche* door Duitsland. Hij kwam terecht in Kassel in 1924 en later in Emden, waar hij in het begin van de jaren dertig in de gemeenteraad gekozen werd voor de SPD. Inmiddels was hij ook actief als journalist. In Kassel werkte hij enige tijd als secretaris voor de burgemeester, oud-rijkskanselier Scheidemann. In Emden was Mozer hoofdredacteur van *Der Volksbote*. Hij keerde zich fel tegen de nationaalsocialisten.

Na de machtsovername van Hitler in januari 1933 vluchtte Mozer naar Nederland. Hij kwam er in contact met SDAP-voorzitter Koos Vorrink en Jan de Roode, buitenlandredacteur van *Het Volk*, die hij als een van zijn leermeesters beschouwde. In 1936 werd hem het Duitse staatsburgerschap ontnomen. Tijdens de oorlog zat hij ondergedoken, de laatste jaren op het terrein van een psychiatrische inrichting.

Na de oorlog werkte hij als secretaris van Vorrink op het partijbureau in Amsterdam. In opdracht van de regering reisde hij in 1946 naar Duitsland om contact te leggen met politici die wilden meewerken aan een 'gemeenschap-pelijke toekomst'. Hij sprak er met SPD-leider Kurt Schumacher – die geob-sedeerd bleek door de deling van zijn land en niets van Europa wilde weten – met de invloedrijke theoloog Karl Barth en met kardinaal Frings uit Keulen. In Röndorf ontmoette hij Adenauer voor het eerst, indertijd voorzitter van de CDU in de Britse bezettingszone. In 1948 werd Mozer internationaal secre-taris van de PVDA. Sindsdien was hij voortdurend onderweg en bouwde hij verder aan zijn netwerk.

Mozer was al aanwezig op de eerste bijeenkomst van militante Europese federalisten in Hertenstein, Zwitserland, in de herfst van 1946. Twee jaar later bezocht hij het Congres van Europa in Den Haag. Hij sprak er met Adenauer en maakte kennis met Hallstein. In 1950 werd hij genaturaliseerd tot Nederlander, maar hij voelde zich Europeaan – na dertien jaar als Hongaar, achttien jaar als Duitser en veertien jaar als statenloze. Over zijn Europese conceptie en de oorsprong daarvan schreef hij later:

Ik had het gevoel dat twee wereldoorlogen de betekenis van dit Europa geweldig hadden verminderd en niet alleen van de kleine landen, maar ook van de zgn. grote landen. Wanneer tot het uitbreken van de Eerste Wereldoorlog de wereld een deel van Europa was, hadden wij – na twee wereldoorlogen – de verplichting ervoor te zorgen, dat wij tenminste een mede-bepalend deel van de wereld zouden worden of kunnen blijven. Dat was de reden dat ik van het begin af aan tot diegenen behoord heb die samenwerking zochten.[39]

Bij zijn vertrek naar Brussel in 1958 werd Mozer door Jan Barents, persoonlijk bevriend met hem én met Mansholt, in het PVDA-partijblad *Paraat* getypeerd als 'de wegwijzer voor Nederlandse socialisten in de Europese aspecten van de internationale politiek en een verkenner en propagandist van mogelijkheden tot Europese aaneensluiting'. Barents' verwachtingen waren hooggespannen:

Als ik Mansholt en Mozer een beetje ken, zullen zij zeker niet tevreden zijn met het aanharken van de paadjes van de EEG volgens het thans bestaande, nog wat onbeholpen verdrag. Wat zij willen is politieke aan-eensluiting van Europa en zij zullen zeker trachten dat via de EEG tot stand te brengen of te bevorderen. Dat zij de wind daarbij niet mee heb-ben en tegen de mening van vele anderen ingaan, kunnen zij weten, maar zal hen zeker van die weg niet afbrengen.[40]

Mansholt en Mozer vormden een wonderlijk koppel. Mozer was een van de merkwaardigste ambtenaren die de gemeenschap ooit heeft gehad. Morsig gekleed, druk gesticulerend en almaar pratend over politiek en politici. Hij beschikte over een onuitputtelijke voorraad anekdotes. 'Een van de schilderachtigste personen die ik ooit ontmoet heb,' schreef mede-Europeaan Hendrik Brugmans een aantal jaren na Mozers dood. 'Als ik mijn ogen dichtdoe, zie ik Alfred rondschuiven in wandelgangen en op recepties, telkens de man of vrouw aanklampend die hij nodig had. Een rijke voorraad politieke grappen was altijd bij de hand. "Hoe vind je hem?", concludeerde hij dan – en was al weer weg.'[41]

Mansholt haalde graag het voorbeeld aan van de audiëntie die hij met Mozer had bij paus Johannes XXIII. Het antichambreren nam lange tijd in beslag, waarbij de twee van het ene vertrek naar het andere waren gevoerd. De spanning liep op. Kort voordat de gasten eindelijk zouden worden binnengelaten, stond Mozer op, veegde langs de schoorsteenmantel en verzuchtte, terwijl hij naar het stof op zijn vingertoppen keek: 'Dat krijg je er nou van, in een huishouden zonder vrouwen.'

Mozer had een merkwaardige positie in het kabinet. Hij kreeg veel vrijheid. Van protocol en bureaucratie trok hij zich weinig aan. Toen in de loop van 1958 de vergaderingen van de kabinetschefs werden geïntroduceerd, ter voorbereiding van het wekelijkse overleg van de Commissie, vroeg Mozer aan Mansholt of hij de dag daarvóór samen met hem de agenda kon doornemen. Mansholt zei hem dat hij daarvoor geen tijd had, waarop Mozer antwoordde dat hij dan ook geen tijd had om naar die vergaderingen te gaan. Volgens Van Slobbe is hij er hooguit tweemaal heen geweest en hield hij het verder voor gezien. Omdat Mozer geen Frans en nauwelijks Engels sprak, had hij er ook weinig te zoeken. Met het directoraat-generaal bemoeide hij zich evenmin. Ook dat deed Van Slobbe, de tweede man.[42]

Mozer schreef speeches en artikelen waaronder Mansholt zijn naam zette. Hij reisde daarnaast stad en land af, peilde het politieke klimaat en legde noodzakelijke contacten, vooral in de Bondsrepubliek en Italië. Mozer verzorgde ook, zoals gezegd, de relatie met de pers. In dat laatste was hij een meester. Hij bouwde oneliners in persberichten, die er – aldus Van Slobbe – gegarandeerd door alle journalisten werden uitgehaald. Mozer was voor hen een belangrijke informatiebron.[43] Op een klacht van de Belgische commissaris Rey dat hij *politiek* actief was, antwoordde Mozer dat de opvattingen van de commissarissen ten aanzien van de taak van hun kabinetschef nogal uiteenliepen. Mansholt had welomlijnde politieke bedoelingen toen hij Mozer vroeg. Hij had hem wél gewaarschuwd zich niet op het beleidsterrein van collega's te begeven. Mozer vroeg Rey of hij langs mocht komen om te praten. De afloop is niet bekend.[44]

Wat behelsde Mozers politiek adviseurschap precies? Uit brieven, reisverslagen en uitgebrachte adviezen valt op te maken dat zijn netwerk enorm was en dat het advieswerk zich uitstrekte tot andere Commissieleden. Hij correspondeerde uitgebreid – en vaak geestig – met Nederlandse en Duitse bewindslieden en topambtenaren. In de archieven van Mansholt en Mozer bevinden zich ook vertrouwelijke stukken over Europees beleid, afkomstig van nationale regeringen. Waarschijnlijk wist Mozer er de hand op te leggen door op de juiste deur te kloppen en te speculeren op stammenstrijd tussen departementen.[45]

Mozer kreeg incidentele brieven van uiteenlopende politici als de Zweedse sociaaldemocraat Olaf Palme (in de periode 1959-1960) en de Amerikaan Henri Kissinger (vanaf 1959). Vaste 'penvrienden' waren onder anderen de Oostenrijkse sociaaldemocraat Bruno Kreisky (vanaf 1958; Kreisky was op dat moment staatssecretaris, later werd hij minister van Buitenlandse Zaken en kanselier) en Willy Brandt (vanaf 1962), eerst burgemeester van West-Berlijn, daarna SPD-leider en bondskanselier. Mozer was opvallend goed op de hoogte van wat zich in het Vaticaan afspeelde. Zijn eerste bezoek dateerde van 1954, samen met Vorrink, naar aanleiding van het mandement van de Nederlandse bisschoppen. De map 'Vaticaan en Italiaanse politiek' in het archief Mozer bevat vooral correspondentie met de katholiek-sociale denkers Grundlach en Von Nell Breuning tussen 1958 en 1970.[46]

Twee willekeurige verslagen ter illustratie van Mozers werkwijze en de aard van zijn contacten. Een aantekening voor Mansholt uit 1964 begint met: 'Op maandagavond was ik met een gezelschap van Duitse industriëlen bij de bankier Oppenheim te Keulen bijeen. De reis naar Keulen maakte ik met Lücker [lid van het Europees Parlement en landbouwwoordvoerder voor de CSU in de Bondsdag]. Op dinsdag had ik afzonderlijke gesprekken met de bestgeïnformeerde journalisten te Bonn (...). Hier enkele resultaten: (...)' Het stuk gaat daarna verder met: 'In verband met Uw eerstkomende verplichtingen: Franse TV, VARA-TV, Keulen, Scheveningen, zou ik u het volgende willen aanbevelen: (...).'[47] Het andere verslag start als volgt:

Het onderstaande vertrouwelijke overzicht van de situatie in Duitsland is het resultaat van besprekingen [op 10 en 11 januari 1963] met onder meer Minister Dr. H. Krone, Fractieleider Dr. H. von Brentano, Dr. J. Schauff (intimus van president Dr. H. Lübke), staatssecretaris H. Globke, K. Dohrn (adviseur van Dr. Adenauer in vraagstukken van de buitenlandse,

vooral Amerikaanse politiek), Freiherr zu Guttenberg, bankier Abs, Minis-
terialdirecteur Jansen (leider van de afdeling West bij B.Z.). Er dringen zich
drie conclusies op: a. de onbevredigende binnenlandse situatie overscha-
duwt ieder ander vraagstuk; b. voor zover de buitenlandse politiek een rol
speelt, is alle belangstelling gericht op de NATO; de Europese vraagstukken zijn daaraan volledig ondergeschikt; c. er ontbreekt reeds nu iedere lijn
in de regering.[48]

Het was voor Mansholt en voor de Europese Commissie van belang te weten
hoe de hazen liepen in de Bondsrepubliek. Mozer verschafte voortdurend
inside-information.

In de dagboeken van de door Mozer in zijn verslag genoemde dr. H. Krone,
prominent CDU-politicus en een van de belangrijkste ministers van Adenauer,
komen we Mozer overigens op 10 of 11 januari niet tegen. Wél tien dagen later,
op 20 januari 1963. Intussen had De Gaulle, zes dagen daarvóór, zijn veto uitgesproken over het Britse lidmaatschap van de EEG. Krone schreef dat Mozer
hem waarschuwde voor de in bepaalde Duitse kringen heersende opvatting
dat De Gaulle gelijk had. Mozer was namelijk een andere mening toegedaan.
Hij vroeg Krone er bij de bondskanselier op aan te dringen De Gaulle van deze
gevaarlijke weg af te brengen. In geen geval mocht Duitsland medeplichtig
worden als het proces van Europese eenwording in elkaar zou storten.[49] Mozer
vergaarde niet alleen informatie, maar probeerde kennelijk ook de hazen een
bepaalde richting op te krijgen, Mansholts richting.

Mozers adviezen strekten zich uit tot andere Commissieleden. Gesprekken
met Kreisky om Oostenrijk rijp te maken voor de EEG vonden plaats in
opdracht van Hallstein.[50] Een ander voorbeeld was het verslag dat Mozer in
maart 1959 stuurde aan Mansholt, Marjolin, Rey en Von der Groeben. Klip
en klaar stelde hij daarin vast dat het overleg tussen de EEG en de vrijhandelsassociatie tijdverspilling was. Hij stond versteld van het gebrek aan politiek
inzicht van de Commissie, die dat zelf niet inzag. De EEG had een *economisch*
doel, maar was een *politiek* feit. De totstandkoming van de EEG was een
kwestie van politieke wil. Mozer beschouwde het als onderdeel van zijn taak
de Commissie te wijzen op politieke factoren waarmee zij rekening moest
houden. De visie van De Gaulle was zo'n factor. De Franse president streefde
naar wederopstanding van zijn land als *Grande Nation*. Of men het hiermee
eens was, deed niet ter zake. De Commissie moest realistisch zijn. Deed zij
dat niet, dan was haar werk zinloos of kreeg zij de zwartepiet toegespeeld.
De politieke wil om EEG en vrijhandelsassociatie samen te voegen was in
Frankrijk totaal afwezig, aldus Mozer.[51]

298

Over zijn pr-activiteiten schreef Mozer in 1969 op relativerende toon: 'Sinds tien jaar vertel ik aan iedereen die het weten wil – en vooral ook aan iedereen die het niet weten wil – dat de heer Mansholt de bekwaamste politicus en de voortreffelijkste agronoom is die voor het heil van de botersmerende mensheid binnen en buiten de Europese Gemeenschap rusteloos werkt.' Tussen haken liet hij daarop volgen: 'Daarbij smaak ik het genoegen dat deze suggestie van mij hoe langer hoe meer wordt aanvaard in die zin dat de agronomen in hem een voortreffelijk politicus zien en de politici hem beschouwen als een bekwaam agronoom.'[52] En voor de rest? 'Mansholt heeft mij gehaald om politieke deuren open te maken,' vertelde Mozer. Dat had hij 'met geestdrift' gedaan. Hij was het niet altijd met hem eens geweest, maar dat hinderde niet: 'Je had natuurlijk aan zo'n kerel als Mansholt in ieder geval in zoverre ook een Commissaris waarmee je voor de dag kon komen!'[53]

Volkomen onafhankelijk

De Europese Commissie was een nieuw fenomeen, iets totaal anders dan het secretariaat van een intergouvernementele organisatie als NAVO of de Hoge Autoriteit, het supranationale gezag van de EGKS. Wat mocht de Commissie wel en wat mocht ze niet? Wat was haar taak? 'Waar het werkelijk op aan komt is het doen van voorstellen van gemeenschappelijke politiek, het naar buiten optreden en de politieke actie,' meende Mansholt.[54] Voor Hallstein was de Commissie de locomotief uit het Verdrag van Rome, waakhond en aanjager van integratie; bruggenbouwer tussen de zes. Het Verdrag gaf volop ruimte. Artikel 157 lid 2 luidde:

> De leden van de Commissie oefenen hun ambt volkomen onafhankelijk uit in het algemeen belang van de Gemeenschap. Bij het vervullen van hun taken vragen noch aanvaarden zij instructies van enige regering of enig ander lichaam. Zij onthouden zich van iedere handeling welke onverenigbaar is met het karakter van hun ambt. Iedere Lid-Staat verbindt zich, dit karakter te eerbiedigen en niet te trachten de leden van de Commissie te beïnvloeden bij de uitvoering van hun taak.

Mansholt ging uit van een groot speelveld. Hij had weinig moeite met een systeem waarin twee onafhankelijke organen bestonden, elk met elkaar min of meer aanvullende bevoegdheden op eigen – gedeeltelijk braakliggend – terrein (de Commissie dient voorstellen in; de Raad beslist). In Den Haag had hij wel vaker gewerkt met dit soort dualistische constructies. Maar in de meeste andere lidstaten begreep men daarvan helemaal niets. 'Poldermodel'-achtige oplossingen ondermijnden per definitie het centrale gezag. Veel Duitsers en Fransen – en niet alleen de volgelingen van De Gaulle – neigden er dan ook toe de Commissie als ondergeschikte van de Raad te zien, als een groep uit-voerende ambtenaren.[55]

De eerste jaren probeerde Hallstein het speelveld te vergroten. Hij stelde de lidstaten méér economische voordelen in het vooruitzicht dan het Verdrag voorschreef. De zes moesten sneller aaneen worden gesmeed. Hierdoor zou de politieke eenheid als vanzelf – *sachlogisch* – dichterbij komen. Toenemende vervlechting leidde volgens Hallstein tot uitbreiding van de bevoegdheden van de Commissie. Kennelijk had hij succes. Off the record klaagde Adenauer halverwege 1960 tegen een bevriende journalist: 'Es hat sich eine gewisse Lageverschiebung herausgestellt, gegen die doch fast alle Regierungen oppo-nieren; d.h., die europäische Kommission, z.B. hier die EWG-Kommission, nimmt Führungsrechte für sich in Anspruch, die dem Ministerrat zustehen.'[56] De Commissie probeerde het heft in handen te nemen.

Op zijn eigen beleidsterrein slaagde Mansholt erin de besluitvorming enigs-zins naar zich toe te trekken, via de zogenaamde beheerscomités. Deze comi-tés – één voor elk product waarvoor een gemeenschappelijke marktordening zou gelden – waren samengesteld uit regeringsvertegenwoordigers, maar stonden onder voorzitterschap van de Commissie. Mansholt blufte: 'Geef ze die mooie naam, ze beheren niets en kunnen alleen maar adviezen geven (…). Wij discussiëren met de experts, of het nu over eieren, varkens of gevogelte gaat, en dat geeft hun het *gevoel* dat zij niet gedirigeerd worden, maar dat geza-menlijk door nationale administratie en Commissie een gemeenschappelijk Europees beleid wordt ontworpen.' Niet de nationale experts in de comités, maar 'Brussel' hakte de knopen door.[57] Volgens ingewijden was de invoering van de beheerscomitéprocedure in die jaren de enige ontwikkeling waarbij de Commissie werkelijke bestuursmacht kreeg.[58]

Mansholt probeerde in de landbouw alle neuzen in dezelfde richting te krij-gen. Hij wilde de zes nationale stelsels in één klap opzijschuiven. In plaats daarvan moest een gemeenschappelijk landbouwbeleid worden opgebouwd, steentje voor steentje, van de grond af. Mansholt nam het initiatief en zocht voortdurend de confrontatie. Commissaris was voor hem óók een *politieke* functie. Zijn 'door emoties gekleurde politieke oordelen' maakten hem tot een buitenbeetje. De Europese zaak was voor collega Mansholt 'ein Herzen-anliegen,' herinnerde Von der Groeben zich. 'Der dynamische Mansholt ver-stand es alles in Bewegung zu setzen.'[59]

De Commissie moest volgens Mansholt de boer op. Dat kostte veel tijd en inspanning, zette hij in *De crisis* uiteen, maar het loonde de moeite:

Twee dagen per week tussen de wielen of in de lucht van Sleeswijk-Holstein tot Sicilië, Frankrijk, Beieren, dat behoort normaal te zijn. Die vergaderingen met boerenorganisaties, groot en klein, waren uitermate belangrijk. Moeilijk soms. Hevige debatten, maar daardoor werd bereikt dat men ging nadenken over de vraagstukken, dat het niet zo eenvoudig is om een landbouwbeleid te maken, dat soms voor de hand liggende oplossingen helemaal geen oplossingen zijn, maar bovenal werden de regeringen daardoor ook weer gestimuleerd en gedwongen tot grotere activiteit. De Franse regering heeft meermalen bezwaar gemaakt tegen het feit dat ik de politiek van de Fransen kritiseerde binnen hun eigen grenzen. Maar ik heb me er nooit iets van aangetrokken. De Commissie is geen verantwoording schuldig aan de ministerraad (...). Zij heeft activiteiten te bedrijven in Europa, d.w.z. dus binnen de grenzen van de lid-landen. Het is natuurlijk onzinnig om te zeggen dat we wel in Brussel de regeringen mogen kritiseren, maar niet in Amiens of in Bolsward.[60]

Mansholt bezocht niet alleen boerenorganisaties en ministers van Landbouw, maar ook boerenbedrijven. De Commissie beschikte over bureaus in de zes hoofdsteden die een en ander organiseerden. Met Mozer klopte Mansholt aan bij politici en andere opinieleiders, zelfs in Groot-Brittannië en de Verenigde Staten. Daarnaast verscheen hij regelmatig in Straatsburg voor het parlement en sprak hij op allerlei internationale congressen over diverse aspecten van Europese integratie.

'Voorlopig is hij veel op reis,' schreef Henny haar moeder op 18 september 1959:

Was deze week al twee dagen in Luxemburg, vertrekt vanmiddag om 3 uur naar Rome voor besprekingen met de minister van Landbouw. Is dan zat. avond terug en gaat zondag om 2 uur naar Straatsburg. Vandaar de 24e tot de 26e naar Den Haag. Het worden zeer drukke maanden voor hem omdat de landbouwvoorstellen voor de EEG voor jan. 1960 uitgewerkt en goedgekeurd moeten worden. En voor de pers houdt hij dan in alle 6 hoofdsteden uitgebreide persconferenties.

Een volgende brief van 5 oktober 1960 bevat de passage: 'Morgen gaat Sicco naar Londen om er enkele lezingen te houden. Maandag voor twee dagen naar

Rome en daarna zeker 10 dagen naar Straatsburg waar o.a. 't landbouwdebat a/d orde komt.' En op 28 april 1963 berichtte Henny haar schoonmoeder: 'Sicco is zeer voldaan maar moe teruggekomen van zijn reis naar Amerika en heeft veel gehad aan zijn gesprek met [president] Kennedy. Deze week was hij 3 dagen in Londen, een redevoering voor de landowners en gesprekken met de minister van Landbouw Soames en met [de Britse delegatieleider in Brussel] Heath.'[61]

Als de reis meer dan een paar dagen duurde, stuurde Mansholt zijn moeder vaak een ansichtkaart met een korte krabbel. 'Indrukwekkend om in Berlijn te zijn,' noteerde hij bijvoorbeeld op 2 mei 1959. 'Veel gesprekken met mensen van bestuur en bedrijfsleven. (...) Vluchtelingenkamp bezocht. Ondervraging van vluchtelingen meegemaakt. Wat een drama's. Dan weet je wat het ijzeren gordijn betekent.' Andere voorbeelden: 'De zes ministers van landbouw zijn bijeen. 't Is een opgave om ze in het goede spoor te krijgen.' (Luxemburg, 9 juli 1959); 'Een lange dag vandaag met de boeren uit Nieder Sachsen in Hannover. De dag is goed verlopen. Discussie op een behoorlijk peil.' (Hannover, 22 januari 1960); 'Voor een dag naar Kopenhagen. Besprekingen met de regering en vanavond een rede voor de internationale Kamer van koophandel. Morgen naar Rome en vrijdagavond naar Parijs.' (22 februari 1960).[62]

Mozer beschouwde de privéaudiëntie bij paus Johannes XXIII als 'een van de grootste ontmoetingen, die we ooit hebben gehad'. Dat gesprek maakte deel uit van een goodwilloffensief, bedoeld om de weifelende Italiaanse regering achter Mansholts landbouwplannen te krijgen. De paus stamde uit een familie van kleine boeren en pachters uit de buurt van Venetië. Na het uitwisselen van persoonlijke beleefdheden verraste hij Mansholt met zijn kennis van de landbouw en scherpe kijk op de noodzaak van Europese integratie. Het gesprek duurde anderhalf uur. 'Ze zaten als twee boeren met elkaar te praten,' herinnerde Mozer zich. 'Johannes sloeg op z'n dijen van plezier en riep voortdurend: bravo, bravo!'[63]

Op 9 april 1963 sprak Mansholt in het Witte Huis met John F. Kennedy. Dat werd een opmerkelijke *politieke* bespreking. In het volgende hoofdstuk wordt daarop uitvoerig ingegaan. Na afloop van hun gesprek wendde Kennedy zich tot zijn minister van Landbouw, die erbij had gezeten, maar nauwelijks aan het woord was gekomen. Hij sprak hem terzijde aan over een heel andere, binnenlandse kwestie. Mozer herinnerde zich later:

Kennedy zei tegen zijn minister: 'Ik heb net een bericht uit die en die staat gehad. Daar gaat u immers vanavond naar toe en er schijnen nogal wat landbouwproblemen te zijn.' Toen mengde Mansholt zich in het gesprek en noemde een paar argumenten die de minister van landbouw in die staat zou kunnen gebruiken. En Kennedy zei tegen zijn minister: 'Noteert u deze punten, die kunt u vanavond gebruiken.' Bij het weggaan zei ik tegen Mansholt: 'Als je in Brussel niet meer aanvaard wordt, dan kun je in ieder geval nog naar de Verenigde Staten van Amerika gaan.'

Maar dat effect had je met Mansholt niet alleen op dit niveau, dat had hij ook als hij boerenbedrijven ging bekijken. Je zag aan de gezichten van de boeren waar je kwam – grote en kleine: nou daar komen weer een paar kerels die achter de schrijftafel zitten en ons nu gaan vertellen hoe het beter moet worden. En als je een stal of een schuur inging, en je lette op de wijze waarop Mansholt een stuk gereedschap pakte, dan zag je het gezicht van de boer veranderen. Dat is een kerel die het meer gedaan heeft, die weet hoe je ermee moet omgaan. Daarmee had hij ook de opening die hij nodig had om het vertrouwen van deze mensen te winnen.[64]

Het Verdrag stelde, zoals gezegd, dat de leden van de Commissie hun ambt 'volkomen onafhankelijk' uitoefenden. In het belang van de gemeenschap aarzelde Mansholt niet zich *tegen* Nederland te keren. Daardoor won hij ook aan kracht, in de Commissie, in het Brusselse apparaat én in het overleg met de Raad van Ministers. In januari 1964, na een nederlaag van 'Den Haag' in de Raad, stelde de minister van Economische Zaken in de Nederlandse ministerraad beteuterd vast: 'Het aanhalen van de banden met de Commissie kan goed zijn, maar het beroerde is dat "ons" commissielid zich liever op de grote landen oriënteert dan op het kleigebied waaruit hij afkomstig is.'[65]

Volgens Mansholt heeft Den Haag hem nooit onder druk gezet. Zo nu en dan werd hem wel gevraagd aandacht te besteden aan een bepaalde zaak. Daarnaast had hij elk jaar een bespreking over politieke vraagstukken met een deel van het kabinet, inclusief gezamenlijke maaltijd. De Nederlandse leden van de Euratomcommissie en de Hoge Autoriteit van de EGKS waren daar ook bij. In het wekelijkse Commissieoverleg kwam Mansholt niet speciaal op voor Nederlandse belangen. Net als zijn collega's liet hij zich er wel uit over de positie die 'zijn' land vermoedelijk zou innemen in bepaalde kwesties.[66]

Volgens adjunct-kabinetschef Van Slobbe had Mansholt in het begin veel last van tegenwerking door Luns, Van der Beugel en hun topambtenaar Kymmell. Het ministerie van Buitenlandse Zaken hield het gezicht gericht op de Britten en op de Vrijhandelsassociatie. Vanuit Brussel zorgde Mansholt zelf voor tegenwicht via de ministeries van Landbouw en Economische Zaken, de PV in Brussel (Linthorst Homan), de Nederlandse Europarlementariërs en invloedrijke partijgenoten in Den Haag. Na een borrel met 'vier PVDA-Straatsburgers' schreef staatssecretaris Van der Beugel in zijn dagboek: 'Uit alles bleek mij, dat Mansholt ervoor gezorgd had, dat de heren het Joseph [Luns] en mij bij de behandeling van de begroting van Buitenlandse Zaken in de Tweede Kamer niet gemakkelijk zullen maken.'[67]

Mansholt wist de Nederlandse pers goed te vinden als Europa in het geding was, of zijn eigen positie als commissaris. In mei 1962 zette hij zich bijvoorbeeld in een rede in Rotterdam fel af tegen de Europese politiek van De Gaulle, die gericht zou zijn op het minimaliseren van de rol van de Commissie. Die kritiek, waarover de pers uitvoerig berichtte, kwam hem te staan op een officieuze protestbrief van de Franse minister van Buitenlandse Zaken Couve de Murville: 'Venant d'un membre de la Commission (ces déclarations) revêtent un certain caractère de gravité.' Mansholt gaf opheldering in een lange brief, waarin hij aan het eind op een principieel verschil van beoordeling wees:

> Ik ben als lid van de Commissie niet gebonden aan een opdracht van een nationale, in concreto de Nederlandse regering. Ik ben geen ambtenaar van deze of enig andere regering (...). Maar ik ben wel burger van mijn land. En als zodanig meen ik het recht en de plicht te hebben inzake een discussie t.a.v. een politieke ontwikkeling, die mijn land en mijn medeburgers raakt, een mening kenbaar te mogen maken.
>
> Het gaat hier niet om een kritiek aan het Franse Staatshoofd en de Franse regering, maar om de kritiek aan een conceptie, waaronder mijn land en zijn burgers zullen leven. Met de aanvaarding van mijn functie in de Europese Commissie heb ik naar mijn stellige overtuiging en die van mijn medeburgers niet afstand gedaan van de deelname aan de meningsvorming ten aanzien van een project, dat bepalend zal zijn voor de toekomst van meer dan een volk in Europa.[68]

Mansholt werd in het Haagse circuit ook wel gebruikt als wapen in de stammenstrijd tussen ministeries. Luns (Buitenlandse Zaken) was huiverig soevereiniteit prijs te geven. Andere ministeries stonden positiever tegenover de EEG. Schmelzer vertelde zijn biograaf hoe hij in het najaar van 1961 als staatssecretaris van Algemene Zaken Mansholt naar Den Haag liet komen om het Nederlandse kabinet ervan te overtuigen dat niet de Raad maar de Commissie de onderhandelingen over de Britse toetreding moest leiden. Luns zat op een andere lijn (en zou in de Raad voet bij stuk houden). Nederlanders in Brussel beschouwden Luns toch een beetje als 'de vijand', totdat hij zich in de loop van 1962 steeds meer ging verzetten tegen pogingen van De Gaulle de Commissie intergouvernementeel in te kapselen.[69]

Op 21 juni 1962 hield 'onze man in Europa' een redevoering op de bondsdag van de Nederlandse Christelijke Boeren- en Tuindersbond. De dag
werd opgeluisterd door een boerendansgroep. De volgende dag prijkte
deze foto in een aantal kranten. [Beeldbank NA]

Voor het Nederlandse bedrijfsleven groeide Mansholt uit tot 'onze man
in Brussel'. Jaarlijks vond topoverleg plaats met de EEG-commissaris in de
Commissie Internationale Vraagstukken van Werkgevers- en Werknemers-
organisaties, bijgenaamd de commissie van de Zeven Verbonden. Deze club
was opgericht om de internationale belangen van het Nederlandse bedrijfsleven te coördineren met de rijksoverheid.[70] In het voorjaar van 1964 namen

medewerkers van het Europa Instituut van de Universiteit van Amsterdam een serie vraaggesprekken af over de EEG. Een van de conclusies luidde:

> Als vertegenwoordigers van pressiegroepen gevraagd werd waar voor hen het belangrijkste aangrijpingspunt in Brussel lag, dan was het bepaald opmerkelijk hoe vaak de naam van dr. Mansholt werd genoemd. Vrijwel alle benaderde groepen deden het voorkomen alsof zij geregeld met Mansholt aan één tafel zaten, waarbij hij beurtelings als pleitbezorger der boeren, der socialisten, der werknemers, of der Nederlandse belangen in het algemeen werd afgeschilderd (Het waren bepaald niet alleen Nederlanders die deze mening tegenover ons verkondigden).

Het contact met de Commissie werd door de ondervraagden het belangrijkste gevonden. Het Europees Parlement werd nauwelijks bezocht, eigenlijk alleen maar om te horen hoe Mansholt vragen beantwoordde.[71]

### Packages en marathons

Hoewel de Raad van Ministers besliste, had de Commissie een centrale rol. Zij schoof voorstellen naar voren zoals een regering wetsontwerpen aanhangig maakte. Die voorstellen hadden grote invloed op de richting van het overleg, dus op de ontwikkeling van de Gemeenschap. 'Het hangt er maar van af, niet alleen wát zij voorstelt, maar vooral ook hóe zij het doet, én (...) hoe zij de verschillende voorstellen aan elkaar verbindt,' stelde Mansholt uit ervaring vast.[72]

Marathonvergaderingen en *package deals* werden kenmerkende elementen van de Europese besluitvorming. De *packages* vloeiden voort uit het vetorecht. De eerste vier jaren gold dat nog onverkort voor alle lidstaten. Elk lid kon dreigen een veto tegen een bepaald voorstel uit te spreken, tenzij de partners bereid waren tot concessies op een ander terrein. De Commissie kon een dreigend veto – bijvoorbeeld van Nederland tegen het invoeren van een heffing op grondstoffen voor margarine – neutraliseren door er een economisch voordeel aan te koppelen, bij voorkeur van primair belang voor het desbetreffende land – in dit geval: een gunstige zuivelregeling. Meer dan twaalf jaar ministerschap in een coalitiekabinet maakten Mansholt bij uitstek geschikt voor het samenstellen van evenwichtige *packages*.

Marathons bleken noodzakelijk om de laatste openstaande punten te forceren. De in het Verdrag opgenomen deadlines werkten dat in de hand. Zo moest na vier jaar, bij de overgang naar de tweede etappe, éérst worden getoetst of er voldoende voortgang was. In de verhitte sfeer van het marathonoverleg kon de Commissie de hoofdrol opeisen. Ambtenaren werden de vergaderzaal uitgestuurd en een kleine club politici bleef achter om knopen door te hakken, zonder ruggespraak. De Commissie diende het evenwicht in de gaten te houden en moest op het juiste moment het verlossende, allesomvattende compromis op tafel leggen.[73]

Mansholt hield de vaart erin. Na elke tegenslag slaagde hij er weer in om met zijn naaste medewerkers Rabot en Heringa een nieuw voorstel in elkaar te zetten. Voor elk ingewikkeld landbouwprobleem werd een oplossing naar voren geschoven, koel en zakelijk. De opwindendste besluiten lichtte Mansholt toe met een stem alsof hij bij een kopje koffie vertelde dat de afgelopen winter veel regen was gevallen, maar dat ook wel eens de zon had geschenen.[74]

De Britse historicus N. Piers Ludlow concludeerde – onder meer op basis van de notulen van de Raad – dat bij vrijwel alle belangrijke landbouwmarathons de Commissie op het cruciale moment intervenieerde met een evenwichtig *package*. Mansholt had daarin een groot aandeel. 'Mansholt in particular was a heavy-weight player in virtually all of the Council negotiations on agriculture.' Piers Ludlow wees op een voorbeeld uit 1963. De Bondsrepubliek had ingrijpende hervormingen voorgesteld, maar Mansholt maakte er gehakt van. Toen hij uitgesproken was, werden alle Duitse voorstellen van de agenda afgevoerd.[75]

In *De crisis* beschreef Mansholt twee momenten waarop de Commissie erin slaagde cruciale beslissingen op landbouwgebied te koppelen aan de voortgang op andere terreinen. Het eerste: vóór 1 januari 1962 moest de Raad, op basis van rapporten van de Commissie, besluiten of aan de verdragsverplichtingen was voldaan, zodat kon worden overgegaan naar de tweede etappe. Daarin lonkte het nultarief voor industrieproducten, vooral voor West-Duitsland. Frankrijk én de Commissie stelden dat het nemen van een besluit over de invoering van een gemeenschappelijke markt voor landbouwproducten een *conditio sine qua non* was om te kunnen starten met de volgende etappe. Het tweede moment betrof de koppeling in 1963 van een gemeenschappelijke Europese graanprijs aan het mandaat van de Commissie om met de Amerikanen te onderhandelen over vrijmaking van de internationale handel. De crux daarvan was de Bondsrepubliek via een omweg te dwingen een lagere Duitse graanprijs te accepteren, het grootste struikelblok op weg naar het gemeenschappelijk landbouwbeleid. Meer algemeen was Mansholts truc de prijzen voor slechts één jaar vast te stellen. Daarna gold *geen* prijs en zonder prijs functioneerde de markt niet: boeren wisten dan niet wat ze moesten rekenen, en heffingen en restituties waren onmogelijk. De Raad *moest* besluiten, vandaar ook de vele marathonvergaderingen.[76]

De besluitvorming met *packages* en marathons was traag en gecompliceerd, maar wel effectief. Het speelveld van de Commissie breidde zich langzaamaan uit, conform Hallsteins vervlechtingstheorie (wederzijds economisch voordeel, voortschrijdende politieke ontwikkeling, méér bevoegdheden voor de Commissie). Steeds grotere belangen stonden op het spel. Wie controleerde dat allemaal? Brussel schreef weliswaar de wet voor, maar waar bleef de volksvertegenwoordiging? Straatsburg had geen enkele zeggenschap. De commissarissen voeren vooral op eigen kompas. Ze werden niet voortgestuwd door een partij en hoefden geen verantwoording af te leggen aan een parlement. De leden van de Raad konden 'thuis' achteraf ter verantwoording worden geroepen, maar dat had geen effect op genomen besluiten.

Mansholt worstelde met dit gebrek aan politieke controle. In Nederland was hij gewend het parlementaire spel te spelen. Daaraan ontleende hij een belangrijk deel van zijn gezag als minister. Het Europees parlement had hem wat dat betreft weinig te bieden. Hij schakelde het in wanneer hij het nodig dacht te hebben als extra drukmiddel op de Raad. Mansholt toonde respect voor het instituut, verscheen er regelmatig en kon er op enig krediet rekenen. Hij pleitte herhaaldelijk voor verruiming van bevoegdheden en rechtstreekse verkiezingen. Met verschillende Europarlementariërs had hij incidenteel contact, en eenmaal per jaar nam hij alle Nederlandse afgevaardigden – veertien in totaal – mee uit eten.

Toch moest hij het draagvlak voor zijn plannen buiten Straatsburg zoeken. Hij reisde stad en land af, zocht de publiciteit en betrok allerlei belangengroepen bij de ontwikkeling van het beleid. Na afloop van de eerste marathon in 1962 werden voor diverse beleidssectoren raadgevende comités van belanghebbenden ingesteld, bestaande uit twaalf à achttien leden. De helft daarvan was afkomstig uit de landbouwsector, een kwart uit de verwerkende industrie en een kwart uit de kring van vakbonden en consumentenorganisaties. Het idee was, aldus Mansholt, dat wanneer de landbouwpolitiek volledig werkte, de Commissie dagelijks contact kon opnemen met vertegenwoordigers van belangengroepen teneinde 'het beleid meer democratisch te doen verlopen'. Corporatisme als stopmiddel voor het democratisch tekort.[77]

Volgens de Duitse historicus Thiemeyer vloeide de gebrekkige politieke controle in de Europese Unie *anno 1998* zelfs min of meer voort uit de federalistische opvattingen die Mansholt (en Van der Lee) al in de jaren vijftig zou(den) hebben gepropageerd.[78] Mansholt zou er bewust op uit zijn geweest de invloed van door belangengroepen gedomineerde nationale parlementen de nek om te draaien. Hij wilde verhinderen dat 'economisch efficiënte beslissingen' getroffen werden door 'democratisch gelegitimeerde veto's'. Vandaar zijn keus voor supranationalisme. Thiemeyer stelde dat achter deze 'in hun kern ondemocratische denkbeelden' een staatsrechtelijke opvatting school die ervan uitging dat economie en politiek strikt konden worden gescheiden.

Daarop valt wat af te dingen. Ten eerste heeft Mansholt steeds gepleit – al in zijn eerste plan uit 1950 – voor een krachtig controleorgaan. Supranationalisme en parlementaire controle waren daarin aan elkaar gekoppeld. In het EEG-Verdrag was het begrip supranationalisme zorgvuldig vermeden. Dit impliceerde immers overdracht van een stukje soevereiniteit en dat was voor een aantal lidstaten een heikel punt. De Assemblee, het Europese Parlement, hing in het politiek luchtledige. Dáár lag de oorsprong van het zogenaamde democratisch deficit. Ten tweede: niet de 'supranationale' Commissie, maar de Raad besluit. Het deficit zit dus aan de kant van de Raad. Mansholt had daar geen greep op. Voor hem stond 'supranationaal' sinds 1958 *niet* voor economisch efficiënte besluitvorming, maar voor Europese solidariteit. Afschaffen van het nationale veto was niet antidemocratisch. Het schrappen daarvan hield voor Mansholt namelijk automatisch in dat de democratie op een hoger, Europees niveau moest worden getild. In het meest extreme geval vormt de helft van de Luxemburgse kiezers plus één een 'democratisch gelegitimeerd veto'. Dan valt er weinig te integreren. Het is niet zo dat Mansholt voor 'het hogere doel' de nationale democratische controle opzij wilde schuiven *zonder* dat het Europees parlement dit volledig zou opvangen.

## Een mens moet iets heel anders kunnen doen

Anderhalf jaar lang woonde Mansholt op kamers in Brussel. Alleen in de weekends was hij in Wassenaar bij zijn gezin. Bij een bezoek aan Canada en de VS, begin maart 1959, werd er bij hem ingebroken. Zijn bureau werd geplunderd en de tas naast zijn bureau was leeg. Op de persconferentie op het vliegveld na zijn terugkeer wendde Henny, die hem kwam ophalen, zich enigszins verwijtend tot de journalisten: 'Waarom hebt u van tevoren in de krant gezet dat mijn man op reis ging. De inbrekers wisten nu dat zij vrij spel hadden.'[79]

Het weekendhuwelijk zou anderhalf jaar standhouden. In de zomer van 1959 viel het besluit met de jongste twee kinderen naar de Belgische hoofdstad te verhuizen. Jan en Theda konden in Brussel terecht op de nieuwe Europese school. Lideke weigerde het schooluniform aan te trekken. Zij maakte de middelbare school af in Wassenaar en logeerde bij vrienden van de familie. Gajus liep stage op een fabriek van landbouwmachines in Nederland.[80]

Als commissaris was Mansholt er financieel aanzienlijk op vooruitgegaan. In de Nederlandse ministerraad had hij zich eens laten ontvallen dat het salaris zo karig was dat hij thuis geen mensen durfde ontvangen. Als minister verdiende hij indertijd ruim 29.000 gulden per jaar. In Brussel kreeg hij meer dan het dubbele.[81] Het eerste jaar hield hij voldoende over voor een eigen boot, de Zeeuwse hoogaars Atalante, aangeschaft voor 20.000 gulden en daarna door hem zelf helemaal opgeknapt. Moeders motorboot werd verkocht. In augustus 1959 loste Mansholt het restant van de schuld aan zijn moeder af: 6000 gulden, waarschijnlijk de laatste termijn van Fletum in de Wieringermeer. De boerderij moest hij opgeven toen hij naar Brussel ging. Het Verdrag verbood een commissaris zakelijke belangen te hebben in een van de lidstaten.[82]

Halverwege september 1959 trok het gezin in een vrij riante huurwoning, 95e Avenue Albert Lancaster, Ukkel, Brussel. Kort daarop ontving Henny's moeder een eerste brief uit België. Over de verhuizing, het zwembad in de tuin, de vaatwasser ("'t Is wel een luxe, maar gezien de voortdurende ontvangst van mensen en de zeer duur betaalde hulp per uur leek ons deze aanschaf wel verantwoord') en de hulp in de huishouding ('Ze verzorgt het eten. Dit doet ze zo keurig, dat is een grote rust temeer omdat Sicco telkens mensen wil meebrengen voor de lunch of avondeten'). Sicco was vaak weg, maar Henny had volop contact met 'Europese lotgenoten'. De dag na de verhuizing had ze al een aantal vrienden met hun kinderen op de thee gehad. Een achterneef van Sicco (de zoon van Herman Louwes) was Europees ambtenaar en woonde in de buurt.[83]

De weinige brieven van Henny uit de Brusselse periode bevatten alle passages als: 'Sicco is op reis', 'Hij heeft het moeilijk' en 'Hij ziet er moe uit'. Af en toe was vader een weekje thuis. Het hele gezin bij elkaar kwam minder vaak voor. 'De kinderen waren het weekend bij ons. Erg gezellig,' noteerde Mansholt op de briefkaart die hij zijn moeder stuurde vanuit Kopenhagen. Eind oktober 1960 logeerden de Eecens in Brussel, vrienden uit de oorlog, maar Mansholts agenda was zo vol, dat hij ze misliep. Naar de reünie op de Hoge Veluwe van het eerste naoorlogse kabinet, een paar weken later, ging hij wél, met Henny. Zoals ze al aangaf in haar eerste brief, nam Sicco regelmatig Europese vrienden mee, voor het avondeten, een borrel en een praatje. Jaren later haalde Max Kohnstamm nog herinneringen op aan het 'zalig zwembad' bij de Mansholts, waarin hij zo vaak gezwommen had.[84]

Ter ontspanning zocht Mansholt het water op of maakte hij iets met zijn handen. Hij was regelmatig in Breskens te vinden, waar de boot lag. Met de kinderen als bemanning nam hij deel aan zeilwedstrijden. De eerste jaren werd de vrije tijd vooral besteed aan de Atalante. Hoe hij het hoofd koel hield in een crisis vroeg een journalist hem. 'Mijn boot of een oude stoel,' was het

In zijn werkplaats of op het water kon Mansholt zaken gemakkelijk van zich afzetten. 'Dat is een groot voordeel en het vormt een onderdeel van mijn regime. Een mens moet iets heel anders kunnen doen.' [Collectie IISG]

antwoord. In zijn werkplaats of op het water kon hij zaken gemakkelijk van zich afzetten. 'Dat is een groot voordeel en het vormt een onderdeel van mijn regime. Een mens moet iets heel anders kunnen doen.' Henny viel hem bij: 'Als de huisdeur achter hem dichtvalt, legt hij alles naast zich neer en is hij bezig met zijn hobby's.' Waarop de journalist lyrisch afsloot met: 'En in de gezellige huiskamer van Ukkel laat zijn vrouw het houtsnijwerk voor de boot zien, waaraan haar man avond aan avond geduldig kan zitten snijden.'[85]

Begin jaren zestig startte Mansholt een nieuw privéproject. Nadat hij met een aantal Europarlementariërs op Sardinië was geweest, ging hij alleen terug, huurde een Fiatje en reed het eiland rond. In een eenzame streek vond hij een lap rotsachtige grond, pal aan de Middelandse Zee, met een klein stukje strand. Er was geen water, elektriciteit of wat dan ook. Er liepen alleen wat geiten rond. In de kerstvakantie van 1962 werd de koop gesloten. In een brief naar huis beschreef Henny hoe dat in zijn werk ging:

De overdracht van het terrein was een onvergetelijke gebeurtenis, die plaats vond in het huis van de inspecteur van de belastingen, temidden

311

van z'n gezin met 5 kinderen, de notaris, landmeters, de eigenares v.d. grond een boerin in mooie klederdracht – vergezeld van haar man, een slim boertje die er alleen belang bij had de grondprijs in de off. acte zo laag mogelijk te houden om daarmede de belasting te ontduiken. Italianen zijn toch merkwaardige mensen, breedsprakig, luidruchtig en met een onzakelijkheid die onze lachlust opwekte. De hele ceremonie heeft 2 ½ uur geduurd en ondertussen zat Sicco mee aan de tafel, rookte als een ketter en probeerde iets te volgen van alle discussies rondom ons. Nieuwsgierige dorpsbewoners liepen af en aan door de gang en omdat de kamerdeur steeds geopend bleef, hadden ze een pracht gezicht op dit tafereel.

Mansholt opnieuw als pionier, nabij de kaap van Teulada in Zuid-Sardinië. Geld om te bouwen was er nog niet. Hij zorgde eerst voor wat aanplant en zette daar een hekwerk omheen, tegen de geiten. Thuis maakte hij zelf de eerste bouwtekeningen, die daarna door een architect werden bijgevijld. Daarna gingen vader, moeder en de twee jongste kinderen elke zomer naar Sardinië om te kamperen en te bouwen. Er verrees een prachtig huis met uitzicht over de Middellandse Zee.[86]

# - 11 -

# De eerste Europese minister van Landbouw

Herakleische Dimensionen

Walter Hallsteins *Die Europäische Gemeinschaft* uit 1974 is een *Sachbuch*, geen *Erlebnisbuch*. De auteur beoogde een zakelijke en nauwkeurige beschrijving te geven van wat de Commissie tot stand had gebracht. Het boek heeft wel een zaken-, maar geen personenregister. Halverwege, op pagina 177, lijkt Hallstein zijn koele zakelijkheid tóch even opzij te schuiven. Lyrisch stelt hij dat het landbouwbeleid het spannendste onderdeel was van de Europese economische politiek. Op geen enkel terrein had het karwei zulke 'herakleische Dimensionen'. Nergens anders was gewerkt 'mit so viel Mut und eisernem Willen'. En dan volgen nog meer superlatieven: toewijding, deskundigheid, fantasie, onpartijdigheid. De landbouwpolitiek was volgens Hallstein van doorslaggevend belang als arena van de strijd om politieke eenwording. 'Sie ist geschichtlich mit dem Namen Sicco Mansholts verknüpft.'[1]

Vanwege de grote onderlinge tegenstellingen leek het vrijwel onmogelijk gemeenschappelijk beleid van de grond te tillen. In Frankrijk en Italië was een groot deel van de bevolking nog in de landbouw werkzaam. De structuur was er verouderd. Veel traditionele bedrijfjes konden nauwelijks het hoofd boven water houden. Anno 1960 was ruim eenderde van de Italiaanse beroepsbevolking boer; in Nederland lag het aandeel op ongeveer twaalf procent, in België op tien. Gevreesd werd dat noodzakelijke verbeteringen, vooral in Frankrijk en Italië, tot sociale onrust zouden leiden. Een groeiend leger werkloze boeren en landarbeiders vormde een makkelijke prooi voor de communisten.

In absolute cijfers uitgedrukt zag Mansholts probleem er omstreeks 1960 als volgt uit. In de zes lidstaten woonden 172,5 miljoen Europeanen. De totale beroepsbevolking bestond uit 76,2 miljoen mannen en vrouwen. Van hen werkten er 16,1 miljoen in de landbouw, onder anderen 7,2 miljoen Italianen, 4,3 miljoen Duitsers en 3,7 miljoen Fransen.[2] Het bereik van Mansholt was enorm. Zijn bemoeienissen strekten zich niet alleen uit tot ruim 16 miljoen boeren, maar tot het hele Europese platteland. Ter vergelijking: tot 1958 runde hij de modelboerderij Nederland met een half miljoen boeren en landarbeiders.

Het *structurele* probleem was dat al die boeren steeds meer producten voortbrachten en het surplus steeds moeilijker kon worden afgezet, terwijl het boereninkomen achterbleef bij dat van andere bevolkingsgroepen. Mansholts denktank had berekend dat er bij zeventig procent van de Europese familiebedrijven een overschot aan arbeid was. Miljoenen boeren zouden moeten afvloeien en op een of andere wijze worden opgevangen. Vele hectaren weinig productieve grond moesten worden opgegeven. Traditionele patronen zouden worden doorbroken.[3]

Maar Mansholt wilde eerst één markt met *gemeenschappelijke* prijzen, pas daarna zou hij de structuur bij de horens vatten. Dat dit nogal wat voeten in de aarde had, valt af te leiden uit onderstaande tabel.

Prijsverschil van de belangrijkste landbouwproducten in 1960 in de EEG (gemeenschapsgemiddelde 100)

| | Bondsrepubliek | Frankrijk | Italië | België | Luxemburg | Nederland |
|---|---|---|---|---|---|---|
| tarwe | 107,9 | 74,2 | 113,3 | 100,3 | 122,7 | 81,8 |
| rogge | 118,3 | 69,7 | 103,2 | 87,1 | 135,8 | 85,9 |
| haver | 121,0 | 80,4 | 84,2 | 104,3 | 110,3 | 100,0 |
| suikerbieten | 119,5 | 94,9 | 98,1 | 104,0 | - | 93,1 |
| melk | 102,9 | 93,4 | 96,5 | 96,5 | 114,2 | 96,5 |
| runderen | 92,7 | 86,2 | 121,8 | 93,9 | 106,5 | 98,8 |
| varkens | 101,4 | 102,1 | 107,1 | 89,7 | 114,5 | 85,2 |
| eieren | 105,9 | 104,4 | 104,9 | 94,8 | 110,6 | 79,3 |

Bron: KHA (1960) p. 15887.

Let op de kloof tussen de prijzen in Frankrijk en die in de Bondsrepubliek. Het lag voor de hand dat de 'Europese' prijzen ongeveer bij het gemeenschapsgemiddelde zouden uitkomen. De Nederlandse en vooral de Franse landbouw sponnen daar garen bij. Mansholts keus eerst te mikken op de prijzen was omstreden. In *De crisis* schreef hij die keus toe aan eigen intuïtie, ondanks tegengestelde opvattingen van technici. Hij zou bewust het risico hebben genomen om de markt tot motor te maken.[4] Dat was de halve waarheid. Door voorrang te geven aan het gelijktrekken van structuren zou het zwaartepunt opnieuw bij de lidstaten worden gelegd. Dat was niet de bedoeling. Mansholt wilde greep krijgen op het integratieproces. Dat was een bewuste *politieke* keus.

De eerste vijf jaar werd het wekelijkse Commissieoverleg gedomineerd door discussies over het gemeenschappelijk landbouwbeleid (GLB).[5] De opbouw van het GLB had grote invloed op de institutionele en politieke ontwikkeling van 'Brussel'. De belangrijkste politieke tegenstand kwam van Nederlandse Atlantici, Duitse boerenleiders en nationalistische Franse politici – *bien étonnés de se trouver ensemble*. In theorie was dat een formidabel blok. Daarop wordt in de volgende paragraaf nog teruggekomen. Toch had Mansholt enige ruimte om te manoeuvreren omdat de belangen van deze drie groepen niet parallel liepen. Hij slaagde er ook in tegenkrachten te mobiliseren: de Nederlandse minister van Landbouw, Economische Zaken in Bonn, boerenorganisaties in Frankrijk en 'Europeanen' in de Bondsdag, de Tweede Kamer en de Assemblée Nationale.

Wat kan op het conto van Mansholt geschreven worden en wat niet? De te behandelen landbouwvoorstellen waren het resultaat van intensief teamwerk. De commissaris dacht mee, nam de verantwoordelijkheid voor de uitkomst en plakte er zijn etiket op: het zoveelste plan-Mansholt. Hij was de eerste – en lange tijd ook de enige – die zijn naam aan bepaalde voorstellen verbond. Als persoon liet Mansholt zich sterk gelden in het Commissieoverleg en in de marathons met de Raad van Ministers. Het eerste wordt onder meer bevestigd in de memoires van Lemaignen en Von der Groeben.[6] Het gewicht dat Mansholt bij marathonoverleg in de schaal legde, moet niet onderschat worden. Dat blijkt onder meer uit het ooggetuigenverslag van Michel Cointat, de leider van de Franse delegatie van het Comité Spéciale Agriculture:

Als *Sicco*, zoals de mensen in Brussel hem gemeenzaam noemen, het woord neemt, luistert iedereen. In dat lastige Frans, bezaaid met voet-angels en klemmen, waarvan hij de nuances wel kent maar het vocabulaire niet altijd beheerst, analyseert hij een vraagstuk op heldere wijze. Hij gaat voorbij aan de details en weet dat hij zijn twee trouwe naaste medewerkers Rabot en Heringa de technische aspecten kan laten uitwerken. Er bestaan voor hem geen problemen. Er zijn slechts oplossingen. En zijn discussiebijdragen beginnen altijd op dezelfde manier met een half-Engels, half-Saksisch accent: *Wat dat betekent is volkomen duidelijk, mijnheer de voorzitter...*
Hij weet precies welke richting hij op wil en slaagt er dikwijls in zijn zin door te drijven. Ondanks hun soevereiniteit, aarzelen ministers vaak terug te komen op een onderwerp dat hij beschouwt als opgelost. Met een onverstoorbaar flegma negeert hij de reserves van sommigen en vergeet hij de bezwaren van anderen. Eén moment van onoplettendheid en, met

onvoorstelbare handigheid, stelt hij vast dat er unanimiteit is en dat het besluit genomen is.[7]

Een andere ooggetuige, de Duitse staatssecretaris van Landbouw Sonnemann, typeerde Mansholt als een liberale vrijhandelaar en doctrinaire politicus die zijn dogmatiek handig wist te verbergen achter een façade van pragmatisme en flexibliteit. Sonnemann had vaak het idee dat hij tegen een muur stond te praten. Toch was hij ook onder de indruk van Mansholts internationale ervaring, zelfverzekerd optreden en persoonlijke moed: 'Er war immer bereit sich jede Opposition kampfentschlossen zu stellen und seine Ziele mannhaft zu verteidigen.'[8]

## Tegenstanders: Van der Beugel, Rehwinkel, De Gaulle

Belangrijke tegenstand kwam eerst van Buitenlandse Zaken in Den Haag. Het departement prefereerde een vrijhandelszone met de Britten boven een continentaal blok, dat gedomineerd zou worden door Frans protectionisme. Voor BZ stond dat laatste als een paal boven water. Staatssecretaris Van der Beugel waarschuwde Mansholt al in mei 1958 over deze 'heilloze ontwikkeling'. De Commissie moest er toch voor zorgen dat er óók naar Nederland geluisterd werd? 'Maar wij hebben zo langzamerhand het gevoel, dat men over ons heen loopt en dat men twee oren heeft; één heel groot en heel gevoelig oor voor alles wat uit Parijs komt en één oortje met een machine voor hardhorenden erin voor alles wat niet uit Parijs komt.'[9]

In januari 1959 besprak Van der Beugel zijn klachten met Mozer. Hij begreep niet dat Mansholt en Mozer zich lieten vangen door de Frans-Duitse toenadering. Dit 'concept-Adenauer-Hallstein' was volgens hem gebaseerd op een slecht Duits geweten – vanwege de oorlog – en het streven van Frankrijk naar hegemonie. Het was niet realistisch de EEG te beschouwen als de kern van een politieke gemeenschap en de relaties met derde landen daaraan ondergeschikt te maken – anders gezegd: te kiezen vóór de Frans-Duitse as, tegen de Britten. Die politieke gemeenschap zou er binnen afzienbare tijd toch niet komen.

Mozer stelde daartegenover dat Van der Beugel de Britse motieven miskende. Engeland was er alleen maar in geïnteresseerd het continent uit elkaar te spelen, zodat het zelf, indien nodig, de doorslag kon geven in de *balance of power*. Als de integratie op het Europese vasteland consequent werd voortgezet, zouden de Britten zich er op een bepaald moment – als er wat te winnen viel – wel bij aansluiten. Mozers les na tien jaar touwtrekken: 'Der empirische Charakter der englischen Politik beuge sich nur den Tatsachen, die man erprobtermassen nicht mehr beseitigen kann.'[10] De twee kwamen niet nader tot elkaar.

Intussen legde het Britse plan een Europese vrijhandelszone (EVA) op te bouwen in het kader van de OEES – de oude Marshallhulplanden – een zware hypotheek op verdere integratie.[11] Nederland was vóór, alle Fransen waren tegen en in de Bondsrepubliek reageerde men verdeeld. Het probleem was dat de EEG met haar gemeenschappelijk buitentarief moeilijk kon worden gekoppeld aan een club zonder een dergelijk tarief. De Gemeenschap zou erin worden opgelost als een klontje suiker in een kop thee.[12] Voor Mansholt was het toch al onaanvaardbaar dat de landbouw buiten de zone zou vallen. Dat was althans de bedoeling van de Britten. In september 1958 kozen de Duitsers de zijde van de Fransen. Daarna verdween het vraagstuk van de koppeling van de EEG aan de EVA langzaam van de agenda.[13] Het staatssecretariaat van Van der Beugel werd in januari 1959 omgezet in een ambtelijk raadadviseur-schap. Zijn partij, de PVDA, was uit het kabinet gestapt, maar hij mocht van minister Luns (KVP) zijn karwei afmaken. In 1960 ging Van der Beugel naar de KLM. Hij bleef een invloedrijk opinieleider.

In een interview, ruim dertig jaar later, gaf Van der Beugel toe dat hij last had gehad van Mansholt. 'Maar hij was niet de enige. En hij was een vent.' Hij had de boeren achter zich en overgoot zijn beleid met een Europese saus. Op de vraag of Mansholt wist dat hij bezig was met het belang van een deelsec-tor, ten koste van de industrie, antwoordde Van der Beugel: 'Ja, maar dat kon hem niets verdommen.' Zijn oordeel over Hallstein was niet minder mals. Hij stelde voorop dat de Duitser een eersteklas jurist was, maar voegde daar botweg aan toe: 'Hij was een van de allervervelendste mensen die men zich kan voorstellen en toen hij president van de Commissie werd is het hem in zijn bol geslagen.' De oud-staatssecretaris loodste daarop zijn interviewers naar een ander gespreksonderwerp met het volgende fraaie verhaal:

Mansholt komt bij de hemelpoort en Petrus kijkt op de lijst en zegt: 'Het spijt me erg, Mijnheer Mansholt, maar u gaat naar de verkeerde kant. U gaat naar de hel.' En Mansholt razend: 'O ja, waarom?' 'Ja, omdat u die vreselijke landbouwpolitiek hebt uitgevonden.' Nou, Mansholt proteste-ren. En daarop zegt Petrus: 'Ja, er is niks aan te doen. Dat is nu eenmaal de beslissing. We kunnen u één faciliteit geven: u mag wel even aan de andere kant rondkijken.' Mansholt gaat daar rondkijken en komt in een rood boudoir waar Hallstein op een sofa ligt met Brigitte Bardot op zijn knie. Hij holt dus naar Petrus terug en zegt: 'En Hallstein wordt zó behan-deld en we hebben dat allemaal samen gedaan. En die landbouwpolitiek is ook van ons beiden.' Petrus zegt: 'Dat moet een misverstand zijn, mijnheer Mansholt. Dat is niet de beloning voor mijnheer Hallstein. Dat is de straf voor Brigitte Bardot.'[14]

Vanaf 1959 legden Nederlandse Atlantici als tegenstanders steeds minder gewicht in de schaal. In augustus 1961 klopten de Britten voor het eerst aan bij de EEG, zoals Mozer min of meer had voorspeld, en werd de situatie heel anders. Mansholt had inmiddels de eerste Europese landbouwstappen gezet en kreeg te maken met een andere, formidabele tegenstander: Edmund Rehwinkel van het Deutsche Bauernverband (DBV).

Rehwinkel, voorzitter van het DBV sinds 1954, was veruit de machtigste figuur in Duitse landbouwkringen. Hij combineerde het voorzitterschap met een groot aantal andere bestuursfuncties en dreef intussen zijn eigen *Bauernhof* – in de familie sinds 1714 – bij Celle, ten noorden van Hannover. Rehwinkel had aanzienlijke politieke macht via de CDU, de regeringspartij waarin de boerenvertegenwoordigers zeer invloedrijk waren. Ongeveer negentig procent van de Duitse boeren was aangesloten bij het DBV. Rehwinkel ontleende zijn macht mede aan het *Landwirtschaftsgesetz* van 1955 dat het inkomen van de boer koppelde aan dat van andere sectoren. Bewindslieden aten uit zijn hand. Minister Schwarz (1959-1965), afkomstig uit het DBV, nam demonstratief deel aan vergaderingen van het hoofdbestuur.[15]

Op agressieve toon veegde Rehwinkel radicaal de vloer aan met tegenstanders. Hij was het principieel oneens met Mansholts dwaze plan ('eine Kateridee') de integratie te laten beginnen met landbouw. Daarmee werd als het ware de Europese stier achter de wagen gespannen, noteerde hij in zijn memoires. Op Rehwinkels lijstje stond het gemeenschappelijk landbouwbeleid helemaal onderaan, na Europese defensie, monetair beleid, belastingharmonisatie, socialezekerheidswetgeving enzovoort.

Met hand en tand verzette hij zich tegen verlaging van de graanprijs, Mansholts streven. Dat zou de Duitse boeren volgens hem 1,3 miljard mark per jaar kosten. Daarnaast stelde hij botweg de vraag waarvan Duitsland zou moeten leven als er opnieuw oorlog uitbrak en de aanvoer van voedsel plotseling stokte. Niet de hoge Duitse prijs, maar het kunstmatig laag gehouden peil elders vormde het obstakel om tot één markt te komen. Terwijl Van der Beugel hem achteraf met een knipoog naar de hel stuurde, liet Rehwinkel 'Berufseuropäer' Mansholt opdraven in Stalingrad:

Ik heb het naar voren stormen van Mansholt in de landbouwsector dikwijls vergeleken met het oprukken van generaal Paulus bij Stalingrad.

Alleen handelde generaal Paulus noodgedwongen op bevel van amok-maker Hitler; Mansholt daarentegen maakte zijn amok ter versnelling van de gemeenschappelijke landbouwmarkt vrijwillig en uit eigen foute overtuiging.

Nadat begin 1962 het fundament was gelegd onder het GLB, hield Rehwinkel nog drie jaar stand, onder toenemende druk. In december 1964 ging de Bonds-republiek akkoord met een gemeenschappelijke graanprijs, ingaande 1 juli 1967. Rehwinkel, die een enorme compensatie uit het vuur sleepte, verzuchtte desondanks gedesillusioneerd, dat het veel gemakkelijker was iets gedaan te krijgen voor de Duitse boeren toen de besluitvorming nog op nationaal niveau plaatsvond en 'die Byzantiner' in Brüssel geen verordeningen konden uitvaardigen, die door Duitsers natuurlijk met dodelijke ernst zouden wor-den toegepast.[16]

De Franse president De Gaulle was een tegenstander *hors catégorie*. Hij zou de Commissie pas werkelijk de duimschroeven aandraaien na 1963, de periode waarin Rehwinkel nog slechts een achterhoedegevecht voerde. De Gaulle was vóór een gemeenschappelijke markt én voor politieke samenwerking, maar tegen de instellingen van het Verdrag van Rome. Meerderheidsbesluitvorming in de Raad vond hij onacceptabel. Wanneer nationale belangen op het spel stonden, mocht een staat niet gedwongen worden tot een bepaalde beslissing. Hij zag de Commissie als een club niet-gebonden 'Eurocraten', die de regerin-gen van de lidstaten moest helpen knopen door te hakken. Van zelfstandige politieke invloed kon geen sprake zijn. De EEG moest in de eerste plaats de positie van Frankrijk versterken. Zij was geen doel op zichzelf.

In juni 1958 werd De Gaulle premier en in januari 1959 volgde zijn benoe-ming tot president. De eerste jaren werd hij vooral in beslag genomen door de burgeroorlog in Algerije en door pogingen zijn land binnen de NAVO op gelijk niveau te brengen met de VS en Groot-Brittannië. Intussen slaagde Hallstein c.s. erin procedures en macht in de EEG naar zich toe te trekken. Ook niet-lidstaten begonnen Brussel serieus te nemen. In juli 1960 drong De Gaulle er tegenover Adenauer op aan de invloed van de Commissie in te perken. Sindsdien probeerde hij de EEG in te kapselen door er een intergou-vernementeel secretariaat bovenop te zetten.[17]

Voor zover bekend hebben Mansholt en De Gaulle nooit uitvoerig met elkaar gesproken. Het veto van de president tegen de Britse toetreding in januari 1963 zou de sfeer grondig verpesten. Daarvóór liet Mansholt zich positief uit over de wijze waarop De Gaulle zijn land moderniseerde en de koloniale verhoudingen liquideerde. Felle kritiek had hij op diens Europese conceptie, bijvoorbeeld in de rede die hij in mei 1962 hield voor de Europese Beweging in Nederland (waartegen de Franse minister van Buitenlandse Zaken per brief zou protesteren). Mansholt beschouwde politieke overkoepeling als een poging de integratie te minimaliseren. Hij riep in die rede op om geduldig te blijven: 'Dit Frankrijk heeft aan Europa en zijn cultuur zo rijke vruchten geschonken, dat het het recht heeft om tijdelijk te dwalen.'[18]

Wat het landbouwbeleid betrof liepen de belangen van De Gaulle vrijwel parallel aan die van Mansholt. De Franse minister van Landbouw, Edgard Pisani, was een van de belangrijkste steunpilaren van de Commissie. En andersom! Over de succesvolle eerste marathonvergadering van 1962 schreef Pisani dat de hulde voor het bereikte resultaat vooral aan Sicco Mansholt toekwam. Couve de Murville, zijn collega van Buitenlandse Zaken, noteerde over deze marathon: 'La problème était immense, l'objectif sans précédent.' Een grondige kennis van zaken en een grote dosis verbeeldingskracht waren vereist. Verder moest met alles en iedereen rekening worden gehouden. Mansholt bleek volgens Couve de Murville bij uitstek gekwalificeerd.[19]

In De Gaulles *Mémoirs d'espoir* uit 1970 was geen spoor te bekennen van lof voor Mansholt. Het succes van de marathon schreef de generaal op eigen conto. Hallstein werd neergesabeld als een ambitieus Duits mannetje, dat er enkel op uit was via de EEG zo veel mogelijk winst voor Bonn te verkrijgen. Europa was de omgeving waarbinnen Hallstein voor zijn eigen land het aanzien en respect kon terugwinnen dat het onder Hitler verloren had.[20]

De Gaulle verfoeide de Eurocraten en hun kunstmatige vaderland, hun *patrie artificielle*. De werkelijke integratie op reële basis begon voor hem op 22 januari 1963 met het vriendschapsverdrag tussen Frankrijk en de Bondsrepubliek, een paar dagen na zijn veto tegen de Britten. In het internationale politieke spel van De Gaulle was Brussel van ondergeschikt belang. Het draaide om de definitieve keus van Bonn tussen Washington en Parijs. Toen in de loop van 1963 bleek dat de Duitsers zich bleven vastklampen aan de VS én de EEG, had De Gaulle al snel genoeg van het gedraai van Bonn. Tegenover zijn ministers liet hij zich eind 1963 ontvallen dat Europa een Trojaans paard met Duitse – of misschien wel Amerikaanse – pretenties was.[21] Stoppen met de EEG lag niet voor de hand. Voor de Franse boeren viel er nog heel wat te halen. Duidelijk was wel dat boven de verdere *politieke* ontwikkeling van de Gemeenschap het zwaard van Damocles hing.

Volgens commissaris Marjolin belichaamde De Gaulle alles waaraan Mansholt in de politiek een hekel had. Cointat, de Franse CSA-leider, zag vooral overeenkomsten:

Recht door zee, de daad bij het woord voegend en ervan overtuigd dat een sterk en verenigd Europa noodzakelijk was voor het mondiale evenwicht, daarmee had (Mansholt) precies de kwaliteiten van hart en verstand die Generaal de Gaulle op waarde wist te schatten, al verschilden hun concepties aanzienlijk van elkaar. Helaas hebben deze twee heren elkaar niet begrepen. Dat is jammer. Het is zelfs onbegrijpelijk en men kan zich afvragen of hun omgeving niet heeft bijgedragen tot een geforceerde sfeer van onbegrip.[22]

Gelijke karakters kunnen elkaar ook afstoten. Voor bepaalde karaktertrekken geldt dat des te sterker. Drees wees er al op dat Mansholts koppigheid alleen overtroffen werd door die van De Gaulle. Aan de andere kant kunnen karakterologische overeenkomsten leiden tot wederzijds begrip. De volgende analyse van Mansholt in *De crisis* lijkt dat te bevestigen:

De Gaulle stond duidelijk voor ogen dat een gemeenschappelijk economisch beleid in Europa gevoerd moest worden, maar hij zag die in de eerste plaats ten dienste van Frankrijk. Zijn ideaal was om Frankrijk een leidersrol te laten vervullen, die zou moeten steunen op de economische macht van Europa. Er werd vaak beweerd dat het De Gaulle te doen was om voordeel uit de landbouwpolitiek voor Frankrijk te halen. Dat geloof ik niet. Hij was niet zo'n krententeller. Hij zei: 'Als wij (en dat wij betekende natuurlijk de Fransen) een macht in de wereld willen zijn, dan moeten wij iets achter ons hebben staan. En dan is het niet een ideologie, maar een economische macht die de doorslag geeft.' Dat was duidelijke taal. Maar de situatie werd tragisch toen hij de tweede stap moest zetten om van het economische Europa een politieke macht te maken. Dan was hij de generaal, die Europa als een intendance wenste om zijn wil door te zetten, zijn veldslag te winnen.[23]

## Blauwdruk, rode lijnen, details

Mansholt wilde geen optelsom van het nationale beleid van de zes. Al het oude lapwerk moest volgens hem, binnen een zekere overgangsperiode, radicaal opzij worden geschoven.[24] Op de conferentie van Stresa kreeg hij groen licht voor een eigen program. Mansholt mocht gemeenschappelijk beleid gaan maken, één Europese tractor.

In vogelvlucht verliep de assemblage als volgt. Eind 1959 presenteerde Mansholt zijn collega's de eerste blauwdruk. Een aangepaste versie verscheen

een half jaar later. In december 1960 ging de Raad in principe akkoord met een stelsel van heffingen ter vervanging van nationale beschermingsmaatregelen: de ontsteking van de motor. De heffingen aan de binnengrenzen zouden van tijdelijke aard zijn, bedoeld om een geleidelijke overgang mogelijk te maken naar gemeenschappelijke prijzen. Aan de buitengrenzen zou concurrerende import via variabele heffingen op Europees niveau worden getrokken. Te exporteren overschotten zouden op wereldmarktprijsniveau worden gebracht, vaak met forse subsidie in de vorm van restituties aan de exporteur ter compensatie van het verschil tussen aankoopprijs op de Europese markt en verkoopprijs op de wereldmarkt.

Op 14 januari 1962 (einddatum eerste marathon) werd de motor in elkaar gezet en een deel van de carrosserie gemaakt: één markt, communautaire preferentie, het heffingenstelsel, regelingen voor een aantal producten (basisprijzen, interventiemaatregelen, uitvoercertificaten enzovoort), een voorlopige financiering. In de tweede helft van 1962 gingen de beheerscomités aan de slag – de stoel kwam erin – en eind 1963 werd de carrosserie afgebouwd, onder andere met een zuivelregeling. Op 15 december 1964 startten de zes de motor met de gemeenschappelijke graanprijs.[25] De tractor vertrok nog niet. Er restten twee kardinale vragen. Wie betaalt het onderhoud? En vooral: wie zit achter het stuur? Toen het ding in 1968 reed, moest ook de rem er nog in: het structuurbeleid, Mansholts meest beruchte plan.

Stap voor stap werd het GLB in elkaar gezet. Mansholt leek te verdrinken in details-à-la-de-naoorlogse-voedselvoorziening: de grootte van appels en peren, het mengen van wijn, het gewicht van kwaliteitskippen, de samenstelling van spaghetti. 'In dergelijke debatten verliest men de grote politieke optie van Europa uit het oog,' gaf hij toe, maar tegelijk benadrukte hij het belang ervan.[26] 'Met al die details is het leven van een hele sector van de boerenbevolking gemoeid. Honderdduizenden zijn van dat soort maatregelen afhankelijk.' De dagelijkse etappes mochten evenmin onderschat worden als het einddoel.

Dagen en nachten hebben wij felle discussies gehad in de Commissie en de raad over de bereiding van spaghetti. (...) Want als de Italiaanse minister van Landbouw de veldslag om de spaghetti verliest, is dat een schok. In ieder geval zouden de kiezers hem in de steek laten. (...) Al gedurende tientallen jaren is er in Italië een zeer bijzondere wetgeving over de kwaliteit van de spaghetti; die moet gemaakt worden van het meel van harde tarwe. Frankrijk en Nederland produceren vooral zachte tarwe. De prijs daarvan is veel lager. Maar voor een Italiaan is het onvoorstelbaar zachte met harde tarwe te vermengen. Als men dat zou doen, zou de prijs van de spaghetti lager zijn, maar volgens hun smaak ook de kwaliteit minder. Bovendien staat en valt de landbouw op Sicilië en Sardinië en heel Zuid-Italië, de Mezzogiorno, met de harde tarwe. Maar wij in Nederland en Duitsland maken rustig spaghetti van zachte tarwe.

Om te komen tot een Gemeenschappelijke Markt moet er vrij verkeer mogelijk worden van de producten. De Duitse en Nederlandse producten konden Italië niet binnen omdat de Italianen dat weigerden. (…) Maar van de andere kant konden de Italiaanse producten ook Nederland niet binnen omdat ze veel te duur waren. De markt wilde ze niet. (…) Na veel vijven en zessen heb ik vrij verkeer voorgesteld voor spaghetti, op voorwaarde dat op het pak zou worden aangeduid wat het gehalte aan zachte tarwe zou zijn. Het onverwachte resultaat was een verplaatsing van de consumptie van spaghetti. De dure, van harde tarwe, ging naar de rijke gewesten, terwijl de goedkopere uit Nederland, Frankrijk en Duitsland naar Italië ging.[27]

Het detail is op zichzelf niet belangrijk, maar in verband met Mansholt is het dat wel vanwege de manier waarop hij ermee omging. Van belang is ook dat Brussel, inclusief ministers van Buitenlandse zaken en hun diplomaten, zich ging bezighouden met concrete zaken als spaghetti, wijn en appels.

Andere rode lijnen werden allereerst bepaald door de grootste struikelblokken: het Duitse prijsniveau en de buitenlandse politiek van De Gaulle. Hoe kon de Bondskanselier ertoe worden gebracht akkoord te gaan met een lagere graanprijs en de Franse president met het principe van meerderheidsbesluitvorming? Voor Brussel was integratie een primair motief. Volgens Linthorst Homan, de federalistisch gezinde Permanente Vertegenwoordiger in de periode 1958-1962, stond men omstreeks 1960 voor de vraag: óf geen begin met de landbouwpolitiek, óf doorbijten. In het eerste geval zou verdere integratie telkens afstuiten op de landbouwsector. Beet men door, 'dan riskeerde men een losbarsten van emoties van nationale aard. Maar dan had men tenminste een begin, gelijk een in ontoegankelijk terrein gebaande weg er eerst moet zijn voor je die weg kunt gaan en verbeteren.'[28]

Wilden de bouwers van het GLB *in de eerste plaats* het inkomensgat tussen de agrarische sector en andere sectoren overbruggen?[29] Dat gold dan toch niet voor Mansholt. De politieke kant, de integratie, was voor hem doorslaggevend, maar hij moest de boeren natuurlijk wel iets bieden om voldoende steun te krijgen. Mansholt vertrouwde erop dat Commissie en Raad na 1966 – als er bij meerderheid van stemmen zou worden besloten – lagere, marktconforme prijzen zouden vaststellen. Overproductie zou hierdoor uit-blijven.[30] Het landbouwdilemma van Europa ontstond toen er een kink in de kabel kwam en de lidstaten met de prijzen aan de haal gingen. Technisch stak de tractor prima in elkaar. Er kwam alleen een verkeerde boer op.

### De eerste etappe, 1958-1962

Van Stresa werd veel verwacht. 'Die agrarpolitische Zukunft hat begonnen,' schreef de pers indertijd.[31] De grote verdienste van de conferentie was dat landbouw niet langer als iets achterlijks beschouwd werd, waarvoor in de moderne industriële samenleving eigenlijk geen plaats was. Door de rege-ringen van de zes werd voor het eerst officieel erkend dat de sector grote maatschappelijke waarde had en daarom instandgehouden moest worden.[32]

Na Stresa was het wachten op voorstellen van de Commissie. Het zou nog tot juni 1960 duren eer de Raad weer over landbouw zou spreken. Mansholt probeerde intussen alle neuzen dezelfde kant op te krijgen. Hij organiseerde een aantal informele bijeenkomsten, buiten de ministers van Buitenlandse Zaken om. Allerlei praktische problemen werden dan besproken. Maar daar-naast was het ook de bedoeling de landbouwministers aan elkaar te laten wennen en hun het idee te geven dat er wat gebeurde, dat Mansholt niet stilzat. De Commissie vormde intussen haar mening op basis van de con-tacten van Mansholt met experts van de lidstaten, het bedrijfsleven en de landbouwcommissie van het Europees parlement.[33]

Bij de conceptie van het beleid speelden de landbouwministers een geringe rol. In de kring van zijn naaste medewerkers, aldus Mansholt later in een interview,

heb ik als strategie gesteld: 'Wij kunnen de ministers alleen maar meekrij-gen en in een hok krijgen, als wij dat doen via de druk van de landbouwor-ganisaties.' Dat is de strategie geweest, die nergens schriftelijk is vastgelegd natuurlijk. Daar heb ik meermalen moeilijkheden mee gehad met enkele ministers, die vonden dat wij te veel speelden op landbouworganisaties, zodat zij onder druk kwamen te staan.

De grote lijnen, het 'schema van de gemeenschappelijke marktordening' met richtprijzen en heffingen, nam Mansholt mee uit Nederland. 'Daar was ik mee vertrouwd en opgegroeid.' Ideeën over de concrete uitwerking werden intern ontwikkeld aan de *table ronde* met onder anderen Heringa, Rabot en Helmut von Verschuer, de tweede man van DG VI.[34] Daarmee ging men eerst naar enkele Europese voormannen in de landbouw – 'vooral allerlei mensen uit de landbouw zelf' – en dan pas naar de landbouwministers.[35]

Mede op initiatief van Mansholt sloten de belangrijkste boerenorganisaties van de zes zich in september 1958 aaneen tot het Comité des Organisations Professionelles Agricoles (COPA). Op termijn zou COPA zich kunnen ontwikkelen tot een Europees Landbouwschap. Mansholt sprak ongeveer één keer per twee maanden met de leiders van het Comité, maar COPA zou er niet in slagen de spreekbuis voor alle Europese boeren te worden. De verdeeldheid was te groot. Het duurde lang voordat COPA met een standpunt kwam. Vaak was dat dan weer voor tweeërlei uitleg vatbaar. De macht bleef bij nationale organisaties.[36] COPA bleek voor de boeren overigens wel van belang als middel om invloed uit te oefenen op de Raad van Ministers, als bron van informatie – het agrarische deel van de bevolking vergaarde meer kennis over Europese integratie dan enige andere bevolkingsgroep – en als vergadercircuit voor een grote groep boerenvertegenwoordigers, bijvoorbeeld in de 'raadgevende comité's' voor de marktordeningen. Voor deelname aan die comité's ontvingen de deelnemers ook een bedrag als schadeloosstelling.[37]

Opmerkelijk was dat Mansholt meteen goed lag bij de Franse boeren. Tot dan was er in Frankrijk nauwelijks sprake van landbouwbeleid. Wat uit Parijs kwam was erg versnipperd. Mansholt bracht er lijn in en werd met open armen ontvangen.[38] In West-Duitsland gebeurde het tegenovergestelde. Vanaf zijn eerste openbare optreden werd hij hier min of meer verketterd. In een rede in Bad Tölz, Beieren, verklaarde Mansholt in de herfst van 1958 – op basis van onderzoek – dat negen miljoen boeren uit de landbouw zouden moeten verdwijnen om de sector gezond te maken. Meer dan de helft! In andere lidstaten had men dezelfde boodschap vrij kalm opgenomen. Zo niet in Duitsland. Mansholt begreep niet wat hij had aangericht. De politiek stond op haar achterste benen. De landbouwpers deed het voorkomen alsof 'Bauernkiller' Mansholt persoonlijk alle kleine Duitse boeren van hun erf wilde jagen.[39]

Daarvan was geen sprake, reageerde Mansholt. De menselijke kant was belangrijker dan de economische. De politiek moest er gewoon voor zorgen dat er meer banen kwamen in andere sectoren. Hij wees ook op de mogelijkheden om binnen Europa tot specialisering te komen, net als in de VS. Een boer op Sicilië kon zich beter toeleggen op vruchten en olijfolie. De teelt van tarwe hoefde daar dan niet meer gesteund te worden.

Af en toe zeggen wij: van Sicilië tot Sleeswijk-Holstein is een lange weg. (…) Maar ik denk dat juist deze verscheidenheid aan productieomstandigheden meer kansen schept voor de ontwikkeling van de eenheidsmarkt.

In de Verenigde Staten is de bedrijfssituatie in Iowa heel anders dan in Tennessee of in Alabama. Specialisatie zorgt er echter voor dat de productie zich ontwikkelt al naar gelang het klimaat, de bodem en de uiteenlopende productieomstandigheden.[40]

Op zoek naar draagvlak stuitte Mansholt vooral in de Bondsrepubliek op weerstand. De Duitse boeren wilden niet integreren. Daartegenover stond dat voor de Duitse industrie de gemeenschappelijke markt haast een geloofsartikel was. Mansholt zou daarvan later handig gebruikmaken. Via de industrie kon hij de boeren onder druk zetten.

Op 1 januari 1959 gingen alle invoerrechten voor onderling goederenverkeer met 10 procent omlaag en werden de toegewezen importcontingenten met 20 procent verruimd (in sommige gevallen tot 3 procent van de nationale productie van het invoerende land). Concreet betekende dit bijvoorbeeld dat er 30.000 Duitse auto's Frankrijk in mochten – 3 procent van de Franse productie – tegen een tarief van 27 procent. Het jaar daarvóór waren dat er nog 4000 tegen 30 procent. De economische conjunctuur kreeg een extra impuls. Amerikaanse bedrijven probeerden hun afzet veilig te stellen en vestigden zich in de EEG. De economische motor van de Gemeenschap ging op volle toeren draaien.[41]

In het voorjaar van 1960 besloot de Raad de afbraak van industriële tarieven te versnellen. Onder druk van Nederland was daaraan de afspraak gekoppeld dat de Commissie de definitieve landbouwvoorstellen eerder zou indienen, namelijk in juni van dat jaar.[42] Daarachter stak Mansholt. Nadat hij in de Commissie onvoldoende steun gekregen had voor zijn voorstel de landbouw te koppelen aan de versnelling – alleen Marjolin was het met hem eens – ging hij namelijk direct naar de Nederlandse minister van Landbouw Victor Marijnen, die begin 1959 Vondeling was opgevolgd.

Ik heb tegen Victor gezegd: 'Victor er zal van de Commissie geen voorstel komen om er een breekpunt van te maken (...), maar denk er om geen versnelling als niet vastgesteld wordt dat op landbouwgebied voldoende vooruitgang wordt geboekt, anders ben ik mijn drukmiddel kwijt.' (...) en dat is gebeurd. Marijnen heeft dat als minister gebracht. Hallstein is daar nog boos over geweest.

De koppeling was tegen de zin van de Bondsrepubliek. Mansholt was ervan overtuigd dat de Commissie een fout had gemaakt en speelde het daarom via de Nederlandse regering.[43]

326

De Commissie was op dat moment erg ongerust over de voortgang van de EEG: terwijl de Gemeenschap economisch in de lift zat, bleef de politieke ontwikkeling achter. Commissaris Rey stuurde zijn collega's op 20 juni 1960 een brandbrief, waarin hij stelde dat elkaar vijandig gezinde lidstaten als Frankrijk (De Gaulle) en Nederland (de 'Atlantici' van Buitenlandse Zaken) bezig waren de poten onder de Gemeenschap vandaan te zagen. De Raad bleek op allerlei terreinen zeer verdeeld, terwijl De Gaulle bezig was met 'une politique délibérée d'agression contre la substance politique même de la Communauté'. Rey riep zijn collega's op tot actie: 'C'est une grande crise qui s'annonce.'[44] Kennelijk op zoek naar een sleutel kwam de Commissie tóch uit bij de landbouw als gemeenschappelijke noemer voor Parijs en Den Haag.

Twee weken later overrompelde Mansholt Europa met een landbouwprogram van 220 pagina's. Buiten Nederland was dat nog nooit vertoond. Wat was de bedoeling? Wilde 'socialist en dirigist Mansholt ' – de typering was van Adenauer – de Europese landbouw tot een superkartel maken?[45] Op 7 juli 1960 gaf Mansholt een persconferentie, waarin hij een en ander toelichtte: één vrije, interne markt met afzonderlijke regelingen voor granen, varkensvlees, eieren, pluimvee, groente, fruit en wijn en met gemeenschappelijk beleid voor zuivel, rundvlees en suiker; variabele heffingen aan de buitengrenzen; gemeenschappelijke financiering van marktinterventies. De prijs zou volgens Mansholt als regulator functioneren. Hij wenste een 'optimale prijs' die de boeren een redelijk inkomen zou verschaffen en tegelijk een positief effect zou hebben op de ontwikkeling van de EEG, zonder de belangen van niet-lidstaten in de knel te brengen.[46]

Over het prijsniveau zelf bestond binnen de Commissie verschil van mening. Von der Groeben stelde voor de afzetgarantie voor graan te beperken en bij andere producten alleen in te grijpen ter ondersteuning van de conjunctuur, *niet* bij structurele overschotten. Het is de vraag of deze variant voldoende draagvlak zou krijgen. Mansholt hield vast aan redelijke inkomens voor goedgeleide bedrijven via afzetgaranties voor basisproducten (graan, melk en suiker) en richtprijzen voor veredelingsproducten. Hij kreeg de rest van de Commissie aan zijn kant met het argument dat het hem – en de meerderheid van de Raad – in de derde etappe wel zou lukken scherpe prijzen vast te stellen.[47]

Op de Raad van de ministers van Landbouw van 18 en 19 juli 1960 kon Mansholt het slagveld overzien. Nederland was vóór; de Belgen reageerden onverschillig; Italië was sterk vóór wat betreft groente en fruit (vanwege de gunstige klimatologische omstandigheden); Frankrijk twijfelde aanvankelijk, maar draaide langzaam bij richting Mansholt; de Duitse minister Schwarz was faliekant tegen. Adenauer zou een paar dagen later persoonlijk interveniëren om Schwarz' veto ongedaan te maken.[48] De bondskanselier gaf prioriteit aan goede betrekkingen met de Fransen.

In oktober verdedigde Mansholt zijn plannen in het Europees parlement. Een meerderheid bleek voorstander van toenadering tot het hoogste (lees: Duitse) prijsniveau. Mansholt wees dat af met het argument dat dit bij graan en melk tot een niet af te zetten overproductie zou leiden. Twee maanden later ging de Raad in principe akkoord met het heffingenstelsel, hoeksteen van Mansholts plan. Die eerste stap kwam tot stand onder druk van de Fransen, met medewerking van Adenauer.[49] Over de gemeenschappelijke prijs werd geen besluit genomen. De Bondsrepubliek was nog lang niet toe aan een lagere graanprijs. Brussel werd aan het lijntje gehouden.

De eerste helft van 1961 werd de Europese agenda gedomineerd door de politieke voorstellen van De Gaulle en het felle verzet van Nederland daartegen. Luns leek in juli bereid water bij de wijn te doen in ruil voor uitbreiding van de Gemeenschap met Groot-Brittannië: *le préalable anglais*, een tactische manoeuvre om De Gaulle de voet dwars te zetten. Opmerkelijk was dat omstreeks dezelfde tijd een 'groene coalitie' ontstond tussen Nederland en Frankrijk, de twee landen die het meest gebaat waren bij een snelle totstandkoming van het GLB. Op 13 juni 1961 waarschuwde de Franse minister van Financiën dat zijn land niet zou deelnemen aan de tweede etappe als er geen overeenstemming over het landbouwbeleid was.[50] De doorbraak kwam eind 1961, nadat De Gaulle een nieuwe minister van Landbouw in het spel had gebracht.

## Complot met Pisani

Edgard Pisani werd op 24 augustus 1961 op 43-jarige leeftijd benoemd tot minister van Landbouw van Frankrijk. Hij was lid van de centrumlinkse Groupe de la Gauche Démocratique, niet van de gaullistische UNR. Een opvallende man van 1.93 m met een flinke baard. Qua karakter en uitstraling vertoonde hij overeenkomsten met Mansholt. Hij was daadkrachtig, nam geen blad voor de mond en kon af en toe bot zijn. Als minister had hij zich voorgenomen elk spoor uit te wissen van Jules Méline, *le père de l'Agriculture* van het eind van de 19e eeuw en uitvinder van het Franse protectionisme. Pisani wenste openheid en vrije concurrentie. Eén markt met 170 miljoen Europeanen bood volop kansen. De Franse boer moest zich volgens Pisani meer op de consument richten. 'Si les clients demandent du lait rouge et des pommes carrées, faites du lait rouge et des pommes carrées,' riep hij hun toe.[51]

De Franse minister van Landbouw Pisani klopt Mansholt bemoedigend op de schouder, kort na het veto van De Gaulle over de Britse toetreding. [Coll. Spaarnestad Fotoarchief/Anefo]

Kort na zijn benoeming had Pisani een beslissende ontmoeting met Mansholt, Rabot en Heringa. Dertig jaar later schreef hij daarover:

> De boodschap was duidelijk: overeenstemming tussen de Commissie en de Franse delegatie zou bepalen hoe het gemeenschappelijk landbouwbeleid eruit kwam te zien. We spraken af elkaar net zo vaak apart te spreken als voor de zaak nodig was. Niet om de andere delegaties voor een voldongen feit te plaatsen, maar om van tevoren een beeld te krijgen van mogelijke compromissen.

Minister en commissaris spraken af voortaan vóóraf de horloges gelijk te zetten. Daarbij zou volgens Pisani wél rekening worden gehouden met Nederland – dat een 'echte' landbouwpolitiek had – maar nauwelijks met de Bondsrepubliek. Schwarz bleek veel te star.[52] Het complot was dan ook primair gericht tegen de Duitse obstructiepolitiek.

In oktober 1961 bracht Pisani rapport uit bij De Gaulle. Hij wist hem ervan te overtuigen dat het Gemeenschappelijk Landbouwbeleid de spil moest zijn waarom de Europese politiek van Frankrijk draaide. Ongeveer tegelijkertijd deelde Mansholt de Raad mee dat er een crisis zou ontstaan als op 1 januari 1962 geen knopen op landbouwgebied zouden zijn doorgehakt. De EEG kon dan niet beginnen aan de tweede etappe. Mansholt en Pisani streden vanaf dat moment zij aan zij. De twee bulldozers van Europa waren in beweging gekomen, aldus ooggetuige Cointat achteraf.[53]

Tussen Mansholt en Pisani ontstond al snel een vertrouwensband. In zijn memoires herinnerde Pisani zich dat moment nog precies. Tijdens stevige onderhandelingen over een regeling voor maïs maakten de Italianen een kapitale blunder. Na afloop, om drie uur 's nachts, sprak Mansholt hem hierover aan in de wandelgangen. Dit zou Italië veel geld kosten. Niets aan te doen, dan hadden ze maar bekwamere onderhandelaars moeten sturen. Die opmerking zette Pisani aan het denken. De volgende ochtend om tien uur – de zuivelregeling stond op de agenda – stelde hij voor eerst die voor maïs aan te passen:

> Verwondering bij mijn collega's. Dankbaarheid bij Sicco Mansholt. Hij legt uit dat geen enkele 'abnormale' beslissing, die erg gunstig is voor de een maar zeer nadelig voor de ander, lang in stand kan blijven, dat de besprekingen over belangen in de marge worden gevoerd, dat wij een stelsel opbouwen met vrij verkeer van goederen en protectie tegenover de buitenwereld, en dat alles tussen ons gericht moet zijn op evenwicht. Vanaf die dag wordt mijn relatie met Sicco Mansholt gekenmerkt door vertrouwen en hartelijkheid. Deze goede verstandhouding heeft het mogelijk gemaakt dat het gemeenschappelijk landbouwbeleid van de grond kwam.

Pisani beschouwde de Gemeenschap als een gezamenlijk bouwwerk, waarbij voortdurend rekening moest worden gehouden met elkaar. Klappen uitdelen aan anderen had geen zin. Integratie behelsde de stap van diplomatie naar politiek. De betrekkingen tussen de zes en Brussel vielen volgens Pisani niet langer onder Buitenlandse Zaken. Het integratieproces doorkruiste soevereine privileges.

De Europese opvattingen van Pisani lagen dichter bij die van Mansholt dan bij die van De Gaulle. Hij was ook onder de indruk van Mansholts persoonlijkheid. Mansholt had volgens Pisani een wereldomspannende visie. Hij was daadkrachtig, voelde de tijdgeest goed aan en werd alom gerespecteerd. 'Il aura été un grand politique à la carrure d'un bûcheron et au regard d'un apôtre.' Staatsman, houthakker, apostel: drie keer Mansholt.

Pisani werd gegrepen door de dagelijkse praktijk van het integratieproces. Het overleg in de Raad was levendig, complex en onvoorspelbaar. Anders dan bij bilaterale contacten speelden soepelheid en fantasie een rol. 'Pour dire tout en un mot, on y amuse beaucoup plus,' schreef hij in zijn memoires.[54] Net als Mansholt had Pisani er gewoon plezier in, zelfs in de marathons.

## Eerste marathon

De legendarische eerste marathon startte op 12 december 1961. Om in 1962 door te gaan met de tweede etappe moest gezamenlijk worden vastgesteld dat er voldoende vooruitgang was, óók op landbouwgebied. Dat was vooral een kwestie van politieke wil. Europa moest laten zien dat het bestond; dat het bezig was zichzelf op te bouwen. Goed *landbouw*beleid had eigenlijk geen prioriteit. Het ging vooral over het opruimen van *handels*barrières.

Mansholts beschrijving in *De crisis* is verwarrend omdat hij data en marathons door elkaar haalde.[55] Vooraf had hij de agenda zorgvuldig samengesteld, zodat hij *deals* zou kunnen maken: graan, varkensvlees, eieren, de financiering van het stelsel, tariefafbraak voor industriële producten. Frankrijk en Nederland eisten dat er een GLB van de grond kwam én er was een vervaldag: 31 december 1961. De zaak was goed voorbereid: 'Als je een probleem maar een jaar lang of twee jaar lang stelt als een politieke realiteit, dan wordt het vanzelf een politieke noodzaak. Dat staat niet in het Verdrag ... maar je moet de spanning erin brengen, de goede, geladen sfeer scheppen door discussies en bijeenkomsten met boeren.'

Mansholt wist dat er een moment zou komen waarop iedereen begreep dat verder touwtrekken geen zin had. Eind december besloot men de kalender te laten hangen en de klok stil te zetten. Mansholts moment kwam in de nacht van 14 januari 1962, op een zondag. Bijna alle ambtenaren waren weggestuurd. De Raad – dit keer bestaande uit bewindslieden van Buitenlandse Zaken, Economische Zaken en Landbouw – zat klem en vroeg de Commissie om eindvoorstellen. Daarop had Mansholt gewacht. Hij vroeg een schorsing van anderhalf uur om zijn *package* voor te bereiden. In *De crisis* legde hij uit hoe dat in zijn werk ging:

Meestal (...) gaan we naar een restaurantje in de buurt, vaak het kleine Provençaalse restaurant op het Zavelplein: in een klein zaaltje aan een grote ronde tafel. Ik heb dan alleen maar bij me de directeur-generaal voor Landbouw, Rabot, en de directeur voor de Marktorganisatie, Heringa. (...) Het aantal onopgeloste punten moet niet te groot zijn, maar ook niet te klein, want dan heb je weinig te verdelen. (...) En dan beginnen we de voorstellen te bekijken en de voor- en nadelen af te wegen. (...) In een half uur hebben we een ideaal schema opgesteld en wij gaan uitzoeken hoe we iedereen iets kunnen geven als genoegdoening. Iedere minister moet natuurlijk thuis kunnen komen met iets waarvan hij kan zeggen: kijk, dat heb ik gedaan gekregen. (...) Ik werk altijd met kleurpotloden en kleine vlaggetjes. (...) Iedereen kan enkele punten winnen als hij ergens anders wat geeft.

Terug in de zaal was de spanning te snijden. Mansholt nam het woord en verklaarde dat hij een voorstel op tafel zou leggen waarover niet verder onderhandeld kon worden, een kwestie van alles of niets. Dat las hij vervolgens op onbewogen toon voor. Dodelijke stilte. Besloten werd de zitting een half uur te schorsen. Daarna werd de vergadering heropend met de rondvraag. 'Het was zes keer ja ... wij hadden gewonnen,' aldus Mansholt.[56]

De eerste marathon was een uitputtingsslag waaruit Mansholt als held tevoorschijn kwam. Dat was wat overdreven. Hij speelde weliswaar een hoofdrol, maar het resultaat kan moeilijk op het conto van één man worden geschreven. De Commissie had er belang bij dat de schijnwerpers via vicevoorzitter Mansholt op háár werden gericht. Dat was goed voor het prestige. In de pers verschenen kleurrijke verslagen van de heroïsche strijd. De munitie daarvoor was journalisten waarschijnlijk aangereikt door Alfred Mozer. Hallstein zelf telde 45 bijeenkomsten, waarvan 7 's nachts, 137 vergaderuren, 214 uur subcommissieoverleg, 582.000 pagina's documentatie en drie hartaanvallen.[57] Vergelijkbare cijfers doken overal op.

Het dagblad *Trouw* beschreef op 15 januari hoe onderhandelaars met dubbele whisky's op de been hadden proberen te blijven: 'Enkelen redden het niet en moesten met uitputtingsverschijnselen in het ziekenhuis worden opgenomen. Ook de voorzitter van de Europese Commissie Walter Hallstein (...) moest de laatste dagen verstek laten gaan. Later ging het gerucht dat hij en twee Franse regeringsambtenaren als gevolg van de besprekingen overspannen waren geraakt.' In het Amerikaanse weekblad *Time* van 26 januari draaide het opnieuw om whisky en hartaanvallen: 'Three officials collapsed with heart attacks, and stubble bearded, trigger-tempered delegates fought long into the night, stoked with double whiskies brought to the conference table. Each point was conceded only after bitter argument. "This isn't integration!" shouted a Netherlands minister, "This is disintegration!".'[58] De journalist Theo M. Loch deed er nog een schep bovenop:

Persconferentie in 1962. 'In de ochtend van de 14e januari bracht hij op zijn eigen onderkoelde toon verslag uit van de resultaten van de 180 uur durende besprekingen aan de internationale pers. Mansholt wekte de indruk alsof hij twintig minuten daarvoor na een lange nachtrust van zijn ontbijttafel was opgestaan.' [Coll. Spaarnestad Fotoarchief]

Nog op de laatste avond had de Duitse Staatssekretär Müller-Armack de vergadering voortijdig moeten verlaten. (...) De Luxemburgse minister van Buitenlandse Zaken Schaus verliet met een krijtwit gezicht, zweetdruppels op zijn voorhoofd de vergaderzaal. Twee Franse landbouwdeskundigen moesten met ambulances naar het ziekenhuis worden gereden. 800.000 vellen papier werden volgeschreven en afgekeurd. Een vrouwelijke tolk kreeg een huilbui.

(...) In de ochtend van de 14e januari bracht (Mansholt) op zijn eigen onderkoelde toon verslag uit van de resultaten van de 180 uur durende besprekingen aan de internationale pers. Mansholt wekte de indruk alsof hij twintig minuten daarvoor na een lange nachtrust van zijn ontbijttafel was opgestaan.[59]

Feit was dat vrijwel de hele pers uitgesproken positief was over het resultaat. De Commissie zou een belangrijk aandeel hebben gehad in de besluitvorming. Franse deelnemers verklaarden achteraf dat Mansholt het overleg had gedomineerd. Hij was er steeds weer in geslaagd met nieuwe oplossingen te komen.

Een van de Nederlandse onderhandelaars, directeur-generaal voedselvoorziening Jan Franke, liet zich 34 jaar later zeer negatief uit over de eerste marathon. 'Schandalig en onmenselijk' vond hij het. Met zijn monotone stem bleef Mansholt maar op de rest inpraten. Af en toe pakte hij er zelfs een schoolbord bij om een en ander uit te leggen. Franke herinnerde zich dat Mansholt tijdens een nachtelijke sessie de vermoeide Duitse voorzitter, die gesmeekt had om te stoppen, toebeet: 'Het gaat nu niet om mensen, maar om zaken, doorgaan!'[60]

Concreet aanvaardde de Raad uiteindelijk elf verordeningen (onder meer over het stelsel van heffingen, de voorlopige financiering en de eerste marktordeningen voor een aantal basisproducten). Zelfs op nationaal niveau was dat zonder precedent, laat staan voor zes landen tegelijk. Over de definitieve financiering en de uiteindelijke prijzen waren geen knopen doorgehakt. Dat was winst voor de Duitsers. De mijlpaal van de marathon bestond eruit dat een begin was gemaakt met het GLB – winst voor Fransen en Nederlanders – en dat besloten was over te gaan naar de tweede fase. De douane-unie kwam daarmee een stap dichterbij en het supranationale element zou worden versterkt. Het succes had ook internationale uitstraling. *The Economist* schreef dat de zes met het landbouwakkoord het *point of no return* hadden gepasseerd. Volgens de *New York Herald Tribune* was er een nieuwe reus opgestaan in de wereldeconomie. De EEG werd extra interessant voor het Westen, vooral voor de Britten. Gevolg daarvan was weer dat het Oostblok de Gemeenschap niet langer kon negeren.[61]

De Commissie won flink aan prestige. Het instituut had bewezen van grote waarde te zijn. 'Without the Commission-type institution the wheels of economic integration would have ground to a halt soon after they had been set in motion,' stelde de Amerikaanse politicoloog Lindberg al in 1963.[62] Niet alleen toverde Mansholt het ene voorstel na het andere uit zijn hoed. Onder het mom van 'gemeenschapsbelang' kon een lidstaat ook gemakkelijker toegeven aan de Commissie dan aan een andere lidstaat. De Duitsers hadden dit keer relatief het meest ingeleverd. Desondanks – óf juist daarom? – verklaarde Adenauer het akkoord in de Bondsdag tot 'een van de belangrijkste gebeurtenissen in de geschiedenis in de laatste paar honderd jaar'![63]

Het succes kwam niet uit de lucht vallen. Gunstige factoren, die hij nauwelijks kon beïnvloeden, stelden Mansholt in staat de marathon naar zijn hand te zetten. De tandem met Pisani bleek goed te werken. Uit economisch oogpunt hadden alle zes er belang bij geen verstek te laten gaan bij de tweede fase. Daarnaast waren er bijzondere politieke motieven om de marathon te laten slagen. Bij de Nederlandse en een deel van de Duitse delegatie speelde op de achtergrond mee dat de Britten voor de poort stonden. Alfred Müller

Armack, de Duitse voorzitter van de marathon, schreef achteraf dat hij gedreven werd door de hoop dat de Fransen een positief besluit over landbouw als een zo grote Duitse concessie zouden opvatten, dat verwacht mocht worden dat ze akkoord zouden gaan met de toetreding van de Britten en de Denen tot de EEG. (Die hadden op 10 augustus 1961 om toetreding verzocht.)[64]

Doorslaggevend was toch wel de Franse pressie op de Bondsrepubliek geweest. De Gaulle had Adenauer bewerkt en Pisani had hetzelfde gedaan met zijn Duitse collega van Landbouw.[65] De Franse president en de bondskanselier hadden vooraf min of meer afgesproken koste wat kost tot een positief resultaat te komen. Adenauer ging ervan uit dat het akkoord de basis vormde voor vergaande politieke samenwerking. Beslissend was dat een mislukking de Russen in de kaart zou spelen. In augustus 1961 was men in de Oost-Duitse DDR met de bouw van de Berlijnse muur begonnen. Het westerse kamp kon zich geen crisis permitteren. Adenauer zag het GLB als de prijs voor meer veiligheid.[66]

*Dat* er een akkoord moest komen, stond van tevoren vast. 'Nous sommes condamnés à réussir,' liet Pisani zich tijdens het overleg ontvallen.[67] Waarom het zo lang duurde? Het lijkt erop dat Mansholt wachtte op het moment dat hij de zaak naar zijn hand kon zetten. Op 13 januari dreigde de Italiaanse delegatie te zullen vertrekken in verband met een kabinetscrisis in eigen land. De daaropvolgende nacht presenteerde Mansholt zijn *package*.[68]

Volgens Mansholt was er na 14 januari geen weg meer terug. De zes hadden de nationale schepen achter zich verbrand om een Europese koers te varen. Het was tijd de genomen besluiten uit te voeren. Brussel zou de verdere ontwikkeling van de Europese markt ter hand nemen. Dat stond voor Mansholt als een paal boven water.[69] Wat lag er nog in het verschiet? Drie maanden na de marathon schetste Mansholt de volgende grote lijnen: de toetreding van Engeland en Denemarken; de oplossing van de agrarische problemen die daaruit voortvloeien; *Atlantic partnership* met de vs; het beter op elkaar afstemmen van de landbouwpolitieke concepten van de EEG en de vs, vooral met het oog op de belangen van ontwikkelingslanden.[70] Mansholt bleef zijn blik richten op de hele wereldbol.

## De Gaulles veto

Mansholt was ervan overtuigd dat de Fransen bereid zouden zijn de Britten toe te laten als ze de slag om de landbouw binnen hadden. De vraag was alleen wanneer. Een aantal politieke ontwikkelingen in de loop van 1962 leidde uiteindelijk tot een dramatische ontknoping. Allereerst verliepen de

Landbouwmarathon in Brussel in de eerste helft van de jaren zestig. 'Af en toe pakte hij er zelfs een schoolbord bij om een en ander uit te leggen.' [Collectie IISG]

onderhandelingen uiterst traag. Uit tactische overwegingen bewaarden de Britten belangrijke concessies voor het laatst. Punt twee was dat De Gaulles politieke plan voor Europa in het begin van het jaar spaak liep. De generaal probeerde daarop hetzelfde doel te bereiken via een bondgenootschap met Bonn alléén. Daarnaast was er het aspect van de defensie. De Engelsen wilden weliswaar lid worden van de EEG, maar hielden tegelijk vast aan 'exclusieve' nucleaire samenwerking met de VS. De Amerikanen weigerden op hun beurt De Gaulle atoomwapens, maar probeerden intussen wél de Bondsrepubliek te betrekken bij een *Multilateral Force*, een Amerikaans-Europese atoom-vloot onder collectieve leiding.[71]

Kon Mansholt dit politieke kluwen naar zijn hand zetten? In het begin van de onderhandelingen met de Britten was de rol van de Commissie, dus ook van Mansholt, vrij klein. De lidstaten wilden de zaak in eigen hand houden. In het najaar van 1961 kreeg de Commissie een meer prominente positie – Mansholt had daarop persoonlijk al veel eerder bij het Nederlandse kabinet aangedrongen. De Britten juichten dat toe. Het succes van de landbouwmarathon gaf Brussel nog een duw in de rug. Hallstein werd vaker om juridisch advies gevraagd en op Mansholt werd geregeld een beroep gedaan om de ministers-onderhande-laars het GLB uit te leggen. Ook hier verscheen hij op een bepaald moment met een schoolbord in de vergaderzaal.[72]

De landbouwpolitiek vormde een van de breekpunten. Het Britse beleid was namelijk fundamenteel anders. Mansholt schreef op 4 november 1962 in een brief aan zijn moeder:

Nu wordt ons doen en laten voornamelijk beheerst door de onderhande-lingen met Engeland. Het vraagstuk van de Commonwealth is nog niet weer aan de orde geweest. Staat op de agenda voor 16/17 november. Maar wel de landbouwregelingen welke Engeland moet toepassen voor haar eigen landbouw. Daar zijn we op de laatste conferentie in October *niet* uitgekomen. De Engelsen vragen van ons om gedurende de overgangspe-riode de zeer speciale garanties voor hun boeren nog intact te mogen hou-den. De zes zijn het daarmee niet eens. Wel willen we hen toestaan om hun prijsniveaux geleidelijk aan te passen aan het toekomstige Europese prijspeil. Dat is gedurende de overgangsperiode ook aan de landen van de zes toegestaan. Ze kunnen daarvoor gebruik maken van subsidies voor de consumenten, als ze vinden dat anders de prijzen in de detailhandel te veel en te snel zouden stijgen. Zelfs kunnen ze in uitzonderingsgevallen subsidies aan de producenten geven, maar *niet* in de vorm van deficiency payments die een absoluut gegarandeerde prijs voor de boeren betekenen. 't Is een erg delicaat punt voor de Engelsen, vooral omdat er eind november enkele tussentijdse verkiezingen zijn. M.i. is het beter deze kwestie tot na deze verkiezingen te laten rusten. Ik vind de berichten overdreven in de pers die al van een mislukking spreken. We gaan gewoon door met het zoeken naar oplossingen.[73]

Mansholt was optimistisch. In december kreeg hij een mandaat om, in over-leg met de Britse minister van Landbouw en diens collega's, de landbouwpro-blemen op te lossen. De tot dan toe gevolgde methode – zeven partijen plus de Commissie als raadgeefster – werd op dit punt dus enigszins bijgesteld. Commissaris Mansholt mocht het voortouw nemen. Volgens de Britse dele-gatie leidde dat al meteen tot een verbetering van het klimaat. Het ministers-comité-Mansholt leek opnieuw schot in de zaak te brengen. Nadat het zich door een zee van statistisch materiaal en technische nota's had heengewerkt, legde het in de vroege morgen van 15 januari 1963 een dik rapport op tafel. Men verwachtte op basis van dit rapport over het dode punt heen te raken en ten slotte te zullen slagen. Twee dagen eerder hadden de Nederlandse en de Franse delegatie hierover al een informeel akkoord bereikt.[74]

Maar De Gaulle dacht er anders over. De Franse president was sinds maart 1962 verlost van het probleem Algerije. Hij kon zich daarna richten op het afwerpen van 'de supranationale last' van Brussel en op de vorming van een door Frankrijk geleid machtsblok tussen Oost en West. In de zomer van 1962 lanceerde de Amerikaanse president Kennedy het idee van *Atlantic partnership*: nauwere economische en politieke samenwerking tussen de VS en de EEG. De Commissie was daar meteen op ingehaakt met een Actie-program 1962-1965 voor versnelling van de douane-unie en totstandkoming van een economische unie. Dat bleek tegen het zere been van De Gaulle. Toen het comité-Monnet – de lobby voor een Verenigde Staten van Europa – op 18 december 1962 het program omhelsde en een verband legde met de Britse toetreding, de totstandkoming van een politieke unie en het *Atlantic partnership,* was de maat vol.[75]

Op 19 december 1962 vertrouwde De Gaulle zijn minister van Voorlichting Peyrefitte toe dat hij op een volgende persconferentie – gepland op 14 januari 1963 – 'Nee' zou zeggen tegen de Britten. Later legde hij hem uit dat hij dit deed in het belang van *zijn* Europese Unie, een Unie waarvan het fundament zou worden gevormd door de as Bonn-Parijs:

> Het moet werkelijk Europees zijn. Als het niet het Europa der volkeren is, als het wordt toevertrouwd aan een aantal min of meer geïntegreerde tech- nocratische organen, dan blijft Europa een verhaal voor vaklui, beperkt in opzet en zonder toekomst. En dan zijn het de Amerikanen die daarvan profiteren door hun hegemonie op te leggen. Europa moet *on-af-han- ke-lijk* zijn. Dat is mijn politiek. (...) De Amerikanen hebben het Europa van Jean Monnet gesteund zo lang het voor hen een middel was om hun hegemonie te handhaven of vergroten.[76]

De EEG werd voor Frankrijk een paard van Troje, vreesde De Gaulle, zeker als de Britten zouden worden toegelaten. Op zijn persconferentie verklaarde De Gaulle klip en klaar dat Groot-Brittannië er nog niet rijp voor was. De boodschap veroorzaakte veel commotie. De onderhandelingen werden niet meteen stopgezet. De breuk volgde pas twee weken later. Vrijwel iedereen was het er toen wel over eens dat de zwartepiet bij De Gaulle moest worden gelegd. Een aantal partijen kwam dat overigens wel goed uit. Zij waren niet ongelukkig met dit veto.

Mansholt was razend, maar Heringa niet. 'De Gaulle had 100 procent gelijk met zijn veto,' zei Mansholts directeur marktorganisatie meer dan dertig jaar later. De Engelsen waren er nog lang niet klaar voor. Anno 1963 liep Heringa daarmee overigens niet te koop. Hallstein was genuanceerder. Voor hem kwam de Britse sollicitatie eigenlijk te vroeg. De Gemeenschap moest zich eerst consolideren. Hij vreesde dat toetreding een negatief effect zou hebben op de ontwikkeling van de EEG. De Britse onderhandelaars merkten ook dat Hallstein zich terughoudend opstelde en sterk hechtte aan het *acquis*.[77] Bij Mansholt leek dat minder het geval. Hij was de man van de vlucht naar voren.

Wilde de Britse premier MacMillan eigenlijk wel dat zijn land zou toetreden? Het continent ontwikkelde zich snel en dynamisch. Misschien was hij enkel van plan een stok tussen de spaken te steken? MacMillan klopte pas aan bij Brussel nadat de VS daarop hadden aangedrongen. Die beloonden hem daarvoor eind december 1962 met kernraketten (het akkoord van Nassau). Daarmee gaven de Amerikanen De Gaulle genoeg reden een veto tegen de Britten uit te spreken.[78] MacMillan had intussen de buit binnen.

De Gaulle probeerde achteraf het veto te onderbouwen met de stelling dat het overleg muurvast zat. Dat was niet juist. In het ministerscomité-Mansholt liepen de onderhandelingen op dat moment beter dan De Gaulle dacht.[79] Op 10 januari 1963 drong het Nederlandse parlement er in een motie nog op aan de Commissie ruimere armslag te geven om voorstellen te lanceren. Maar de sleutel lag in de Bondsrepubliek, niet in Den Haag. Mansholt was zich dat bewust en had er zijn kabinetschef heen gestuurd om inlichtingen in te winnen.

Mozer sprak op 10 en 11 januari een aantal invloedrijke figuren in Bonn en Frankfurt. 'De Europese gemeenschappen zijn in deze fase van de westerse verhoudingen binnen de NATO slechts de façade, waarachter men het werkelijke spel kan camoufleren,' rapporteerde hij Mansholt. Anders gezegd: Europese economische integratie was ondergeschikt aan het politieke machtsspel van individuele nationale staten, nota bene *binnen* een bondgenootschap. Adenauer was er vooral op uit de Duits-Franse vriendschap 'zodanig te cementeren dat een opvolger dit niet meer ongedaan kon maken'. Hij wantrouwde de Britten en prefereerde De Gaulle boven Kennedy als bondgenoot tegen de Russen. De generaal was minder buigzaam dan de jonge president en bovendien Europeaan. Op 20 januari vertrok de bondskanselier naar Parijs om er een vriendschapsverdrag te tekenen. Mozer concludeerde dat 'de politiek van het Europa der vaderlanden' wortel had geschoten. Adenauer bond zich immers aan de man die de Europese integratie ondergeschikt wilde maken aan traditionele internationale politiek op coalitiebasis.[80]

Mansholt wist hoe de kaarten lagen. Hij probeerde te voorkomen dat de Commissie de schuld voor het mislukken van de onderhandelingen in de schoenen geschoven kreeg. Aanvankelijk weigerden de andere vijf toe te geven aan Franse druk de zaak meteen stop te zetten. Misschien was het slechts een vorm van onderhandelingstactiek? Kon Adenauer het veto niet terugdraaien? Achter de schermen trachtte Monnet de kanselier over te halen de ondertekening van het verdrag te koppelen aan voortzetting van de onderhandelingen. Tevergeefs. Adenauer vond dat men De Gaulles uitlatingen niet moest dramatiseren. In overleg met Hallstein lanceerde hij ten slotte het plan de Commissie de balans van de onderhandelingen te laten opmaken, om de gemoederen tot bedaren te brengen. De Commissie wilde objectief blijven en had het idee alsnog te kunnen slagen.[81]

Op 25 januari werd aan alle illusies een eind gemaakt. Bij monde van Peyrefitte liet Frankrijk weten dat de *reeds afgebroken* onderhandelingen alleen konden worden hervat als de EEG 'definitief (was) georganiseerd, met name wat de landbouw betreft'. Europa mocht niet worden 'verdronken in een Atlantisme'.[82] Ongeveer tegelijkertijd bereikte het comité-Mansholt overeenstemming over het landbouwvraagstuk. Volgens Mansholt hadden de Britten de inhoud van het GLB in principe aanvaard. De pers meldde zelfs dat zij onder meer akkoord waren gegaan met maatregelen die zouden leiden tot een stijging van de binnenlandse graanprijs met 25 procent. Een paar dagen later, op 28 januari, sprak de Franse minister van Buitenlandse Zaken in de Raad het definitieve veto uit.[83]

### Derde weg of Atlantic partnership?

Waarom tóch een landbouwakkoord als de politieke breuk zich al voltrokken had? Omdat het er Mansholt vooral om te doen was De Gaulle de zwartepiet toe te schuiven. Het tijdstip van het akkoord en de onwaarschijnlijke inhoud ervan bevestigen dat. Mansholt had intussen het voortouw genomen in een kruistocht tegen De Gaulles Europese ideeën. Op 22 januari schoot hij uit zijn slof in Leuven. 'Zichtbaar vermoeid en ietwat verbitterd' sprak hij somber:

Het afwijzen van nieuwe leden van de gemeenschap, om redenen die niet in de onderhandelingen zelf gelegen zijn, betekent een afwijzing van Europa, van de Europese gemeenschap zelf en van het Atlantisch bondgenootschap. (...) Indien dit conflict niet op redelijke wijze wordt opgelost dan hebben wij de kiem van het wantrouwen van de twijfel aan de redelijkheid van de samenwerking in de organen van de Gemeenschap gebracht. Qua benaming zal de 'Europese Gemeenschap' blijven voortbestaan, haar elan is gebroken, haar vitaliteit gefnuikt. Zij zou van binnenuit bedorven zijn.[84]

Mansholt ging in de aanval. In een besloten bijeenkomst op 25 januari in het gebouw van de Tweede Kamer in Den Haag riep hij min of meer op tot een boycot: 'Er is geen enkele reden om bij voorbaat iedere poging na te laten om De Gaulle van zijn dwaalspoor af te brengen. Omdat het om nog belangrijker dingen gaat dan de Engeland-onderhandelingen, lijken mij stevige middelen van keiharde betekenis van belang. Waar zijn ze: Afrika-associatie; Algerië, wat nog?' Mansholt was het niet eens met de opvatting dat de Gemeenschap na enkele weken mopperen verder moest gaan alsof er niets gebeurd was.

> Deze beschouwingen zijn in hun geheel gebaseerd op een onbevredigende hypothese: namelijk dat het bij de actie van De Gaulle gaat om de Engeland-onderhandelingen. In feite gaat het om een *andere conceptie van Europa* in *twee* verschillende opzichten: a. De Gaulle wil een Europa van coalities, niet van integratie; b. De Gaulle wil een Europa tussen *Oost en West*, dus een *derde macht*, maar niet een Europa dat in *partnerschap met Amerika* staat. De breuk in de onderhandelingen met Engeland is slechts een eerste stap bij de doorzetting van dit doel.[85]

Adenauer zag de door hem voorgestelde 'afkoelingsperiode' – de opdracht aan de Commissie om de balans op te maken – snel om zeep geholpen. Dat gebeurde met opzet, liet hij zich indertijd binnenskamers ontvallen.[86] Ten dele kan dat op het conto worden geschreven van Mansholt, die de tegenstellingen juist op de spits dreef. Hij kon daabij rekenen op veel steun van Britten en Nederlanders.

Na de definitieve breuk zocht Mansholt de publiciteit. Op 1 februari belegde hij een persconferentie in Brussel. Directe aanleiding was de behoedzaam geformuleerde verklaring van Hallstein dat gewoon moest worden doorgewerkt. De meerderheid van de Commissie leek het veto te aanvaarden. Voor Mansholt was dat moeilijk te verteren en hij pakte uit met harde kritiek. De voorpagina van de *NRC* van zaterdag 2 februari werd gedomineerd door de kop: 'Visie van dr. Mansholt. "Voortbestaan EEG is in gevaar". Breuk zou uiterst gevaarlijk zijn.' Mansholt klonk 'bijzonder gedecideerd,' berichtte de correspondent, want de toestand was dramatisch.

De gemeenschap is in haar grondvesten geraakt. Als zij die voor deze ontwikkeling verantwoordelijk zijn, hun politieke wil en hun politieke methoden niet wijzigen, dan is de gemeenschap kapot. (...) Wij wisten voldoende van de politieke doelstellingen van de president van de Franse republiek, doch met de weigering Engeland toe te laten is ditmaal voor het eerst een daad gesteld. Zijn opvattingen verhinderen een werkelijke integratie, die volledige zeggenschap toekent aan alle leden; zij betekenen terugkeer tot ouderwetse coalities, met als gevolg dat één lid domineert; zij willen geen allen omvattend Europa, doch een beperkt, dat als een derde macht onafhankelijk moet staan tussen Oost en West en vrij moet zijn bondgenootschappen te sluiten, waarbij zelfs de keuze tussen Washington en Moskou vrij moet zijn.

Deze gevaarlijke opvatting had geleid tot een politieke breuk tussen Frankrijk en de rest. De Gaulle wilde dat Europa een eigen oorlogspotentieel zou ontwikkelen. Dat ging volgens Mansholt ten koste van de verdragsverplichting voor welvaart te zorgen. Het viel evenmin te rijmen met de door de Gemeenschap aanvaarde taak ontwikkelingslanden te helpen. Europa moest eerst maar eens kiezen tussen derde macht en *Atlantic Partnership*. Zo lang dat niet gebeurd was, kwam de Gemeenschap volgens Mansholt geen stap verder.[87]

In het archief-Mozer bevindt zich een notitie met voorzetten voor de persconferentie van 1 februari. Mansholt volgde vrij nauwkeurig de punten die Mozer hem had aangereikt, met één opmerkelijke uitzondering. Nadat hij De Gaulles ouderwetse stelsel van coalities verantwoordelijk had gesteld voor alle Europese oorlogen, suggereerde Mozer de volgende uitsmijter: 'Tenslotte: een hegemoniaal beheerst Europa hadden wij ook kunnen hebben toen aan de muren van onze steden stond: Hitler vecht voor een Nieuw Europa.' Mansholt nam dit niet over. De oneliner met Hitler komt ook niet voor in het stuk 'l'Europe, c'est moi' dat Mozer onder het pseudoniem W. Lemkering publiceerde in het februarinummer van *Socialisme en Democratie*, maar wél in het artikel dat hij in het najaar van 1963 op persoonlijke titel schreef voor het Amerikaanse *Modern Age*. Daarin legde hij uit dat de Franse president de Gemeenschap wilde dwingen een democratische structuur op te geven 'for the trappings of sovereignty in the Europe of the Fatherlands'. Door De Gaulle dreigde de EEG net zo ondemocratisch en 'koloniaal' te worden als de Comecon, de door de Sovjet-Unie gedomineerde Oost-Europese tegenhanger van de EEG.[88]

In het debat dat het Europees Parlement op 5 en 6 februari aan het afbreken van de onderhandelingen wijdde, legde Hallstein een veel scherpere verklaring af dan werd verwacht. De pers nam aan dat Mansholt daarop had aangedrongen. De Commissie leek verdeeld over de politiek van De Gaulle en de toetreding van Engeland, maar in feite trok Hallstein aan het langste eind. Tot een definitieve keus vóór *Atlantic partnership* kwam het immers niet. Er bestond overeenstemming om het werk voort te zetten, herinnerde Von der Groeben zich.[89]

Uit de notulen van de Commissie worden we niet veel wijzer. Op 23 januari werd er gestemd over de inhoud van een perscommuniqué. Vijf gematigden, onder wie Hallstein, stonden tegenover vier hardliners, onder wie Mansholt. De notulen van 29 januari melden: 'La Commission commence une discussion générale sur la situation créée par l'interruption des négotiations à la suite de la décision française. Elle entend une première déclaration de M. Mansholt à cet égard.' Er was dus een algemene discussie en een verklaring van Mansholt. Hij heeft kennelijk zijn gal gespuwd, maar dat werd niet genotuleerd. Na een uitvoerige discussie kwam de Commissie alsnog tot een veroordeling van het optreden van de Franse president. Dat werd wél genotuleerd, maar kwam niet naar buiten omdat meteen werd vastgesteld: 'La Communauté doit continuer.' Het werk moest worden voortgezet.

Aan de vooravond van het debat in het parlement drong Mansholt inderdaad aan op een scherpe verklaring. Hallstein moest volgens hem onderstrepen dat de Gemeenschap bleef openstaan voor nieuwe lidstaten. Europa moest geen geïsoleerde derde macht worden, maar een integraal onderdeel blijven van de vrije wereld, in het bijzonder van het Atlantisch bondgenootschap. Er lijken op 4 februari harde noten te zijn gekraakt in het Commissieoverleg bij het agendapunt 'Conférence de presse tenue par M. Mansholt, le 1er février 1963', maar de notulen houden het op 'un échange de vues', een gedachtewisseling.[90]

Op 22 februari sprak Mansholt tijdens een Europese manifestatie in Den Haag over 'een oorlogsverklaring' aan de ideeën van het Haagse congres van 1948 en een blokkade van de weg die sindsdien was afgelegd. De Gaulle probeerde 'de jonge boom van een gemeenschappelijke Europese toekomst' te vellen.

Het beginsel van integratie is een menselijker, redelijker en rechtvaardiger vorm van samenleving van volkeren. (...) Wie dit beginsel (...) willekeurig vertrapt, wie allianties niet meer op een rechtsbeginsel grondvest, maar op machtsverhoudingen, wie daarbij een open Gemeenschap om diezelfde redenen tot een exclusieve besloten club wil omvormen, waarin *hij* door een coalitie voor zichzelf de hegemonie kan vestigen – die tracht Europese geschiedenis te maken met het gezicht naar het verleden, die stuurt op een Europa aan, waar iedereen mag doen wat *hij,* die éne wil.

Mansholt zou zich daarbij niet neerleggen. 'Zolang er nog een levendige democratie in deze gemeenschap bestaat en de democraten niet bij voorbaat zelfmoord plegen uit vrees voor de dood, zal ik met deze democraten blijven strijden voor letter en geest van verdragen, die de uitdrukking zijn van een beginsel van menswaardig samenleven tussen burgers èn volkeren.'[91] Het zat hem dus hoog, maar erg overtuigend was het eigenlijk niet. De Gaulle was immers wél democratisch gekozen en Mansholt niet. Wat kon hij nog meer doen? Mansholt besloot het hogerop te zoeken.

### Kennedy

In het archief van president John F. Kennedy in Boston bevindt zich een map met het opschrift 'Mansholt Visit, 4/63'. De map maakt deel uit van de *National Security Files* en zit in de doos *Belgium*.[92] Het oudste document daarin is een telegram van John Tuthill, de Amerikaanse ambassadeur bij de EEG, aan het *State Department,* het ministerie van Buitenlandse Zaken in Washington. Het is van 1 februari 1963.

De ambassadeur schreef dat Mansholt zo snel mogelijk een bezoek aan de VS wilde brengen, bij voorkeur tussen 10 en 20 februari. 'Highly desirable in present circumstances. Mansholt is taking a strong stance in present crisis,' oordeelde Tuthill. Hij verwees naar Mansholts persconferentie van diezelfde dag en stuurde een verslag daarvan mee als bijlage. In een persoonlijk gesprek had Mansholt nog aangegeven dat hij ook bereid was een oplossing te zoeken voor de zogenaamde kippenoorlog. (De in juli 1962 ingevoerde heffing op kippen had geleid tot een scherpe daling van de export naar Europa. Amerikaanse boeren leden een gevoelig verlies.) Tuthill erkende dat Mansholt de kans liep te worden neergezet als een agent van de VS. Toch woog dat volgens hem niet op tegen de voordelen. Hij sloot af met: 'Believe essential that, given circumstances, Mansholt see president.'

Waar was Mansholt op uit? Een brede coalitie tegen de Franse president? Op 1 februari had hij de Gemeenschap opgeroepen te kiezen tussen De Gaulles derde weg en *Atlantic partnership*. Eerder had hij er in besloten kring op aangedrongen de generaal van zijn dwaalspoor af te brengen met 'stevige middelen van keiharde betekenis'. Misschien kon Kennedy hem die aan de hand doen.

Maar er is ook nog een andere mogelijkheid: Mansholt als pion van Tuthill en Kennedy. De Amerikaanse president zou namelijk al veel eerder – omstreeks 19 januari – aan Mansholt en Hallstein hebben laten doorschemeren dat de tijd gekomen was 'to stand up and be counted'. Kort na het veto had hij Tuthill gebeld met de vraag of Mansholt en andere 'good Europeans' bereid waren De Gaulle te weerstaan. Tuthill had toen bevestigend geantwoord.[93] Was Mansholts felle persconferentie van 1 februari mede ingefluisterd door Washington? Dat is mogelijk, maar valt niet te bewijzen.

Het antwoord van *Undersecretary* George Ball op het telegram van Tuthill kwam op 5 februari. Het *State Department* was onder de indruk van 'the courageous and strong line that Mansholt has taken during the past critical weeks'. Sterker nog: 'We are also aware and see the importance to both Europeans and Americans of Mansholt's political future in the Netherlands and on the broader European front.' Maar een bezoek op zo korte termijn was erg riskant. Op 14 februari volgde een tegenvoorstel. Mansholt zou op 4 april in de vs zijn voor een lezing. Met een minimum aan publiciteit kon hij daar een ontmoeting met een aantal sleutelfiguren aan vastknopen. Tuthill drong er sterk op aan dat Mansholt niet alleen zou spreken met minister Freeman van Landbouw en de top van het *State Department – secretary* Dean Rusk en George Ball – maar ook met de president.Het *State Department* aarzelde, maar Tuthill gaf niet op. Op 23 februari zond hij een telegram dat Washington uiteindelijk over de streep zou trekken. Hij had een verslag bijgevoegd van de rede die Mansholt één dag eerder had gehouden op de Europese manifestatie in Den Haag. Daarin zou hij, aldus Tuthill, precies hebben gezegd 'what in my view should be said by the good Europeans about De Gaulle, about the us, about the choice which inevitably faces the Germans etc. etc'. Mansholts denkbeelden lagen in het verlengde van die van de Amerikaanse president. Hij zou een van de weinigen zijn die iets tegen De Gaulle kon bereiken. 'I feel it important to give him encouragement,' benadrukte Tuthill. Mansholt zou de komende jaren een sleutelpositie innemen in Europa. Max Kohnstamm, de rechterhand van Monnet, had Tuthill zelfs gezegd dat de kans groot was dat Mansholt de volgende Nederlandse minister-president zou worden. Daarop hapten Rusk en Ball toe.[94]

Tussen het *State Department* en Brussel bestond al langer een bondgenootschap. Na een bezoek met Mansholt aan de vs in het voorjaar van 1959 drong Mozer er in een notitie sterk op aan dat elk lid van de Commissie, telkens wanneer de gelegenheid zich voordeed, extra aandacht zou schenken aan goed contact met de vs. Toen ging het er nog om samen met de Amerikanen de Britten in de richting van de EEG te krijgen. De Gemeenschap had veel goodwill in Washington. Mozer werd bij een volgend bezoek, ruim een jaar later, wél gewaarschuwd dat er een grens was aan de offers die de vs wilden brengen. Men was overtuigd van het nut van Mansholts landbouwplannen, maar zag de praktijk met spanning tegemoet. Het prijsniveau van de EEG mocht niet te hoog worden.[95]

Mansholt zelf had prima contacten in de VS, op het hoogste niveau. Zijn eerste bezoek als minister dateerde van 1945. Hij kende het beleid én de beleidsmakers van het *State Department* en het *Ministry of Agriculture*. Van de oprichting van de FAO via de Marshallhulp en de OEES tot het *Atlantic partnership*. Mansholt wist op welke deur hij moest kloppen. Hij was bekend met de Amerikaanse landbouw en de Amerikaanse pers. Voor *inside information* kon hij een beroep doen op oude vrienden als landbouwattaché Beukenkamp.[96]

Met de komst van Kennedy in januari 1961 kreeg de Commissie een belangrijke steun in de rug. Het team van de nieuwe president vond dat Europa ertoe moest worden aangezet een eigen identiteit en organisatie te ontwikkelen. 'Europe as a collectivity could share world responsibility as our "equal partner",' dát was het *Grand Design*, aldus George Ball in zijn memoires. Het idee was dat Brussel steeds meer politieke macht zou krijgen, hetgeen uiteindelijk leidde 'toward something approaching confederation'. De Britse toetreding vormde min of meer het hoofdbestanddeel van het *Grand Design*.[97]

Het veto, in combinatie met het Frans-Duitse vriendschapsverdrag, sloeg in Washington dan ook in als een bom, vooral bij de geheime diensten. Het gerucht ging dat de Fransen, gesteund door Bonn, van plan waren samen met de Russen de kaart van Europa opnieuw in te kleuren. 'We compared and supplemented our intelligence reports with bits and pieces gathered by the British,' herinnerde Ball zich. 'We looked at all possibilities of a Paris-Bonn deal with Moscow, leading toward a Soviet withdrawal from East Germany.' Amerikaanse diplomaten wezen Bonn op het gevaar van tweedracht, juist op het moment dat de Russen nog bezig waren de wonden te likken van de Cubacrisis van eind oktober 1962.[98]

Tegen deze achtergrond arriveerde Mansholt in Washington. Op 9 april, 's ochtends om tien uur, had hij een gesprek in het Witte Huis. Naast Mansholt en Kennedy waren daarbij aanwezig Ball, Freeman, Tuthill, Carl Kaysen (*deputy special assistant for national security affairs*) en Mozer. Kort voor het gesprek werd de president nog even gebrieft door Tuthill. 'Why am I seeing Mansholt?' vroeg hij. 'Of course you have to talk about agricultural matters,' was het antwoord, 'but Mansholt is important in terms of representing one of the true, determined advocates of European unity and accepting the veto as just a temporary set-back. (The) political aspect is the reason that we really bringing him in here.' Een verslag van het gesprek – acht A4'tjes, *declassified* in 1992 en sindsdien beschikbaar voor onderzoek – bevindt zich in de map in Boston. Het is opgesteld door Tuthill. Goedgekeurd door Kennedy stuurde het *State Department* het op 24 april naar de belangrijkste diplomatieke

Mansholt en Mozer op bezoek bij president John F. Kennedy, 9 april 1963. [Collectie IISG]

posten in West-Europa, met de kanttekening: 'Not to be discussed with for-eign officials.'[99]

De president opende met de vraag wat er de komende achttien maanden op het Europese toneel moest gebeuren. Mansholt antwoordde dat De Gaulle Europa en het hele Atlantische gebied in een crisis had gestort. '(...) he is a negative force and unity is required in opposing him.' Hoe lang mocht De Gaulle nog doorgaan? De onderhandelingen over internationale tariefverla-ging als uitvloeisel van de Trade Expansion Act[100] stonden voor de deur. Deze wet vormde de hoofdschotel van Kennedy's economische politiek en was een belangrijk element van zijn *Grand Design*. Als *deze* onderhandelingen

347

mislukten – door een tweede veto bijvoorbeeld – betekende dat volgens Mansholt het einde van de EEG.

Mansholt kwam daarop tot de kern van de zaak. De meest sensationele passages luidden als volgt:

> Mr. Mansholt stressed that the major element in our relationship with De Gaulle is the nuclear weapons problem. He felt that if De Gaulle achieved his objective of national nuclear forces that it would be catastrophic because it would lead to fourth, fifth, and sixth, etc. nuclear powers. He stressed that De Gaulle was attempting to obtain concessions from the United States in the nuclear weapons field. (...)
>
> Mr. Mansholt warned (...) that there is no assurance that De Gaulle will not veto the negotiations under the Trade Expansion Act at some future date. In Mr. Mansholts view, De Gaulle does not want successful negotiations but might allow them to run on looking for the right moment to attempt to achieve a deal in the nuclear weapons field.
>
> In view of Mansholt's emphasis on the importance of nuclear matters in determining De Gaulle's position, the President asked Mansholt whether he felt that the United States should have made nuclear concessions to De Gaulle in 1961 or 1962 in order to avoid the collapse of the U.K. negotiations. Mansholt vigorously rejected this idea and furthermore, looking to the future, stated emphatically he felt under no circumstances should De Gaulle be offered aid for his national nuclear force as a bargain in order to obtain his agreement on economic considerations.

Daarop volgde in het verslag kort maar krachtig: 'The president agreed.' De Gaulle mocht onder geen enkele voorwaarde aan een atoombom worden geholpen. Dat was Mansholts boodschap. Zonder atoomparaplu kreeg De Gaulle zijn derde macht niet van de grond. En zolang De Gaulle met lege handen stond, had Brussel nog politieke toekomst.

Mansholt herhaalde tegenover Kennedy wat hij in de pers had gezegd. Achter het stuklopen van de onderhandelingen school een fundamenteel verschil van mening. De Gaulles *Europe des patries* stond lijnrecht tegenover een democratische, open gemeenschap, gebaseerd op gezamenlijke instellingen. De andere lidstaten en veel Fransen stonden volgens Mansholt achter het 'democratische' concept. Dat was ook 'fully consistent with the policies of the United States'. Mansholt vreesde dat De Gaulle niet van gedachten zou veranderen. Alleen onder zware druk zou hij zich uiteindelijk misschien wel willen aanpassen.

Bij de discussie over de gevolgen van het GLB bleek dat zowel Kennedy als Mansholt zijn hoop had gevestigd op de Trade Expansion Act, zij het uit andere motieven. Beiden wilden de landbouw bij de tariefonderhandelingen betrekken. Mansholt hoopte dat dit er uiteindelijk toe zou leiden dat het Europese stelsel de goede kant op werd gestuurd. Per slot van rekening was het GLB 'merely machinery which could be used for liberal or protective purposes'. Kennedy mikte op een algemene tariefverlaging. Hij was vooral bezorgd over de slechte positie van de Amerikaanse betalingsbalans en vreesde dat het GLB nadelig zou zijn voor de export van zijn land. Mansholt veegde dit van tafel met het argument dat die export tussen 1958 en 1962 aanzienlijk gestegen was en een hoog niveau had. Hij verwachtte de komende jaren geen flinke daling, behalve als de EEG te hoge prijzen zou vaststellen, waardoor de eigen productie zou worden gestimuleerd.

Mansholt stelde dat de gemeenschappelijke graanprijs in feite de sleutel was. Wanneer die te hoog was, dan zou het binnen vijf jaar afgelopen zijn met de Amerikaanse graanexport naar Europa. Op Kennedy's vraag hoe dat kon worden voorkomen, antwoordde Mansholt dat de VS eerst maatregelen moesten nemen om de eigen overproductie af te remmen. Dat zou de Amerikaanse onderhandelingspositie aanzienlijk versterken. Mansholt stelde voor in het kader van het Trade Expansionoverleg niet alleen over tarieven te spreken, maar ook over andere elementen die het handelsevenwicht konden verstoren, met name over de hoogte van de Europese graanprijs. Die prijs bepaalde immers hoeveel de EEG zelf zou verbouwen en hoeveel zij van de Amerikanen zou afnemen.

De export van kip was een speciaal geval. Die werd min of meer geblokkeerd door de Europese 'gate price'. Om aan de VS tegemoet te komen had Mansholt in de Europese Raad een verlaging voorgesteld. Hij verwachtte tegenstand van Frankrijk en Duitsland en wees er Kennedy op dat dit een *hot political issue* was. Het verslag is op dit punt vrij kort.

Mansholt sprak diezelfde dag nog in Washington's National Press Club. Die speech werd opgenomen in *Foreign Agriculture,* het orgaan van het Amerikaanse ministerie van Landbouw. Hier ging Mansholt uitvoeriger in op het graan en de kippen. Waarschijnlijk had hij Kennedy ongeveer hetzelfde voorgeschoteld. Mansholt wilde de Amerikaanse boer geen valse hoop geven. Hij betwijfelde of de VS in de toekomst meer graan zouden kunnen slijten. Europa was bezig de achterstand in te lopen en zou binnenkort zelf in staat zijn aan de stijgende vraag te voldoen. 'You have technology and chemistry to blame for this, not the Common Market,' hield hij de Amerikanen voor. Aan de pluimveehouderij zat het sociale aspect dat dit voor miljoenen kleine

Europese boeren de enige mogelijkheid was een redelijk inkomen te verdienen. Mansholt kon hen niet in een nog slechtere positie brengen.[101]

Mozer vertelde later dat hij en Mansholt Kennedy ook op het hart hadden gedrukt bij zijn komende reis naar de Bondsrepubliek vooral een bezoek te brengen aan Hamburg, Frankfurt en Berlijn.[102]

> At the close of the conversation, Mr. Mansholt stated that he wished to comment on the President's plan for a trip to Germany. Mr. Mansholt stated that he knew all good Europeans were delighted at the prospect of this trip and especially welcomed the president's plan to visit Berlin. He hoped the president could cover as much of West Germany as possible and especially recommended he visit Hamburg. He stated that if the President visited Hamburg 100,000 people would line the streets to greet him. Mr. Mozer corrected the figure to '300,000'.
>
> The President pointed out that there are, of course, some limitations as to what he, as President of the United States, can say in Europe and asked for Mr. Mansholts reactions. Mr. Mansholt stated that, of course the President must not seem to be telling the Europeans the type of Europe they should want, but that the major theme which was fully consistent with U.S. policies over the last 15 years was one supporting a unified, democratic Europe which could operate as a full and equal partner (...). Mr. Mansholt felt that the partnership theme stressed the importance of the Atlantic Alliance and the fact that Europe, in order to play the proper role, must develop democratically and in a manner which takes fully into account the needs of other nations of the Free World. Without attacking De Gaulle specifically, the President could point out that only this type of Europe could play its full and effective role.[103]

In de Europese pers sijpelde niet veel door van Mansholts bezoek. Hij zou Kennedy ontmoet hebben en er was gesproken over kip. Naar verluidt had Mansholt ook opgeroepen een krachtige houding aan te nemen tegen De Gaulle. Bij zijn terugkeer verklaarde hij op een persconferentie dat de Gemeenschap er goed aan zou doen tijdens de komende tariefonderhandelingen 'bepaalde regels vast te stellen en bijv. voor granen een maximumprijs vast te stellen, zodat de productie van het graan in Europa zelf binnen de perken blijft'. De EEG was dat verplicht tegenover de VS en rest van wereld.[104]

Op 22 april stuurde Mansholt Kennedy een korte brief, waarin hij hem bedankte voor de ontvangst. Het had hem getroffen dat er een zo grote mate van overeenstemming was tussen zijn eigen opvattingen en die van de president ten aanzien van de politieke situatie in Europa en het belang van de tarief-onderhandelingen. Kennedy antwoordde dat het een 'very useful discussion' was geweest. Hij verwachtte Mansholt in de toekomst vaker te spreken en gaf aan in zo nauw mogelijk contact te willen blijven met de Commissie. Dezelfde dag ontving Mansholts moeder bericht van Henny: 'Sicco is zeer voldaan maar moe teruggekomen van zijn reis naar Amerika en heeft veel gehad aan zijn gesprek met Kennedy (...). Over de EEG is geen nieuws te melden – er gebeurt hoegenaamd niets en alle landen wachten eerst de verkiezingen af voordat er besluiten worden genomen.'[105]

Dertig jaar later typeerde Mansholt zijn ontmoeting met Kennedy als 'een beslissend moment bij de vorming van het Gemeenschappelijk Landbouw-beleid'. Hij herinnerde zich de president als 'een man van ongelooflijk snel begrip'. Kennedy streefde naar algemene tariefverlaging via het GATT [General Agreement on Tariffs and Trade] en wilde daarbij ook de landbouw betrekken. Dat stelde Mansholt in staat de agrarische sector te binden aan de industriële. Lagere industrietarieven vormden het aangrijpingspunt voor Bonn, de belang-rijkste tegenstander van het GLB. 'Wij willen eerst een landbouwpolitiek, en kunnen daarná pas onderhandelen,' had Mansholt hem gezegd. Kennedy was het met hem eens. Mansholt vroeg hem of hij dat ook aan Adenauer duidelijk wilde maken. Terug in Brussel nam Mansholt contact op met Pisani: De Gaulle moest de voet dwars zetten tegen het GATT-overleg, zo lang de Bondsrepu-bliek het GLB niet had geaccepteerd.[106]

Uit Tuthills verslag blijkt overigens niet dat de twee – Kennedy en Mansholt – op 9 april 1963 het scenario hadden geschreven, zoals Mansholt zich dat her-innerde. Duidelijk was wel dat de onderhandelingen op basis van de Trade Expansion Act nieuwe perspectieven boden voor het landbouwbeleid. De GATT-ronde werd ook beschouwd als een test voor het open karakter van de Gemeenschap. Succesvolle onderhandelingen zouden volgens Mansholt de toetreding van Groot-Brittannië en andere Europese landen snel dichterbij brengen.

Een paar weken na Mansholts bezoek verklaarde Christian Herter, Kenne-dy's *special representative for trade negotiations*: 'Before we engage in far-reaching tariff reductions on industrial products, we feel that we must have indications that the common market is not adopting a restrictive trade policy on agriculture.'[107] Daarmee maakte Kennedy aan Bonn min of meer duidelijk wat Mansholt hem had gevraagd. De eerste stap was gezet.

## Mozer souffleert Kennedy?

Het bezoek aan Washington kreeg nog een opmerkelijk staartje. Mansholt had een gevoelige snaar geraakt. De president twijfelde namelijk over zijn reis naar de Bondsrepubliek. Adenauer toonde zich weinig enthousiast en de Amerikaanse pers was negatief over de timing. In september 1962 was De Gaulle er nog juichend ontvangen. Hij had de bevolking bemoedigend toegesproken in vloeiend Duits. Een wandeling door Bonn werd een ware triomftocht. Kennedy moest hem op een of andere manier overtreffen.

In het archief-Mansholt bevindt zich een brief van 'The Vice-President' (Mansholt) aan Kennedy, gedateerd 13 mei 1963. De brief begint aldus: 'In a few weeks you will be visiting Europe and will be paying particular attention to the Federal Republic of Germany. When I saw you in Washington, you suggested that I should send you certain observations in this connection.' Daarna volgen drie pagina's achtergrondinformatie over Berlijn en Frankfurt en een voorzet voor een speech in Berlijn, ook drie pagina's. Gelet op de inhoud en vanwege de initialen A.M. boven aan de brief, is dit stuk zonder twijfel afkomstig van Alfred Mozer.[108]

Was Mozer de souffleur van Kennedy's beroemde Ich-bin-ein-Berliner-speech? Nee, want de voorzet wijkt te veel af van de rede die Kennedy op 26 juni 1963 in Berlijn afstak. Toch heeft Mozers brief waarschijnlijk wel invloed gehad op de inhoud – Kennedy verklaarde zich solidair met de Berlijners – en de toon. Mozer wees de president op het heel eigen 'klimaat' van Berlijn en gaf een paar tips:

The Berliner has a ready wit, he looks at life soberly, yet he has a sentimental touch. Of recent years the mood and reactions of the Berliner have always been better than Germans elsewhere. There is, as it were, a 'frontline atmosphere' in the city. When speaking to the men and women in Berlin one must be direct and not worry about the authorities, whether from Berlin or Bonn, who will be hanging on to one's coat-tails.
The attached draft has been prepared with these points in mind. The Berliners will be most grateful for your visit, which will fill them with enthusiasm; but as few of them understand sufficient English, a good translation of your address ought also to be available for the press. The address ought also to be interpreted for the meeting itself, and not by some hack interpreter but by one able to put across both your meaning and your tone.

Een deel van het ontwerp-Mozer voor Berlijn is wél verwerkt in Kennedy's speech van 25 juni in de Paulskirche in Frankfurt: *A new social order*. Daarin hamerde hij op 'equal partnership' en Europese integratie: 'A generation of achievement – the Marshall Plan, NATO, the Schuman Plan, and the Common Market – urges us up a path of greater unity.' Zonder hem aan te vallen schetste Kennedy een concept van Europa dat haaks stond op dat van De Gaulle.[109] Mansholt had hem die suggestie op 9 april al aan de hand gedaan. Dit was precies het punt dat de *New York Times* na Kennedy's reis oppikte:

> For the first time, President De Gaulle had been confronted by a Western leader whose ideas on the future (of the Atlantic Community) are as firm as his own (...). By reasserting the depth of United States commitment to Europe and by refuting every major premise upon which General De Gaulle's policies rest, President Kennedy has raised a standard around which the forces opposed to the French concept of Atlantic cooperation can and will rally.
> (...) the President has drastically changed the European situation within which De Gaulle must work. (...) By arming General de Gaulle's opponents and discounting his arguments, President Kennedy has strengthened the existing opposition in France and Europe. General De Gaulle's press conference of Jan. 14 barring Britain from the EEC threw the debate over Europe's future out of balance. That balance has now been restored.[110]

Aan de onzekerheid over de houding van de Bondsrepubliek was een eind gemaakt. De Amerikaanse president had zijn visie tegenover De Gaulle geplaatst en de Duitsers hadden zich massaal achter hem opgesteld. De politieke ontwikkeling van de Gemeenschap zou zich niet voltrekken langs De Gaulles derde weg.

De episode Kennedy illustreert dat Mansholt meespeelde op het hoogste niveau, alsof hij landbouwminister én vicevoorzitter was van een werkelijk Europese regering. Hallsteins 'herakleische Dimensionen' beperkten zich in die jaren niet alleen tot de agrarische sector. Had Mansholt de Amerikanen in stelling gebracht tegen De Gaulle? Dat is te veel eer. De Amerikaanse president zal met heel wat meer mensen gesproken hebben over een reactie op de buitenlandse politiek van De Gaulle.

Achteraf beschouwd vormde De Gaulles veto toch een breekpunt *binnen* de EEG. De gemeenschapsgeest uit het begin sneuvelde. Van Slobbe, Mansholts tweede man, ervoer het veto als een donderslag bij heldere hemel.

Het wantrouwen sloop volgens hem meteen binnen. Franse collega's kregen uit Parijs de oekaze alleen nog Frans te spreken. De besten keerden al snel naar hun land terug. *Time/Life* had Van Slobbe in het begin van januari 1963 juist een week gevolgd met het oog op een reportage over een typische Europese ambtenaar. Het blad had honderden foto's van hem gemaakt en uitvoerige gesprekken met hem gevoerd. Toen kwam de persconferentie van De Gaulle en Van Slobbe heeft daarna nooit meer iets van *Time/Life* vernomen. De publieke belangstelling voor Europa begon langzaam te slinken. Na het veto draaide het alleen nog maar om de samenstelling van de mayonaise, schreef Mansholt gedesillusioneerd in *De crisis*.[111] Dat is overdreven. Mansholt trok die conclusie pas in 1975, na zijn pensioen. Het had ook anders kunnen lopen, ondanks het breekpunt uit 1963.

# - 12 -

# HET KOREN GEOOGST, MAAR DE SLAG VERLOREN

De graanprijs centraal

Graan is een basisproduct. Onmisbaar voedsel voor veel mensen en dieren. De graanprijs is een ijkpunt. De prijzen van producten als kip en varkensvlees worden namelijk mede bepaald door de kosten van het voer, en dit is vooral graan. Dat heeft weer invloed op het prijsniveau van ander vlees. Veel boeren letten bij de beslissing over hun teeltplan op de ontwikkeling van de graanprijs. Indirect bepaalt de prijs van het graan ook de opbrengst en de prijs van alternatieve gewassen als aardappelen en suikerbieten.

De sleutel van het Gemeenschappelijk Landbouwbeleid van de EEG was het brengen van de graanprijzen van de zes lidstaten op één prijsniveau, het sluitstuk van het in 1962 ingevoerde interne heffingenstelsel. De door Brussel vastgestelde graanprijs kon de katalysator zijn voor verdere integratie, zowel economisch (vanwege het effect op de hele agrarische sector en de daarvan afgeleide industrie), als monetair (omdat deze prijs in feite de eerste gemeenschappelijke waardemeter en rekeneenheid was) én politiek (in verband met de verschuiving naar communautair niveau van de bevoegdheid de prijs vast te stellen).

Daarnaast was er het internationale effect. Mansholt gaf dat al in april 1963 aan tijdens zijn bezoek aan Washington: die ene Europese prijs bepaalde hoeveel graan de EEG zou produceren en hoeveel de Amerikanen nog naar de Gemeenschap konden exporteren. Een hoge prijs stimuleerde de productie binnen Europa en leidde tot minder vraag naar Amerikaans graan. Mansholt verwachtte een flinke daling van de import vanuit de VS, zelfs als het Brussel zou lukken de prijs relatief laag te houden. Door mechanisatie en het gebruik van kunstmest zou de Europese productie vanzelf toenemen. Tegelijk wees hij de VS nadrukkelijk op de overschotten in eigen land, die tegen lage prijzen op de wereldmarkt terechtkwamen. Daarachter stak de dreiging dat de EEG zich voortaan – via de heffingen aan de buitengrens en de gemeenschappelijke prijs – als blok kon verdedigen tegen dumping.

Zo ver was het in april 1963 nog niet. Frankrijk en Nederland steunden de Commissie, België toonde geen interesse, Italië twijfelde en Duitsland lag dwars. Twee jaar lang probeerde Mansholt Italianen en Duitsers mee te krijgen. In het geval van Italië richtte hij zich vooral op maatschappelijke organisaties als de katholieke kerk. Hij had een aantal besprekingen met het Vaticaan, onder andere het eerdergenoemde bezoek aan Johannes XXIII. Mansholt oordeelde achteraf dat dit vermoedelijk een positieve invloed had gehad.

Doorslaggevend zouden de gesprekken met Paolo Bonomi zijn geweest, de centrale figuur in de Italiaanse landbouw. Bonomi leidde de grootste landbouworganisatie, de Coldiretti, en controleerde de machtige Federconsorzi, een netwerk van *consortia* die functioneerden als kredietinstelling en leverancier van onder meer zaaigoed, kunstmest en landbouwmachines.[1] Niet minister-president Fanfani, maar Bonomi maakte volgens Mansholt de dienst uit. Bijna een kwart van alle christendemocraten in het Italiaanse parlement dankte zijn zetel aan hem. Bonomi controleerde de Democrazia Cristiana, het ministerie van Landbouw en de Italiaanse graanmarkt. Pas nadat Mansholt hem verzekerd had dat het gezinsbedrijf van jonge Italiaanse boeren een toekomst had in de EEG, gaf Bonomi het groene licht.[2] Concrete afspraken zijn verder niet gemaakt, maar vermoedelijk wist Mansholt hierna toch vrij goed wat hij voor de Italianen in een volgend *package* moest steken.

Volgens Mansholts oud-kabinetsmedewerker Georges Rencki, die onder meer verantwoordelijk was voor het contact met de landbouworganisaties in Italië, was de fel anticommunistische Bonomi een belangrijke factor. De gesprekken met hem zouden echter niet de doorslag hebben gegeven. De Italianen onderhandelden indertijd buitengewoon slecht en Mansholt besloot daarom in het geheim 'bijles' te geven aan de Italiaanse onderhandelaars, 'Bonomi's entourage'. Ongeveer vijftien landbouwtoppers kregen – als ze toch al in Brussel waren – een stoomcursus van drie à vier dagen over het Gemeenschappelijk Landbouwbeleid. Dat had het gewenste effect en was volgens Rencki uiteindelijk doorslaggevend.[3]

De situatie in de Bondsrepubliek was gecompliceerder. De uitkomst van de eerste marathon gaf enige hoop dat de Duitsers wilden meewerken, maar die werd snel de grond in geboord. Rehwinkel van het Bauernverband wilde vasthouden aan de Duitse prijs. Hij stelde voor de komende acht à tien jaar te gebruiken om de rest op het Duitse niveau te krijgen.[4]

Mansholt slaagde er niet in hem te overtuigen. De tegenstellingen werden aan het eind van 1962 nog op de spits gedreven door de publicatie van het 'Professorengutachten', een rapport van een commissie van acht hoogleraren van wie de helft was aangewezen door Mansholt en de andere helft door de Duitse minister Schwarz. De acht concludeerden dat de Europese graanprijs *niet* moest worden opgetrokken naar het Duitse niveau. In afwachting van de beoogde modernisering van de sector kon de Duitse prijs volgens hen alleen verlaagd worden met behulp van subsidies. Er volgden grote boerendemonstraties. Rehwinkel sprak over onrust en weet die aan het streven van Brussel naar een lagere graanprijs.[5]

Mansholt gooide olie op het vuur door ongeveer tegelijkertijd op een FAO-congres te pleiten voor rigoureuze maatregelen om het aantal mensen dat in de landbouw werkte omlaag te krijgen. Binnen de EEG zou het aandeel van de agrarische bevolking moeten dalen van dertig procent naar zes à tien procent. De productiviteit van de 'blijvers' moest bovendien fors stijgen. Vrijkomende boeren en landarbeiders zouden worden omgeschoold. Hij wilde dat bereiken via een voorzichtige prijspolitiek, die de boeren meer inkomen zou opleveren en niet tot overschotten zou leiden.[6]

Rehwinkel was verheugd over het Franse veto. Daarmee zou De Gaulle de Duitse boer hebben gered van de Britse vrijhandelaars. Velen in Bonn dachten daar anders over en vreesden negatieve gevolgen voor de Duitse industrie. Begin april 1963, terwijl Mansholt Kennedy bezocht, nam Gerhard Schröder, de Duitse minister van Buitenlandse Zaken, het initiatief de EEG vlot te trekken met een 'synchronisatieprogram'. Daarin plaatste hij een aantal 'Duitse' punten tegenover het voor Frankrijk voordelige GLB. Volgens Mozer bevatte Schröders program genoeg elementen om de zaak weer op de rails te krijgen. Het wantrouwen bleef, maar via 'synchronisatie' kon er toch worden doorgewerkt: bij elke volgende stap moest men er voortaan wel rekening mee houden dat de balans tussen voor- en nadelen voor elke lidstaat in evenwicht was.[7]

Al had De Gaulle de EEG geografisch en politiek op slot gedaan, de Franse minister van Landbouw Pisani blééf meewerken aan Mansholts voorstellen. De Franse landbouworganisaties waren in deze periode juist de meest uitgesproken voorstanders van de initiatieven van de Commissie. De Gaulle confronteerde de Bondsrepubliek eind juli 1963 – op een van zijn befaamde persconferenties – zelfs opnieuw met een ultimatum: als er voor het eind van het jaar geen besluit over de graanprijs genomen was, kon de EEG maar beter verdwijnen. In Bonn verloren Rehwinkel en Schwarz' ministerie van Landbouw steeds meer terrein. De benoeming op 16 oktober 1963 van minister van Economische Zaken Ludwig Erhard tot opvolger van Adenauer markeerde een omslag. Anders dan zijn voorganger koos Erhard, de man van het *Wirtschaftswunder,* als het erop aankwam vóór industrie en vrijhandel, tégen landbouwprotectie. Het hoge Duitse graanprijsniveau vond hij onhoudbaar.[8]

357

Vlucht naar voren: het plan-Mansholt van 1963

Mansholt kwam meteen in actie. Samen met zijn denktank – de *Table Ronde* met onder meer Heringa, Rabot, Rencki, Von Verschuer en Krohn[9] – werkte hij een plan uit om de graanprijzen in één klap op gelijk niveau te brengen, met ingang van 1 juli 1964. Tot dan toe ging men uit van geleidelijke toenadering vóór 1 januari 1970. In oktober kreeg hij het fiat van de Commissie. Op 5 november 1963 bereikte het plan de Raad van Ministers.

De Commissie had berekend dat de Duitse boer geconfronteerd zou worden met prijsdalingen van 11 tot 15 procent, afhankelijk van de graansoort. Daartegenover stond dat het brood in de Bondsrepubliek ongeveer 2 procent in prijs zou dalen en varkensvlees bijna 6 procent. In Frankrijk en Nederland zouden de prijzen van tarwe stijgen met respectievelijk 8 en 6 procent en die van gerst met 16, respectievelijk 15 procent. Eieren en varkensvlees zouden in Nederland ongeveer 7 procent duurder worden. De Franse consument ten slotte zou aan eindproducten waarin graan was verwerkt gemiddeld 3 procent méér kwijt zijn. De Commissie verwachtte niet dat de prijsaanpassing zou leiden tot een 'gevaarlijke' toename van de productie.[10]

Mansholt gaf drie motieven voor de vlucht naar voren. Een definitieve oplossing zou allereerst een krachtige stimulans zijn voor de interne ontwikkeling van de EEG. Ten tweede was het van belang dat de Europese boer wist waaraan hij toe was. Aan de onrust over het toekomstige prijsniveau moest een eind komen. Tot slot leverde het plan het handvat op om met de VS te onderhandelen over de handel in landbouwproducten.[11] Achter dat laatste stak het *politieke* hoofdmotief. Bijna een jaar na zijn bezoek aan Kennedy zou Mansholt dit tijdens een lunch in Washington opnieuw benadrukken tegenover *secretary of state* Dean Rusk. Uit het verslag van hun bespreking:

Mr. Mansholt (...) posed the rhetorical question, 'How is Europe going to be organized? (...) The European states are 'involved in a difficult struggle but de Gaulle's ideas of Europe are not those we want.' (...) While a fully effective Atlantic partnership will need an economically and politically unified Europe it is not possible to give an answer on the political front now. Mr. Mansholt emphasized that progress in economic unity combined with the mandate given to the Commission by the Council of Ministers to engage in the Kennedy Round is really all that can reasonably be asked for. (...) Mr. Mansholt emphasized most strongly that the Kennedy Round is the last chance for the community to show what kind of Europe we are to have.[12]

Een open Gemeenschap in een 'fully effective Atlantic partnership'. Dat was het einddoel, óók van het gewaagde plan van 5 november. 'Kennedy Round' sloeg op de onderhandelingen in het kader van het GATT over tarief-verlaging.

In Washington had Mansholt ook nog uitvoerig gesproken met een 'American group' van invloedrijke beleidsmakers, wetenschappers en journalisten. Deze groep was in januari 1964 opgericht door Leonard B. Tennyson, hoofd van de European Community Information Service in Washington en goed bevriend met *undersecretary* George Ball. De bedoeling was via de groep het *Atlantic partnership* een impuls te geven. De leden spraken op persoonlijke titel en de discussies waren informeel en strikt vertrouwelijk.[13]

Centraal element van het plan van november 1963 – naast de link met de Kennedyronde – was een regeling ter compensatie van lidstaten die met prijs-verlagingen zouden worden geconfronteerd.[14] Heringa beklaagde zich ach-teraf per brief tegenover Mansholt over wat er uit de bus rolde. 'Dat heeft me indertijd heel erg teleurgesteld en is aanleiding geweest tot vele slape-loze nachten.' Zijn voorstel om wat kleinere stappen te nemen was kennelijk van tafel geveegd. Uit de brief valt af te leiden dat de meerderheid van de *Table Ronde* vastbesloten was de sprong te wagen, uit politieke overwegingen. Heringa had er op dat moment vrede mee. Slapeloze nachten kreeg hij pas daarna, toen hij het plan tegenover de lidstaten moest verdedigen en gecon-fronteerd werd met: 'Heringa is eigenlijk tegen.'[15]

Meteen nadat de Commissie het plan gelanceerd had, nam Erhard contact op met zijn boeren. Rehwinkel bleek onvermurwbaar. Aan de Duitse graan-prijs viel niet te tornen. Alle leden van het Bauernverband – en ook het grote publiek – werden halverwege december nog bestookt met pamfletten waarin beschreven stond welke catastrofale effecten het plan-Mansholt op de boeren-inkomens zou hebben. Over de aangeboden compensatie geen woord.[16]

Kort daarna, op 23 december 1963, slaagden de zes er niettemin in de 'traditi-onele' marathon succesvol af te sluiten. Men werd het eens over de reglemen-ten voor rundvlees (van belang voor de Fransen), zuivelproducten (gunstig voor Nederland) en plantaardige oliën en vetten (fundamenteel voor Bonomi's kleine boeren). Daarmee was vijfentachtig procent van de productie van de Gemeenschap gedekt. Verder waren er afspraken gemaakt over de algemene beginselen voor de voltooiing van het GLB en over het standpunt van de EEG in de Kennedyronde (Duitse winst). Pisani haalde het meest binnen. Hij ver-telde speciaal te hebben getraind voor deze marathon. Zijn ambtenaren had hij op het hart gedrukt weinig te roken en te drinken. Zelf dronk hij demonstratief water in plaats van wijn.[17]

Founding fathers van de Europese Unie: Monnet, Hallstein, Mansholt. [Collectie IISG]

Na de marathon klonk een zucht van verlichting. De crisis van het veto leek bezworen. Monnet liet weten dat de opbouw van Europa niet meer ongedaan kon worden gemaakt. Hallstein sprak van 'wedergeboorte', een overwinning van de Gemeenschap: 'Na een jaar van stilstand is thans het vertrouwen weer hersteld.' Hij prees Mansholt om zijn energie, vindingrijkheid en souplesse. Vrij algemeen werd Mansholt gezien als de man achter de verzoening van de verschillende belangen. *Keesings Historisch Archief* citeerde (en vertaalde) het gezaghebbende *Le Monde*: 'Niemand betwist meer, dat het jonge Europa een echte minister van landbouw heeft, zeer capabel om te onderhandelen met de Amerikaanse reus.'[18]

Vorfeldbereinigung, packagedeal, graanmarathon

De crisis leek dan wel bezworen, Mansholt had nog altijd niet waar het hem om te doen was: één Europese graanprijs. De Kennedyronde zou in mei 1964 van start gaan in Genève. Zo lang de zes geen overeenstemming hadden bereikt, viel er volgens hem weinig te onderhandelen. Te elfder ure deed Mansholt nog water bij de wijn (een herzieningsclausule; uitstel van de invoerdatum), maar

Rehwinkel en Schwarz hielden voet bij stuk. Op 2 juni besloot de Raad de beslissing over de graanprijs nog een half jaar voor zich uit te schuiven.[19]

Doordrukken of niet? De binnenlandse politieke situatie in de Bonds-republiek zat muurvast. Erhard vreesde voor zijn bondskanselierschap als hem de steun van het groene front zou ontvallen. Halverwege juni 1964 ont-ving Mansholt een brief van Monnet. De voorzitter van het Comité d'action pour les États-Unis d'Europe geloofde niet dat de Commissie er op korte termijn in zou slagen één graanprijs vast te stellen. Dat zou in Duitsland tot bijna onoverkomelijke politieke problemen leiden. Hij waarschuwde voor een volgende crisis tussen de Commissie, de lidstaten en de VS. Dat zou ten koste gaan van het gezag van de Gemeenschap én de Commissie zelf. Monnet adviseerde de graanprijs niet te koppelen aan de Kennedyronde. Intussen kon men in Genève alvast beginnen met onderhandelen.[20]

Mansholt gaf niet toe. Mozer probeerde intussen Kurt Schmücker te bewer-ken, de Duitse minister van Economische Zaken en bondgenoot van de Com-missie tegen Rehwinkel c.s. Toch was het opnieuw De Gaulle die de zaak een beslissende wending gaf. Begin juli dwong hij Erhard eerst tot een defi-nitieve keuze tussen militaire samenwerking met Parijs en de atoomparaplu van Washington. De bondskanselier koos het laatste. De Gaulle begon daarna de Franse belangen met nog meer kracht door te drukken, zonder acht te slaan op Bonn. Op 21 oktober 1964 volgde opnieuw een ultimatum: als het GLB niet werd georganiseerd zoals was afgesproken, zou Frankrijk niet meer meedoen. Vóór het eind van het jaar moest er een besluit genomen zijn over de graanprijs.[21]

In de pers voerde ook Mansholt de druk op. Hij stelde dat het GLB én de tariefonderhandelingen op de klippen liepen als die ene prijs er niet kwam. Hij veroordeelde de obstructie van de Duitsers, maar vond het ultimatum van de Fransen 'onverantwoordelijk'. Toch had het Franse dreigement wel degelijk effect. De bondskanselier koos eieren voor zijn geld. Op 13 november 1964, onder vier ogen met Erhard, bleek Rehwinkel voor het eerst bereid te onderhandelen over een lagere graanprijs. Ruim twee weken werd er gesteg-geld over niveau en compensatie. Rehwinkel eiste 11 à 12 miljard mark voor een *Vorfeldbereinigung*, uitgesmeerd over een periode tot 1970. De twee bereik-ten eind november een akkoord over een compensatie van 1,1 miljard per jaar. Rehwinkel concludeerde botweg dat de EEG, de Duits-Franse vriendschap en het electoraat op het platteland een miljard waard zouden moeten zijn.[22]

Alsof hij het zelf nauwelijks geloofde, verklaarde de Duitse minister van Economische Zaken Schmücker op de Europese Raad van 30 november tot viermaal toe dat Duitsland bereid was een daling van de graanprijs te

# DE GIGANTEN

Europees Worstelen om de Grote Broodprijs

Spotprent van Opland, verschenen in de Volkskrant op 14 december 1963. [© Opland,
'Europees Worstelen om de Grote Broodprijs', c/o Beeldrecht Amsterdam 2019

accepteren. Hij benadrukte het verband met de Kennedyronde. Op 2 december 1964 maakte Erhard officieel bekend dat de Bondsrepubliek bereid was te onderhandelen.[23]

Na een marathonzitting rolde op 15 december een compromis uit de bus. De Duitsers aanvaardden één Europese graanprijs met ingang van 1 juli 1967, drie jaar na de datum uit Mansholts plan, maar tweeëneenhalf jaar eerder dan in het EEG-Verdrag was neergelegd. Schmücker accepteerde een tarweprijs van 425 mark per ton, 50 mark onder het Duitse prijspeil. Schwarz liet op de beslissende dag verstek gaan. Hij had steun verwacht uit Rome, maar Mansholt en Pisani waren erin geslaagd de Italianen los te weken van de Duitsers.[24]

Tijdens de marathon benadrukte Mansholt de 'politiek-psychologische' kant van het akkoord: 'Het offer, dat de Gemeenschap aan Duitsland, Luxemburg en Italië vraagt, is voor de betrokken producenten een economisch offer, maar voor de regeringen een politiek offer om communautaire en niet om nationale redenen.' Daarom zou een belangrijk deel van de compensaties communautair gefinancierd moeten worden. Dat was een onderdeel van het *package*. Ondanks tegenstand van Frankrijk en Nederland hield Mansholt daaraan vast.[25]

De totstandkoming van de eerste gemeenschappelijke markt was een mijlpaal. Schijnbaar moeiteloos had Mansholt allerlei varianten naar voren geschoven totdat de zaak rond was. Per saldo werd elke lidstaat tevredengesteld. De tactiek om tegengestelde belangen aan elkaar te koppelen, bleek goed te werken. Over de emotionele ontlading na afloop van de marathon noteerde Cointat in zijn memoires:

> Op 15 december 1964, 's morgens om zes uur (...) was eenstemmigheid bereikt. Na maanden van moeilijkheden had het Europa van de zes alle obstakels overwonnen. Dankzij de onverzettelijkheid van één man, Sicco Mansholt, dankzij de politieke wil van de deelnemers kwam de eerste gemeenschappelijke markt tot stand in de geschiedenis van Europa. (...) Dit historische akkoord werd met een enorme ovatie begroet. Het hele gezelschap stond op en bejubelde vicepresident Mansholt, rood van emotie en met tranen in zijn blauwe ogen.[26]

De graanmarathon leek het *point of no return*. De landbouw zou niet langer een obstakel zijn. Met de gemeenschappelijke markt als motor lag vergaande integratie in het verschiet.

## Op zoek naar een democratisch kader

Het akkoord van 15 december reikte ver over de landbouw heen. Mozer adviseerde Mansholt dit te benadrukken op de persconferentie naar aanleiding van het akkoord. Tot dan waren graanprijzen nationaal vastgesteld. Voortaan lag het initiatief bij Brussel. Een voorstel van de Commissie kon immers alleen worden gewijzigd als de Raad van Ministers unaniem was. Dit ging ten koste van de bevoegdheid van de nationale parlementen en daarom was het volgens Mozer dringend noodzakelijk de macht van het Europese Parlement uit te breiden. Verder zou de gemeenschappelijke prijs, uitgedrukt in een vaste rekeneenheid (gekoppeld aan de dollar), gevolgen hebben voor de monetaire politiek, de belastingwetgeving en allerlei mededingingsregels.

Verder was het zaak erop te wijzen dat duurzame oplossingen slechts mogelijk waren als de productiemogelijkheden structureel versterkt zouden worden. Nu de eerste prijspolitieke stap was gezet, zou iedereen vroeg of laat daarvan wel doordrongen raken. Het akkoord bood daarnaast ook een goede basis voor onderhandelingen met de VS over tariefverlaging, ook op het terrein van de landbouw. 'Op EEG en USA toegepast is dit (...) een eerste concrete toepassing van Atlantic Partnership op een niet onbelangrijke sector. Bovendien is de binding binnen de EEG door de besluiten van 15 december zo sterk geworden, dat we met meer nadruk en zonder gevaar voor brokken, aan een ander aspect van de Atlantische samenwerking (militair!) kunnen werken,' aldus Mozer optimistisch.[27]

De persconferentie vond plaats op 22 december. Mozer had vier sporen geschetst: versterking van het Europees Parlement, monetaire en fiscale harmonisatie, structuurpolitiek, *Atlantic partnership* (inclusief handelspolitiek en militaire samenwerking). Mansholt onderstreepte 'de noodzaak de bevoegdheden van het Europees parlement uit te breiden om het landbouwbeleid, dat elke burger dagelijks raakt, in een democratisch kader te plaatsen'. Naar aanleiding van vragen van journalisten ging hij daarop wat dieper in.

Controle achteraf was volgens hem niet voldoende. Hij vond het belangrijker dat het parlement medezeggenschap kreeg bij de vaststelling van beslissingen die financiële gevolgen hadden: budgetrecht. Op de vraag of de Commissie met een voorstel kwam, luidde Mansholts antwoord dat hij dit niet wist. Hij wilde wel kwijt dat zo'n 'stukje democratie in het kader van de EEG' in een bijzondere vorm moest worden gegoten. Anders dan in een nationale democratie konden de ministers immers niet naar huis worden gestuurd. De Raad was in laatste instantie verantwoordelijk voor alle beslissingen. Op de vraag: 'Aan wie verantwoordelijk?' antwoordde Mansholt dat dit nu juist het probleem was.[28]

In een interview in *Het Vrije Volk* van 31 december 1964 borduurde Mansholt voort op hetzelfde thema onder de kop 'Democratie in Europa verkeert in een crisis'. Vanuit Brussel waarschuwde hij dat men in de lidstaten onvoldoende besefte wat de betekenis was van 'Het Verenigd Europa':

We stellen hier prijzen vast voor granen, straks voor boter, brood, melk, vlees, eieren, varkens, noem maar op – er is geen enkel nationaal parlement dat er nog enige invloed op uit kan oefenen. (Ik) geloof dat er maar één oplossing is. Het Europees Parlement moet werkelijke controlerende bevoegdheden krijgen, het parlement zal ook direct gekozen moeten worden. De grotere bevoegdheden moeten een feit zijn in 1967, als het graanakkoord gaat werken. De directe verkiezingen zou men kunnen plannen voor 1968 (...).

In de internationale pers was Mansholt neergezet als 'superboer' en 'Mr. Europe', maar hij wilde dat toch relativeren. De fundamenten waren wel gelegd. Het zou echter nog tientallen jaren vergen voor werkelijke eenwording was bereikt. Hij nam ook stelling tegen de stroming die eerst de Gemeenschap van zes wilde afbouwen. Primair moest de deur voor de Britten op een kier blijven.

Nieuw was zijn pleidooi voor *Europese* politieke partijen. In Brussel werden beslissingen genomen over miljarden guldens. Politici moesten zich realiseren dat het welvaartsniveau niet afhing van loonsverhogingen van vier, vijf of zes procent, maar van de omvang van de Europese koek: het aandeel in de landbouwmarkt en in het transport, de toekomstige *gemeenschappelijke* belastingpolitiek. Europese partijen zouden rechtstreekse verkiezingen moeten voorbereiden en de kiezer bij Europa moeten betrekken. 'Doet men het niet, dan worden de beslissingen genomen en dan zal men pas achteraf kritiek kunnen oefenen, dan is het natuurlijk te laat.' Voortschrijdende economische integratie zou steeds meer beleidsterreinen onttrekken aan nationale democratische controle. Mansholt wilde de gaten *direct* opvullen (via het parlement, de politiek partijen én de kiezer), maar ging er tegelijk vanuit dat 'het politiek geïntegreerde, federatieve Europa' nog enige tientallen jaren op zich zou laten wachten, en 'dan is dat nog bijzonder snel'!

De politieke kleur van Mansholt was volgens de interviewer alom bekend. Maar het beleid dat hij in Brussel voerde, had dat nog iets met socialisme te maken? Mansholt antwoordde met enige stemverheffing:

We hebben steeds internationale solidariteit gepredikt. Die krijgt nu vorm – in het afstand doen van nationale soevereiniteit, in het tot stand brengen van internationale bestuursorganen. Wij moeten ons solidair gaan voelen met de paupers in Calabrië en met het proletariaat in de industriegebieden, waar ze ook in Europa liggen. Door de nieuwe bovennationale organen krijgen we de kans te verwezenlijken wat we steeds gewild hebben: de verheffing van de massa tot een hoger levenspeil. Daar werk ik aan mee. En dat is de realisering van een hoger socialistisch ideaal. En ik wil ronduit verklaren dat ik die realisering op nationale basis niet meer mogelijk acht. Alleen integratie kan grotere welvaart scheppen, nationale economieën zijn uit de tijd.[29]

## Mansholt contra vicepresident Humphrey

Terug naar het *Atlantic partnership*. Toen het Europees landbouwbeleid in de praktijk ging werken, sloeg de stemming in de VS snel om. Dat lag voor de hand. Sinds het eind van de negentiende eeuw was de wereldmarkt overspoeld door Amerikaans graan. Grote delen van het Europese platteland raakten ontwricht. Het GLB was toch min of meer ontwikkeld als economisch schild tegen de rampspoed van dat goedkope en enorme aanbod van buiten.

De Europese boer haalde de buit snel binnen. Met trots presenteerde de Nederlandse minister van Landbouw Barend Biesheuvel eind 1964 al de eerste resultaten. Voor tarwe gold in het oogstjaar 1964-1965 een 'Mansholtprijs' van 37 gulden en 95 cent per honderd kilo, 2 gulden en 35 cent hoger dan het jaar daarvoor. De prijs van voedergraan (gerst, haver en rogge) steeg met gemiddeld 2 gulden 50 per ton; suikerbieten gingen van 54 naar 65 gulden; de richtprijs van melk zou worden verhoogd in twee etappes, van 27 via 29 naar 31 gulden. De minister concludeerde dat het economische klimaat voor de landbouw belangrijk verbeterd was.[30]

Dat had natuurlijk zijn weerslag op de mogelijkheden van de VS om producten in Europa te slijten. De Amerikanen wensten snel te onderhandelen over het afschaffen van protectionisme, maar Mansholt schoof een methode naar voren die hun niet beviel: de 'montant de soutien'-formule. Dat hield in dat eerst het totale niveau van landbouwsteun moest worden berekend. De tweede stap bestond uit de internationale consolidatie daarvan via het GATT. Daarna volgde eventueel 'limitering'. De Amerikanen hadden gehoopt dat een aantal hoge tarieven onmiddellijk verlaagd zou kunnen worden. Maar dat was niet de bedoeling.[31]

Begin februari 1965 bracht Mansholt opnieuw een bezoek aan Washington, dit keer op uitnodiging van de Council on Foreign Relations, een invloedrijke, onafhankelijke denktank op het terrein van de Amerikaanse buitenlandse politiek. Het program van 9 februari zag er als volgt uit:

7.30 Freeman [landbouw]; 9.15 Herter (trade); 10.00 McGeorge Bundy (NSA); 12.00 Walt Rostow (chairman policy planning dept. of state); 12.30 Ball; 1.00 lunch [met Ball, Charles S. Murphy, Francis Bator, William Roth en Michael Gaudet]; 2.45 William R. Tyler (asst. secr. of state European affairs); 3.30 press conference; 5.00 vice pres. Humphrey; 7.00 briefing ambassadors 6; 8.15 dinner [met o.a. Fullbright, Tuthill en Schaetzel].[32]

De toon van het gesprek met vicepresident Humphrey was heel anders dan die van de ontmoeting met Kennedy van 9 april 1963. Sindsdien hadden de Amerikaanse protectionisten terrein gewonnen, mede als reactie op de blokvorming van Brussel. Het wegvallen van Kennedy – hij werd op 22 november 1963 vermoord – speelde ook een rol. Zijn opvolger Johnson had weinig op met *Grand Design* en *Atlantic partnership*.

'Given the prevailing sentiment in the American Congress, our Government will have no choice but to take stern measures unless Europe is willing to play fair on agriculture,' begon Humphrey. Hij had een reeks van argumenten, maar Mansholt veegde die een voor een van tafel. Het verwijt dat de Europeanen hun productiesurplus op de markt gooiden, sloeg nergens op. De Amerikanen deden dat zelf immers al jaren. Humphrey vroeg nog waarom de EEG niet een deel weggaf, zoals de VS. 'Mr. Mansholt replied that the Europeans preferred to sell it, rather than to compete with the U.S. in dumping surplus food products around the world.' Mansholt wees er ook op dat Europa nog steeds grote hoeveelheden graan uit de VS importeerde. 'Is een hoge prijs niet nadelig voor de consument?' vroeg Humphrey nog. 'The justification of high prices for the consumer (…) lies in the obligation European governments feel to guarantee a fair income to farmers,' luidde het antwoord.

Mansholt stelde voor afspraken te maken over de exportprijs van overschotten. Dat was ook in het belang van ontwikkelingslanden, die veel last hadden van dumpprijzen. Humphrey ging er niet op in. Hij waarschuwde wel dat het probleem voor de VS acuut zou worden als Europeanen met meer kunstmest nóg meer gingen produceren. Mansholt wees erop dat de Amerikaanse handelsbalans met Europa een overschot vertoonde van ruim drie miljard dollar. Humphreys reactie was dat het niet alleen om een economisch, maar ook om een psychologisch probleem ging. In de VS bestond nu eenmaal het beeld dat de EEG steeds protectionistischer werd. Hij hamerde erop dat in GATT-verband een formule zou worden uitgewerkt die zou leiden tot lagere tarieven voor landbouwproducten.

Mr. Mansholt said he understood the Vice President's point of view, and insisted that Europeans are obliged to consider also the question of justice for the farm population. Solutions cannot be arrived at exclusively on the basis of international trade considerations. Farmers must be protected, all the more so because the younger population is tending to leave the farm, and this trend should not be accelerated.

Humphrey zag dat in. Toch waarschuwde hij dat de VS het niet zouden accepteren als de Europese markt op slot zou gaan voor Amerikaanse landbouwproducten. Dat zou consequenties kunnen hebben, bijvoorbeeld voor Franse wijn en Duitse Volkswagens.

Na afloop noteerde Humphrey op het gespreksverslag: 'I am not sure I got through to Mr. Mansholt but I laid it on pretty thick.'[33] Dat laatste was wel duidelijk, maar uit het verslag blijkt toch dat hij weinig indruk maakte. Mansholt beschermde de Europese boeren. Hij stelde zich protectionistisch op. De boodschap van de VS was intussen wel duidelijk. Was de EEG bereid tot een economisch offer aan het Atlantische partnerschap?

## Absurde voorstellen? Van wie?

In zijn contacten met de pers marcheerde Mansholt na de graanmarathon ver voor de troepen uit. Hij nam zelden een blad voor de mond, zeker niet in eigen land. Brussel was daaraan inmiddels gewend. Opvallend was dat zijn pleidooi voor uitbreiding van de bevoegdheden van het parlement plotseling veel bijval kreeg. Ten eerste bij de kleinere lidstaten die in versterking van de gemeenschapsinstellingen een tegenwicht zagen tegen overheersing door Parijs en Bonn. Daarnaast waren de volgelingen van Monnet en andere Europese federalisten in principe vóór. De stap die Mansholt wilde zetten lag volgens hen in de lijn van het Verdrag van Rome. Dan waren er ook voorstanders uit tactische overwegingen. Zij wilden op een of andere manier paal en perk stellen aan de macht van de Fransen, die steeds maar hun zin leken te krijgen.

Bij Mansholt speelde het ideaal van het federale Europa een grote rol, maar belangrijker was dat democratisering volgens hem logisch voortvloeide uit de *praktijk* van de gemeenschappelijke markt. Daarachter stak het motief dat de Gemeenschap – en Mansholt – meer greep wilde krijgen op het beleid. Het GLB ontwikkelde zich sneller dan in het Verdrag was voorzien. Voorkomen moest worden dat individuele lidstaten de zaak zouden afremmen, bijvoorbeeld door vast te houden aan te hoge prijzen.

Mansholt was niet de enige bij wie deze ideeën op dat moment leefden. Hij kan wel worden gezien als een belangrijke aanjager van het *package* van maart 1965 waarin die ideeën zouden worden verwerkt. Dit beruchte *package* werd door tegenstanders bestempeld als een complot van federalisten en zou leiden tot de grootste politieke crisis in het bestaan van de EEG. In zijn memoires bekende commissaris Marjolin dat hij de voorstellen vanaf het begin absurd vond.[34] Wat behelsden die voorstellen precies?

Vergadering van de Europese Commissie in 1964. Vanaf Hallstein (rechts) met de klok mee: secretaris-generaal Noël, Rey, Mansholt, Rochereau, Marjolin, Schaus, Levi Sandri, Colonna di Paliano en Von der Groeben. [Audiovisuele Bibliotheek van de Europese Commissie, 2019]

Wat de politieke context betreft: De Gaulle was er in die tijd in eerste instantie op uit het Duitse verzet te breken tegen Europa als derde macht in de wereld. Dat speelde een doorslaggevende rol. De crisis in de EEG had minder van doen met GLB, democratisering of federalisme dan met de grote internationale strijd daarachter.

Aan Duitse kant gaf het motief van de lonkende internationale afbraak van industriële tarieven in het kader van de Kennedyronde de doorslag. Ongerustheid over het uitblijven daarvan leidde in de eerste helft van 1965 tot een radicalere diplomatieke toon tegenover Parijs. Achter de schermen wakkerde de Commissie die ongerustheid juist aan om de Duitsers mee te krijgen. Brussel suggereerde namelijk dat De Gaulle de GATT-onderhandelingen in Genève wilde blokkeren als op 30 juni 1965 de definitieve financiering van het GLB geregeld zou zijn. De Fransen hadden dan precies bereikt waar het hun in de EEG om te doen was.[35]

De tijd leek rijp voor vergaande voorstellen. De douanerechten waren op 1 januari 1965 opnieuw met tien procent verlaagd. Federalisten drongen erop aan de eerste stap te zetten in de richting van een politieke unie met een eigen economische regering – de Commissie – onder controle van een rechtstreeks gekozen parlement. De uitkomst van de graanmarathon wees op de politieke wil om vooruitgang te boeken. Op 20 januari riep het Europees Parlement via een resolutie de regeringen van de zes op een concrete impuls te geven aan de opbouw van een democratisch en verenigd Europa. Een paar dagen later al signaleerde De Gaulle in kleine kring dat het vuur van het federalisme werd opgepookt. Hij verdacht de Commissie ervan misbruik te willen maken van zijn kwetsbare positie in verband met de campagne voor de Franse presidentsverkiezingen aan het eind van het jaar.[36]

Op 2 maart werd het besluit genomen de uitvoerende organen van EGKS, EEG en Euratom samen te voegen. De Commissie waagde daarop de gok. Zij veronderstelde dat de Fransen onverminderd prioriteit zouden toekennen aan de vlotte afwerking van het GLB, ook al stonden daartegenover belangrijke concessies op het gebied van de financiën van de Gemeenschap en de structuur van de besluitvorming.[37] Tot dat moment had de Franse regering, Pisani voorop, immers alle stappen meegezet. Men dacht De Gaulle in de tang te hebben.

Aangrijpingspunt was de afspraak vóór 1 april 1965 met een voorstel te komen voor de financiering van het GLB. De regeling van 14 januari 1962 – waarbij de lasten op basis van een bepaalde sleutel tussen de lidstaten werden verdeeld – eindigde op 30 juni 1965. In 1962 was afgesproken dat er vóór die dag een nieuw reglement zou worden gemaakt voor de periode tot 1 januari 1970. Daarna zou het beleid gefinancierd moeten worden uit eigen middelen. Het plan van de Commissie kwam erop neer een en ander te versnellen, aangezien de gemeenschappelijke graanmarkt al op 1 juli 1967 zou ingaan. Het nieuwe reglement werd daarom gekoppeld aan financiële zelfstandigheid en uitbreiding van de bevoegdheden van het Europees Parlement. De Commissie kreeg een centrale positie tussen Raad en Parlement. De politieke ontwikkeling van Europa mocht niet achteropraken bij de economische.

Het ingewikkelde voorstel stak logisch in elkaar. Het was niet revolutionair en er was evenmin sprake van graag of niet. De Commissie zette hoog in, maar kon voor elk onderdeel rekenen op de steun van een aantal lidstaten. Zij maakte zich wel meteen kwetsbaar doordat Hallstein de plannen al op 24 maart aan het Parlement in Straatsburg presenteerde, een week voordat de Raad er officieel kennis van nam. De Commissie zou daartoe gedwongen zijn doordat parlementsleden op de hoogte bleken van een aantal gelekte voorstellen. Anderen dachten aan opzet. Via het parlement trachtte de Commissie een 'politiek verrassingsvoordeel' te bereiken. Dat zou bevestigd worden door het feit dat er over bepaalde punten geen vooroverleg met de Raad was geweest, terwijl dat wel gebruikelijk was.[38] Hoe dit ook zij, de Franse regering was in elk geval woedend.

De financiële regeling was daarentegen bijzonder gunstig voor Frankrijk, de grootste landbouwproducent. Het was vooral de Bondsrepubliek die voor de kosten opdraaide. De Duitsers waren de belangrijkste voedselimporteurs en het leeuwendeel van de importheffingen die in het landbouwfonds zouden vloeien kwam uit Duitse zak. Na het in werking treden van de gemeenschappelijke markt op 1 juli 1967 zou de Franse export tot op grote hoogte door de Duitsers worden betaald. Bonn schaarde zich daarom achter de door de Commissie voorgestelde koppeling. De Duitsers waren huiverig zich te binden aan een dure regeling met een langere looptijd dan twee jaar als daar niet wat tegenover stond: lagere industriële tarieven, of meer controle op de besteding van het geld.

Onderdeel twee van het pakket bestond uit het vervangen van de bijdragen van de lidstaten door eigen middelen. Om het GLB te financieren was een solide basis nodig. De Commissie probeerde een flinke sprong voorwaarts te maken door niet alleen de volledige opbrengst van heffingen op ingevoerde landbouwproducten als eigen inkomsten te claimen, maar ook die van de industriële douanerechten (het gemeenschappelijke buitentarief). Het eerste was al door Pisani geopperd tijdens de graanmarathon. Het laatste was nieuw.[39]

Dat gold ook voor het derde onderdeel. Het idee was alle gemeenschapsactiviteiten te dekken met de eigen inkomsten. Omdat dit bedrag min of meer onttrokken werd aan nationale parlementaire controle, moesten de bevoegdheden van het Europees Parlement versterkt worden. De Commissie stelde voor Straatsburg een recht van amendement op begrotingsontwerpen te geven. Tegen een aangenomen amendement kon de Commissie ja of nee zeggen. De Raad mocht daar alleen met vijfzesde meerderheid van afwijken of met vierzesde meerderheid mee akkoord gaan. Dat laatste betekende dat Parijs en Bonn in budgettaire zaken het onderspit konden delven tegenover de rest. In het eerste geval kon zich zelfs de extreme situatie voordoen dat het parlement, gesteund door de Commissie en de twee kleinste lidstaten, de andere vier passeerde.[40]

Hoe absurd was dit pakket en welke rol speelde Mansholt bij de samenstelling ervan? *Absurd* was de typering die commissaris Marjolin achteraf gebruikte. Dat sloeg vooral op de kans dat het voorstel ongeschonden de eindstreep zou halen. Marjolin had intensief contact met de Franse minister van Buitenlandse Zaken Couve de Murville, die precies wist hoever De Gaulle wilde gaan. In de Commissie had Marjolin zich fel tegen de voorstellen verzet. Von der Groeben bestreed dat ze te ver gingen. Het probleem was dat de twee Franse commissarissen zich tegen het voorstel keerden. De rest was niet van plan het idee van een stapsgewijze versterking van de zelfstandigheid van de Gemeenschap op te geven omdat één lidstaat tegen was. Frankrijk had de zeer vooruitstrevende landbouwvoorstellen van de Commissie steeds gesteund. In de Raad werden die dan altijd wat afgezwakt. Waarom zou dit scenario deze keer *niet* werken?[41]

De reikwijdte van de voorstellen werd door Parijs sterk overdreven. Dat kon nog worden uitgelegd als onderhandelingstactiek. De Commissie dacht dat het belang van de Fransen bij het landbouwbeleid zo groot was dat De Gaulle bereid zou zijn tot belangrijke concessies. Dat was geen absurde gedachte. Wat op tafel lag moest ook worden gezien als 'eerste bod'. De omvang van de concessies hing – als altijd – af van de onderhandelingen. De Duitsers hadden het offer van de graanprijs gebracht. Nu was het de beurt aan de Fransen.

Volgens Marjolin kwamen de voorstellen volledig uit de koker van Hallstein. Hij had er zijn idee van een federaal Europa in neergelegd – theoretisch gefundeerd op het neofunctionalisme[42] van de Amerikaanse politicoloog Lindberg – en was erin geslaagd Mansholt aan zijn kant te krijgen. De twee hadden het project in het diepste geheim laten uitwerken door een aantal van hun medewerkers. Richard Mayne, indertijd economisch adviseur van Hallstein, was ervan overtuigd dat het plan in elkaar was gestoken door Karl-Heinz Narjes en Ernst Albrecht, de kabinetschefs van Hallstein en Von der Groeben.[43]

Mansholt heeft zich – voor zover bekend – niet uitgelaten over de theoretische grondslag. Het ging hem meer om de praktijk en om het draagvlak. Hij moest beleid kunnen maken. Mozer zat wellicht dichter bij het vuur, maar was meer diplomaat dan theoreticus. In Mozers archief bevinden zich geen aanwijzingen dat hij direct betrokken was bij het opstellen van het fatale *package* van maart 1965.

Anders dan de technocraat Marjolin was Mansholt een uitgesproken politicus die meestal duidelijk stelling nam. Er loopt een rechte lijn van Mansholts uitspraken uit december 1964 naar onderdelen van het pakket dat Hallstein in maart 1965 presenteerde. Bij de constructie van het landbouwbeleid toonde Mansholt zich de meester van het compromis. Wat het *politieke* Europa betrof was hij, na het veto tegen de Britten in januari 1963, uit op een confrontatie. Voor Mansholt was dit de volgende stap in de politieke strijd tegen De Gaulle. Toen het pakket eenmaal op tafel lag, speelde hij een grote rol bij de pogingen het erdoor te drukken. Fritz Hellwig, destijds lid van de Hoge Autoriteit van de EGKS, herinnerde zich dat Hallstein op dat moment problemen had met zijn gezondheid. Hij zou niet in staat zijn geweest de strijd aan te gaan. Het befaamde voorstel uit het voorjaar van 1965 zou volgens Hellwig nooit tot stand gekomen zijn als Hallstein volledig inzetbaar was geweest. De invloed van Mansholt was in deze fase overheersend.[44] Dat is twijfelachtig. Hallstein was geschokt toen de crisis uitbrak en zijn klachten dateren uit de periode daarna. Mansholt veerde juist op in crisissituaties.

In het overleg van de Commissie is het pakket uitvoerig aan de orde geweest in vijf vergaderingen tussen 5 en 31 maart. De notulist besteedde echter vooral aandacht aan de inhoud ervan en aan de te volgen procedure, niet aan de onderlinge discussie. Duidelijk is wel dat de Franse commissarissen op de rem trapten. De ingewikkelde financiële regeling die Mansholt op 10 maart op tafel legde was nauwelijks aanvaardbaar, het tempo waarin de Gemeenschap eigen middelen zouden worden toegeschoven werd niet geaccepteerd en een koppeling met de bevoegdheden van het parlement was voor hen onbespreekbaar. Het pakket was al op 22 maart in grote lijnen gereed. De meerderheid schaarde zich toen achter een compromis uit de koker van Hallstein. Mansholt merkte daarbij op dat hij zijn voorstel om het parlement ruimere bevoegdheden te geven introk. Daaruit kan worden afgeleid dat hij een radicale positie had ingenomen wat betreft het democratische kader.[45]

## Juli '65: De Gaulle boycot verdere integratie

Nauwelijks had het Europees Parlement in januari 1965, na de graanmarathon, vastgesteld dat de politieke wil er was om verdere stappen te zetten, of De Gaulle merkte tegenover zijn vertrouweling Peyrefitte op dat de federalisten bij hem aan het verkeerde adres waren. *La France* was niet van plan zich in een Europese provincie te laten transformeren en de andere vijf zouden dat dan ook niet accepteren. Wie het laatst lacht, lacht het best.[46]

De Gaulle was ervan overtuigd dat Brussel hem een hak wilde zetten. Toen Hallstein zijn plannen ontvouwde, was dat voor de generaal een gedroomde kans 'de supranationale maffia' de nek om te draaien. De notities van minister Peyrefitte zijn onthullend. De Gaulle liet hem vaak het achterste van zijn tong zien. Bij de eerste bespreking van het Commissievoorstel door het Franse kabinet schoot De Gaulle meteen uit z'n slof. Hierdoor werden de regeringen volgens hem van hun prerogatieven beroofd. De hele EEG zou gesupranationaliseerd worden. Enorme sommen geld vielen ten prooi aan instanties die geen enkele verantwoordelijkheid droegen. Zijn ministers lieten zich te makkelijk in de luren leggen en kregen het bevel zich voortaan minder vaak in Brussel te vertonen. Jean-Marc Boegner, de Permanente Vertegenwoordiger (PV), kon het volgens De Gaulle best alleen af.[47] Het voorstel was voor Frankrijk natuurlijk onacceptabel. De Commissie had zich moeten beperken tot de financiering van het GLB.

Op 12 mei keurde het Europees Parlement de plannen goed, maar niet dan nadat het voor zichzelf een vetorecht had geëist ten aanzien van de begroting (76 leden stemden voor, tien Gaullisten onthielden zich van stemming). Dit 'budgetrecht' was meer dan de Commissie had voorgesteld. De Gaulle reageerde met afschuw. Volgens hem wilde Hallstein zich meester maken van de begroting van de Euromarkt om méér supranationaliteit te krijgen. Hallstein zag zichzelf – nog steeds volgens De Gaulle – als minister-president van het supranationale gezag, de Commissie als federale regering en de Raad als 'Bundesrat'.[48] Commissarissen claimden soevereine macht en spraken op voet van gelijkheid met Amerikaanse ministers. Wie dachten deze technocraten wel dat ze waren?

Halverwege juni 1965 gaf het Duitse ministerie van Buitenlandse Zaken aan alleen akkoord te willen gaan met een financiële regeling die slechts één jaar zou gelden (of met het totale *package*, inclusief het door De Gaulle verafschuwde 'institutionele' deel). Adder onder het gras was de verdragsbepaling dat na dat jaar – in de derde fase, vanaf 1 januari 1966 – bij meerderheid beslist zou mogen worden. Pro-Franse landbouwmaatregelen konden dan worden teruggedraaid. De Commissie hoopte nog altijd dat het Franse belang in het GLB zo groot zou zijn, dat De Gaulle het *hele* pakket zou accepteren.[49]

Op 15 juni startte de eerste bespreking van het voorstel in de Raad. De Commissie en de meeste delegaties hadden zich ingesteld op stevig touwtrekken, maar de Fransen lieten het touw meteen los! Zij bepleitten uitstel van de invoering van de gemeenschappelijke markt tot 1 januari 1970. De economische voordelen van de snellere komst van de gemeenschappelijke graanprijs werden door Parijs zonder slag of stoot prijsgegeven. Hierdoor ging alles schuiven: de gemeenschappelijke financiering, de verkrijging van eigen middelen en de parlementaire controle daarop. Het enige te nemen besluit dat overbleef was de verlenging van de financiering. De interimregeling liep, zoals gezegd, af op 30 juni 1965.

In het archief-Mozer bevindt zich een analyse van de situatie op 15 juni, kort daarna geschreven en waarschijnlijk van de hand van Mozer. Hij adviseerde vast te houden aan 1 juli 1967 en maakte een inschatting van de kansen door per land de plussen en minnen op een rijtje te zetten. Een opmerkelijke passage daaruit is deze. Ze sloeg op Frankrijk:

Er is vaak naar verklaringen gezocht voor de tegenstelling, die in de tegen integratie gerichte redevoeringen van de generaal enerzijds en in de positieve medewerking van bepaalde Franse ministers te Brussel anderzijds bestond. De meest voor de hand liggende verklaring durfde niemand uit te spreken, namelijk, dat de generaal deze tegenstelling tot voor enkele weken eenvoudig niet heeft begrepen. Het keerpunt was de mededeling na een kabinetszitting dat de generaal minder ministers naar Brussel wil sturen en goedkeuring wil hechten aan de richtlijnen, die zij meekrijgen. Hieruit blijkt zijn opzet, nl. de doordravers in Brussel, o.a. Pisani, aan het lijntje te nemen.

Voor De Gaulle ging zijn politieke conceptie boven economisch gewin. Toch dacht Mozer dat hij gevoelig zou zijn voor sterke druk van werkgevers en boeren. Zij dreigden veel te verliezen. Verder achtte hij het waarschijnlijk dat een van de andere vijf een veto zou uitspreken tegen uitstel tot 1970.

Mozer wees ook op de ongerustheid in Bonn. De Duitsers hadden de graan-prijs aanvaard en er een hoog bedrag voor betaald. Daartegenover stond de koppeling met de Kennedyronde en de toezegging dat de economische unie gelijke tred zou houden met het GLB: vrijwel heel het economische pro-gramma van Bondskanselier Erhard. De Franse koerswijziging zette dat op losse schroeven.

Wat Italië en België betrof kon gewezen worden op het verlies dat hun pro-ducten zouden lijden als de Fransen hun zin kregen. België was een moeilijk geval omdat het voor zijn Congopolitiek afhankelijk was van Parijs. Mozers conclusie: 'Het lijkt onder deze omstandigheden niet uitgesloten dat de hoe-wel uiteenlopende belangen van verschillende ledenlanden een gemeenschap-pelijk draagvlak hebben, waardoor het de Commissie mogelijk zal worden de nieuwe Franse conceptie te ecarteren.'[50]

De Gaulle maakte een heel andere inschatting. Het financiële reglement dat Frankrijk wilde zou er volgens hem uiteindelijk wel komen. Hij ver-wachtte dat alleen de Nederlandse delegatie bereid was de Commissie en het Europees Parlement zo veel macht te geven. De Duitsers streefden naar een beperking van de nieuwe regeling tot één jaar. Dat Frankrijk daaraan niet zou meewerken was duidelijk. Duitsland zou wel bijdraaien, dacht hij. Wat de Commissie betrof, die zou haar trekken wel thuiskrijgen. 'Hallstein, Marjolin et Mansholt, c'est fini!' Dit zou hem niet nog eens overkomen.[51]

Na 15 juni volgde een periode vol politiek gekonkel. Deze periode was erg onoverzichtelijk omdat er veel partijen in het spel waren, er van alles achter de schermen gebeurde en omdat de binnenlandse politieke situatie van de zes op de achtergrond meespeelde. Mansholt zat er middenin. De Commissie hield lang vast aan haar vooruitgeschoven positie. Nieuwe voorstellen bleven uit, waardoor de Fransen voor het blok kwamen te staan. Achter de schermen was Mansholt echter al bezig een compromis uit te werken. Op 22 juni sprak hij met Spierenburg, de Nederlandse PV, en een deel van het Nederlandse kabinet over het loslaten van de koppeling tussen de financiële regeling, de eigen middelen en de versterking van het parlement. De Commissie was vermoedelijk ook nauw betrokken bij het opstellen van een Bondsdagresolutie waarin gepleit werd voor toekenning van budgetrecht aan het Europees Parlement. De Duitse en de Franse delegatie werden hierdoor definitief uit elkaar gespeeld.[52] Het kluwen dat er ten slotte op 30 juni lag, was zeer explosief: een politieke tijdbom.

De Gaulle aarzelde niet en liet de bom onmiddellijk afgaan. Couve de Murville, de voorzitter van de Raad, stelde aan het eind van de vergadering van 30 juni ijskoud vast dat er geen overeenstemming was bereikt over het financiële reglement, 'een ernstige crisis'. Dat was in strijd met de afspraak uit 1962 en Frankrijk zou daaruit economische, politieke en juridische consequenties trekken. Hij brak het overleg meteen af.

De rest reageerde ontzet en wierp de Fransen 'datumfetisjisme' voor de voeten. Waarom had Couve de klok niet stilgezet? De mogelijkheden tot een compromis te komen waren lang niet uitgeput. Waarom niet het normale spel gespeeld van de marathon, met de bekende regels? Na afloop verklaarde Hallstein nog tegenover de pers dat het mogelijk was vrij snel tot een oplossing te komen, maar dan moest niet te lang worden gewacht. De Commissie zou onderzoeken of er reden was haar voorstel te herzien. In werkelijkheid was Hallstein volledig uit het veld geslagen. Hij begreep het niet. In *Die Europäische Gemeinschaft* stelde Hallstein tien jaar later gelaten vast dat in de zomer van 1965 het Franse staatshoofd kennelijk inzag dat de gemeenschap een politieke kern had.[53]

De volgende dag, 1 juli, legde Couve de Murville verantwoording af aan de Franse ministerraad. Frankrijk viel volgens hem niets te verwijten. De schuld lag voor een groot deel bij de Commissie, die koppig vasthield aan haar eigen onrealistische voorstel en die het vertikte een goed compromis naar voren te schuiven. Na afloop brieste De Gaulle tegen Peyrefitte dat *deze* Commissie moest verdwijnen: 'Je ne veux plus d'Hallstein. Je ne veux plus de Marjolin. Je ne veux plus de Mansholt.' Hij wilde niets meer met hen te maken hebben. Een aantal van zijn ministers nam het nog op voor Marjolin en wees er bovendien op dat de Commissie pas in 1966 aan vervanging toe was. 'Bah!,' luidde het antwoord. De Gaulle deed er nog een schepje bovenop: het probleem was die hele supranationalistische maffia van commissarissen, parlementsleden en ambtenaren. 'Ce sont tous des ennemis. Ils ont été mis là par nos ennemis.'[54] Het was één groot politiek complot tegen hem én tegen Frankrijk.

Pisani, Mansholts medeplichtige, kwam op een zijspoor terecht. In een gesprek onder vier ogen met De Gaulle verklaarde hij dat hij niet van plan was zijn eigen beleid kapot te maken. De generaal ontzegde hem daarop een-voudig het recht ontslag te vragen. Hij zou dat niet accepteren. Pisani moest zich realiseren dat Frankrijk verwikkeld was in een moeilijk internationaal spel. Hij mocht niet het risico nemen de positie van zijn land te verzwakken. Pisani was sprakeloos. Hij liet zich inpakken.[55]

Op 2 juli kondigde Parijs aan dat De Gaulle na de zomervakantie op een pers-conferentie zou uitleggen wat het besluit van zijn regering precies inhield. In de Franse pers werd een verband gelegd met de Bondsdagresolutie en nieuwe eisen van de Duitse minister Schröder in verband met de Kennedyronde, naar verluidt ingefluisterd door Washington. Er was ook forse kritiek op de Commissie, die zich voor het eerst *niet* in het Franse kamp zou hebben bevonden.[56]

Mansholt gaf op 2 juli een interview voor de Nederlandse televisie. Het was volgens hem wel duidelijk bij wie de schuld lag: bij het land dat na 30 juni niet meer verder wilde praten. De rest had *niet* geweigerd mee te werken. De Fransen hadden de indruk gewekt dat de financiële regeling het breekpunt vormde, maar dat was niet waar. In wezen was de Europese democratie in het geding. Een oplossing van het financiële vraagstuk was volgens Mansholt nog altijd mogelijk, 'doch niet met het prijsgeven van wezenlijke democra-tische beginselen van de Europese gemeenschap'. Hij ging ervan uit dat De Gaulle blufte en dat de Commissie erin zou slagen een compromisoplossing te bereiken. 'Frankrijk kan eenvoudig niet meer terug, daarvoor zijn de zes gemeenschapslanden reeds te ver verweven op economisch gebied.'[57]

Maar de generaal was vastbesloten, ondanks kritiek uit de hoek van de Franse landbouw en in kringen van Franse werkgevers. In de loop van juni waren alle pogingen van Franse oppositiepartijen mislukt om tot een brede antigaullistische coalitie te komen. Sindsdien had De Gaulle in eigen land vrij spel. De kans was klein dat de toenemende kritiek hem bij de presidents-verkiezingen in december de das zou omdoen. Een brede coalitie zou een serieuze bedreiging hebben kunnen vormen. Toen die mogelijkheid wegviel, voelde De Gaulle zich minder geremd zijn politieke vijanden te lijf te gaan. Ook Brussel moest eraan geloven.[58]

Op 6 juli werd de Franse PV Boegner 'uitgenodigd' terug te keren naar Parijs. Hij vertrok en zou meer dan een half jaar wegblijven. Dat was het begin van de zogenaamde legestoelcrisis, de Franse boycot van de werkzaam-heden van de Raad, het Coreper (de vergadering van de PV's) en diverse studiegroepen. Tot dan had Frankrijk, met hulp van de Commissie, de EEG naar zijn hand weten te zetten. Voor de anderen, vooral de Duitsers en de

Nederlanders, was dit keer de maat vol. De crisis was ook een machtsstrijd: waren de Fransen bereid iets te slikken tegen hun zin ten behoeve van de integratie, zoals de andere vijf eerder hadden gedaan?

De Gaulle bleek daartoe niet bereid en maakte meteen van de gelegenheid gebruik de rekening te vereffenen met 'de supranationale maffia'. Al op 6 juli vertelde Couve de Murville tegen Jean Monnet – *eminence grise* van de Europese integratie – dat Frankrijk Hallstein en Mansholt kwijt wilde. De volgende dag vertrouwde De Gaulle Peyrefitte toe dat hij van de crisis gebruik wilde maken om aan 'de politieke illusies van de federalisten' een eind te maken. Hij wilde de hele Commissie vervangen en de verdragsbepaling over meerderheidsbesluitvorming schrappen. Frankrijk kon niet door andere lidstaten gedwongen worden beslissingen te nemen die het niet wilde. 'Révisions cette stupidité.'[59]

De Gaulle meende dat Frankrijk de financiële regeling door de neus was geboord, waarop het volgens hem recht had. Dat bewees dat de door Brussel gehanteerde methode niet deugde en dat 'serieuze zaken' alleen tussen regeringen konden worden opgelost. De onderhandelingen moesten maar worden hervat in onderling diplomatiek overleg tussen de zes. De Gaulle ging er kennelijk van uit dat Frankrijk de zaak dan wél naar zijn hand kon zetten.

Doorslaggevend was echter het motief bij voorbaat uit te sluiten dat Frankrijk tegen zijn zin besluiten moest accepteren. Om dat te bereiken werd de Commissie het initiatief uit handen geslagen. Charles Rutten, indertijd plaatsvervangend PV voor Nederland, herinnerde zich de hele episode als volgt:

> Mijn indruk is dat de Commissie met haar voorstel de Fransen eerst enorm op stang heeft gejaagd en dat toen de gedachte heeft postgevat bij de Gaulle dat dit dan het moment zou zijn om eens en voor altijd duidelijke grenzen te stellen aan wat er in Brussel wel en niet kon gebeuren. Zowel voor wat betreft versterking van bevoegdheden van instellingen alsook voor wat betreft de meerderheidsbeslissingen. Want ik herinner me nog als de dag van gisteren dat we, in de marge van één van die Raadsvergaderingen, op een gegeven ogenblik met Luns en Mansholt stonden te praten over de crisis en dat Mansholt toen zei: 'Ik hoor nu vanuit Parijs dat het niet alleen meer gaat over de landbouwfinanciering, het gaat ook nog over hele andere zaken, het gaat ook over de meerderheidsbesluitvorming.' Een punt dat tot op dat moment helemaal niet in de discussie betrokken was geweest.[60]

## De grootste ramp sinds Hitler

De Franse pers legde de zwarte piet onmiddellijk bij de Commissie. Zij had
zichzelf de air aangemeten van supranationale regering en was tekortgescho-
ten in haar rol als bemiddelaar. Hallstein en Mansholt hadden zelfs kritiek op
Frankrijk geleverd.[61]

Mansholt was furieus. Op 9 juli verklaarde hij tegenover een commissie
van het Europees Parlement dat het 'zeer gevaarlijk (zou) zijn als er in diplomatieke contacten met Frankrijk een ander doel zou worden nagestreefd dan
te komen tot vaststelling van een procedure bij een hervatting van de onderhandelingen in de EEG'. Hij benadrukte dat de Franse regering de breuk had
geforceerd.

> De meest optimistische veronderstelling is dat Frankrijk een zo gunstig
> mogelijke onderhandelingspositie wilde bewerkstelligen bij de vaststel-
> ling van de regelingen van de gemeenschappelijke financiering van de
> agrarische politiek van de zes. De pessimistische veronderstelling is dat
> Frankrijk slechts bereid zal zijn de breuk in de EEG te herstellen en de
> boycot op te heffen indien de grondslagen van het EEG-verdrag worden
> gewijzigd.[62]

Op 14 juli opende het *Algemeen Handelsblad* met een hoofdartikel onder een
vijfkoloms kop: 'Vice-voorzitter Mansholt in exclusief interview: Fransen hebben bewust op crisis aangestuurd' en de onderkop: 'Onderhands diplomatiek
overleg gevaarlijk. Crisis kan zich ontwikkelen tot drama.'[63] Mansholt bestreed
dat er sprake was van een krachtproef tussen Brussel en Parijs. Op de achtergrond speelde dat weliswaar mee, maar De Gaulle was toch niet van plan het
Europees Parlement meer macht te geven. Een krachtproef had dus geen zin.
Mansholt hield staande dat de besluiten die de afgelopen jaren genomen waren,
als vanzelf leidden tot het door de Commissie voorgestelde pakket.

> Op 15 december vorig jaar besloot de Raad – mede onder Franse druk
> – dat op 1 juli 1967 een gemeenschappelijke markt en een gemeenschap-
> pelijk prijspeil voor granen zou zijn gerealiseerd en dat voor alle andere
> landbouwproducten hetzelfde zou geschieden. De Raad heeft verder de
> Commissie uitgenodigd voorstellen uit te werken ingevolge verordening
> 25, waarin behalve de financiering van de landbouwpolitiek in de over-
> gangsperiode ook de noodzaak van het verschaffen van eigen middelen
> aan de Gemeenschap ter sprake komt. Bovendien had de Raad in 1963

379

zich unaniem uitgesproken over het vraagstuk van de parlementaire controle. De Fransen hebben echter alleen dat uit verordening 25 gepikt wat in hun kraam te pas kwam – de afspraak dat per 1 juli 1965 een regeling in gang zou worden gezet voor een geleidelijk toenemende gemeenschappelijke financiering van het landbouwbeleid.

De crisis kon zich volgens Mansholt tot een drama ontwikkelen, als een aantal belangrijke beslissingen niet genomen zouden kunnen worden. Hij wees op de Kennedyronde en het belang daarvan voor het Atlantisch bondgenootschap.

Het drama werd een paar dagen later nog wat aangedikt. Mansholt hield een rede in Barneveld waarin hij stelde dat een mislukking van de gemeenschappelijke markt 'de grootste ramp sinds Hitler' zou zijn! Het liet zich raden wie hij daarvoor verantwoordelijk stelde. Uit de notulen van de Commissie kan worden opgemaakt dat hij hiervoor meteen door zijn collega's op de vingers werd getikt, zij het in bedekte termen.[64] Later zag Mansholt zich gedwongen tot een meer genuanceerde toelichting:

Ik acht het rampzalig voor Europa indien de ernstige poging, die na de Tweede Wereldoorlog in het werk is gesteld – en met een zeker succes – in de kiem zou worden gesmoord. En dat wórdt ze naar mijn mening indien wij de conceptie van De Gaulle zouden aanvaarden. (...) De vraag is of je – door terug te vallen in de vooroorlogse statenverhoudingen, zonder gemeenschappelijke organen, zonder gemeenschappelijke taken aan te vatten – kunt vermijden dat wij weer een herlevend nationalisme krijgen en een strijd om de hegemonie.[65]

Hij had De Gaulle nimmer met Hitler willen vergelijken: 'Daarvoor acht ik deze man veel te hoog en hij is een groot staatsman.' Maar het kwaad was inmiddels geschied. Drie weken na Mansholts uitlating in Barneveld informeerde Peyrefitte bij De Gaulle of hij bij zijn standpunt bleef geen zaken te kunnen doen met de Commissie:

G[eneraal] d[e] G[aulle]: Vanzelfsprekend! Ik kan niet praten met Hallstein of Mansholt. Dat is onbestaanbaar. Vooral na wat ze hebben gezegd.
A[lain] P[eyrefitte] – Dat men zoiets sinds Hitler niet heeft meegemaakt. (De Generaal wilde een dergelijke belediging zelf niet herhalen, alsof een herhaling ervan al erkenning inhield.)
G[eneraal] d[e] G[aulle]: (met boze blik) – Och nee! (Ik denk dat hij het me kwalijk nam de scheldwoorden te hebben geuit, hetgeen neerkwam op

een nieuwe belediging.) Hij hervat: 'Ze hebben zichzelf gediskwalificeerd als onpartijdige hoge ambtenaren, wat ze pretenderen te zijn.' Vervolgens herhaalt hij net als Cato zijn Delenda est Carthago: 'Het verdrag van Rome moet worden herzien en deze Commissie moet naar huis worden gestuurd'.[66]

De tactiek van de generaal was simpel: nietsdoen tot aan de presidentsverkiezingen. Hij was er vast van overtuigd – zo vertelde hij 21 juli opnieuw aan Peyrefitte – dat hij zijn tegenstanders aan het eind van het jaar bij elkaar zou kunnen vegen: 'Wij zullen gedaan krijgen: dat de Commissie in haar geheel geliquideerd wordt; dat men met elkaar afspreekt niet meer over supranationaliteit te praten en vooral niet over meerderheidsbesluitvorming; en ten slotte dat onze medespelers het financiële reglement aanvaarden zoals wij dat hadden voorzien.'[67]

Mansholt zag 21 juli eindelijk kans zijn 91-jarige moeder uitvoerig op de hoogte te stellen van de crisis:

De laatste weken zijn overdonderend geweest van de vele problemen waarvoor we plotseling zijn gesteld. Het is heel moeilijk om de juiste positie te kiezen en het komt erop aan het hoofd koel te houden. Fouten die we nu maken kunnen zich ernstig wreken in de toekomst en kunnen bepalend zijn voor de toekomst van het Verenigde Europa. Het is een zware slag die de Gaulle ons toebrengt. Natuurlijk wisten we vanaf het begin van zijn bewind in Frankrijk, dat ééns de grote botsing moest komen. Maar we hoopten dat de economische noodzaak van Frankrijk om de EEG te behouden en verder te ontwikkelen het zou winnen van de politieke aspiraties en het nationalisme van de Gaulle. De teerling is nu geworpen en we moeten ons voorbereiden op een langdurige strijd om te behouden wat we hebben bereikt en de grondslagen te leggen voor verdere vooruitgang. Ik wanhoop *niet*! Tegenslagen als deze zijn normaal in een grote zaak als de vereniging van de Europese naties in een groter verband. Zelfs al zouden we jaren verliezen is het te overkomen. Als het fundament maar behouden blijft.

Dat fundament is het verdrag van Rome, d.w.z. de doelstellingen van dit verdrag en de nieuwe organen met hun specifieke bevoegdheden: Raad van ministers, Commissie, Parlement, Hof. Tot dusver zijn we succesvol geweest. De economische ontwikkeling is bijzonder snel gegaan. Het is zelfs zo dat de landbouwpolitiek vóórgaat, de gangmaker is geworden en de industriële gemeenschappelijke markt met zich meesleept. Voor het grijpen ligt de gemeenschappelijke agrarische markt in 1967, met de gemeenschappelijke financiering en verantwoordelijkheid.

Het probleem is dat de politieke ontwikkeling achterblijft. Grotere bevoegdheden van het Europese parlement zijn noodzakelijk. Miljarden bedragen gaan jaarlijks door ons budget en nationale parlementen hebben daarop geen vat. Indien de Gaulle niet de absolute macht had in Frankrijk, zou de ontwikkeling naar een werkelijk parlement in Straatsburg géén groot probleem meer zijn. De andere 5 zijn bereid. Maar als dit het énige probleem zou zijn dan was het niet zo erg. Dan zouden we het tempo in economisch opzicht kunnen verlangzamen en kunnen mikken op 1 januari 1970 voor de gemeenschappelijke markt en dán de parlementaire bevoegdheden kunnen uitbreiden. Echter is de kern van het conflict, de totaal andere conceptie van het Europa van de Gaulle en die welke aan het verdrag van Rome ten grondslag ligt. Het 'Europe des patries' is géén gemeenschap, is een conceptie gebaseerd op coalities tussen staten, zónder organen, zónder een motorische kracht. We weten wat dergelijke coalities waard zijn als het erop aankomt dat de waarde moet worden bewezen: Twee Wereldoorlogen, die begonnen zijn als Europese burgeroorlogen moeten een afdoende les zijn. Maar deze generaal leeft in een andere wereld, in een verleden tijd en wil in zijn despotische macht, deze oude middelen gebruiken voor de glorie en grandeur van Frankrijk. En totaal ongevoelig voor harde economische wetten die niet met zich laten spotten, luistert hij niet naar raad. Er is natuurlijk geen sprake van dat in de huidige situatie in het verband van de wereld, Frankrijk als een grote macht glorieus zou meedoen als een der gróten, zoals de Verenigde Staten, Rusland en China. Zelfs de bescheiden positie van Engeland is voor haar onbereikbaar. En laten we vooral niet vergeten, dat een 'onafhankelijk' Frankrijk óók betekent een 'onafhankelijk' Duitsland, waar het nationalisme wel is weggedrongen, máár voorgoed? En vooral waar Duitsland nog in tweeën is gesplitst. De politieke betekenis van het Verdrag van Rome is juist, door economische integratie te groeien naar politieke integratie, zodat de nationale politiek plaats moet maken voor gemeenschappelijke politiek.

Te verwachten is dat deze aanval van de Gaulle de inleiding is tot een aanval op de grondslagen van het verdrag van Rome: Bevoegdheden van de Commissie, Meerderheidsbesluiten van de Ministerraad (1 Jan. '66) en parlementaire bevoegdheden. Dit kán leiden tot ineenstorten der EEG. Maar zover is het nog geenszins en de taak waarvoor we staan is te zorgen dat de Gaulle daartoe de kans niet krijgt.

Eind juli 1965, drie weken na het uitbreken van de legestoelcrisis. Mansholt tussen de collega's Levi Sandri en Hallstein. Mozer in gesprek op de achtergrond. [Beeldbank NA, public domain]

In de eerste plaats zal Frankrijk zijn plaats in de M'raad weer moeten innemen. We zijn vandaag klaar gekomen met een compromis voorstel inzake de financiering van het landbouwbeleid. (in de Commissie) We veranderen ons standpunt terzake van het Parlement niet, doch reserveren onze houding voor de toekomst. De technisch/politieke wijzigingen in ons voorstel zijn de consequentie van de gevoerde discussies in de M'raad van 30 juni. Dit *kán* een basis zijn voor hernieuwd overleg. Zeker is het geenszins. We zullen de ministerraad van a.s. maandag moeten afwachten, waar Frankrijk niet zal zijn. Van belang is dat de Fransen een gesloten blok van 5 tegenover zich vinden. Maar jammer genoeg ben ik van [de Belgische minister van Buitenlandse Zaken] Spaak niet zeker. Zijn fundamentele instelling is goed. Máár tactisch maakt hij vaker grote fouten. We rekenen op een periode tot october/december voor er meer klaarheid komt. Dát is niet desastreus, de lopende zaken houden me wel gaande. Ik schrijf maar niet over de precieze inhoud van ons voorstel van de landbouwfinanciering. Dat is gecompliceerd en technisch en daar drááit het in wezen niet om. Had van de week nog bezoek van Heath, die erg met ons meeleeft.[68]

Toen de Commissie de volgende dag met haar nieuwe financiële voorstel kwam conform de Franse eisen, dus zonder koppeling met eigen middelen en parlementaire bevoegdheden, reageerde Parijs niet eens. Dat bevestigde Mansholts pessimistische veronderstelling dat het er Frankrijk alleen om te doen was de grondslagen van het EEG-Verdrag te wijzigen.[69] Via haar contacten in verschillende lidstaten probeerde de Commissie intussen de vijf bij elkaar te houden. Eind juli stelde de Duitse regering zich uitdrukkelijk achter de Commissie. Zij had haar bevoegdheden niet overschreden en moest haar eigen rol houden. In Frankrijk roerden boeren en werkgevers zich. De Gaulle kondigde maatregelen aan om de boeren – dertig procent van het electoraat – te compenseren, maar die bleven ver achter bij de voordelen die het GLB zou hebben gebracht.[70]

Oud-commissaris Lemaignen nam het in de Franse pers op voor Mansholt. Die had alleen maar hardop gezegd wat in alle andere lidstaten gedacht werd. 'Mansholt heeft steeds een vriendschappelijk en permanent contact onderhouden met de leiders van de Franse landbouw, waarvoor hij hoge achting had. Alle mensen in de landbouwwereld bewonderen zijn dynamiek en ook al is Mansholt er niet altijd in geslaagd de boeren volledig voldoening te geven, hij heeft steeds hun advies gevraagd en heeft, ondanks de protesten van vele andere leden-staten, zoveel mogelijk getracht hun belangen te dienen.'[71]

## De Gaulle veegt de vloer aan met de Commissie

Het orakel sprak op 9 september. De Gaulle hield de persconferentie die begin juli al was aangekondigd. Met dit soort sessies probeerde de generaal politieke discussies naar zijn hand te zetten. De wereldpers, hoewel meestal niet pro-De Gaulle, was altijd diep onder de indruk van het fenomeen. De Franse publieke opinie viel in de regel als een blok voor wat hij verkondigde.

Voor het eerst ging De Gaulle uitgebreid in op de crisis in Brussel. Hij liet geen spaan heel van de Commissie. Daarbij moet wél de kanttekening worden gemaakt dat het EEG-aspect enigszins in de schaduw werd gesteld door de verklaring, op dezelfde persconferentie, dat Frankrijk niet langer ondergeschikt wilde zijn aan de NAVO.

De Franse president deelde mee dat zijn land weigerde de bepalingen over meerderheidsbesluitvorming toe te passen. Frankrijk was bereid de stoel in

384

Brussel weer in te nemen – aldus het verslag in de *NRC* – 'mits zijn partners eens en voor altijd afstand doen van de "misplaatste mythe" der supranationaliteit en mits zij zich bereid tonen de landbouw volledig binnen de gemeenschappelijke markt te brengen'. Vervolgens pakte hij uit tegen de Commissie en het Europees Parlement, 'dit embryo van grotendeels buitenlandse technocratie, dat was bestemd inbreuk te maken op de Franse democratie ...' De afgelopen jaren had De Gaulle 'wel competentie van gemeenschapsfunctionarissen kunnen constateren', maar ook 'dat het zeer zware internationale apparaat, dat rond de Commissie was opgebouwd, vaak hetzelfde werk deed als de competente diensten van de zes landen'.

De crisis was veroorzaakt door de Commissie. Zij had haar politieke reserves laten varen en een voorstel geformuleerd waardoor ze een eigen budget zou krijgen van maximaal twintig miljard franc (omgerekend 14,7 miljard gulden), aldus De Gaulle. Op kosten van de Europese belastingbetaler zou de Commissie een grote financiële mogendheid worden, *zonder* controle. De Assemblée in Straatsburg – De Gaulle weigerde pertinent om er het etiket 'Europees Parlement' op te plakken – was daarvoor immers niet gekozen en mocht enkel adviseren. Door deze inbreuk op de verantwoordelijkheden van de lidstaten ontdekte Frankrijk wat er na 1 januari 1966 dreigde te gebeuren. Dat ging dus niet door.

De Gaulle kleineerde het werk van de Commissie, maakte een karikatuur van het begrip supranationaliteit – de 'misplaatste mythe' – en liet zich al even denigrerend uit over het concept van een Europese federatie:

(Een conceptie) waarin, volgens de dromen van degenen die haar ontworpen hebben de landen hun nationale persoonlijkheid zouden verliezen en waarin (bij gebreke van een federator als Caesar, Otto, Karel V, Napoleon, Hitler en in het Oosten Stalin) de Europese federatie zou worden geregeerd door een technocratische, apatride en onverantwoordelijke areopaag. (...) Men weet dat Frankrijk tegenover dit plan, dat werkelijk buiten de werkelijkheid staat, het plan stelt van een georganiseerde samenwerking der staten.[72]

De generaal richtte zich fel tegen het gebruik door de Commissie van symbolische praktijken die hoorden bij een soevereine staat. Het in ontvangst nemen van geloofsbrieven van ambassadeurs bijvoorbeeld. Het streven van Brussel naar *Atlantic partnership* botste met zijn eigen concept. Maar wat De Gaulle vooral tegen de borst stuitte was dat de Amerikanen Hallstein ontvingen alsof hij de president van Europa was.[73]

De Gaulle had in feite de geest van het Verdrag opgezegd. De Commissie reageerde voorlopig niet. Zij wilde eerst de reacties van de andere lidstaten afwachten. Mansholt reisde 14 september naar Den Haag voor een bespreking met een delegatie van het Nederlandse kabinet. Hij bepleitte een harde en consequente politiek. De impasse was zeer ernstig en het was noodzakelijk dat de vijf eensgezind optraden. België bleef een vraagteken, Italië liet geen duidelijk geluid horen, dus Duitsland had de sleutel. Volgens Mansholt zou Bonn sterk beïnvloed worden door de positie van Nederland. Hij probeerde het kabinet achter de opvatting te krijgen dat de vijf overgebleven lidstaten rechtsgeldige beslissingen konden nemen, óók wanneer unanimiteit was voorgeschreven. Op die manier kon de Franse boycot worden omzeild en de impasse doorbroken. 'De juristen van de Commissie zijn ervan overtuigd dat zulke besluiten van de Vijf rechtsgeldig zouden zijn, daar Frankrijk verdragsbreuk pleegt door niet te verschijnen.'

Maar Mansholt kreeg geen poot aan de grond. Minister-president Cals merkte op dat het in wezen om de oplossing van een politiek vraagstuk ging, waarbij het juridische aspect een secundaire rol speelde. Het Nederlandse kabinet wilde vasthouden aan het standpunt dat er niets zou gebeuren buiten de Commissie om, maar weigerde zich te binden aan een harde lijn:

> Dit is te ongenuanceerd en niet wel mogelijk gezien de huidige grote onzekerheden. Nederland heeft weliswaar dezelfde visie als Dr. Mansholt – aan het Verdrag vasthouden – doch de wijze waarop is open en open is tevens het punt of een gezamenlijke actie van de Vijf te bereiken is. Besloten werd tactisch elke indruk te vermijden dat wij bereid zouden zijn een of ander compromis na te streven.[74]

De volgende dag, 15 september, analyseerde de Commissie de situatie en stippelde zij haar strategie uit. De ingrediënten daarvan zijn terug te vinden in een niet-ondertekend stuk '14.9.1965 Aantekening betreffende de crisis in de EEG', dat zich in het archief-Mozer bevindt.[75]

De aantekening opende met de stelling dat De Gaulle de crisis had gewild. Als men hem op 30 juni zijn zin had gegeven, dan zou hij wel een andere gelegenheid hebben aangegrepen een breuk te forceren. De Gaulle wilde de samenwerking weliswaar voortzetten, maar alleen op *zijn* condities. Parijs speculeerde intussen op verdeeldheid door – via door de Franse regering gecontroleerde media – verzoenende verklaringen van Spaak en Erhard naar voren te schuiven en Mansholt en Luns neer te zetten als 'geïsoleerde uitzonderingen'. De Franse publieke opinie stond achter De Gaulle. 'De oppositie van de boeren blijft beperkt tot de top en de boeren zijn meer op Pisani gebeten dan op de Generaal,' aldus de aantekening.

Dat leidde tot de volgende conclusies: een bevredigende oplossing was alleen mogelijk als de vijf gemeenschappelijk optraden. Die oplossing moest gebaseerd worden op het behoud van de Gemeenschap. De tekst van het Verdrag mocht niet worden gewijzigd. 'Zo de Vijf bereid zijn deze in discussie te stellen, zijn zij verloren. De Gaulle zal de ene eis na de andere stellen.' In eerste instantie moest het probleem met de Fransen worden opgelost. Op dit punt week de notitie af van de ramkoers die Mansholt in Den Haag had bepleit. De vijf zouden namelijk wél bereid moeten zijn concessies te doen. Daarbij vormde het voorstel van 22 juli – de financiële regeling zonder koppeling – het uitgangspunt. 'Er is niets tegen dat de Vijf daartoe, afzonderlijk of een uit aller naam, rechtstreeks kontakt met Parijs opnemen; de beslissing zelf zal echter in een Raadsvergadering te Brussel genomen moeten worden.'

Van belang was de concessie dat na 1 januari 1966 – in gevallen waarin tot dan unanimiteit vereist was maar daarna niet meer – de unanimiteitsregel van kracht kon blijven als alle lidstaten in een intentieverklaring zouden uitspreken dat men vasthield aan unanimiteit. Zo'n verklaring had slechts politieke, geen juridische betekenis en zou van kracht blijven zo lang de regeringen wilden. Het zou de vrees bij De Gaulle wegnemen dat men kon terugkomen op eerdere beslissingen c.q. de voor Frankrijk profijtelijke landbouwregelingen zou terugdraaien, zonder dat het land een veto daartegen kon uitspeken.

(Deze regeling) komt aan de voornaamste bezwaren van de Gaulle tegemoet en stelt hem in staat het gezicht te redden; anderzijds wordt de mogelijkheid geschapen [een] betere tijd af te wachten (de volgende ambtsperiode van de Gaulle zal betrekkelijk kort zijn), zonder dat het Verdrag wordt gewijzigd en er voor de Gemeenschap iets verandert met betrekking tot de situatie zoals die heden is. Een op korte termijn voorziene ontwikkeling in "supranationale" richting wordt uitgesteld. Het overleven van de Gemeenschap lijkt deze prijs echter wel waard.
Als op bovenstaande basis een regeling niet mogelijk blijkt, zullen de Vijf moeten doorgaan het Verdrag van Rome uit te voeren zonder Frankrijk (…). De plaats van Frankrijk zal natuurlijk open gehouden moeten worden en maatregelen die haar toekomstige weer-meedoen zullen bemoeilijken moeten, in de mate waarin dit mogelijk is, vermeden worden.

Daarmee waren de contouren van een compromis aangegeven: de financiële regeling van 22 juli, afblijven van het Verdrag, de rol van de Commissie niet aantasten en een gentlemen's agreement om in bepaalde gevallen voorlopig af te zien van meerderheidsbesluitvorming.

## Mansholt loopt kwaad weg

De rest van september en de hele maand oktober probeerde de Commissie achter de schermen de vijf op één lijn te krijgen en andere steun te mobiliseren: Franse boeren, het parlement in Straatsburg, de socialistisch partijen in de zes lidstaten.

De federatie van Franse boerenorganisaties verspreidde begin oktober negenhonderdduizend exemplaren van een brochure, waarin zij het opnam voor Mansholt en de Commissie. Een van de grotere organisaties adviseerde haar vijf miljoen leden *niet* op De Gaulle te stemmen.[76] Op 18 oktober besprak Mansholt de crisis op een congres van de socialistische partijen van de zes. In de slotverklaring spraken de Europese socialisten zich uit tegen aantasting van de positie van de Commissie, vóór een politieke gemeenschap, tegen de 'gevaarlijke terugkeer naar nationalistische opvattingen' en vóór de NAVO.[77]

Drie dagen later sprak Hallstein zich in het Europees Parlement ongebruikelijk fel uit tegen Parijs. De boycot was een doelbewuste actie van de Franse regering, en in strijd met het EEG-Verdrag. De Nederlander Kapteijn, woordvoerder van de socialistische fractie, wierp De Gaulle 'een weinig Franse hypocrisie' voor de voeten: de generaal had gezegd dat Straatsburg niet representatief was, terwijl het juist zijn regering was die directe verkiezingen tegenhield. De Gaullistische fractie verliet daarop de zaal.[78]

Het blok van vijf hield lang stand. Door de scherpe toon van De Gaulle kroop men als het ware dichter bij elkaar. Ter wille van de eenheid bleek men op aandrang van België en Italië zelfs bereid de Commissie voor één keer te laten 'vallen' om het De Gaulle makkelijker te maken terug te keren. Bonn en Den Haag durfden geen breuk te riskeren. Tactisch was het ook niet verstandig de Fransen voor het hoofd te stoten in verkiezingstijd. Op 25 oktober spraken de vijf af Parijs uit te nodigen te komen praten over een oplossing *zonder* dat de Commissie daarbij was.[79]

De Gaulle stelde zich op 5 november officieel herkiesbaar als president. Hij vroeg het Franse volk 'massale aanhang'. Met de verkiezingen van 5 december in het vooruitzicht werd Parijs steeds optimistischer over een oplossing, al ging men nog niet in op de uitnodiging. Vooraf werd onder meer de eis gesteld dat meerderheidsbesluitvorming zou worden uitgesloten en dat de bijeenkomst niet in Brussel zou plaatsvinden. Couve de Murville, de Franse minister van Buitenlandse zaken, probeerde zijn collega Schröder over te halen akkoord te gaan met 'een algemene formule om de Commissie achteruit te zetten', maar de Duitser wilde alleen praten over 'bepaalde stijlkwesties'.[80]

Op 30 november 1965 besloot de Raad Frankrijk officieel uit te nodigen voor een 'buitengewone Raad' van de zes ministers van Buitenlandse Zaken *zonder* Commissieleden. Die bijeenkomst zou plaatsvinden 'spoedig na de Franse verkiezingen'. Aan het eind van de vergadering van 30 november vond nog een incident plaats. Eerst bleek Hallstein niet te zijn uitgenodigd voor een lunch waarop de vijf de crisis zouden bespreken. Later, tijdens een van de schorsingen, trokken de ministers van Buitenlandse Zaken zich even terug op de kamer van de voorzitter van de Raad om de laatste versie van de slotverklaring op te stellen. Opnieuw werd de Commissie buitengesloten. Dit werd Mansholt al te gortig. Verontwaardigd liep hij het gebouw uit. Hallstein bleef in de wandelgangen rondlopen. Toen de zitting werd hervat en de verklaring ter sprake kwam, betuigde Hallstein er zijn instemming mee.[81]

De verkiezingen brachten De Gaulle op 5 december geen massale steun, maar de vernedering van een tweede ronde. Hij bleef steken op 44,6 procent, ver onder de helft; de kandidaat van links, François Mitterand, kreeg 31,7 procent en Jean Lecanuet, christendemocraat en man van het midden, eindigde verrassend hoog met 15,6 procent. Lecanuet had zich positief opgesteld ten aanzien van de EEG en de Franse landbouw. De tweede ronde – De Gaulle tegen Mitterand – werd onverwacht spannend. Mitterand sprak zich uit voor een verenigd Europa en kreeg steun van Monnet.[82]

De Gaulle, die tot dan nauwelijks campagne had gevoerd in de veronderstelling dat hij makkelijk zou winnen, had nog een troef achter de hand. Hij verraste op 14 december met een uitstekend televisieoptreden, waarin hij zich presenteerde als een vriendelijke man met humor, die gewone mensentaal sprak. Hoogtepunt was het moment waarop hij 'irrealistische Europeanen' nadeed, op en neer wippend in zijn stoel alsof hij te paard zat, in plaats van 'hop, hop, hop' luid roepend: 'Europe, Europe, Europe!' De president noemde zichzelf een overtuigde Europeaan, die hoopte dat de crisis in de EEG zou worden opgelost 'door een bevredigende regeling voor de landbouw, zonder dat daaraan door de partners van Frankrijk onaanvaardbare politieke voorwaarden zouden worden verbonden'.[83]

Op 19 december werd De Gaulle herkozen. Hij kreeg 55,2 procent van de stemmen; Mitterand 44,8 procent. Het verschil was kleiner dan verwacht. Mozer reageerde optimistisch. Volgens hem hadden de verkiezingen duidelijk gemaakt dat er ook een ander Frankrijk was dan dat van De Gaulle. Bij de Franse parlementsverkiezingen van 1967 zou het dubbeltje wellicht die andere kant op vallen en de Europese integratie een nieuw perspectief krijgen. Tot dan konden compromissen worden gesloten over materiële kwesties, maar moesten principiële lijnen en de integratiestructuur van de EEG niet worden prijsgegeven.[84]

## Het akkoord van Luxemburg: wachten op het andere Frankrijk

De buitengewone vergadering van de Raad vond plaats op 17-18 en 28-29 januari 1966 in Luxemburg. De Franse delegatie wilde de meerderheidsbesluitvorming uit het EEG-Verdrag schrappen, maar vooraf was al duidelijk dat dit niet haalbaar zou zijn. Er kwam uiteindelijk een politiek akkoord uit de bus. Vastgelegd werd de opvatting van Parijs dat besluitvorming met gekwalificeerde meerderheid uitgesloten was, wanneer een van de partijen zich daartegen verzette met een beroep op essentiële belangen. Vastgelegd werd óók het standpunt van de rest dat men het daarmee niet eens was. Dit *agreement to disagree* ging de geschiedenis in als het Akkoord van Luxemburg.

In de praktijk kwam het akkoord neer op handhaving van het vetorecht, maar dat betekende niet dat de EEG op slot ging. In verreweg de meeste gevallen zou meerderheidsbesluitvorming gewoon (verder) worden toegepast. Daarnaast waren de zes het er voor én na Luxemburg over eens dat bij belangrijke punten niet over een lidstaat kon worden heengewalst. Het Akkoord stelde vooral Frankrijk in de gelegenheid het gezicht te redden, zonder de Gemeenschap veel schade toe te brengen.[85]

Mansholt liet zich gematigd optimistisch uit over 'Luxemburg'. Minister van Buitenlandse Zaken Luns verdedigde het akkoord in de Tweede Kamer als een gelijkspel.[86] Hij moest er een Nederlandse nederlaag maskeren zonder de Fransen te provoceren. Beiden waren misschien ook enigszins opgelucht omdat het veel slechter had kunnen aflopen.

Couve de Murville was namelijk naar Luxemburg gekomen met een plan om de bevoegdheden van de Commissie flink te beknotten. Daarin werd onder andere voorgesteld dat de Commissie geen initiatief mocht nemen zonder alle regeringen te hebben geraadpleegd. Zij zou nauwkeurig omschreven uitvoeringsbevoegdheden krijgen. Het recht om te onderhandelen met derde landen zou onder toezicht van de Raad moeten komen. De eigen voorlichtingsorganen zouden worden vervangen door gemeenschappelijke (voor Raad én Commissie) en het budget zou onder scherpe controle worden gesteld. Eén punt kon Mansholt zich speciaal aantrekken: 'De leden der Commissie moeten de verplichting hebben in hun openbare verklaringen een terughoudende neutraliteit tegenover de politiek van de regeringen van alle lidstaten in acht te nemen.'[87]

Van dit pakket bleef uiteindelijk weinig over. Duitsland en Nederland keerden zich tegen de voorstellen en kozen de kant van de Commissie. De stekeligheden werden eruit gehaald. Wat overbleef waren relatief kleine punten, waarvan het niet in ontvangst nemen van geloofsbrieven van de ambassadeurs bij de EEG de belangrijkste was.[88]

'Luxemburg' markeerde het einde van een periode van stilstand en polarisatie. Dat was misschien al genoeg reden voor gematigd optimisme. Er was nog een ander, meer positief resultaat, namelijk de overeenkomst tussen de Fransen en de Duitsers over het gelijk oplopen van landbouw en industrie, de door Schröder in april 1963 gelanceerde synchronisatie. Die zou in mei 1966 haar beslag krijgen, na een marathonzitting waarbij de landbouwfinanciering gekoppeld werd aan de voltooiing van de douane-unie en een gemeenschappelijk standpunt in de Kennedyronde. Op dat moment was de crisis definitief overwonnen. Volgens de Britse historicus N. Piers Ludlow had de Gemeenschap tussen maart 1965 en mei 1966 haar les geleerd en was zij beter berekend voor de toekomst. 'If a little of the excitement had gone out of the Community's development, this was a reasonable price to pay for the gain in maturity, stability and poise.'[89]

Uitgangspunt voor de financiële regeling van mei 1966 vormde het voorstel van de Commissie van 22 juli. Het nieuwe element daarin was dat de Commissie na 1 juli 1967 de beschikking zou krijgen over 'eigen' – door de lidstaten geïnde – middelen: negentig procent van de importheffingen, aangevuld met een bedrag volgens een vaste verdeelsleutel. De regeling ging niet gepaard met toekenning van extra bevoegdheden aan het Europees Parlement. De Fransen hadden op dit punt hun zin gekregen. In Nederland moest Luns dreigen met een kabinetscrisis om het pakket door de Tweede Kamer te krijgen.[90]

Op de conclusie van Ludlow valt wel wat af te dingen. Zonder De Gaulle, zonder lege stoel en met behoud van Europees elan was men in mei 1966 misschien wel toekomstbestendiger geweest. En of de financiële regeling van mei 1966 'a reasonable price' was voor 'the gain in maturity, stability and poise' was bovendien nog maar de vraag. Mansholt had weliswaar een beleid op de rails gezet, maar hij wist dat er tekortkomingen aan kleefden. Politiek was dat noodzakelijk geweest om de zaak rond te krijgen. Het beleid was niet 'af'. Mansholt ging ervan uit dat hij het na 1 januari 1966 kon corrigeren met behulp van meerderheidsbesluiten, maar De Gaulle stak daar een stokje voor. Het democratische gat in de regeling van mei 1966 maakte de Gemeenschap *minder* stabiel. Er was onvoldoende controle op de kosten van het GLB en het duurde niet lang of de Gemeenschap werd opgezadeld met onverkoopbare overschotten. Edgard Pisani bevestigde dat in zijn memoires: De Gaulles legestoelpolitiek was er de oorzaak van dat het GLB niet tijdig kon worden aangepast.[91]

Het integratieproces kreeg een forse klap, niet alleen vanwege de vertraging van zeven maanden lege stoel. Er vond ook een machtsverschuiving plaats van de Commissie naar de Raad en het Coreper. Het akkoord was een grote nederlaag voor 'communautairen' die ervan waren uitgegaan dat de Commissie de economische regering van Europa kon worden. Er kwam een ruw einde aan de droom die in het Verdrag van Rome verborgen lag.[92]

Op papier was niets prijsgegeven van de integratiestructuur, maar de dynamiek werd in januari 1966 als het ware bevroren. Het moreel van de Commissie werd gebroken. Achter de schermen zaagden de Fransen ook onophoudelijk aan de stoel van de voorzitter, de personificatie van het elan van Brussel. Hallstein oogde als een vermoeid man.[93]

Zo lang De Gaulle er was, leek de Commissie zich niet veel te kunnen permitteren. De Franse president was niet ontevreden:

> Hallstein en zijn Commissie hebben een fout begaan. Ze hebben gedacht vaart te kunnen zetten achter het virtuele federalisme van het Verdrag van Rome, omdat wij de gemeenschappelijke landbouwmarkt wilden. Ze zijn erin geslaagd onze boeren tegen mij op te hitsen. Maar ze hadden niet verwacht dat wij compromisloos zouden reageren ondanks de naderende presidentsverkiezingen. Ze hadden ook niet gedacht dat ik van de gelegenheid gebruik zou maken het federalistisch perspectief te begraven, in plaats van het zich te laten vestigen zoals ze hadden gehoopt. Vandaag is de gemeenschappelijke landbouwmarkt een feit. Hallstein en zijn Commissie zijn verdwenen. De supranationaliteit is verdwenen. Frankrijk zal soeverein blijven.[94]

Mansholt leed een grote nederlaag. In *De crisis* liet hij zich er kort maar krachtig over uit. De Gaulle wilde de toenemende invloed van de Commissie de kop indrukken: 'een stukje kleinzielige nationale machtspolitiek.'[95] Mansholt had opnieuw de confrontatie gezocht, misschien extra stevig vanwege het succes van de graanmarathon. In de pers, in contacten met de lidstaten en binnen de Commissie was hij de man van de harde lijn.[96] Een voorzichtige aanpak lag niet in zijn aard. Mansholts stijl week wat dat betreft niet zo veel af van die van De Gaulle. Binnenskamers, tegenover Peyrefitte bijvoorbeeld, verloor de Franse president soms even zijn zelfbeheersing. Mansholt had daarvan meer last, ook naar buiten toe. De Commissie was niet opgewassen tegen De Gaulle.

Mansholt gooide de handdoek uiteindelijk niet in de ring. Hij voelde zich toch verantwoordelijk voor de voltooiing van 'zijn' landbouwbeleid. Verder was *niet* besloten de Commissie te muilkorven. Er was dus enige ruimte om te manoeuvreren in afwachting van het vertrek van De Gaulle.

Het politieke landschap waarbinnen Mansholt moest opereren was na 'Luxemburg' wel sterk veranderd. Pisani kreeg begin januari 1966 een andere post in het kabinet-De Gaulle; Hallstein was op zijn retour; de Europese ministers van Landbouw hadden de buit binnen (en wilden dat graag zo houden); de VS ondervonden steeds meer last van het GLB. Mansholt had omstreeks 1966 niet veel 'natuurlijke bondgenoten' meer over.

Mansholt houdt zijn hoofd koel. 'Als ik (...) helemaal met iets anders bezig ben (timmeren, houtsnijwerk), als ik buiten op mijn boot ben, dan denk ik heus niet aan meneer De Gaulle of iets dergelijks. Dan zijn mijn gedachten bij de elementen waarin ik verkeer.' [Collectie IISG]

Thuis met Jan en Theda in maart 1970.

# - 13 -

## FRUSTRATIE, ONRUST, VECHTPARTIJEN

Het thuisfront

'Hoe houdt U het hoofd koel tijdens deze crisis?' werd Mansholt in januari 1966 gevraagd. 'Met de boot of een oude stoel,' was het antwoord. 'Als ik (…) helemaal met iets anders bezig ben (timmeren, houtsnijwerk), als ik buiten op mijn boot ben, dan denk ik heus niet aan meneer De Gaulle of iets dergelijks. Dan zijn mijn gedachten bij de elementen waarin ik verkeer.' Wanneer hij 's avonds een paar uur over had, dan daalde hij af naar zijn knutselhok in de garage, draaide een lamp aan en boog zich over een paar stoelpoten, een vervallen bureau of een stuk interieur voor de boot.

Het interview maakte deel uit van een *special* onder de kop 'De super-boer' in *Elsevier* van 29 januari 1966, ten tijde van het Akkoord van Luxemburg. Mansholt zweeg over het akkoord, maar leek niet bij de pakken neer te zitten: 'Er zal hard gewerkt moeten worden om de achterstand weer in te halen en om te zetten in een voorsprong.'[1]

Mansholt was op dat moment 57 jaar, grootvader sinds een jaar. Alle kinderen waren het huis uit. Theda, de jongste, woonde sinds een paar maanden op kamers in Amsterdam en volgde een opleiding tot ergotherapeut. Ze trouwde in 1969, op een dag die ver van tevoren was vastgelegd in overleg met vader, zodat hij erbij kon zijn. Theda bleef daarna wonen en werken in Nederland.

Na de Europese school in Brussel vertrok Jan naar een kibboets in Israël. Hij bleef er een jaar, ging in militaire dienst en studeerde daarna landbouweconomie in Wageningen. Hij werkte tijdelijk als ontwikkelingswerker, eerst in Brazilië en later in Somalië. Zijn vader probeerde tevergeefs een baantje voor hem te regelen via directeur-generaal Addie Boerma van de FAO in Rome. In het archief zitten meer briefjes, waarin Mansholt zich opwierp als 'kruiwagen' voor Gajus, Jan of een van de schoonzoons.[2] Later vertrok Jan naar Italië, waar hij een kwekerij van shiitake paddenstoelen opzette, even ten noorden van Pisa. Vader heeft zich nog veel met het bedrijf bemoeid. Via een bevriende relatie bezorgde hij hem een stuk grond en daarna bouwde hij mee aan de machines.

Lideke, de oudste dochter, stond emotioneel het dichtst bij vader. Ze volgde een administratieve opleiding bij Schoevers en studeerde een jaar in Cambridge. Daarna ging ze aan de slag bij een internationaal congresbureau in Amsterdam. Zij trouwde met de jurist Boudewijn van der Gaag en vestigde zich met hem in Genève. Via Luxemburg kwamen ze terecht in Brussel. Van der Gaag werkte van 1971 tot in de jaren negentig bij het secretariaat van de parlementaire commissies van het Europees Parlement.

Oudste zoon Gajus koos voor de techniek. Na de MTS en een opleiding tot automonteur, werkte hij bij een bedrijf voor landbouwmachines en daarna voor een grote papierfabriek. Na zijn pensioen verhuisde hij naar Frankrijk. Beide zoons stonden weliswaar in de schaduw van hun 'grote' vader, maar hebben er nooit naar gestreefd in zijn voetsporen te treden.

Wanneer de kinderen thuiskwamen – tijdens de studie één of twee keer per maand; toen ze een eigen gezin hadden minder vaak – konden ze altijd meteen aan de slag. De klusjeslijsten hingen klaar. Er was geen sprake van dat ze maar konden gaan zitten niksen. Er werd ook vaak gewandeld en, natuurlijk, gezeild.

Hoe was het huwelijk in deze jaren? Mansholt ging op in zijn werk. Voor Henny bleef er weinig tijd over. In deze moeilijke jaren schikte zij zich in haar lot. Ze was op een heel ander terrein actief dan haar man, veel dichter bij huis. Ze accepteerde dat ze hem 'kwijt' was, maar hoopte dit na zijn pensioen te kunnen inhalen. Intussen onderhield ze de sociale contacten. Met de auto bezocht ze geregeld familie en vrienden in Nederland. Later was Henny kraamhulp bij haar dochters en schoondochters. Sicco had wél een hechte band met de familie, vooral met zijn broers, en er was regelmatig contact. Oud en nieuw werd gevierd bij Ubbo in Winsum of bij zus Minnie in Eefde. Oudste zus Aleid en haar echtgenoot wipten soms over uit Nieuw-Zeeland. Dan werd een speciaal program in elkaar gedraaid. Er kwamen ook wel neven en nichten langs in Brussel en soms op Sardinië.

Verder ging Henny nog altijd op stap als vrijwilligster. Ze bezocht bejaarden en was actief in de Young Women's Christian Association. In Brussel had ze Franse les en later – toen in 1966 het huis op Sardinië af was – nam ze cursussen Italiaans en kunstgeschiedenis. Ze zat in een literatuurclub en las veel kranten. In totaal zou ze achtennegentig plakboeken over haar man bij elkaar knippen. Die maken nu deel uit van het Mansholtarchief in Amsterdam.

Dan was er het werk thuis. Louise, de hulp in de huishouding, kookte als er gasten waren. De tuin deed Henny zelf. Ze zorgde voor een vertrouwde, huiselijke sfeer. Overigens deed haar man alle financiën. Volgens Theda was haar moeder 'het Lochemse bergtype' dat het liefst ging fietsen of paddenstoelen ging zoeken in het bos. Vader was heel anders. Die had 'iets' met de zee en het vlakke polderlandschap. Moeder niet. Lange zeiltochten waren niet aan haar besteed. Ze had ook vaak gezondheidsklachten: migraine en last van spanningen.[3]

## 'Het heeft hem toch wel erg aangegrepen'

In de paasvakantie van 1966, tijdens een zeiltocht op zijn boot, werd Mansholt getroffen door een acute buikvliesontsteking. Na een gecompliceerde operatie raakten zijn darmen verlamd en verkeerde hij een paar dagen in levensgevaar. Eind april mocht hij het ziekenhuis uit, onder de voorwaarde dat hij een maand absolute rust nam. 'Maar dat is onmogelijk,' schreef Henny op 3 mei in een brief. Er waren intussen al veel te veel 'zakenbezoekjes' geweest. 'Nu gaan we heerlijk naar ons huisje op Sardinië dat net klaar is en waar we zeker zijn van zon en rust. (...) Het heeft hem toch wel erg aangegrepen.'[4]

Mozer berichtte een van zijn contactpersonen omstreeks diezelfde tijd dat het wel een paar maanden zou duren eer Mansholt weer aan de slag kon. Achteraf bleek dit zelfs nog te optimistisch. Hij zou zich een half jaar nauwelijks met de EEG bemoeien, een grote leemte achterlatend. Dit toonde volgens Cointat aan dat vicepresident Mansholt een belangrijke plaats innam bij de opbouw van Europa. Koppig bleef hij doordraven, terwijl hij allang naar een dokter had gemoeten.[5] Nadat hij was gestuit door De Gaulle, stootte Mansholt op zijn eigen fysieke grenzen.

Eind april, vanuit zijn ziekbed, schreef Mansholt een brief aan Barend Biesheuvel, de Nederlandse minister van Landbouw sinds 1963. De twee hadden een nauwe band, die dateerde uit de tijd dat Mansholt minister was. Samen met Pisani maakte Biesheuvel deel uit van het Brusselse 'landbouwcomplot' tegen de Bondsrepubliek.[6] De brief begon aldus:

Wat ik je nu schrijf, Barend, moet je geheel los zien van mijn functie, doch geheel in het licht van mijn vriendschap t.o.v. jou (...) hier wil Sicco iets tegen Barend zeggen, omdat hij met iets in de knoop zit. Die knoop zit bij een andere vriend.[7] (...) Als je zo op je ziekbed alle gelegenheid hebt de dingen te overdenken, dan gaan je gedachten vooral uit naar problemen van mensen. Gelukkig maar, dat af en toe daarvoor ook de gelegenheid bestaat. Ik weet niet hoe het jou gaat, maar jaar in, jaar uit ben ik volledig in beslag genomen geweest door de politieke en zakelijke problematiek en heb aan mijn vrienden nauwelijks aandacht kunnen schenken.

Het viel hem moeilijk rust te nemen op het moment dat er zoveel op het spel stond, 'maar ik geloof dat dat het beste is, zodat ik weer helemaal op krachten ben als de grote beslissingen in de Ministerraad moeten worden genomen'. Intussen zou hij proberen een en ander op een rijtje te zetten met het oog op een plan voor de middellange termijn. Daarover wilde hij te zijner tijd wel met Barend van gedachten wisselen.

Ander punt was een eventuele terugkeer in de Nederlandse politiek. De aandrang kwam uit 'de kritische hoek' van de PVDA. 'Geheel in vertrouwen wil ik je zeggen, Barend, dat ik dit niet doe,' schreef Mansholt. 'Één van de belangrijkste redenen is wel, dat ik geen enkele behoefte heb de zaak in Brussel in de steek te laten – zeker nog enkele jaren hoop ik hier mee te bouwen. In de tweede plaats heb ik evenmin behoefte in de Nederlandse politiek met bepaalde partijgenoten, die het zo goed weten, in conflict te geraken.' Waarschijnlijk wilde hij geen ruzie met de beoogde lijsttrekker van de PVDA, Anne Vondeling. Die twee lagen elkaar niet.[8]

Op 25 augustus 1966 overleed Wabien. Ze werd 91. Haar laatste jaren sleet ze bij dochter Minke in Eefde. Wabien had een bijzondere band met haar tweede zoon. Hij verwerkelijkte min of meer haar eigen politieke ambities, de idealen die ze niet in de praktijk had kunnen brengen vanwege 'moederschapsplichten'. Zij hield hem bij de les. 'Als ze haar zoon Sicco ziet, spreken ze samen over politiek, over de EEG,' meldde *Elsevier* nog een half jaar voor haar dood. 'Ze schrijft hem er zelfs over en draait er niet omheen als ze het niet met hem eens is. Voor haar blijft Sicco de grote kleine jongen.'[9] Andersom gold hetzelfde. Hij voelde zich het jongetje van die bijzondere moeder. In de eerste zinnen van *De crisis* sprong dat er al uit:

*Meneer Mansholt, wat voor man bent u?* Dat weet ik niet. Ik ben niet zo'n navelstaarder. Ik geloof dat ik het kind gebleven ben dat ik vroeger was. *Goed wat was u dan voor kind?* Dat weet ik ook niet! Maar ik weet wel in wat voor omgeving ik leefde en hoe het bij ons thuis was. Ik zie mijn moeder…Ik was een jaar of vier, vijf, en zij stond in een grote wei die aan de horizon overging in een grauwe lucht. Middenin stond moeder op een kar, tussen een groep landarbeiders: klein, vurig, tenger, spraakzaam. Het was tijdens een verkiezingscampagne. Zij kwam op voor een socialistische kandidaat en stond strooibiljetten uit te delen. En die mannen, allemaal stevige landarbeiders, luisterden en stelden vragen.[10]

Wabien had een bijzondere band met haar tweede zoon. Zij hield hem bij de les, ook nog in Brussel. Wabien overleed in 1966 op 91-jarige leeftijd. [Beeldbank NA]

Sinds zijn ministerschap hield Mansholt zijn moeder regelmatig telefonisch en soms ook per brief op de hoogte van de politieke actualiteit. Hij bezocht haar ook regelmatig. Correspondentie uit die periode is er nauwelijks. Toen Mansholt in april 1966 in het ziekenhuis lag, stuurde Henny haar een brief met het laatste nieuws 'omdat Sicco telefoontjes nog vervelend en te vermoeiend vindt'. De brief over de toetredingsonderhandelingen met de Britten – daaruit is al eerder geciteerd – kreeg moeder in november 1962 aan boord van het schip dat haar naar Australië bracht, onderweg naar Aleid.

Later kreeg Mansholt via Luns een rapport onder ogen van de kapitein van dat schip, een emigrantenschip. Hij schetste daarin de toestand aan boord, onder meer dat een oude dame hem verzocht had Engelse les te mogen geven. Zij had ontdekt dat negen van de tien emigranten geen woord Engels spraken en vond dat schandalig. Sindsdien werd de ontbijtzaal elke ochtend ingericht als klaslokaal en gaf deze mevrouw Mansholt – de tachtig ruim gepasseerd – aan enkele honderden mensen Engelse les. Een sterk staaltje sociale betrokkenheid, waarover haar zoon in latere interviews graag vertelde.[11]

Een ander geval sloeg op Brussel. Twee weken na een debat in Straatsburg over parlementaire controle en budgetrecht stapte Hallstein op hem af:

en hij zegt: 'lieber Mansholt, daar heb ik zowaar een brief van uw moeder gekregen.' Was ist denn los, zeg ik tegen hem. (…) Lesen Sie mal, zei Hallstein. Er stond: Lieber Hallstein. Ik heb toevallig gehoord wat U daar heeft staan vertellen over parlementaire controle. Dat is onaanvaardbaar. Als U het begrotingsrecht vraagt, zult u eerst ook moeten eisen dat er parlementaire controle is. 'Keine Exekutive ohne Parlamentäre Kontrolle!' Ze had er een nijdig uitroeptekentje achter gezet. Hallstein was diep onder de indruk.[12]

Mansholt had bewondering en respect voor zijn moeder. Hoe groot was haar invloed op hem? Fungeerde zij als politiek kompas? Dat is moeilijk in te schatten. Mansholt was koppig, maar zijn moeder waarschijnlijk nóg koppiger. Verder was zij ideologisch onderlegd en haar zoon niet. Vaststaat dat hij – 'de grote kleine jongen' – naar haar luisterde. Wellicht gaf zij hem nog vaak het politieke houvast waarnaar hij op zoek was. In augustus 1966 viel dat weg.

In maart 1967 bestond het Verdrag van Rome tien jaar. Zowel beroepsmatig als privé had Mansholt het jaar ervoor een en ander moeten incasseren. Wat kon hij als politicus nog bereiken in Brussel? Het elan uit de beginperiode leek weggeëbd. Na 'Luxemburg' probeerden de zes alleen nog voor zichzelf het onderste uit de kan te halen. Europa was verworden tot een logge technocratie, juist op het moment dat er allerlei nieuwe politieke geluiden klonken, vooral bij de jeugd. De *swinging sixties* leken aan Brussel voorbij te gaan.

Toch had Mansholt geen behoefte de zaak in de steek te laten, precies zoals hij Biesheuvel in april 1966 geschreven had. Hij draaide de knop eenvoudig om. Ter gelegenheid van het tweede lustrum van het Verdrag van Rome presenteerde het dagblad *De Tijd* op 25 maart 1967 een paginagroot interview. Mansholt ontvouwde daarin zijn visie onder de veelzeggende kop: 'Dr. S.L. Mansholt kijkt naar de toekomst. Vertrouwen in herleving van Europees ideaal. Défaitisme nog erger dan nationalisme.'[13]

De journalist startte met de stelling dat de Europese geestdrift weg was, misschien wel definitief. Onder invloed van De Gaulle had het nationalisme de kop weer opgestoken. Mansholt gaf toe dat het politieke elan bijna verdwenen was. De zes konden het domweg niet met elkaar eens worden. Zolang de Fransen vasthielden aan hun intergouvernementele visie, was een federatie niet te realiseren. Dat kon nog enkele tientallen jaren duren. Het enige dat de

Commissie kon doen, was het Verdrag toepassen en in twaalf jaar de economische integratie tot stand brengen. 'Wij kunnen nog maar een paar jaar op deze voet doorgaan. Als het te lang duurt verdwijnt het Europese ideaal geheel, vooral bij de jeugd.'

Volgende vraag. De Engelsen stonden al even afwijzend tegenover supranationale organen als De Gaulle. Was het niet beter de Britten buiten de Gemeenschap te laten, totdat de zes hun politieke zaken goed geregeld hadden? Nee, aldus Mansholt, want dat laatste zou immers niet lukken. 'In het akkoord van Luxemburg is de besluiteloosheid van de Europese Ministerraad min of meer tot dogma verheven, omdat geen andere oplossing mogelijk was.' Op dat moment had het ook weinig zin de Fransen te isoleren. De zes moesten namelijk overeenstemming bereiken over een aantal belangrijke vraagstukken, zoals de toetreding van Engeland. Frankrijk had weliswaar voorwaarden gesteld, maar dat was nog geen veto.

De terugval naar nationalisme was volgens hem tijdelijk; niet meer dan een golfbeweging die je vaker zag in de geschiedenis. 'Dat benepen défaitisme is nog erger dan benepen nationalisme. Of doorgaan nog zin heeft is voor mij helemaal geen vraag. Er is trouwens geen alternatief. (...) Wij moeten doorvechten.' Twee weken na dit interview, op 10 mei 1967, verzochten de Britten opnieuw om toetreding. Dat hing al enige tijd in de lucht en leek de volgende, noodzakelijke stap.

## Irritatie na het tweede veto

Terwijl Mansholt en zijn Directoraat Generaal eind december 1966 de Britse Farmers Union informeerden over de EEG, probeerde Mozer Labour mee te krijgen, onder meer via de Socialistische Internationale. Een brief van Mansholt van 5 januari 1967 aan een bevriende relatie bevatte de opmerking: 'The big problem facing us is Britain's entry into the common Market. We can hardly wait to hear what the oracle in Paris will have to say, as you can imagine.'[14]

Op 1 februari 1967 spraken de commissarissen Mansholt, Rey en Marjolin met de Britse premier Harold Wilson en zijn minister van Buitenlandse Zaken George Brown. Hallstein ontbrak wegens ziekte. De Britten maakten een rondreis langs Europese hoofdsteden om de stemming te peilen. Wilson legde uit dat het menens was. Groot-Brittannië wilde erbij. De discussie spitste zich toe op drie vragen: hoe zag de verdere procedure eruit; wat waren de Britten in de toekomst kwijt aan het GLB; maakte toetreding de realisering van de gemeenschappelijke markt niet moeilijker? Mansholt gaf een algemene indicatie van de last die op de Britten zou terechtkomen. Aan de principes van het

GLB kon niet worden getornd. De commissarissen verzekerden dat punt drie geen probleem zou zijn, mits de supranationale instellingen krachtig genoeg zouden blijven.[15] Op 10 mei volgde, als gezegd, het Britse verzoek; het was nu wachten op het orakel.

Op 1 juli 1967 fuseerden EGKS, EEG en Euratom tot Europese Gemeenschap (EG). Het aantal commissarissen werd uitgebreid van negen naar veertien. Luns had Mansholt naar voren geschoven als opvolger van Hallstein, maar het was duidelijk dat de Fransen dit nooit zouden aanvaarden. Toch heeft Mozer nog gelobbyd voor de kandidatuur van Mansholt, bij de Italianen bijvoorbeeld. In een brief aan Altiero Spinelli prees hij zijn chef aldus aan:

> Mansholt was naast Hallstein de meest geprononceerde figuur in de Commissie. Hij had op een belangrijk terrein iets gerealiseerd wat op andere terreinen halverwege was blijven steken. Zijn vitaliteit is als drijvende kracht niet te onderschatten. Hij verpersoonlijkt de continuïteit van de Gemeenschappen in een moeilijke overgangsperiode a. intern: Economische-Unie, b. extern: fusies, onderhandelingen met Engeland, de Scandinavische landen. Mansholt heeft bewezen dat hij pragmatisch te werk kan gaan zonder het politieke doel uit het oog te verliezen.[16]

Een verlenging van de periode-Hallstein zat er niet in vanwege Franse tegenstand. De Duitser trok zich terug.[17] Jean Rey kwam op 5 juli als voorzitter uit de bus; Mansholt werd opnieuw vicevoorzitter. Marjolin werd vervangen door Henri Rochereau.

Rey was minder star dan zijn voorganger, maar de discussies binnen de Commissie leken scherper te worden.[18] 'Onze commissie gaat nu wat regelmatiger draaien, met een zwaar belaste agenda voor zich,' schreef Mansholt begin oktober aan Van der Lee in Dordrecht. (In januari 1966 had Mansholts oud-kabinetschef Brussel verruild voor een burgemeesterschap in Nederland.) 'Na een hard gevecht in de commissie, had ik het genoegen met zeven collega's juist de meerderheid te halen voor een negatief advies inzake een lening van 10 miljoen dollar van de Europese Investeringsbank [aan Griekenland].'[19] In de periode-Hallstein werd zelden gestemd. Onder een nieuwe voorzitter vocht Mansholt verder, met wisselend succes.

In september bracht de Commissie een positief advies uit over het Britse verzoek. Achter de schermen was er hard en discreet aan gewerkt door de Britten én de Commissie.[20] Mansholt was dan ook laaiend toen De Gaulle op 27 november 1967 de Britten opnieuw de voet dwarszette. Hij was zó kwaad dat hij dreigde de interne werkzaamheden te boycotten. Mozer geloofde er niets van: 'Zodra je bij nader overleg zou inzien dat hier stopzetten overeenkomt met liquideren, dan zou je tien jaar Europees integratiewerk niet kunnen, niet willen en niet durven prijsgeven.' Mansholts 'spelletje' met de schuldvraag vond hij zinloos. Daarop kreeg Mozer een scheldpartij van Mansholt over zich heen, waarop hij later schriftelijk reageerde:

Met minachting heb je vanmorgen gezegd: business as usual. Daarop zeg ik: na en? (...) Heb je het recht van een economische gemeenschap iets anders te verwachten? Wij hebben het politieke spel met de Europa-Raad verloren; wij hebben het militaire spel met de EDG verloren. En wij zijn met de economische integratie begonnen om tenminste aan één aspect van de integratie te werken. Kon dit uiteindelijk iets anders zijn dan 'zaken doen'?
Om weer door te breken naar een grote conceptie, die aan de jeugd meer biedt dan verordeningen, zullen wij twee dingen behoren te doen: 'in zaken' in de kleine steentjes lopen omdat er tot meer de wil en de macht ontbreekt. Daarnaast zouden wij eindelijk weer aan de orde moeten stellen waarom wij aan de integratie begonnen zijn.(...) Die vraag is door tien jaar 'zaken doen' in de schaduw komen te staan. Daarbij vind ik dit zaken doen op gemeenschapsbasis helemaal niet kwaad en nog minder overbodig. Er zijn krammen geplaatst, die ons later te pas zullen komen. (...) Zolang er niet weer een openbare mening in Europa ontstaat, die het politieke doel van de integratie aanvaardt, is er geen perspectief voor deze gedachte.
Tenslotte wil ik je bekennen, hoe ik tot deze voor jou kennelijk teleurstellende opvatting ben gekomen: ik heb dezer dagen jouw en mijn uitlatingen van 1963 herlezen. Als ik dan aan de daarop volgende vijf jaar denk, dan heb ik eenvoudig niet meer de moed genoegen te nemen met mijn – naar ik meen – nog altijd gerechtvaardigde uitbarstingen. Ferdinand Lassalle zegt: uitspreken wat de feiten zijn. Opwinding over deze onprettige feiten: dat is nog geen program. Ik zoek er een in het kader van de gegeven mogelijkheden.[21]

Mozer baseerde zich op de ervaringen na het eerste veto en wilde uitgaan van de gegeven mogelijkheden, de realiteit. Mansholt neigde ertoe zijn politieke intuïtie te volgen, koppig en gedreven. Mansholt en Mozer: het hart wilde naar links, het hoofd zei naar rechts.

Mansholt vond dat fundamentele tegenstellingen de gehele ontwikkeling van Europa meer en meer frustreerden. 'Wij blijven natuurlijk hopen op een keer in de gebeurtenissen om de kans te grijpen een doorstoot naar de werkelijke politieke gemeenschap te doen,' schreef hij in mei '68 aan een van zijn vrienden. 'Maar geduld voor járen is soms heel moeilijk en af en toe bekruipt mij de vrees dat het getij onherroepelijk verloopt. Maar dan leert mij de nuchtere realiteit dat er geen alternatief is! En wij werken en vechten door.'[22] Mozer, zijn politieke klankbord, had hem kennelijk tot rede gebracht.

Op naar de volgende confrontatie. Na de gaullistische verkiezingsoverwinning in juni 1968 werd Mansholt in een interview gevraagd wat dit betekende voor de politieke eenwording van Europa. 'Het zal er niet makkelijker op worden,' was het antwoord. Hij noemde drie punten 'waarbij de politiek van de Franse regering niet bepaald stimulerend is': de democratische structuur, de institutionele werking en de uitbreiding met nieuwe leden. De nieuwe Franse minister van Buitenlandse Zaken Michel Debré – 'plus gaulliste que De Gaulle,' aldus de *NRC* – reageerde daarop met een brief op poten aan Rey: 'De vice-voorzitter heeft dingen gezegd welke ongeoorloofd zijn en de Fransen diep in hun nationale gevoel hebben gegriefd.' Hij beschuldigde Mansholt ervan op ernstige wijze tekort te zijn geschoten in zijn verplichting tot onpartijdigheid.

'De heer Mansholt legt reeds sedert jaren van tijd tot tijd dergelijke verklaringen af. Zij hebben zowel mijn voorganger als mijzelf nogal wat zorgen gebaard,' antwoordde Rey. Mansholt had volgens hem alleen namens zichzelf gesproken. Europa had veel aan hem te danken en moest dit soort uitlatingen maar op de koop toe nemen. Dat antwoord schoot Mansholt in het verkeerde keelgat: 'Met Hallstein heb ik wel eens verschil van mening gehad over de opportuniteit van een uitspraak op een gegeven ogenblik,' schreef hij Rey, 'maar nimmer over het recht van een politieke meningsuiting.' Rey ging kennelijk akkoord met de Franse opvatting dat commissarissen neutraal moesten zijn. Daarmee was Mansholt het niet eens. Neutraliteit was iets anders dan onpartijdigheid. 'De Commissie is een politiek orgaan, haar leden zijn politici die het Europees belang te dienen hebben. Tot het dienen van het Europees belang, zoals *zij* dat zien, behoort het geven van een politiek oordeel. In haar absolute onafhankelijkheid zal de Commissie zelve beoordelen wat daartoe behoort,' aldus Mansholt.

Rey reageerde gepikeerd. Hij vond Mansholts kritiek onjuist, onbillijk en zelfs kwetsend. Minister Debré werd door Mansholt getrakteerd op een lange brief over de taak van een commissaris. De Fransman antwoordde met slechts twee zinnen. Mansholts brief zei hem helemaal niets. Een even lang antwoord zou hem ertoe gebracht hebben Mansholt eens flink de waarheid te zeggen, maar hij wilde hem niet kwetsen.[23] Alle drie boos.

Kerend getij?

'Wij moeten het schip gereed houden om te kunnen profiteren van het kerend getij,' dat was de kern van de rede die Mansholt 21 september 1968 hield op een Congres van de Europese Beweging in Rotterdam. De Gemeenschap was terechtgekomen in 'een periode van frustratie'. Het was zaak de noodzakelijke technische stapjes te blijven zetten en de bezieling vast te houden. Intussen gleed Europa af 'tot een tweede- of derderangs element in het wereldgebeuren'. Hij deed een beroep op de protesterende jeugd van Europa, die juist grote belangstelling toonde voor de Derde Wereld en voor ontwapening, terwijl de stem van het politieke Europa 'verwaaide op de wind van machteloosheid'.

> Tien jaar lang hebben onze sociologen verteld dat er een apolitieke en slechts materialistisch georiënteerde jonge generatie op komst is. Gelukkig, niets is minder waar! Deze rebellerende jeugd is politiek geëngageerd en veelal juist geïnteresseerd in waarden die ver boven het materialistische uitgaan. Ik zal mij dan ook wel hoeden deze jeugd te verguizen. Maar ik stel haar wel de vraag: is het en mag het een antwoord op het onbehagen tegenover deze tijd zijn, wanneer men vandaag de ruiten van de Amerikaanse en morgen die van de Sovjetrussische ambassade ingooit? Waarom vervloekt gij niet die nationale buitenlandse politieken die elkaar vliegen trachten af te vangen en daarbij allen hun onmacht aantonen?[24]

Mansholt probeerde een brug te slaan naar de jeugd. Of het wat opleverde, valt te betwijfelen. De Commissie en de Europese Beweging maakten juist deel uit van het establishment dat bestookt moest worden.

Toch zou de rebellerende jeugd het tij voor Europa keren, zij het via een omweg. In de lange nasleep van de studentenopstand in Parijs (mei 1968) viel het grote obstakel voor verdergaande integratie weg. Op 28 april 1969 trad De Gaulle af. De politieke crisis in Frankrijk ging gepaard met een economische. In augustus besloot de Franse regering tot een devaluatie van de franc. Duitsland reageerde met een revaluatie van de mark. Terugkijkend in maart 1971 analyseerde Mansholt dat deze monetaire schok een eind maakte aan 'de periode van frustratiepolitiek'. Europa werd wakker geschud; de motor moest weer gaan draaien. De topconferentie van regeringsleiders van de zes in Den Haag op 1 en 2 december 1969 vormde volgens Mansholt het keerpunt.[25]

Mansholt werd in het jaar 1969 vrijwel volledig in beslag genomen door het structuurplan dat hij in december 1968 gelanceerd had. In zijn archief zit een brief die hij twee maanden vóór de Haagse topconferentie schreef aan partijgenoot en Europarlementariër Henk Vredeling. Daarvan druipt het ongenoegen nog af. Zelfs het parlement leek niet vooruit te branden. De brief werpt ook een bijzonder licht op de verhouding tussen Mansholt en (een deel van) het Europees Parlement.

Wat was het geval? Met het oog op de top had het parlement gesproken over zijn bevoegdheden. Dat was een tam debat geworden, waarin Vredeling de Commissie verweten had weinig activiteit te ontplooien en de koppeling tussen eigen inkomsten en bevoegdheden van het parlement te hebben losgelaten. Dat liet Mansholt niet op zich zitten:

> Nu breekt mijn klomp! Ben je zó slecht op de hoogte van de werkelijke gang van zaken (...). Van *mij* komt het voorstel in de Commissie om aan het Parlement te vragen wat *zij* [het parlement] nu eigenlijk denkt welke bevoegdheden zij moet hebben. (...) de Commissie zou gaarne willen weten of de gedachten van het Parlement neergelegd in het rapport, ik meen van 1965, nog dezelfde zijn. (...)
> Wel bedroevend was het antwoord van het Parlement. [Het] kan niet verder komen dan het verwijzen naar de resolutie van 1965 d.w.z. de budgettaire contrôle. Alsof er sedert 1965 niets is veranderd. Wij hebben een begroting die naar de drie miljard dollar loopt waarvan 5/6 landbouw. Alles wordt beslist bij de landbouwprijzen en de marktregelingen, invloed van het Parlement werkelijk nul en nog vraagt het Parlement geen wetgevende bevoegdheid! En in plaats dat het Parlement in oktober een groot debat gaat wijden aan [zijn] eigen positie (...) weet [het] niet beter te doen dan te zwijgen en te verwijzen naar een totaal verouderde resolutie.[26]

Mansholt beschouwde de top van Den Haag als een nieuw begin. Ten eerste omdat de Gemeenschap zich op die top een nieuw politiek doel stelde: de verwezenlijking van een monetaire en economische unie. Dat betekende dat er beslissingen genomen zouden moeten worden op basis van voorstellen van de Commissie. De motor van de politieke integratie zou weer gaan draaien. Ten tweede vanwege de afspraak dat gestart zou worden met onderhandelingen met de Britten over toetreding. De top werd overigens gedomineerd door de regeringsleiders. Mansholt had nauwelijks invloed op de uitkomst ervan.[27]

Een paar weken na Den Haag werden de zes het eens over de regeling van de landbouwfinanciering, inclusief een beperkte uitbreiding van de budgettaire bevoegdheden van het parlement. Een koppeling met Mansholts structuurplan durfde men niet aan.[28] In de loop van 1970 leek het tij te keren:

Alfred Mozer was van onschatbare waarde als perschef, ideoloog, sparringpartner, diplomaat, spion en tekstschrijver. 'Je moet niet alleen voor je commissaris werken, maar je moet hem ook laten lachen,' schreef Mozers vrouw bij deze foto.

De Gaulle was weg. Zijn opvolger Georges Pompidou en de Duitse bondskanselier Willy Brandt – de twee die op de top de lijnen hadden uitgezet – kozen voor uitbreiding en verdieping; in juni van dat jaar klopten de Britten opnieuw aan.

Daarnaast dreigde een groot verlies voor Mansholt. In maart 1970 ging Alfred Mozer met pensioen. Hij was van onschatbare waarde: perschef, ideoloog, sparringpartner, diplomaat, spion en tekstschrijver. 'De hand aan de Duitse pols gaat verloren en het zal niet gegeven zijn daarin te voorzien,' schreef een insider. Toch lijkt Mansholt daaraan op een of andere manier een mouw te hebben gepast. Mozer bleef tot december 1972 op Mansholts verzoek regelmatig rapport uitbrengen over politieke ontwikkelingen rondom Europa.[29]

'U bent de meest merkwaardige kabinetschef die we ooit hebben gehad,' zei Rey bij het afscheid van Mozer. 'U heeft nooit enige aandacht of gevolg gegeven aan de politiek van mij, aan die van Mansholt, aan die van Hallstein.

U bent altijd politiek uw eigen weg gegaan. Als onze conceptie met die van u in overeenstemming was, dan vond u dat leuk, maar verder heeft u zich daaraan niet gestoord.' Bij diezelfde gelegenheid verklaarde Mansholt dat hij niet geheel ontevreden was, maar vooral bijzonder trots dat hij uit deze kabinetschef in tien jaar een boer had weten te maken. 'Daaruit blijkt de superioriteit van Mansholt,' antwoordde Mozer gevat, 'want hem is het dus kennelijk gelukt van mij een boer te maken, terwijl het mij niet gelukt is van hem een socialist te maken.' Rey vroeg Mozer daarop wat hij verstond onder een kabinetschef. 'De kabinetschef is natuurlijk een ondergeschikte functie,' luidde het antwoord. 'Dat betekent dat hij dommer moet lijken dan zijn commissaris is.'[30]

Het beruchte plan

Landbouwstructuurbeleid is altijd een heikel punt. De 'boerenvrijheid' komt in het gedrang. Kleine bedrijven leggen vaak het loodje, terwijl ook de grootste boeren geconfronteerd worden met lagere prijzen, dus minder winst. De slotverklaring van de conferentie van Stresa (1958) bevatte een verwijzing naar structuurpolitiek, maar daarvan was weinig meer vernomen sinds Mansholt besloten had voorrang te geven aan de markt. Hoofddoel was *niet* de beste landbouwpolitiek te voeren, maar Europese integratie in het algemeen. Het GLB was in de jaren zestig zelfs de motor van die integratie: zeventig procent van de vergadertijd van de Raad en vijfennegentig procent van de Europese begroting werden eraan gespendeerd.[31]

Het GLB werd gebouwd met 'politieke' prijzen. Om de zaak rond te krijgen, werden op de valreep nog een reeks douceurtjes uitgedeeld aan de zes ministers van landbouw: royale interventies, hoge prijzen – vooral voor melk – en ruime quota. Mansholt was er medeschuldig aan onder het mom van: 'Beter een slecht besluit dan geen besluit.' Op 1 juli 1968 was het doel bereikt: de gemeenschappelijke markt voor landbouwproducten. De landbouw vormde geen obstakel meer voor verdere integratie van Europa.[32]

In *De crisis* schreef Mansholt dat het hem vanaf het begin te doen was om 'sociale structuurpolitiek'.[33] Jonge boeren moesten een eerlijke kans krijgen om volwaardig mee te draaien in de moderne maatschappij (lonende exploitatie; een redelijk inkomen; recht op normale vakanties enzovoort voor het efficiënte bedrijf). Brussel moest de bevoegdheid krijgen de sociale en structurele omstandigheden waaronder de boeren werkten gelijk te trekken.

De strijd om de structuurpolitiek vergde een andere strategie dan voorheen. De douane-unie was immers voltooid. Landbouwplannen, waarvan vooral

V.l.n.r. Heringa,
Mansholt, Rabot en
Broder-Krohn in 1967.
De kern van de table
ronde, de denktank die
de plannen uitdokterde.
[Collectie IISG]

Fransen en Nederlanders profiteerden, konden niet meer worden vastge-
knoopt aan voordelen voor de industrie, de drijfveer van de Bondsrepubliek.
Koppeling van structuurvoorstellen aan prijsmaatregelen was problema-
tisch. Hogere prijzen zouden de zwakke structuur juist in stand laten, terwijl
lagere prijzen politiek onhaalbaar bleken. Elk land had weer een ander product
waarvan het stelde dat 'vitale belangen' eisten dat de prijs ervan niet verlaagd
werd – de erfenis van het Akkoord van Luxemburg. Het Comité Spécial Agriculture (CSA, de 'landbouw-PV's') was er bovendien in geslaagd zijn positie
te versterken.[34] Ambtenaren en ministers van Financiën en Economische
Zaken slaagden er nauwelijks in daartegen een vuist te maken. Het groene
front, de CSA voorop, schoof voortdurend het argument naar voren dat het
inkomensverschil tussen de landbouwsector en de rest van de maatschappij
steeds verder toenam. Dat was een sterke troef.

Wat te doen? Mansholt probeerde aanvankelijk met geld uit landbouw-fondsen werkgelegenheid buiten de landbouw te scheppen in economisch zwakke gebieden, maar zijn collega-commissarissen beschouwden dat als een inbreuk op hun competentie en staken daarvoor een stokje.[35] Om vooruit-gang te boeken – en het structuurbeleid uit nationale handen te trekken – had Mansholt een crisis nodig. De landbouwoverschotten rezen in de tweede helft van de jaren zestig de pan uit. Het GLB dreigde ten onder te gaan aan zijn eigen succes. Voor Mansholts strategie kwam dat goed van pas. Vanaf eind 1967 probeerde hij welbewust via shocktherapie een crisissfeer op te roepen teneinde de zaak naar zijn hand te kunnen zetten.

Een kleine werkgroep van het DG VI (Landbouw), onder leiding van Hans-Broder Krohn, dokterde vanaf oktober 1967 achter de schermen aan een plan. Wat was het aandeel van Mansholt hierin? De Britse landbouweconoom Edmund Neville-Rolfe schreef er het volgende over in *The politics of agriculture in the European Community*. Hij werkte indertijd in Brussel en sprak met ambtenaren van de Commissie die bij het plan betrokken waren.

> Krohn had been the moving spirit in the work of the group, but once the group's views had been presented to Mansholt, the commissioner himself became closely involved in their elaboration. It was characteristic that he should take account of his officials' views. If he agreed with them he would, with his considerable flair for publicity, adopt them as his own. On the other hand, if they failed to gain public acceptance, he would not disown them. As a result, as agriculture commissioner he commanded considerable loyalty in D-G VI.[36]

In november in Düsseldorf, op een grote vergadering van COPA, de koe-pel van Europese landbouworganisaties, lichtte Mansholt voor het eerst een tipje van de sluier op. Zeer veel boeren zouden het veld moeten ruimen, een enorme oppervlakte onrendabele grond moest uit productie worden geno-men en de omvang van de resterende bedrijven zou drastisch moeten toene-men. Rehwinkel reageerde meteen woedend. Het familiebedrijf werd volgens hem de nek omgedraaid en boeren werden bij elkaar geveegd in kolchozen.[37]

Mansholt probeerde intussen ook iets te doen aan de kant van de prijzen. Hij liet zich daarbij leiden door de productiecijfers en door de financiële con-sequenties voor het landbouwfonds, niet door de inkomensontwikkeling. Dat viel slecht bij de boeren, ook al omdat hij het door hem zelf zo hoog geprezen overleg met de organisaties enigszins uit de weg leek te gaan. Maar de cijfers logen er niet om. Sinds 1960 was de EEG-productie van graan met vijfentwintig procent gestegen en van melk met twaalf procent, terwijl de consumptie achterbleef.[38]

Dat was logisch, want boter was vier keer zo duur als margarine. Aan de andere kant steeg de gemiddelde prijs die de boer voor zijn boter ontving – het door Brussel gegarandeerde minimum – tussen 1960 en 1967 met vijfentwintig procent. Het was dus ook logisch dat de productie toenam. De boterberg groeide van 79.000 ton in 1966 via 130.000 ton in 1967 tot 140.000 ton in april 1968. Op dat moment werd berekend dat er bij ongewijzigd beleid jaarlijks 40.000 ton bij zou komen. Brussel kocht het spul op en probeerde het op de wereldmarkt te dumpen. (Afzet beneden de garantieprijs *binnen* de EG zou de Gemeenschap per saldo meer geld kosten.) Eind november 1967 werd op elke kilo boter vier gulden toegelegd (restituties aan de exporteur). Daarnaast was de Gemeenschap een enorm bedrag kwijt aan de bewerking, opslagkosten en koelhuisboterkorting. In maart 1968 stelde Mansholt een prijsverlaging voor om de overschotten weg te werken, maar na een storm van protest onder de boeren werd het voorstel door de Raad van tafel geveegd. In mei, tegen de achtergrond van allerlei andere protestbewegingen en onder druk van de totstandkoming van de douane-unie, kwam er zelfs opnieuw een royale zuivelregeling uit de bus. Eind 1969 lag er dan ook een berg boter van 350.000 ton.[39]

'In de politiek moet je soms schokken, de zaken scherp stellen,' beweerde Mansholt in *De crisis*. Heel vaak waren politici te bang, en hij snapte eigenlijk niet waarvoor:

[In 1970] vroeg het Franse kamerlid Maurice Faure me om in zijn kiesdistrict te komen spreken. 'Maar, beste Sicco, geen woord over structuren en sociale vraagstukken. Daar zijn ze te gevoelig voor. Alleen maar over de markten …' Ik sprak vrij. 'Velen van u zijn gevangen in [uw] bedrijven. U zou best willen moderniseren. U wilt dat er op uw boerderij plaats is voor de jeugd. Of dat zij anders uit de landbouw weg kunnen. Maar waar zijn de scholen om hen op een nieuw beroep voor te bereiden? (…)' Ik had aan vier minuten genoeg. Het hele debat ging verder over de noodzaak van een structuurpolitiek en van regionale ontwikkeling. En zo ging het bijna altijd. Veel politieke leiders weten niet waar de moeilijkheden van de landbouw liggen en zijn bang voor een duidelijke en soms harde politieke lijn.'[40]

In december 1967 zou hij spreken op de jaarvergadering van de Groninger Maatschappij voor Landbouw, een thuiswedstrijd bij de organisatie van grootvader Derk Roelfs. Hij werd ziek, maar gaf aan geen plaatsvervanger te willen.

Mansholt had iets belangrijks te zeggen en wilde dat *zelf* doen, in zijn eigen Groningen. De vergadering werd uitgesteld tot 16 februari 1968.

Het werd een historische rede. Mansholt betoogde dat het gezinsbedrijf een te zware fysieke en morele belasting voor het boerengezin was geworden. Het kon de steeds verder groeiende productie niet bijbenen. Hij zag de oplossing in samenwerking in grotere eenheden. Daarbinnen zouden een behoorlijk inkomen en een redelijke arbeidsverdeling kunnen worden gerealiseerd, zodat de boer en zijn gezin meer vrije tijd kregen, net als de rest van de maatschappij. De ideale omvang van een akkerbouwbedrijf lag volgens hem tussen vijfhonderd en duizend hectare; de minimale productie-eenheid in de veehouderij was een bedrijf met vijf werknemers en vierhonderd melkkoeien. Dat waren schokkende cijfers, zelfs in Groningen. Al in de pauze barstte een enorme discussie los, waarbij opnieuw het woord kolchoz viel.[41]

Op gezette tijden ontplofte een plan-Mansholt in een zwaarbewolkt Brussel. Als een bom. Dat beeld schetste Cointat in *Les couloirs de l'Europe*. Het laatste plan kreeg veel publiciteit en bracht onrust tot in de kleinste dorpjes. Mansholt provoceerde met opzet – 'un peu révolutionaire' – om de zaak op gang te krijgen. Het was zijn verdienste dat hij, met zijn bekende vrijmoedigheid, het werkelijke probleem van de Europese landbouw aan de orde stelde: 'Ou bien maintenir une agriculture de mendiants, ou bien construire une agriculture industrielle et competétive.' Armoedzaaiers of moderne boeren? Dat was de vraag.[42]

Op 10 december 1968 lanceerde Mansholt zijn plan 'Landbouw 1980', onderdeel van het *Memorandum inzake de hervorming van de landbouw in de EEG*, dat op zijn beurt weer deel uitmaakte van een zesdelig dossier van honderden pagina's. Centraal stond de verouderde productiestructuur, hét knelpunt in de Europese landbouw. Vijfenzeventig procent van de bedrijven was te klein en bood slechts rationeel werk aan ¾ boer of minder. Het prijsmechanisme werkte niet: de productie werd niet automatisch aangepast aan de consumptie. Garantieprijzen waren immers gebaseerd op sociale en politieke overwegingen, niet op economische. Er waren zuivel-, suiker- en graanoverschotten en met de appels, de perziken en tomaten dreigde het dezelfde kant op te gaan. Intussen bleven de boereninkomens relatief laag.

Het plan beoogde de landbouw in tien jaar te herstructureren in 'rationele eenheden'. Daarin kon rendabel geïnvesteerd worden, terwijl de boer een redelijk inkomen zou ontvangen. Overschotten werden weggewerkt via het marktmechanisme c.q. lagere prijzen. Doel was de garantie-uitgaven voor 1980 te beperken tot 750 miljoen rekeneenheden (lees: dollars). Daartegenover zou een flinke verhoging van structuuruitgaven moeten staan.

In de praktijk kwam het erop neer dat van de tien miljoen boeren die de Gemeenschap omstreeks 1970 telde er vijf miljoen zouden overblijven. Binnen tien jaar zou de helft verdwijnen. Het *Memorandum* omvatte een gedetailleerd en kostbaar program om dat te begeleiden: te scheppen arbeidsplaatsen in andere sectoren, een financiële regeling voor pensionering en vervroegde uittreding, fondsen voor studiebeurzen, startsubsidies voor gefuseerde bedrijven, een premieregeling voor de slacht van melkkoeien, het uit productie nemen van vijf miljoen hectare marginale grond (ter vergelijking: de totale oppervlakte van Nederland is 3,5 miljoen ha). Van dwang zou geen sprake zijn, de vrije wil stond voorop. In 1980 was er nog plaats voor drie bedrijfstypen: gespecialiseerde kleinbedrijven; nieuwe productie-eenheden (PE) met een 'optimale' omvang (80-120 ha voor granen; 40-60 ha voor melkvee; 450-600 varkens per bedrijf etc.); moderne landbouwondernemingen (MLO), ontstaan door fusies.[43]

Tegelijk werd voorgesteld de prijsgaranties te bevriezen. De boter zou zelfs met dertig procent omlaag moeten. Om de boterberg op te ruimen, stelde Mansholt ook voor een heffing op margarine te leggen van maar liefst zestig procent. De opbrengst zou terugbetaald worden aan ontwikkelingslanden, de leveranciers van grondstoffen. Unilever en de Nederlandse regering zetten hem onder druk dit voorstel te schrappen, maar hij trok zich er niets van aan.[44]

Het plan-Mansholt maakte duidelijk dat het traditionele familiebedrijf geen toekomst meer had. Het sloeg in als een bom. Een Brabantse boer greep onmiddellijk naar de pen en stuurde het Landbouwschap de volgende boze brief:

Wij boeren hebben van de vroege morgen tot de late avond gesjouwd, geploeterd om een eigen bedrijf te hebben. Hier te lande is het veel gemengd dus vakantie is er nooit bij. Vroeger hadden de boeren op 25 stuks vee meid en knecht, en nu op 50 stuks één man, de baas zelf. Maar het is nog niet genoeg. Het moeten in 1980 bedrijven zijn van 200 stuks, dus nog maar wat harder sjouwen. Ik dacht dat de slaventijd uit het verleden was, maar gegarandeerd komt hij weer als tenminste Mansholt aan het bewind blijft ... Ik hoop heren dat jullie in het belang van ons zelfstandige, U zult verzetten, zodat minister Mansholt verslagen wordt met zijn communistische plannen, want wij beschouwen het hier als een ramp.[45]

Wie wind zaait, zal storm oogsten. Met een flinke klap probeerde Mansholt lidstaten en landbouworganisaties in beweging te krijgen, maar de klap werkte als een boemerang. De opname in het *Memorandum* van PE's en MLO's bleek al gauw een tactische blunder, die het tegenstanders mogelijk maakte alle demagogische registers open te trekken: Mansholt was een technocraat die welbewust streefde naar een industriële landbouw met modelfabrieken en kolchozen; een socialist die de kleine boer de nek wilde omdraaien. Het gegoochel met cijfers werkte ook in zijn nadeel. De nadruk viel op het concrete getal van vijf miljoen, niet op het aspect van vrijwilligheid en de sociale maatregelen ter begeleiding van het proces.[46]

'With the Mansholt memorandum the Commission has taken a position which may be good economics, but the political wisdom of which is questionable,' stelde de auteur van een proefschrift over de Franse landbouw en de EEG al in 1969. Hij wees erop dat de gaullisten zich zelfs konden opwerpen als verdedigers van de kleine Franse boeren tegen de meest ernstige gevolgen van het plan. Maar het ging Mansholt niet in eerste instantie om 'good economics'. Hij wilde greep krijgen op de *totale* landbouw, inclusief structuurbeleid. Dat was omstreden vanwege het prijskaartje en het aspect van de nationale soevereiniteit. Het plan was verder vrij onschuldig. 'Socialisme' stak hooguit in de regel dat op een bedrijf een x-aantal mensen moest werken, dat normale werkweken en vakanties mogelijk waren; of in het idee ouderen 'waardig' met pensioen te laten gaan, zodat jongeren een kans kon worden geboden. Mansholts sociale bewogenheid speelde ook mee: 'Those who speak with romanticism of the family farm either don't know what they are talking about or else they're lying,' zei hij indertijd in een speech. 'Veel boeren op kleine bedrijfjes leden armoede en verkeerden in een onmogelijke sociale positie,' herhaalde hij twintig jaar later.[47]

In een interview in de laatste week van december 1968 zei Mansholt dat hij niet verbaasd was over alle kritiek. In het begin ging dat altijd zo. 'Iedereen schreeuwt moord en brand. Dat herhaalt zich nog wel een keer. De derde golf is pas belangrijk. Meestal worden de plannen dan door iedereen geaccepteerd.' Vreesde hij niet dat een van de lidstaten er een halszaak van zou maken? 'Wel nee,' blufte hij, 'Waarom? Het is een goed en reëel plan. Over enige tijd zal iedereen dat gaan inzien.' De kleine boerderij was ten dode opgeschreven.

Mansholts agenda was overvol in deze periode. Twee drukke dagen hieruit, samengevat in een artikel in de *Haagse Post* uit die tijd:

> Maandag 9 december: 9 uur 's ochtends op kantoor; 10 uur vergadering van de ministerraad over voedselhulp aan de ontwikkelingslanden; 1 uur voorbereiding voor de vergadering van de landbouwraad; 4 uur vergadering landbouwraad, die met een korte onderbreking tot 11.00 's avonds duurde; 12 uur 's nachts naar kantoor en gewerkt aan speech voor de

volgende dag; 3.30 Mansholt trekt zijn kantoordeur achter zich dicht. Dinsdag 10 december: 9 uur 's ochtends ministerraad waarin Mansholt een speech houdt van 1 ½ uur; 11 uur persconferentie met radio en tv; 1 uur lunch ministerraad; 3 uur debat landbouwparlement; 4.30 uur vraaggesprek met een redacteur van het Franse weekblad L'Express; 6.30 uur bespreking met medewerkers op kantoor; 8.00 uur Mansholt verlaat zijn kantoor op weg naar een diner hem aangeboden door [de bankier] baron De Lambert.[48]

In januari 1969 stond het *Memorandum* op de agenda van de Raad, maar de landbouwministers schoven de behandeling op de lange baan. De Fransen weigerden het structuurbeleid op gemeenschapsniveau te tillen. 'Ze lopen als katten om de hete brij heen,' merkte Mansholt op. Overschotten stapelden zich intussen op. Toen de opslagcapaciteit begon tekort te schieten, werd besloten magere melkpoeder en boter tot veevoer te verwerken. Uit angst voor de publieke opinie werd 'boter' omschreven als 'geconcentreerd vetstof uit melk'. Peru, een belangrijke producent van veevoer (vismeel en visolie) én nota bene een land waarop de Nederlandse ontwikkelingshulp zich concentreerde, werd getroffen door een exportverlies van 70 miljoen dollar.[49]

De barricaden op

Twee jaar lang sjouwde Mansholt met zijn plan door Europa. Hij lokte discussies uit tot in alle uithoeken en op allerlei niveaus. In de geschiedenis van de Europese integratie was de publieke opinie zelden zo nauw bij een zaak betrokken. Het rumoer rondom het plan was vergelijkbaar met de schok van het veto van De Gaulle in 1963. Dacht Mansholt 'zijn' boeren werkelijk te kunnen overtuigen? Overal stuitte hij op protesten en hectische taferelen. Dat hoorde er in die woelige jaren allemaal bij. Mansholt over zijn strijd op de barricaden, opnieuw uit *De crisis*:

Het is niet makkelijk geweest er de boeren van te overtuigen dat hun belangen mij ter harte gingen en dat mijn voorstellen serieus waren. De discussies met hen over mijn rapport liepen uit op een ware veldslag (…). In 1968, 1969 was ik twee dagen per week op pad. Het kostte me een derde van mijn tijd. Bijeenkomsten, debatten, discussies van Avignon tot Brest, van Zuid-Italië tot Nederland. Overal was het prijzen, structuren, markten… Met de boerenleiders praten was interessant, maar het was pas echt boeiend met de boeren zelf (…)

De boer op met het plan-Mansholt in 1969 in Kiel. 'De drieduizend boeren waren vastbesloten mij het spreken te beletten. Vier uur lang (...) zijn ze bezig geweest met fluiten, schreeuwen, toeteren en stampen.' [Beeldbank NA]

Ik kende hun argumenten vaak wel, maar op veel te abstracte manier, te
veel uit dossiers. Dat directe contact, die koude douche, die aanvallen. Dat
had ik nodig. (...) Om boeren te leren kennen, moet je naar hen toegaan,
in hun eigen omgeving. Want als een boer – ook als hij leider is van een
organisatie – wordt losgerukt uit zijn eigen kring en in een bijeenkomst
komt te staan tegenover experts (...) dan is hij vaak niet helemaal zichzelf. (...) Sommige bijeenkomsten waren wel heel stormachtig. Zoals in
het Sportpaleis in Kiel, in Duitsland (...). De drieduizend boeren waren
vastbesloten mij het spreken te beletten. Vier uur lang – en dat is me een
hele tijd – zijn ze bezig geweest met fluiten, schreeuwen, toeteren en
stampen. Tenslotte brak er een vechtpartij uit tussen jongeren, die me wel
eens horen wilden, en de anderen. De politie wilde tussenbeide komen en
ik ben vertrokken.[50]

Franz Joseph Strauss van de CSU nam halverwege 1969 de Duitse boeren op sleeptouw tegen de *Bauernkiller* in Brussel. Mansholt zou daarop in het gezelschap van diezelfde Strauss een bezoek hebben gebracht aan een bedrijfje in Beieren van twaalf hectare met acht koeien. 'Hebt u ooit vakantie?' vroeg hij de boerin. 'Dat kan toch niet,' zei ze. 'We hebben geen vrije tijd.' En daarna begon ze te huilen. Dit verhaal komt uit Mansholts eigen koker en valt verder niet te controleren. Vaststaat dat Strauss felle kritiek uitte in de pers. Eind 1969 besloot het Bauernverband alle EEG-organen te boycotten om Mansholt tot aftreden te dwingen.[51]

Mansholt slaagde er niet in de Fransen achter zich te krijgen. Dat bleek cruciaal. De kongsi tussen de Commissie en de Franse minister van Landbouw loste langzaam op toen de gemeenschappelijke markt er eenmaal was. Parijs had de buit binnen en wilde haar eigen structuurpolitiek niet prijsgeven. Mansholt joeg de Franse regering tegen zich in het harnas door in juni 1969 voor de BBC te pleiten voor aanpassing van het GLB. Anders zou Londen, na de toetreding, een flinke rekening gepresenteerd krijgen. (De Britten zouden dan mede opdraaien voor de – voornamelijk Franse – landbouwoverschotten.) Twee maanden later devalueerde de franc en moesten alle zeilen worden bijgezet om het GLB te redden. Op de landbouwexport van Frankrijk naar de andere vijf werd – tijdelijk – een heffing gelegd.[52]

In oktober 1969 bereikten de landbouwministers opnieuw geen overeenstemming. De prijzen bleven hetzelfde, hetgeen de onvrede op het platteland verder aanwakkerde. In andere sectoren werden namelijk loonsverhogingen toegekend van tien tot vijftien procent, ter compensatie van de inflatie. Langzaam maar zeker ontstond een explosief mengsel: een steeds grotere kloof met de welvarende stad, lange werktijden, een onzekere toekomst, geen vakanties, irritatie over de impasse. Mansholt wachtte op het juiste moment om de Raad voor het blok te zetten.

In Straatsburg had Vredeling erop aangedrongen haast te maken. Maar dan begreep hij volgens Mansholt toch niet helemaal wat de strategie was. Van het Europees Parlement, en vooral van de socialistische fractie, had hij toch wel wat meer steun verwacht:

Mag ik je erop wijzen dat er in het afgelopen half jaar heel hard gewerkt is door mij en mijn medewerkers om ons plan te verkopen en dat ik tegen een zware stroom heb moeten oproeien en zeker een dertigtal massavergaderingen had en dat goddank eindelijk het tij in gunstige zin begint te keren. Ik had je al eens meer gezegd dat een *voortijdige* behandeling in de Ministerraad zou kunnen leiden tot een snel onder de tafel werken van ons program en die kans zullen ze van mij niet krijgen.

Er is in landbouwkringen een beweging gaande in Italië en in Frankrijk die door de regeringen niet misverstaan kan worden en ook niet door politieke partijen. Duitsland is vergiftigd het laatste half jaar door de verkiezingscampagne en de SPD heeft volkomen verstek laten gaan om ons program te verdedigen. Onze dagelijkse contacten met leidende figuren in landbouw en industrie en vakbeweging geven ons de kans de politieke anti-stemming bij enkele regeringen en partijen om te buigen. Kortom de tijd werkt voor ons.[53]

De strategie om de 'politieke anti-stemming' om te buigen liep via de boeren en was vooral gericht op Duitsland en Frankrijk. De Italianen steunden communautaire structuurmaatregelen. Dat was alom bekend. Mansholts optimisme ten aanzien van de Fransen was waarschijnlijk gebaseerd op de positieve houding van de grote graanboeren.

Voor de Contactcommissie voor Natuur- en Landschapsbescherming[54] ging Mansholt begin november 1969 in Utrecht nader in op de milieuaspecten van het plan. Hij benadrukte dat een onderscheid moest worden gemaakt tussen echte productiegebieden, kwetsbare gebieden en natuur- of recreatiegebieden. In kwetsbare streken moest weliswaar gemoderniseerd worden, maar niet zonder rekening te houden met het karakter van het landschap. Dit soort aanpassingen moest gebaseerd zijn op gemeenschapswetgeving. Anders deed de ene lidstaat het wél en de andere niet. Dat leidde tot concurrentievervalsing.[55] Er was dus geen sprake van dat heel Europa werd verknipt tot 'Mansholtkavels'.

In het voorjaar van 1970 legde Mansholt de Raad zes verordeningen voor, een 'mini-plan-Mansholt', de concretisering van het *Memorandum*. De PE's en de MLO's waren verdwenen en de afvloeiingsregelingen sterk beperkt; de keuze van de middelen zou aan de lidstaten worden overgelaten; de beoogde kosten waren gehalveerd: iets meer dan de helft kwam voor rekening van de lidstaten, de rest uit de gemeenschapspot.[56] Grofweg lag de helft op tafel van de maatregelen waarmee in het stuk uit december 1968 nog gedreigd was. Maar de ministers kwamen er weer niet uit. In april 1970 ging de Raad uit elkaar, zonder besluit.

In juni 1970 startten nieuwe onderhandelingen met de Britten over toetreding. Mansholt heeft nog geprobeerd zijn plan daaraan te koppelen, waarschijnlijk op eigen houtje.[57] Op 23 juli klaagde een aantal ministers in het Nederlandse kabinet namelijk over Mansholts 'eigen lijn'. Tien dagen eerder, op een lunch in Den Haag, had het kabinet met hem afgesproken van de landbouw geen obstakel te maken in de onderhandelingen met de Britten. Een paar dagen later stak hij tóch een uitvoerig pleidooi af om tijdens die onderhandelingen het hele GLB op de schop te nemen.

Lardinois, de Nederlandse minister van Landbouw, was verrast. Hetzelfde gold voor zijn vijf collega-landbouwministers. Lardinois was ervan overtuigd 'dat dr. Mansholt, zoals hij in het verleden wel meer heeft gedaan, interne en externe zaken probeert te koppelen, teneinde langs een omweg zijn structuurvoorstellen aanvaard te krijgen'. Luns had zelfs 'de indruk dat dr. Mansholt ook de andere Commissieleden niet van tevoren op de hoogte had gesteld'.[58]

In het voorjaar van 1971 was de spanning op het Europese platteland zo hoog opgelopen, dat de ministers wel gedwongen waren knopen door te hakken. In een aantal lidstaten dreigde een boerenopstand. De Bondsrepubliek dacht er zelfs over *nationaal* de landbouwprijzen te verhogen. Mansholt rook zijn kans, koppelde het miniplan aan een prijsverhoging van 3 à 3,5 procent voor 1971-1972 en eiste een besluit over het *hele* pakket.[59]

De beslissende vergadering begon op 15 februari 1971. Kort voor het begin slaagden zo'n veertig jonge Belgische boeren erin drie koeien via de marmeren trappen van het kantoorgebouw naar boven te sjorren, tot aan de zesde verdieping waar de delegaties gereed zaten. Onder hen Gerrit Braks, een jonge ambtenaar die later minister van Landbouw zou worden. Hij stond te praten met Mansholt en zag plotseling een koe de zaal binnenlopen: 'Mansholt applaudiseerde, hij wist zeker dat dit een protestactie tegen de ministers was. Ik heb nooit iemand zo beduusd zien kijken, op de koe stond: Aan de galg met Mansholt.'[60]

## Maart 1971: boerenoorlog

Het water stond veel boeren tot de lippen. Drie jaar lang waren de prijzen die zij voor hun producten ontvingen gelijk gebleven. Reëel was hun inkomen intussen sterk achteruitgegaan als gevolg van gierende inflatie. De kloof met werknemers in de industrie groeide, omdat vakbonden er vaak in slaagden loonsverhogingen af te dwingen die het koopkrachtverlies royaal compenseerden. De stad werd rijker, het platteland verarmde.

Op 1 maart demonstreerden vijftigduizend Duitse boeren in Bonn. De vicevoorzitter van het Bauernverband schoot er zijn pijlen af tegen 'de van de praktijk vervreemde theoretici in Brussel, die met bijna godsdienstig fanatisme een landbouwpolitiek voeren die volledig los staat van de werkelijkheid'. De demonstranten raakten oververhit. Op spandoeken werd Mansholt dood gewenst of – nog erger? – naar de DDR. Er hing er zelfs een met: '1940

De boerendemonstratie van 23 maart 1971. Mansholt als kop van Jut. [Beeldbank NA, public domain]

de joden, 1970 de boeren, in het jaar 2000 jij.' In Bastogne, België, trokken zesduizend boeren met tractoren de weg op. Het verkeer werd gehinderd en een vrachtwagen met margarine omgegooid en in brand gestoken. De boeren raakten slaags met de rijkswacht, waarbij een aantal gewonden vielen. In Normandië en Bretagne demonstreerden begin maart vijftienduizend boeren.[61]

Mansholt trad op 15 maart nog in het strijdperk voor de Franse televisie, als eerste buitenlander in het befaamde debatprogramma À *armes égales*. Zijn tegenstander was boerenleider Lucien Biset. 'In zijn trage maar foutloze Frans – en met een dik Nederlands accent – heeft (Mansholt) vrijdagavond voor de Franse televisie twee grote winstpunten geboekt,' oordeelde de correspondent van de *NRC*. Hij voorkwam dat het op bekvechten uitdraaide én hij zou 'door de eenvoud van zijn woorden en door zijn menselijke begrip' hebben afgerekend met het karikaturale beeld dat van hem was ontstaan: de Brusselse technocraat die de landbouw wilde saneren door middel van razzia's op boeren, tot er alleen nog onmenselijk grote bedrijven over waren.[62]

De laatste ronde startte op 22 maart in Brussel. Vóór 1 april moest de knoop worden doorgehakt. Op de 23e vond een grote demonstratie plaats, georganiseerd door drie Belgische bonden. Hun leden waren veelal kleine boeren die er relatief sterk op waren achteruitgegaan en weinig perspectief hadden.

Met vijfenzeventigduizend – andere bronnen schatten tweehonderdduizend – kwamen zij naar Brussel, de rijke stad waar de heren ministers over hun lot beschikten. Diezelfde dag werd er ook een COPA-congres gehouden. Een aantal deelnemers – veel Fransen en een handvol Duitsers en Nederlanders – sloot zich bij de demonstratie aan. Grieven: te lage prijzen en Mansholts plan – aldus de demonstranten – om het familiebedrijf te vernietigen.

Mansholt was de kop van Jut. Hij werd diverse malen symbolisch opgehangen. Op foto's van die dag zijn de borden en spandoeken te lezen: 'Mansholt, u ontneemt de Kortrijkse boeren hun loon, deze galg stellen wij u ten toon als uw welverdiende loon,' en: 'Voordat wij gaan naar de fabriek moet Mansholt op de riek,' of: 'Van de pest en van Mansholt, verlos ons heer.' Op andere foto's staan uitgebrande auto's en trams, kapotgeslagen telefooncellen, verbrijzelde etalages en opengebroken straten, boeren die rake klappen uitdelen en dreigende politieagenten. De demonstratie liep totaal uit de hand. 'Tijdens botsingen tussen de woedende betogers en de rijkswacht en politie werd een 100-tal personen gewond,' aldus een krantenbericht de volgende dag. 'Een landbouwer, Adelin Porignaux (40) van Mesnil-Saint-Blaise [een dorpje in de Belgische Ardennen], werd door een ontploffende traangasgranaat, afgevuurd door de rijkswacht, gedood.'[63]

Met het oog op de veiligheid hadden de ministers hun toevlucht genomen tot het beter te beschermen Karel de Grotegebouw. Er heerste een grimmige sfeer: een bommelding, loeiende sirenes in de verte, berichten over vernielingen en gewonden. Onder die grote druk was het bijna onmogelijk *niet* tot een besluit te komen. Dat kwam er dan ook, na een marathon van vier dagen, inclusief een aantal nachtelijke sessies.

Mansholt sleepte een beginselbesluit over structuurbeleid binnen, maar dat was slechts een schim van het programma 'Landbouw 1980'. Zelfs van het miniplan was meer dan de helft af. In feite resteerde een uitgeklede afvloeiingsregeling voor 55-plussers, voor eenvierde deel communautair gefinancierd. Toch beschouwden sommigen dit als een principiële doorbraak, Lardinois bijvoorbeeld. Mansholt was na afloop gematigd positief. Hij had immers zijn voet tussen de deur gezet. Daartegenover stond dat hij ook op het punt van de prijzen flink had moeten inbinden. Er kwam een prijsstijging van gemiddeld 4,5 à 5 procent.[64]

Mansholt gaf de schuld van het uit de hand lopen van de demonstratie aan de leiders van de bonden. Zij hadden hun leden niet goed voorgelicht over het GLB, de positie van de Commissie en de uiteenlopende eisen van de zes. Constant Boon, de voorzitter van de Belgische Boerenbond, reageerde fel: 'Ofwel bewijst u dat ik mijn boeren bedroog (…), ofwel geeft u toe te hebben gehandeld als een rat in de val die onberedeneerd bijt waar ze kan.' Mansholt antwoordde met een open brief, waarin hij hem om de oren sloeg met citaten uit zijn eigen blad en hem uitnodigde voor een debat.[65]

Jaren later werd Rinse Zijlstra, de oud-voorzitter van de Nederlandse Christelijke Boeren- en Tuindersbond, de vraag voorgelegd of de boeren in maart 1971 niet beter door hun leiders hadden moeten worden voorgelicht. 'De Nederlandse voormannen hadden met Mansholt toch een soort bondgenootschap, al hadden we soms blatende ruzie,' was het antwoord. 'Wij zagen ook wel dat het de kant op zou gaan die hij wees. Maar onze achterban was er niet rijp voor. Daarom wilden we het niet hardop zeggen.'[66]

Mansholt werd het zwarte schaap waartegen de opgekropte woede zich richtte. Hij is de reputatie van *Bauernkiller* daarna eigenlijk nooit meer kwijtgeraakt. Het is de vraag in hoeverre dat terecht was. Met provoceren en doordrammen had hij de storm over zichzelf afgeroepen. Daarmee streek hij zijn tegenstanders tegen de haren in. Men had de Europese boeren voorgespiegeld dat alle heil uit Brussel zou komen. Des te groter was de teleurstelling toen dat niet het geval bleek. Mansholt was het gezicht van het GLB en moest het ontgelden. Hij haalde de kastanjes uit het vuur en blééf dat doen. Voor het krakkemikkige resultaat was hij dan ook net zo verantwoordelijk als de landbouwministers.

Na afloop oogde Mansholt zelfverzekerd en kalm als altijd. Hij leek geen last te hebben van de tegen hem persoonlijk gerichte haatcampagnes. Maar de symbolische ophangpartijen en de brieven waarin alleen maar koeienpoep zat, hadden hem diep geraakt. Een paar weken later, in Straatsburg, kreeg hij last van hevige neusbloedingen, veroorzaakt door hoge bloeddruk. 'Het is voor Sicco toch wat veel geworden, deze spanningen,' schreef Henny in een briefje aan To Drees, de vrouw van de oud-premier. Daarbij wees ze op 'de wilde boerenopstand'. Mansholt trok zich in 1971 een lange zomer terug op Sardinië.[67]

Europese integratie: geen kanonnen maar boter

Mansholt was gedwongen genoegen te nemen met minder dan een half ei. Haalde de Europese landbouw 1980? Dat wel, maar niet in de conditie die Mansholt had gewild. In de jaren zeventig daalde het aantal boeren met 2,6 miljoen, iets meer dan de helft van het in het plan-Mansholt genoemde cijfer. Het areaal nam af met 4,2 miljoen ha. De oppervlakte van een gemiddeld bedrijf steeg van 16,5 naar 20 ha (Italië buiten beschouwing gelaten). Het *Memorandum* had ingezet op garantie-uitgaven van maximaal 750 miljoen rekeneenheden – euro's avant la lettre – in 1980. Dat werden er 11 miljard![68]

Begin 1973 lag er 300.000 ton 'interventieboter' in pakhuizen. De afzet daarvan werd onder meer bevorderd door het spul aan te bieden tegen lage prijzen aan het leger, ideële instellingen en banketbakkers, of als kerstboter aan alle Europese consumenten. Een bijzondere uitlaatklep was export tegen bodemprijzen aan de Sovjet-Unie. Honderdduizenden pakjes werden ver onder de wereldmarktprijs aan de Russen verkocht. In Nederland kostte zo'n pakje intussen een veelvoud van die wereldmarktprijs.[69]

De Franse minister van Landbouw Pisani oordeelde achteraf het GLB – gezien de omstandigheden – als beste keus. Totdat het doel, de gemeenschappelijke markt, bereikt was. Daarna had het roer onmiddellijk moeten worden omgegooid. Beleid was succesvol als dat leidde tot de gewenste maatschappelijke veranderingen, maar: '(...) si ce monde a changé, il faut que cette politique change'. Hervormingen mislukten omdat meerderheidsbesluitvorming geblokkeerd werd, door toedoen van De Gaulle. Er lag altijd wel een lidstaat dwars.[70] Mansholt slaagde er niet in de 'politieke' prijzen op een economisch verantwoord niveau te brengen. Overschotten stapelden zich op.

'Mansholt has been able time and again to piece together the almost magical compromises that have marked the progress of the common agricultural policy,' luidde de conclusie van een studie uit 1970 van twee Amerikaanse politicologen. Of die magie er in 1971 nog bij zat, moest nog blijken. De twee hadden de ontwikkeling van het landbouwbeleid vergeleken met die op het gebied van transport. Waarom lukte het ene wel en het andere niet?

Most of the credit (...) must go to the Commission and especially to the Commissioner in charge of agriculture, Sicco Mansholt. This is not to underestimate the significance of national "leadership" in the form of pressure from the French and Dutch Governments. But Mansholt and his staff have operated with extraordinary skill to make the most of the leadership resources of the Commission, its special perspective, its power of initiative and its technical expertise. (...)
The common agricultural policy is a staggeringly complex mass of regulations that in the end of itself practically defies understanding or even description. Yet Mansholt has succeeded in casting its overall goals in such a way as to keep agriculture at the centre of integration politics for ten years. Each successive step has been widely celebrated and acclaimed. Somehow a great many groups and individuals have taken vicarious satisfaction in the steady advances made in agriculture. Mansholt has become perhaps the best known of the Commissioners – a real European personality, and indeed, a veritable European Minister of Agriculture.[71]

De naam van Mansholt is verbonden aan het Gemeenschappelijk Landbouw-beleid, dat later vaak werd afgeschilderd als een pervers stelsel dat rijke boeren in Europa de hand boven het hoofd hield en derdewereldlanden uit de markt prees. Vooral na Mansholts vertrek namen de overschotten sterk toe. Maar was dit niet inherent aan het systeem? Vanaf het begin was het 'staatsinter-ventionistisch' en kostbaar – het eerste moet overigens genuanceerd wor-den, aangezien nationale structuren, die nóg dieper ingrepen, juist werden opgeruimd.[72] Het GLB bleek een effectieve verdediging tegen het agrarisch interventionisme van de VS. Wat dat betreft zouden derdewereldlanden er lering uit kunnen trekken (een recept om *gezamenlijk* het hoofd te bieden aan marktverstoringen, veroorzaakt door goedkope Europese overschotten). De fout van het GLB was dat er geen rem op zat.

Maar het gemeenschappelijk landbouwbeleid was nog méér. Peyrefitte wees in *C'était de Gaulle* op de verknochtheid van de generaal met het GLB. De EEG sleepte zich van compromis naar compromis, maar Europese eenwording was ook een tastbare zaak, een voortdurend gevecht. Frankrijk én Duitsland speel-den daarbij een eminente rol. Dankzij deze gemeenschappelijke onderneming maakten beiden zich met grote sprongen los van de tragedie waarin ze elkaar hadden afgeslacht.[73] Het GLB drukte een stempel op de politieke en instituti-onele ontwikkeling van Brussel. De vrede in Europa werd met boter gekocht. Landbouw was de tractor van de Europese integratie, Mansholt de eerste boer aan het stuur.

'Als er geen Europese landbouwpolitiek geweest was, had de Gemeenschap niet overleefd,' zei Max Kohnstamm in mei 2003 in een televisie-interview. Om de vrede te structureren, moest voor Duitsland een gelijkwaardige plaats worden ingeruimd in die Gemeenschap. Zonder landbouwelement zouden Frankrijk en Nederland niet hebben meegedaan. 'Maar de landbouwpolitiek heeft wel heel veel geld gekost,' merkte de verslaggever op. Na een korte pauze reageerde Kohnstamm: 'Ja ... een paar dagen oorlog hè ... de prijs ... meer niet.'[74]

# - 14 -

# RADICAAL SLOTAKKOORD

## Een nieuwe Marx

Zomer 1971. Mansholt herstelde en had tijd om na te denken. Hij was 62 en had zich zijn hele carrière voor de landbouw ingezet. Dat was een zaak die eerst af moest. Hij vond het op dat moment eigenlijk wel genoeg. Geheel tevreden was hij niet, maar méér zat er politiek gezien niet in. Het geweld van 23 maart en de aanblik van Mansholtpoppen aan galgen – hij had er negen geteld – lagen hem vers in het geheugen.[1] Dat hij er genoeg van had, lag voor de hand. Veel boeren wilden ook niets meer van hem weten.

Mansholt had zijn buik vol van de details en de politieke traagheid. De samenleving bruiste. Er heerste onrust onder studenten, arbeiders en boeren, terwijl Europa gereduceerd leek tot 'een stukje technocratie dat moordend werkte op de politieke belangstelling'. Het gaf geen antwoord op de grote maatschappelijke problemen. Hij voelde zich niet meer thuis in Brussel. 'Ik heb toen overwogen de brui er maar aan te geven, en van buiten als vrij man te gaan ageren,' zei hij achteraf. Maar hij kwam tot de conclusie dat actievoeren ook kon als lid van de Commissie. Dan had hij meteen een apparaat en een platform tot zijn beschikking.[2]

Hij installeerde zich aan de voet van een olijfboom in de tuin van zijn huis op Sardinië en begon te schrijven. 'In een heel serene atmosfeer. Een stuk papier op mijn knie, om me heen boeken. Op de opengeslagen bladzijden had ik stenen gelegd, tegen het wegwaaien. Ik kon het 's avonds rustig laten liggen, want het regent daar zelden.'[3] Er rolde een opmerkelijk stuk uit dat hij *Modern socialisme* noemde. Opmerkelijk vanwege de inhoud én de auteur. In de regel liet Mansholt het onderzoek en het schrijven van conceptteksten over aan een van zijn medewerkers. Dit keer deed hij het zelf.

Mansholt sprak *Modern socialisme* uit op 23 september 1971 in Brussel op het cultuurfestival Europalia. Op dat moment was er internationaal het een en ander in beweging. De vs hadden op 16 augustus de inwisselbaarheid van dollars in goud stopgezet. Daarmee kwam een eind aan het zogenoemde Bretton-Woodsstelsel uit 1944, waarin de dollar als sleutelvaluta fungeerde, als anker van het internationale betalingsverkeer. Ruim zevenentwintig jaar monetaire stabiliteit stond op het spel. In de Koude Oorlog, die al meer dan twintig jaar aan de gang was, zette intussen flinke dooi in. Bondskanselier Brandt – de man van de Ostpolitik, de voorzichtige toenadering van de Bondsrepubliek tot de DDR en Oost-Europa – sprak van 16 tot 18 september met de Russische partijleider Breznjev op de Krim. En ook de Derde Wereld roerde zich. In augustus sloot India een vriendschapsverdrag met de Sovjet-Unie. De regering van Chili onder leiding van de democratisch gekozen socialist Salvador Allende nam het besluit de kopermijnen te nationaliseren, zonder compensatie van de eigenaren: een aantal Amerikaanse multinationals.

Mansholt stak van wal met de Noord-Zuidtegenstelling en de spanning tussen welvaart en welzijn. Dat bracht hem bij andere grote thema's: bevolkingsgroei, voedseltekort, schaarste aan energie en grondstoffen, de macht van multinationals, milieuvervuiling, automatisering. Kon het oude socialisme dit allemaal behappen?

> Marx' onschatbare verdienste is het geweest de mensen aan het denken te zetten over de te verwachten gevolgen van de eerste industriële revolutie. Er is een tweede Marx nodig, maar nu door de veel grotere complexiteit van de maatschappij in de vorm van teams van denkers met de modernste hulpmiddelen (…); en de politici zullen daaruit de consequenties moeten trekken. Het socialisme van vandaag is daartoe niet meer in staat. We houden ons te veel bezig met de problemen van gisteren.

Socialisten moesten maar eens ophouden met hun nare, kleinzielige strijd over de verdeling van de welvaartskoek. Zij hadden zich in West-Europa steeds beperkt tot correctie van het kapitalisme en waren hierdoor gecorrumpeerd. Correcties waren onvoldoende. Het kapitalisme kon de grote wereldproblemen eenvoudig niet aan. Er moest een ander systeem komen met een betere arbeidsverdeling tussen arme en rijke landen:

> We zullen als het ware moeten beoordelen welke bedrijfstakken met voorrang in de ontwikkelingslanden tot bloei gebracht moeten worden, door onze bedrijvigheid in te krimpen. (…) Wij moeten trachten de economie tussen Noord en Zuid te integreren, om de doodeenvoudige reden dat onze wereld te klein is om nog naast elkaar te leven. We moeten bedenken dat straks ruim 5 miljard mensen in een socialistisch economisch systeem en ongeveer 800 miljoen in een kapitalistische wereld leven. En als wij willen voorkomen dat er te grote spanningen in de wereld

ontstaan, dan zullen we moeten voorkomen, dat deze 800 miljoen in het isolement geraken.

De problematiek moest resoluut worden aangepakt, in de eerste plaats door Europa. Daarom pleitte hij voor versterking van de Gemeenschapsinstellingen en oprichting van een progressieve Europese partij. 'Ik ga niet zover door te beweren dat de ondergang van de mensheid voor de deur staat, maar wil er met nadruk op wijzen dat het probleem ál onze aandacht moet opeisen.' In enkele tientallen jaren kon het systeem vastlopen.[4]

Waar haalde Mansholt zijn inspiratie vandaan? In *De crisis* somde hij enkele populaire auteurs op die begin jaren zeventig grote invloed op hem hadden (Mishan, Ehrlich, Kahn, Forrester, Illich en Marcuse). De rede zelf bevatte verwijzingen naar zijn partijgenoten Jan Tinbergen en Geert Ruygers, de futuroloog Fred Polak en een toekomstmodel van het Massachusetts Institute of Technology (MIT). In het laatste geval ging het om nieuwsberichten en krantenartikelen over een concept voor de zogenoemde Club van Rome, een in 1967 opgerichte groep verontruste industriëlen en wetenschappers die onderzoek stimuleerde naar mogelijke oplossingen van wereldproblemen. De *NRC* had op 31 augustus van dat jaar de primeur onder de kop: 'Ramp bedreigt wereld. Computer brengt catastrofe in beeld.'[5]

Mansholt had altijd belangstelling gehad voor de wereldomspannende problematiek van bevolkingsgroei, voedselvoorziening en ontwikkelingssamenwerking – vanaf de oprichting van de FAO in 1945 in Quebec, het begin van de wedloop tussen boer en arts, en eigenlijk ook al tien jaar daarvóór in zijn brieven uit Indië. De omslag vond plaats op een ander punt – dat beweerde hij zelf althans. De problematiek werd een paar maten te groot. Vijfentwintig jaar lang had hij geprobeerd *binnen* het kapitalistische stelsel gelijke kansen te scheppen en méér welzijn te maken, maar dat lukte niet langer. Het kapitalisme had zich geconcentreerd in multinationals, die ongrijpbaar waren voor burgers en nationale overheden, en de ongebreidelde productie en toenemende vervuiling bleken al even ongrijpbaar.[6]

Mozer had niet veel begrip voor de oproep van zijn oude chef. 'Mansholt kon op Sardinië weinig buiten werken,' zei hij in een interview. 'Hij heeft toen wat futurologische boeken gelezen, waar hij van onder de indruk is gekomen.' De rede had volgens Mozer met 'Modern socialisme' niets te maken. Een socialist moest keuzes maken en Mansholt deed dat niet. Hij predikte de revolutie tegen het kapitalisme, maar hing tegelijk oude redeneringen op als het over de Gemeenschap ging. Mansholt zei doodgraver van het kapitalisme te willen zijn, maar gedroeg zich als arts.[7]

Mansholts rede kreeg veel publiciteit, vooral in Nederland. Zijn 'bekering' wekte bewondering en afkeer op. W.L. Brugsma, eindredacteur van de *Haagse Post* en presentator van het actualiteitenprogramma *Achter het Nieuws*, nam hem een interview af voor de *HP*. 'Oude Mansholt wil nieuwe Marx,' zette hij erboven. Mansholt maakte bezwaar tegen het woord *oude*. 'Ik ben pas 62,' zei hij. Uiteindelijk kreeg het stuk de kop: 'Gesprek met dr. Sicco Mansholt. "Ik voel me gecorrumpeerd door het kapitalisme".'

'Hoe lang denkt u nog in Brussel te zijn?' vroeg Brugsma. Tot 1 juli 1972, dacht Mansholt. Daarna wilde hij zich bezighouden met de vraagstukken die hij in zijn rede aan de orde had gesteld. 'Hoewel ik toch ook denk aan mijn boot, aan mijn huisje dat veranderd moet worden. De boekenkast thuis die vol raakt met boeken die je alleen maar een beetje doorgesnuffeld hebt.'[8] Mansholt leek te twijfelen. Wereldvraagstukken oplossen of thuis foto's inplakken? Het klonk als een keus tussen 'jong' en dat andere woord, waarmee hij zo veel moeite had.

'Wat is er met u gebeurd?' was de eerste vraag in een extra uitzending van *Achter het Nieuws*, uitgezonden op nieuwjaarsdag 1972. 'Bent u gecorrumpeerd door hetzelfde kapitalisme als datgene wat u in de EEG belichaamt?' 'Dat is juist,' antwoordde Mansholt. 'Ik kom tot de conclusie dat oplossing van de grote vraagstukken van deze tijd niet meer in het kapitalistische systeem te verwezenlijken is.' Als het socialisme een machtsfactor wilde zijn, dan moest er een radicaal program komen en een eind worden gemaakt aan de versnippering. In Europa was het volgens Mansholt nog erger dan in Nederland. Socialisten trokken zich terug binnen nationale grenzen. Hun invloed in Brussel en Straatsburg was 'praktisch nihil'. 'Waarom wilt u zich hiervoor inzetten, u gaat volgend jaar toch weg?' was een andere vraag. Mansholt: 'Ik heb nog de ambitie bij te dragen aan een stuk nieuwe ontwikkeling van het socialisme én in het vlak van Europa, maar ook – ik zou willen zeggen – in zijn program (...).' Na de uitzending stuurde Mozer hem nog wat kritische opmerkingen in een brief die hij had geadresseerd aan 'De heer Dr. Sicco Leendert Marx'.[9]

Eind 1971 kreeg Mansholt via Brugsma een kopie van het concept van het MIT. De Nederlandse politiek had er zich intussen meester van gemaakt. Politieke leiders als Den Uyl (PVDA) en Van Mierlo (D'66, een vriend van Brugsma) gingen er uitvoerig op in bij de Algemene Beschouwingen in de Tweede Kamer in oktober van dat jaar. Brugsma en Van Mierlo schoven het stuk welbewust naar voren als *rallying point* voor progressieve samenwerking. Dat een computer de ondergang aankondigde, maakte diepe indruk. Van *Grenzen aan de groei*, de vertaling die in maart 1972 verscheen, zouden een kwart miljoen exemplaren worden verkocht.[10] Nederland raakte in de ban van het rapport. Negen maanden na de verschijning ervan daalde het naoorlogse geboortecijfer tot een absoluut dieptepunt! In vergelijking met het eerste concept, waarop Mansholt zich baseerde, was er overigens nog een aantal scherpe randjes afgevijld. De conclusies waren ook wat milder. Alexander King, een van de oprichters van de Club van Rome, zou Mansholt er later van beschuldigen dat hij het rapport niet goed begrepen had en er een 'prophecy of doom' van had gemaakt. Mansholt zou de Club juist verwijten het werk niet te hebben afgerond met voor de hand liggende politieke conclusies.[11]

Het rapport introduceerde een wereldmodel met vijf variabelen: bevolking, voedselproductie, industrialisatie, vervuiling en natuurlijke hulpbronnen. Futurologen kenden het fenomeen van buitengewoon krachtige economische groei, maar waren doorgaans optimistisch over de effecten daarvan. Dit keer was het anders. Nieuw was dat één variabele – de hulpbronnen – een plotselinge omslag kon veroorzaken. De groei bleek dan niet onbegrensd. Afbraak van de natuur kon immers niet eindeloos doorgaan. Technische oplossingen konden ongewenste neveneffecten hebben en er waren ook sociale en psychologische barrières die moeilijk doorbroken konden worden. Daarom moest de wereld eerst wakker worden geschud. Het was vijf voor twaalf.[12]

Het archief Mansholt bevat veel *fanmail* uit 1971 en de jaren daarna over de problematiek die Mansholt aansneed, vooral van jongeren.[13] Kennelijk had hij toch een gevoelige snaar geraakt. Mansholt was veel in de publiciteit en droeg belangrijk bij aan de bewustwording van het publiek. Er ontstond een sfeer van 'we gaan rekening houden met het milieu'. Of het model uit het rapport deugde, was een andere vraag.

## 'Sicco, are you becoming a hippy?'

'Ik ontving het rapport in Sardinië, tussen Kerstmis en Nieuw Jaar,' herinnerde Mansholt zich. Het was een schok: 'Ik had nooit beseft hoe zeer al die problemen met elkaar verbonden waren. (…) Ik had nog nooit gevoeld, zoals ik het in het rapport voelde, dat het vrijwel onmogelijk is op een enkel punt iets te verbeteren zonder dat je het op andere punten erger maakt.' Mansholt – altijd erg gevoelig voor cijfertjes – was erdoor gegrepen. 'Ik zag het heel duidelijk: als we zo doorgaan dan rennen we naar de catastrofe.'[14]

Tussen de papieren van Mansholt in het IISG bevindt zich het stuk *Enkele notities inzake een ekonomisch program*, gedateerd 'Sardinië, 31 december 1971'.[15] Het is van de hand van Mansholt. De notities sloten direct aan bij de analyse van Dennis en Donella Meadows, de belangrijkste auteurs van *Grenzen aan de groei*. Wat waren de mogelijkheden voor politieke actie? Wat voor praktische maatregelen konden worden genomen? De remedie bestond volgens Mansholt uit sterke vermindering van de bevolkingsgroei ('Niet aarzelen verouderde religieuze denkbeelden te bestrijden'), invoering van een niet-vervuilend productiesysteem en centrale distributie van schaarse grondstoffen en eindproducten. Het beleid zou moeten worden uitgevoerd door een internationaal politiek orgaan met supranationale bevoegdheden, onder controle van een parlement van lidstaten. Aangezien de Verenigde Naties in chaos verkeerden, moest de Gemeenschap de handschoen opnemen.

Er moest een economisch plan worden opgesteld gericht op verhoging van het 'Bruto Nationaal Nut'. Het materiële levenspeil zou enigszins omlaaggaan. Culturele activiteiten, geestelijk welzijn en publieke goederen kregen voorrang. Verspilling werd tegengegaan. Binnen vijf jaar moest worden overgeschakeld naar een schone kringloopeconomie. Tegelijk zou de consumptie in de richting van zuinigheid en duurzaamheid worden geleid. Auto's zouden bijvoorbeeld de eerste vijf jaar zwaar belast kunnen worden, de volgende vijf minder en daarna niet meer. Kringloopproductie in de Derde Wereld moest worden bevorderd via een op te richten VN-fonds.

Het gebruik van kunstmest moest aan regels worden gebonden (in verband met de waterkwaliteit). Schadelijke pesticiden zouden alleen nog tijdelijk in ontwikkelingslanden mogen worden gebruikt. De consument moest worden geleerd producten te beoordelen aan de hand van smaak en voedingswaarde, niet op basis van het uiterlijk ('Een *goede* appel is een appel met schurftvlekjes!'). Mansholts stevige conclusie:

Hoe maken we een dergelijke politiek van *duurder* worden, van *minder*, van *dirigisme, aanvaardbaar*? Het wordt de grote politieke vraag. Wordt het politieke zelfmoord? Ik geloof van *niet*. *Vereiste*: Niet tegen achtergrond van de grote katastrofe. Maar wel uit verantwoordelijkheid voor de mensheid en vooral: *voor het nageslacht!* Het gaat er tenslotte om: Willen we onze kinderen en kleinkinderen nog iets overlaten óf alles opvreten en hen naar de bliksem laten gaan!

Bovendien: Beslissend is het *kader* waarin deze politiek is geplaatst. 1. *Gelijke kansen voor ieder.* Dat betekent bijv. a. 100% wegheffen van het *vermogen* bij overlijden (...). b. strikte *distributie* van alle noodzakelijke gebruiksgoederen. Ieder op *gelijke voet!* c. *Grotere verruiming van de publieke sector* ten behoeve van de *schóne sector* (kultuur, geestelijke ontplooiing, sociale zorg, bejaarden, ziekenzorg etc., vervoer, vakantie, vrije tijd, ontspanning.) Belangrijk is dat dit *politieke kader* waarin de schaarste ekonomie is geplaatst, *nationaal* kan worden beslist en *doel* kan zijn van de *nationale* politieke aktie.

Dat laatste was in strijd met de integratiegedachte, maar de Gemeenschap werkte wat dat betreft veel te traag. Nederland zou *nationaal* beslissen en binnen Europa als 'gidsland' kunnen functioneren, op milieugebied bijvoorbeeld.

De aantekeningen van Sardinië keerden terug in een brief van Mansholt aan Franco Malfatti, die op 1 juli 1970 Jean Rey was opgevolgd als voorzitter van de Commissie. In die brief voegde hij een aantal 'Europese' doelstellingen toe aan de variabelen van Meadows: het scheppen van zinvolle arbeid, democratisering, gelijke kansen voor iedereen, een goede verhouding met ontwikkelingslanden. Hij vroeg Malfatti de brief op de agenda van de Commissie te zetten. Een gedachtewisseling kon dan uitmonden in een 'Testament', bedoeld om het publiek wakker te schudden en nieuw beleid te ontwikkelen. Een sterk Europa zou volgens Mansholt de rest van de wereld met zich kunnen meetrekken.[16] De brandbrief ging op 9 februari 1972 op de post.

Bij het opstellen ervan heeft Mansholts deelname aan een ad-hoc-werkgroep tegen grensoverschrijdende milieuvervuiling meegespeeld. De Commissie had deze werkgroep opgericht na druk vanuit het Europees Parlement om actie te ondernemen tegen zoutlozingen in de Rijn. Mansholt en Spinelli, de Italiaanse federalist die in 1970 commissaris voor Industrie en Interne Markt was geworden, waren daarin de drijvende krachten. Achteraf voegde Mansholt nog toe dat de brief mede bedoeld was als antwoord op het snellegroeidenken van commissarisen als Raymond Barre. De Commissie was op dat moment juist bezig het economisch beleid voor de toekomst uit te stippelen. Mansholt zelf was intussen op zoek naar een nieuwe blauwdruk voor vergaande integratie met vaste doeleinden en deadlines, vergelijkbaar met het Verdrag van Rome. Dat Verdrag zou aflopen op 31 december 1972. Er moest een nieuwe politieke agenda worden opgesteld.[17]

Een maand later, toen de brief in een bureaula dreigde te belanden, prijkte *La lettre Mansholt* plotseling op vele voorpagina's. Georges Marchais, de leider van de Franse communisten, had het stuk midden in de politiek getild. In april zou in Frankrijk namelijk een referendum plaatsvinden over de vraag of het land moest voortgaan op de weg van de Europese integratie. De communisten waren tegen en probeerden munt te slaan uit de brief. Marchais typeerde het stuk als 'een monstrueus programma van een buitensporig malthusianisme'. Na de Franse volgde de internationale pers. De 'brief aan Malfatti' kreeg veel media-aandacht – het rapport van de Club van Rome was nog niet gepubliceerd! Een nieuw plan-Mansholt was geboren. Er verschenen stukken in *The Guardian*, *Le Soir*, *De Standaard*, *Het Vrije Volk*, *Die Zeit* en Mansholt gaf interviews op de Britse, Deense, Belgische en Franse televisie.[18]

431

Toen de brief uiteindelijk door de Commissie besproken werd, bleek Mansholt helemaal alleen te staan. Sommige collega's lachten schamper en namen hem niet serieus. Anderen wezen erop dat er nog véél meer problemen waren. De meeste vraagstukken zouden zich vanzelf oplossen. 'Sicco, are you becoming a hippy?' voegde Spinelli hem toe. Er was geen enkele belangstelling, zei Mansholt achteraf. De Commissie bestond in die tijd vooral uit ambtenaren. Er zaten te weinig figuren in die politieke lijnen wilden aanbrengen.[19]

Begin maart 1972 sprak Mansholt in Amsterdam over natuurbehoud. De volle zaal zag hij als een bewijs van de groeiende bewustwording:

> Gelukkig mogen we vaststellen dat een deel van de jeugd dit het eerst heeft gevoeld. De provo's hier in Amsterdam, de kabouters, we hebben erom gelachen. Wel dom om te lachen, want we hebben niet goed begrepen wat daar zuiver en intuïtief werd aangevoeld, het idee van dat gaat zo niet langer. Een groot deel van de bevolking is als het ware afgestompt voor dat intuïtieve gevoel van 'daar gaat iets verkeerd'.[20]

Hippies, provo's en kabouters. De rest van de Commissie zag er niets in. Mansholt had wel veel bekijks. Op 13 juni 1972 ging hij in Parijs in debat met Herbert Marcuse, de profeet van de protestgeneratie, en een aantal Franse intellectuelen. Gespreksthema: 'Ecologie en revolutie.' Er zaten twaalfhonderd mensen in de zaal; voor de deur stonden nog eens tweeduizend belangstellenden die er niet meer in pasten. Marcuse predikte de militante strijd tegen kapitalistische uitbuiting. Mansholt zocht een oplossing voor de armoede en de milieuvervuiling: een 'socialistische' maatschappij met een menselijker productiesysteem en een lager welvaartsniveau. Hij geloofde zelfs dat het langs democratische weg zou lukken iedereen daarvan te overtuigen.[21] Hippie én utopist, maar toch ook nog steeds democraat.

Achteraf beschouwd stond de werkgroep met Spinelli en Mansholt overigens wel aan de wieg van het internationale milieubeleid. De groep bereidde ook de eerste VN-milieuconferentie voor die in juni 1972 werd gehouden in Stockholm. Mansholt zou uiteindelijk die conferentie ook toespreken als voorzitter van de Commissie. Hij stelde voor een werkgroep van deskundigen en politici te laten onderzoeken op welke beleidsterreinen een supranationale wereldorganisatie passende maatregelen zou kunnen nemen. Volgens hem was het zinloos te vechten tegen milieuvervuiling zonder op te treden tegen de ongebreidelde productie en consumptie in het rijke deel van de wereld en de grenzeloze armoede in het arme deel.[22] Mansholt liet zich enkele jaren later negatief uit over de bereikte resultaten, maar tegenwoordig

wordt 'Stockholm' vrij algemeen gezien als katalysator van milieubewust-
zijn. De uitkomsten van de ad-hoc-werkgroep vormden het fundament van
het Gemeenschappelijk Milieubeleid dat in werking zou treden na de Top van
Parijs in oktober 1972. Sindsdien is een belangrijk deel van het Nederlandse
milieubeleid gebaseerd op richtlijnen van Europese milieuprogramma's.[23]

Terug naar Den Haag?

Brugsma en Mansholt werden goede vrienden. De journalist zag in Mansholt
een politicus van on-Nederlands formaat, praktisch Superman (in een in
memoriam refereerde hij aan een alfadier). Achteraf typeerde Brugsma hun
verhouding als een vader-zoonrelatie. Hij herinnerde zich dat Mansholt een
keer bij hem op bezoek was in de Club van Romeperiode. Brugsma had een
hobbyboerderijtje en wat land vol onkruid.

> Ik vroeg Sicco wat te doen. Sicco (…) zei: 'Spuit'n jong. Doodspuit'n.' Ik
> stamelde: 'Maar Sicco…' Sicco zei: 'Zonder insecticiden en herbiciden
> gaat de wereldbevolking aan honger ten onder.' Ik: 'En met?' Sicco: 'Dat
> zien we dan wel weer…komt tijd, komt raad.' Daarna gingen we naar
> binnen en namen een neutje of vier want Sicco was niet van de blauwe
> knoop, zoals andere oude socialisten.[24]

Sinds zijn vertrek naar Brussel zweefde Mansholt regelmatig boven de Haagse
politieke markt. Als orakel, kandidaat-lijstaanvoerder en toekomstig minister-president; in dag- en weekbladen, op radio en televisie, wetenschappelijke congressen en partijbijeenkomsten. Mansholt sprak zich doorgaans klip
en klaar uit over allerlei politieke zaken in eigen land. Op een conferentie over
partijvernieuwing in november 1966 betoogde hij bijvoorbeeld dat politieke
partijen zich vóór de verkiezingen moesten uitspreken over hun coalitievoor-
keur. Het concept van dat betoog bevindt zich overigens in het archief van de
auteur ervan: Alfred Mozer.[25]

Begin 1971 maakte Mansholt met Burger, Tinbergen en Samkalden deel uit
van een groep van zeventien prominente partijgenoten die aan de vooravond
van de verkiezingen van april 1971 hun vertrouwen in de PVDA uitspraken,
mede als reactie op het dreigement van oud-premier Drees de partij de rug
toe te keren.[26] Nieuw Links, de kritische jongeren in de PVDA, was in die tijd
eropuit de macht te grijpen in de partij. De oude garde moest opzij worden
geschoven, inclusief Mansholt. Later draaide men bij, omdat Mansholt hun
geen strobreed in de weg legde.

Omstreeks Mansholts Europaliarede (september 1971) had D'66-leider Van Mierlo juist uitvoerig met Brugsma gesproken over het idee van een 'progressieve volkspartij' van socialisten (PVDA), links-liberalen (D'66) en radicale katholieken (PPR). 'Dan hebben we eigenlijk een hele grote nieuwe problematiek nodig,' zou hij erbij hebben gezegd. Waarop Brugsma op Meadows' concept wees, daaraan toevoegend dat er dan ook een nieuwe leider nodig was, groter dan PVDA-lijsttrekker Den Uyl: Mansholt. 'De fatsoenlijke Van Mierlo legde dat voor aan Den Uyl die dat niet zo'n goed idee vond,' noteerde Brugsma achteraf.[27]

Tussen januari en maart 1972 liet Mansholt regelmatig doorschemeren de leiding van een 'progressieve concentratie' op zich te willen nemen. Hij zou wel premier willen worden van een progressief meerderheidskabinet.[28] Het probleem was dat die concentratie er eerst moest komen. Wat vond Den Uyl daarvan? Die werkte alvast netjes mee aan de totstandkoming van een commissie die een en ander in kaart moest brengen. Deze 'Commissie van Zes' werd in december 1971 op voorstel van Van Mierlo ingesteld door de drie betrokken partijen en bestond uit Mansholt, Van Mierlo, Den Uyl, Hans Gruijters (D'66), Cees de Galan (PVDA) en Erik Jurgens (PPR). Daaraan toegevoegd waren twee secretarissen: Brugsma en PVDA-Kamerlid Jan Pronk. De club werd bekend als 'commissie-Mansholt'.[29]

De *NRC* bracht het nieuws op 4 januari 1972 op de voorpagina: 'Terug in Nederlandse politiek. Mansholt adviseur linkse combinatie.' De terugkeer van Mansholt had in Den Haag sterk de aandacht getrokken. Tot ver buiten zijn eigen partij genoot hij een groot prestige, aldus de krant. Recente uitlatingen van Mansholt over het milieu, het rapport van de Club van Rome en de nieuwe Marx passeerden de revue. Verderop, in een redactioneel commentaar ('Mansholts zorg'), werd geciteerd uit een recent tv-interview: 'Het zal mij een zorg zijn of de PVDA blijft bestaan of D'66 of de KVP. Wat mij wel een zorg zal zijn, is dat in Nederland een zodanige politieke groepering te vinden is dat we voor een bewuste welzijnspolitiek een meerderheid kunnen halen in het Nederlandse parlement.'[30]

'Links' was er niet onverdeeld gelukkig mee. In *Vrij Nederland* werd Mansholt met de grond gelijk gemaakt onder de kop: 'Een landbouwer uit Ulrum wordt opnieuw de landspolitiek ingetild.' Hij zou geen regel Marx gelezen hebben.[31] Mansholt kwam op 14 januari terug uit Sardinië en was verbaasd over de beroering. 'Ik kan u zeggen dat ik wel geïnteresseerd ben in de Nederlandse politiek, maar geen enkele ambitie heb om minister of zoiets te worden,' zei hij op een persconferentie. Wat doet u als u in de toekomst 'geroepen' wordt, werd hem nog gevraagd. 'Als mijn ambitie daar niet ligt, zeg ik nee.' Maar de

Spotprent van Opland, verschenen in de Volkskrant op 11 maart 1972. Het onderschrift luidt: Mansholt: '… De patiënt hoeft nog niet naar het kerkhof, maar dan moeten er wel ernstige maatregelen worden genomen…!' [Collectie IISG © Opland, 'Uitvaart', c/o Beeldrecht Amsterdam 2019]

volgende weken trad hij erg overtuigend op voor radio en tv. Hij onderwierp zich met gemak aan vragen van het publiek en werd geprezen om zijn 'klaar taalgebruik'.[32]

De commissie-Mansholt vergaderde zeven keer. Af en toe kwam men bij- een in aparte groepjes. Mansholt vond dat Nederland te klein was en dat Europa gemobiliseerd moest worden. Europa was groot genoeg om de rest van de wereld tot verstandiger gedrag te dwingen. Het woord *socialisme* hoefde er wat hem betreft niet in. Van Den Uyl moest het en van Van Mierlo mocht het niet. Gruijters en Den Uyl zochten voortdurend naar lichtpuntjes in de analyse. Anderen reageerden soms moedeloos en vreesden dat het te laat was. Brugsma: 'Op dat soort depressieve momenten zei Mansholt met z'n licht noordelijke tongval: "We moet'n maar doen wat menselijkerwijs mogelijk is om te doen." '[33]

Op 6 maart 1972 publiceerde de commissie een discussiestuk van 45 pagi- na's.[34] Het leunde zwaar op *Grenzen aan de Groei*. De conclusie: om de structu- rele maatschappelijke problemen te kunnen aanpakken was het noodzakelijk dat er een progressieve volkspartij kwam. Die conclusie stond van tevoren al wel vast. Aan de grote lijnen van Meadows – over het model werd verder niet gerept – was nog een en ander toegevoegd. Nieuw was de prominente plaats van de wapenwedloop in het geheel, naast de Noord-Zuidtegenstelling en de milieuvervuiling.

De gidslandfunctie van Nederland werd uitgewerkt in dertig pagina's, twee-derde deel van het rapport. Gestreefd werd naar een nieuwe, meer ontspan-nen samenleving. Het beleid moest worden gericht op terugdringen van de schaarste: 'Dat betekent een teruggang van ons levenspeil zoals we dat momen-teel beleven, met het oogmerk een verhoging van een op andere wijze erva-ren levenspeil mogelijk te maken: "Bruto Nationaal Nut in plaats van Bruto Nationaal Produkt".' Daarop volgde een paragraaf over de herverdeling van inkomens, waarschijnlijk van Den Uyl. De paragraaf over de leefbaarheid van de stad is opmerkelijk. Daarin werd gewaarschuwd voor conflicten tus-sen autochtone en allochtone groepen. Dat kon worden voorkomen via het afremmen van immigratie, economische steun aan landen van herkomst en 'kulturele ontwikkeling van Nederlanders tot wereldburgers', een soort inbur-geringscursus voor *autochtonen*. In het laatste stuk waren Mansholts 'aanteke-ningen' verwerkt (Europees plan; kringloopproductie, inclusief het voorbeeld van de auto).

Het rapport-Mansholt bracht veel tongen in beweging: 'Geklets in de ruimte' (VVD-senator Van Riel); 'Een bijzonder belangrijke bijdrage tot bezinning' (KVP-voorzitter Dick de Zeeuw); 'Nooit eerder is in een democratisch land, door een Commissie uit democratische partijen een document opgesteld dat zo ver verwijderd is van wat de meeste mensen willen. (...) Wat de Commissie verwerpt is: méér inkomen, méér koopkracht, méér geproduceerde goederen en diensten' (Jan Pen, econoom); 'De meest radicale en revolutionaire concep-tie van na de oorlog' (Paul van 't Veer in *Het Parool*); 'Ik zie het wel zitten op voorwaarde dat gelijkere welvaartsverdeling in de wereld voorafgegaan wordt door gelijkere verdeling in de rijke landen zelf' (Wim Kok, secretaris van het NVV).[35]

Achter de schermen – in een vergadering van het PVDA-partijbestuur – werd het rapport-Mansholt door Den Uyl al op 13 maart afgedaan als 'een studeerkamerproduct'. Den Uyl, die er nota bene zelf aan had meegewerkt, koos voor het behoud van zijn eigen partij. 'Hij verraadde de progressieve volkspartij,' brieste een teleurgestelde Brugsma achteraf.[36] Na het rapport werden de besprekingen voortgezet in werkgroepen, maar Den Uyl bleek voldoende tijd gewonnen te hebben. D'66 en PPR zakten in de peilingen en hij dacht het verder wel in zijn eentje te kunnen redden, met zijn eigen PVDA.

Eind maart zei Mansholt duidelijk nee tegen terugkeer. De missie was mislukt. Hij wees op de terechte kritiek van Pen. De commissie had volgens hem ook een blunder begaan door de vakbeweging niet bij haar werk te betrekken. 'Die vakbeweging staat er nu naast. En waar gaat het om? Het gaat toch om de eerste plaats om hen, om die arbeiders. Het is voor mij, met m'n landhuisje in Sardinië en m'n boerderij in Drenthe gemakkelijk praten.' (Mansholt had in 1971 een oude boerderij gekocht in Wapserveen.) Had de enorme publiciteitsgolf hem dan niet gestreeld? wilde een journalist nog weten. 'Het doet me goed dat er een brok waardering is. Ik heb ook m'n moeilijke tijd gehad. Bij die boerenopstand. Heel moeilijk was het toen.'[37]

Doorslaggevend was overigens dat Mansholt op 20 maart 1972 alsnog het voorzitterschap van de Europese Commissie in de schoot geworpen kreeg. Die kans liet hij zich niet ontgaan.[38]

## Europe's prime minister

Na 1 juli 1970, toen de Commissie terugging van veertien naar negen leden, mocht Mansholt van de Nederlandse regering nog twee jaar aanblijven, hoewel de PVDA op dat moment niet in de regering zat. Het kabinet koos voor continuïteit, mede in verband met de komende onderhandelingen met de Britten. Mansholts grote deskundigheid op landbouwgebied speelde daarbij een rol. Hij voerde op dat moment nog een felle strijd voor zijn structuurplan. Er was ook toeval in het spel. Aanvankelijk leek Mansholt het veld te moeten ruimen voor een KVP'er. Toen de Belgen en de Italianen ten slotte met christendemocratische commissarissen op de proppen kwamen, mocht de socialist Mansholt toch blijven zitten.[39]

De Malfatti-Commissie was benoemd voor twee jaar. Later besloot de Raad de termijn te verlengen tot 1 januari 1973, maar op 17 maart 1972 trad voorzitter Malfatti plotseling af. Hij keerde terug naar de Italiaanse politiek. Drie dagen later werd Mansholt tot zijn opvolger gekozen, op voorstel van de Fransen. 'Daar was ik wel een beetje trots op,' zei hij in *De crisis*.[40]

Wat stak daar achter? Mansholt was de meest controversiële commissaris. Hij lag vaak overhoop met de gaullisten. In *Time* werd gesuggereerd dat de Fransen hem steunden om in 1973 zelf de landbouwportefeuille te kunnen veroveren. De Franse zet kon ook worden gezien als een gebaar van goede wil tegenover de Britten en de Nederlanders. De benoeming van zwaargewicht Mansholt versterkte volgens *Time* de rol van de Commissie in de aanloop van de in het najaar te houden top van regeringsleiders in Parijs.[41] Bovendien wist men dat hij al na acht maanden zou verdwijnen. Dan ging hij met pensioen.

437

Met de Italianen was waarschijnlijk afgesproken dat zij een nieuwe commissaris mochten benoemen als ze de kandidatuur van Mansholt zouden steunen. Nederland schoof Mansholt naar voren omdat dit handig was met het oog op het voorzitterschap van de Raad in de tweede helft van 1972. Mansholts collega's waren het niet altijd met hem eens maar hadden groot respect voor hem en stonden volledig achter het besluit dat hij zijn carrière zou eindigen als hun voorzitter.[42]

Mansholts voorzitterschap duurde kort en werd gekenmerkt door publicitaire stunts. De Commissie leek in die tijd maar wat rond te dolen. Onderling was men het niet eens over de politieke koers. Het Verdrag van Rome was 'klaar'. Nieuwe lijnen moesten worden uitgezet, maar daarmee kon men pas beginnen als de Britten, de Denen en de Ieren erbij waren, na 1 januari 1973.

Een deel van de commissarissen – de Fransman Deniau en de Duitser Dahrendorf bijvoorbeeld – hield vast aan een strikt ambtelijke rol. Mansholt wilde daarentegen een *politieke* Commissie met een ruime taak. Tussen Mansholt en Dahrendorf bestond ook verschil van mening over de te volgen buitenlandse politiek. Dahrendorf bepleitte liberalisatie en terugkeer naar intergouvernementele samenwerking; Mansholt vond dat Brussel zich mocht beschermen tegen de VS en zich vooral op ontwikkelingslanden moest richten.[43]

Kennelijk wist Mansholt zich nog één keer op te laden. In zijn archief in het IISG te Amsterdam bevinden zich adviezen over allerlei dossiers uit deze periode, vaak van Mozers opvolger Sjouk Jonker (oud-journalist van *Trouw*, ARP-lid en bevriend met de toenmalige Nederlandse minister-president Biesheuvel), adjunct-kabinetschef Rob Cohen (PVDA, politicoloog) of Theo Hustinx (KVP, specialist economische zaken). Daarnaast van Renato Ruggiero, de politieke adviseur die hij overnam van Malfatti. Verder bracht Mozer nog regelmatig verslag uit.[44] Mansholts voorzitterschap laat zich het best beschrijven aan de hand van vier onderwerpen: de eerste persconferentie; zijn optreden op de Unctad III-conferentie in Santiago, de top van Parijs en zijn strijd tegen de anti-Europeanen in de Britse Labour partij.

Het verslag van het weekblad *Time* over Mansholts eerste persconferentie als voorzitter begint als volgt: 'Europeans last week were treated to the refreshing spectacle of a top Eurocrat who said precisely what he thought – in plain language. (...) To begin what promises to be a lively term as "Europe's Prime Minister", he faced a press conference and, after demanding a glass of champagne, delivered himself of a few straightforward answers.' Duidelijke taal dus. Ruggiero had hem een voorzet gegeven met vage antwoorden op vragen die eventueel gesteld konden worden, maar Mansholt had daaraan geen boodschap. *La lettre Mansholt* was op dat moment overigens nog steeds voorpaginanieuws, dankzij Marchais.

Een aantal opvallende oneliners uit de persconferentie: de Gemeenschap was ziek als ze honderd uur moest vergaderen om tot een besluit te komen; de top moest in Parijs de beslissingen maar nemen waarvoor de Raad van Ministers te slap was; de Commissie moest onafhankelijker worden; géén politiek secretariaat in Parijs (de wens van de Franse regering); hij zou zijn brief aan Malfatti zelf maar beantwoorden; het BNP was niet iets heiligs, eerder iets duivels; Europa moest kiezen voor schone productie; als anderen niet mee wilden doen, moest Europa het voortouw nemen en zich tegelijk ook beschermen; de anti-Europese houding van Labour was volgens de nieuwe Commissievoorzitter betreurenswaardig:

> As a socialist, I am ashamed to see my [British] friends developping along these lines. Socialism is fundamentally international. I'm convinced the majority of British socialists will say in years to come, 'What damned stupid things we did in '71 and '72!'

*Time* sloot af met: 'Mansholt's predecessors – with the exception of Germany's Walter Hallstein – have set a pattern of weak and even meek presidents. That era is clearly over.'[45] Met verbaal radicalisme probeerde Mansholt de boel wakker te schudden.

## Unctad III: Noord of Zuid

Een van de eerste daden als voorzitter was het toespreken van Unctad III, de United Nations' Conference on Trade and Development, die van 13 april tot 21 mei 1972 plaatsvond in Santiago, Chili. Er namen 2500 afgevaardigden aan deel uit 141 landen en een aantal internationale organisaties. De Noord-Zuidtegenstelling stond centraal. Het werd een bijzondere conferentie, een bron van inspiratie. Chili symboliseerde in die dagen de hoop van veel ontwikkelingslanden en 'linkse' politici, overal ter wereld. President Allende was bezig na een democratische revolutie een moderne socialistische maatschappij op te bouwen.

Unctad III startte met een strijdbare speech van Allende. Hij stelde dat het arme deel van de wereld het rijke deel onderhield met hulpbronnen en arbeid. De president bepleitte een nieuwe economische wereldorde; een bevrijding door samenwerking op basis van solidariteit en eerbied voor de rechten van de mens. Als dat niet gebeurde, dan zou het arme deel gedwongen worden het conflict te zoeken. Allende hekelde de economische plundering door multinationals en stelde voor het bedrag dat jaarlijks aan bewapening werd besteed te storten in een 'fonds voor homogene menselijke ontwikkeling'.

De bijdragen van de VS, Frankrijk, Duitsland, Engeland, Japan en de Europese Gemeenschap (EG) – vertegenwoordigd door de voorzitter van de Raad van Ministers, de Luxemburger Thorn – werden door de meeste congresgangers ervaren als volstrekt onvoldoende: er vielen wat kruimels van de tafel, meer niet. Mansholt sprak namens de Commissie. Hij drong er bij de industriestaten op aan de export uit de ontwikkelingslanden jaarlijks te laten groeien met vijftien procent, de hulp te verruimen en afspraken te maken over de schuldenlast. Dit standpunt week af van de Raad, omdat de zes het hierover niet eens waren geworden. Tussen 26 april en 15 mei werden resoluties voorbereid in subcommissies, maar het was toen al wel duidelijk dat de conferentie geen structurele verbeteringen zou opleveren.[46]

Terug in Europa noemde Mansholt het optreden van de EG 'een beschamende aangelegenheid'. Hij hoopte dat het de laatste maal was dat de Gemeenschap 'zonder gezicht, zonder opinie en zonder iets in te brengen' naar een dergelijke conferentie zou gaan. De Commissie moest eigenlijk de mogelijkheid hebben 'in de loop van de onderhandelingen en ter plaatse zijn mandaat te herzien'. De Raad kwam niet meer bijeen vóór de afloop van Unctad III. Desondanks wilde Mansholt alsnog proberen wat verder te gaan en 'enig risico' te nemen. Dat initiatief werd van harte toegejuicht door zijn collega-commissarissen.[47]

Op 16 mei keerde Mansholt terug naar Santiago 'om te kijken of het nog mogelijk was enige verandering tot stand te brengen in de houding van de delegaties'. Te elfder ure slaagde hij erin een resolutie tegen de uitbreiding van de Gemeenschap van tafel te krijgen. De resolutie was ingediend door India en 51 ontwikkelingslanden, die vreesden dat uitbreiding schadelijk zou zijn voor hun exportmogelijkheden. Mansholt beloofde er alles aan te doen het standpunt van de Commissie op de top van Parijs aanvaard te krijgen. Op 19 mei sloot hij af met een hoopvolle rede voor de voltallige Unctad waarin hij onder meer pleitte voor het afsluiten van internationale grondstoffenovereenkomsten en het betrekken van de Derde Wereld bij handelsoverleg. Na afloop vertelde hij de pers dat hij 'iets van het gezicht van de EG' had willen redden. De Gemeenschap moest niet in het blok van rijke landen blijven zitten. 'Daar horen we organisch wel thuis – maar politiek helemaal niet.'[48]

Mansholt hoopte dat de Gemeenschap een voortrekkersrol kon vervullen en Noord en Zuid dichter bij elkaar brengen. De Raad – de bevoegde instantie – zou daarvoor later echter opnieuw een stokje steken. Mansholt werd voor de voeten geworpen dat hij valse hoop had gewekt. 'Kijk, ik heb toen bewust verwachtingen gewekt om als Commissie voldoende steun te krijgen uit de ontwikkelingslanden,' gaf hij achteraf toe. Hij had gedacht hiermee voldoende politieke druk te leggen op de regeringen in Europa om ze alsnog achter het plan te krijgen de exportmogelijkheden van de Derde Wereld duurzaam te verruimen. 'Maar het voorstel haalde het niet. Duitsland vooral was tegen. Dat was een grote teleurstelling.'[49]

Er was nog een ander aspect dat een rol speelde, namelijk Mansholts bewondering voor Allende. Beiden zochten een nieuwe weg voor het socialisme. 'Met Allende heb ik lange gesprekken gehad in Santiago,' schreef Mansholt in *De crisis*, 'en ik ben diep onder de indruk gekomen van zijn eerlijkheid en van zijn politieke overtuigingen. Dat wil niet zeggen dat de tactiek die hij toepaste of de strategie die hij volgde de enig mogelijke was.' Allendes socialistisch systeem was 'een grote krachtsinspanning binnen de democratie'. Het bevond zich 'veel dichter bij de kern van de behoeften van de maatschappij die wij moeten vinden'.

Allende aanvaardde geen samenwerking met het kapitalisme. Hij had de kopermijnen genationaliseerd zonder de multinationals schadeloos te stellen, want hij ging ervan uit dat ze genoeg hadden verdiend. Het koper was verdwenen, zonder dat Chili de kans gekregen had zich te ontwikkelen. De multinationals hadden zich totaal niet bekommerd om de economische opbouw van Chili, de opvoeding van de bevolking, de technische voorzieningen en de infrastructuur.[50] Allende had gelijk, vond Mansholt.

## Wrijving tussen Brussel en Washington

Hoe kon worden voorkomen dat het binnen vijftig jaar tot een catastrofe kwam? Dat was een van de vragen die Mansholt opwierp op zijn eerste persconferentie als voorzitter. Hij zag vooral een rol voor Europa:

> Europa heeft in de wereld een taak en een verantwoordelijkheid. Ik ben ervan overtuigd dat de V.S. niet langer de financiële en politieke last kunnen dragen die zij vroeger droegen. Het kan eenvoudig niet anders of Europa zal een gedeelte van die last moeten overnemen. Daarbij willen wij de V.S. niet als voorbeeld nemen. Dit betekent geenszins een politieke veroordeling van de Amerikanen. Ik ben overtuigd van de noodzaak tot samenwerking met de Amerikanen en met anderen. Europa moet niet protectionistisch zijn maar wij moeten nieuwe beleidsvormen kunnen

uitstippelen in de hoop dat de anderen ons volgen. Laten we maar initiatieven nemen.[51]

Wat was er geworden van het *Atlantic partnership*? Op 30 juni 1967 had de Commissie een handtekening gezet onder de slotakte van de Kennedyronde.[52] Daarmee was de eerste stap gezet op weg naar vrijmaking van de wereldhandel. De volgende stap was, volgens Mansholt althans, om in Atlantisch verband hulp te verlenen aan minder ontwikkelde landen.[53] Maar de VS kregen steeds meer last van het Europese blok. Vooral de hoge heffingen op landbouwproducten waren de Amerikanen een doorn in het oog. Mansholt had dat al in februari 1965 te horen gekregen van vicepresident Humphrey. Hoe lang zou Washington nog bereid zijn economische concessies te doen met het oog op de vorming van de *politieke* Gemeenschap in Brussel?

Mansholt had nog regelmatig contact met de VS. Met Beukenkamp bijvoorbeeld, de oud-landbouwattaché die in dienst was getreden van het Amerikaanse ministerie van Landbouw. Aan de vooravond van de Amerikaanse presidentsverkiezingen in 1968 schreef Mansholt hem dat de Verenigde Staten behoefte hadden aan sterk leiderschap. Ook de wereld had daaraan behoefte 'omdat er in het Westen een groot vacuüm gaat ontstaan en Europa nog niet in staat is een wezenlijk potentieel te zijn'.[54]

Net als in Europa was 1968 voor de VS een jaar van grote sociale en politieke spanningen. Rassenrellen, de moord op Martin Luther King en Robert Kennedy, gevechten tijdens de Democratische conventie in Chicago. De Republikein Nixon won de verkiezingen nipt. Vanaf 1969 waaide er een andere wind in Washington. Tegelijk nam in Europese kringen de kritiek toe op het Amerikaanse ingrijpen in Vietnam, de oorlog die steeds verder escaleerde. Mansholt bezocht de VS in maart 1971, sprak met topambtenaren en leden van het Congres en bracht daarvan later verslag uit in een artikel in *Internationale Spectator*.[55]

Hij had de indruk gekregen dat de Amerikanen nog steeds bereid waren een prijs te betalen voor een verenigd Europa. 'Jullie willen je verenigen met Engeland en dat is een politieke doelstelling,' had hij te horen gekregen. De Britten zouden dan een grotere preferentie krijgen, hetgeen op korte termijn ten koste zou gaan van de VS. 'Wij beschouwen dit eenvoudig als voortzetting van de politiek die wij steeds gevoerd hebben.' Mansholt had ook gemerkt dat de Amerikanen niet te spreken waren over het Europese landbouwbeleid. 'Ze vinden ons zeer protectionistisch en er worden zeer scherpe aanvallen uitgeoefend in de VS, zowel in het parlement alsook in het bedrijfsleven.'

Kwaad bloed zette ook de kritiek in Europa op de buitenlandse politiek van de VS. Mansholt vond die kritiek vaak terecht, maar waarschuwde tegelijk 'dat wij als Europa maar drommels weinig doen om Amerika bij te staan. Wij schelden vaak op de Vietnam-politiek en alles dat daar verband mee houdt (...), maar er is natuurlijk in Europa ook nergens maar een begin van een gemeenschappelijke buitenlandse politiek, b.v. van een gemeenschappelijke defensiepolitiek met de VS, afgezien dan van de NAVO.' Mansholt vroeg om een beetje begrip voor de positie van Washington.

In de VS bestond ook veel verwarring over de doelstellingen van de Gemeenschap. Mansholt had geprobeerd Washington duidelijk te maken dat de Amerikaanse landbouwpolitiek net zo protectionistisch was als die van de EG. Als beide partijen alle steun zouden afschaffen, dan daalde het landbouwinkomen in Europa met 50 procent en in de VS met 44 procent. Per werkende in de landbouw – in Europa waren meer boeren dan in de VS – zou het inkomen dalen met 1300 dollar per jaar in de VS en met 860 dollar in de EG. De bescherming van de landbouw was in de VS dus relatief groter dan in de EG.

'Wij willen *free trade*,' hadden Amerikaanse boeren tegen hem geroepen. Mansholt zei hun dat dit niet bestond. Zowel de VS als de EG hadden een gemanipuleerde markt:

> En de enige 'free trade' is dat wij tegenover elkaar dus met subsidies op de wereldmarkt gaan werken. De dupe zijn natuurlijk de ontwikkelingslanden. Als ik op het ogenblik bijvoorbeeld het dumpen zie van de handelsprijzen op de markt, waarbij met zeer grote exportsubsidies rijst verkocht wordt, waarbij arme landen gedwongen worden zonder die subsidie tegen een zeer lage prijs te verkopen, dan is dit een stuk ontwrichting dat nauwelijks te dulden is.

Zijn *persoonlijke* opvatting was dat deze gemanipuleerde markten politiek niet te handhaven waren. Via structurele maatregelen – zie het plan-Mansholt – moest er een rationele landbouw komen die geen bescherming nodig had. Daarnaast zou een 'wereldordening' moeten worden ingevoerd voor basisproducten als vetten, zuivel, vlees, granen en suiker. Op die manier kon binnen tien jaar het grootste deel van de bescherming aan de buitengrens worden afgebroken.

Vóór de boerenopstand van 23 maart 1971 was Mansholt dus nog vrij optimistisch over de politieke steun van de Amerikanen. Maar door het besluit van de Landbouwraad – van diezelfde dag – om een aantal garantieprijzen te verhogen bekoelde het enthousiasme van de VS sterk. De Amerikaanse minister van Landbouw Clifford M. Hardin toonde weinig begrip voor het politieke doel van 'het Verenigd Europa', laat staan voor de positie van Mansholt. De agrarische export van de VS was in het geding.[56]

Op 15 augustus 1971 besloot president Nixon de inwisselbaarheid van de dollar tegen goud stop te zetten, in feite een devaluatie ter bescherming van de eigen markt. De handelspositie van de Gemeenschap verslechterde met vijftien procent. Tegelijk voerden de VS een heffing van tien procent in op alle importen. De gevolgen waren enorm: een internationale monetaire crisis, groot wantrouwen tussen de VS en de EG en een dreigende handelsoorlog.[57] In feite was de dollarcrisis de uitdrukking van verschuivende economische krachtsverhoudingen in het westerse kamp. Die verschuiving was een gevolg van het succes van de EG.

Washington had zijn Europese partners niets gezegd. Geen overleg, geen waarschuwing, niets. Onder Kennedy vonden regelmatig ad-hocbijeenkomsten plaats tussen Amerikaanse ministers en Europese commissarissen. Na hem werd er steeds minder aandacht besteed aan dit soort contacten. De relatie verslechterde. Ten tijde van Johnson lag het primaat aanvankelijk op de binnenlandse politiek. De buitenlandse werd ten slotte volledig overschaduwd door Vietnam.

Volgens J. Robert Schaetzel, de assistent van George Ball, die in 1966 Tuthill was opgevolgd als ambassadeur bij de EEG, werden Europeanen die contact zochten min of meer afgesneden van nuttige politieke aanspreekpunten. Hij haalde als voorbeeld Mansholt aan, die vanaf de Marshallhulp bij de integratie was betrokken en veel goede vrienden in Washington had.

By his record, no European seemed more securely anchored to the idea of an Atlantic partnership than Sicco Mansholt. (...) yet his last years with the Commission were marked by a growing anti-Americanism. His metamorphosis in regard to the United States was similar to that of other liberal Europeans. As socialist he reacted against the oligarchy of big business, American devotion to goods and consumption, Washington's indifference to the misery of poor countries, and an America so long mired in a colonial war which it abhorred.

Mansholts anti-Amerikanisme werd volgens Schaetzel mede in de hand gewerkt door de houding van Washington. 'The new breed of American officials intensified the alienation.'[58]

444

Bezoek uit Moskou

Op het moment dat Mansholt in Santiago de handen op elkaar kreeg, was de Amerikaanse president op weg naar de Sovjet-Unie. Van 22 tot 30 mei 1972 bracht Nixon een bezoek aan Moskou. Terwijl de kloof tussen Noord en Zuid groeide, leek die tussen Oost en West plotseling te kunnen worden verkleind.

Op 20 maart van dat jaar, nadat bekend geworden was dat de Britten zouden toetreden, liet partijleider Leonid Breznjev zich in een rede positief uit over de EG. Tot dan hadden de Sovjet-Unie en haar satellieten de Gemeenschap volslagen links laten liggen. Na overleg in de Commissie gaf Mansholt op 17 april 1972 in het Europees Parlement een formele reactie. Tevreden stelde hij vast dat Breznjev de realiteit van de Europese integratie als feit erkende. De Commissie hoopte dat dit ook praktische gevolgen zou krijgen in de vorm van een verruiming van de handelscontacten met Oostbloklanden.[59]

Een week na Nixons reis, op 6 juni, sprak Mansholt in Brussel met Vadim Zagladin, oud-adviseur van Chroesjtsjov, lid van het Centraal Comité en vicevoorzitter van de Commissie voor Buitenlandse Zaken van de Russische communistische partij. Het gesprek vond 's avonds plaats in het huis van politiek adviseur Ruggiero. Daarbij waren aanwezig Jonker van Mansholts kabinet en de ambassaderaad van de Sovjet-Unie in Brussel, Gnavacev. Het was het eerste contact tussen de voorzitter van de Commissie en een verte-genwoordiger van de Sovjet-Unie. Ruggiero maakte een gespreksverslag. Een kopie daarvan zit in het archief-Mansholt. Het contact vloeide voort uit een demarche in januari 1972 van Oleg Bogomolov, de directeur van de Russische Academie voor Wetenschappen, specialist op het gebied van economische integratie en vooraanstaand politiek analist.

Zagladin zette uiteen waarom zijn land argwanend tegenover de Gemeen-schap stond. De integratie zou immers het resultaat zijn van de Koude Oor-log. (De VS hadden de integratie sterk gestimuleerd, te beginnen met het Marshallplan.) De situatie was weliswaar veranderd sinds er ontspanning was ingetreden, maar het verleden kon men toch moeilijk van zich afschudden. Hij wees op de pogingen halverwege de jaren vijftig om tot een Europese Defensiegemeenschap te komen, gericht tegen de Sovjet-Unie. De Fransen en Britten zouden daarop nog steeds uit zijn. Zagladin zei Mansholt er geen moeite mee te hebben wanneer de Gemeenschap als 'waarnemer' zou mee-doen aan de besprekingen tussen Oost en West over veiligheid en samenwer-king in Europa die in november zouden beginnen in Helsinki.

De Rus verklaarde dat zijn land voorstander was van 'pan-Europese' samen-werking. Men dacht daarbij aan gezamenlijke projecten als de opbouw van een

Europees netwerk voor de distributie van elektriciteit. Kritiek had Zagladin op de Europese handelspolitiek. Sommige lidstaten hielden de handel met Oost-Europa stevig in eigen hand en leken niet bereid tot echt gemeenschappelijk beleid. Hij liet zich ten slotte nog positief uit over het bezoek van Nixon aan Moskou. Daarmee was volgens hem formeel vastgelegd dat een oorlog tussen de VS en de Sovjet-Unie ondenkbaar en onmogelijk was.[60]

Hoe Mansholt reageerde, blijkt niet uit Ruggiero's verslag. Een volgende ontmoeting vond nooit plaats. Het contact met Zagladin werd voortgezet door Edmund Wellenstein, directeur-generaal voor de buitenlandse handel. Hij merkte al snel dat de Sovjet-Unie geen bilaterale contacten wilde tussen haar satellieten en de EG. Alles moest via de Comecon. Een bezoek van Wellenstein aan Moskou in februari 1975 werd een fiasco. Het zou nog tien jaar duren voordat de relaties genormaliseerd werden, tijdens de 'perestrojka' van Gorbatsjov.[61]

Een van de ideologen van de perestrojka en in die tijd – eind jaren tachtig, begin jaren negentig – rechterhand van Gorbatsjov was diezelfde Zagladin. Anno 2002 was hij adviseur en voorzitter van de Gorbatsjov-Foundation, die zich voornamelijk bezighield met internationale congressen over democratisering en mondiale samenwerking. Op de vraag of hij zich nog iets kon herinneren van zijn ontmoeting met Mansholt, dertig jaar eerder, antwoordde hij:

Inderdaad, heb ik in juni 1972 de heer Mansholt ontmoet in Brussel tijdens een lunchbijeenkomst, waarop hij mij had uitgenodigd. Wij spraken vrijwel uitsluitend over de mogelijkheden voor het leggen van contacten, de relatie tussen de USSR en de EEG en tevens, in dat verband, over de buitenlandse politiek van de USSR in die periode. De heer Mansholt bleek een uiterst interessante en aangename gesprekspartner. Over mijn indrukken en conclusies van dat gesprek heb ik persoonlijk verslag gedaan aan de Secretaris-Generaal van het Centraal Comité van de USSR Leonid Breznjev. Deze besteedde veel aandacht aan mijn verslag en gaf de daartoe bestemde staatsorganen opdracht om uiteengezette ideeën over het nut van het leggen van zakelijke contacten met de EEG nader te bestuderen. Helaas echter kreeg diens opdracht destijds weinig serieuze navolging, aangezien velen van ons toen nog zeer argwanend stonden ten opzichte van de EEG, als iets van een voortbrengsel van de 'Koude Oorlog'. De situatie is pas radicaal veranderd aan het begin van de perestrojka. Over de landbouwpolitiek van de EEG en het plan van de heer Mansholt hebben we niet speciaal gesproken destijds. Ik weet dat onze landbouwspecialisten zijn plan hebben bestudeerd, maar tamelijk abstract, zonder enige praktische belangstelling.[62]

446

Zagladin en Bogomolov probeerden een nieuwe lijn uit te stippelen door een economische brug te slaan tussen het Oostblok en de EG. Op die manier zou de détente kunnen worden uitgebouwd. Kennelijk zag Mansholt perspectief in zakelijk contact. Het verslag van Ruggiero gaat, zoals gezegd, niet in op Mansholts bijdrage, maar het is niet aannemelijk dat hij zijn mond heeft gehouden. Uiteindelijk slaagde Breznjev er niet in het Centraal Comité achter zich te krijgen. Vandaar ook het fiasco van Wellenstein, begin 1975. Nixon was toen al ten val gebracht door Watergate. Dat betekende ook het begin van het eind voor de détente.

## Nixon: 'That jackass in the European Commission'

Hoe dachten de Amerikanen over deze toenaderingspoging? Een geïsoleerd fenomeen was het niet. Bondskanselier Brandt had de Russen al eerder de hand gereikt. In oktober 1971 had Breznjev – mét onder anderen Zagladin – Parijs bezocht. Dat resulteerde in een gezamenlijke verklaring over vreedzame coëxistentie en een handelsverdrag voor een periode van tien jaar. West-Europa leek van twee walletjes te willen eten, terwijl het politiek tot niets in staat was zonder de VS.

Van 30 mei tot 10 juni 1972 maakte Peter Flanigan, Nixons *Assistant for International Economic Affairs*, een rondreis door West-Europa. Hij peilde wat de opvattingen waren van een aantal hoofdrolspelers in de komende gesprekken over handelspolitiek (in GATT-kader) en monetaire zaken. Scherpe kritiek uitte hij op het plan van de Gemeenschap bilaterale overeenkomsten te sluiten met algemene handelspreferenties over en weer, vooral met ontwikkelingslanden. Dat was schadelijk voor de VS. 'Europe should be aware of the fact that the days when we were able to accept almost any commercial costs for political reasons are over,' merkte Flanigan op in het verslag dat hij van de reis maakte.[63]

'Brussel' was geen *equal partner*, maar een economisch blok waarvan Amerika steeds meer last had. In maart 1971 dacht Mansholt dat de VS nog altijd bereid waren een politieke prijs te betalen voor een verenigd Europa. Flanigan zou hem uit de droom helpen. In maart 1972, bij zijn eerste persconferentie, had voorzitter Mansholt betoogd dat Europa een deel van de last van de Amerikanen moest overnemen, vooral de hulp aan ontwikkelingslanden. Maar namens wie sprak hij eigenlijk? Flanigan kreeg op zijn rondreis allerlei verschillende antwoorden. De houding van veel Europese leiders tegenover Amerika bleek onverschillig en dat stoorde hem. De toon van het gesprek met Mansholt was zelfs zó vijandig dat Flanigan een uitvoerig verslag als bijlage toevoegde aan het rapport dat hij Nixon uitbracht.

Dat gespreksverslag is niet objectief, maar illustreert duidelijk waar Mansholts prioriteiten lagen, tot ergernis van veel Amerikanen. Volgens Flanigan
had de versterking van 'the Atlantic system' de hoogste prioriteit. Maar daarover wilde Mansholt het helemaal niet hebben:

> Mansholt responded with a long speech which began by noting what he
> believed was a growing sentiment in European public opinion and parlia-
> ments about the future of relations between the developed and developing
> countries. He said that, in comparison with the "minor" economic pro-
> blems among developed countries, those between developed and deve-
> loping economies were much more serious.
> He had made two trips to the UNCTAD meeting at Santiago. He said that
> the U.S. attitude there was, to say the least, disappointing. He warned
> that Europe was becoming deeply concerned about the north-south split
> and its implications for future peace. It seemed clear, from the U.S. per-
> formance in Santiago, that this concern was not shared in America. Thus,
> a serious confrontation between Europe and the U.S. was in the making
> over trade and aid policies toward LDC's [Less Developed Countries].
> He assured me that Europe will meet its obligations, even if the U.S.
> will not.
> Specifically, the EC will begin to develop commercial and industrial poli-
> cies, which will look to the interests of the LDC's. The problems Europe
> has with the U.S. are not important. The 'Eberle negotiations'[64] earlier
> this year were a big mistake for Europe. It was 'silly' to have spent so
> much time and political capital on a few million dollars worth of trade in
> citrus fruit, tobacco, etc., when 20 percent of the world was starving. He
> assured me that he was not the least concerned with soybeans, ('to hell
> with your soybeans') but he was over palm oil because it is an essential
> LDC export.
> (...) On aid, he was highly critical of the U.S. which had consistently fai-
> led in recent years to come anywhere near the one percent of GNP [Gross
> National Product] aid target. (...) He also stated that a large part of the
> new EC political cooperation talks will be devoted to consideration of
> strengthening economic links between the EC and all developing coun-
> tries. (...) He concluded that it was the real world he was talking about,
> not that which occupied so much of the time of our respective govern-
> ments. He particularly stressed that the U.S. members of Congress with
> whom he had talked were not aware of this real world. (...)
> He said that, as a Socialist, he did not agree that the war in Vietnam

was contributing to the solution of the problems he had outlined. (...) Mansholt agreed that Europe should shoulder more of its own defense burden. However, he said, the real issue is that income from future growth needs to be distributed more extensively to the LDC's to close the gap. This should be done by heavy new taxation in developed countries (even if it resulted in a decline of standards of living in the developed countries, and in the U.S. in particular as the richest), and by trading arrangements to organize markets in favor of LDC exports. (...)

Mansholt (...), reverting to his Santiago experiences, charged that the U.S. was embarked on a deliberate policy of destroying the only democratic regime left in Latin America "in the same way we had destroyed democracy in Cuba." He said that Allende was faced with a serious challenge from both the left and the right in Chile and that, if he went under, the country would give way to anarchy and, ultimately, become another Cuban-style dictatorship. (...)

Mansholt claimed that Chile owed us nothing because companies like Anaconda[65] had exploited Chile for years, contributing nothing while withdrawing only profits. For example, he said that, as a Socialist, he did not believe that capitalism is effective or desirable as a means of promoting development. He had visited El Teniente while in Chile and could find no schools, no housing, no roads built by Anaconda to serve the people in all the years it was there. Instead, there were large latifundia, estates, etc. for the managers, while the peasants toiled in misery.[66]

Wat dacht Mansholt met deze uitval te kunnen bereiken? Het was niet waarschijnlijk dat de VS zouden inbinden. Misschien interesseerde hem dat ook niet. Hij sprak vrijuit en liet zich door niemand imponeren. Flanigan sputterde tegen en dat maakte Mansholt extra fel. Interessant is dat vijf dagen later Zagladin langskwam. Zou Mansholt gezwegen hebben over Unctad III en zijn gesprek met Nixons adviseur? Dat is mogelijk. Het verslag van Ruggiero vermeldt niets hierover. Zagladin had de Derde Wereld – en Mansholt – ook weinig te bieden. De Russen waren op dat moment vrij gelukkig met hun Amerikaanse 'vrienden'.

President Nixon nam het rapport van Flanigan mee in een discussie met zijn naaste adviseurs, begin september 1972. Bij die gelegenheid gaf hij een vlijmscherpe analyse van de verhouding tussen de VS en West-Europa, gelardeerd met krachttermen, zoals gebruikelijk bij Nixon. Er stond meer op het spel dan 'horse-trading between soybeans and cheese':

If they adopt an anti-U.S. trade policy, resulting in 'an unenthusiastic' attitude in the U.S. about Europe, they must be made to understand that it will carry over into the political area. NATO could blow apart. The idea that the Europeans can defend themselves without us is 'bull'. (…) European leaders (…) are 'terrified' at that prospect. However, 'the economic guys over there just want to screw us and our economic guys should want to do the same. (…).' Nevertheless, the political aspects of our relations should be overriding for both sides. (…). 'We cannot allow the umbilical cord to be cut and Europe to be nibbled away by the Soviets.' (…)
The Europeans recognize that they do not matter in the world anymore, and thus they concentrate on economic issues, which are more important to them. That means that we may have to give more than our trade interest, strictly construed, would require. (…) It is going to be very hard to sell trade liberalization to the Congress. We will be prepared to do it because we know that more is at stake than just trade. (…) We have to be able to show the country that there is a major shift in the world balance of power, particularly as among ourselves, the Russians, the Chinese and the Japanese. As regards Europe, the Europeans 'will have one hell of a time acting as a bloc'. They do not get along with each other and it will be some time before they can learn to act as a group. This means we have to work with the heads of government in the various countries and not 'that jackass' in the European Commission in Brussels.'[67]

Achter het woord *jackass* is in de Amerikaanse bronnenpublicatie een verklarende noot opgenomen. Onderaan de bladzijde lezen we: 'Presumably a reference to European Commission President Sicco Mansholt.'
'Ze kunnen niet met elkaar overweg en het zal nog lang duren voordat ze als groep optreden,' dat was Nixons politieke slotsom na bijna vijftien jaar integratie. Kennedy had zijn geld wel willen zetten op 'good Europeans' als Mansholt. Nixon vond hem een *jackass* en liet Brussel links liggen. De Washington-*connection* ging dicht. Een dag voor zijn pensioen zei Mansholt nog: 'Er staan twee concurrenten aan onze deur te kloppen, één aan de voordeur en één aan de achterdeur. Amerika staat aan de voordeur en de arme landen staan aan de achterdeur. Laten we die voordeur voorlopig maar dicht houden en eerst de achterdeur wijd open zetten.'[68]

## Top van gemiste kansen (Parijs 1972)

'Als groep optreden,' dat was precies het probleem: het gebrek aan Europese solidariteit. Mansholt had zijn hoop gevestigd op de topconferentie van regeringsleiders in de tweede helft van 1972. 'Europa kan heel wat meer zijn,' schreef hij in *De crisis*.

> Het is al een grote economische macht, maar die macht is nog niet gecoördineerd. Er is nog geen beleid. Dat kan worden gebundeld, niet alleen voor de Europeanen zelf. Het kan dienstbaar worden gemaakt voor de wereld. Europa ontstaat door het voeren van een gemeenschappelijk beleid. Dat wil niet zeggen dat daarmee de naties ophouden te bestaan, dat zij geen invloed kunnen uitoefenen. Integendeel, ik ben van mening dat de naties in staat zijn hun oorspronkelijkheid te behouden of zelfs terug te vinden. Ze komen in het grotere Europa tot ontplooiing.

De top moest volgens Mansholt een opleving van de Gemeenschap brengen: een krachtig, democratisch bestuur, aanvulling van het Verdrag van Rome met nieuwe beleidsterreinen, een radicale herformulering van het beleid op een aantal andere terreinen. Europa diende zich ook niet te beperken tot economische vraagstukken. De drie nieuwe leden – Groot-Brittannië, Denemarken en Ierland zouden er op 1 januari 1973 bijkomen – draaiden volwaardig mee op de top. Dat kon een stimulans zijn voor een goede uitkomst.[69] Tot woede van Mansholt werd hij echter op voorstel van de Fransen buiten de gesprekken over politieke samenwerking gehouden. Hij dreigde toen zelfs zijn ontslag in te dienen, maar de Nederlandse minister-president Biesheuvel slaagde erin hem tot bedaren te brengen.[70]

Mansholts *inhoudelijke* bijdrage aan de topconferentie bestond uit drie aanvullingen van eigen hand op een concept dat hij van zijn medewerkers kreeg aangereikt.[71] Punt een was gewijd aan ontwikkelingshulp: 'De Gemeenschap zal een der sterkste economische machten van de wereld zijn en dat geeft haar een grote verantwoordelijkheid. Haar voortgaande economische groei leidt tot een steeds slechtere verdeling van de rijkdommen tussen haar en de derde wereld en verscherpt daardoor de politieke tegenstellingen.' Daarop volgde een verwijzing naar Unctad III. Concreet zou Europa tien procent van de groei van zijn BNP moeten bestemmen voor directe hulp, grondstoffenakkoorden moeten afsluiten en de import van verwerkte producten uit ontwikkelingslanden moeten uitbreiden met vijftien procent per jaar, de komende tien jaren.

451

Een tweede aanvulling had betrekking op het rijke Noorden. Mansholt verlangde een onderzoek naar de structuur van de wereldeconomie. Verder zou
de GATT-ronde die in 1973 startte in eerste instantie gericht moeten zijn op
een betere verdeling van de rijkdommen in de wereld. De laatste passage
– punt drie – sloeg op de Europese burger. Mansholt schoof een aantal praktische punten naar voren, bedoeld om die burger dichter bij het abstracte
Europa te betrekken: het afschaffen van controles van personen aan de binnengrenzen, kiesrecht voor iedere inwoner bij plaatselijke verkiezingen (ook
voor gastarbeiders), harmonisatie van diploma's.

De top van regeringsleiders vond plaats in Parijs op 19 en 20 oktober 1972.
Het resultaat bestond uit veel mooie woorden en één principiële beslissing
ten aanzien van Europese monetaire samenwerking. Op 15 november deelde
Mansholt zijn oordeel met het Europees Parlement. Het was een 'actie-top
van Negen' geweest, zei hij, niet van zes plus drie. Men had volop gebrain-
stormd zonder dat er een scheidslijn merkbaar was tussen oude en nieuwe
lidstaten. Dat was positief. In het program stak veel 'potentiële actie': nieuwe
beleidsterreinen als milieu en regionaal beleid; de aanzet tot een op te stellen sociaal program. Jammer was dat de term 'Europese Unie' – gemunt op
deze top – niet nauwkeuriger gedefinieerd werd. Wat er voor het Europees
Parlement uit de bus was gekomen viel hem tegen. Zeer teleurgesteld was
Mansholt echter over het feit dat niet was aangehaakt bij Unctad III.[72]

De punten van zijn eigen lijstje waren allemaal afgeschoten door Pompidou,
met steun van Brandt en Heath. Dat schreef Mansholt twee jaar later in *De
crisis*. Toen liet hij zich heel wat negatiever uit over de top: 'Ik beschouw
de conferentie van Parijs van 1972 als die van de gemiste kansen.' Het slot-
communiqué klonk verfrissend, maar er waren geen werkelijke daden op
gevolgd. Wel plannen van de Commissie, maar geen besluiten van de Raad
van Ministers. 'Dat is ook het misleidende van deze conferenties. Men kan
wel resoluties aannemen, maar als men de uitvoering aan de nationale regeringen overlaat, komt er niets van terecht.'[73]

Mansholt was er na de top zelf ook niet meer bij om de politieke lont in het
kruitvat te steken. Maar hij bleef een optimist:

Toch moeten we niet wanhopen. (...) 't Is toch eigenlijk geweldig: voor de
eerste keer doen de mensen welbewust een poging om zo'n allesomvat-
tend politiek levenskader te scheppen. Eigenlijk beginnen ze nu pas los te
komen uit de achttiende eeuw. En als ik dat zeg, dan bedoel ik de mentaliteit. Want in de techniek zijn we al bijna perfect, maar dat verbergt in de
politiek nog eeuwenlange achterstand.

Hij hoopte dat de Commissie en het Europese Parlement in de toekomst de politieke kracht zouden opbrengen voorstellen in te dienen voor een Europese Unie die ook werkelijk kon functioneren. 'Geen halfslachtige politiek dus. Of men schept iets dat kan regeren, òf men doet niets en valt op de nationale organen terug.'[74]

Hij moest enige tijd wachten. Pas na jaren van economische crisis en 'Euro-sclerose' zou een begin worden gemaakt met de invulling van de in 1972 aan het Verdrag toegevoegde beleidsterreinen. Dat gebeurde in 1987 in de Europese Akte. In het Verdrag van Maastricht uit 1993 zou ten slotte de groei naar de Europese Unie nauwkeurig worden gedefinieerd.[75]

## De voorzitter van de Commissie schaamt zich voor Labour

Voor Mansholt zelf, als politicus en Europese socialist, was de houding van zijn politieke vrienden in Engeland de grootste horde tijdens zijn voorzitter-schap. Hij had torenhoge verwachtingen van de rol van Labour in het inte-gratieproces. Mansholt ging er ook altijd vanuit dat de Britten hem zouden steunen in zijn strijd tegen de Fransen voor democratisering van de instel-lingen en handelsliberalisatie. Het besluit om toe te treden was al genomen voordat Mansholt voorzitter werd, maar in de loop van 1972 nam het verzet binnen het Britse parlement, vooral bij Labour, zo sterk toe dat het dreigde uit te draaien op heronderhandelen.

Het tweede veto van De Gaulle van 27 november 1967 had een desastreus effect gehad op de Britse publieke opinie. In juni 1966 was 66 procent van de Britten nog voorstander van toetreding geweest, maar in 1970 was dat percentage gedaald tot 18, hoewel De Gaulle intussen van het toneel ver-dwenen was en het veto waarschijnlijk kon worden opgeheven.[76] In 1969 en 1970 wipte Mansholt nog regelmatig het kanaal over. 'Hij stal veler harten door zijn rondborstige strijdlust,' herinnerde zich Linthorst Homan, die in die jaren de missie van de Commissie in Londen leidde. In juni 1970, na een verkiezingsnederlaag van Labour en een paar weken voor het begin van de toetredingsonderhandelingen, volgde Edward Heath (conservatief) Harold Wilson op als premier. Naarmate de onderhandelingen vorderden, werd Wilson steeds anti-Europeser en raakte het Britse volk verdeeld in 'marke-teers' en 'anti-marketeers'.[77]

Volgens een van de Britse onderhandelaars was Mansholt nauwelijks op de hoogte van de stand van zaken: 'He was in any case by 1971 rather a sick man who, though it was not generally realised, had to a large extent given up any close personal involvement in the details of the Community affairs and preferred to deal with broad political objectives.' Uit het archief van Mansholt blijkt echter dat hij voortdurend op de hoogte werd gehouden en goed geïnformeerd was.[78] Op 28 oktober 1971 stemde het Lagerhuis voor toetreding met 356 tegen 244 en 22 onthoudingen. Maar liefst 199 Labour MPs, inclusief Wilson, stemden tegen het onderhandelingsresultaat. Wilson zei dat hij voor toetreding was, maar dat hij 'no entry on present terms' wilde. Op 22 januari 1972 tekende Heath het toetredingsverdrag in Brussel, net zoals de premiers van Denemarken en Ierland, elk voor hun eigen land.

Vier weken later volgde de tweede lezing van de toetredingswet in het Lagerhuis. Het resultaat was een 'close vote' langs politieke lijnen: 309 voor, 301 tegen. De linkervleugel van Labour was furieus. Wilson refereerde in het debat aan een verklaring van Mansholt over prijsverhogingen en gebruikte dit om zijn argument kracht bij te zetten dat de condities niet deugden en dat er opnieuw moest worden onderhandeld.[79] Mansholt reageerde furieus in zijn eerste persconferentie als voorzitter: 'As a socialist, I am ashamed to see my friends developping along these lines.' Lagerhuislid Tony Benn, een van de felste critici binnen Labour, reageerde daarop met een open brief. Benn had tegen gestemd omdat de condities niet fair waren, en omdat het Britse volk over zo'n belangrijke zaak had moeten worden geraadpleegd. Mansholt antwoordde: 'Dear Mr Wedgwood Benn,'

Your letter of March 28th surprised me. When I see that all socialist parties in continental Europe are in favour of European cooperation in general and of the European Communities in particular, I cannot be but 'ashamed to see my socialist friends adopt such a negative attitude'. What you do, in effect, is to desert from the socialist family. 'Right or wrong my country' was for a long time a conservative slogan in your country, you seem to have taken over that slogan.

It has been, and still is, a good socialist tradition to abide by democratic parliamentary decisions. The democratic parliamentary decision to enter into the Community has been taken by the House of Commons. The debate in your country, after that vote, should be over now. Instead of [this] the Labour Party should prepare itself for the new situation and work closely together with the other socialist parties in order to make out of our Europe the socialist Europe we want it to be.[80]

Labour was sterk verdeeld en Mansholts persconferentie was olie op het vuur. Hij raakte verstrikt in de Britse partijpolitiek. Er waren ook positieve reacties, bijvoorbeeld van de Britse historicus Hugh Thomas. In *Europe the Radical*

*Challenge* uit 1973 omschreef hij de bijdragen van Mansholt aan het publieke debat als 'inspiring' en 'morally decisive'. Het standje dat Mansholt aan Tony Benn had uitgedeeld karakteriseerde Thomas als 'a powerful assertion of supranational authority'. Hij sloot zelfs af met: 'It was a relief, comforting in itself, to find so humane and experimental a socialist at the head, even if only temporarily, of such a modern institution as the European Commission.'[81]

Mansholt was opnieuw de kop van Jut in het debat over the *European Communities Bill* op 2 mei 1972 in het Lagerhuis. Labour MP Michael Foot beschuldigde hem ervan de Britse parlementaire privileges en tradities met voeten te hebben getreden. Het conservatieve lid Enoch Powell noemde Mansholt 'the supreme Eurocrat himself' en vergeleek hem met de voormalige Duitse keizer. Toen Powell een passage aanhaalde uit Mansholts brief aan Benn, interrumpeerde een van zijn collega's zelfs met: 'Sieg Heil!'[82]

Acht dagen later stemde een meerderheid van de Ieren voor toetreding. Dit leek een buitenkans voor Labours *marketeers*, maar veel partijgenoten dachten daar anders over. Op het congres van de Socialistische Internationale in Wenen van 26 tot 29 juni 1972 beloofde Wilson weliswaar dat hij zijn uiterste best zou doen Labour achter een motie te krijgen waarin zou worden uitgesproken dat de partij *in principe* voor toetreding was, maar om een meerderheid te krijgen zou volgens hem eerst opnieuw onderhandeld moeten worden over de voorwaarden. Mansholt belegde daarop onmiddellijk een nieuwe persconferentie waarin hij stelde dat daarvan geen sprake zou kunnen zijn.[83]

Op 8 september 1972 stemde het Deens parlement in met toetreding, hetgeen bevestigd werd in een referendum onder de bevolking op 2 oktober. Een week eerder, op 25 september, leden de Europeanen een nederlaag in het Noorse referendum over toetreding: 46,1 procent stemde voor, 53,9 procent tegen. Mansholt reageerde teleurgesteld.[84]

Van 2 to 4 oktober hield Labour zijn jaarlijkse partijcongres in Blackpool. Op de 4[de] zou een groot debat plaatsvinden over de toetreding. Die ochtend opende *The Guardian* met 'Mansholt blows cool on Labour hopes of new EEC treaty'. Volgens de voorzitter van de Commissie kon er geen sprake zijn van heronderhandelen. Wilson reageerde woedend: 'This conference is not going to be dictated to by an international civil servant, however distinguished.' Uiteindelijk kreeg hij een meerderheid van het congres achter een 'renegotiation motion'. Op 17 oktober recapituleerde Wilson in het Lagerhuis: 'Since I have referred to fresh negotiations, I must refer to the importunings of Dr. Mansholt, the present, and very lame duck, President of the Commission.' Wilson benadrukte daarbij dat Mansholt niet sprak namens de Raad, en dat die Raad de besluiten nam.[85]

Vervolgens besloot Wilson tot een legestoelpolitiek. De Labour-leden van het Europese parlement zouden de hen toegekende zetels niet innemen. Weer belegde Mansholt een persconferentie waarin hij waarschuwde dat het voor iedere politicus in elke lidstaat 'a stupidity of the first order' zou zijn om niet deel te nemen aan de beraadslagingen in het parlement. Er was zo veel te doen en 'we need all the progressive forces we can get'. Het had geen effect: op 1 januari 1973 zouden 16 van de 36 Britse zetels leeg blijven. Op 8 januari berichtte *Time* dat 49 procent van de Britten tegen toetreding was en maar 37 procent voor.[86] De Engelsen waren dan wel lid geworden van de Europese Gemeenschap, voorlopig zou er in Brussel weinig vooruitgang kunnen worden geboekt vanwege de obstructie door Labour en de dreigende heronderhandelingen. Tot grote teleurstelling van Mansholt.

Op het jubileumcongres van de 25-jarige Europese Beweging op 30 september 1972 in Utrecht werd Mansholt door 698 deelnemers gekozen tot 'Europeaan van het jaar'. Nummer twee werd Brandt, nummer drie Brugmans, die afscheid had genomen van het Europacollege. Heath stond op vier, Labour-politicus Roy Jenkins op vijf. Mansholt had Jenkins gekozen, die zijn partij had getrotseerd en in het Lagerhuis vóór de Britse toetreding had gestemd. Die toetreding vond Mansholt – op dat ogenblik althans – het meest verheugende moment in zijn Europese carrière. Het meest betreurde was dat de 'gewone' Europese burger nog geen enkele zeggenschap in Brussel had. En dat er te weinig was gedaan voor de ontwikkelingslanden – óók de Commissie was 'te lui geweest'.[87]

Op 6 januari 1973, na *vijftien* jaar, nam Mansholt afscheid van de Commissie. Hij was het gezicht van Europa geworden, had veel tot stand gebracht, maar ook grote nederlagen geleden. Problemen oplossen en iets scheppen dat werkt. Dat was zijn kracht. Mansholt werd zo een van de *founding fathers* van Europa. Hij bouwde niet alleen de motor, hij *was* hem. Mansholt drukte zijn stempel op de organisatie in Brussel, op de landbouwsector en indirect ook op het Europese landschap en op het assortiment van elke supermarkt in de Europese Unie van vandaag de dag.

Er was zeker ook een debetkant: verstoring van de handel van ontwikkelingslanden; oplopende economische en politieke spanning met Washington; afwenteling van de kosten op de Europese belastingbetaler. Mansholt was zich dat bewust en probeerde de zaak de andere kant op te trekken, maar dat lukte hem niet. Hij kreeg daarvoor te weinig steun en had onvoldoende politieke macht.

Koningin Juliana speldde Mansholt kort voor zijn afscheid het grootkruis van de Nederlandse Leeuw op, de hoogste Nederlandse onderscheiding die slechts zelden wordt uitgereikt.[88] Op Mansholts afscheidsreceptie in Brussel viel geen onvertogen woord, zoals gebruikelijk bij dit soort gelegenheden. Alfred Mozer stal er de show. Hij stak van wal met: 'Am besten gefällt mir an Mansholt natürlich seine Frau.' En gaf daarna het volgende antwoord op de vraag 'Was ist Mansholt?'

> Een gelovige atheïst, een romantische realist, een nuchtere fanaticus, een gevoelige bulldozer, een man die het ecologische einde van de wereld dramatiseert uit honger naar een menswaardige wereld, een overtuigde democraat, bereid om het democratische besluitvormingsproces af en toe door een dictatoriaal machtswoord te temperen ... Een ridder zonder vrees of blaam.

Tot slot gaf hij aan waarom hij zo geïmponeerd door hem was. Dat kwam door 'zijn uithoudingsvermogen, zijn bereidwilligheid besluiten te nemen, zijn werkkracht, zijn gave om te kunnen overschakelen en zich te kunnen ontspannen. Hij kan een deur achter zich dichttrekken en de moeilijkste problemen totaal achter zich laten. De volgende zaak kan komen.'[89]

# - 15 -
# DROMEN

## Met Henny naar Wapserveen

Met het oog op zijn pensionering vroeg Mansholt in juli 1971 alvast een vergunning aan voor de verbouwing van een oud boerderijtje in Steenwijkerwold, pal aan het natuurgebied De Weerribben in de kop van Overijssel.[1] De vergunning kreeg hij niet en daarom kocht hij aan het eind van het jaar een Saksische boerderij niet ver daarvandaan in Wapserveen, Drenthe; een monumentaal pand uit 1771 in een weids landschap, waar hij volop de ruimte had.

Kort daarop werd Henny gevraagd of haar man opnieuw de Nederlandse politiek zou ingaan. Ze antwoordde dat zijn gezondheid dit niet toeliet. Tegelijk met de koop zou hij haar ook beloofd hebben om te stoppen. Mansholt bevestigde dat: 'Ik hoop, daarom gaan we straks expres in Drenthe wonen, me wat achter te houden. Ik ben bereid mee te denken, mee te werken, maar ik wil voldoende tijd overhouden om m'n huis op te knappen, om me te ontspannen. (…) Ik ken m'n fysieke grenzen en die wil ik niet meer overschrijden.'[2]

Op 29 mei 1973, een paar maanden na zijn pensionering, schreef hij oud PVDA-leider Jaap Burger dat hij bezig was met de restauratie van de boerderij. Daarna wilde hij zich eerst bezinnen op 'de maatschappelijke vraagstukken die voortvloeien uit de schaarste economie'. Verder liet de opbouw van de socialistische partij in Europa hem niet los en had de Unctad hem gevraagd lid te worden van een studiegroep die het gedrag van multinationals zou onderzoeken. Hij had besloten aanbiedingen van het bedrijfsleven in principe af te wijzen, omdat hij volkomen onafhankelijk wilde blijven. De Atalanta was ook verkocht, maar hij troostte zich met het idee de komende jaren een nieuw schip te gaan bouwen.[3]

Tijd om foto's in te plakken had hij nauwelijks. Hij werd bedolven onder brieven van 'aksiegroepen' en uitnodigingen om te komen spreken. Op 21 juli 1973 stond hij zelfs in *Margriet*. Het damesblad reikte een milieuprijs uit aan de ecologische organisatie De Kleine Aarde. Mansholt mocht de prijs aanbieden. Het artikel ging vergezeld van een paginagrote foto in kleur waarop 'oom Sicco', de riek in de hand, glimlachend voor zijn boerderij in Wapserveen poseerde, Henny naast zich in een grote rieten stoel. Uit de inleiding:

En er was een lange rede van dr. Sicco Mansholt. Een zeer belangwek-
kende rede. Eigenlijk zijn visie op de nieuwe wereld, zoals die zou moeten
worden. Daarom publiceren wij haar op de volgende bladzijden bijna
letterlijk. Waarschuwing vooraf: het is geen gemakkelijke leesstof. Maar
het gaat om uw eigen bestaan en dat van uw kinderen. Daarom raden wij
u aan: lees die bladzijden.

'De mens heeft rust en ruimte nodig,' luidde de kop. Mansholt schetste het
verband tussen milieuproblematiek, de uitputting van de aarde en ontwikkelingshulp. 'Terwijl *wij* (...) bezig zijn in de gevolgen van de groei te verstikken,
zijn *zij* door gebrek aan mogelijkheden tot groei bezig in de vicieuze cirkel te
geraken van ontworteling en armoede en daardoor niet in staat beschermend
op te treden tot behoud van de natuurlijke kringloop in de produktie.' Als de
rijke landen de groei niet zouden afremmen, werd de kloof nooit overbrugd,
aldus Mansholt in *Margriet*.

Mansholt had een nieuwe strijd op zich genomen, een strijd die minstens
tien jaar zou duren en moest leiden tot 'een harmonischer maatschappij'. Hij
werd profeet van de nulgroei.[4] Maar hij had wel een organisatorisch probleem.
Zevenentwintig jaar was hij op zijn wenken bediend door een schaar trouwe
medewerkers. Hij moest het gat nu opvullen met 'vakliteratuur', eigen denkwerk en hulp van vrienden en partijgenoten. Hij nam een secretaresse in
dienst voor één dag per week.

Er was ook een nieuwe inspiratiebron: de Duitse Petra Kelly, een ambitieuze
stagiaire. Kelly was cum laude afgestudeerd in de diplomatie in Washington.
Ze was actief geweest in de verkiezingscampagnes van Robert Kennedy en
Hubert Humphrey in 1968. Daarna kwam zij via het Europa-instituut in
Amsterdam bij de Commissie. Ze ontmoette Mansholt voor het eerst in het
begin van zijn voorzitterschap in 1972. Kelly was toen 24, Mansholt 63.

In het novembernummer van het Duitse diplomatenblad *Auslands-Kurier*
uit 1972 schreef Kelly het artikel 'Zum Abschied von Dr. Sicco L. Mansholt. Ein
humanistisches Europa. "Bruttosozialprodukt" durch "Bruttosozialglück".'
Het stuk bevatte een portretje van de schrijfster die zichzelf omschreef als
een geëmancipeerde Europese socialiste die op dat moment vocht tegen het
discriminerende personeelsbeleid binnen de EEG.

Kelly gaf een lyrische schets van 'einen passionierten Europäer', die prioriteit gaf aan individu, milieu en Derde Wereld, de kwaliteit van het leven
benadrukte en werkelijk contact zocht met Europese burgers. Hij noemde de
dingen volgens haar bij naam en was uitgegroeid tot 'Symbol des europäischen
Souveräns'. Na zijn pensioen zou hij doorwerken 'als militanter sozialistischer

Humanist' om het Bruto Nationaal Geluk te verkondigen. Mansholts strijd voor sociale rechtvaardigheid was even noodzakelijk als onweer in een broeierige atmosfeer, aldus Kelly.[5]

## Petra Kelly

Petra Kelly begon op 1 oktober 1971 als stagiaire bij het algemene secretariaat van de Commissie. Ze werd toegevoegd aan het kabinet van Spinelli en werkte aan een studie over steun aan Europese politieke groeperingen. Ze raakte bevriend met Heinz Kuby, publicist en wetenschappelijk medewerker bij het Europees Parlement. Kuby was het middelpunt van een Europese actiegroep rondom het 'nieuwlinkse' tijdschrift *Agenor*, een groep die zich vooral op de radicale jeugd richtte. Hij bracht haar in contact met Marx en Europees federalisme.

Begin 1972 dreigde Kelly haar baan te verliezen toen de subsidiëring van haar onderzoeksproject werd stopgezet. Mansholt zou door Kuby daarover getipt zijn. Hij riep haar bij zich en was meteen gecharmeerd van haar activisme, maar meer nog van Kelly als vrouw. Monika Sperr schrijft in haar geautoriseerde biografie over Kelly uit 1983 dat Mansholt haar gezegd zou hebben dat het lot hen bij elkaar had gebracht. Bij het afscheid gaf hij een kus op haar wang, de jonge stagiaire in verwarring achterlatend. 'Er handelte völlig souverän,' aldus Sperr, met het overwicht dat zijn leeftijd en ervaring met zich meebrachten.[6] Volgens Kelly nam Mansholt het initiatief. Hij was haar eerste grote liefde. Ze had niet gedacht zich zo verbonden te kunnen voelen met één man. 'I shall trail along as I think I have discovered one of the most sensitive and gentle and yet radically revolutionary men in Sicco Mansholt!' schreef ze kort daarop aan een van haar vrienden in Washington.

Over die eerste ontmoeting heeft Mansholt zich nooit uitgelaten. Hij was bijna veertig jaar ouder en had al voorbereidingen getroffen om zich met Henny terug te trekken. De versie die we kennen is van Sperr en Kelly's vriendin Sara Parkin, die in 1994 een biografie over haar schreef. Mansholt zou Kelly meteen beloofd hebben haar probleem op te lossen. Kort daarop verhuisde ze van Spinelli's kabinet naar dat van hem. In het najaar van 1972 regelde hij voor haar een tijdelijke baan bij het Economisch en Sociaal Comité.[7]

Kelly had altijd haast, was begaan met het lot van de zwakken en viel op oudere mannen. Tegenstanders beweerden dat daarachter een uitgekiende carrièrestrategie stak. Anderen legden verband met het vertrek van haar vader toen ze zeven was. Kelly's moeder hertrouwde later met een Amerikaanse soldaat en verhuisde met haar dochter naar de VS. Het gevoel in tijdnood te verkeren hield Kelly over aan het traumatische verlies van haar stiefzuster Grace. Het meisje stierf in 1970 op tienjarige leeftijd aan kanker.

In 1979 zou Kelly uit de SPD treden. Mansholt was toen al uit beeld. Na hem kwam de Ierse vakbondsleider Jim Carrol, twintig jaar ouder en ook getrouwd. Begin 1980 was Kelly een van de initiatiefneemsters van de oprichting van de Grüne Partei. Zij werd het boegbeeld van een nieuwe beweging met vredes- activisten, feministen, tegenstanders van atoomenergie en aanhangers van milieubewegingen, mensenrechtenorganisaties en andere 'burgeracties'.

In maart 1983 haalden de Grünen 27 van de 498 zetels in de Bondsdag, een doorbraak. In de herfst van 1992 schoot haar partner, de 24-jaar oudere gepensioneerde generaal Gert Bastian, Kelly een kogel door het hoofd. Daarna pleegde hij zelfmoord. Het motief lag waarschijnlijk in de relationele sfeer, maar is nooit duidelijk geworden. 'Ondanks dat Mansholt toen al lang uit haar leven verdwenen was, is het wél de vraag of zij ooit volledig los van hem is gekomen. Naast het bed waarin ze gevonden werd, lag onder meer een bun- del van de Chileense dichter Pablo Neruda met een inscriptie van Mansholt: 'Dedicated affectionately to Petra in 1972.'[8]

Mansholt had macht en dat maakte hem voor veel mensen aantrekkelijk. Volgens Brugsma vielen vrouwen als rijpe appels voor zijn voeten. Hij had ook een zwak voor vrouwelijk schoon. Vredeling vertelde ooit in een tele- visie-interview over een diner met een gezelschap 'jongens onder elkaar' in een restaurant met muziek in Straatsburg. Verderop zat een televisiester, omringd door bewonderaars. 'Wie vraagt haar ten dans? Niemand had het lef. Mansholt zag het en vroeg wat er aan de hand was. Zus en zo. "O, durven jullie dat niet. Pas eens op." Hij staat op, loopt naar haar toe en wijst alleen maar naar haar, met een dwingende blik. Zij staat meteen op, loopt naar hem toe en gaat zo de vloer met hem op.'[9]

Brussel was een mannenwereld. Het plafond voor vrouwen lag er laag. Mans- holt gedroeg zich soms als macho, maar toonde ook wel begrip. Het feminisme was hem thuis met de paplepel ingegoten. PVDA-politica Hedy d'Ancona memoreerde later dat het voor haar opvallend was dat de eisen van de femi- nisten die tussen 1974 en 1977 meewerkten aan het nieuwe beginselprogram van de PVDA zo krachtig gesteund werden door de oude partijrot Mansholt.[10]

De relatie met Kelly was bijzonder omdat die zich niet tot de privésfeer beperkte. De affaire is algemeen bekend. Was zij de enige? Mondelinge bron- nen bevestigen dat Mansholt – vóórdat Kelly op het toneel verscheen – een verhouding had met zijn secretaresse in Brussel. Slechts enkele intimi wisten daarvan. De affaire begon in 1958 of 1959, in de periode dat hij op zichzelf woonde. Zijn familie is daarover zeer terughoudend of was niet op de hoogte. Zelfs Henny, die hem altijd trouw bleef, zou pas later hebben gehoord wat er aan de hand was. Het is relevant deze verhouding hier aan te stippen aangezien dit het enige geval is dat meer bleek te zijn dan een los gerucht, omdat de relatie deels buiten de privésfeer lag en vanwege de duur ervan. Het bevestigt ook dat Mansholt zijn echtgenote niet trouw was. Zijn privéleven stak gecompliceerder in elkaar dan aan de buitenkant zichtbaar was. Aan het beeld van Mansholt kan het verder weinig toevoegen, mede door die onzichtbaarheid.[11]

Terug naar de affaire-Kelly. Hoe kan Mansholts gedrag worden verklaard? 'Puberaal,' was de typering van een familielid. Daar leek het op. Hij liet zich leiden door gevoelens. Hij zou de liefde van zijn leven hebben gevonden. Aantrekkelijk, dynamisch en politiek op precies dezelfde golflengte. Henny, de huishoudlerares van tante Theda, was er voor het gezin en de kinderen.[12] Misschien deed Kelly hem aan zijn moeder denken – de jeugdherinnering van de politieke speech op de boerenkar? Ze was klein (1.59 m), fel en openhartig.

> Een oude bouwmeester ging het toneel verlaten. Hij moest plaatsmaken voor de volgende generatie. Maar hij wilde zijn macht niet prijsgeven. De laatste jaren was hij gaan twijfelen aan zijn eigen werk. Het vermogen zaken naar zijn hand te zetten, ontglipte hem. Hij was bezig met een nieuw huis voor zichzelf en zijn plichtsgetrouwe vrouw, maar dat vooruitzicht benauwde hem. Kon hij nog één keer laten zien waartoe hij in staat was? Op dat moment verscheen een vrijgevochten jonge vrouw die hem de illusie gaf dat hij opnieuw kon beginnen. Hij vluchtte voor de werkelijkheid, vergat de verplichtingen tegenover zijn omgeving en ging met haar luchtkastelen bouwen.[13]

Dat is in het kort de inhoud van het psychologische drama *Bouwmeester Solness* uit 1892 van Henrik Ibsen. De thematiek ervan loopt parallel aan het drama Mansholt-Kelly, tachtig jaar later. Met Solness liep het slecht af. Ondanks zijn hoogtevrees liet hij zich overhalen een toren te beklimmen en tuimelde naar beneden. Ideologisch was Mansholt geen hoogvlieger, maar Kelly zag in hem een 'militanter sozialistischer Humanist', misschien wel een tweede Marx.

Beïnvloedde zij hem, of was het andersom? Mansholt had de ommezwaai al gemaakt voor hij haar tegenkwam: de Europaliarede, de brief aan Malfatti, het rapport van de commissie van zes, Unctad III. Hij was bezorgd over alle problemen die op hem afkwamen. Er moest nog zóveel gebeuren. Kelly

463

Met Petra Kelly in New York in 1973. [Privé-archief Petra Kelly]

stond pas aan het begin van haar carrière. Volgens Parkin werd zij zich door Kuby en Mansholt bewust van het belang van een transnationale, op de toekomst gerichte politieke beweging.[14] Pas later, na zijn pensionering, leek Kelly Mansholt min of meer op sleeptouw te nemen. Ecologische politiek, anti-atoomenergie, krimpeconomie en ontwapening werden de centrale thema's, de wortels van het latere program van de Grünen.[15]

In april 1973 verscheen in *Vista*, een tijdschrift van de Verenigde Naties, opnieuw een portret van Mansholt van de hand van Kelly: 'Mister New Europe.' Daarin nóg meer lof. 'Sicco Mansholt is a man of positive quality who will not let us sleep.' Kelly beweerde zelfs dat de EEG zonder Mansholt niet meer zou hebben bestaan: '(He) supplied the political cement to hold the original six together during the formative years.' Hij had zich volgens haar even teruggetrokken om te studeren, maar: 'Once the warm sun of Sardinia, where he sails and is building his own house, has further bronzed his nearly bald dome of a head, he will be back opening new doors to European and world solidarity. (…) Given his record of success (…) he might just succeed in forging new political foundations for Europe.'[16]

In de loop van 1973-1974 werd de samenwerking intensiever. De twee voerden diepgaande politieke gesprekken, bezochten congressen en schreven elkaar regelmatig. Mansholt kwam klem te zitten. Moest hij kiezen tussen

Petra en Henny? Daarover sprak hij met Henny's broer Han en diens vrouw. Jaren later schreven ze Henny hierover het volgende:

Erg moeilijk vond hij het, want hij hield van die vrouw, zei hij, maar natuurlijk koesterde hij grote genegenheid voor Henny en hij voelde zich verplicht haar niet in de steek te laten – trouwens mensen uit de omgeving hadden hem gezegd dat hij dat niet mocht doen. Eigenlijk had hij zichzelf daarmee in een tamelijk comfortabele positie gemanoeuvreerd: één vrouw voor de liefde en één voor de veilige achtergrond, en de verplichting ze beiden te houden. Het was verbazingwekkend, een zo groot man met zo veel verstand te zien worstelen met toch wat primitieve instincten. (…) Onze mening was dat hij een keuze moest maken omdat dat voor geen van drieën een houdbare situatie kon zijn – en als je dan zo veel van die ander houdt, zeiden we, ga daar dan naar toe. Hij schrok van de consequentie, herhaalde het nog een keer: was dàt wat we bedoelden? Maar dat mocht toch niet? Ja, als je het zo voelt als je nu zegt, dan kan je niet anders, dan moet je dat maar doen.[17]

Op 3 september 1973 moest Mansholt in New York zijn voor een vergadering van de studiegroep Multinationals van de VN. Voordat hij het vliegtuig instapte, belde hij Kelly, die op bezoek was bij haar familie, en vroeg haar of ze hem wilde afhalen. Op het vliegveld begroette hij haar met een bos rozen. 'It was *the* ultimate explosion that had no time for growth and ripening,' schreef Kelly aan een vriend. 'As if he had with his now sixty-six years waited all these bitter alone years for me – as if I had in my twenty-six restless cynical years saved all my love in me for him … a kind of predestination.' Terug in Brussel trokken ze samen in een flat, Square Marguerite 13. Weekends brachten ze door op Sardinië of bij Petra's vrienden en familie in de VS. Mansholt ging steeds minder vaak naar Wapserveen. Als ze uit elkaar waren stuurde hij haar hartstochtelijke brieven. Petra bewaarde ze allemaal, aldus Parkin.[18]

In het voorjaar van 1974 zou hij Henny verteld hebben dat hij haar wilde verlaten. Ze wist van de affaire, maar had verwacht dat Sicco zou terugkeren als hij op haar uitgekeken was, of zij op hem. Henny was verbijsterd – aldus opnieuw Parkin – en weigerde hem los te laten. Familie en vrienden verklaarden hem voor gek. 'Ze was inderdaad verbijsterd,' bevestigde Van der Lee later. Hij herinnerde zich dat ze in die periode contact zocht met zijn vrouw. 'Henny verkeerde in nood. Sicco had haar verteld van zijn voornemen om te scheiden. Mijn vrouw heeft Henny toen gezegd dat zeker *niet* te doen. "Daar groeit hij wel overheen," zei ze.'[19]

In juli kreeg Mansholt opnieuw last van hoge bloeddruk. Dat werd hem bijna fataal. Henny raakte in paniek. De druk om Kelly op te geven nam toe. Kerstmis 1974 op Sardinië besloten de twee er een punt achter te zetten. 'Lover lets beloved free,' citeerde Parkin uit een brief van Kelly.[20] Op 13 januari 1975 sprak Mansholt nog met de autoriteiten van Baden-Württemberg over de oprichting van 'De Kinderplaneet', een behandelcentrum voor kinderen met kanker. Dat was een initiatief van Kelly, ter herinnering aan haar zus Grace.[21] Niet lang daarna verhuisde Kelly naar een andere flat in Brussel.

In Mansholts archief is nauwelijks iets terug te vinden over Kelly. Het geval was te gênant voor de familie. Privécorrespondentie werd niet overgedragen en veel materiaal is later verbrand. Mansholts kinderen waren op de hoogte van de affaire en de rest van de familie wist het ook vóórdat *Privé* in juni 1982 uitpakte onder kleurrijke koppen: 'Het goedbewaarde geheim van Dr. Sicco Mansholt: twee jaar leefde hij samen met een activiste! Ex-landbouwminister en EG-president liet zijn vrouw in de steek. Pas toen zijn vrouw probeerde zelfmoord te plegen, keerde hij bij haar terug.' Een deel was uit de duim gezogen (een exclusief interview met Kelly, de zelfmoordpoging van Henny), de rest overgeschreven uit Duitse bladen. Kelly zat op dat moment midden in een smerige verkiezingscampagne. Parkin beschrijft dat tegenstanders haar bijeenkomsten onderbraken met agressieve opmerkingen als: 'Wat deed je toen je met Sicco Mansholt in bed lag?'[22]

Tot die tijd wist de pers waarschijnlijk van niets. Omstreeks 1974 verscheen een aantal negatieve stukken over Mansholt, in *De Telegraaf* bijvoorbeeld. Als die krant toen lucht had gekregen van de verhouding met Kelly, dan was dat ongetwijfeld breed uitgemeten. *De Telegraaf* uitte indertijd felle kritiek op het 'rode' kabinet-Den Uyl en de linkse 'kliek' eromheen. Mansholt, die regelmatig in het nieuws was zijn met radicale ideeën en onheilstijdingen, vormde een ideaal mikpunt.

In het archief van Jaap Burger in Den Haag zit een kort handgeschreven briefje van Mansholt, gedateerd 8 december 1974, cryptisch en moeilijk leesbaar. 'Met Henny en mij is het moeilijk,' schreef hij, 'hoewel er een zekere harmonie en warmte is. Maar het lijkt ons beter dat ik onder deze omstandigheden mijn eigen weg ga zoeken. Petra en ik gaan eerst enkele weken op reis en zullen dan nader zien. Ik hou je goede raad in gedachten maar ook die is niet eenvoudig op te volgen.' In de volgende zin kunnen alleen de woorden 'tijd' en 'kinderen' worden ontcijferd. In een ps voegde Mansholt daaraan toe dat Henny het zou waarderen als de Burgers eens op bezoek kwamen als ze in de buurt waren.[23]

Opzienbarend is de brief die Alfred Mozer op eerste kerstdag 1974 schreef aan Henny in Wapserveen. Een afschrift daarvan bevindt zich in het archief-Mozer.

Mansholt zelf heeft de brief misschien nooit onder ogen gehad. Mozer begon met excuses. Hij was ervan uitgegaan dat Henny de kerst met haar man op Sardinië zou doorbrengen. Later begreep Mozer dat hij er met Kelly heen was, terwijl Henny thuiszat in Wapserveen. In de brief uitte hij felle kritiek op Mansholts 'plotselinge obsessie voor ecologische vraagstukken'. De ernst van die vraagstukken was toch allemaal al bekend 'toen Sicco bezig was, van de landbouw een bio-industrie te maken'? En dan volgt een hard oordeel:

> De werkelijk dwaze jacht naar het omturnen van de maatschappij mist ieder inzicht in de menselijke psychologie. (…) Nu zijn er altijd lieden geweest, die de wereld tegen haar zin gelukkig wilden maken. En dan bepalen deze lieden, wat ons geluk behoort te zijn. Voor dat soort maatschappij bedank ik. (…) Opwinding is nog geen programma.
> Je zult begrijpen dat het ook voor mij geen genoegen is, te zien, hoe Sicco zich zelf demonteert. Waar ik kom, word ik op hem aangesproken. Loerend wacht men er op, of ik hem verdedig of aanval. Het kost mij moeite, zijn naam te handhaven zonder (me) te vereenzelvigen met zijn tegenwoordig dwaas gedoe. Ik heb tenslotte twaalf jaar bij en voor hem gewerkt. Dat had ik niet voor een prul willen doen. Ik ken zijn wilssterkte, maar ook zijn zwakte ten aanzien van het geestelijk fundament, wil men tot redelijke gedragingen komen.

Mozer vond het tragisch Mansholt te zien afzakken naar zo'n laag niveau. 'Het is om te huilen!' Hij adviseerde Henny om hem zijn weg maar te laten gaan. 'Ergens loopt hij wel tegen een muur.' Ook voor de kinderen was het tragisch: 'Ze zien een vader ontluisteren, tegen wie ze immers terecht hebben opgekeken. Hier is niet een oordeel goed of kwaad op zijn plaats, maar wel het inzicht van een ziekteverschijnsel. Verstandelijk is dit niet meer te benaderen.'[24] Een ziekteverschijnsel! Mozer dacht dat Mansholt gek geworden was.

Tussen de correspondentie van Mansholt uit 1975 zit een kladversie voor een brief aan Jaap van der Leeuw, vermaard psychoanalyticus en Freud-Jungkenner. Hij had een praktijk in Amsterdam. Het klad is moeilijk te ontcijferen. Onderaan staat 'p/a U.J. Mansholt, arts'. Het handschrift is onmiskenbaar van broer Sicco. De brief luidt:

> Van bevriende zijde werd mij Uw adres gegeven om met U te overleggen of het mogelijk is dat U me helpt met een moeilijkheid waar ik alléén niet uit kom. Het is het aan U natuurlijk bekende probleem van een oudere man, die een jonge vrouw – met zéér bijzondere intellectuele en [onleesbaar]

ontmoet, er wederzijds ook liefde ontstaat en mijn praktische onmogelijkheid het verleden – omgeving etc. los te laten. Daarin is vanzelfsprekend bijzonder dramatisch de toestand van mijn vrouw. Tot dusver hebben we beide, mijn vrouw en ik grote steun aan dr. Korver, de internist in Meppel, maar ook hij staat voor de onmogelijkheid om ons verder te helpen.

Van der Leeuw antwoordde eind februari dat hij bereid was hem te ontvangen. Uit de aangehaalde kladversie kan worden afgeleid dat voor Mansholt 'de toestand' van Henny het grootste probleem was. Mansholt en zijn vrouw hebben Van der Leeuw maar één keer bezocht.[25] Over de behandeling is verder niets bekend.

'De afloop was voorspelbaar, hoewel toch nog een beetje spannend,' schreven Henny's broer en diens vrouw later. Zij hadden erop vertrouwd dat hij zijn gezinsgeluk voor de rest van zijn leven niet wilde inruilen voor 'een ongewisse toekomst met een misschien boeiende, maar toch ook hysterische jonge partner'.[26] Naar verluidt was het afscheid voor Mansholt én Kelly een lang en pijnlijk proces. De brief aan Van der Leeuw bevestigt dat. Volgens Mansholt was er wederzijdse liefde. Een psychoanalyticus kan dat niet 'genezen'.

### 'We hebben niet veel tijd te verliezen'

'De werkelijk dwaze jacht naar het omturnen van de maatschappij mist ieder inzicht in de menselijke psychologie.' Dat was het oordeel van Mozer. Moest die jacht op het conto van Mansholt worden geschreven of op dat van Kelly? In Den Haag en Brussel voer Mansholt in de regel op zijn eigen intuïtie. Na 1973 speelde hij een heel andere rol. Hij richtte zich niet meer op besluitvorming maar op het wakker schudden van het publiek. Zijn intuïtieve aanpak kwam min of meer in de lucht te hangen. Hij was verdwenen uit het centrum van de macht.

Waarschijnlijk fungeerde Kelly vooral als klankbord. Zij stond voor de kritische, onconventionele aanpak van de sixtiesgeneratie. Uitgesproken 'groene' ideeën zou ze pas na 1979 formuleren. Het leeuwendeel van het 'dwaze' denkwerk uit de jaren 1973-1974 kan op naam van Mansholt worden gezet. Hij trad er ook mee naar buiten. Liet hij zich meeslepen? Dat is moeilijk te zeggen. Vaststaat dat hij de *Table Ronde* miste, zijn denktank, en ook een kabinetschef die hem met beide benen op de grond hield. 'Opwinding is nog geen programma,' had Mozer steeds benadrukt.

In die jaren vulde Mansholt zijn tijd vooral met politieke redevoeringen, deelname aan congressen, adviseurschappen en de bewerking van het autobiografische *De crisis*. Begin maart 1974 somde hij in een brief aan Van der Lee de uitnodigingen om te spreken op die hij de laatste twee weken gekregen had: vier uit de VS – twee bedrijven en twee universiteiten, waaronder Harvard – één uit Japan, Wenen, Frankfurt, Oslo en Stockholm, twee uit Londen, twee uit Parijs en nog véél meer uit Nederland. (Uit Mansholts agenda van dat jaar valt af te leiden dat hij veel uitnodigingen accepteerde; van 25 maart tot 5 april en van 14 tot 18 mei was hij bijvoorbeeld in de VS.)[27] Verder schreef hij Van der Lee dat hij druk was met het werk voor de VN en dat de Nederlandse regering hem gevraagd had zitting te nemen in de Nationale Adviesraad voor Ontwikkelingssamenwerking en de Energie-Adviesraad.

Van der Lee – sinds 1 december 1973 burgemeester van Eindhoven – vroeg Mansholts aandacht voor negatieve stukken over hem in de Nederlandse pers. Ook Mozer viel over 'laster' in De Telegraaf. Hij adviseerde hem zelfs juridische stappen te zetten. Mansholt reageerde laconiek. Hij streed voor 'een nieuwe maatschappij met alternatieve groeidoelstellingen' en voor 'werkelijke democratie met echte verantwoordelijkheid voor de mens'. Dat rechts daartegen stormliep was logisch.[28] Maar hij maakte het 'rechts' ook wel erg gemakkelijk. Omstreeks Kerstmis 1973 was Mansholt in een radio-interview gevraagd hoe 'zijn' nieuwe maatschappij eruit zou zien. Hij had geantwoord dat het individuele autoverkeer binnen tien à vijftien jaar 'natuurlijk' tot een eind zou komen en voegde daaraan nog toe dat het onrechtvaardig was veel vlees te eten, terwijl arme landen geen graan hadden: 'Twee ons vlees is gelijk aan het wegnemen van één week graan van een Afrikaan.'[29]

Het paginagrote stuk in De Telegraaf van 9 februari 1974 was behoorlijk opgeklopt. Met chocoladeletters stond erboven: 'Een villa op Sardinië, een Saksische boerderij in Wapserveen en een jacht in Breskens, maar toch … sobere Sicco Mansholt wil ons leven eenvoudig houden.' Het stuk was geïllustreerd met een foto van de boerderij in Wapserveen. ('De restauratie is thans bijna voltooid en in de boerderij zijn vier slaapkamers, vier toiletten en drie badkamers ondergebracht.') Gesuggereerd werd dat Monumentenzorg volledig voor de kosten opdraaide. Verder was er een afbeelding van een nors kijkende Mansholt, een grote foto van diens Italiaanse villa en een portret van een geitenhoeder uit de buurt. De conclusie was typerend voor de toon: 'Het lijkt de tragiek van zijn opmerkelijke persoonlijkheid, dat hij juist aan de ontwikkeling van die socialistische gedachten zo veel heeft verdiend, dat hij zich kapitalistische speelgoederen als Wapserveen en Sardinië kan veroorloven.'[30]

Toen hem later in een interview voor de voeten geworpen werd dat hij matiging predikte, terwijl hij er zelf zo warmpjes bijzat, antwoordde Mansholt kalm: 'Niets menselijks is mij vreemd. Ik heb er hard voor gewerkt. Zo zwak ben ik nu eenmaal, dat ik mij dit gun.'[31]

Het VN-werk uit de brief aan Van der Lee sloeg op Mansholts deelname aan de Studiegroep *Transnational Corporations* (TNC's). Secretaris-generaal Waldheim had hem daarvoor eind 1972 uitgenodigd. Het doel was een code op te stellen voor het gedrag van TNC's in ontwikkelingslanden. De instelling van de groep was een uitvloeisel van een resolutie die was ingediend door Chili. Achtergrond vormde de strijd van Allende tegen de *multinationals* die de Chileense mijnen exploiteerden. De benoeming van Mansholt hield verband met zijn optreden op Unctad III. Na een aantal sessies publiceerde de groep in 1974 een rapport op basis waarvan een permanent *Centre on TNC's* werd ingesteld.[32]

Intussen was Chili in de loop van 1973 economisch ver weggezakt. Washington wekte de indruk niet onwelwillend tegenover een coup te staan en op 11 september 1973 maakte generaal Pinochet met geweld een eind aan het socialistische experiment. Allende verloor daarbij het leven. Mansholt slaagde er daarna nog in, met hulp van de Nederlandse minister van Ontwikkelingshulp Jan Pronk, om Juan Somavia, een vertrouweling van Allende die deel uitmaakte van de VN-studiegroep, op een topfunctie bij Unctad te krijgen.[33]

In opdracht van de Socialistische Internationale maakte Mansholt in maart 1975 een rondreis door Chili. Hij ging als toerist en nam contact op met verboden partijen en vakbonden. 'Af en toe kwam mijn verzetservaring me goed van pas,' merkte hij op bij zijn terugkeer. Mansholt zag geen kansen voor georganiseerde strijd. Veiligheidsdiensten hielden de boel stevig onder controle, boeren en middenstanders duldden de *junta* en het stadsbeeld werd niet beheerst door onderdrukking. Alleen in getroffen gezinnen heerste een wanhopige stemming. Mansholt legde dat jaar ook een getuigenis af voor het 'Russelltribunaal'. Dat veroordeelde Chili voor het schenden van mensenrechten. De steun van multinationals en van de Amerikaanse CIA aan dictatoriale regimes in Latijns-Amerika werd scherp afgekeurd.[34]

Mansholts voorzitterschap van de Nederlandse Atlantische Commissie werd een mislukking. Deze lobbyvereniging voor de NAVO haalde hem in 1973 binnen met het oog op de voortschrijdende Europese integratie. Mansholt bereed er niet alleen zijn Club van Romestokpaardjes, maar stelde ook het NAVO-lidmaatschap van de dictaturen in Portugal en Griekenland ter discussie. Halverwege 1974 vertrok hij 'op doktersadvies'.[35]

In 1973 was hij ook lid geworden van het hoofdbestuur van het Humanistisch Verbond, overgehaald door oude vrienden uit de PVDA. Hij accepteerde 'bij wijze van uitzondering'. Enkele redevoeringen en veel afwijzingen later, besloot hij al in 1975 zijn zetel op te geven, mede op aandringen van het bestuur. Hij liet te vaak verstek gaan.[36]

Het advieswerk voor het kabinet-Den Uyl (11 mei 1973-19 december 1977) zou zich beperken tot energievoorziening, ontwikkelingshulp en natuurbeheer. De regeringsverklaring van dat kabinet was gedeeltelijk geïnspireerd door het rapport van de commissie-Mansholt. Drie van de auteurs zaten zelfs als minister in het kabinet: Gruijters, Pronk en Den Uyl zelf. Tijdens de formatie was afgesproken dat Mansholt 'adviseur van de regering' zou worden. Dat kwam niet uit de verf, zo blijkt uit een briefje dat de secretaris-generaal van Algemene Zaken op 8 maart 1974 aan minister-president Den Uyl stuurde: 'Tot op heden is de relatie van Mansholt tot de regering de facto zo anders geworden dan destijds in de bedoeling heeft gelegen, dat ik met de beste wil van de wereld niet zie hoe het rijk aan Mansholt een secretaresse ter beschikking zou kunnen stellen.' Ten slotte werd toch afgesproken dat de regering de kosten voor administratieve hulp op zich zou nemen.[37] Wat er precies 'destijds in de bedoeling heeft gelegen' is niet zwart op wit vastgelegd en dus moeilijk te achterhalen. Een algemeen politiek raadadviseurschap? Daarop zou de brief van de secretaris-generaal inderdaad kunnen wijzen. De meeste publiciteit kreeg Mansholts lidmaatschap van de Energie-Adviesraad. Hij veroorzaakte in het najaar van 1974 namelijk een politieke rel door te onthullen dat Den Uyl hem per brief verzekerd had dat er voor 1979 geen nieuwe kerncentrales zouden worden gebouwd – waarmee hij in feite een streep zette door het beleid van zijn minister van Economische Zaken, de KVP'er Ruud Lubbers. Kort daarvoor had de premier het bestaan van die brief nog glashard ontkend. Den Uyl slaagde er toch in zich hieruit te redden en de zaak liep uiteindelijk met een sisser af.[38]

Mansholts 'dwaze jacht' vond in 1974 zijn neerslag in *La crise*, het verslag van een marathoninterview met de journaliste Janine Delaunay. Hetzelfde jaar verscheen een Duitse bewerking door Freimut Duve: *Die Krise: Europa und die Grenzen des Wachstums* en een Spaanse versie: *La crisis de nuestra civilización*. In 1975 volgde *De crisis*, vertaald, bewerkt en aangevuld door Mansholt en *NRC*-journalist Frits Visser. Het boek vormde een pleidooi voor een nieuwe samenleving, Mansholts politieke testament.

De toon was pessimistisch. 'We hebben niet veel tijd te verliezen,' was een regelmatig terugkerend zinnetje. Op pagina 105 werd het gekoppeld aan een dramatisch scenario: 'Als eenmaal de grote verschillen aanleiding geven tot spanningen in de wereld om de grondstoffen, dan zijn wellicht oorlogen en catastrofes niet te vermijden. Dat zou zelfs kunnen leiden tot een té grote catastrofe: het einde van de mensheid.' Mansholt geloofde niet dat nieuwe technologie de zaak nog kon redden. De hoop op atoomenergie vond hij vals.
Verderop in het boek leek hij door te slaan. Hij prees het 'democratische'

element in het beleid van de Chinese leider Mao – de Culturele Revolutie van studenten en arbeiders tegen de bureaucraten van de partij – en het arbeiderszelfbestuur in Joegoslavië. Maar dat deden er toen wel meer, het hoorde bij de tijdgeest. Hij pleitte verder voor het afschaffen van het 'winstbeginsel', de nationalisatie van energiebedrijven en een verbod van de productie van 'nutteloze grapjes' als elektrische tandenborstels en wegwerpverpakkingen van blik. De arbeidstijd moest worden verkort van veertig naar dertig uur tegen een gelijkblijvend salaris en de consumptiemaatschappij moest worden ingeruild voor een systeem van schone productie.

Hij maakte daarbij wél twee cruciale kanttekeningen. Ten eerste: 'Als ik de keus zou hebben tussen aan de ene kant een harmonieuze, evenwichtige, stabiele en zelfs op gelijkheid gerichte maatschappij maar zonder vrijheid en aan de andere kant een zekere wanorde, een maatschappij die niet op rolletjes loopt, maar met volledige vrijheid van meningsuiting, dan kies ik het tweede.' De andere kanttekening was dat voorrang moest worden gegeven aan decentralisatie, medezeggenschap en inspraak. Daaraan knoopte hij een toekomstdroom vast:

Van de basis af zou ieder mens geleidelijk aan kunnen gaan deelnemen aan het maken van plannen. Waar moeten de industrieën komen, hoe kan het woningvraagstuk het beste worden opgelost en hoe organiseren wij een goed openbaar vervoer? Dat alles dan binnen een maatschappij zonder produktiegroei. Dan moet je dus om te beginnen de gewesten een grote mate van vrijheid laten. En dan denk ik aan de socialistische utopisten van de vorige eeuw, en aan hun mislukkingen. Wie weet of ze geen gelijk hadden. Misschien waren zij alleen hun tijd ver vooruit. (…)
De wetenschappelijke kennis, de beheerstechnieken, de computers en de massamedia kunnen – als ze goed worden gebruikt – van groot nut zijn. De maatschappijplannen van de socialistische utopisten konden niet lukken in een kleine stad in Frankrijk of Duitsland in 1840, maar een aan ons tijdperk aangepast plan zou misschien in Europa kunnen slagen tussen 1990 en laten we zeggen 2040.[39]

Jongensdroom

'Droomt u wel eens?' werd Mansholt gevraagd in een interview in mei 1975. 'Nooit van de tegenwoordige tijd, altijd van vroeger,' luidde het antwoord.

Ik droom wel veel van zeilen, van de boot. (...) Soms droom ik concreet dat ik zeil. Maar soms zeil ik op land en kom ik met de mast in de tramdraden. Ik droom ook wel van vliegen. Ook wel van nare dingen, de oorlog nog wel eens. Maar niet van de ministerstijd. Ik heb nooit dat ik droom van vergaderingen. Wel, dat ik boer ben. Dat ik de gewassen zie staan. Of dat ik bang ben voor mijn oogst, omdat het regent, regent ... ja een boer heeft een zorgelijk bestaan.[40]

Vijftien jaar lang had Mansholt een ouderwetse Zeeuwse vissersboot gehad, de Atalante. Sinds de kinderen het huis uit waren, zat hij zonder bemanning. Het schip werd verkocht toen hij geld nodig had voor de boerderij in Wapserveen. Zijn wens was een zeilboot te bouwen waarmee hij in z'n eentje de volle zee op kon om helemaal alleen te zijn.

Na 1975 stortte hij zich volledig op zijn jongensdroom: zeilend de Atlantische Oceaan over en dan de Amazone op. De schuur in Wapserveen werd in tweeën gedeeld; het grootste deel werd uitgediept en er werd een casco in getakeld. Jarenlang timmerde Mansholt aan de Atalante II, vaak met zijn oudste zoon Gajus. Henny was blij dat hij eindelijk thuis was. Begin jaren tachtig volgden de eerste tochten met vrienden en familie op de Middellandse Zee.

In 1981 kreeg hij een kleine attaque, waardoor hij verlamd raakte aan zijn linkerhand. Maar hij gaf niet op. Hij wilde bewijzen dat hij niet verloren was en in de zomer van 1982 was het zo ver. Kort daarvóór was hem het prestigieuze voorzitterschap van de tweede Palmecommissie aangeboden. (Daarover meer in de volgende paragraaf.) Dat wees hij af, want hij moest op reis. 'Het is niet zo maar een bevlieging,' lichtte hij toe. 'Van mijn jeugd af zeil ik – ik ben aan de zee opgegroeid en dat drukt een stempel op je.'[41]

Op 15 augustus 1982 zette hij koers naar Brazilië. Via een advertentie had hij twee jonge reisgenoten gevonden, een arts en een bioloog, beiden uitstekende zeilers. Tijdens de tocht zouden zich enkele op- en afstappers bij het drietal voegen, onder wie Henny. Mansholt was 74. Een aantal reisbrieven is bewaard gebleven. Daaruit blijkt dat hij zich verzoend had met zijn eigen leeftijd en fysieke grenzen, met Henny en met de politieke realiteit.

Drie maanden voer Henny mee, van februari tot mei 1983. Ze kwam juist aan boord toen 'het zeilgedoe' hem de keel begon uit te hangen. Hij ergerde zich aan het gebrek aan politieke belangstelling bij zijn reisgenoten. De jongens dachten alleen maar aan zeilen. 'Ik kan nu best begrijpen dat onze ervaringen, ik denk aan crisis – oorlog – bezetting etc. hen niet erg interesseren. Da's ouwe koek voor hen. Maar dat je niet emotioneel gegrepen bent door de atoomdreiging, door USA-politiek etc. – dàt wil er bij mij niet in.' Net op tijd bereikte het schip

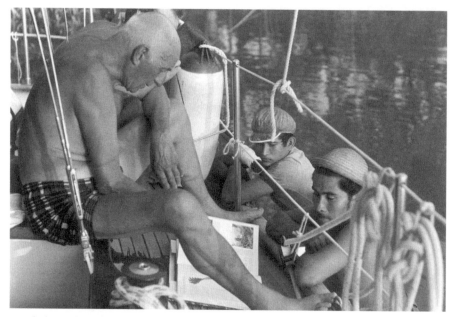

Mansholts jongensdroom kwam uit in 1983: zeilend de Atlantische Oceaan over en dan de Amazone op. Hij sprak er indianen, zij het vooral met handen en voeten.

de Amazone. Dat bleek voor Mansholt een verademing. Hij trof er indianen aan, ging van boord en sprak zelfs met hen, zij het vooral met handen en voeten.

Mansholt bivakkeerde met Henny in de achterkajuit. 'Die maanden waren heerlijk,' schreef hij, ondanks de golven en primitieve omstandigheden. 'We konden echt samen zijn en samen wat praten (en roddelen).' Later ontving ze nog een brief uit Bermuda: 'Ik mis je erg aan boord en ik ben erg blij dat ik dat duidelijke gevoel heb. Ik ben erg dicht bij je gekomen en dat moet zo blijven. Daarom verlang ik er ook naar om weer *thuis* te zijn bij jou.'[42]

Op 9 juni 1983, op de Azoren, schreef hij een opmerkelijke brief. Waarschijnlijk als reactie op berichten van Henny over de strijd en het succes van Kelly en de Grünen in de Bondsrepubliek. Kennelijk waren er politici in Nederland die het groene voorbeeld wilden volgen en daarbij ook een rol voor Mansholt zagen weggelegd. Hij zag dat niet zitten:

Ik dompel me niet weer onder in de politiek. Ik pieker er niet over mee te doen met enkele samengebundelde linkse partijtjes. Ze zijn van belang, zeker. Ze hebben m'n volle sympathie maar er is maar één ding dat de doorslag geeft: dat is de PVDA!! Wel zal het van belang zijn mijn invloed uit te oefenen in de goede richting. Zeker op het gebied van de nucleaire

bewapening. Dat laat ik niet zonder meer aan enkele leiders over, hoe goed ze overigens ook zijn! (…)
Je kunt gerust zijn wat Petra betreft. Dat is ééns en voorgoed verleden tijd. Ik weet óók wel hoe ze mensen voor fanatismen opent. Dat is beslist onjuist. Het toont gebrek aan werkelijk politiek inzicht en politieke wijsheid. Hoezeer ik ook kan instemmen met de doelstellingen op ecologisch en nucleair terrein. Maar grote schade wordt door hen gedaan aan de machtsvorming! In Duitsland, waar de SPD ver naast de regeringszetel staat. Zoals ook trouwens in Nederland! Dat wil niet zeggen dat ik voetstoots aanvaard wat de PVDA en zeker niet de SPD doen of laten, nee, maar als je dat wilt veranderen, moet je je niet uitschakelen *uit* de partij (zoals ook Drees heeft gedaan.) Hij is nu als een roepende in de woestijn …

Een bijzondere passage. Oud-premier Drees, die in mei 1971 uit de PVDA was gestapt, op één lijn met Petra Kelly. Beiden brachten schade toe aan de socialistische machtsvorming en hadden een gebrek aan 'werkelijk politiek inzicht,' volgens Mansholt althans.

Daarna was Henny aan de beurt: 'Ik ben blij dat jij zo goed reageert op dit alles in je brieven. Je bent dan wel geen "politiek dier", en gelukkig maar … Maar je hebt een nuchter en goed inzicht en doordat je wel een grote belangstelling hebt, heb je je ook goed georiënteerd. Ik ben daar heel blij om en we zullen samen goed van gedachten kunnen wisselen.'[43]

Henny was opgelucht. "t Is niet te laat elkaar te helpen en het verleden te verwerken en te vergeten. (…) Wel hoop ik dat je op een meer bij jou passende wijze je gaat inzetten. Oude mannen die nog voorop willen lopen maken zich belachelijk en verliezen hun respect.'[44] In juli 1983, na elf maanden, keerde Mansholt behouden terug. Kort daarop werd de Atalante II verkocht.

## Zorg en engagement

Mansholt bleef zich op de toekomst richten. Hij wilde de andere kant van de heuvel zien. Van de oliecrisis in 1973 tot de val van de Berlijnse muur in 1989 waarschuwde Mansholt in talloze redevoeringen en interviews dat het de verkeerde kant op ging met het socialisme, de landbouw, Europa, het milieu, de kloof tussen Noord en Zuid. Hij voelde zich immers gedwongen er wat aan te doen, alsof het in zijn genen zat:

Het is een eigenschap, of je het wilt of niet. Politieke activiteit is voor mij altijd een must geweest. Het laat me niet los. Ik wil altijd een bijdrage

leveren aan een rechtvaardiger maatschappij. Dat heb ik misschien mee-
gekregen van mijn grootvader, hij was politicus en van mijn vader en
mijn moeder. Ik heb steeds het gevoel dat ik erg bezorgd ben.[45]

Mansholt zou altijd bezorgd blijven. Aan het eind van een van de vele interviews uit zijn laatste levensjaren verzuchtte Henny tegenover de journalist:
'Wanneer houdt dit gedoe nou eens op?'[46]

In de loop van de jaren tachtig leek Mansholt zijn geloof in maakbaarheid te
verliezen.[47] De massawerkloosheid en nucleaire dreiging stemden pessimistisch. Hij ergerde zich er mateloos aan dat geen beslissingen werden genomen
om internationale problemen op te lossen. De wil ontbrak om de koe bij de
horens te vatten. De VN deden niets en Europa al evenmin.[48] Hij vreesde dat
binnen tien à twintig jaar een oorlog om voedsel en grondstoffen onafwendbaar zou zijn als er niets zou gebeuren.[49] De Haagse politiek volgde hij van
steeds grotere afstand. In de tweede helft van de jaren zeventig was Mansholt
nauw betrokken bij de formulering van het nieuwe beginselprogram van de
PVDA. Hij inspireerde de programcommissie tot de sombere beginparagraaf
'Om te overleven', een lijst bedreigingen voor de mensheid met de kanttekening dat economische groei *niet* de oplossing zou brengen.[50] Later liet hij zich
regelmatig kritisch uit als de koers van de partij hem niet zinde. Er werd met
respect naar geluisterd, maar hij stond nu eenmaal buiten de macht.

Europa bleef Mansholt ook boeien, al was zijn kritiek op ontwikkelingen in
Brussel vaak zeer fel. In 1975 verscheen het rapport-Tindemans. Het vulde het
begrip 'Europese Unie' in op een wijze die volgens Mansholt absoluut onvoldoende was. In het rapport werden kleine stappen voorgesteld, terwijl ingrijpende hervormingen noodzakelijk waren. Tindemans had volgens Mansholt
de opbouw van de Europese federatie moeten vastleggen in een aantal concrete etappes, conform de methode-Monnet. Een geïnstitutionaliseerde top
van regeringsleiders had volgens hem een geleidelijke machtsverschuiving
van Raad naar Commissie en parlement moeten uitstippelen. Straatsburg was
tot dan niet meer dan 'belachelijk theater'. De Raad van Ministers had nooit
rekening gehouden met het parlement. Mansholt eiste rechtstreekse verkiezingen en een program waarbij ten slotte het parlement het laatste woord zou
krijgen. 'Als Europa niet democratisch wordt, doe ik niet mee.'[51]

Mansholts bemoeienis met Europese socialistische partijvorming leverde weinig op. De nationale partijen, vooral de Duitse SPD, wilden baas in eigen huis
blijven. Mansholt richtte zich nog tot de socialistische leden van de Commissie,
maar had geen succes. Ze voelden zich voor de voeten gelopen. Commissievoorzitter Jenkins (1977-1981) beschreef in zijn dagboek een vervelende lunch

met afgevaardigden van 'de Federatie van Europese Socialistische Partijen'. Ze hadden 'de oude Mansholt' opgegraven om als voorzitter te fungeren, begon hij:

> The object was to launch a considerable attack on the Socialist Commissioners, but particularly upon me, for not being more political in the worst sense of the word, i.e. that we didn't run the Commission on a more party political basis (...), that we didn't devote ourselves enough to doing down the dirty Christian Democrats, Liberals etc. It was really all pretty good nonsense, particularly coming from Mansholt whom I like personally but who is a tremendous old attitudinizer.[52]

Als *elder statesman* onderhield Mansholt in het begin van de jaren tachtig nog allerlei contacten met leidende Europese politici, onder meer via de Socialistische Internationale. Hij bemiddelde bijvoorbeeld tussen Mitterand en Gonzalez, de leiders van de Franse en Spaanse socialisten, die grote politieke meningsverschillen hadden.

Georgi Arbatov, veiligheidsadviseur van Breznjev, informeerde halverwege 1982 of hij de leiding op zich wilde nemen van een tweede Palmecommissie, een onafhankelijke club met vooraanstaande politici van Oost en West, die onder leiding van de Zweedse premier Olav Palme voorstellen voor wapenbeheersing uitwerkte. Mansholt weigerde Palme af te lossen. Hij wilde de onderhandelingen in Genève afwachten en stond juist op het punt de oceaan over te steken.[53]

Na zijn grote zeiltocht probeerde hij West-Europese leiders enthousiast te maken voor een 'verankerde ontspanning' met de Sovjet-Unie, als alternatief voor de confrontatiepolitiek van de Amerikaanse president Reagan. Er zouden sociaaleconomische en technologische overeenkomsten met Moskou moeten worden gesloten. Mansholt had hierover een aantal gesprekken met Mitterand, maar het initiatief kwam niet verder dan de tekentafel.[54]

De oude Mansholt werd in de loop van de jaren negentig wat optimistischer. Niet alleen vanwege de aftocht van het communisme, maar ook door de *relance* van Brussel in de periode van Commissievoorzitter Delors (1985-1994). Het geloof in de Europese droom, de bezieling keerde terug. Uit een interview, eind 1992:

> Mogelijk zal een reddend inzicht doorbreken met de komst van het Nieuwe Europa (...). De Monetaire Unie zie ik al in het jaar 2000 komen. De introductie van die ene munt is niet meer dan een technisch vraagstuk, een stapje in de geschiedenis. Of we spoedig ook een politiek verenigd Europa

met een gemeenschappelijk veiligheids en buitenlands beleid zullen hebben is een tweede. (...) Als het lukt een band tussen bevolking en bestuur te creëren, dan zie ik rond het jaar 2025 een politiek Europa ontstaan. Ik schat dat het een generatie een jaar of dertig zal kosten om de huidige problemen te overwinnen. (...) Ik ben wat dat betreft niet wanhopig. Dat nieuwe Europa, dat komt er wel.[55]

De laatste jaren voerde Mansholt actie tegen uitbreiding van het militaire oefenterrein in Havelte, vlakbij zijn woonplaats Wapserveen. Dat deed hij vol overgave en hij oogstte daarvoor veel respect in de buurt.[56] Hij ging zich ook wat meer met landbouwbeleid bezighouden. Hij was de tachtig al gepasseerd toen hij een computer aanschafte. Beleidsmakers en pers werden bestookt met tabellen en grafieken. 'Als ik weer landbouw zou krijgen dan zou ik in snel tempo proberen naar een duurzame landbouw te gaan. En de consequenties trekken ten aanzien van het ecologische evenwicht,' zei hij in 1989. 'Want dat is uiteindelijk ook een boerenbelang: dat een boerenbedrijf zo draait dat de boer weet dat zijn kinderen en zijn kleinkinderen ook nog boer kunnen zijn.' Hij meende dat de persoonlijke band van de boer met zijn grond van grote betekenis was voor het milieu.[57] Dit inzicht week nogal af van de filosofie die ten grondslag lag aan het structuurplan uit 1968.

Via het milieu keerde Mansholt ten slotte bij de boeren terug. Met de landbouweconomen Jan de Veer, Gert van Dijk en Cees Veerman, de latere minister van Landbouw, lanceerde hij in 1992 een nieuwe aanpak, 'Tien over groen'. Mansholt bleek een omwenteling te hebben gemaakt. Het overschotten genererende GLB was onhoudbaar, zeker als de Gemeenschap tot twintig landen zou worden uitgebreid. De garantieprijzen, de heffingen aan de grenzen en de hele bureaucratie eromheen moesten worden opgeruimd. De Europese boer zou voortaan de wereldmarktprijs ontvangen, aangevuld met een algemene toeslag per hectare, een basispremie die voor twintig jaar vaststond.[58]

Het belangrijkste motief voor Mansholts omwenteling was dat hij om *politieke* redenen geen nieuwe muur tussen Rusland en Europa wilde optrekken. Een brief uit 1994 aan Anko Louwes, de zoon van neef Herman, de eerste voorzitter van het Landbouwschap, bevat hierover een fraaie passage. Daarin volgde Mansholt het spoor terug, helemaal tot opa Derk:

De problemen in de landbouw blijven mij bezig houden. Samen met de professoren De Veer, Veerman en Van Dijk heb ik gewerkt aan een nieuwe grondslag voor het EU-beleid in de vorm van een discussie-nota. Voor mij was dat een keerpunt in het denken. De 'schaalrechten' waarvoor opa Derk zo vurig (maar tevergeefs) pleitte in de crisis nu een eeuw geleden, waren voor mij steeds een voorbeeld. Jouw oom Stefan heeft ze als hoeksteen in de Tarwewet '31 gemetseld. Ik vond ze in '45 als element van marktbescherming in Nederland en het is gelukt in de zestiger jaren ze als variabele heffingen te introduceren in het EG-landbouw-beleid. (...) In de kleine kring van zes waren ze nog te hanteren, maar met het uitbreiden van de Gemeenschap tot 'twaalf' werd het al moeilijker en met het verdwijnen van de 'muur' en de a.s. uitbreiding met de Skandinavische landen, Finland, Baltische Staten en Midden-Europa is dat 'hoge-prijs-eiland' niet meer te handhaven.[59]

'Het is goed dat je over de problemen van de wereld nadenkt,' prees Ischa Meijer Mansholt toen hij hem eind 1975 voor de televisie interviewde, 'maar denk je ook wel eens over jezelf na, en wat denk je dan zelf?' Meijer was op de hoogte van de affaire-Kelly, maar zou daarover niets zeggen, althans niet direct. Hij had eerder in het interview zijn verbazing uitgesproken over Mansholts plotselinge radicaliteit. Hij had er het etiket *bizar* opgeplakt en wilde weten wat het voor Mansholt *persoonlijk* betekende. Oud-medewerkers zouden hem tegenover Meijer hebben afgeschilderd als een warhoofd dat bang was oud te worden. Mansholt probeerde zich er gemakkelijk van af te maken: 'Nee, over mezelf ga ik eigenlijk niet nadenken.' Waarop Meijer fel reageerde met: 'Je bent een man die constant de boot afhoudt als het gaat om persoonlijke emoties? Hoe komt dat? Wat is dat? Ben je er bang van?'

Mansholt repliceerde dat het niet in zijn aard lag om over persoonlijke emoties te spreken of om daarover te piekeren. Daaraan had hij geen behoefte. 'Heeft het wel tot crises geleid dat je niet over jezelf nadenkt?' hield Meijer vol. Mansholt gaf toe dat dit wel eens het geval was geweest, omdat hij soms te snel gereageerd had. Dat bedoelde Meijer kennelijk niet: 'Maar reageer je niet *te groot*?' stelde hij. 'Je denkt wel na over problemen in Nederland, Europa en de hele wereld, maar niet over persoonlijke problemen, bijvoorbeeld in je gezin. Waarom maakt iemand die zich zo bezorgd maakt over het heil van de wereld en zijn kleinkinderen zich niet bezorgd over zichzelf?' Mansholt erkende ten slotte dat hij gereserveerd was als het ging om persoonlijke verhoudingen. Hij was geradicaliseerd omdat hij zich ergerde aan 'de machteloosheid van de huidige politiek'. Innerlijke conflicten hadden volgens hem daarmee niets te maken. Meer kreeg Meijer er niet uit.[60]

Mansholt leek zich meer zorgen te maken om de wereld dan om zichzelf en zijn eigen gezin. Bij Henny was het andersom. In latere interviews met haar echtgenoot kreeg Henny soms nog even de vraag voorgelegd wat voor man hij was – terwijl ze waarschijnlijk net het tweede kopje thee opdiende – omdat de interviewer inmiddels tot de ontdekking was gekomen, net als Ischa Meijer, dat Mansholt niet aan zelfanalyse deed. Dat leverde een aantal opmerkelijke typeringen op, als 'psychoanalyse'. Volgens Henny was haar man namelijk 'in wezen een optimist', 'een heel gevoelig mens' én 'in wezen gelovig'. Niet in de zin dat hij bij een kerk hoorde. Daarvan moest hij niets hebben. Maar hij geloofde wel in een hoger doel, een betere maatschappij.[61] Dat optimisme en dat 'geloof' waren eigenlijk twee zijden van dezelfde medaille. Mansholt gooide de handdoek niet in de ring. Zijn zoektocht – 'het gedoe' – hield nooit op. Een pessimist die *nergens* in gelooft, stopt ermee en gaat foto's inplakken.

In een radio-interview uit 1990 gaf Henny het volgende antwoord op de vraag wat voor man Mansholt was: 'Een heel gevoelig mens, wat hij vaak wel verschuilt achter het harnas van de strenge en gedreven politicus, maar in wezen is hij heel gevoelig.' Ze bewonderde vooral zijn eerlijkheid en de moed fouten te erkennen. Mansholts moeilijkste karaktertrek was volgens haar dat hij van eenzaamheid hield, zich graag terugtrok en dan volledig in zijn eigen gedachtewereld leefde.[62] Tot op hoge leeftijd maakte hij lange wandelingen en fietstochten, helemaal alleen.

Aan het eind van zijn leven werd Mansholt tweemaal getroffen door een hersenbloeding. Hij sprak moeilijk en raakte slecht ter been. Het houtsnijwerk moest hij opgeven. De laatste jaren schilderde hij aquarellen. Henny stond al enige tijd ingeschreven voor een verzorgingsflat, maar haar man wilde daar absoluut niet heen. Hij weigerde hulp. Om oefeningen te kunnen doen had hij een speciale balk aangebracht in de boerderij. Dagelijks kreeg hij nog een stapel post. Hij ontving regelmatig journalisten, wetenschappers en politici.

Hij maakte nog een schets voor een afrit voor een rolstoel, maar die heeft hij niet meer gebruikt. Zijn hart brak toen Lideke plotseling ziek werd. Zij stierf op 22 mei 1995. De familie had de indruk dat hij toen in zijn eigen hoofd de knop min of meer omdraaide. Hij wilde niet meer verder en overleed kort daarna, op 29 juni 1995, thuis in Wapserveen. Sicco Mansholt werd 86 jaar.

Een paar jaar later, toen de wet het toestond, werd zijn as verstrooid op een dierbare plaats, zijn lievelingsven in de buurt van Wapserveen. De familie ging er heen met de urn onder de arm, maar het had gevroren en twee mannen waren er aan het schaatsen. Er werd nog een korte wandeling gemaakt. Nadat de schaatsers vertrokken waren, werd de urn geopend. Henny en de kinderen namen elk een handje, de as vloog op in de wind en iedereen kwam onder het witte, poederachtige spul.[63]

# Epiloog

De leeuwerik en de Eerste Wereldoorlog

Terugkijkend op zijn leven schreef Mansholt op 17 maart 1991 de volgende overpeinzingen in een brief aan zijn zus Aleid en haar man Ernst in Nieuw-Zeeland:

Met het ouder worden neemt mijn belangstelling toe naar de beginperiode van 'een leven lang', de jeugd. En je gaat daarbij de tijd van toen vergelijken met nu. En dan besef je wat er allemaal is veranderd gedurende slechts 'één leven lang'. Veranderd ten goede, maar ook ten kwade. En ik krijg de indruk dat de tijd steeds sneller is gegaan en dan wordt het mij angstig om het hart als ik overdenk wat er nog gaat veranderen in een leven lang van hen die na ons komen…

Als ik nu terugzie op mijn eigen leven dan zijn er twee dingen uit mijn jeugd die, wellicht nog onbewust, een diepe indruk hebben nagelaten en mijn verdere leven hebben beheerst: De leeuwerik en de Eerste Wereldoorlog.

Nu ik oud ben vraag ik mij af: wat hebben wij gedaan dat die levende symbolen van de natuur, we spreken nu van "ons milieu" zijn verdwenen? Die stekelbaarsjes in de sloot, die je viste met een worm aan een eindje naaigaren, de dril die je in een stopfles tot kikkertjes zag groeien, de pinksterbloemen die de weide roze kleurden, de dotters in de slootwallen en hoog boven dat alles die steil stijgende tierelierende leeuwerik. En laat – te laat? – kom je tot het besef hoezeer wij mensen ons hebben misdragen en dat geeft je de opdracht het tij te keren. En hoewel gelukkig het besef van het behoud van de natuur en ons milieu doordringt is er de bange vraag of de mens werkelijk bereid is daarvoor de nodige offers te brengen. We willen nog steeds méér en de bevolking in de wereld blijft maar groeien …

De Wereldoorlogen. De Éérste als kind, op een afstand, maar diep gegrift in je geheugen door de vreselijke beelden van de slagvelden in België en Frankrijk. De Tweede bewust en aan den lijve in het verzet tegen de onderdrukker. Beide begonnen als Europese burgeroorlogen en geworden tot Wereldoorlogen leidden tot het besef: 'Dát nooit weer!' En dus de opdracht mee te bouwen aan een verenigd Europa en dat is het scheppen en aanvaarden van een gemeenschappelijke verantwoordelijkheid.

Terwijl ik dit schrijf is de kruitdamp nauwelijks opgetrokken van de Wereldoorlog in onze Arabische buurlanden. En ik spreek de hoop uit, dat het voorbeeld van het uitbannen van een Europese oorlog door het aanvaarden van een gemeenschappelijke verantwoordelijkheid, niet beperkt zal blijven tot dat toch maar kleine Europa, maar zal leiden tot wereldomvattende inspanning. Van Oost naar West en vóór alles ook van Zuid naar Noord.[1]

Eén leven lang, van 1908 tot 1995, beheerst door de herinnering aan de tierelierende leeuwerik en het slagveld van de Eerste Wereldoorlog. Dat was Mansholts twintigste eeuw in een notendop: een tijdvak waarin de natuur steeds armer werd, terwijl de mens voortdurend oorlog voerde. Leeuwerik en wereldoorlog symboliseerden het platteland en de grensoverschrijdende politiek, thema's die als rode draden door zijn leven liepen.

Wat was het gewicht van Mansholt? Dat is moeilijk te bepalen. Een historisch proces is geen natuurverschijnsel. Persoonlijkheden kunnen een beslissende invloed hebben op de loop van de geschiedenis. Neem bijvoorbeeld Europese integratie. De Europese Unie kwam niet uit de lucht vallen. Europa kreeg richting en kleur door figuren als Monnet, Mansholt en Delors. Maar hoe en wat is niet precies meetbaar.

De waardering van Mansholt hangt overigens niet alleen af van *wat* hij tot stand bracht, maar ook van *de wijze waarop* hij dat deed. Op welke punten was zijn inbreng doorslaggevend en waarom? Waaruit bestond zijn politieke leiderschap en waar kwam het vandaan? Ten slotte is er het vraagstuk van het zogenaamde erflaterschap. Wat is de betekenis van Mansholt in breder historisch perspectief?

## Pioniersmentaliteit en Zivilcourage

In juni 1945 werd Sicco Mansholt minister van Voedselvoorziening, Landbouw en Visserij. Hij bleef dat twaalf en een half jaar. Daarna was hij vijftien jaar lang Europees commissaris. Een opmerkelijke prestatie. De sleutel daarvan wordt gevormd door zijn unieke persoonlijkheid. Leeuwerik en Eerste Wereldoorlog dekken niet de hele lading.

Mansholt schetste later een ideale jeugd. Hij bewaarde de beste herinneringen aan de boerderij van zijn ouders en aan die van zijn ooms en tantes in de

Westpolder. Daar woonden grote kleiboeren met pioniersmentaliteit. Velen waren ook bestuurlijk actief, opa Derk Roelfs bijvoorbeeld. Hij stak boven de rest uit wat betreft de drang vastgeroeste ideeën te bestrijden. Het nageslacht – vooral kleinzoon Sicco – erfde zijn *Zivilcourage*.

De gelukkige jeugd werd in 1922 abrupt onderbroken toen de boerderij, die vader in 1905 van opa Derk had overgenomen, werd verkocht. Mansholt was veertien. Het was een klap die hem altijd zou bijblijven. Hij hield er een principiële afkeer van het kapitalisme – waaraan hij de 'gedwongen' verkoop toeschreef – aan over. In werkelijkheid kozen zijn ouders welbewust voor een carrière in de politiek, maar hun zoon wist dat niet.

Van groot belang was zijn socialistische opvoeding. Zijn hele jeugd was ermee doordrenkt. Daarachter stak moeder Wabien, een dominante persoonlijkheid die overtuigd was van haar eigen gelijk. Haar 'opvoedplan' richtte zich op de vorming van krachtige persoonlijkheden die hun steentje zouden kunnen bijdragen aan de socialistische beweging. Het resultaat bleef ze tot op hoge leeftijd op de voet volgen, vaak met opgeheven wijsvinger.

Mansholt *voelde* zich socialist. In de leer was hij weinig geïnteresseerd. Hij neigde ertoe eerder zijn politieke neus te volgen dan de meest logische weg in te slaan. Die intuïtieve aanpak stoelde wél op morele principes die nauw samenhingen met socialistische idealen. Religieuze gevoelens had Mansholt niet. Hij ervoer dat niet als een gemis. Mansholt was overtuigd van de begrensdheid van het leven. Een catechismus – van welke soort ook – belemmerde volgens hem de vooruitgang. Hij gaf zijn leven vorm en zin via praktische, humanistische idealen.[2] Dat deed hij met wilskracht en gevoel voor verantwoordelijkheid, zoals hem thuis was ingeprent.

Aan het eind van zijn loopbaan – in de tijd dat hij 'nulgroei' propageerde onder invloed van de Club van Rome – sprak hij vol bewondering over het activisme van zijn moeder. Daarvóór fungeerde vooral vader als rolmodel: een evenwichtig bestuurder met plichtsgevoel, bij uitstek deskundig op landbouwgebied, weinig dogmatisch en een groot voorstander van het dragen van regeringsverantwoordelijkheid door socialisten. Mansholts belangstelling voor techniek, praktisch handwerk (knutselen, houtsnijden) en sport (zeilen en schaatsen) kwam ook van vaderskant. Hetzelfde gold voor zijn forse gestalte met het karakteristieke kale hoofd.

Maatschappelijke betrokkenheid was Mansholt met de paplepel ingegoten. Hij leerde thuis hoe het politieke bedrijf in elkaar stak, bijvoorbeeld dat een politicus na een nederlaag de deur achter zich dicht moet slaan en geduldig moet wachten op het volgende gunstige moment. Mansholt hield vol, terwijl zijn vrienden uit het verzet al snel de politiek – teleurgesteld – de rug toekeerden. Hij bevond zich als minister natuurlijk wel in een comfortabeler positie.

Hij had weliswaar geen academische opleiding gehad, maar het gemis aan theorie werd gecompenseerd door creativiteit en praktijkervaring. (De afwezigheid van een academisch keurslijf kan ook gunstig uitpakken.) Mansholt richtte zich vooral op het oplossen van problemen. Als minister en commissaris zou hij later het ene plan aan het andere rijgen, voortdurend zwaaiend met het meest recente statistisch materiaal, wellicht ook om theoretische zwakte te maskeren.

Hoe diep zijn opvoeding in hem verankerd lag, besefte Mansholt pas in Indië. Hij werd er zich bewust van de kracht van zijn socialistische overtuiging. Het koloniale systeem was principieel fout. Na twee jaar keerde hij terug naar Nederland. De droom van een planterscarrière was uit elkaar gespat. Dat moet hem geraakt hebben. De loopbaan in Indië was immers een persoonlijke keus geweest. Op de plantage had Mansholt wél ontdekt dat organiseren hem goed lag. Dat kwam later van pas in het verzet, bij het op poten zetten van de landbouw na 1945 en de opbouw van het Europese apparaat in Brussel.

Achteraf kunnen er ook lijnen worden getrokken van de brieven van oom Gajus – die in de tabak zat – naar de keuze voor Indië, en van Mansholts werk in de thee naar zijn inzet in de FAO in 1945 om de honger in de wereld te bestrijden, de brieven die hij in 1956 stuurde uit India en Pakistan, de eerste aanzet tot ontwikkelingshulp in Nederland, Mansholts optreden op Unctad III en zijn grote bezorgdheid over de kloof tussen Noord en Zuid.

De bewustwording in Indië viel samen met de economische crisis van de jaren dertig. Mansholt kon aanvankelijk – meteen na zijn studie – geen baan in Indië krijgen. In die periode heeft hij korte tijd als ambtenaar in Den Haag gewerkt, belast met de uitvoering van de landbouwcrisiswetgeving. Basisprincipes en techniek van die wetgeving perfectioneerde hij als minister en zou hij later meenemen naar Brussel. Mansholt raakte na zijn terugkeer uit Indië in de ban van *planning*, in navolging van het 'Plan van de Arbeid' van de SDAP. Zijn politieke stijl zou daarvan altijd de sporen blijven dragen.

Na Indië volgde de Wieringermeer, een totale omslag. Het onzekere boerenbestaan in de eerste pioniersjaren maakte diepe indruk. Armoede heeft Mansholt overigens nooit gekend. Thuis was hem ingeprent sober te leven, maar er was altijd genoeg geld. De familie kon zich zaken permitteren die voor de meeste SDAP-stemmers niet waren weggelegd.

Vrij snel na Indië kwam hij aan het hoofd van een gezin te staan. Het huwelijk met landbouwhuishoudlerares Henny Postel had een bijzondere achtergrond. Mansholt moest een boerin hebben om een kavel te kunnen krijgen. Henny was min of meer geselecteerd door zijn ouders, via tante Theda. Tussen 1938 en 1945 werden twee zoons en twee dochters geboren. Tijdens de oorlog en in de hectische begintijd van het ministerschap raakte het gezinsleven regelmatig in de knel. Mansholt was niet vaak thuis. Zijn vrouw ving dat op en zou later op de achtergrond steeds als steunpilaar fungeren, zichzelf volledig wegcijferend.

De oorlogsperiode is van groot belang geweest voor Mansholts persoonlijke ontwikkeling en zijn politieke elan. Dat gaf hij zelf al aan in het citaat hierboven. Hij kwam veel rijper en evenwichtiger uit de oorlog dan dat hij er inging.[3] Hij leerde improviseren en moest zijn emoties steeds goed beheersen. Mansholt sloeg zich niet op de borst voor zijn verzetsverleden, maar de meeste bestuurders en politici die met hem te maken kregen waren ervan op de hoogte. Dat leverde hem veel prestige op. Door zijn rol in het verzet, de juiste politieke contacten én door zijn charisma kwam Mansholt, die vóór de oorlog al actief was voor de SDAP op lokaal en regionaal niveau, in 1945 als vanzelf bovendrijven.

Vrienden en mentoren spelen bij de persoonlijke ontwikkeling een cruciale rol. Bij Mansholt was dat ook het geval, al is dat soms moeilijk aanwijsbaar. Eerst waren er zijn ouders, daarna onder meer zijn vriend Jan Posthumus op de koloniale landbouwschool, chef Emiel Hellendoorn in Indië, zijn neef Stefan Louwes en oom Theo – allebei topambtenaren – broer Dirk in de Wieringermeer, SDAP-penningmeester Cees Woudenberg, plansocialist Hein Vos, verzetsstrijder Adrie de Graaf, minister-president Schermerhorn en partijgenoot Drees.

Karakter, levensbeschouwing en politieke overtuiging waren al gevormd toen Mansholt in 1945 minister werd. Voeg daarbij zijn uitstraling en zijn grote expertise. Dat beeld zou de volgende vijfentwintig jaar weinig veranderen, ondanks een reeks van tegenslagen. Mansholt bleek veerkrachtig. Eerst was er het echec van de idealen van het verzet, daarna volgden onder meer de politionele acties, de invoering van marktgericht beleid, de strijd in het kabinet over het tempo van de Europese integratie, de kans op het leiderschap in de PVDA, de mislukte gooi naar een toppositie bij de FAO, een moeizame start in Brussel, de felle oppositie tegen de landbouwplannen en het blokkeren van de politieke integratie door De Gaulle. Van een stijlbreuk was geen sprake. Mansholts politieke gewicht werd intussen steeds groter.

De grootste klap was de gewelddadige boerendemonstratie in maart 1971, waarbij hij persoonlijk het mikpunt vormde. Kort daarna volgde de schok van het rapport van de Club van Rome. Mansholts toon werd radicaler. De

realiteitszin die hem kenmerkte, leek wat af te slijten. Zijn vooruitgangsge-
loof kreeg een deuk en hij werd minder optimistisch over de ontwikkeling
van de techniek.

*What made him tick?* Wat bezielde hem? Mansholt was emotioneel, al
oogde hij zelfverzekerd en kalm. Als hij geïrriteerd raakte, kleurde zijn hoofd
rood vanuit de nek. Een enkele keer verloor hij de controle. Dan vloekte hij,
liep kwaad weg, wapperde met zijn portefeuille of sloeg met de vuist op tafel.
Die geladenheid typeerde hem. Gedreven, dynamisch, vitaal, impulsief en
driftig zijn regelmatig terugkerende begrippen in interviews en portretten.
Zijn nuchter verpakte politieke boodschap kwam vaak hard aan.

Toen Mansholt in 1990 in een radio-interview werd gevraagd naar de hoog-
tepunten in zijn leven, kwam de zeiltocht die hij halverwege de jaren tachtig
naar de Amazone maakte als eerste bij hem op. Zijn grootste teleurstelling
was dat de oplossing van het Noord-Zuidprobleem geen stap dichterbij was
gebracht. De demonstratie uit 1971 was een dieptepunt. Over zijn verhouding
met de boeren zei hij in hetzelfde programma:

> De grondslag is liefde, maar er is ook vaak haat en teleurstelling geweest.
> Maar toch, altijd loop ik warm voor ze, voor het feit dat we toch moeten
> zorgen dat de boeren een plaats vinden in onze maatschappij, geïnte-
> greerd worden, opgenomen op een gelijkwaardige wijze, sociaal en wat
> de mogelijkheden van culturele ontwikkeling betreft.[4]

De landbouw, het boerenwerk en de natuur lagen hem na aan het hart. Of
beter: de landbouw op wereldschaal. Mansholt was bezorgd over het lot van
'de hele bol'. Zeezeilen, knutselen, reizen en vergaderen ervoer hij als ontspannen en opwekkend – vergaderen overigens alleen wanneer dat iets opleverde: een nieuw plan, het *package* voor een marathon, draagvlak in het
parlement of bij het bedrijfsleven. Mansholt was een *workaholic* die graag
alléén zijn eigen weg ging.

## De misleidende karikatuur uit *De graanrepubliek*

In 1999 verscheen *De graanrepubliek* van Frank Westerman. De Mansholt
uit dat boek wijkt nogal af van het beeld in deze biografie. Westerman zette
Mansholt als een romanfiguur naar zijn hand. Hij voerde hem op als marxis-
tisch ideoloog die de ruggengraat van de boerenstand wilde breken. Mansholt
zou zich totaal hebben gericht op schaalvergroting en productiegroei, kwam
tot inkeer door Petra Kelly en de Club van Rome, maakte een draai van 180°

en stierf als een gedesillusioneerd man. Voor *De graanrepubliek* is het functioneel hem zo weg te zetten. Westerman beschreef de teloorgang van de graanboeren in het Oldambt en had een schurk nodig – hoe eenduidiger, hoe beter. Het boek is goed geschreven, maar wat de feiten over Mansholt betreft, is het gevaarlijk om eruit te citeren.[5]

Westerman wekt de suggestie dat de gememoreerde feiten historisch juist zijn en dat is niet zonder risico. Zijn Mansholt-karakter vloekt namelijk met de historische figuur. Een romanschrijver hoeft zich daar natuurlijk niets van aan te trekken, maar als hij suggereert dat het om historische feiten gaat, is hij medeverantwoordelijk voor het gebruik ervan als historische bron. Engelstalige wetenschappelijke artikelen beriepen zich al op *The Republic of Grain*. Met een verwijzing naar het boek van Westerman staat anno 2019 in het Wikipedia-lemma 'Sicco Mansholt':

Subsidiëring van de landbouw vormde voor Mansholt een oplossing voor het traditionele socialistische vraagstuk tot welke klasse de agrarische bevolking behoort (de Agrarfrage). De subsidies zouden van boeren arbeiders maken, meende Mansholt, omdat ze een vast inkomen zouden hebben en zo deel konden nemen aan de delen van de burgerlijke cultuur die voor arbeiders openstonden, zoals vakanties. Een belangrijk onderdeel van het 'arbeider' maken van de boeren was dat Mansholt vond dat de staat alle grond tegen een redelijke prijs van de boeren zou opkopen, en dat de boeren daarop pachter zouden worden, waardoor de staat zou kunnen bepalen wat, en hoeveel er verbouwd zou gaan worden.[6]

Dat is onzin. Het laatste wat Mansholt wilde was door de staat gesubsidieerde boerenknechten. In *De graanrepubliek* zelf, de vertalingen daarvan en de vele herdrukken lezen we onder meer: 'Als vice-voorzitter van de Europese Commissie had hij in 1968 een plan geschreven, het Mansholt-Memorandum, waarmee hij miljoenen keuterboertjes van hun land verjoeg. Mansholt dreef de kleine boeren als een kudde schapen naar de industrie.' Verderop dikt Westerman dat nog aan met:

Mansholt wilde de ruggengraat van de boerenstand breken omdat die de vooruitgang in de weg stond. (...) Zijn Memorandum liet zich vergelijken met de experimenten van Lenin (op wiens instrumentarium hij jaloers was), Mao (voor wie hij grote bewondering koesterde) en andere heersers (Pol Pot, Ceauçescu) die despotische oplossingen hadden gevonden voor het boerenvraagstuk. (...) Mansholt streefde naar maximale

487

productiegroei, het altaar waarop hij de natuur en de romantiek van het boerenleven offerde. (…) Niemand had een grotere invloed gehad op het aanzicht van het platteland dan hij. Het open veld was grootschaliger van opzet geworden, rechtlijniger, strenger. Van Sicilië tot Bretagne kropen er dezelfde monstrueuze machines over de akkers. (…) Als protectionist had hij de levenssappen van de markt afgeknepen, met als gevolg dat de landbouw een vermolmde eik was geworden.

Aan het eind van het boek volgt dan nog als klap op de vuurpijl: 'Aan zijn geloof in de dogma's van het boerensocialisme had hij niettemin vastgehouden. Nog tijdens de akkerbouwopstand in 1990 verdedigde hij ze met hart en ziel: de graanprijs moest en zou met Europese subsidies kunstmatig hoog blijven.'[7] Mansholt dus als grote vijand van de boeren.

Westerman baseerde zich op twee niet-geautoriseerde interviews met de oude Mansholt uit november 1994 – hij overleed een half jaar later, dus vier jaar voor het boek verscheen –, een gesprek met diens weduwe Henny, een journalistiek portret uit de *Haagse Post* van 1972 en autobiografische informatie uit het pamflettistische *De crisis* uit 1974. Dat leverde voldoende inspiratie op voor een romanfiguur uit *De graanrepubliek*, maar een biograaf komt daar niet ver mee.

De laatste keer dat ik Mansholt sprak was in maart 1993. Hij was toen al moeilijk te volgen – tweemaal getroffen door een hersenbloeding – haalde feiten door elkaar en werd soms overmand door emoties. Geen betrouwbare bron van informatie. Het portret in de *Haagse Post* was radicaal-links gekleurd en moet gezien worden tegen de achtergrond van door de redactie van dat blad gesteunde pogingen Mansholt na zijn afscheid uit Brussel opnieuw de Nederlandse politiek in te tillen. Verder is *De crisis* een problematische bron omdat de autobiografische gegevens daarin overgoten zijn met de politieke boodschap die Mansholt gedestilleerd had uit *Limits to Growth*.

De historische Mansholt heeft het landschap niet verprutst, de landbouw niet gedwongen tot industrieel boeren, geen megalomaan plan gemaakt om de ruggengraat van behoudzuchtige boeren te breken, maximale productiegroei nooit als hoogste doel gesteld en was zeker niet dogmatisch. Mansholts pleidooi voor gemeenschapseigendom was gericht tegen grondspeculatie en hoge rentelasten voor de boeren. Hij was in principe voorstander van een vrije markt, maar niet onbeschermd. Tariefmuren en permanente subsidies stonden een gezonde ontwikkeling volgens hem juist in de weg. De vrije import van graanvervangers was ook geen tegemoetkoming aan de derde wereld. Maar in *De graanrepubliek* is dat allemaal anders. Daarin ligt Mansholt

's nachts wakker als zijn geweten opspeelt omdat hij van de grote akkerbouwers miljonairs had gemaakt.

Er zijn nog meer verschillen. Mansholts ouders zijn niet van de familieboerderij verjaagd vanwege ruzie over de erfenis: ze kozen bewust voor een politieke carrière. Het was niet Sicco's jeugddroom boer te worden in Nederland,
maar tabaksplanter in Indië, net als zijn oom. Henny's vader was geen arme
leerlooier, maar directeur van een leerfabriek die Mansholts boerderij mee-
financierde. De brief aan president Kennedy aan de vooravond van zijn bezoek
aan Berlijn is niet geschreven door Mansholt, maar door zijn kabinetschef
Alfred Mozer. Mansholt heeft nooit rechtstreeks contact met De Gaulle gehad,
ook niet per post. Petra Kelly verscheen pas op het toneel toen Mansholt al
overstag was. Hij was haar inspiratiebron, niet andersom. Het door Mansholt
in Den Haag en Brussel gevoerde prijsbeleid was niet geënt op berekeningen
van zijn grootvader. Daarin raakte Mansholt pas op latere leeftijd geïnteresseerd. Al deze 'feiten' liggen anders, in deze biografie althans.

De lezer moet *De graanrepubliek* zien als de goed geschreven roman die ze
daadwerkelijk is. Het boek leest misschien als een historisch werk of opge-
tuigde biografie, maar dat is het beslist niet. Daarvoor ontbreekt te veel taaie,
maar noodzakelijke context, bijvoorbeeld over de totstandkoming, de inhoud
en de resultaten van het beleid. En daarvoor heeft de schrijver karakters,
motieven en gebeurtenissen te veel naar zijn hand gezet.

## Erflater

Wat liet Mansholt na? Melkplassen, een geldverslindende politiek die een
niet-rendabele sector de hand boven het hoofd houdt, een door mest en pesticiden aangetast milieu, gedumpte overschotten en veel ellende in ontwikkelingslanden. Dat is een gekleurd beeld dat niet helemaal klopt. Met de juiste
cijfers kan wel worden volgehouden dat het Europese landbouwbeleid niet
deugt. Een gemiddeld Nederlands gezin met twee kinderen was in 1998 bijna
6,5 procent van het besteedbare inkomen kwijt aan ondersteuning van dat
beleid (via belastingen en hoge consumentenprijzen). Door dumping werd
de allerarmste landen dat jaar ongeveer de helft van hun mogelijke exportop-
brengsten onthouden.[8] Lag dat aan het systeem en, zo ja, kon dat, drie jaar
na zijn dood, op het bord van de architect worden geschoven? Mansholt zelf
hamerde immers voortdurend op de noodzaak het landbouwbeleid aan te
passen en de Europese besluitvorming bij te stellen

Tot Mansholts nalatenschap hoort ook het illegale werk tijdens de bezetting, het succes van de naoorlogse voedselvoorziening, de modernisering van

de Nederlandse landbouw (internationaal toonaangevend) en zijn pioniersarbeid op het gebied van ontwikkelingssamenwerking en milieubescherming. Zonder zijn belangrijke rol als minister weg te moffelen, ontleent Mansholt zijn historische betekenis echter toch in eerste instantie aan zijn prestaties in Brussel.

Wie Mansholt zegt, zegt GLB (Gemeenschappelijk Landbouwbeleid), CAP (*Common Agricultural Policy*), PAC (*Politique Agricole Commune*) of GAP (*Gemeinsame Agrarpolitik*). De Nederlandse en de Franse regering stelden hem weliswaar in staat dat beleid vorm te geven, maar hij heeft er een eigen stempel opgedrukt. Mansholts eerste plan stamt uit 1950. Acht jaar later begon hij in Brussel met de constructie. In 1968, twee jaar vóór de in het EEG-Verdrag vastgelegde termijn, was de klus geklaard: één Europees instrumentarium, de rest was opgeruimd. Landbouw zou niet langer een obstakel zijn voor verder integratie.

Mansholt en zijn medewerkers waren zich bewust dat het GLB-gebouw, toen het er eenmaal was, meteen zou moeten worden aangepast. De vastgestelde 'politieke' prijzen waren immers veel te hoog. Dat had het asociale effect dat onrendabele bedrijven konden blijven doormodderen, terwijl de grootste boeren het meest opstreken. Goedkope producten uit ontwikkelingslanden werden zwaar belast en de Europese consument betaalde zich blauw.

Na 1968 heeft Mansholt geprobeerd zowel de prijzen scherper te krijgen als een drastisch structuurbeleid van de grond te tillen. Hij maakte zich daarmee niet populair. Het beeld van Mansholt als *Bauernkiller* grifte zich in deze periode definitief in het geheugen van veel Europese boeren. De aanpassingen mislukten, vooral omdat de Franse president De Gaulle de in het EEG-Verdrag in het vooruitzicht gestelde meerderheidsbesluitvorming torpedeerde.

Het beeld van Mansholt als efficiencytechnocraat die zich niet bekommerde om democratische principes en het lot van individuele boeren klopt al evenmin. Het is wél verklaarbaar uit Mansholts positie als Europees commissaris (ambtenaar of politicus?), zijn autoritaire optreden, enorme expertise op het gebied van markt- en prijsbeleid en zijn zwak voor cijfers. Toch ging het hem om iets anders: *politieke* eenwording.

Mansholt liet meer na dan een landbouwinstrumentarium. Zijn Europese erfenis omvat een sociologisch, een socialistisch en een communautair element. Het eerste was geïnspireerd op zijn grootvader, het tweede kwam grotendeels van zijn ouders en het derde ontwikkelde hij zelf. Sociologisch van belang was de erkenning – op de conferentie van Stresa in 1958 – dat de landbouw een volwaardige plaats moest krijgen in het moderne Europa. Het

GLB vloeide daaruit logisch voort, als antwoord op de concurrentie van de VS en ter bescherming tegen dumpprijzen op de wereldmarkt. Mansholt wilde de positie van de boeren verbeteren, maar dan moest hun bedrijf wel modern zijn, dat was onvermijdelijk. De sector zou sterk krimpen. Dat was onontkoombaar en moest door Brussel sociaal worden opgevangen. Op nationaal niveau was dit volgens Mansholt niet meer op te lossen.

'Socialistisch' was het aspect van de internationale solidariteit, volgens Mansholt zelf althans. Toen hem voor de voeten werd geworpen dat zijn werkzaamheden in Brussel toch weinig met de idealen van zijn eigen partij te maken hadden, bezwoer hij:

> Wij moeten ons solidair gaan voelen met de paupers in Calabrië en met het proletariaat in de industriegebieden, waar ze ook in Europa liggen. Door de nieuwe bovennationale organen krijgen we de kans te verwezenlijken wat we steeds gewild hebben: de verheffing van de massa tot een hoger levenspeil. Daar werk ik aan mee. En dat is de realisering van een hoger socialistisch ideaal.[9]

Het verwijt aan Mansholt leek overigens wel terecht. Wat schoot een arbeider op met hoge prijzen voor graan en melk? Europa leek meer oog te hebben voor de vrije markt dan voor sociale zekerheid. Toch was solidariteit een van de leidende beginselen van het structuurplan uit 1968. De overbodig geworden boeren zouden niet aan hun lot worden overgelaten. Dat dit plan niet uit de verf kwam, is een ander verhaal.

Partijgenoot en mede-Europeaan Marinus van der Goes van Naters meende dat Mansholt zich primair liet leiden door 'de gedachte van de mogelijkheid van méér aaneensluiting van de mensen, de maatschappij, Europa, de wereld'. Van der Goes typeerde dat als 'een sterke socialistische gedachte in nieuwe zin'.[10] Het is de vraag of hij hetzelfde bedoelde als Mansholt. Bij Van der Goes vallen socialisme en federalisme min of meer samen. Mansholt streefde ernaar op wereldschaal de productie beter af te stemmen op de behoeften. Hij wilde de tegenstelling tussen Noord en Zuid opheffen. Het stempel 'een sterke socialistische gedachte in nieuwe zin' past daarbij beter.

Het communautaire element omschreef Mansholt hierboven als 'de opdracht mee te bouwen aan een verenigd Europa'. Preciezer geformuleerd: 'het scheppen en aanvaarden van een gemeenschappelijke verantwoordelijkheid.' Het doel was een Europese burgeroorlog voorgoed uit te bannen. Jean Monnet en de opstellers van het EGKS-Verdrag en het Verdrag van Rome meenden dat een gemeenschappelijke markt en toenemende economische vervlechting automatisch zouden leiden tot *politieke* eenwording (het *spill over*-effect). Hallstein, de eerste voorzitter van de Europese Commissie, voegde daaraan een doelgerichte juridische *Sachlogik* toe: het ene zakelijke besluit leidde vanzelf naar het volgende.

Mansholt wilde nog verder. Hij trok het initiatief naar zich toe en ging de politieke strijd aan, in de Commissie en de Raad van Ministers, met ambtenaren, ministers en regeringsleiders, met Europese en nationale parlementariërs en met het bedrijfsleven zelf. Hij trad op als *Mr Europe* in Washington, Londen, Santiago enzovoort. De slag om het landbouwbeleid groeide – vooral door toedoen van Mansholt – uit tot de eerste grote gezamenlijke onderneming van de zes EEG-lidstaten. Het effect daarvan op de Europese integratie kan moeilijk worden overschat. Wederzijds begrip groeide naarmate er *samen* werd opgebouwd. Het prestige van de Commissie werd gevestigd en het GLB werd het vlaggenschip van Europa, aangrijpingspunt voor verdere integratie. Bovendien raakten veel Europese burgers erbij betrokken, niet alleen de boeren maar het hele platteland. Het GLB was tegelijk bron van veel frictie, vooral over het budget van Brussel.

In een interview in 1990 vertelde Mansholt dat hij, toen hij Brussel verliet, blij was dat 'landbouw' was gelukt als voorloper van de gemeenschappelijke markt én trots dat hij meegeholpen had Europa op te bouwen. Daarna had het beleid moeten worden aangepast, maar dat was – alweer – een ander verhaal. Negatief was volgens hem de trage voortgang op andere terreinen, met name op het gebied van transport en in de monetaire sfeer.[11]

Was Mansholt niet te voortvarend? Had een voorzichtige aanpak van meer sectoren tegelijk niet een evenwichtiger beeld opgeleverd? Dat valt niet na te gaan. Zonder Mansholts dynamiek had de Europese Unie *nu* misschien met lege handen gestaan. Het landbouwbeleid was in de jaren zestig immers de motor van de integratie. Voor Mansholt was 'het aanvaarden van de gemeenschappelijke verantwoordelijkheid' essentieel. Verdragsbepalingen, economische afspraken en ambtelijke entourage waren van belang, maar voortdurende *politieke* wilsvorming was doorslaggevend en bepaalde het tempo. Dat was de kern.

Bij het negatieve beeld van het GLB moeten nog wat kanttekeningen worden gemaakt. Als dit beleid niet ontwikkeld was, zou Europa te maken hebben gekregen met nationale stelsels die nóg protectionistischer waren. De Zwitsers, Noren en Japanners waren bijvoorbeeld in 1998 relatief meer geld kwijt aan de bescherming van hun boeren dan Nederland. De VS zaten ongeveer op hetzelfde niveau (6,5 procent van het gemiddelde besteedbare inkomen).[12]

Zonder GLB zouden de 'nationale' prijzen gemiddeld hoger zijn geweest en het assortiment kleiner. Het Brusselse vangnet – in de vorm van garantieprijzen – heeft bovendien dempend gewerkt op de vlucht van het platteland naar de stad, vooral in Frankrijk en Italië. Deze 'sociale winst' mag aan de creditkant van het GLB worden gezet.

De ellende is ook niet inherent aan het systeem. Dat kon in 2006 worden afgeleid uit de *Agricultural outlook* voor de periode 2005-2014 van de OESO en de FAO. De organisaties becijferden toen dat het aanbod van landbouwproducten minder snel zou toenemen dan in het decennium daarvóór, terwijl de vraag sterk zou groeien. De wereldmarktprijzen zouden stijgen. Er werd een toename verwacht van het gebruik van granen, veevoer en oliën, vooral in China, en een sterke groei van de vleesconsumptie in Brazilië, China en Rusland. De vooruitzichten voor de zuivelmarkt waren ook vrij rooskleurig.[13]

Mogelijk had deze *Outlook* Mansholt minder pessimistisch gestemd over het dichten van de kloof tussen Noord en Zuid. Maar sinds *Grenzen aan de groei* wist hij dat er ook een schaduwzijde was: hoeveel leeuweriken zou dit de wereld kosten?

## Het charisma van Europa

Mansholt maakte plannen en bedreef politiek. Hij stimuleerde, maar maakte geen school. Hij had de moed een nieuw idee op te pikken en politieke taboes te doorbreken. Aan de andere kant was hij steeds bereid water bij de wijn te doen. Hij blééf sleutelen aan compromissen.

Sterke kanten van Mansholt waren onder meer zijn fysieke gestel, wilskracht en charisma. Hij was erg zelfverzekerd, straalde dynamiek uit, wekte vertrouwen en boezemde ontzag in. Mansholt had charme en bewoog zich met evenveel gemak in een boerenschuur als op het internationale toneel, al sprak hij zijn talen zeker niet foutloos. Hij was wél direct, recht door zee en authentiek. Mansholt had oog voor de grote lijn, organisatietalent en een politieke neus. De techniek van het landbouwbeleid beheerste hij tot in de details. Hij koos in de regel de juiste medewerkers, was loyaal en kon goed delegeren. Hij ontspande zich makkelijk en kon de politiek vrij eenvoudig van zich afzetten.

Dan de zwakheden. Mansholt neigde ertoe zaken zwart-wit af te schilderen. Hij had weinig zelfrelativering, humor en ironie. Voor persoonlijke aspecten leek hij geen oog te hebben. Hij kon erg koppig zijn, bot en gelijkhebberig. Zijn tempo lag voor velen te hoog. Mansholts theoretische basis was niet sterk. Hij had denkers nodig die hem overeind hielden. Er was ook sprake van een gebrek aan geremdheid en zelfreflectie. Mansholt was impulsief en liet zich makkelijk verleiden. Verder was hij erg gesloten, ook tegenover naaste medewerkers. 'Hij heeft een heel goede, makkelijke relatie met mensen, maar dat gaat toch niet erg diep,' zei Mozer. 'Je drong niet tot z'n diepste zelf door,' stelde Van der Lee.[14]

Mansholts werkwijze was bijzonder. Hij ontwikkelde plannen met een klein team, buiten de gebruikelijke hiërarchische entourage. Mansholt was voor iedereen toegankelijk en dacht gewoon mee. Trouwe medewerkers als Stefan Louwes, Samkalden, Van der Lee, Van Oosten, Le Mair, Heringa, Mozer, Van Slobbe, Rabot, Krohn, Von Verschuer, Hustinx, Cohen, Jonker enzovoort speelden een niet te onderschatten rol. Mansholt moest de ideeën uitdragen en voldoende politieke steun verwerven. Ambtenaren gingen voor hem door het vuur. 'Het was een verrukking voor hem te werken,' stelde Van der Lee. Hij gaf zijn mensen de ruimte en sprong voor hen in de bres wanneer dat nodig was.

Leiderschap is van belang. Burgers hebben behoefte aan houvast. Een charismatische, tot de verbeelding sprekende politicus kan de bevolking meetrekken en het vertrouwen geven dat alles goed komt. Hij zet zaken naar zijn hand. Mansholt had charisma en veerde op in crisissituaties. Onder druk van De Gaulle kroop hij dan ook niet in zijn schulp, integendeel. Mansholt richtte zich ook op sociale verandering – uiteindelijk wellicht op de ideale socialistische maatschappij. Zijn leiderschap kenmerkte zich door een grote creativiteit.

Na het Nederlandse 'nee' bij het referendum van 1 juni 2005 over de Europese Grondwet stelde Patrick Dassen in *De Groene Amsterdammer*: 'Waarschijnlijk heeft meegespeeld dat voor menigeen de grondwet of de Europese Unie aan geen enkel concreet gezicht van een politicus van vlees en bloed gekoppeld kon worden waarmee men zich verbonden of door wie men zich vertegenwoordigd voelde.' De Unie was een gedrocht van gezichtsloze bureaucraten. 'Het charisma van Europa is ver te zoeken,' luidde de conclusie.[15] Dat kwam in de buurt van een roep om een tweede Mansholt. Hij gaf Europa in de opbouwjaren 1958-1972 tenminste een duidelijk gezicht.

De Europese Unie heeft dynamische leidersfiguren zoals Mansholt nodig. Zonder betrokken politiek leiderschap blijft de Unie stuurloos, gezichtsloos en zielloos. Dat is de kern van Mansholts erflaterschap, zijn betekenis in breder historisch perspectief. Natuurtalenten als Mansholt zijn echter dun gezaaid. Tot op het laatst probeerde hij oorlog uit te bannen en het tij te keren voor de stekelbaarsjes en de leeuweriken.

# Noten

NOTEN BIJ VERANTWOORDING

1   Brief Mansholt aan auteur, 20 sept. 1991.
2   Brief Mansholt aan auteur, 29 jan. 1993.
3   J.C.F.J. van Merriënboer, 'Het avontuur van Sicco Mansholt', *Politieke opstellen* 15/16 (1996) p. 137-168.
4   Ook online beschikbaar: https://search. socialhistory.org/Record/ARCH00854 (3 jan. 2019).
5   De driedeling historische tijd - universele menselijke aspecten - individuele factoren is ontleend aan Henriëtte L.T. de Beaufort, 'De biografie. Een theoretisch onderzoek?', *NRC*, 30 feb. 1957.
6   J.A.W. Burger, 'De "noodzaak" van het militair gezag', *S&D* 4 (1947) p. 151.
7   Als aanvullingen opgenomen in de literatuurlijst.

NOTEN BIJ HOOFDSTUK 1

1   S.L. Mansholt, 'Herinneringen uit mijn jeugd' in: De vereniging ter bevordering van Landbouw en Nijverheid te Leens (red.), *Gedenkboek Nijverheid 1991, deel 1, Historie van de Marne* (z.pl. 1991) p. 9-10 en 12; Al enige jaren prijkt de naam 'Torum' op de oude boerderij. In alle correspondentie van de Mansholts werd de naam met Th geschreven: 'Thorum' Ik houd het op het laatste.
2   Ynte Botke, *Boer en heer, 'De Groninger boer' 1760-1960* (Assen 2002) p. 436-437; K. ter Laan, *Groninger encyclopedie* (Groningen 1954-1955) p. 890-891.
3   J.S. van Weerden, *De Westpolder. De geschiedenis van een Waddenpolder en zijn ingelanden* (De Westpolder 1960) p. 279.
4   Mansholt, 'Herinneringen uit mijn jeugd', p. 12-13.

5   Derk Roelfs Mansholt, *Vor einem halben Jahrhundert. Jugenderinnerungen eines Landwirtes aus dem Rheiderland um 1850* (Leer 1990) p. 116. Herdruk van het origineel uit 1909; IISG, archief Mansholt, inv.nr. 78, notitie 'Der Groszvater', z.d. van de hand van D.R. Mansholt.
6   Hilde Krips-Van der Laan, *Woord en daad. De zoektocht van Derk Roelfs Mansholt naar een betere samenleving* (Groningen 1999) p. 7-9 en p. 244 noot 30; S.H. Achterop, P. v.d. Wal en G.G. Wolthuis, *Meeden. Geschiedenis van een Gronings dorp* (Groningen 1969) p. 383-386.
7   E.W. Hofstee, aangehaald in P.J. Bouman, 'Komen en gaan. Vijf generaties in de Groninger landbouw, 1837-1962' in: *Wetenschap en werkelijkheid: bundel Prof. Dr. P.J. Bouman aangeboden bij zijn afscheid als hoogleraar aan de Rijksuniversiteit te Groningen* (Assen 1967) p. 55.
8   Botke, *Boer en heer*, p. 1-4 en 306-308; Bouman, 'Komen en gaan', p. 57.
9   Krips-Van der Laan, *Woord en daad*, p. 8, 195-201 en 227; *De geschiedenis van het Koninklijk Nederlandsch Landbouw-Comité (1884-1934)* (z.pl. z.j.) p. 26-27.
10  Achterop e.a., *Meeden*, p. 384; K. ter Laan, *Multatuli en twee van zijn discipelen Mansholt en De Raaf met brieven van en over Multatuli* (Leiden 1949) p. 8.
11  Krips-Van der Laan, *Woord en daad*, passim.
12  Mansholt, *Vor einem halben Jahrhundert*, p. 36.
13  Aangehaald in: Krips-Van der Laan, *Woord en daad*, p. 32.
14  *Ibidem*, p. 47-48 en 68-69.
15  *Ibidem*, p. 159-176. Mansholt aan Frank van der Goes, 17 nov. 1891 aangehaald in: *Ibidem*, p. 172; Frans Nypels en Kees Tamboer, 'De

man Mansholt', *Haagse Post*, 22 mrt. 1972, p. 29-30.

16 Krips-Van der Laan, *Woord en daad*, p. 257 noot 27.

17 *Ibidem*, p. 100-113 en 213-215; D.R. Mansholt, 'Proeve van onderzoek naar den invloed van inkomende rechten op den winkelprijs der voornaamste levensmiddelen', *Cultura* 24 (1912) p. 170-183.

18 Vgl. D.R. Mansholt, 'Eenige grepen uit de geschiedenis der Groninger Maatschappij voor Landbouw en Nijverheid', *Cultura* 24 (1912) p. 384-390; IISG, archief Mansholt, inv.nr. 542, Hetty Voerman-Mansholt, 'Thorum-Westpolder-Groningen 1905-1914' (gestencild, z.pl. 1966).

19 Van Weerden, *De Westpolder*, p. 259.

20 IISG, archief Mansholt, inv.nr. 556, gegevens over de eigenaren van de boerderij 'Vogelzang' te Scheemda.

21 E. Snellen, 'In memoriam. U.J. Mansholt. 1869-1911', *Cultura* 23 (1911) p. 280-284.

22 Particulier archief Mansholt, brief vader, 14 sept. 1937.

23 *Persoonlijkheden in het Koninkrijk der Nederlanden in woord en beeld* (Amsterdam 1938) p. 976; *Het Vaderland*, 12 mrt. 1935.

24 Leopold schreef enige standaardwerken op het gebied van de Duitse en Nederlandse spraakkunst. J. Prinsen, 'Levensbericht van Johan Albert Leopold 1846-1922' in: *Handelingen van de maatschappij der Nederlandsche letterkunde te Leiden en levensberichten harer afgestorven medeleden 1923-1924* (Leiden 1924) p. 97-102.

25 W.H. Mansholt, 'Reglementeering der prostitutie' in: *Pro en contra. Betreffende vraagstukken van algemeen belang* (Baarn 1906) serie II, nr. 4; *NRC*, 6 feb. 1919.

26 Margreet van der Burg, 'Th.W.S. Mansholt. Pedagoge in de plattelandspraktijk' in: Mineke van Essen en Mieke Lunenberg (red.), *Vrouwelijke pedagogen in Nederland* (Nijkerk 1991) p. 93-105.

27 Vgl. H.D. Louwes, 'De inwoners van de Marne aan het werk buiten hun gebied' in: *Vereeniging ter bevordering van landbouw en nijverheid te Leens, Gedenkboek 1841-1941* (z.pl. 1941) p. 288; H.M.L. Geurts, *Herman Derk Louwes (1893-1960). Burgemeester*

*van de Nederlandse landbouw* (Groningen en Wageningen 2002) p. 26; IISG, archief Mansholt, inv.nr. 542, Voerman-Mansholt, 'Thorum', p. 1-4.

28 H.D. Louwes, 'Waar mejuffrouw Mansholt tante Theda was' in: *Gedenkschrift Theda Mansholt 28 april 1879-7 december 1956* (Deventer z.j.) p. 3.

29 *Ibidem*, p. 4.

30 IISG, archief Mansholt, inv.nr. 95, stukken betreffende zijn tienjarig jubileum als minister.

31 Sicco Mansholt, *De crisis* (Amsterdam 1975) p. 7; NAA, radio-uitzending Een leven lang, NOS, 5 okt. 1990.

32 Interview Mansholt, *NRC Handelsblad*, 11 feb. 1989.

33 IISG, archief Mansholt, inv.nr. 76, brief aan W.N. van Ritbergen-Siewers, 26 feb. 1987; particulier archief Mansholt, fotoalbum 'Sicco 70 jaar'.

34 Particulier archief Mansholt, brief U.J. Mansholt, 13 nov. 1988.

35 Krips-Van der Laan, *Woord en daad*, p. 223-224 en 234.

36 Particulier archief Mansholt, brief vader, 14 sept. 1937.

37 L.H. Mansholt, 'Derk Bartels' in: *De Socialistische Gids. Maandschrift der Sociaal-Democratische Arbeiderspartij* 22 (1937) p. 285-286; IISG, archief Mansholt, inv.nr. 4, brief [zoon] H.W. Vliegen, 24 mei 1976; particulier archief Mansholt, brief W.H. Vliegen aan de familie Mansholt, 9 sept. 1944.

38 Particulier archief Mansholt, fotoalbum 'Sicco 70 jaar'.

39 M.J. van Lennep, 'Römer' in: *Genealogysk Jierboekje* 5 (1963) p. 15-34.

40 IISG, archief Mansholt, inv.nr. 80, genealogische gegevens familie Andreae; NA, inventaris collectie Andreae (1916-1921) z.p.; Albert F. Mellink, 'Andreae, Wabina', lemma in: *BWSAN*, deel 1 (Amsterdam 1986) p. 3-4; J.H. Pompe, 'Politieke geschiedenis 1851-1982' in: A.H. van Zomeren e.a. (red.), *Geschiedenis van Zuidhorn* (Bedum 1986) p. 136-138; Sicco Mansholt, *La crise* (Parijs 1974) p. 23.

41 IISG, archief Mansholt, inv.nr. 542,

Voerman-Mansholt, 'Thorum'; Hetty was een dochter van oom Ubbo.

42 Nypels en Tamboer, 'De man Mansholt'.

43 *Het socialisatievraagstuk. Rapport uitge-bracht door de commissie aangewezen uit de SDAP* (tweede druk Amsterdam en Rotterdam 1920) p. 71.

44 Mansholt, *De crisis*, p. 8-9.

45 IISG, archief Mansholt, inv.nr. 542, Voerman-Mansholt, 'Thorum'.

46 IISG, archief Mansholt, inv.nr. 538, verslag raadsvergadering 18 aug. 1921, aangehaald in: *De Hogelandster*, 13 jan 1988.

47 *Het socialisatievraagstuk*, p. 60-88. Citaat op p. 73.

48 Mansholt, *De crisis*, p. 10-11.

49 NA, archief Andreae, inv.nr. 9, brief Sienke aan moeder (M. Andreae Römer), 2 dec. 1918; A.F. Mellink, 'Lambertus Helprig Mansholt, Gronings socialistisch boer (1875-1945)' in: Ph.H. Breuker en Michaël Zeeman (red.), *Freonen om ds. J.J. Kalma hinne. Stúdzjes, meast oer Fryslân, foar syn fiifensantichste jierden* (Ljouwert/Leeuwarden 1982) p. 215-220; Johan van Merriënboer, 'Een Groningse held? Niet Sicco, maar zijn vader!', *Stad en Lande. Cultuurhistorisch tijdschrift* 15 (2006) nr. 4, p. 3-9.

50 Particulier archief Mansholt, brief moeder, 11 dec. 1934.

51 NA, archief Andreae, inv.nr. 9, brief moeder (M. Andreae-Römer) aan een van haar kinderen, 4 juli 1918; W. Mansholt-Andreae, 'Vrouwenkiesrecht', *De Socialistische Gids. Maandschrift der Sociaal-Democratische Arbeiderspartij* 1 (1916) p. 799 en 'De vrouw in het gezin', *Ibidem* 3 (1918) p. 454.

52 Mansholt, *De crisis*, p. 11; Nypels en Tamboer, 'De man Mansholt', p. 35.

53 Interview Mansholt, *NRC Handelsblad*, 11 feb. 1989.

54 Particulier archief Mansholt, brief Jo [Lieftinck] aan Wabs, 15 juni 1920; brief tante Sienke uit aug. 1921 aangehaald in brief U.J. Mansholt, 13 nov. 1988.

55 Particulier archief Mansholt, brief Bertus aan ouders, 19 dec. 1903. Daarin beklaagde hij zich al over maagpijn en reumatiek. In latere brieven keerde dit thema regelmatig

terug; NA, archief Andreae, inv.nr. 11, brief 6 mrt. 1921; *Het socialisatievraagstuk*, p. 71.

56 Particulier archief Mansholt, brief vader, 19 sept. 1930.

57 Particulier archief Mansholt, brief moeder, 15 jan. 1935.

58 NA, archief Andreae, inv.nr.10, brief 26 aug. 1919 van grootmoeder over de veiling van een boerenplaats, die kennelijk in het bezit van de familie was. De boerderij bracht ruim 136.000 gulden op.

59 Nypels en Tamboer, 'De man Mansholt'.

60 P.W. Modderman (red.), *Gedenkboek van de Deli Planters Vereeniging* (Batavia 1929) p. 249 en 251; N.V. Deli-maatschappij, *Gedenkschrift bij gelegenheid van het zestig-jarig bestaan aansluitende bij het gedenk-boek van 1 November 1919* (Amsterdam 1929) p. 12-13 en 45.

61 Particulier archief Mansholt, brieven vader, 1 nov. 1927, 24 feb. 1929 en 10 apr. 1929; conceptsollicitatiebrief 2 okt. 1930; brief P. Diddens aan L.H. Mansholt, 12 jan. 1932. Buistratan was misschien een tweede boerderij of een naburige kavel. De naam is moeilijk te ontcijferen.

62 Particulier archief Mansholt, brief vader, 9 feb. 1934.

63 Jaap Nieuwenhuize en Arend Voortman, 'Negentig jaren sociaal-democratische landbouwpolitiek. Visies en benaderingen in SDAP en PvdA' in: *Spil. Tijdschrift met bij-dragen over de problemen van de landbouw en van de plattelandssamenleving* (1984) nr. 33-34, p. 47.

64 Albert F. Mellink, 'Mansholt, Lambertus Helprig' in: *BWSAN*, deel 1 (Amsterdam 1986) p. 77-78.

65 Particulier archief Mansholt, brief vader, 3 feb. 1931; C.W.M. van Ballegooijen, 'Een geschiedenis van de Tariefcommissie' in: F.H.M. Possen (red.), *Van Tariefcommissie naar Douanekamer* (Amsterdam 2002) p. 9-15.

66 Particulier archief Mansholt, brieven vader, 1 juli 1928, 24 nov. 1929, 3 juni 1930 en 10 apr. 1934.

67 NAA, radio-uitzending Een leven lang, NOS, 5 okt. 1990.

68 W. Mansholt-Andreae, 'De vrouw in het

497

gezin', *De Socialistische Gids. Maandschrift der Sociaal-Democratische Arbeiderspartij* 3 (1918) p. 356.

69 Mansholt, *De crisis*, p. 9.

70 Nypels en Tamboer, 'De man Mansholt'.

71 Particulier archief Mansholt, brief vader 12 sept. 1927.

72 Mansholt, *De crisis*, p. 9.

73 Particulier archief Mansholt, brief moeder, 15 jan. 1935.

74 Mansholt, *De crisis*, p. 139; Sicco Mansholt, *Die Krise. Europa und die Grenzen des Wachstums: Aufzeichnung von Gesprächen mit Janine Delaunay und Freimut Duve* (Reinbek bei Hamburg 1974) p. 115.

75 IISG, archief Mansholt, inv.nr. 27, brief aan Louis Velleman, 15 mrt. 1995.

76 Mellink, 'Mansholt, Lambertus Helprig', p. 222; W. Mansholt-Andreae, 'Lindsey's boeken', *De Socialistische Gids. Maandschrift der Sociaal-Democratische Arbeiderspartij* 15 (1930) p. 112.

77 Particulier archief Mansholt, brief Aleid vanuit Zwitserland, z.pl. z.d.

78 Nypels en Tamboer, 'De man Mansholt'.

79 Particulier archief Mansholt, brieven ouders, 16 okt. 1927, 14 en 25 juni 1929 en tweemaal z.d. (brieven moeder, vaak niet gedateerd).

80 W. Mansholt-Andreae, 'Wordend huwelijk', *De Socialistische Gids. Maandschrift der Sociaal-Democratische Arbeiderspartij* 17 (1932) p. 821 en 829; Mansholt-Andreae, 'Lindsey's boeken', p. 122-129.

81 Particulier archief Mansholt, brief Aleid, z.d. [omstreeks feb. 1930]; brieven ouders, 16 okt. 1927, 2 mrt. 1928 en een aantal z.d.

82 Particulier archief Mansholt, brief moeder, 26 jan. 1929; brieven aan ouders, 24 en 29 jan. 1929.

83 Wim Klein, 'De super-boer Sicco Leendert Mansholt', *Elseviers Weekblad*, 29 jan. 1966; Nypels en Tamboer, 'De man Mansholt'; Mansholt, 'Herinneringen uit mijn jeugd', p. 10-11.

84 *Gedenkboek aangeboden bij het vijfentwintig jarig bestaan der Middelbare Koloniale Landbouwschool te Deventer* (z.pl. 1937) met name p. 16 en 31.

85 Particulier archief Mansholt, brieven aan ouders, 2 okt. 1927, 27 okt. 1929, 1 feb. 1930.

86 Particulier archief Mansholt, brief Jan Posthumus, 16 apr. 1931.

87 Het volgende is gebaseerd op archivalia uit de periode 1927-1933 in het bezit van de familie Aghina-Mansholt (particulier archief Mansholt). Citaten zijn terug te vinden in de bewerking - inclusief transcripties van een groot aantal, vaak ongedateerde, brieven - die ik daaraan heb toegevoegd (JvM, feb. 2003).

88 NAA, radio-uitzending Dit is uw leven, VARA, 26 apr. 1964, interview W.W. Meyer.

89 Willem Breedveld en John Jansen van Galen, *Gaius. De onverstoorbare gang van W.F. de Gaay Fortman* (Utrecht 1996) p. 87-93.

90 Particulier archief Mansholt, brief aan ouders, Marseille, 25 maart 1934.

NOTEN BIJ HOOFDSTUK 2

1 Particulier archief Mansholt, brief aan ouders, 19 mrt. 1934.

2 Particulier archief Mansholt, brief Onderneming Pasir Nangka aan Mansholt, 22 jan. 1934.

3 Particulier archief Mansholt, brief vader, 19 mrt. 1934.

4 Particulier archief Mansholt, twee mappen 'Indische brieven'. Bij lezing bleek dat zijn ouders een aantal maal verwezen naar brieven van Sicco die ontbreken. Waarschijnlijk zijn een paar naar familieleden doorgezonden exemplaren indertijd niet teruggestuurd.

5 Particulier archief Mansholt, brief Aleid, 9 mei 1934.

6 Particulier archief Mansholt, brief moeder, 9 apr. 1934.

7 Naamlooze vennootschap Kultuur Maatschappij "Pasir Nangka", *Verslag over het 52ste boekjaar 1934* (Batavia 1935) p. 2. De kinaonderneming heette: *Bintang*, de andere theeonderneming *Leuwi Manggoe*.

8 In een van de brieven werd gemeld dat op een afdeling met 600 ha. thee ongeveer 1200 man werken. Particulier archief Mansholt, brief aan ouders, 16 dec. 1935.

9 Particulier archief Mansholt, brief aan ouders, 9 juni 1934.

10  Mansholt, *De crisis*, p. 13; interview Mansholt, 16 mrt. 1993.

11  NAA, radio-uitzending Dit is uw leven, VARA, 26 apr. 1964.

12  Mansholt, *De crisis*, p. 13; particulier archief Mansholt, brieven aan ouders, 27 aug. en 10 sept. 1934.

13  Particulier archief Mansholt, brief aan vader, 25 sept. 1937.

14  Particulier archief Mansholt, brieven aan ouders, 25 juni 1934 en 10 juni 1935.

15  NAA, radio-uitzending ZI en de herenboer, deel 1, VARA, 25 nov. 1978.

16  Particulier archief Mansholt, ongedateerde brief aan ouders, brief [28] mei en 10 en 15 juni aan ouders; brief vader, 24 juni 1935.

17  Particulier archief Mansholt, brief aan ouders, 23 apr. 1934.

18  Particulier archief Mansholt, brieven aan ouders, 2 juli 1934, 22 apr. 1935 ('Van het eig. Indië heb ik nog bijna niets gezien.'), 10 juni en 17 sept. 1935.

19  Particulier archief Mansholt, brief aan ouders, 20 aug. 1934.

20  Particulier archief Mansholt, brieven aan ouders, 17 en 28 sept. 1935.

21  Mansholt, *De crisis*, p. 12-13; particulier archief Mansholt, brief aan ouders, 16 feb. 1936; brief moeder, 17 feb. 1936. Op 12 februari 1936 ging Mansholt aan boord van de Joh. de Witt.

22  Particulier archief Mansholt, brieven Jan Posthumus, 10 aug., 30 sept. en 4 nov. 1931.

23  Particulier archief Mansholt, brieven aan ouders, 13 aug. 1934, 1 okt. 1934 en ongedateerd [aug. 1934].

24  Particulier archief Mansholt, brief aan ouders, 17 sept. 1934.

25  Particulier archief Mansholt, brief aan ouders, 16 juli 1934 ongedateerd [aug. 1934].

26  Particulier archief Mansholt, brief aan ouders, 17 sept. 1934.

27  Particulier archief Mansholt, brief aan ouders, 1 okt. 1934.

28  Particulier archief Mansholt, brief aan ouders, ongedateerd [feb. 1935].

29  Particulier archief Mansholt, brieven aan ouders, 29 juli, 13 sept. en 9 okt. 1935.

30  Particulier archief Mansholt, brief aan ouders, 8 apr. 1935.

31  Particulier archief Mansholt, brief aan ouders, 23 juli 1934.

32  Particulier archief Mansholt, brieven aan ouders, 10 aug. 1934, 4 feb. 1935, 29 apr. 1935, 15 juni 1935.

33  Jan Meyers, *Mussert, een politiek leven* (Amsterdam 1984) p. 86-88; particulier archief Mansholt, brieven aan ouders, 6 mei en 19 aug. 1935 en brief vader, 3 aug. 1935.

34  Particulier archief Mansholt, brief aan ouders, 6 mei 1935.

35  Particulier archief Mansholt, brieven moeder, 15 jan. en 4 feb. 1935.

36  Particulier archief Mansholt, brief vader, 23 apr. 1935.

37  Particulier archief Mansholt, brief aan ouders, ongedateerd [eind 1934].

38  Naar het gelijknamige boek van M.H. Székely-Lulofs uit 1931.

39  Particulier archief Mansholt, brieven vader, 3 en 24 juli 1934, 14 nov. 1934, 13 sept. 1935, 21 okt. 1935.

40  Particulier archief Mansholt, brieven aan ouders, 23 juli 1934 en 17 dec. 1934; brieven moeder, 5 en 18 dec. 1934; brief Dirk, 24 dec. 1934.

41  Particulier archief Mansholt, brief vader, 31 dec. 1934. Vanaf 12 juni 1934 schreef vader 'in de nieuwe spelling, die waarschijnlijk met 1 sept. op de scholen zal worden ingevoerd'.

42  Particulier archief Mansholt, brief aan ouders, ongedateerd [waarschijnlijk jan. 1935]; brief vader, 4 feb. 1935.

43  Particulier archief Mansholt, brief vader, 15 mei 1935; brief aan ouders, [28] mei 1935 en 10 juni 1935; brief moeder, 11 juni 1935.

44  Particulier archief Mansholt, brief aan ouders, 23 juni 1935.

45  Particulier archief Mansholt, brief vader, 4 juli 1935; brief moeder, 12 juli 1935.

46  Particulier archief Mansholt, brief vader, 13 sept. 1935; brief moeder, 30 sept. 1935; conceptsollicitatiebrief, 7 okt. 1935.

47  Particulier archief Mansholt, brieven aan ouders, 29 juli en 9 okt. 1935.

48  Particulier archief Mansholt, brief vader, 21 okt. 1935; brief aan ouders, 18 nov. [1935].

49  Particulier archief Mansholt, werkgeversverklaring Kultuur Mij. Pasir Nangka, 10 feb. 1936.

50 Particulier archief Mansholt, brief Lies [Pott Hofstede] aan tante en oom, 19 feb. 1936.

51 Particulier archief Mansholt, brief mw. Hellendoorn, 16 jan. 1938.

52 IISG, archief Mansholt, inv.nr. 222, verslag bezoek aan Indonesië z.d. en inv.nr. 49, brief aan Trees [v. Steyn v. Heemsbroek] Mooij-IJsselstein, 19 jan. 1976.

53 Mansholt, De crisis, p. 12.

54 Particulier archief Mansholt, brief aan ouders, 23 okt. 1934.


NOTEN BIJ HOOFDSTUK 3

1 Directie van de Wieringermeer, Tien jaar Wieringermeer 1930/40 (Alkmaar 1940) p. 23-25; A.F. Kamp, 'Nederlands twaalfde provincie' in: Z.W. Sneller (red.), Geschiedenis van den Nederlandschen landbouw 1795-1940 (Groningen en Batavia 1943) p. 471.

2 Kamp, 'Nederlands twaalfde provincie', p. 468 en 480.

3 Kamp, 'Nederlands twaalfde provincie', p. 478; W.N. van Ritbergen-Siewers, 'De familie Mansholt, drie generaties kritische volgers van het Zuiderzeeproject' in: G.H.L. Tiesinga (red.), Het Zuiderzeeproject: voor- en tegenstanders, plannenmakers en uitvoerders (Zutphen 1990) p. 55-58; particulier archief Mansholt, brief Dirk, 24 dec. 1934 en brief vader, 13 sept. 1935.

4 Van Ritbergen-Siewers, 'De familie Mansholt', p. 58; particulier archief Mansholt, brieven aan ouders, 26 feb., 26 mei en 13 sept. 1937; Mansholt, De crisis, p. 16.

5 Particulier archief Mansholt, brieven Henny (H.J. Postel), 25 en 28 mei 1937 en ongedateerde brief [1937].

6 Kamp, 'Nederlands twaalfde provincie', p. 483-490; Wording en opbouw van de Wieringermeer. Geschiedenis van de ontginning en kolonisatie van de eerste IJsselmeerpolder (Wageningen 1955) p. 416-418; A.M.C. van Dissel, 59 jaar eigengereide doeners in Flevoland, Noordoostpolder en Wieringermeer. Rijksdienst voor de IJsselmeerpolders 1930-1989 (Zutphen 1991) p. 100-101. Wanneer gegadigden in de polder werkzaam waren, hoefden soms geen inlichtingen verzameld te worden.

Mogelijk was dat bij Mansholt het geval. De beoordelingsdossiers zouden zijn terechtgekomen in het archief van de afdeling Domeinen van het ministerie van Financiën, verantwoordelijk voor gronduit-gifte. Waarschijnlijk zijn ze vernietigd (tele-fonische informatie Rijksarchief Flevoland, mei 2003).

7 Particulier archief Mansholt, brieven aan ouders, 13, 21 en 25 sept. 1937.

8 Particulier archief Mansholt, brief vader, 14 sept. 1937.

9 Particulier archief Mansholt, brieven Henny, 21 en 29 sept. en 6 okt. 1937; brief aan ouders, 23 sept. 1937.

10 Kamp, 'Nederlands twaalfde provincie', p. 485.

11 Particulier archief Mansholt, brieven aan ouders, 20 feb. 1938, 21 juli 1939, 20 apr. 1941, 31 mei 1944, 8 apr. 1945; Wording en opbouw van de Wieringermeer, p 334.

12 Mansholt, De crisis, p. 15-16; particulier archief Mansholt, herinneringsalbum ter gelegenheid van het 50-jarig huwelijk, bijdrage Han Postel.

13 Kamp, 'Nederlands twaalfde provin-cie', p. 486; P. Kop, Statistiek van de Wieringermeerbevolking op 31 December 1942 (Alphen aan den Rijn 1949) p. 2 en 27; Tien jaar Wieringermeer, p. 35.

14 Brief J. Daan aan auteur, 31 mei 2002.

15 NAA, televisie-uitzending Bij Ischa, VARA, 17 dec. 1975.

16 Particulier archief Mansholt, brieven aan ouders, 20 feb. 1938 en 11 nov. 1940; gecom-bineerde bedrijfsbalans over de periode 1 april 1938 tot 31 maart 1943 als bijlage van een ongedateerde brief [1943].

17 Particulier archief Mansholt, brief aan ouders, 26 feb. 1942.

18 Particulier archief Mansholt, brief aan ouders, 4 aug. 1943.

19 Particulier archief Mansholt, brieven aan ouders, 13 en 23 juni, 16 juli, 31 aug. 1944 en 30 apr. 1945. Bij het laatste cijfer werd een groot verlies ingecalculeerd als gevolg van de inundatie van de Wieringermeer in april 1945: 'Indien er geen overstroming was geweest had ik een bedrijfswinst gemaakt van 29.000 gulden.'

20  Particulier archief Mansholt, brief Hilgenga aan L.H. Mansholt, 10 feb. 1938; brief aan vader, 20 feb. 1938.

21  Particulier archief Mansholt, brief aan ouders, 29 maart 1942; *De coöperatieve vlasfabriek "Dinteloord" g.a. gedurende 25 jaren 1920-1945* (Dinteloord 1946), woord vooraf, p. 67 en p. 86. Aandelen van de Friesch-Groningsche coöperatieve suikerfabriek verkreeg hij waarschijnlijk via vader (particulier archief Mansholt, brief aan ouders, 20 feb. 1938).

22  Particulier archief Mansholt, brief aan ouders, 25 sept. 1937.

23  Nypels en Tamboer, 'De man Mansholt'; particulier archief Mansholt, brieven aan ouders, [onleesbaar] nov. 1938, 19 nov. en 6 dec. 1940, 25 en 28 juli en 12 aug. 1941.

24  Particulier archief Mansholt, brieven aan ouders, [onleesbaar] nov. 1938 en 22 aug. 1941.

25  Particulier archief Mansholt, brieven aan ouders, 14 en 26 dec. 1938; Mansholt, *De crisis*, p. 16; Van Dissel, *59 jaar eigengereide doeners*, p. 68-69.

26  Particulier archief Mansholt, brief aan ouders, 26 jan. 1942.

27  Particulier archief Mansholt, brieven aan ouders 8 en 22 apr. 1935.

28  Peter Jan Knegtmans, *Socialisme en democratie. De SDAP tussen klasse en natie (1929-1939)* (Amsterdam 1989) p. 100-105; particulier archief Mansholt, brief vader, 3 apr. 1934.

29  Zie R. Abma, 'Het Plan van de Arbeid en de SDAP' in: C.B. Wels (red.) *Vaderlands verleden in veelvoud. Opstellen over de Nederlandse geschiedenis na 1500, deel 2* (tweede druk 1980) p. 277-310.

30  Particulier archief Mansholt, brieven aan ouders, 29 juli en 19 aug. 1935; brieven ouders, 21 en 28 okt. 1935.

31  Particulier archief Mansholt, brieven ouders, 18 en 25 nov. en 9 dec. 1935.

32  Hendrik Brugmans, *Wij, Europa. Een halve eeuw strijd voor emancipatie en Europees federalisme* (Leuven en Amsterdam 1988) p. 91.

33  Peter Jan Knegtmans, 'De jaren 1919-1946' in: Maarten Brinkman, Madelon de Keizer en Maarten van Rossem (red.), *Honderd jaar sociaal-democratie in Nederland 1894-1994* (Amsterdam 1994) p. 104-108; particulier archief Mansholt, brief aan ouders, 28 okt. 1941.

34  Particulier archief Mansholt, brief aan ouders, 2 nov. 1937; interview Mansholt-Postel, 3 juni 1997; vgl. W. Schermerhorn, *De boeren in onze volksgemeenschap* (Arnhem 1934); NA, archief Egas, inv.nr. 24, conceptbiografie, p. 28.

35  Particulier archief Mansholt, brief aan ouders, 11 juni 1939.

36  Particulier archief Mansholt, brieven aan ouders, 1 juli 1939, 8, 22 en 29 nov. 1939; M.M.G. Fase, 'Gelderen, Jacob van (1891-1940)', in: *Biografisch Woordenboek van Nederland (BWN)*, www.inghist.nl/Onderzoek/Projecten/BWN/lemmata/bwn3/gelderen (25 jan. 2019).

37  Particulier archief Mansholt, brieven aan ouders, 22 en 29 nov. 1939 en 26 jan. 1940 (citaat).

38  Particulier archief Mansholt, brief aan moeder, 8 apr. 1945.

39  I.P. Vooys, 'Een overlijdensacte van de Economische Raad' in: *Economisch-Statistische Berichten (ESB)* 35 (1950) p. 424-426; H.M.F. Krips-Van der Laan, *Praktijk als antwoord: S.L. Louwes en het landbouwcrisisbeleid* (Groningen 1985) p. 102 noot 20. Andere leden van de commissie waren E. Heldring en de hoogleraren P.A. Diepenhorst en G. Minderhout.

40  Particulier archief Mansholt, brieven vader, 10 apr. en 10 juli 1934.

41  Particulier archief Mansholt, brief aan ouders, 23 juli 1934; brieven vader, 13 aug. en 14 nov. 1934 (citaat).

42  G.M.T. Trienekens, *Tussen ons volk en de honger. De voedselvoorziening 1940-1945* (Wageningen 1985) p. 14.

43  Kort daarvóór had de omroep vader gevraagd een aantal uitzendingen te verzorgen over 'stad en platteland'.

44  Particulier archief Mansholt, brieven ouders, 14 nov. en 31 dec. 1934 en 15 jan. 1935.

45  Krips-Van der Laan, *Praktijk als antwoord*, p. 85-91.

46  Particulier archief Mansholt, brieven aan ouders, 21 en 23 nov. 1938; Nypels en

Tamboer, 'De man Mansholt'; Margreet
Schrevel, 'Matthijssen, Jan Willem' in:
BWSAN, deel 4 (Amsterdam 1990), p.
146-149.

47 Particulier archief Mansholt, brieven aan
ouders, 4 nov. 1938 en 11 jan 193[9]; Het
plan van de arbeid. Rapport van de commissie uit NVV en SDAP (Amsterdam 1935)
p. 155-199.

48 Particulier archief Mansholt, brieven aan
ouders, 11 jan. 193[9], 9 en 30 jan. 1940.

49 Particulier archief Mansholt, brief aan
ouders, 1 nov. 1942. Na de oorlog verscheen
C. Weststrate, Ordening van het economisch
leven (Amsterdam 1947); particulier archief
Mansholt, brief Vos, 16 juni 1944.

50 Particulier archief Mansholt, brief aan
ouders, 31 jan. 1940.

51 Particulier archief Mansholt, brief aan
vader, 11 mrt. 1940. Daarin wordt het
concept aangehaald. Een ongedateerde
bewerking in vaders handschrift is
teruggevonden tussen de persoonlijke
correspondentie.

52 S.L. Mansholt, 'Prijsvorming van landbouwproducten en grondrente' in:
Geschriften van de Socialistische Vereeniging ter Bestudeering van Maatschappelijke
Vraagstukken (Amsterdam 1940) p. 31-45.

53 Interview Minke Mansholt in: Nypels en
Tamboer, 'De man Mansholt'.

54 Particulier archief Mansholt, brieven
ouders, 15 mei, 24 juni en 12 juli 1935.

55 Particulier archief Mansholt, brieven
Henny, ongedateerd [1937], 28 mei, 1 juni,
16 juni, 6 okt. en 21 okt. 1937; interview
Mansholt-Postel, 3 juni 1997.

56 Particulier archief Mansholt, brief aan
ouders, 9 juni 1937; brief 'moeder Wabien'
aan Henny, 15 juni 1937.

57 Particulier archief Mansholt, brief H.D.
Louwes, 21 juni 1937.

58 Particulier archief Mansholt, briefkaart aan
ouders, Adelboden, 19 jan. 1938.

59 Interview Aghina-Mansholt, 24 mei 2002;
interview Postel, 18 nov. 2003.

60 Particulier archief Mansholt, brieven
Henny, 6 okt. en 25 nov. 1937.

61 Particulier archief Mansholt, brieven aan
ouders, 11 maart en 9/10 apr. 1940.

62 Particulier archief Mansholt, brieven aan
ouders, 14 aug. 1942, 31 aug. 1944, 8 en 30
apr. 1945.

63 Interview Aghina-Mansholt, 24 mei 2002;
particulier archief Mansholt, brief Henny
aan Hilda (H.A. Visser-Buma), 16 aug. 1945.

64 IISG, archief Mansholt, inv.nr. 83,
'De Gronings-Gelderse Landbouw-
huishoudbode', bijdrage moeder.

65 Particulier archief Mansholt, brief Ine
(Eecen), 7 jan. 1947.

66 Van oorsprong een zeilend Zeeuws vissers-
schip, platbodem.

67 Interview Aghina-Mansholt, 24 mei 2002.

68 Kopie brief J. Mansholt aan M. Sol,
ongedateerd [2002]. Particulier bezit fam.
Aghina-Mansholt.

69 Particulier archief Mansholt, brief aan
Henny van Han en Els [Postel], z.d., in map
'Overlijden Sicco'.

70 IISG, archief Mansholt, inv.nr. 534, speech
gedateerd 13 dec. 1972 opgenomen in een
plakboek over Mozer.

NOTEN BIJ HOOFDSTUK 4

1 ZI en het menselijk tekort. Interview met
professor Willem Nagel, professor Bert
Röling en Sicco Mansholt uitgezonden op 3,
10, 17 oktober 1981 (z.pl., z.j.) p. 10 en 47.

2 Particulier archief Mansholt, brief aan
ouders 2 juli en 10 aug. 1934; brief vader, 18
juli 1934.

3 Particulier archief Mansholt, brief moeder,
22 jan. 1935; brief aan ouders, 19 aug. 1935.

4 Particulier archief Mansholt, brief tante
Theda, 9 jan. 1936; ZI en het menselijk tekort.
Interview, p. 14.

5 L.R. Wiersma, 'Het comité van
Waakzaamheid van anti-nationaal-socialistische intellectuelen (1936-1940)', BMGN
89 (1971) p. 129 en 135.

6 ZI en het menselijk tekort. Interview, p. 5, 13
en 14.

7 Particulier archief Mansholt, brief Henny
aan schoonouders, 10 apr. 1940. De volgende brief aan Mansholts ouders was van
9 juli 1940. Waarschijnlijk is een aantal brieven zoekgeraakt; W. Drees, Van mei tot mei.
Persoonlijke herinneringen aan bezetting en

*verzet* (tweede druk, Assen 1959) p. 13; *ZI en het menselijk tekort. Interview*, p. 6.

8 Particulier archief Mansholt, brief aan ouders, 5 mrt. 1941.

9 Jan van Baar e.a. (red.), *Verzet in West-Friesland. De illegaliteit in westelijk West-Friesland en in de Wieringermeer in de jaren 1940-'45* (Schoorl 1990) p. 179.

10 Nypels en Tamboer, 'De man Mansholt'.

11 Knegtmans, 'De jaren 1919-1946', p. 109-113; Drees, *Van mei tot mei*, p. 50-53.

12 Maarten Brinkman, *Willem Drees, de SDAP en de PvdA* (Amsterdam 1998) p. 177-178.

13 NAA, radio-uitzending ZI en de heren-boer, deel 1, VARA, 25 nov. 1978. Mogelijk kwam De Quay bij Mansholt terecht via J. Linthorst Homan, de Groningse Commissaris van de Koningin, die met De Quay en L. Einthoven de Unie leidde.

14 Nypels en Tamboer, 'De man Mansholt'; Mansholt, *De crisis*, p. 19.

15 Particulier archief Mansholt, brieven aan ouders, 2 mei, 16 juni en 2 aug. 1941; IISG, archief Mansholt, inv.nr. 568, correspon-dentie L.H. Mansholt met J. Linthorst Homan en R. Groeninx van Zoelen, 1941.

16 Interview Thomassen in: M. Brinkman, 'Drees en de Partij van de Arbeid. De betrekkingen van Drees als minister en minister-president met de partijorganen van de PvdA (1946-1958)' in: H. Daalder en N. Cramer (red.), *Willem Drees* (Houten 1988) p. 68-69.

17 Brinkman, *Willem Drees*, p. 180; Enquêtecommissie regeringsbeleid 1940-1945, *Verslag houdende de uitkomsten van het onderzoek*, deel 7c, *Verhoren* (Den Haag 1955) p. 655.

18 Particulier archief Mansholt, brieven aan ouders, 11 nov. 1940, 20 apr. en 28 okt. 1941, 7 jan., 20 mei en 24 sept. 1942, 16 juli 1944.

19 Particulier archief Mansholt, brieven aan ouders, 22 aug., 26 aug. en 13 sept. 1941 (citaat).

20 Particulier archief Mansholt, brieven aan ouders, 28 okt. en 11 nov. 1940 (citaat).

21 Particulier archief Mansholt, brief aan ouders, 5 mrt. 1941.

22 Drees, *Van mei tot mei*, p. 92.

23 Particulier archief Mansholt, brieven

aan ouders, 22 aug. 1941 en 7 jan. 1942; Knegtmans, 'De jaren 1919-1946', p. 112.

24 NAA, radio-uitzending *Dit is uw leven*, VARA, 26 apr. 1964, interview Drees.

25 Particulier archief Mansholt, brief aan ouders, 28 okt. 1941.

26 L. de Jong, *Het Koninkrijk der Nederlanden in de Tweede Wereldoorlog*, deel 9, *Londen*, tweede helft (Den Haag 1979) p. 1226.

27 Mansholt, *De crisis*, p. 19; interview Mansholt, 16 mrt. 1993; Hilda Verwey-Jonker, *Er moet een vrouw in. Herinneringen in een kentering van de tijd* (Amsterdam 1988) p. 69.

28 Particulier archief Mansholt, brief aan ouders, 20 sept. 1943 bevat een verwijzing naar een radiotoespraak van 'de nieuwe minister Burger'.

29 Interview Th. Laan met Anna Buysman in: *West-Friesland in de jaren 40/45. Schetsen van het verzet in Oostelijk West-Friesland* (Hoorn 1983) p. 30.

30 Particulier archief Mansholt, brief aan ouders, 20 sept. 1943.

31 Nypels en Tamboer, 'De man Mansholt'.

32 Particulier archief Mansholt, brief aan ouders, 5 feb. 1942 en brief vader, 24 dec. 1944.

33 Particulier archief Mansholt, brieven aan ouders, 11 nov. 1940 en 9 mei 1944.

34 Gerard Trienekens, *Voedsel en honger in oorlogstijd 1940-1945. Misleiding, mythe en werkelijkheid* (Utrecht 1995) p. 160.

35 Interview Mansholt, *Agrarisch Dagblad*, 2 mei 1992; S.L. Louwes, 'De voedselvoor-ziening', in: J.J. van Bolhuis e.a. (red.), *Onderdrukking en verzet. Nederland in oorlogstijd*, deel 2 (Arnhem en Amsterdam z.j.) p. 610; Trienekens, *Tussen ons volk en de honger*, p. 157.

36 Trienekens, *Tussen ons volk en de honger*, p. 152; Louwes, 'De voedselvoorziening', p. 610-619; D.A. Piers, *Wisselend getij. Geschiedenis van het Koninklijk Nederlands Landbouw-Comité over de periode 1934-1959* (z.pl. 1959) p. 150; L.H. Mansholt, 'Voorziening met vet in oorlogstijd', *S&D* 2 (1940) p. 205-206 en 283-284.

37 Interview Mansholt, *Agrarisch Dagblad*, 2 mei 1992; Trienekens, *Tussen ons volk*

*en de honger*, p. 159-170. In 1944 werd een stelsel ingevoerd waarbij de opbrengst van tevoren getaxeerd werd en de boeren het meerdere mochten houden; Annemieke van Bockxmeer, 'Boerenland in boerenhand. E.J. Roskam Hzn., F.E. Posthuma, het Nederlandsch Agrarisch Front en de Nederlandsche Landstand', *Archievenblad* 107 (2003) p. 16.

38 Trienekens, *Voedsel en honger*, p. 56; Trienekens, *Tussen ons volk en de honger*, p. 158-160 en 207.

39 Particulier archief Mansholt, brieven ouders, 28 okt. 1941, 5 feb., 10 mrt., 15 mei, [zonder dag] juli en 14 aug. 1942.

40 Particulier archief Mansholt, brieven ouders, 25 sept. 1940; 21 feb., 20 apr., 2 mei, 13 juli en 6 nov. 1941, 26 jan. 1942.

41 Particulier archief Mansholt, brieven aan ouders, 5 feb., 16 en 28 juli 1942, ongedateerd [juli 1943], 13 en 23 juni 1944; vgl. Trienekens, *Voedsel en honger*, p. 19, 54 en 167-168.

42 Particulier archief Mansholt, brief aan ouders, 16 juli 1944.

43 Trienekens, *Voedsel en honger*, p. 41; Van Bockxmeer, 'Boerenland in boerenhand', p. 16.

44 Particulier archief Mansholt, brief aan ouders, 2 mei 1941; Trienekens, *Tussen ons volk en de honger*, p. 114; Piers, *Wisselend getij*, p. 149.

45 Particulier archief Mansholt, brieven aan ouders, 2 mei, 2 en 12 aug. 1941; Van Bockxmeer, 'Boerenland in boerenhand', p. 16; Geurts, *Herman Derk Louwes*, p. 190-194.

46 Particulier archief Mansholt, brieven aan ouders, 3 sept. en 6 nov. 1941; Piers, *Wisselend getij*, p. 151.

47 Louwes, 'De voedselvoorziening', p. 635-636.

48 Particulier archief Mansholt, brief aan ouders, 6 nov. 1941.

49 Particulier archief Mansholt, brief aan ouders, 6 apr. 1943.

50 Piers, *Wisselend getij*, p. 149; *25 jaar Landbouwschap 1954-1979* (Den Haag 1980) p. 86-91.

51 Particulier archief Mansholt, brief ouders, 15 sept. 1944.

52 NAA, radio-uitzending *Dit is uw leven*, VARA, 26 apr. 1964, interview Eecen.

53 Trienekens, *Voedsel en honger*, p. 84.

54 Mansholt, *De crisis*, p. 21.

55 Particulier archief Mansholt, brief aan ouders, 3 okt. 1944.

56 Particulier archief Mansholt, briefkaart Henny aan schoonouders, 4 okt. 1944.

57 Kopie brieven Henny en Sicco aan ouders Mansholt en tante Theda, 18 okt. 1944, in bezit auteur. Met dank aan mevrouw Manschot-Mansholt.

58 Trienekens, *Voedsel en honger*, p. 74-76; Drees, *Van mei tot mei*, p. 108; particulier archief Mansholt, brief aan ouders, [eind nov.] 1944.

59 Particulier archief Mansholt, brief aan ouders, 24 dec. 1944.

60 Particulier archief Mansholt, brief Henny aan schoonouders, [jan.] 1945.

61 Particulier archief Mansholt, brief Henny aan ouders, 2 feb. 1945; brief Henny aan schoonmoeder, Aleid en Ernst, 3 feb. 1945.

62 Hans Daalder, *Gedreven en behoedzaam. Willem Drees 1886-1988. De jaren 1940-1948* (z.pl. 2003) p. 141.

63 Particulier archief Mansholt, brief Henny aan schoonmoeder, 8 feb. 1945.

64 Particulier archief Mansholt, brief Henny aan ouders, 16 feb. 1945.

65 *ZI en het menselijk tekort. Interview*, p. 37.

66 Particulier archief Mansholt, brieven aan ouders, 11 nov. 1940 en 21 feb. 1941.

67 Particulier archief Mansholt, brieven aan ouders, 5 mrt., 25 en 28 juli en 25 aug. 1941; H.B.J. Stegeman en J.P. Vorsteveld, *Het Joodse werkdorp in de Wieringermeer 1934-1941* (Amsterdam 1983) p. 195.

68 Interview Postel, 18 nov. 2003.

69 Nypels en Tamboer, 'De man Mansholt'; Mansholt, *De crisis*, p. 18; particulier archief Mansholt, brieven Henny aan schoonouders, [zonder dag] juli 1942 en 7 sept. 1944; brief aan ouders, 31 aug. 1944, brief Henny aan schoonmoeder, 16 feb. 1945.

70 Mansholt, *De crisis*, p.18.

71 Van Baar e.a. (red.), *Verzet in West-Friesland*, p. 173-176; interview Mansholt, 16 mrt. 1993.

72 Particulier archief Mansholt, brief aan ouders, 6 nov. 1941.

73  Mansholt, *De crisis*, p. 18.

74  Particulier archief Mansholt, brieven aan ouders, 6 nov. 1941; 26 feb., 10 mrt., 16 juli en 14 aug. 1942.

75  Particulier archief Mansholt, brief aan ouders, 6 mei 1943.

76  Een in het voorjaar van 1943 aan alle studenten voorgelegd stuk waarin verklaard werd dat de ondertekenaar zich loyaal zou opstellen tegenover de bezetter. Degenen die niet tekenden, mochten niet verder studeren en werden opgeroepen voor tewerkstelling in Duitsland.

77  Particulier archief Mansholt, brief aan ouders, 24 [onleesbaar, waarschijnlijk mei] 1943.

78  Nypels en Tamboer, 'De man Mansholt'; Van Baar e.a. (red.), *Verzet in West-Friesland*, p. 177; K. Vrijling, 'Mansholt', *Vrij Nederland*, 25 juni 1955; NAA, radio-uitzending *Dit is uw leven*, VARA, 26 apr. 1964, interview De Veer.

79  Mansholt, *De crisis*, p. 19; brief De Koster, aangehaald in: Trienekens, *Tussen ons volk en de honger*, p. 470.

80  De Jong, *Het Koninkrijk*, deel 10 b, *Het laatste jaar*, tweede helft (Den Haag 1982) p. 458-459; Enquêtecommissie, *Verslag*, deel 7c, *Verhoren*, p. 349 en 511.

81  Interview Mansholt, 16 mrt. 1993; informatie ontleend aan 'Bottema, Jan', opgenomen in: www.onderscheidingen.nl/decorandi/wo2/dec_b12.html (3 jan. 2019).

82  Particulier archief Mansholt, brieven aan ouders, 23 juni en 31 aug. 1944; brief vader, 24 dec. 1944.

83  Cijfers in: Van Baar e.a. (red.), *Verzet in West-Friesland*, p. 169.

84  *De mannen van overste Wastenecker. De geschiedenis van de B.S. in Noord-Hollands Noorderkwartier* (Den Helder 1947) p. 150-151. Onder de slachtoffers aan verzetszijde bevonden zich twee neven van Schermerhorn.

85  IISG, archief Mansholt, inv.nr. 539, verslag van de verzetsgroep Wieringermeer; *De mannen van overste Wastenecker*, p. 35 en 99; Van Baar e.a. (red.), *Verzet in West-Friesland*, p. 170 en 179; IISG, archief Mansholt, inv.nr. 51, brief aan de Stichting 1940-1945, 10 nov. 1975.

86  Interview Postel, 18 nov. 2003; NAA, radio-uitzending *ZI en de herenboer*, deel 1, VARA, 25 nov. 1976.

87  Interview Aghina-Mansholt, 21 nov. 2003.

88  Mansholt, *De crisis*, p. 20-21.

89  Interview Postel, 18 nov. 2003.

90  Nypels en Tamboer, 'De man Mansholt', interviews met Jan Eecen, Jan Sinnige en Cees Haeck.

91  Interview Mansholt, 16 mrt. 1993.

92  NAA, radio-uitzending *ZI en de herenboer*, deel 1, VARA, 25 nov. 1978.

93  Particulier archief Mansholt, brief aan ouders, [waarschijnlijk eind november] 1944.

94  Particulier archief Mansholt, brief Henny aan schoonouders, 3 okt. 1944.

95  Particulier archief Mansholt, brief Henny aan schoonouders, 'zondagavond', verder ongedateerd, [waarschijnlijk nov. 1944].

96  Telefoongesprek Postel, 10 aug. 2005.

97  Particulier archief Mansholt, brieven Henny aan ouders, 2 en 16 feb. 1945; brief Henny aan schoonmoeder, 12 mrt. 1945.

98  Particulier archief Mansholt, brief aan moeder, 8 apr. 1945.

99  Particulier archief Mansholt, brief aan moeder, 30 apr. 1945; interview Aghina-Mansholt, 24 mei 2002.

100  Particulier archief Mansholt, brief aan moeder, 30 apr. 1945.

101  Cees Keppel, Niek Brugman en Willy Maris-Eriks, *De inundatie van de Wieringermeer op 17 april 1945* (Wieringermeer 1995) p. 3-4; J.J. Bosman en P.C. Bosman (red.), *De polder onder water. Het verslag van de onderwaterzetting van de Wieringermeerpolder in 1945* (Leeuwarden 1995) p. 85-86.

102  Bosman en Bosman (red.), *De polder onder water*, p. 30.

103  Van Baar e.a. (red.), *Verzet in West-Friesland*, p. 171 en 180-183.

104  Particulier archief Mansholt, brief aan moeder, 30 apr. 1945.

105  Mansholt, *De crisis*, p. 17 en 23; *ZI en het menselijk tekort. Interview*, p. 46.

## NOTEN BIJ HOOFDSTUK 5

1  Interview Postel, 18 nov. 2003. De proclamatie ging uit van 'de Koningin en Hare

wettige regeering' en is gedateerd 'Op den dag der bevrijding in het jaar 1945'.

2   *Wording en opbouw van de Wieringermeer*, p. 601.

3   Particulier archief Mansholt, brief Henny aan ouders, 22 mei 1945; brief Henny en Sicco aan moeder Mansholt, 22 mei 1945.

4   Enquêtecommissie, *Verslag*, deel 3c, *Verhoren*, p. 927-930, verhoor S.L. Mansholt, 11 nov. 1949.

5   *Ibidem*; particulier archief Mansholt, brief Henny aan ouders, 22 mei 1945.

6   Particulier archief Mansholt, brief Henny aan ouders, 20 juni 1945.

7   Citaat uit de regeringsverklaring van Schermerhorn in: F.J.F.M. Duynstee en J. Bosmans, *Het kabinet Schermerhorn-Drees 24 juni 1945-3 juli 1946* (Assen en Amsterdam 1977) p. 90.

8   Particulier archief Mansholt, brieven Henny aan moeder, 7 en 29 juli 1945; brief Henny aan schoonmoeder, 8 juli 1945; brief Ine Eecen aan moeder Mansholt, 13 juli 1945; brief Henny aan Hilda [H.A. Visser-Buma], 16 aug. 1945.

9   Mansholts vader had in 1937 Drees naar voren geschoven als kandidaat-commissaris van de Koningin in Groningen, maar hij zou hem daarvan niet op de hoogte hebben gesteld. J.W. Janssens, *De commissaris van de koningin: historie en functioneren* (Den Haag 1992) p. 74.

10  Drees, *Van mei tot mei*, p. 234-236; IISG, archief Mansholt, inv.nr. 85, afschrift brief Drees aan Vrijling, 21 juni 1950; Duynstee en Bosmans, *Het kabinet Schermerhorn-Drees*, p. 72.

11  NA, archief Drees, inv.nr. 249, brief aan Mansholt, 26 mrt. 1945.

12  Mansholt, *De crisis*, p. 22-23; Enquêtecommissie, *Verslag*, deel 3c, p. 929.

13  Mansholt, *Die Krise*, p. 18; Nypels en Tamboer, 'De man Mansholt'; particulier archief Mansholt, brief Henny aan Hilda, 16 aug. 1945.

14  H.J. de Koster, 'Het "Netherlands government food purchasing bureau" te New York van 1941-1946', *ESB* 33 (1948) p. 93.

15  NA, notulen MR, 3 juli 1945 en 4 mrt. 1946.

16  Enquêtecommissie, *Verslag*, deel 3a, *Verslag* (Den Haag 1949) p. 185-188; Enquêtecommissie, *Verslag*, deel 3c, p. 927-930; De Koster, 'Het "Netherlands government food purchasing bureau" te New York', p. 132; Mansholt, *De crisis*, p. 24.

17  NA, notulen MR, 4 mrt. en 21 okt. 1946.

18  Particulier archief Mansholt, brief Henny aan moeder, 14 juli 1947.

19  NA, notulen MR, 16 sept. 1947.

20  NA, notulen MR, 22 juni 1948.

21  J.C.F.J. van Merriënboer, 'Sicco Mansholt oogst lof' in: P.F. Maas (red.), *Parlementaire geschiedenis van Nederland na 1945*, deel 3, *Het kabinet-Drees-Van Schaik 1948-1951*, band A, *Liberalisatie en sociale ordening* (Nijmegen 1991) p. 701-703. Denemarken uitgezonderd; voorbeeld broodprijs genoemd in: NAA, radiotoespraak Mansholt, 20 juli 1945.

22  *HTK* 1946-1947, aanhangsel p. 143 en *HTK* 1947-1948, p. 62 (citaat).

23  *Verslag over de landbouw in Nederland over 1948*, aangehaald in M.D. Bogaarts, *Parlementaire geschiedenis van Nederland na 1945*, deel 2, *De periode van het kabinet-Beel 1946-1948*, band B, (Den Haag 1989), p. 1545.

24  NA, notulen MR, 29 apr. 1946.

25  Mansholt, *De crisis*, p. 23; NA, notulen MR, 1 dec. 1947; particulier archief Mansholt, brief Henny aan Hilda, 16 sept. 1948.

26  Van Merriënboer, 'Sicco Mansholt oogst lof', p. 703; *HTK* 1946-1947, p. 1489-1490; Bogaarts, *De periode van het kabinet-Beel*, band B, p. 1538-1540.

27  *HTK* 1945-1946, p. 78; Mansholt, *De crisis*, p. 24-25; Bogaarts, *De periode van het kabinet-Beel*, band B, p. 1585-1586.

28  *HTK* 1945-1946, p. 78; Bogaarts, *De periode van het kabinet-Beel*, band B, p. 1538; *KHA* (1947), p. 7423.

29  NA, notulen MR, 15 dec. 1947, 22 mrt. en 5 apr. 1948; Bogaarts, *De periode van het kabinet-Beel*, band B, p. 1158 en 1538.

30  NA, notulen MR, 11 en 21 juni 1948.

31  NA, notulen MR, 22 juni 1948; P.F. Maas en J.M.M.J. Clerx (red.), *Parlementaire geschiedenis van Nederland na 1945*, deel 3, *Het kabinet-Drees-Van Schaik 1948-1951*, band C, *Koude*

*oorlog, dekolonisatie en integratie* (Nijmegen 1996) p. 905-911, Bijlage VII, Kroniek.

32 Van Merriënboer, 'Sicco Mansholt oogst lof', p. 704. Overigens at men veel minder vet dan vóór de oorlog.

33 Bogaarts, *De periode van het kabinet-Beel*, band B, p. 1538.

34 Nypels en Tamboer, 'De man Mansholt'.

35 Duynstee en Bosmans, *Het kabinet Schermerhorn-Drees*, p. 457.

36 *HTK* 1945-1946, p. 77-78.

37 Cijfer van Mansholt van 19 feb. 1947: *HEK*, 1946-1947, p. 316.

38 Bogaarts, *De periode van het kabinet-Beel*, band B, p. 1550, 1553 en 1563.

39 *HTK*, 1946-1947, p. 356; *HEK*, 1946-1947, p. 317-318.

40 *HEK*, 1947-1948, p. 299.

41 Bogaarts, *De periode van het kabinet-Beel*, band B, p. 1556-1559.

42 NA, notulen MR, 5 apr. 1948; Bogaarts, *De periode van het kabinet-Beel*, band B, p. 1567; Jouke de Vries, *Grondpolitiek en kabinetscrises* (Den Haag 1989) p. 57-58.

43 J. Horring, 'Hoeve "Nooitgedacht"', *ESB* 40 (1955), p. 421; Mansholt, *De crisis*, p. 24.

44 Enquêtecommissie, *Verslag*, deel 3c, p. 927-930.

45 G.M.T. Trienekens, '*Het Koninkrijk der Nederlanden in de Tweede Wereldoorlog* van L. de Jong getoetst op het terrein van de voedselvoorziening', *BMGN* 105 (1990) p. 231-243.

46 *KHA* (1947) p. 7153.

47 L.G. Kortenhorst, *Schets eener parlementaire geschiedenis van Nederland*, deel 5, *1940-1946* (Den Haag 1956) p. 173-178; *HTK*, 1945-1946, p. 466.

48 NAA, radiotoespraak Mansholt, 20 juli 1945; *HTK*, 1945-1946, p. 468; Duynstee en Bosmans, *Het kabinet Schermerhorn-Drees*, p. 458-459; Bogaarts, *De periode van het kabinet-Beel*, band B, p. 1591.

49 Louwes aangehaald in: M. Smits, *Boeren met beleid. Honderd jaar Katholieke Nederlandse Boeren - en Tuindersbond 1896-1996* (Nijmegen 1996) p. 160.

50 *Jaarverslag van de Stichting voor de Landbouw 2 Juli 1945-31 December 1946* (z.pl. z.d.) p. 5-10.

51 Interview J.S. Biesheuvel in: *25 jaar Landbouwschap 1954-1979*, p. 46.

52 *Jaarverslag van de Stichting voor de Landbouw 1947* (z.pl. z.d.) p. 15 en 17; *KHA* (1947) p. 7275-7276.

53 Bogaarts, *De periode van het kabinet-Beel*, band B, p. 1598-1600.

54 Particulier archief Mansholt, brief Henny aan moeder, 4 feb. 1948.

55 *HEK* 1947-1948, p. 301; NA, notulen MR, 15 dec. 1947; Bogaarts, *De periode van het kabinet-Beel*, band B, p. 1600-1602.

56 *KHA* (1947) p. 7202 en 7299; *HTK* 1947-1948, p. 889; A. van den Brink, *Structuur in beweging: het landbouwstructuurbeleid in Nederland 1945-1985* (Wageningen 1990) p. 35-58.

57 Mansholt, *De crisis*, p. 23 en 26; W.H. Vermeulen, *Europees landbouwbeleid in de maak. Mansholts eerste plannen, 1945-1953* (Groningen 1989) p. 23-24; *HTK*, 1945-1946, p 467.

58 Vermeulen, *Europees landbouwbeleid in de maak*, p. 24-29; NA, archief Louwes, inv.nr. 97, briefwisseling over de FAO; *HTK* 1946-1947, p. 355.

59 NA, archief Louwes, inv.nr. 97, brief aan Mansholt, 4 juli 1947.

60 NA, archief Louwes, inv.nr. 97, brief Mansholt, 11 juli 1947.

61 NA, archief Louwes, inv.nr. 97, brief aan Mansholt, 23 juli 1947.

62 NA, notulen MR, 8 mrt. 1948.

63 Particulier archief Mansholt, brief Henny aan ouders, 7 juli 1945.

64 Interview Postel, 18 nov. 2003.

65 NAA, radiotoespraak Mansholt, 20 juli 1945; ministerie van Landbouw, archief van het kabinet van de minister 1945-1960, inv. nr. 57, brief Mansholt aan Le Poole, 22 okt. 1948; NA, archief Schermerhorn, inv.nr. 35, brief Mansholt, 5 mrt. 1947.

66 NA, notulen MR, 30 okt. 1945.

67 NA, notulen MR, 11 feb. 1946; G.M.T. Trienekens, 'Louwes, Stephanus Louwe (1889-1953)' in: *BWN*, deel 1 (Den Haag 1979) p. 354-356; H.W. Sandberg, *Grote advies-commissie der illegaliteit. Witboek over de geschiedenis van het georganiseerd verzet voor en na de bevrijding* (Amsterdam 1950) p. 168 en 263.

68  NA, archief Algemene Zaken, inv.nr. 1340, zuiveringsrapport Louwes; NA, notulen MR, 11 feb., 6 mei en 30 sept. 1946.

69  C.C. van Baalen, *Paradijs in oorlogstijd? Onderduikers in de Noordoostpolder 1942-1945* (Zwolle 1986) p. 49-50, 70, 79-80, 120 en 128.

70  Interview Mansholt, 16 mrt. 1993; NA, notulen MR, 6 jan. 1947; De Jong, *Het Koninkrijk*, deel 5, *maart '41-juli '42*, eerste helft (Den Haag 1972) p. 135; particulier archief Mansholt, brief Henny aan schoonmoeder, 18 dec. 1947 en brief Henny aan moeder, 5 okt. 1948.

71  NAA, radiotoespraak Mansholt, 20 juli 1945.

72  NA, notulen MR, 13, 20 en 27 mei en 17 juni 1946. Drees, Vos, Lieftinck en Schermerhorn waren tegen.

73  "s Ministers hand schoot uit', *Trouw*, 10 juli 1946.

74  Interview Mansholt, 16 mrt. 1993; interview Mansholt-Postel, 3 juni 1997.

75  S.L. Mansholt, 'Persoonlijke herinnering aan Koningin Wilhelmina' in: C.A. Tamse (red.), *Koningin Wilhelmina* (Alphen aan den Rijn 1981) p. 180-182. Mansholt noemde Logemann als minister van Overzeese Gebiedsdelen, waarschijnlijk bedoelde hij diens opvolger Jonkman.

76  IISG, archief Mansholt, inv.nr. 1, brief kabinet van de Koningin, 4 jan. 1947; *KHA* (1947) p. 7009.

77  NA, notulen MR, 20 jan. en 24 feb. 1947; C. Fasseur, 'Restauratie en revolutie', *BMGN* 110 (1994) p. 506.

78  NAA, radio-uitzending ZI en de herenboer, deel 1, VARA, 25 nov. 1978.

79  *Ibidem*.

80  NA, notulen MR, 29 dec. 1947; Koos Groen, *Als slachtoffers daders worden. De zaak van de joodse verraadster Ans van Dijk* (Baarn 1994) p. 194-196.

81  Enquêtecommissie, *Verslag*, deel 3c, p. 879, verhoor H. Vos.

82  Mansholt, *De crisis*, p. 22-23; Duynstee en Bosmans, *Het kabinet Schermerhorn-Drees*, p. 109 en 143.

83  Vgl. W. Schermerhorn, *Minister-president in herrijzend Nederland* (Naarden 1977) p.

37; voorbeelden: NA, notulen MR, 27 nov. 1945 en 8 apr. 1946 (fiscale maatregelen ten nadele van boeren).

84  Bogaarts, *De periode van het kabinet-Beel*, band B, p. 1518; interview Van der Lee, 14 juli 1998.

85  Bogaarts, *De periode van het kabinet-Beel*, band B, p. 1520-1522.

86  Interview Mansholt in: Daan Dijksman, 'De politieke ambtenaar', *Haagse Post*, 27 mei 1978.

87  L.J. Giebels, *Beel. Van vazal tot onderkoning. Biografie 1902-1977* (Den Haag en Nijmegen 1995) p. 173.

88  Particulier archief Mansholt, brief Henny aan moeder, [ongedateerd] 1946. De eerste ministerraad vond plaats op 3 juli 1946.

89  Particulier archief Mansholt, brief Henny aan schoonmoeder, 8 mei 1947 en brief Henny aan ouders [ongedateerd, waarschijnlijk sept. 1948].

90  Bogaarts, *De periode van het kabinet-Beel*, band B, p. 1522; Dijksman, 'De politieke ambtenaar'.

91  *HTK* 1947-1948, p. 896; Bogaarts, *De periode van het kabinet-Beel*, band B, p. 1519.

92  Nypels en Tamboer, 'De man Mansholt'.

93  Dijksman, 'De politieke ambtenaar'; IISG, archief Mansholt, inv.nr. 87, notitie Van der Lee, 23 feb. 1948.

94  IISG, archief Mansholt, inv.nr. 86, brief Van Dam, 8 apr. 1948.

95  IISG, archief Mansholt, inv.nr. 86, brief Van Dam, 27 apr. 1948.

96  NA, archief Louwes, inv.nr. 97, brief aan Mansholt met ingesloten reorganisatie-nota, 12 apr. 1948

97  Particulier archief Mansholt, kopie Acte van verpachting B 202, 30 dec. 1946; interview Mansholt-Postel, 3 juni 1997.

98  NA, notulen MR, 12 juli 1948 en 11 aug. 1949.

99  Particulier archief Mansholt, brief Henny aan moeder, 21 juni 1946.

100 Particulier archief Mansholt, brief Henny aan moeder, 24 apr. 1948.

101 Particulier archief Mansholt, brieven Henny aan schoonmoeder, 8 mei en 18 dec. 1947; brief Henny aan moeder, 5 okt. 1948.

102 Particulier archief Mansholt, brief Henny aan Hilda, 14 aug. 1948.

NOTEN BIJ HOOFDSTUK 6

1   Interview Mansholt in: Frits Huis en René Steenhorst, *Bij monde van Willem Drees. Levensschets van een Groot Nederlander* (Utrecht en Antwerpen 1985) p. 154.

2   Elsbeth Locher Scholten, bespreking van H.W. van den Doel, *Afscheid van Indië: de val van het Nederlands imperium in Azië* (Amsterdam 2000), *NRC Handelsblad*, 1 sept. 2000.

3   Mansholt, *De crisis*, p. 29. In de Duitse versie ontbreekt het stuk (drie pagina's) over de acties in Indië.

4   *ZI en het menselijk tekort. Interview*, p. 69 en 77; vrijwel gelijkluidende citaten in: Giebels, *Beel*, p. 213 en Huis en Steenhorst, *Bij monde van Willem Drees*, p. 154.

5   *ZI en het menselijk tekort. Interview*, p. 69-70 en 76; Mansholt, *De crisis*, p. 27-29; Giebels, *Beel*, p. 213; NAA, radio-uitzending *ZI en de herenboer*, deel 1, VARA, 25 nov. 1978.

6   *ZI en het menselijk tekort. Interview*, p. 74.

7   Interview Mansholt, *Nieuwsblad van het Noorden*, 26 apr. 1986.

8   Particulier archief Mansholt, brieven aan ouders, 29 juli en 9 okt. 1935.

9   Telefoongesprek mevrouw Hazewinkel, 12 nov. 2003. Jan Posthumus was haar oom.

10  Particulier archief Mansholt, brief aan ouders, 10 mrt. 1942.

11  John Jansen van Galen en Herman Vuijsje, *100 jaar: Drees wethouder van Nederland* (Houten 1986) p. 24.

12  Hans Daalder, *Vier jaar nachtmerrie. Willem Drees 1886-1988. De Indonesische kwestie 1945-1949* (Amsterdam 2004) p. 34-36.

13  Giebels, *Beel*, p. 589-591.

14  Schermerhorn, oud-burgemeester van Amsterdam F. de Boer (liberaal) en het Tweede Kamerlid M.J.M. van Poll (katholiek).

15  C. Smit (red.), *Het dagboek van Schermerhorn. Geheim verslag van prof. dr.ir. W. Schermerhorn als voorzitter der commissie-generaal voor Nederlands-Indië 20 september 1946-7 oktober 1947*, deel 1 (Groningen 1970) p. XIII en 258 noot 1; de andere leden van de Commissie waren F. de Boer (liberaal) en M.J.M. van Poll (KVP).

16  Particulier archief Mansholt, brief Henny aan moeder, onleesbaar [waarschijnlijk eind] juni 1946.

17  Nypels en Tamboer, 'De man Mansholt'.

18  Zie bijvoorbeeld NA, notulen MR, 14 okt. 1946.

19  Smit (red.), *Het dagboek van Schermerhorn*, deel 1, p. 151-157 (citaten op p. 151 en 153).

20  *Ibidem*, p. XVIII en 231.

21  IISG, archief Mansholt, inv.nr. 86, brief Schermerhorn, 10 mrt. 1947.

22  *Ibidem*; particulier archief Mansholt, brief Henny aan moeder, 10 juni 1947; Smit (red.), *Het dagboek van Schermerhorn*, deel 2, p. 595 noot 1;

23  Jan Bank, *Katholieken en de Indonesische revolutie* (Baarn 1983) p. 223-231; NA, notulen MR, 28 en 30 nov., 2, 5, 6 en 8 dec. 1946. Mansholt stelde zich waarschijnlijk op achter Jonkman en Schermerhorn. De notulen zijn in dit geval erg spaarzaam met namen van ministers. 'Uit de raad' of 'van andere zijde' komt vaak voor.

24  Giebels, *Beel*, p. 203-204.

25  IISG, archief Mansholt, inv.nr. 86, brief Schermerhorn, 10 mrt. 1947; Bogaarts, *De periode van het kabinet-Beel*, band D eerste helft *Nederlands-Indië*, deel a (Nijmegen 1995) p. 2526-2529.

26  Jansen van Galen en Vuijsje, *100 jaar Drees*, p. 26.

27  Smit (red.), *Het dagboek van Schermerhorn*, deel 1, p. 207; NA, notulen MR, 20 jan. 1947.

28  Smit (red.), *Het dagboek van Schermerhorn*, deel 1, p. 262 en 295.

29  Na een Republikeinse aanval in het begin van 1946 voelde het Nederlands-Indische leger zich genoodzaakt stad en omgeving van Palembang op Sumatra te bezetten.

30  NA, archief Schermerhorn, inv.nr. 35, brief Mansholt, 5 mrt. 1947.

31  Smit (red.), *Het dagboek van Schermerhorn*, deel 1, p. 351; IISG, archief Mansholt, inv.nr. 86, brief Schermerhorn, 10 mrt. 1947.

32  NA, notulen MR, 15 mrt. 1947.

33  IISG, archief Mansholt, inv.nr. 86, brief Sanders, 12 apr. 1947; NA, notulen MR, 14 apr. 1947.

34  IISG, archief Mansholt, inv.nr. 86, brief Sanders, 12 apr. 1947.

35 NA, archief Schermerhorn, inv.nr. 35, brief aan Mansholt, 26 apr. 1947.

36 Bank, *Katholieken en de Indonesische revolutie*, p. 285-289.

37 *Ibidem*, p. 289-291; Smit (red.), *Het dagboek van Schermerhorn*, deel 2, p. 584-585; NA, notulen MR, 2 juni 1947.

38 Particulier archief Mansholt, brief Henny aan moeder, 10 juni 1947.

39 Smit (red.), *Het dagboek van Schermerhorn*, deel 2, p. 607-608.

40 Daalder, *Vier jaar nachtmerrie*, p. 118.

41 NA, notulen MR, 19 en 28 juni; 7 en 16 juli 1947.

42 J.A. Jonkman, *Nederland en Indonesië beide vrij. Gezien vanuit het Nederlands Parlement. Memoires* (Assen en Amsterdam 1977) p. 110-111.

43 Bogaarts, *De periode van het kabinet-Beel*, band D eerste helft, *Nederlands-Indië*, deel a, p. 2773; NA, notulen MR, 17 juli 1947.

44 NA, notulen MR, 17 en 21 juli 1947.

45 S.L. van der Wal e.a. (red.), *Officiële bescheiden betreffende de Nederlands-Indonesische betrekkingen 1945-1950*, deel IX, *21 mei-20 juli 1947* (Den Haag 1981) p. 716 bevat een storende fout. De aangehaalde woorden worden daar toegeschreven aan Neher. Dat moet Mansholt zijn. Vgl. NA, notulen MR, 17 juli 1947.

46 *HTK* 1946-1947, p. 2061-2101.

47 'ZG 313', opgenomen in Van der Wal e.a. (red.), *Officiële bescheiden*, deel IX, p. 709-710.

48 NA, notulen MR, 17 juli 1947.

49 Jonkman, *Nederland en Indonesië beide vrij*, p. 110-111.

50 Nypels en Tamboer, 'De man Mansholt'.

51 NA, notulen MR, 17 juli 1947; Smit (red.), *Het dagboek van Schermerhorn*, deel 2, p. 769, 790-791, 794, 806-807 en 810. Schermerhorn had Van Mooks eerste telegram niet eens van tevoren ingezien.

52 Smit (red.), *Het dagboek van Schermerhorn*, deel 2, p. 771; NA, notulen MR, 28 juli 1947.

53 M. van der Goes van Naters, *Met en tegen de tijd. Herinneringen* (Amsterdam 1980) p. 171.

54 Giebels, *Beel*, p. 258.

55 R.A. Gase, 'De PvdA en de eerste politionele actie', *Vrij Nederland*, 18 juli 1987. Palar was zowel lid van de Tweede Kamerfractie als van het partijbestuur van de PvdA.

56 Interview Burger in: Jansen van Galen en Vuijsje, *100 jaar: Drees*, p. 31.

57 *KHA* (1951) p. 9233. Absolute cijfers: 116.078 (eind juni) en 108.813 (eind dec. 1947).

58 Smit (red.), *Het dagboek van Schermerhorn*, deel 2, p. 811-812; NA, notulen MR, 4 en 6 aug. 1947.

59 Giebels, *Beel*, p. 215.

60 Gase, 'De PvdA en de eerste politionele actie'.

61 De partijloze minister van Buitenlandse Zaken C.G.W.H. baron van Boetzelaer van Oosterhout stemde mee met de vijf PvdA-ministers, de partijloze minister van Marine J.J.A. Schagen van Leeuwen sloot zich aan bij de vijf KVP'ers.

62 NA, notulen MR, 13, 15, 18 en 20 aug. 1947; IISG, archief Mansholt, inv.nr. 86, losse aantekeningen Mansholt tijdens vergaderingen MR over Indië, aug.-sept. 1947.

63 Aangehaald in: Daalder, *Vier jaar nachtmerrie*, p. 151-152.

64 NA, notulen MR, 11 en 19 jan., 23 feb. en 28 juni 1948.

65 Brief Mansholt aan Gase, 5 feb. 1986, aangehaald in: Ronald Gase, *Beel in Batavia. Van contact tot conflict. Verwikkelingen rond de Indonesische kwestie in 1948* (z. pl. 1986) p. 313 noot 67.

66 NA, notulen MR, 7 okt. 1948.

67 NA, notulen MR, 13 dec. 1948; Bank, *Katholieken en de Indonesische revolutie*, p. 353 en 398-400.

68 *HEK*, 1948-1949, Bijl. A, 1000-I, MvA, p. 15; NA, notulen MR, 13, 14 en 15 dec. 1948. De ministers Drees en Joekes (Sociale Zaken, PvdA) stemden tegen het uiteindelijke besluit, omdat er geen termijn voor een antwoord werd gegeven, maar een datum voor de aanvang van de actie: drie dagen. Zij bleven daarna wél zitten. Mansholt stemde vóór, na de toezegging dat de zaak opnieuw zou worden bestudeerd en de actie eventueel zou worden stopgezet als er een antwoord van de Republiek zou binnenkomen.

69 Bank, *Katholieken en de Indonesische revolutie*, p. 399-400; J.E.C.M. van Oerle e.a., 'Het parlement als een dwarslaesie in het dekolonisatieproces' in: Maas en Clerx (red.), *Het kabinet-Drees-Van Schaik 1948-1951*, band C, p. 424-425; Jansen van Galen en Vuijsje, *100 jaar: Drees*, p. 28.

70 Jansen van Galen en Vuijsje, *100 jaar: Drees*, p. 27 en 32.

71 NAA, radio-uitzending *Meer over minder*, NOS, 4 juli 1990.

NOTEN BIJ HOOFDSTUK 7

1 NA, archief Drees, inv. nr. 657, aantekeningen van dr. Drees over de periode september 1954-maart 1956, 27 dec. 1954.

2 Jelle Zijlstra, *Per slot van rekening. Memoires* (Amsterdam en Antwerpen 1992) p. 30 en 32.

3 A.G. Harryvan, J. van der Harst en S. van Voorst (red.), *Voor Nederland en Europa. Politici en ambtenaren over het Nederlandse Europabeleid en de Europese integratie, 1945-1974* (Amsterdam 2001) p. 44-46; E.H. van der Beugel, *De westelijke samenwerking en haar consequenties voor het eigen ambtelijk apparaat* (Den Haag 1964) p. 37.

4 J.C.F.J. van Merriënboer, 'Sicco Mansholt oogst lof', p. 741-742; typering Mansholt aangehaald in: *NRC*, 17 jan. 1955.

5 Redevoering Mansholt aangehaald in: *Officieel orgaan Nederlandse Zuivelbond* (FNZ) 39 (1951) p. 477.

6 NA, notulen REA, 2 nov. 1948 en 9 jan. 1949.

7 Ministerie van Landbouw, archief van het kabinet van de minister 1945-1960, inv.nr. 72, nota Mansholt betreffende subsidiepolitiek no. 1347, 16 sept. 1950. ECA stond voor *European Currency Agency*.

8 *HTK*, 1947-1948, p. 60. Zo'n 'gemiddeld bedrijf' moest een redelijk ondernemersloon kunnen opleveren.

9 *HEK*, 1947-1948, p. 301.

10 Van Merriënboer, 'Sicco Mansholt oogst lof', p. 702, 711 en 761.

11 *NRC*, 12 jan. 1955.

12 G. Puchinger, *Tilanus vertelde mij zijn leven* (Kampen 1966) p. 248.

13 *HEK* 1956-1957, p. 3444 en 3461.

14 Van Merriënboer, 'Sicco Mansholt oogst lof', p. 711-722; Van den Brink (Economische Zaken) stemde tegen.

15 *HTK* 1948-1949, p. 271 en 299.

16 *Jaarverslag 1948. Stichting voor de Landbouw* (Den Haag 1949) p. 12.

17 *HEK* 1948-1949, p. 230.

18 J. Horring, 'De nieuwe koers in de landbouwpolitiek', *ESB* 34 (1949) p. 189-190 onder verwijzing naar J.E. Meade, *Planning and the price mechanism. The liberal-socialist solution* (Londen 1948).

19 *HTK* 1952-1953, p. 3026; vgl. ook *HEK* 1953-1954, p. 3355-3356.

20 NA, archief Vondeling, inv.nr. 76, brief Mansholt, 13 jan. 1949.

21 Van Merriënboer, 'Sicco Mansholt oogst lof', p. 722-742.

22 *Ibidem*, p. 744.

23 *Ibidem*, p. 771-773.

24 *Jaarverslag 1950. Stichting voor de Landbouw* (Den Haag 1951) p. 14.

25 J. Horring, 'Hoeve "Nooitgedacht"', *ESB* 40 (1955) p. 421-425.

26 J. Horring, 'De landbouw in mineur', *ESB* 41 (1956) p. 401-403; *HEK* 1955-1956, p. 3327 (citaat Mansholt); ministerie van Landbouw, archief van het kabinet van de minister 1945-1960, inv.nr. 60, nota voor de Wnd. Secretaris-Generaal 18 juli 1956.

27 Johan van Merriënboer, 'Het kabinet van de bestedingsbeperking' in: Jan Willem Brouwer en Peter van der Heiden (red.), *Parlementaire geschiedenis van Nederland na 1945, deel 6, Het kabinet Drees IV en het kabinet Beel II 1956-1959. Het einde van de rooms-rode coalitie* (Den Haag 2004) p. 148-166.

28 NA, archief Vondeling, inv.nr. 76, brief Mansholt, 13 jan 1949.

29 Geurts, *Herman Derk Louwes*, p. 255-256 en 263.

30 *Algemeen Agrarisch Archief*, 4-10 okt. 1948, p. 1870 en 15-28 jan. 1951, p. 2843; W. Rip, *Landbouw en publiekrechtelijke bedrijfsorganisatie* (Wageningen 1952) p. 230 en 244.

31 Geurts, *Herman Derk Louwes*, p. 212-213, 247 en 266 (citaat toespraak Mansholt).

32 *HEK* 1953-1954, p. 3358.

33 Interview Van der Lee, 20 aug. 1997.

34 *HEK* 1952-1953, p. 3049. Mertens was Eerste Kamerlid voor de KVP.

35 NA, archief Drees, inv.nr. 822, enkele aantekeningen over een gesprek tussen dr. W. Drees en H. Daalder, 4 en 12 nov. 1964.

36 Van Merriënboer, 'Het kabinet van de bestedingsbeperking', p. 148-150 en 155-156.

37 J.C.F.J. van Merriënboer, 'Landbouw: minder boter, meer kanonnen' in: J.J.M. Ramakers (red.), *Parlementaire geschiedenis van Nederland na 1945, deel 4, Het kabinet-Drees II 1951-1952. In de schaduw van de Koreacrisis* (Nijmegen 1997) p. 248-251.

38 A.P.J.M.M. van der Stee, aangehaald in: De Vries, *Grondpolitiek,* p. 40.

39 NA, archief Romme, inv. nr. 81, brief Droesen, 30 mei 1956.

40 Brief Mansholt aan auteur, 20 sept. 1991.

41 NA, archief Romme, inv. nr. 81, brief Droesen, 30 mei 1956.

42 *HEK* 1951-1952, Bijl. A, 2300-XI, MvA, p. 10; NA, notulen MR, 2 okt. 1950.

43 *HTK,* 1950-1951, p. 1039. Schatting van A.A. van Rhijn, staatssecretaris van Sociale Zaken.

44 IISG, archief Stichting van de Arbeid, inv.nr. 246, map commissie lonen en prijzen 1955-1957, verslag besprekingen 18 en 25 jan. 1955.

45 Van Merriënboer, 'Landbouw: minder boter, meer kanonnen', p. 248. De tien OEES-landen waren Noorwegen, Zweden, Denemarken, Groot-Brittannië, West-Duitsland, Nederland, België, Luxemburg, Frankrijk en Italië.

46 Harryvan, Van der Harst en Van Voorst (red.), *Voor Nederland en Europa,* p. 155.

47 Hans Bekke, Jouke de Vries en Geert Neelen, *De salto mortale van het ministerie van Landbouw, Natuurbeheer en Visserij* (Alphen aan den Rijn 1994) p. 35.

48 In september 1950 werd de Afdeling Visscherijen officieel vervangen door de Directie van de Visserijen. Het RecoBAA was in 1945 ingesteld, naast de Directies van de Landbouw, de Voedselvoorziening en de Viss(ch)erijen.

49 Harryvan, Van der Harst en Van Voorst (red.), *Voor Nederland en Europa,* p. 160; interview Van der Lee, 3 aug. 2005; brief Van Oosten aan auteur, 4 sept. 2005.

50 R.J.J. Stevens, L.J. Giebels en P.F. Maas (red.), *De formatiedagboeken van Beel 1945-1973* (Nijmegen 1994) p. 105.

51 Harryvan, Van der Harst en Van Voorst (red.), *Voor Nederland en Europa,* p. 44.

52 Ministerie van Landbouw, archief van het kabinet van de minister 1945-1960, inv.nr. 73, verslag gedateerd maart 1951.

53 Johan van Merriënboer, 'De moeizame start van de Consumentenbond', *Politieke opstellen* 18 (1998) p. 63.

54 NA, archief Drees, inv.nr. 657, aantekeningen, 30 aug. 1955.

55 IISG, archief Mansholt, inv.nr. 87, brieven Patijn, 25 okt. 1955 en 4 jan. 1956 en brief Daniëls, 17 nov. 1955; particulier archief Mansholt, brief aan Henny, 5 maart 1956. Het ging om relatieproblemen. Een aantal collega's van Patijn had daar moeite mee.

56 Interview Van Slobbe, 19 dec. 2001.

57 Interview Mansholt-Postel, 3 juni 1997.

58 IISG, archief Mansholt, inv.nr. 97, notitie Van der Lee, 23 apr. 1958.

59 Brief Mansholt aan auteur, 20 sept. 1991.

60 Vgl. o.a. Zijlstra, *Per slot van rekening,* p. 30 e.v.

61 W. Drees, *De vorming van het regeringsbeleid* (Assen 1965) p. 59.

62 Emile van Lennep, *In de wereldeconomie. Herinneringen van een internationale Nederlander* (Leiden 1991) p. 68.

63 Voorbeelden: NA, notulen MR, 21 mei 1951 (inleveren van geld voor boerderijbouw), 4 aug. 1951 (bezuinigingen op cultuurtechnische werken), 28 aug. 1951 (12 miljoen gulden bezuinigd op de landbouwbegroting), 10 mrt. 1952 (verzet tegen bezuinigingen leidt tot hernieuwd overleg met Financiën).

64 NA, notulen MR, 10 dec. 1956.

65 Particulier archief Mansholt, brief Ine [Eecen], 11 feb. 1957.

66 Jansen van Galen en Vuijsje, *100 jaar: Drees,* p. 34. Het ging waarschijnlijk om de eerste vergadering van het kabinet-Drees II in maart 1951.

67 Mededeling Van den Brink aan de auteur, 5 nov. 1997.

68 NA, archief Drees, inv.nr. 495, brief Lieftinck, 17 nov. 1954.

69 A. Bakker en M.M.P. van Lent, *Pieter*

*Lieftinck 1902-1989. Een leven in vogelvlucht* (Utrecht en Antwerpen 1989) p. 135-136.

70 Brief M.L. de Heer, oud-secretaris van het Landbouwschap, aan auteur, 29 sept. 1991.

71 Telefoongesprek G.W.B. Borrie, 5 nov. 2003.

72 A. Vondeling, 'Het landbouw- en voedsel-voorzieningsbeleid', *S&D* 13 (1956) p. 58-59.

73 NA, archief Drees, inv.nr. 505, brief Vondeling aan Van de Kieft, 5 jan 1957.

74 IISG, archief Mansholt, inv.nr. 87, correspondentie 1948-1949, 1951, 1954-1957.

75 *KHA* (1947) p. 7147; *KHA* (1951) p. 4233; NA, archief Drees, inv.nr. 657, aantekeningen, 27 nov. 1954.

76 Interview Van der Lee, 14 juli 1998; interview Mansholt, 16 mrt. 1993.

77 Aangehaald door P.J.S. de Jong in: Jan Willem Brouwer en Johan van Merriënboer, *Van buitengaats naar Binnenhof. P.J.S. de Jong, een biografie* (Den Haag 2001) p. 90.

78 NA, archief Drees, inv. nr. 496, brief Mansholt, 2 juni 1954. De passage over 'onze katholieke partijgenoten' sloeg op de Katholieke Werkgemeenschap in de PvdA. Deze club besloot later tóch in de partij te blijven. 'Ander karakter' sloeg op het verwijt dat de 'kerkelijke' KVP de keuzevrijheid en dus de democratie aantastte.

79 Johan van Merriënboer, 'Politiek rondom het mandement van 1954' in: Carla van Baalen en Jan Ramakers (red.), *Parlementaire geschiedenis van Nederland na 1945*, deel 5, *Het kabinet-Drees III 1952-1956. Barsten in de brede basis* (Den Haag 2001) p. 163-167; NA, notulen MR, 8 juni 1954.

80 Henry Faas, *Termieten en muskieten. Vernieuwing en vernieling in de Nederlandse politiek* (Den Haag z.j.) p. 238-239; Stevens e.a. (red.), *De formatiedagboeken van Beel*, p. 100 en 105; NA, archief Drees, inv.nr. 657, aantekeningen, 18, 29 en 30 apr. en 16, 17, 21 en 28 mei 1955.

81 NA, archief Drees, inv.nr. 657, aantekeningen, 14 dec. 1954 (gesprek met Meyer Sluyser) en 14 feb. 1955 (gesprek met oud-minister Stikker).

82 Bij de verkiezingen van 1956 kon men in tien kringen zijn stem op Mansholt uitbrengen. *Parlement en Kiezer, jaarboekje*, 1946

t/m 1956 en de *Nederlandse Staatscourant*, 4 juli 1952 en 27 juni 1956.

83 *Vrij Nederland*, 12 feb. 1955.

84 *De Volkskrant*, 12 en 18 feb. 1955.

85 Aldus *Het Parool*, 20 juni 1955; *De Telegraaf*, 12 sept. 1955.

86 NA, archief Drees, inv.nr. 657, aantekeningen, 14 feb. 1955.

87 IISG, archief Mansholt, inv.nr. 97, brief Van der Lee, 9 mei 1958.

88 NA, archief Burger, inv.nr. 4, brief aan Mansholt, 20 sept. 1962; vgl. Theo M. Loch, *Die Neun von Brüssel* (Keulen 1963) p. 43: 'Alle Kenner niederländischer Verhältnisse stimmen überein, dass bei einem sozialistischen Wahlsieg der Regierungschef der Niederlande Sicco L. Mansholt heissen würde.'

89 *NRC*, 28 aug. 1956; Jansen van Galen en Vuijsje, *100 jaar: Drees*, p. 34; archief CPG, collectie Duynstee, brief Drees, 30 juni 1964.

90 *NRC*, 3 en 14 sept. 1956; Anneke Visser, *Alleen bij uiterste noodzaak? De rooms-rode samenwerking en het einde van de brede basis 1948-1958* (Amsterdam 1986) p. 229-230, p. 244-246 en p. 334 noot 133; NA, archief Klompé, inv.nr. 95, gesprek met L[ieftinck] op 13 aug. 1956.

91 NA, archief Burger, inv.nr. 3, brief aan Drees, 25 sept. 1956.

92 Zijlstra, *Per slot van rekening*, p. 107.

93 Jansen van Galen en Vuijsje, *100 jaar: Drees*, p. 34.

94 W. Drees sr., 'Wat men een interview noemt', *Accent*, 15 apr. 1972; Drees, *De vorming van het regeringsbeleid*, p. 59; NAA, radio-uitzending *Dit is uw leven*, VARA, 26 apr. 1964, interview Drees, NA, archief Drees, inv.nr. 822, enkele aantekeningen over een gesprek tussen dr. W. Drees en H. Daalder, 4 en 12 nov. 1964.

95 Particulier archief Mansholt, vijftigjarig-huwelijksalbum, bijdrage B. Heringa.

96 Bijdrage S.L. Mansholt in: H. Daalder en N. Cramer (red.), *Willem Drees* (Houten 1988) p. 139-141; Jansen van Galen en Vuijsje, *100 jaar: Drees*, p. 36-37; Huis en Steenhorst, *Bij monde van Willem Drees*, p. 154-157.

97 *HTK* 1957-1958, p. 3435.

98 *Ibidem*, p. 3471.

NOTEN BIJ HOOFDSTUK 8

1 Glenda Goldstone Rosenthal, *The men behind the decisions. Cases in European policymaking* (Lexington 1975) p. 93-100.
2 Harryvan, Van der Harst en Van Voorst (red.), *Voor Nederland en Europa*, p. 44.
3 *HTK* 1957-1958, p. 3472.
4 Particulier archief Mansholt, brief aan Henny, 19 feb. 1956, Bombay, briefhoofd: Raj Bhavan.
5 Particulier archief Mansholt, brief aan Henny, 14 mei 1953, Des Moines, Iowa.
6 Particulier archief Mansholt, brief Henny aan haar schoonmoeder, 21 feb. 1956.
7 Particulier archief Mansholt, brief Henny aan haar moeder, 22 sept. 1957. Tante Agnes was 83 en zou de week daarop overlijden.
8 Particulier archief Mansholt, brief Henny aan haar moeder, 10 sept. 1952.
9 Particulier archief Mansholt, brieven Henny aan haar moeder, 23 feb., [z.d.] mrt., 10 mei 1949 en aan schoonmoeder, 12 apr. 1949.
10 Particulier archief Mansholt, brieven Henny aan haar moeder, 15 aug. 1949 en 23 okt. 1950.
11 Particulier archief Mansholt, briefkaart Henny aan haar moeder, 4 juli 1951; interview Mansholt, 16 mrt. 1993; particulier archief Mansholt, krantenknipsel '"Kantoormannetjes" reden de Elfstedentocht van 1954', [1985].
12 Particulier archief Mansholt, brief Henny aan haar moeder, ongedateerd, op briefpapier Hotel De Leeuwenbrug, Deventer.
13 Particulier archief Mansholt, brief Henny aan haar moeder, 15 aug. 1949; brief aan Henny, 19 feb. 1956; brief Henny's ouders aan Henny en Sicco, 3 mrt. 1952; briefkaart Henny aan haar schoonmoeder, 12 dec. 1949.
14 IISG, archief Mansholt, inv.nr. 86, dossier n.a.v. publicaties over Mansholt in *De Nieuwe Post* van 14 juni 1947; ibidem, inv. nr. 87, persbericht 14 mei 1948; particulier archief Mansholt, brief Henny's ouders aan Henny, 15 dec. 1951.
15 Particulier archief Mansholt, brief aan Henny, 14 mei 1953, Des Moines, Iowa.
16 Particulier archief Mansholt, brief Henny

aan haar ouders, 21 mrt. 1951; Vermeulen, *Europees landbouwbeleid in de maak*, p. 82.
17 Particulier archief Mansholt, brief aan Henny, 9 mei 1953.
18 Harryvan, Van der Harst en Van Voorst (red.), *Voor Nederland en Europa*, p. 161-162.
19 Particulier archief Mansholt, brieven aan Henny, 5 en 9 mei 1953, Washington en z.pl.
20 Particulier archief Mansholt, brief aan Henny, 5 mei 1953, Washington.
21 Particulier archief Mansholt, brief aan Henny, z.d., briefhoofd Hotel Ambassador; brief aan Henny, 14 mei 1953, Des Moines, Iowa (citaat).
22 Particulier archief Mansholt, brief aan Henny, 14 mei 1953, Des Moines, Iowa.
23 Particulier archief Mansholt, brief aan Henny, 23 mei 1953, briefpapier United Airlines 'In flight'.
24 Particulier archief Mansholt, brief aan Henny, 14 mei 1953, Des Moines, Iowa.
25 *Ibidem*.
26 J.A. Nekkers en P.A.M. Malcontent (red.), *De geschiedenis van vijftig jaar Nederlandse ontwikkelingssamenwerking 1949-1999* (Den Haag 1999) p. 7, 12-13 en 83.
27 Anne Bos, Johan van Merriënboer en Jacco Pekelder, 'Het parlement' in: Van Baalen en Ramakers (red.), *Het kabinet Drees III*, p. 113-114.
28 IISG, archief Mansholt, inv.nr. 87, notitie over de positie van de DIO; de aan de minister-president aangeboden nota is te vinden in: M.L.J. Dierikx e.a. (red.), *Nederlandse Ontwikkelingssamenwerking: bronnenuitgave*, deel 1, *1945-1963* (Den Haag 2002) p. 297-300.
29 Dierikx e.a. (red.), *Nederlandse Ontwikkelingssamenwerking*, p. 297-299.
30 NA, notulen MR, 30 aug. 1954.
31 IISG, archief Mansholt, inv.nr. 1, brief Van der Lee, 24 mrt. 1972.
32 *HEK* 1954-1955, troonrede, p. 2.
33 NA, archief Drees, inv. nr. 657, aantekeningen, 4 en 8 nov. 1954.
34 NA, notulen MR, 21 mrt. 1955.
35 NA, archief Drees, inv. nr. 657, aantekeningen, 7 jan., 14 en 25 feb. 1955; IISG, archief Mansholt, inv.nr. 1, brief Van der Lee, 24 mrt. 1972.

36 Dierikx e.a. (red.), *Nederlandse Ontwikkelingssamenwerking*, p. 332-333.

37 Interview Van der Lee, 14 juli 1998; *KHA* (1955) p. 11970-11973 (rede Juliana).

38 *HTK*, 1955-1956, p. 530-532. De motie was mede ingediend door fractieleden van KVP, ARP en VVD.

39 Nota in: Dierikx e.a. (red.), *Nederlandse Ontwikkelingssamenwerking*, p. 373-376.

40 Interview Van der Lee, 3 aug. 2005; *KHA* (1956) p. 12475.

41 Brief Luns en Mansholt aan Drees, 30 mei 1956 en notulen MR, 11 juni 1956 en 27 juli 1962 in: Dierikx e.a. (red.), *Nederlandse Ontwikkelingssamenwerking*, p. 394-401 en 819.

42 Particulier archief Mansholt, brief aan Henny, 19 feb. 1956, briefhoofd Raj Bhavan, Bombay; brief aan Henny, 3 mrt. 1956, briefpapier State Guest House, Karachi.

43 Particulier archief Mansholt, brief aan Henny en kinderen, 13 feb. 1956, briefhoofd Bashtrapati Bhavan, New Delhi.

44 *Ibidem.*

45 Particulier archief Mansholt, brief aan Henny, 19 feb. 1956, briefhoofd Raj Bhavan, Bombay.

46 *Ibidem.*

47 *Ibidem.*

48 Particulier archief Mansholt, brief aan Henny, 23 feb. 1956, briefpapier The Palace, Jamnagar, Kathiawar.

49 Particulier archief Mansholt, ansichtkaart Taj Mahal aan moeder, 23 feb. 1956.

50 Particulier archief Mansholt, brief aan Henny, 3 mrt. 1956, briefpapier State Guest House, Karachi.

51 *Ibidem.*

52 Particulier archief Mansholt, brief aan Henny, 5 mrt. 1956, op envelop: Government House, Dacca.

53 Ibidem.

54 J.J. van der Lee, 'Indrukken van een reis naar India en Pakistan', *S&D* 12 (1956) p. 293.

55 IISG, archief Mansholt, inv.nr. BG T2 395, fotoalbum, dagboek 11 feb.-9 mrt. 1956.

56 *De Tijd*, 22 juni 1956 aangehaald in: *KHA* (1956) p. 12549.

57 *KHA* (1956) p. 12792; de Conferentie van Bandoeng vond plaats van 18 tot 24 april 1955. Leiders van 29 Afrikaanse en Aziatische landen spraken zich uit tegen kolonialisme en besloten meer samen te werken.

58 Interview Van der Lee, 14 juli 1998.

59 NA, archief Drees, inv.nr. 10, aantekening van Mansholt voor de kabinetsformatie, juni 1956.

## NOTEN BIJ HOOFDSTUK 9

1 B. Heringa, 'De totstandbrenging van het gemeenschappelijk landbouwbeleid (1958-1968)' in: J. de Hoogh en H.J. Silvis (red.), *E.U.-landbouwpolitiek van binnen en van buiten* (vierde druk, Wageningen 1998) p. 34.

2 Vermeulen, *Europees landbouwbeleid in de maak*, Bijlage I, Tekst plan-Mansholt.

3 IISG, archief Mansholt, inv.nr. 48, brief aan Hallstein, 10 juni 1973. Origineel in het Duits.

4 Sicco Mansholt, *De crisis* (Amsterdam 1975) p. 72.

5 Richard T. Griffiths, 'The Mansholt plan' in: Richard T. Griffiths (red.), *The Netherlands and the integration of Europe* (Amsterdam 1990) p. 95.

6 Vermeulen, *Europees landbouwbeleid in de maak*, p. 46 en 55-56.

7 A.E. Kersten, 'Linthorst Homan, Johannes (1903-1986)' in: *Biografisch Woordenboek van Nederland*, deel 3 (Den Haag 1989) p. 383-384; Harryvan, Van der Harst en Van Voorst (red.), *Voor Nederland en Europa*, p. 56 (interview Van der Beugel) en 167 (interview Van der Lee); J. Linthorst Homan, *"Wat zijt ghij voor een vent".* *Levensherinneringen* (Assen 1974) p. 164 en 177; Vermeulen, *Europees landbouwbeleid in de maak*, p. 111.

8 Linthorst Homan, *"Wat zijt ghij voor een vent"*, p. 193.

9 Anjo G. Harryvan, 'The Netherlands and the administration of the EEC: early principles and practices (1952-1965)' in: Erk Volkmar Heyen e.a. (red.), *Jahrbuch für Europäische Verwaltungsgeschichte*, deel 4, *Die Anfänge der Verwaltung der Europäischen Gemeinschaft* (Baden-Baden 1992) p. 243.

10 Alan S. Milward, *The European rescue of the Nation-State* (Londen 1992) p. 297 en 305.

11 *Jaarverslag van de Stichting voor de Landbouw 1949* (z.pl. z.d.) p. 14.

12 Centraal Archief Tweede Kamer, map V.C. Landbouw ('Eerste') ingesteld 29-7-'48, opgeheven 17-9-'53.

13 Van Merriënboer, 'Landbouw: minder boter, meer kanonnen', p. 268-269.

14 België, Denemarken, Frankrijk, Ierland, Italië, Luxemburg, Nederland, Noorwegen, het Verenigd Koninkrijk en Zweden. Vlak na de oprichting in mei 1949 trad ook de Bondsrepubliek Duitsland toe.

15 Vermeulen, *Europees landbouwbeleid in de maak*, p. 58-67.

16 *HTK* 1951-1952, Bijl. A, 2300-XI, nr. 2, MvT, p. 19; *HTK* 1951-1952, p. 1083.

17 Van Merriënboer, 'Landbouw: minder boter', p. 273; *HEK* 1950-1951, p. 477 (citaat); *HEK* 1951-1952, p. 480 en 483.

18 Interview Van der Lee, 14 juli 1998.

19 Milward, *The European rescue*, p. 302; Vermeulen, *Europees landbouwbeleid in de maak*, p. 136-137.

20 NA, notulen MR, 10 dec. 1951 en 14 jan. 1952.

21 Harryvan, Van der Harst en Van Voorst (red.), *Voor Nederland en Europa*, p. 44-45.

22 Vermeulen, *Europees landbouwbeleid in de maak*, p. 108 en 111-115.

23 Discours de Sicco Mansholt (Paris, 25 mars 1952), www.cvce.eu/ (3 jan. 2019).

24 Linthorst Homan, *"Wat zijt ghij voor een vent"*, p. 189-190.

25 Aangehaald in: Vermeulen, *Europees landbouwbeleid in de maak*, p. 128-129.

26 *Ibidem*, p. 129; NA, notulen MR, 14 juli en 5 sept. 1952.

27 *HTK* 1952-1953, p. 3049.

28 Vermeulen, *Europees landbouwbeleid in de maak*, p. 130-132.

29 Linthorst Homan, *"Wat zijt ghij voor een vent"*, p. 201-205; over 'de Europese grondwet van 1953': www.europa-nu.nl/id/vgyb-jnj9cyk6/europese_grondwet_van_1953 (3 jan. 2019).

30 H[enk] V[redeling], 'Mansholt maakte landbouwpolitiek op waterski's' in: *Voeding. Orgaan van de Agrarische Voedingsbedrijfsbond* 2 (1973) afl. 9 jan.

31 Vermeulen, *Europees landbouwbeleid in de maak*, p. 72-115 en 138-141.

32 *Ibidem*, p. 143-144; Griffiths, 'The Mansholt plan', p. 104; Milward, *The European rescue*, p. 304.

33 Vermeulen, *Europees landbouwbeleid in de maak*, p. 149-150.

34 S.L. Mansholt, *Enkele problemen van de Europese landbouwintegratie* (Rotterdam 1953) p. 23.

35 *HTK* 1953-1954, p. 3554.

36 NA, notulen MR, 29 apr. 1953; Wendy Asbeek Brusse, 'The dutch socialist party' in: Richard T. Griffiths (red.), *Socialist parties and the question of Europe in the 1950's* (Leiden 1993), p. 124; Milward, *The European rescue*, p 188.

37 Brief Mansholt aan Beyen, 28 sept. 1953, aangehaald in: Richard T. Griffiths en Alan Milward, 'The Beyen Plan and the European Political Community' in: Werner Maihofer (red.), *Noi si mura. Selected working papers of the European University Institute* (Florence 1986) p. 611.

38 NA, notulen MR, 23 nov. 1953.

39 NA, notulen MR, 13 apr. 1954. Na afloop zou Beyen Mansholt wél verwijten een achterhoedegevecht te hebben gevoerd vóór supranationalisme en tegen de douane-unie. W.H. Weenink, *Bankier van de wereld. Bouwer van Europa. Johan Willem Beyen 1897-1976* (Amsterdam en Rotterdam 2005) p. 347.

40 Interview Van der Lee, 14 juli 1998; interview Mansholt, 16 mrt. 1993.

41 Bijdrage Mansholt in: Daalder en Cramer (red.), *Willem Drees*, p. 141.

42 IISG, archief Mozer, inv.nr. 39, stukken betr. de Commissie ter bestudering van de Europese integratie.

43 Brief Samkalden aan Mozer, 28 nov. 1953, aangehaald in: Asbeek Brusse, 'The dutch socialist party', p. 125.

44 J.W. Beyen, *Het spel en de knikkers. Een kroniek van vijftig jaren* (Rotterdam 1968) p. 235.

45 Vermeulen, *Europees landbouwbeleid in de maak*, p. 96 en 110.

46 Corse Paolo Boccia, 'The United States and the "Green Pool" Negotiations: 1950-1955', in: Richard T. Griffiths en Brian Girvin (red.), *The green pool and the origins of the common agricultural policy* (Londen 1995) p. 294-298.

47 Harryvan, Van der Harst en Van Voorst (red.), *Voor Nederland en Europa*, p. 51. 'De boodschap van Monnet', aldus Van der Beugel.

48 Milward, *The European rescue*, p. 295-317; Linthorst Homan, *"Wat zijt ghij voor een vent"*, p. 177-178.

49 Mansholt aanghaald in *NRC*, 21 jan. 1955 (toespraak tijdens lunch met de Amerikaanse Vereniging in Den Haag); S.L. Mansholt, 'Nationale en internationale integratie van de landbouw', *S&D* 13 (1956) p. 537; Mansholt, *De crisis*, p. 75; Harryvan, Van der Harst en Van Voorst (red.), *Voor Nederland en Europa*, p. 344 (interview Zijlstra).

50 NA, archief Vondeling, inv.nr. 49, nota van de chef der Directie Internationale Organisaties, 15 jan. 1958.

51 Notitie Maarten de Heer voor de auteur, 10 aug. 2006; V[redeling], 'Mansholt maakte landbouwpolitiek'; Vermeulen, *Europees landbouwbeleid in de maak*, p. 84.

52 Vgl. Asbeek Brusse, 'The dutch socialist party', p. 108-134.

53 Mansholt, *De crisis*, p. 109; 'Economische integratie. Verslag van een gesprek waaraan deelgenomen werd door P.J. Kapteijn, mr. J.J. v.d. Lee, prof.dr. I. Samkalden, prof.dr. J. Tinbergen en drs. J.M. den Uyl', *S&D* 11 (1954) p. 653-664.

54 NA, notulen MR, 21, 28 mrt. en 12 apr. 1955.

55 J.H. Molegraaf, *Boeren in Brussel. Nederland en het Gemeenschappelijk Europees Landbouwbeleid 1958-1971* (z.pl. 1999) p. 38-43; interview Zijlstra in: Harryvan, Van der Harst en Van Voorst (red.), *Voor Nederland en Europa*, p. 340-341; Verrijn Stuart was van 1958 tot 1964 voorzitter van de SER.

56 Leen van Molle, *Ieder voor allen. De Belgische Boerenbond 1890-1990* (Leuven 1990), p. 339.

57 V[redeling], 'Mansholt maakte landbouwpolitiek'.

58 Interview Van der Lee, 14 juli 1998.

59 Beter gezegd: de *Verdragen* van Rome, namelijk een voor de EEG en een voor Euratom.

60 Linthorst Homan, *"Wat zijt ghij voor een vent"*, p. 220 en 249; Molegraaf, *Boeren in Brussel*, p. 40-43; Heringa, 'De totstandbrenging', p. 27; 'Preadvies S.L. Louwes', in:

Vereniging voor de Staathuishoudkunde, *Het EEG landbouwbeleid. Preadviezen* (Den Haag 1970) p. 93.

61 Interview Kohnstamm in: Harryvan, Van der Harst en Van Voorst (red.), *Voor Nederland en Europa*, p. 102.

62 Mansholt, *De crisis*, p. 77.

63 NA, notulen MR, 19 nov. 1956.

64 *HTK* 1957-1958, p. 123-129.

65 NA, notulen MR, 3 dec. 1956, 11 en 25 feb. 1957; NA, archief Van der Beugel, inv.nr. 1, dagboek, 11 en 12 feb. 1957.

66 De EEG was bedoeld als een douane-unie, dat wil zeggen als een vrijhandelszone (een gebied met vrij verkeer van goederen en diensten) mét een gemeenschappelijk buitentarief. Bij een combinatie van de twee integratievormen zal de invoer vanuit derde landen zich concentreren op de lidstaat met het laagste buitentarief.

67 NA, notulen MR, 29 apr. en 11 okt. 1957; *HEK* 1957-1958, p. 100.

68 NA, notulen MR, 18 jan., 24 en 29 apr. en 13 mei 1957.

69 Linthorst Homan, *"Wat zijt ghij voor een vent"*, p. 224-225.

70 Harryvan, Van der Harst en Van Voorst (red.), *Voor Nederland en Europa*, p. 340-341.

71 Vgl. Richard T. Griffiths, '"Dank U mijnheer Monnet; ik zal er voor zorgen." Enige contrafactuele beschouwingen over het oprichten van organisaties en de oorsprong van de Europese integratie' in: M.Ph. Bossenbroek e.a. (red.), *Met de Franse slag. Opstellen voor H.L. Wesseling* (Leiden 1998) p. 118-119.

72 NA, archief Drees, inv.nr. 657, aantekeningen, 13 feb. 1956.

73 *Ibidem*, 19 dec. 1955 en 16 jan. 1956.

74 Harryvan, Van der Harst en Van Voorst (red.), *Voor Nederland en Europa*, p. 115. Het comité was in 1955 opgericht. Kohnstamm was van 1956 tot 1975 secretaris-generaal en later vice-president.

75 NA, notulen MR, 13 mei 1957.

76 IISG, archief Mansholt, inv.nr. 87, map 1957 en inv.nr. 1, brief Van der Lee, 24 mrt. 1972.

77 NA, notulen MR, 29 nov. en 27 dec. 1957. Discussies rondom benoemingen worden in de regel niet genotuleerd.

78 NA, archief Van der Beugel, inv.nr. 1, dagboek, oudejaarsdag 1957 en 4 jan. 1958; A.
Mozer-Ebbinge en R. Cohen (red.), *Alfred
Mozer. 'Gastarbeider' in Europa* (Zutphen
1980) p. 45.

79 NA, archief Drees, inv.nr. 485, brief Burger,
30 dec. 1957; IISG, archief Mansholt, inv.nr.
62, kopie brief Drees aan Burger, 5 jan. 1958.

80 NA, archief Van der Beugel, inv.nr. 1, dagboek, 5 jan. 1958; NA, notulen MR, 10 jan.
1958.

81 IISG, archief Mansholt, inv.nr. 1, brief Van
der Lee, 24 mrt. 1972.

82 Mozer-Ebbinge en Cohen (red.), *Alfred
Mozer*, p. 45.

83 Harryvan, Van der Harst en Van Voorst
(red.), *Voor Nederland en Europa*, p. 347.

84 Interview Van der Lee, 14 juli 1998.

85 *HTK*, 1957-1958, p. 128-129.

86 Mansholt, *De crisis*, p. 70-71.

87 Kort vóór Stresa had Van der Lee de
functie geaccepteerd van directeur van
het Directoraat-Generaal Geassocieerde
Landen onder de Franse commissaris
Lemaignen.

88 NA, notulen MR, 9 mei 1958.

89 Particulier archief Mansholt, brief Henny
aan haar moeder, vrijdagmorgen [Stresa,
tussen 3 en 12 juli 1958].

90 Particulier archief Mansholt, brief Henny
aan haar moeder, Stresa, 11 juli 1958.

91 Molegraaf, *Boeren in Brussel*, p. 53; Hans
von der Groeben, *Aufbaujahre der
Europäischen Gemeinschaft. Das Ringen um
den Gemeinsamen Markt und die Politische
Union (1958-1966)* (Baden-Baden 1982) p.
102-104; 'Preadvies S.L. Louwes', p. 95. Vgl.
S.L. Louwes, 'Het gouden tijdperk van het
groene front; het landbouwbeleid in de
na-oorlogse periode' in: *Nederland na 1945.
Beschouwingen over ontwikkeling en beleid*
(Deventer 1980) p. 238.

92 Molegraaf, *Boeren in Brussel*, p. 49.

93 Von der Groeben, *Aufbaujahre der
Europäischen Gemeinschaft*, p. 102-104.

94 Discours de Sicco Mansholt (Stresa, 3 au
12 juillet 1958), www.cvce.eu (3 jan. 2019);
interview Van Slobbe, 19 dec. 2001.

95 Aangehaald in: Molegraaf, *Boeren in
Brussel*, p. 52.

96 Interview Van Slobbe, 19 dec. 2001;
V[redeling], 'Mansholt maakte
landbouwpolitiek'.

NOTEN BIJ HOOFDSTUK 10

1 Mansholt, *De crisis*, p. 69-70.

2 E. Noël, 'Témoignage: l'administration de la
Communauté Européenne dans la rétrospective d'un ancien haut fonctionnaire'
in: Volkmar Heyen e.a. (red.), *Jahrbuch für
Europäische Verwaltungsgeschichte*, deel 4,
p. 145-147 en 155.

3 Robert Lemaignen, *L'Europe au berceau.
Souvenirs d'un technocrate* (Parijs 1964) p. 26.

4 Alfred Müller-Armack, *Auf dem Weg
nach Europa. Erinnerungen und Ausblicke*
(Tübingen 1971) p. 226; NA, archief Van der
Beugel, inv.nr. 1, dagboek, 6 sept. 1958.

5 Nicole Condorelli Braun, *Commissaires et
juges dans les communautés Européennes*
(Parijs 1972) p. 161-163; Loch, *Die Neun
von Brüssel*, p. 14-17; Wolfgang Ramonat,
'Rationalist und Wegbereiter: Walter
Hallstein' in: Thomas Jansen en Dieter
Mahncke (red.), *Persönlichkeiten der
Europäischen Integration. Vierzehn biografi-
sche Essays* (Bonn 1981) p. 339-378.

6 https://archives.eui.eu/en/oral_history/
INT572 (3 jan. 2019), interview Michael L.
Smith met Richard Mayne, 23 juli 1998.

7 Mansholt, *De crisis*, p. 39; Hans von der
Groeben, 'Walter Hallstein als Präsident
der Kommission' in: Wilfried Loth, William
Wallace en Wolfgang Wessels (red.), *Walter
Hallstein. Der vergessene Europäer?* (Bonn
1995) p. 134.

8 NAA, radio-uitzending *Dit is uw leven*,
VARA, 26 apr. 1964.

9 Robert Marjolin, *Le travail d'un vie.
Mémoires 1911-1986* (Parijs 1986) p. 309.

10 Hanns Jürgen Küsters (red.), *Adenauer,
Teegespräche 1959-1961* (Berlijn 1988) p. 288.

11 Loth, Wallace en Wessels (red.), *Walter
Hallstein*, passim (p. 231 noot 9 over de
anekdote); Loch, *Die Neun von Brüssel*, p. 17.

12 Lemaignen, *L'Europe au berceau*, p. 28-32.

13 Condorelli Braun, *Commissaires et juges*, p.
161-163.

14 Noël, 'Témoignage: l'administration de

la Communauté Européenne', p. 145 en 153-154.

15 'E.E.G.' in: *Winkler Prins boek van het jaar 1959*, p. 118; interview Van Slobbe, 19 dec. 2001.

16 Altiero Spinelli, *The Eurocrats. Conflict and crisis in the European Community* (Baltimore 1966) p. vii en 149. Spinelli had *inside information* van Alfred Mozer.

17 Sabino Cassese en Giacinto della Cananea, 'The Commission of the European Economic Community: the administrative rammifications of its political development (1957-1967)' in: Volkmar Heyen e.a. (red.), *Jahrbuch für Europäische Verwaltungsgeschichte,* deel 4, p. 80-83.

18 Interview Van Slobbe, 19 dec. 2001; vgl. IISG, archief Mansholt, inv.nr. 108, aantekeningen van Mozer en Van Slobbe van een aanal commissievergaderingen, juli 1959.

19 Cassese en Della Cananea, 'The Commission of the European Economic Community', p. 80-83; Emile Noël, 'Walter Hallstein: ein persönliches Zeugnis', in: Loth, Wallace en Wessels (red.), *Walter Hallstein,* p. 167-169.

20 Noël, 'Walter Hallstein', p. 167.

21 Lemaignen, *L'Europe au berceau,* p. 84.

22 Linthorst Homan, *"Wat zijt ghij voor een vent",* p. 248.

23 Molegraaf, *Boeren in Brussel,* p. 92.

24 Cassese en Della Cananea, 'The Commission of the European Economic Community', p. 84.

25 E. Noël, 'Témoignage: l'administration de la Communauté Européenne', p. 150; Cassese en Della Cananea, 'The Commission of the European Economic Community', p. 80-83.

26 Interview Van Slobbe, 19 dec. 2001.

27 Lemaignen, *L'Europe au berceau,* p. 65; Edmund Neville-Rolfe, *The politics of agriculture in the European Community* (Londen 1984) p. 206 en p. 243 noot 2 (Helmut von Verschuer, Georges Rencki, [Bé] Heringa, Hans-Broder Krohn, Guy Amiet, Adolfo Pizutti, Martin Meyer-Burckhardt en Maurice Barthélemy).

28 IISG, archief Mansholt, inv.nr. 97, memorandum van Van der Lee, 23 apr. 1958.

29 Interview Van Slobbe, 19 dec. 2001; interview Van der Lee, 14 juli 1998.

30 Toelichting (niet in citaat): het raadgevende Economisch en Sociaal Comité van de EEG. Dit bestond uit vertegenwoordigers van allerlei sectoren, 'met name de producenten, landbouwers, vervoerders, werknemers, handelaren en ambachtslieden, van de vrije beroepen en het algemeen belang' (artikel 193 EEG-Verdrag).

31 Interview Van Slobbe, 19 dec. 2001; Alfred Mozer, 'Macht en gezag in de politiek' in: Mozer-Ebbinge en Cohen (red.), *Alfred Mozer,* p. 75 (oorspr. lezing, 31 aug. 1965).

32 Goldstone Rosenthal, *The men behind the decisions,* p. 95; Loch, *Die Neun von Brüssel,* p. 44.

33 Hanns Peter Muth, *French agriculture and the political integration of western Europe* (Leiden 1970) p. 210 noot 51.

34 Mozer-Ebbinge en Cohen (red.), *Alfred Mozer,* p. 45.

35 IISG, archief Mansholt, inv.nr. 97, memorandum van Van der Lee, 23 apr. 1958.

36 MacMillan had Eisenhower ervan overtuigd dat een topconferentie met de Sovjet-Unie 'onvermijdelijk' was. Gespreksonderwerpen: *disengagement* (vermindering van de wederzijdse strijdkrachten in Midden Europa) en de positie van West-Berlijn: *KHA* (1959) p. 14743-14746, 14766-14767 en 14775.

37 IISG, archief Mansholt, inv.nr. 199, aantekening Mozer, 24 mrt. 1959.

38 Biografische gegevens ontleend aan: Friso Wielenga, 'Mozser, Alfred', in: *BWN* 4 (1994) p. 343-245 en Mozer-Ebbinge en Cohen (red.), *Alfred Mozer,* p. 27-39.

39 Mozer-Ebbinge en Cohen (red.), *Alfred Mozer,* p. 42.

40 J. Barents, 'Bereisde Roel naar Brussel' in: Mozer-Ebbinge en Cohen (red.), *Alfred Mozer,* p. 23-24.

41 J. van den Berg, *De anatomie van Nederland* (Amsterdam 1967) p. 210; Brugmans, *Wij, Europa,* p. 171-172.

42 Mozer-Ebbinge en Cohen (red.), *Alfred Mozer,* p. 49; interview Van der Lee, 14 juli 1998.

43 Interview Van Slobbe, 19 dec. 2001.

44  IISG, archief Mozer, inv.nr. 5, brief aan Rey, 29 okt. 1962. De brief werd in het Frans vertaald.

45  Vgl. bijvoorbeeld IISG, archief Mansholt, inv.nr. 97, Vermerk für Herrn Staatssekretär Dr. H. Globke, 11 juli 1960; kort verslag van de vergadering van de Commissie van Buitenlandse Zaken, 9 dec. 1961; rapport van Sj. Jonker, 10 okt. 1959 (mede gebaseerd op een vertrouwelijk stuk van de Nederlandse regering, dankzij contacten van Mozer).

46  IISG, archief Mozer, inv.nrs. 2-6, correspondentie; inv.nr. 11, correspondentie (o.a. met Brandt en Kreisky); inv.nr. 67, correspondentie en stukken betreffende het Vaticaan en de Italiaanse politiek.

47  IISG, archief Mansholt, inv.nr. 98, aantekening Mozer, 28 okt. 1964.

48  IISG, archief Mozer, inv.nr. 42, besprekingen te Bonn en Frankfurt op 10 en 11 jan. 1963.

49  Hans-Otto Kleinmann (red.), *Heinrich Krone Tagebücher, deel 2, 1961-1966* (Düsseldorf 2003) p. 150.

50  Mozer-Ebbinge en Cohen (red.), *Alfred Mozer*, p. 48; IISG, archief Mansholt, inv.nr. 97, Vermerk van Mozer voor Mansholt en Hallstein, 28 en 29 jan. 1959.

51  IISG, archief Mansholt, inv.nr. 199, Vermerk van Mozer, 23 mrt. 1959.

52  IISG, archief Mozer, inv.nr. 3, brief aan P.J. Kapteijn, 8 jan. 1969.

53  Mozer-Ebbinge en Cohen (red.), *Alfred Mozer*, p. 49.

54  Mansholt, *De crisis*, p. 40 en 78.

55  T. Koopmans, 'Heptagonale constructies. De wisselwerking tussen nationale en bovennationale administraties in de Europese gemeenschappen' in: Maurice Lagrange e.a., *Besluitvorming in de EG: theorie en praktijk* (Deventer 1968) p. 75.

56  Küsters (red.), *Adenauer, Teegespräche 1959-1961*, p. 287-288.

57  Rede Mansholt, 22 jan. 1963, aangehaald in: Paul van de Meerssche, *Het Europees openbaar ambt* (Leuven 1965) p. 93; L. Metzemaekers, 'De belangengroepen en hun invloed op de beslissingen van de EEG' in: Lagrange e.a., *Besluitvorming*, p. 126-131 en 136-137.

58  NA, archief Burger, inv.nr. 7, brief W.G.F. van Oosten, 25 apr. 1975.

59  Von der Groeben, *Aufbaujahre der Europäischen Gemeinschaft*, p. 57; Loch, *Die Neun von Brüssel*, p. 37-38 en 44; interview Von der Groeben met Michael Gehler, 2002, www.zei.uni-bonn.de/dateien/ discussion-paper/dp_c108_groeben.pdf (3 jan. 2019).

60  Mansholt, *De crisis*, p.48.

61  Particulier archief Mansholt, brieven Henny aan haar moeder, 18 sept. 1959 en 5 okt. 1960; brief Henny aan schoonmoeder, 28 apr. 1963.

62  Particulier archief Mansholt, ansichtkaarten aan moeder, 2 mei en 9 juli 1959; 22 jan. en 22 feb. 1960.

63  L.A.V. Metzemaekers, *Alfred Mozer. Hongaar, Duitser, Nederlander, Europeaan* (z.pl., z.j.) p. 31; Nypels en Tamboer, 'De man Mansholt'; interview Mansholt, 16 mrt. 1993.

64  Mozer-Ebbinge en Cohen (red.), *Alfred Mozer*, p. 50-51.

65  J.E. Andriessen aangehaald in: Molegraaf, *Boeren in Brussel*, p. 158.

66  Mansholt, *De crisis*, p. 40-42; IISG, archief Mansholt, inv.nr. 97, memorandum van de Nederlandse leden van de Hoge Autoriteit en de Commissies van EEG en Euratoom, z.d. [1961]; interview Van Slobbe, 19 dec. 2001.

67  Interview Van Slobbe, 19 dec. 2001; NA, archief Van der Beugel, inv.nr. 1, dagboek, 3 dec. 1958.

68  S.L. Mansholt, *Europa en de wereld: inleiding voor het jaarlijkse Congres van de Europese Beweging in Nederland op 26 mei 1962 te Rotterdam* (z.pl. 1962) ; IISG, archief Mansholt, inv.nr. 98, brief Affaires Étrangères, le ministre, 8 juni 1962 en ontwerpbrief aan Couve de Murville, z.d.

69  Robbert Ammerlaan, *Het verschijnsel Schmelzer. Uit het dagboek van een politieke teckel* (Leiden z.j.) p. 84-86; N. Piers Ludlow, 'Influence and vulnerability: the role of the EEC Commission in the enlargement negotiations' in: Richard T. Griffiths en Stuart Ward, *Courting the common market: the first attempt to enlarge the European Community 1961-1963* (Londen 1996) p. 141.

70 Wil Albeda, *Ik en de verzorgingsstaat* (Maastricht 2004) p. 90; KDC, archief Algemeen Katholiek Werkgevers Verbond, inv.nr. 27.678.

71 Europa instituut Universiteit van Amsterdam, *Pressiegroepen in de EEG* (Deventer 1965) p. 18.

72 Mansholt, *De crisis*, p. 43.

73 M.H.J.C. Rutten, 'Het samenspel tussen Commissie en Raad bij de besluitvorming in de Europese Gemeenschappen. Taak en betekenis van het Comité van Permanente Vertegenwoordigers' in: Lagrange e.a., *Besluitvorming*, p. 48-50.

74 Loch, *Die Neun von Brüssel*, p. 37-38.

75 N. Piers Ludlow, 'The making of the CAP: towards a historical analysis of the EU's first major policy', *Contemporary European History* (CEH) 14 (2005) p. 358.

76 Mansholt, *De crisis*, p. 44-47.

77 Metzemaekers, 'De belangengroepen', p. 126-131 en 136-137; Europa instituut, *Pressiegroepen*, p. 18; interview Van Slobbe, 19 dec. 2001. Vgl. het overzicht van de 'Raadgevende groepen' van 23 apr. 2004: https://eur-lex. europa.eu/legal-content/NL/TXT/ TML/?uri=CELEX:32004D0391&from=NL (3 jan. 2019).

78 Guido Thiemeyer, 'Supranationalität als Novum in der Geschichte der internationalen Politik der fünfziger Jahre' in: *Journal of European integration history* (JEIH) 4 (1998) nr. 2, p. 5-21; later uitgewerkt in: Guido Thiemeyer, 'Sicco Mansholt and European supranationalism' in: Wilfried Loth (red.), *La gouvernance supranationale dans la construction Européenne* (Brussel 2005) p. 39-53.

79 *De Maasbode*, 9 mrt. 1959.

80 Interview Aghina-Mansholt, 24 mei 2002; NA, archief Drees, inv.nr. 496, brief Henny aan To Drees, 3 juli 1959.

81 Een minister kreeg in 1957 29.200 gulden bruto; de vicevoorzitter van de Commissie ongeveer 60.000 gulden. Dat laatste bedrag werd bovendien veel minder zwaar belast.

82 Particulier archief Mansholt, brief aan moeder, 15 aug. 1959; IISG, archief Mansholt, inv.

nr. 49, brief aan Van der Lee, 5 mrt. 1974; NAA, radio-uitzending ZI, VARA, 29 dec. 1973, interview Mansholt.

83 Particulier archief Mansholt, brief Henny aan haar moeder, 18 sept. 1959.

84 Particulier archief Mansholt, album ter gelegenheid van het 50-jarig huwelijksfeest, bijdrage Max Kohnstamm.

85 Klein, 'De super-boer'.

86 Interview Aghina-Mansholt, 24 mei 2002; Klein, 'De super-boer'; particulier archief Mansholt, brief Henny aan schoonmoeder, Aleid en Ernst, 1 jan. 1963; IISG, archief Mansholt, inv.nr. 49, brief aan Van der Lee, 5 mrt. 1974. De totale bouwkosten werden door Mansholt zelf geschat op niet meer dan 45.000 gulden.

NOTEN BIJ HOOFDSTUK 11

1 Walter Hallstein, *Die Europäische Gemeinschaft* (Düsseldorf en Wenen 1974) p. 7 en 177.

2 Gebaseerd op *KHA* (1962) p. 36 en *Winkler Prins boek van het jaar 1962* (Amsterdam en Brussel 1962) p. 38.

3 S.L. Mansholt, 'Die Möglichkeiten einer gemeinsamen Agrarpolitik in der EWG' in: *Agrarwirtschaft* 9 (1960) p. 65-72, oorspronkelijke rede Hannover, 21 jan. 1960.

4 Mansholt, *De crisis*, p. 89.

5 Marjolin, *Le travail d'un vie*, p. 308.

6 Lemaignen, *L'Europe au berceau*, p. 172 en Von der Groeben, *Aufbaujahre der Europäischen Gemeinschaft*, p. 103-108.

7 Michel Cointat, *Les couloirs de l'Europe* (z.pl. 2001) p. 63. Origineel in het Frans.

8 Theodor Sonnemann, *Gestalten und Gedanken. Aus einem Leben für Staat und Volk* (Stuttgart 1975) p. 214.

9 NA, archief Drees, inv.nr. 531, kopie brief Van der Beugel aan Mansholt, 21 mei 1958.

10 IISG, archief Mansholt, inv.nr. 97, Vermerk van Mozer voor Mansholt en Hallstein, 28 en 29 jan. 1959.

11 Zie hiervóór de paragraaf 'De EEG: een betrekkelijk kleine, protectionistische combinatie?'

12 Discussiebijdrage Spierenburg in : *De Gaulle en son siècle. Actes des Journées*

internationales tenues à l'Unesco Paris, 19-24 nov. 1990, deel 5, Europe (Parijs 1992) p. 110.

13 Molegraaf, Boeren in Brussel, p. 62.

14 Interview Van der Beugel in: Harryvan, Van der Harst en Van Voorst (red.), Voor Nederland en Europa, p. 45-46 en 53-54.

15 Ann-Christina Lauring Knudsen, 'Creating the Common Agricultural Policy. Story of cereals prices' in: Wilfried Loth (red.), Crises and compromises: the European project 1963-1969 (Baden-Baden 2001) p 136; Molegraaf, Boeren in Brussel, p. 60.

16 Edmund Rehwinkel, Gegen den Strom. Erinnerungen eines niedersächsischen, deutschen und europäischen Bauernführers (Dornheim 1974) p. 109-110, 186-188 (citaat origineel in het Duits) en 197; Molegraaf, Boeren in Brussel, p. 87-88.

17 Discussiebijdrage Hans-Peter Schwarz in: De Gaulle en son siècle, deel 5, p. 113-114; Charles de Gaulle, Mémoirs d'espoir. Le renouveau 1958-1962 (Parijs 1970) p. 200; Susanne J. Bodenheimer, Political union: a microcosm of European politics 1960-1966 (Leiden 1967) p. 137; Edgard Pisani, Persiste et signe (Parijs 1992) p. 205; Konrad Adenauer, Erinnerungen 1959-1963. Fragmente (Stuttgart 1968) p. 61 en 63; Van de Meerssche, Het Europees openbaar ambt, p. 82-99.

18 IISG, archief Mansholt, inv.nr. 98, ontwerpbrief aan Couve de Murville (eerste concept als antwoord op een brief van 8 juni 1962); S.L. Mansholt, Europa en de wereld. Inleiding voor het jaarlijks congres van de Europese Beweging in Nederland op 26 mei 1962 in Rotterdam (z.pl. 1962) p. 8-10.

19 Pisani, Persiste et signe, p. 214 en 225; Maurice Couve de Murville, Une politique étrangère 1958-1969 (Parijs 1971) p. 315.

20 De Gaulle, Mémoirs d'espoir, p. 195 en 198; Marjolin, Le travail d'un vie, p. 320.

21 Pisani, Persiste et signe, p. 205 en 227.

22 Marjolin, Le travail d'un vie, p. 308; Cointat, Les couloirs, p. 62. Origineel in het Frans.

23 Mansholt, De crisis, p. 65.

24 KHA (1958) p. 14416.

25 Vgl. Cointat, Les couloirs, p. 122.

26 De uitwerking liet Mansholt, zoals Cointat in het hiervóór aangehaalde citaat aangaf, aan anderen over. Dat wilde dus niet zeggen dat hij niet geïnteresseerd was in de 'details'.

27 Mansholt, De crisis, p. 78-80.

28 Linthorst Homan, "Wat zijt ghij voor een vent", p. 250.

29 Vgl. Lauring Knudsen, 'Creating the Common Agricultural Policy', p. 132.

30 Von der Groeben, Aufbaujahre der Europäische Gemeinschaft,, p. 108 noot 90.

31 Aangehaald door Hallstein, Die Europäische Gemeinschaft, p. 180.

32 Lemaignen, L'Europe au berceau, p. 164-165.

33 Von der Groeben, Aufbaujahre der Europäische Gemeinschaft, p. 103; Lauring Knudsen, 'Creating the Common Agricultural Policy', p 134.

34 Over Verschuer: S.L. Mansholt, 'So war's mal und was nun?' in: Antoinette Panhuis (red.), Rencontres. Reflections on Europe, agriculture and the churches in honour of Helmut von Verschuer. Festschrift zum 65. Geburtstag (Brussel 1991) p. 63-66; zijn herinneringen: https://archives.eui.eu/en/fonds/351096?item=HVV-172 (3 jan. 2019).

35 IISG, archief Mansholt, inv.nr. 470, tekst interview Mansholt [uit 1984] in het kader van een onderzoek door de universiteiten van Rotterdam en Twente naar de totstandkoming van het GLB. Als voormannen noemde Mansholt H.D. Louwes, Deleau, Houdet, Lücker en Charpentier.

36 Barbara Burckhardt-Reich en Wolfgang Schumann, Agrarverbände in der EG (Kehl am Rhein/Strassburg 1985) p. 331-332; Hélène Delorme, 'La rôle des forces paysannes dans l'éloberation de la politique agricole commune' in: Revue française de science politique 19 (1969) p. 374-376.

37 Notitie Maarten de Heer voor de auteur, 10 aug. 2006.

38 Muth, French agriculture, p. 64-65 en ook passim.

39 Ernst Freisberg, Die Grüne Hürde Europas. Deutsche Agrarpolitik und EWG (Keulen en Opladen 1965) p. 32.

40 Mansholt aangehaald in: Ulrich Kluge, Vierzig Jahre Agrarpolitik in der Bundesrepublik Deutschland, Band 1 (Hamburg en Berlijn 1989) p. 299-300. Origineel in het Duits.

41 'E.E.G.' in: *Winkler Prins boek van het jaar 1960* (Amsterdam en Brussel 1960) p. 128-129; Cointat, *Les couloirs*, p. 88-89; Von der Groeben, *Aufbaujahre der Europäische Gemeinschaft*, p. 124.

42 Molegraaf, *Boeren in Brussel*, p. 68.

43 IISG, archief Mansholt, inv.nr. 470, tekst interview Mansholt [uit 1984].

44 IISG, archief Mansholt, inv.nr. 97, notitie Rey, 20 juni 1960.

45 Loch, *Die Neun von Brüssel*, p. 45; Adenauer aangehaald in: Rudolf Morsey, *Heinrich Lübke. Eine politische Biografie* (Paderborn 1996) p. 240 noot 167.

46 *KHA* (1960) p. 15886; Freisberg, *Die Grüne Hürde*, p. 25.

47 Von der Groeben, *Aufbaujahre der Europäische Gemeinschaft*, p. 108 en 153-155.

48 Molegraaf, *Boeren in Brussel*, p. 88.

49 Kluge, *Vierzig Jahre*, Band 1, p. 317; Molegraaf, *Boeren in Brussel*, p. 94.

50 Molegraaf, *Boeren in Brussel*, p. 103; 'E.E.G.' in: *Winkler Prins boek van het jaar 1962* (Amsterdam en Brussel 1962) p. 138.

51 Cointat, *Les couloirs*, p. 83-95.

52 Pisani, *Persiste et signe*, p. 219. Origineel citaat in het Frans.

53 Cointat, *Les couloirs*, p. 87-88; Pisani, *Persiste et signe*, p. 220; *KHA* (1961) p. 695.

54 Pisani, *Persiste et signe*, p. 212-214, 221 en 225. Origineel citaat in het Frans.

55 Met name de marathon van 14 jan. 1962 en de 'nacht van het graan' van 15 dec. 1964. Een aantal parallellen maakt een deel van Mansholts beschrijving in dit verband toch bruikbaar.

56 Mansholt, *De crisis*, p. 85-87.

57 Verslag Hallstein uit 1962 aangehaald in: Leon L. Lindberg, *The political dynamics of European economic integration* (Londen 1963) p. 273.

58 *Trouw*, 15 jan. 1962; *Time* aangehaald in: Lindberg, *The political dynamics*, p. 280.

59 Loch, *Die Neun von Brüssel*, p. 44. Origineel in het Duits.

60 *KHA* (1962) p. 33-36; Cointat, *Les couloirs*, p. 90; Pisani, *Persiste et signe*, p. 225; Franke aangehaald in: Molegraaf, *Boeren in Brussel*, p. 9-10.

61 Lindberg, *The political dynamics*, p. 273; *KHA* (1962) p. 33-36.

62 Molegraaf, *Boeren in Brussel*, p. 123; Lindberg aangehaald in: Muth, *French agriculture*, p. 13 en 265.

63 Citaat uit *Frankfurter Allgemeine Zeitung*, 18 jan. 1962 in: *KHA* (1962) p. 33.

64 Müller Armack, *Auf dem Weg nach Europa*, p. 232.

65 Lauring Knudsen, 'Creating the Common Agricultural Policy', p. 139-140; Molegraaf, *Boeren in Brussel*, p. 118-119.

66 Hans Peter Mensing, *Adenauer. Teegespräche 1961-1963* (Berlijn 1992) p. 81; Molegraaf, *Boeren in Brussel*, p. 107.

67 Loch, *Die Neun von Brüssel*, p. 32-33: 'Wir sind zum Erfolg verurteilt.'

68 Kluge, *Vierzig Jahre*, Band 1, p. 329.

69 Lindberg, *The political dynamics*, p. 281 (uitspraak Mansholt uit Commissiebulletin, mrt. 1962).

70 Voorwoord Mansholt (gedateerd 'april 1962') in: Hans Broder Krohn en Günter Schmitt, *Agrarpolitik für Europa* (Hannover 1962). Beide auteurs waren verbonden aan het DG Landbouw.

71 George W. Ball, *The past has another pattern. Memoirs* (New York en Londen 1982) p. 260.

72 Ammerlaan, *Het verschijnsel Schmelzer*, 84-86; Piers Ludlow, 'Influence and vulnerability', p. 141-144.

73 Particulier archief Mansholt, brief aan moeder, 4 nov. 1962.

74 Bijdrage Miriam Camps in: *Kennedy and Europe. The Eyewitness debate 1992*, www.geschiedenis.leidenuniv.nl/history/rtg/res1/kennedy.html (3 jan. 2019: link werkt niet. Printversie 27 nov. 2003 in het bezit van de auteur); Piers Ludlow, 'Influence and vulnerability', p. 148; Richard Mayne, *De gemeenschappelijke markt. Verleden, heden en toekomst van de EEG* (Utrecht en Antwerpen 1964) p. 144; Molegraaf, *Boeren in Brussel*, p. 135.

75 Jeffrey G. Giauque, 'The United States and the Political Union of Western Europe, 1958-1963' in: *Contemporary European History (CEH)* 9 (2000) p. 100 en 103.

76 Alain Peyrefitte, *C'était De Gaulle. La France redevient la France* (Parijs 1994) p. 334. Origineel in het Frans.

77 Molegraaf, *Boeren in Brussel*, p. 135; Karl-Heinz Narjes, 'Walter Hallstein in der Frühfase der EWG' in: Loth, Wallace en Wessels (red.), *Walter Hallstein*, p. 160-161. Hetzelfde gold voor Marjolin.

78 Piers Ludlow, 'Influence and vulnerability', p. 148; Ball, *The past*, p. 269.

79 Bijdragen Camps en Mansholt in: *Kennedy and Europe. The Eyewitness debate 1992.*

80 *NRC*, 10 jan. 1963; IISG, archief Mozer, inv. nr. 42, verslag van besprekingen te Bonn en Frankfurt, 10 en 11 jan. 1963.

81 *NRC*, 15, 17, 22 en 29 jan. 1963; Herbert Blankenhorn, *Verständnis und Verständigung. Blätter eines politischen Tagebuchs 1949-1979* (Frankfurt 1980) p. 437; Mayne, *De gemeenschappelijke markt*, p. 144-145; HAEC, BAC 209.80, Com (63) PV 213 final, 2e partie en 214 final, 2e partie (notulen Europese Commissie, 15 en 22 jan. 1963).

82 'De Gaulle blijft Engeland uit de EEG weren', *NRC*, 25 jan. 1963.

83 *NRC*, 17 en 29 jan. 1963; Molegraaf, *Boeren in Brussel*, p. 136; bijdrage Mansholt in: *Kennedy and Europe. The Eyewitness debate 1992.*

84 *KHA* (1963), p 50; P. van de Meerssche, *Van Jalta tot Malta. Politieke geschiedenis van Europa* (Antwerpen 1990) p. 111; Freisberg, *Die grüne Hürde*, p. 116.

85 IISG, archief Mozer, inv.nr. 42, notitie 'Enkele punten voor het debat op 25 januari [1963] in de Tweede Kamer'. Waarschijnlijk betrof het een overleg met een Kamercommissie, (een deel van) de PvdA-fractie of met de Kamerleden die ook lid waren het Europees Parlement. Er vond die dag geen openbare vergadering plaats.

86 Mensing, *Adenauer. Teegespräche 1961-1963*, p. 325-328.

87 *NRC*, 2 feb. 1963.

88 IISG, archief Mozer, inv.nr. 42, notitie 'Punten voor een overzicht van de situatie', 1 feb. 1963; W. Lemkering, 'l'Europe, c'est moi', *Socialisme en Democratie* 20 (1963) p. 81-85; Alfred Mozer, 'Nature and prospects of the Common Market' in: *Modern Age: a quarterly review* 8 (1963-1964) p. 45-51.

89 *KHA* (1963) p. 85; Von der Groeben, *Aufbaujahre der Europäische Gemeinschaft*, p. 209.

90 HAEC, BAC 209.80, Com (63) PV 214 final, 2e partie, 215 final, 2e partie en 216 final, 2e partie (notulen Europese Commissie, 23, 28 en 29 jan. en 4 feb. 1963).

91 S.L. Mansholt, *Samenvatting van de redevoering gehouden ter gelegenheid van de Europese manifestatie in de Ridderzaal te Den Haag op 22 februari 1963* (z.pl. 1963) p. 1.

92 Kennedy Library, Boston, the papers of John F. Kennedy, presidential papers, national security files, box 10, Belgium, subjects, Mansholt Visit, 4/63 (hierna: KLB).

93 Oliver Bange, *The EEC crisis of 1963: Kennedy, MacMillan, de Gaulle and Adenauer in conflict* (Londen en New York 2000) p. 134 en 260 noot 46.

94 KLB, telegrammen Tuthill en Ball, 1, 5, 14 en 23 feb. 1963.

95 IISG, archief Mansholt, inv.nr. 199, Vermerk Mozer, 23 mrt. 1959 en inv.nr. 97, Vermerk für Herrn Staatssekretär Dr. H. Globke, 11 juli 1960.

96 IISG, archief Mansholt, inv.nr. 45 bevat een aantal brieven van Radboud L. Beukenkamp, Arlington, Virginia. Zie met name de brief van 16 okt. 1968; in de inv.nrs. 181 en 182 bevinden zich stukken over Mansholts reizen naar de VS in de periode 1959-1965.

97 Ball, *The past*, p. 208-209; Ball was sterk beïnvloed door zijn vriend Jean Monnet. Zie David L. DiLeo, 'George Ball and the Europeanists in the State Department, 1961-1963' in: Douglas Brinkley en Richard T. Griffiths (red.), *John F. Kennedy and Europe* (Baton Rouge 1999) p. 263- 280.

98 Ball, *The past*, p. 271. De VS eisten dat de Sovjet-Unie zou stoppen met de inrichting van een raketbasis op Cuba. Twee weken balanceerde de wereld aan de rand van een atoomoorlog, totdat de Russen toegaven.

99 KLB, memorandum van het gesprek, 9 apr. 1963 met begeleidend schrijven, 11 apr. 1963; bijdrage Tuthill in: *Kennedy and Europe. The Eyewitness debate 1992*; FRUS, 1961-1963, vol. XIII, p. 194-198.

100 Mayne, *De gemeenschappelijke markt*, p. 166-167. De Trade Expansion Act van 4 oktober

1962 verleende de president de bevoegdheid om in GATT-verband te onderhandelen over rigoureuze tariefverlagingen.

101 'Sicco Mansholt speaks on the common market', *Foreign Agriculture* 1 (1963) afl. 16, 22 apr. 1963.

102 Mozer-Ebbinge en Cohen (red.), *Alfred Mozer*, p. 50-51.

103 KLB, memorandum van het gesprek, 9 apr. 1963.

104 *KHA* (1963) p. 261.

105 KLB, brief Mansholt aan Kennedy, 22 apr. 1963 en brief Kennedy aan Mansholt, 29 apr. 1963; particulier archief Mansholt, brief Henny aan haar schoonmoeder, 28 apr. 1963.

106 Interview Mansholt, 16 mrt. 1993. Het GATT was de in 1947 opgericht internationale organisatie die streefde naar geleidelijke afschaffing van handelsbelemmeringen. Vanaf 1995 World Trade Organisation.

107 Herter aangehaald in: Molegraaf, *Boeren in Brussel*, p. 139.

108 IISG, archief Mansholt, inv. nr. 98, brief van 'The Vice-President' aan Kennedy, 13 mei 1963.

109 'From address at St. Paul's Church, Frankfurt' in: Europese Beweging, *Atlantisch deelgenootschap en Europese integratie. Uitspraken van John F. Kennedy, president van de Verenigde Staten van Amerika 20 jan. '61- 22 nov. '63* (Den Haag 1964) p. 12-19; www.jfklibrary.org/asset-viewer/archives/JFKPOF/045/JFKPOF-045-023 (3 jan. 2019).

110 Drew Middleton, 'President's trip to Europe as seen from abroad', *New York Times*, 30 juni 1963.

111 Interview Van Slobbe, 19 dec. 2001; Mansholt, *De crisis*, p. 58.

NOTEN BIJ HOOFDSTUK 12

1 Neville-Rolfe, *The politics*, p. 152-160.

2 Interview Mansholt, 16 mrt. 1993; Lindberg, *The political dynamics*, p. 229-230.

3 Telefoongesprek Georges Rencki met auteur, mei 2006.

4 Rehwinkel, *Gegen den Strom*, p. 198.

5 Lauring Knudsen, 'Creating the Common

Agricultural Policy', p. 141; Kluge, *Vierzig Jahre*, Band 1, p. 336-338; *KHA* (1962) p. 776.

6 Kluge, *Vierzig Jahre*, Band 1, p. 338-340.

7 Mozer aangehaald in: Freisberg, *Die Grüne Hürde*, p. 120-121; 'E.E.G.' in: *Winkler Prins boek van het jaar 1964*, p. 130-133.

8 Lauring Knudsen, 'Creating the Common Agricultural Policy', p. 143 ; Delorme, 'La rôle des forces paysannes', p. 377; 'EEG, landbouw en Kennedyronde' in: *KHA* (1964) p. 5-7 ; Kluge, *Vierzig Jahre*, Band 1, p. 351.

9 Neville-Rolfe, *The politics*, p. 206. Zie paragraaf *De organisatie* in hoofdstuk 10.

10 Molegraaf, *Boeren in Brussel*, p. 163.

11 *KHA* (1963) p. 726; Molegraaf, *Boeren in Brussel*, p. 162-163.

12 *FRUS*, 1964-1968, Volume XIII, nr. 11, Memorandum, 6 mrt. 1964.

13 IISG, archief Mansholt, inv.nr. 109, brief Tennyson, 17 feb. 1964 met bijlage 'U.S. Group': Robert Bowie, William Diebold, Boyd France, Max Frankel, Theodore Gates, Joseph Greenwald, Ernst Haas, Robert Kleiman, Joseph Kraft, John Lindsay, Mark Massel, Ben T. Moore, Richard Neustadt, John Newhouse, Myer Rashish, J. Robert Schaetzel, Eric Stein, Shepard Stone, Leonard Tennyson, Raymond Vernon, Frederick Wyle en Adam Yarmolinski.

14 IISG, archief Mansholt, inv.nr. 98, notulen Commissie, 28 okt. 1963 (Com (63) PV 246, 3e partie).

15 IISG, archief Mansholt, inv.nr. 98, brief Heringa, okt. 1964; Molegraaf, *Boeren in Brussel*, p. 162.

16 Lauring Knudsen, 'Creating the Common Agricultural Policy', p. 144-146.

17 Cointat, *Les couloirs*, p. 117; *KHA* (1964) p. 5-7; Molegraaf, *Boeren in Brussel*, p. 150.

18 Monnet, Hallstein en *Le Monde* aangehaald in: 'EEG, landbouw en Kennedyronde', *KHA* (1964) p. 5-7.

19 Molegraaf, *Boeren in Brussel*, p. 171-172; Cointat, *Les couloirs*, p. 118.

20 IISG, archief Mansholt, inv.nr. 114, brief Monnet, 18 juni 1964.

21 IISG, archief Mozer, inv.nr. 5, brief aan Schmücker, 19 juni 1964; Wilfried Loth, 'Hallstein und De Gaulle: die verhängnisvolle Konfrontation' in: Loth, Wallace en

Wessels (red.), *Walter Hallstein*, p..176-177; Molegraaf, *Boeren in Brussel*, p. 172-173.

22 Rehwinkel, *Gegen den Strom*, p. 212; Freisberg, *Die grüne Hürde*, p. 172-174; Molegraaf, *Boeren in Brussel*, p. 176; Cointat, *Les couloirs*, p. 121.

23 Lauring Knudsen, 'Creating the Common Agricultural Policy', p. 152; *KHA* (1964) p. 692-693.

24 *KHA* (1964) p. 809; Freisberg, *Die grüne Hürde*, p. 181-183; Kluge, *Vierzig Jahre*, p. 361-363.

25 Molegraaf, *Boeren in Brussel*, p. 178.

26 Cointat, *Les couloirs*, p. 121. Origineel in het Frans.

27 IISG, archief Mansholt, inv.nr. 199, aantekening Mozer, 18 dec. 1964.

28 Mansholt aangehaald in *NRC*, 1 feb. 1965.

29 Interview Mansholt met Louis Velleman, correspondent in Brussel, *Het Vrije Volk*, 31 dec. 1964.

30 Minister Biesheuvel aangehaald in: A.F. Stroink, *Groninger Maatschappij van Landbouw 1937-1987. Kroniek over 50 jaar* (Groningen 1987) p. 199-200.

31 Interview Mansholt, *Elseviers weekblad*, 18 jan. 1964; *FRUS*, 1961-1963, vol. IX, nr. 291, Memorandum Herter, 27 nov. 1963; *FRUS*, 1964-1968, vol. VIII, nr. 275, Memorandum Roth, 9 feb. 1965.

32 IISG, archief Mansholt, inv.nr. 182, stukken reis VS, 1965.

33 *FRUS*, 1964-1968, vol. VIII, nr. 276, Memorandum, 9 feb. 1965.

34 Marjolin, *Le travail d'une vie*, p. 345-346.

35 N. Piers Ludlow, 'Challenging French leadership in Europe: Germany, Italy, the Netherlands and the outbreak of the empty chair crisis of 1965-1966', *CHI* 8 (1999) p. 241.

36 Loth, 'Hallstein und de Gaulle', p. 178-179; Spinelli, *The Eurocrats*, p. 208; Alain Peyrefitte, *C'était de Gaulle. La France reprend sa place dans le monde* (Parijs 1997) p. 281.

37 IISG, archief Mozer, inv.nr. 43, notitie 'De situatie in de Raad van de EEG na 15 juni 1965'.

38 Molegraaf, *Boeren in Brussel*, p. 189; Matthias Schönwald, 'Walter Hallstein and the "Empty chair" crisis 1965/1966', in:

Loth (red.), *Crises and compromises*, p. 168; discussiebijdrage Von der Groeben in: *De Gaulle en son siècle*, deel 5, p. 113 ; Rutten, 'Het samenspel', p. 52-55.

39 *KHA* (1965) p. 449; Maurice Vaïsse, 'La politique européenne de la France en 1965: pourqoui "la chaisse vide"?' in: Loth (red.), *Crises and compromises*, p. 205 noot 46; Rutten, 'Het samenspel', p. 52-55.

40 *KHA* (1965) p. 449; John Newhouse, *Collision in Brussels. The common market crisis of 30 june 1965* (Londen 1967) p. 62.

41 Marjolin, *Le travail d'une vie*, p. 345-346; Hans von der Groeben, 'Walter Hallstein als Präsident der Kommission' in: Loth e.a. (red.), *Walter Hallstein*, p. 125.

42 De theorie dat integratie op een bepaald terrein *spill-over*-effecten heeft die leiden tot verdere integratie in allerlei andere sectoren. Supranationale instellingen vormden een drijvende kracht daarachter.

43 Marjolin, *Le travail d'une vie*, p. 345-346; Jonathan P.J. White, 'Theory guiding practice: the Neofunctionalists and the Hallstein EEC Commission', *JEIH* 9 (2003) afl. 1, p. 25.

44 Interview Hellwig met Wilfried Loth, 2 feb.1999, https://archives.eui.eu/en/oral_history/INT645 (3 jan. 2019).

45 HAEC, BAC 209.80, Com (65) PV 308 final, 2e partie t/m PV 312 final, 2e partie (notulen Europese Commissie, 3, 5, 10, 17, 22 en 31 mrt. 1965).

46 Peyrefitte, *C'était de Gaulle. La France reprend*, p. 281.

47 *Ibidem*, p. 281-282.

48 *KHA* (1965) p. 449; Peyrefitte, *C'était de Gaulle. La France reprend*, p. 284-286.

49 Peyrefitte, *C'était de Gaulle. La France reprend*, p. 286-287.

50 IISG, archief Mozer, inv.nr. 43, notitie 'De situatie in de Raad van de EEG na 15 juni 1965'.

51 Peyrefitte, *C'était de Gaulle. La France reprend*, p. 288.

52 Molegraaf, *Boeren in Brussel*, p. 202-203; Newhouse, *Collision*, p. 114-115; Gérard Bossuat, 'Robert Marjolin dans la tourmente de la chaisse vide' in: Institut de France, *Colloque du mardi 9 decembre 2003*

*consacré a Robert Marjolin* (Parijs 2004) p. 70-73 ; HAEC, BAC 38/1984, archief kabinet Mansholt 1958-1969, inv.nr. 386, stukken rondom de crisis van 30 juni 1965 (o.a notulen van de Raad).

53  *NRC,* 1 en 2 juli 1965; Rutten, 'Het samenspel', p. 52-55; interview Richard Mayne met Michael L. Smith, 23 juli 1998, https:// archives.eui.eu/en/oral_history/INT572 (3 jan. 2019); Hallstein, *Die Europäische Gemeinschaft,* p. 181.

54  Peyrefitte, *C'était de Gaulle. La France reprend,* p. 291.

55  Pisani, *Persiste et signe,* p. 226-227.

56  *NRC,* 2 juli 1965.

57  Interview aangehaald in: *KHA* (1965) p. 450.

58  Newhouse, *Collision,* p. 121.

59  Eric Roussel, *Jean Monnet 1988-1979* (Parijs 1996) p. 792 ; Piers Ludlow, 'Challenging', p. 247; Peyrefitte, *C'était de Gaulle. La France reprend,* p 292.

60  Interview Rutten in: Harryvan, Van der Harst en van Voorst (red.), *Voor Nederland en Europa,* p. 213.

61  *NRC,* 10 juli 1965.

62  Freisberg, *Die grüne Hürde,* p. 204; *NRC,* 10 juli 1965.

63  *Algemeen Handelsblad,* 14 juli 1965.

64  HAEC, BAC 209.80, Com (65) PV 326 final, 2e partie (notulen Europese Commissie, 19 juli 1965). 'La Commission considère que dans les circonstances présentes, il serait opportun d'éviter des déclarations publiques susceptibles de rendre plus difficile à la Commission de remplir le rôle qu'elle doit normalement jouer dans l'interêt même de la Communauté.'

65  *NRC,* 17 juli 1965; Klein, 'De super-boer'.

66  Peyrefitte, *C'était de Gaulle. La France reprend,* p 297. Origineel in het Frans.

67  *Ibidem,* p. 294-295. Origineel in het Frans.

68  Kopie brief Mansholt aan zijn moeder, 21 juli 1965 in bezit auteur. Met dank aan mevrouw Manschot-Mansholt.

69  *NRC,* 24 juli 1965; Molegraaf, *Boeren in Brussel,* p. 320, noot 97.

70  Newhouse, *Collision,* p. 133; *NRC,* 8 en 30 juli en 28 aug. 1965.

71  Lemaignen aangehaald in: *NRC,* 6 aug. 1965.

72  *NRC,* 10 sept. 1965 bevat een letterlijke vertaling van (een deel van?) De Gaulles uiteenzettingen.

73  Hans Herbert Götz, 'Die Krise 1965/66' in: Loth e.a. (red.), *Walter Hallstein,* p. 192-193.

74  IISG, archief Mansholt, inv.nr. 120, kort verslag van de informele bijeenkomst op 14 sept. 1965 in het kabinet van de minister-president. De twee vicepremiers, Luns en diens staatssecretaris waren hierbij aanwezig.

75  IISG, archief Mozer, inv.nr. 43, notitie 'Aantekening betreffende de crisis in de EEG', 14 sept. 1965.

76  *NRC,* 13 en 21 okt. 1965; Muth, *French agriculture,* p. 230. Het stemadvies kwam van de FSNEA.

77  *NRC,* 18 okt. 1965.

78  *NRC,* 21 okt. 1965.

79  *NRC,* 22 sept. , 2, 21 en 26 okt. 1965; Hans-Peter Schwarz e.a. (red.), *Akten zur Auswärtigen Politik der Bundesrepublik Deutschland 1965,* deel 3, 1. *September bis 31. Dezember 1965* (München 1996) nr. 351, p. 1143 noot 15; Newhouse, *Collision,* p. 142.

80  *NRC,* 5, 12, 18 en 25 nov. 1965; *KHA* (1965) p. 805-806.

81  *KHA* (1965) p. 805-806; *NRC,* 1 en 20 dec. 1965.

82  *NRC,* 1 en 6 dec. 1965.

83  Verslag televisieoptreden De Gaulle in: *NRC,* 15 dec. 1965.

84  *NRC,* 20 en 22 dec. 1965.

85  N. Piers Ludlow, 'The eclips of the extremes. Demythologising the Luxembourg Compromise' in: Loth (red.), *Crises and compromises,* p. 250-251; Rutten in: Harryvan, Van der Harst en Van Voorst (red.), *Voor Nederland en Europa,* p. 213.

86  Mansholt aangehaald in: Robert de Bruin, *Les Pays Bas et l'integration européenne 1957-1967* (Parijs 1977) p. 751; Luns aangehaald in: Molegraaf, *Boeren in Brussel,* p. 215-216.

87  *KHA* (1966) p. 54-55; *NRC,* 31 jan 1966.

88  Torsten Oppelland, '"Entangling alliances with none" - Neither de Gaulle nor Hallstein. The European politics of Gerhard Schröder in the 1965/66 crisis' in: Loth (red.), *Crises and compromises,* p. 243; *NRC,* 31 jan 1966.

89  NRC, 31 jan. 1966; Oppelland, 'Entangling alliances', p. 243; Piers Ludlow, 'The eclips', p. 253, 262 en 264.

90  Molegraaf, Boeren in Brussel, p. 218-219.

91  Pisani, Persiste et signe, p. 226.

92  Schönwald, 'Walter Hallstein', p. 171; Newhouse, Collision, p. 185; Piers Ludlow, 'The eclips', p. 256.

93  Roussel, Jean Monnet, p. 811-813; interview Hellwig met Loth, 2 feb. 1999.

94  Peyrefitte, C'était de Gaulle. La France reprend, p. 620. Origineel in het Frans.

95  Mansholt, De crisis, p. 39.

96  Bossuat, 'Robert Marjolin', p. 78.

NOTEN BIJ HOOFDSTUK 13

1   Klein, 'De super-boer'.

2   IISG, archief Mansholt, inv.nr. 1, diverse brieven; inv.nr. 45, brieven aan Boerma en inv.nr. 51, brief aan Staf, 6 okt. 1967.

3   Interview Aghina-Mansholt, 12 feb. 2005; IISG, archief Mansholt, inv.nrs. 424-450, plakboeken.

4   NA, archief Drees, inv.nr. 496, brief Henny aan To Drees, 3 mei 1966; particulier archief Mansholt, brief Henny aan moeder, 24 apr. 1966.

5   IISG, archief Mozer, inv.nr. 11, brief aan Herbert Wehner, 19 apr. 1966; IISG, archief Mansholt, inv.nr. 50, brief aan Ram Nirgad (oud-ambassadeur van Israël in Brussel), 5 jan. 1967; Cointat, Les couloirs, p. 62.

6   'Biesheuvel kende de strategie. Hij zat in het complot.' Interview Mansholt, 16 mrt. 1993.

7   Bedoeld is W.G.F ('Frits') van Oosten. Van Oosten begon in 1955 bij de DIO en was op het moment dat de brief geschreven werd landbouwattaché in Brussel. De 'knoop' sloeg op het (opnieuw) passeren van Van Oosten bij het halfjaarlijkse Nederlandse voorzitterschap van het CSA. Brief Van Oosten aan auteur, 9 juli 2005.

8   IISG, archief Mansholt, inv.nr. 98, brief aan Biesheuvel, 29 apr. 1966; interview Mansholt-Postel, 3 juni 1997.

9   Klein, 'De super-boer'.

10  Mansholt, De crisis, p. 7.

11  Nypels en Tamboer, 'De man Mansholt'; interview Mansholt, De Stem, 27 aug. 1983.

12  Interview Mansholt, De Stem, 27 aug. 1983.

13  Interview Mansholt met Arie Kuiper, De Tijd, 25 mrt. 1967.

14  IISG, archief Mansholt, inv.nr. 121, dossier bezoek Farmers Union, 19-20 dec. 1966, en inv.nr. 50, brief aan Ram Nirgad, 5 jan. 1967; IISG, archief Mozer, inv.nr. 66, aantekeningen Socialistische Internationale.

15  IISG, archief Mansholt, inv.nr. 122, notitie 'Note relative aux entretiens que les membres de la Commission de la Communauté économique Européenne ont eus, le 1er février 1967, à Bruxelles, avec MM. Harold Wilson, Premier Ministre, et Georges Brown, Ministre des Affaires Étrangères de Grande-Bretagne'; KHA (1967) p. 153.

16  IISG, archief Mozer, inv.nr. 6, brief aan Spinelli, 17 mei 1967; IISG, archief Mansholt, inv.nr. 98, brief Mozer, 11 mrt. 1967. Origineel in het Duits.

17  IISG, archief Mozer, inv.nr. 44, brief aan Mansholt, 6 mei 1967 met bijgevoegde kopie brief Hallstein aan Bondskanselier Kiesinger, 3 mei 1967.

18  Winkler Prins boek van het jaar 1969 (Amsterdam en Brussel 1969), p. 116-117.

19  IISG, archief Mansholt, inv.nr. 98, brief aan Van der Lee, 5 okt. 1967.

20  N. Piers Ludlow, 'A short-term defeat: the Community Institutions and the second British application to join the EEC' in: Oliver J. Daddow (red.), Harold Wilson and European integration. Britain's second application to join the EEC (Londen en Portland 2003) p. 142-143.

21  IISG, archief Mozer, inv.nr. 44, brief aan Mansholt, 19 jan. 1968.

22  IISG, archief Mansholt, inv.nr. 48, brief aan J.H.W. Hoogwater, 21 mei 1968.

23  IISG, archief Mansholt, inv.nr. 99, Nederlandse vertaling brief Debré aan Rey, 8 juli 1968; Nederlandse vertaling brief Rey aan Debré. [15 juli 1968]; brief aan Rey, 30 juli 1968; brief aan Debré, 30 juli 1968; brief Rey, 5 aug. 1968; brief Debré, 20 aug. 1968; NRC, 22 jan. 1966.

24  Tekst gepubliceerd in: Europa Bulletin 14 (1968) nr. 3.

25  S.L. Mansholt, 'De verhouding Europa - Amerika en de actuele toestand van de

Gemeenschap', *Internationale Spectator* 25 (1971) p. 1250-1260.

26  IISG, archief Mansholt, inv.nr. 53, brief aan Vredeling, 3 okt..1969.

27  Mansholt, 'De verhouding Europa - Amerika', p. 1250-1260; Jürgen Mittag en Wolfgang Wessels, 'Die Gipfelkonferenzen von Den Haag (1969) und Paris (1972): Meilensteine für Entwicklungstrends der Europäischen Union?' in: Franz Knipping en Matthias Schönwald (red.), *Aufbruch zum Europa der zweiten Generation. Die europäische Einigung 1969-1984* (Trier 2004) p. 3-27.

28  Molegraaf, *Boeren in Brussel*, p. 261.

29  IISG, archief Mozer, inv.nr. 8, brief Kapteijn, 5 maart 1970; inv.nr 73 bevat meer en minder uitvoerige memo's uit de periode 1970-1973. Mozer werd in 1970 voorzitter van de zogenoemde Euregio-Mozer-Commissie.

30  Mozer-Ebbinge en Cohen (red.), *Alfred Mozer*, p. 52-53. Vrij naar de kabinetschef van Clemenceau.

31  William F. Averyt Jr., *Agropolitics in the European Community. Interest groups and the Common Agricultural Policy* (New York 1977) p. 2; Molegraaf, *Boeren in Brussel*, p. 262 geeft voor 1969 het percentage van 94 procent.

32  Heringa, 'De totstandbrenging', p. 34; Molegraaf, *Boeren in Brussel*, p. 234-236; Clara C. Meijers, 'Boeren eensgezinder dan hun melkprijs', *Zuivelzicht* 67 (1975) p. 14-17; gemeenschappelijke markt voor (veredelingsproducten van) graan: 1 juli 1967, voor melk en rundvlees een jaar later.

33  Mansholt, *De crisis*, p. 95-99.

34  *KHA* (1967) p. 434-435.

35  Notitie Maarten de Heer voor de auteur, 10 aug. 2006.

36  Neville-Rolfe, *The politics*, p. 300.

37  Aldus Averyt Jr., *Agropolitics*, p. 55-56.

38  Molegraaf, *Boeren in Brussel*, p. 241 en 246. Graan van 1960 tot 1967; melk van 1960 tot 1966.

39  *Ibidem*, p. 246-251, 257 en 262; *KHA* (1968) p. 457.

40  Mansholt, *De crisis*, p. 99. In de tekst staat 1950, maar dat klopt niet. Waarschijnlijk is 1970 bedoeld.

41  Stroink, *Groninger Maatschappij*, p. 217-218 en 223-224.

42  Cointat, *Les couloirs*, p. 219-231.

43  *KHA* (1969) p. 102-103. Persconferentie op 10 december, aanbieding aan de Raad op 21 december.

44  Molegraaf, *Boeren in Brussel*, p. 264.

45  Brief J.P. de Roover, 14 dec. 1968 aangehaald in: Molegraaf, *Boeren in Brussel*, p. 270.

46  Neville-Rolfe, *The politics*, p. 304; 'In memoriam', *De Boerderij* 80 (1995) nr. 41, p. 22-23.

47  Muth, *French agriculture*, p. 288; Neville-Rolfe, *The politics*, p. 305-306; Mansholt, *De crisis*, p. 95 en 98-99; Averyt Jr., *Agropolitics*, p. 16 (citaat speech Mansholt, juni 1970); *Brabants Dagblad*, 22 aug. 1992.

48  E. v. Konijnenburg, 'Sicco Mansholt: Europa heeft geen tijd meer te verliezen', *Haagse Post*, 21-28 dec. 1968.

49  Tjeerd C. de Groot, 'Het tweede plan-Mansholt. De tragiek van een landbouwcommissaris', *Spil. Tijdschrift met bijdragen over de problemen van de landbouw en van de plattelandssamenleving* (1995) afl. 135-136, p. 22-25; Molegraaf, *Boeren in Brussel*, p. 274 en 277.

50  Mansholt, *De crisis*, p. 95-99.

51  IISG, archief Mozer, inv.nr. 44, Reutersbericht over kritiek van Strauss, 16 juni 1969; interview Mansholt, *Brabants Dagblad*, 22 aug. 1992; Molegraaf, *Boeren in Brussel*, p. 268.

52  Stephen George, *Politics and policy in the European Community* (tweede druk, Oxford 1991) p. 142-143; *KHA* (1969) p. 514-515.

53  IISG, archief Mansholt, inv.nr. 53, brief aan Vredeling, 3 okt. 1969.

54  Een milieuorganisatie, opgericht in 1932 en sinds 1940 onder voorzitterschap van Van der Goes van Naters.

55  S.L. Mansholt, 'Landbouw van morgen' in: De Contactcommissie voor Natuur- en Landschapsbescherming, *Landbouw en landschap van morgen. Verslag van de op 8 november 1969 in de stadsschouwburg te Utrecht gehouden plenaire vergadering* (Amsterdam 1970) p. 9-15.

56  *KHA* (1970) p 372; Vgl. Molegraaf, *Boeren in Brussel*, p. 280: 1. steun bij modernisering (als

bedrijven werden opgeheven); 2. premies voor boeren die na hun 55e hun bedrijf opgaven en voor jongeren die zich lieten omscholen; 3. regels om grond uit productie te nemen; 4. premies overschakeling op andere producten; 5. informatiedienst om omschakeling te begeleiden; 6. afzetbevordering via op te richten producentenorganisaties.

57  IISG, archief Mansholt, inv.nr. 112, aantekening voor Krohn, 8 jan. 1970.

58  Notulen MR, 23 juli 1970.

59  Molegraaf, *Boeren in Brussel*, p. 281.

60  Interview Braks, *Algemeen Dagblad*, 22 apr. 1997.

61  *NRC*, 1 mrt. 1971; Molegraaf, *Boeren in Brussel*, p. 282-283.

62  *NRC*, 16 mrt. 1971.

63  Averyt Jr., *Agropolitics*, p. 89; *KHA* (1971) p. 225-228; *NRC*, 24 mrt. 1971.

64  *KHA* (1971) p. 226-228; Molegraaf, *Boeren in Brussel*, p. 284.

65  *KHA* (1971) p. 228; open brief Mansholt aan de Voorzitter van de Belgische Boerenbond, 31 mrt. 1971: www.cvce.eu/ , ePublications, Historical Events, 1969-1979 Completion, deepening and widening, Reform of the CAP, Resources, The Mansholt Plan (4 jan. 2019).

66  Zijlstra aangehaald in: 'In memoriam', *De Boerderij* 80 (1995) nr. 41, p. 22-23.

67  Nypels en Tamboer, 'De man Mansholt'; NA, archief Drees, inv.nr. 496, brief Henny aan To Drees, 7 mei 1971.

68  Neville-Rolfe, *The politics*, p. 298; George, *Politics and policy*, p. 143-144.

69  I.J. Terluin, *Het groene budget van de EG. Een analyse van de landbouwuitgaven tussen 1968 en 1990* (Den Haag 1992) p. 62 en 79; Mansholt, *De crisis*, p. 94-95.

70  Pisani, *Persiste et signe*, p. 221-226.

71  Leon Lindberg en Stuart Scheingold, 'Agriculture and Transport policies' in: James Barber en Bruce Reed (red.), *European community. Vision and reality* (London 1973) p. 86-89 (oorspronkelijk artikel uit 1970).

72  Averyt Jr., *Agropolitics*, p. 52.

73  Alain Peyrefitte, *C'était de Gaulle. Tout le monde a besoin d'une France qui marche* (Parijs 2000) p. 340-341.

74  Televisie-uitzending *Gesubsidieerde aarde*, deel 2, *methode-Mansholt*, VPRO, 25 mei 2003, interview Kohnstamm, www.vpro. nl/programmas/tegenlicht/kijk/afleveringen/2002-2003/gesubsidieerde-aarde-deel-2.html (4 jan. 2019).

NOTEN BIJ HOOFDSTUK 14

1  Suzanne Piët, 'Dr. Sicco Mansholt: "Ik ben eigenlijk een beetje een vagebond"', *De Tijd*, 9 mei 1975; *Haagse Post*, 29 mrt.-4 apr. 1972.

2  Mansholt, *De crisis*, p. 58.

3  Interview in *Haagse Post*, 29 mrt.-4 apr. 1972.

4  S.L. Mansholt, 'Modern socialisme', *S&D* 28 (1971) p. 523-539; *Winkler Prins boek van het jaar 1973* (Amsterdam en Brussel 1973) p. 203-205.

5  Mansholt, *De crisis*, p. 58 en 107-108; Mansholt, 'Modern socialisme', p. 537; *NRC*, 31 aug. 1971.

6  Mansholt, *De crisis*, p. 165; interview Mansholt, *De Tijd*, 20 feb. 1971.

7  Interview Mozer, *Haagse Post*, 19-25 jan. 1972.

8  W.L. Brugsma, 'In memoriam Sicco Mansholt', *S&D* 52 (1995) p. 391-392; interview met W.L. Brugsma en Frans Nypels, *Haagse Post*, 8-12 okt. 1971.

9  NAA, televisie-uitzending *Achter het Nieuws*, VARA, 1 jan. 1972, interview Mansholt met Johan van Minnen; IISG, archief Mozer, inv.nr. 73, brief aan 'De heer Dr. Sicco Leendert Marx', 11 jan. 1972.

10  W.L. Brugsma, 'Boebie, die oliecrisis gaat toch niet kwakkelen, hè?', *HP/De Tijd*, 2 mei 1997; Willem L. Oltmans, *Grenzen aan de groei. 75 gesprekken over het rapport van de Club van Rome* (Utrecht 1973) p. 8-9.

11  Johan van Merriënboer, 'Sicco Mansholt and "Limits to Growth"', in: Claudia Hiepel (red.), *Europe in a globalizing world. Global challenge and European responses in the "long" 1970s* (Baden-Baden 2014) p. 319-343.

12  *Rapport van de Club van Rome: de grenzen aan de groei* (Utrecht en Antwerpen [1972]) passim.

13  IISG, archief Mansholt, inv.nrs. 102-103, dossier Club van Rome.

14 Mansholt, *De crisis*, p. 58 en 103.

15 IISG, archief Mansholt, inv.nr. 232, notities, 31 dec. 1971.

16 Nederlandse vertaling van de brief in: *Winkler Prins boek van het jaar 1973*, p. 203-205; een daarvan afwijkende vertaling van de belangrijkste passages in: Van de Meerssche, *Van Jalta tot Malta*, p. 163; een afschrift van het Franse origineel in: Jean-Jacques Pauvert (red.), *La lettre Mansholt. Réactions et commentaires* (Parijs 1972) p. 7-24.

17 IISG, archief Mansholt, inv.nr. 205, notities 8, 10 en 21 feb. en 7 maart 1972; Laura Scichilione, 'The origins of the Common Environmental Policy. The contributions of SApinelli and Mansholt in the ad hoc group of the European Commission' in : Morten Rasmussen en Ann-Chistina L. Knudsen (red.) *The road to a united Europe. Interpretations of the process of European Integration* (Brussel 2009) p. 335-347 ; NAA, radio-uitzending *Meer over minder*, NOS, 4 juli 1990, interview Mansholt. In 1967 was Barre zijn landgenoot Marjolin opgevolgd; Van Merriënboer, 'Sicco Mansholt and "Limits to Growth"', p. 319.

18 Pauvert (red.), *La lettre Mansholt*, passim; *Haagse Post*, 19-25 apr. 1972; Mansholt, *De crisis*, p. 103.

19 Mansholt, *De crisis*, p. 59-60; Piët, 'Dr. Sicco Mansholt'; NAA, radio-uitzending *Meer over minder*, NOS, 4 juli 1990, interview Mansholt; op 12 april 1972 had de Commissie 'un échange de vues de caractère préliminaire' over de brief aan Malfatti (HAEC, BAC 259.80, Com (72) PV 202 final, 2ᵉ partie).

20 S.L. Mansholt, 'Het waddengebied, test-case voor Europees natuurbehoud', *Waddenbulletin* 7 (1972) p. 12.

21 *Haagse Post*, 21-27 juni 1972.

22 Scichilione, 'The origins of the common environmental policy', p. 335-347; http://aei.pitt.edu/12980/ (persbericht toespraak Mansholt) (4 jan. 2019).

23 Mansholt, *De crisis*, p. 148; Jan-Henrik Meyer, *Appropriating the environment. How the European institutions received the novel idea of the environment and made it their own* (Berlijn 2011) p. 10; http://userpage.

fu-berlin.de/kfgeu/kfgwp/wpseries/Wor kingPaperKFG_31.pdf (4 jan. 2019); Johan van Merriënboer, 'De impact van Mansholt op natuur, landinrichting en milieu', *Tijdschrift voor Biografie* 6 (2017) nr. 2, p. 3-13.

24 Brugsma, 'In memoriam'; IISG, archief Mansholt, inv.nr. 4, brief aan de Stichting 1940-1945, z.d. [1968].

25 IISG, archief Mozer, inv.nr. 50, map conferentie over het partijwezen; *KHA* (1966) p. 723-724.

26 *KHA* (1969) p. 180; Philip van Praag jr., *Strategie en illusie. Elf jaar intern debat in de PvdA* (Amsterdam 1990) p. 99; *Haagse Post*, 12-18 en 19-25 jan. 1972; *KHA* (1971) p. 214-215; Mansholt, *De crisis*, p. 158.

27 Brugsma, 'In memoriam'.

28 NAA, televisie-uitzending *Achter het Nieuws*, VARA, 1 jan. (?) 1972, interview Mansholt.

29 Wil Klaassen, *De progressieve samenwerking van PvdA, D'66, PPR en PSP, 1966-1977* (Alphen aan den Rijn 2000) p. 52.

30 *NRC*, 4 jan. 1972, p. 1 en 7.

31 Igor Cornelissen, 'De oude Marx contra de oude Mansholt, *Vrij Nederland*, 15 jan. 1972.

32 *Haagse Post*, 26 jan.-1 feb. 1972.

33 W.L. Brugsma, 'Een nogal uniek stuk', *Haagse Post*, 1-7 mrt. 1972; Brugsma, 'In memoriam'.

34 *Advies van de 'commissie van zes' aan het permanent overlegorgaan van PvdA, D'66 en PPR* (z.pl. 1972).

35 Interview De Zeeuw in: Rob Vermaas, *Opstaan tegen de ondergang* (Apeldoorn 1972) p. 145; *Haagse Post*, 8-14 maart 1972 (Jan Pen); *Vrij Nederland*, 8 juli 1995 (Van Riel) en *Haagse Post*, 15-21 maart 1972 (andere typeringen, aangehaald door Brugsma).

36 Den Uyl aangehaald in: Annet Bleich, *Een partij in de tijd. Veertig jaar Partij van de Arbeid 1946-1986* (Amsterdam 1986) p 131; Brugsma, 'In memoriam'.

37 *Haagse Post*, 29 mrt.-4 apr. 1972.

38 Hij maakte meteen een salarissprong van 87.000 naar 105.000 gulden (netto). IISG, archief Mansholt, inv.nr. 49, brief aan Van der Lee, 5 mrt. 1974 (Mansholt over zijn inkomsten).

39  KHA (1970) p. 484; NA, notulen MR, 22 en 29 mei 1970.

40  Mansholt, De crisis, p. 91.

41  'The Mansholt Jolt', Time, 10 apr. 1972.

42  NA, notulen MR, 3 en 17 mei 1972; IISG, archief Mansholt, inv.nr. 205, notities 21 en 28 feb. en 2 maart 1972; https://archives. eui.eu/en/oral_history/INT763, interview Barre, 20 feb. 2004 (4 jan. 2019).

43  Roger Berthoud, 'Masters or servants of the New Europe?, The Times, 28 apr. 1972; IISG, archief Mansholt, inv.nr. 207, dossier buitenlandse politiek; Winkler Prins boek van het jaar 1973, p. 116.

44  IISG, archief Mansholt, inv.nr. 205, doorslagen verschillende adviezen.

45  Europa van morgen, 29 mrt. 1972; IISG, archief Mansholt, inv.nr. 205, notitie van Ruggiero, 27 mrt. 1972; 'The Mansholt Jolt', Time, 10 apr. 1972.

46  KHA (1972) p. 348-350.

47  HAEC, BAC 259.80, Com (72) PV 206 final, 2e partie (notulen Europese Commissie, 15 mei 1972), Europa van morgen, 17 mei 1972.

48  HAEC, BAC 25/1980, archief kabinet Mansholt 1958-1969, inv.nr. 898, declaration du president Sicco L. Mansholt, 19 mei 1972; KHA (1972) p. 348-350; Herman Vuijsje, 'Mansholt op de Unctad. Een sprankje hoop voor de armen', Haagse Post, 31 mei-6 juni 1972.

49  Interview Mansholt, De Tijd, 9 mei 1975.

50  Mansholt, De crisis, p. 130, 133 en 136.

51  Europa van morgen, 29 mrt. 1972.

52  David Coombes, Politics and bureaucracy in the European Community. A portrait of the commission of the EEC (Londen 1970) p. 166-197 gaat uitvoerig in op de rol van de Commissie in de Kennedyronde.

53  Interview Mansholt, De Tijd, 25 mrt. 1967.

54  IISG, archief Mansholt, inv.nr. 45, brief aan Beukenkamp, 16 okt. 1968.

55  Mansholt, 'De verhouding Europa - Amerika', p. 1260-1276. Gebaseerd op een rede van 11 mrt. 1971.

56  IISG, archief Mansholt, inv.nr. 111, Vermerk, 25 juni 1971 met bijlage notitie Schaetzel over graanprijsvoorstellen; brief aan Hardin, 12 juli 1971 en brief Hardin, 8 okt. 1971.

57  Paul van de Meerssche, Europa morgen. Integratie of desintegratie? (Antwerpen 1972) p. 40-43.

58  J. Robert Schaetzel, The unhinged alliance. America and the European Community (New York 1975) p. 62 en 146.

59  Interview Wellenstein in: Harryvan, Van der Harst en Van Voorst (red.), Voor Nederland en Europa, p. 324-326; Mansholt aangehaald in: Ralf Dahrendorf, Plädoyer für die Europäische Union (München 1973) p. 65.

60  IISG, archief Mansholt, inv.nr. 2, notitie voor Mansholt van Ruggiero, 7 juni 1972. 'Entre les États-Unis et l'Union Soviètique une guerre n'est ni concevable ni possible.'

61  Interview Wellenstein in: Harryvan, Van der Harst en Van Voorst (red.), Voor Nederland en Europa, p. 324-326.

62  Brief Zagladin aan auteur, 28 mei 2002. Het Russische origineel is vertaald door Arjan van Merriënboer.

63  FRUS, 1969-1976, Volume III, nr. 91, Report by the President's Assistant for International Economic Affairs (Flanigan), Washington, 20 juni 1972.

64  William Eberle was Nixons special representative for trade negotiations. In het voorjaar van 1972 reisde hij Amerikaanse handelspartners af om afspraken te maken over importverruiming.

65  De Amerikaanse multinational Anaconda Copper company, eigenaar van grote kopermijnen in Chili.

66  FRUS, 1969-1976, Volume III, nr. 91, bijlage, Conversation with EC Commission President Sicco Mansholt, Brussels, June 1, 1972.

67  FRUS, 1969-1976, Volume I, nr. 120, Memorandum for the President's File by the President's Assistant (Flanigan), Washington, 11 sept. 1972.

68  Mansholt in Haagse Post, aangehaald in: Winkler Prins boek van het jaar 1973, p. 204.

69  Mansholt, De crisis, p. 32; Europa van morgen, 29 mrt. 1972; Van de Meerssche, Van Jalta tot Malta, p. 166.

70  NA, notulen MR, 1 juni 1972; De Telegraaf en De Waarheid, 27 mei 1972.

71  IISG, archief Mansholt, inv.nr. 209, aanvulling op concepttekst topconferentie

Parijs 'Le rôle et la responsabilité de la Communauté dans le monde'.

72 *Bulletin van de Europese Gemeenschappen* 5 (1972) afl. 11, p. 62-67; *KHA* (1972) p. 699.

73 Mansholt, *De crisis*, p. 60-62.

74 *Ibidem*, p. 32 en 39.

75 Mittag en Wessels, 'Die Gipfelkonferenzen', p. 16.

76 Opinieonderzoeken aangehaald in: Edward Heath, *The course of my life. My autobiography* (Londen 1988) p. 358-359.

77 Linthorst Homan, *"Wat zijt ghij voor een vent"*, p. 275; IISG, archief Mansholt, inv.nr. 49, brieven Homan 20 en 31 juli 1967 en 31 okt. 1969.

78 Sir David Hannay (red.), *Britain's entry into the European Community: report by Sir Con O'Neill on the negotiations of 1970-1972* (Londen 2000) p. 307; IISG, archief Mansholt, inv.nrs. 123, 124 en 125.

79 http://hansard.millbanksystems.com/commons/1972/feb/17/european-communities-bill#S5CV0831P0_19720217_HOC_236 (4 jan. 2019).

80 Brief Benn, 28 maart 1972 en antwoord Mansholt 12 april 1972: http://www.cvce.eu/viewer/-/content/8c53f580-cae0-4002-a359-5f77797eaf81/en, en: http://www.cvce.eu/viewer/-/content/fba31f81-22ee-46cd-9918-92c5b0f46088/en (4 jan. 2019).

81 Hugh Thomas, *Europe The Radical Challenge* (Londen 1973) p. 23-24 en 162-163.

82 http://hansard.millbanksystems.com/commons/1972/may/02/european-communities-bill-allocation-of#S5CV0836P0_19720502_HOC_280 (4 jan. 2019).

83 *The Guardian*, 18 mei en 28 juni 1972.

84 *KHA*, 1972, p.652.

85 *The Guardian*, 4 en 5 okt. 1972; *KHA*, 1972, p.812; http://hansard.millbanksystems.com/commons/1972/oct/17/european-economic-community-summit#S5CV0843P0_19721017_HOC_225 (4 jan. 2019).

86 *The Guardian*, 24 okt. 1972; 'The Mansholt Jolt', Time, 8 jan. 1973.

87 *Europa van morgen*, 4 okt. 1972.

88 IISG, archief Mansholt, inv.nr. 51, brief aan M. Ruppert, 30 jan. 1973. Mansholt bevond zich toen in het zeer selecte gezelschap van Tjarda van Starkenborgh Stachouwer (1946), Drees (1958) en Beel (1972).

89 IISG, archief Mansholt, inv.nr. 534, plakboek Mozer, speech van 31 dec. 1972. Origineel in het Duits.

## NOTEN BIJ HOOFDSTUK 15

1 IISG, archief Mansholt, inv.nr. 51, brief aan het gemeentebestuur van Steenwijkerwold, 14 juli 1971.

2 Nypels en Tamboer, 'De man Mansholt'; interview Mansholt, *Haagse Post*, 29 mrt.-4 apr. 1972.

3 NA, archief Burger, inv.nr. 6, brief Mansholt, 29 mei 1973.

4 *Margriet: weekblad voor vrouwen en meisjes*, 21-27 juli 1973; Mansholt, *De crisis*, p. 91.

5 Petra K. Kelly, 'Zum Abschied von Dr. Sicco L. Mansholt. Ein humanistisches Europa. "Bruttosozialprodukt" durch "Bruttosozialglück"', *Auslands-Kurier* 13 (1972) afl. 6, p. 51-52.

6 Monika Sperr, *Petra K. Kelly, Politikerin aus Betroffenheit* (Hamburg 1985) p. 90 (eerste druk 1983).

7 Sara Parkin, *The life and death of Petra Kelly* (Londen 1994) p 68 en 72-81. 'Vrij betrouwbaar': ofschoon goed bevriend met Kelly oordeelt Parkin toch kritisch en – naar het zich laat aanzien – objectief. Zij had inzage in persoonlijke brieven van haar. Dat materiaal is (nog) niet beschikbaar voor historisch onderzoek.

8 Parkin, *The life*, p. 56.

9 Brugsma, 'In memoriam'; NAA, televisie-uitzending *Bij Ischa*, VARA, 17 dec. 1975, interview Vredeling.

10 Hedy d'Ancona, *Het persoonlijke is politiek* (Amsterdam en Antwerpen 2003) p. 36-37.

11 Interview Van der Lee, 3 aug. 2005; telefoongesprek Van Slobbe, 4 aug. 2005; interview Koster, 9 aug 2005. A. Koster was Mansholts secretaresse van 1973 tot 1995. In het archief Mansholt is niets teruggevonden. Na 1973 is hierover niet gecorrespondeerd; er zijn nooit betalingen verricht en er is nooit contact gezocht (Koster).

12 Interview Postel, 18 nov. 2003; interview Aghina-Mansholt, 12 feb. 2005.

13 Henrik Ibsen, *Bouwmeester Solness* (Nederlandse vertaling Karst Woudstra, z.pl. 1979) passim; Kees Schuyt, 'Een tragedie in omgekeerde richting', *de Volkskrant*, 2 juni 2004; Mansholt, *De crisis*, p. 72.

14 Parkin, *The life*, p. 81.

15 Sperr, *Petra K. Kelly*, p. 94.

16 Petra Karin Kelly, 'Mister New Europe', *Vista of the United Nations Association* 8 (1973) afl. apr., p. 17-19.

17 Particulier archief Mansholt, brief aan Henny van Han en Els [Postel], z.d., in map 'Overlijden Sicco'.

18 Sperr, *Petra K. Kelly*, p. 90; Parkin, *The life*, p. 77-78. De leeftijden in het citaat van Kelly kloppen niet met de datum die Parkin geeft. Een van de twee vergiste zich. Mansholts brieven bevinden zich niet in het Kelly-archief in Berlijn. Navraag, via het archief, bij Kelly's moeder in de VS leverde ook niets op.

19 Interview Van der Lee, 3 aug. 2005.

20 Parkin, *The life*, p. 78-81.

21 Informatie uit de inventaris van het Petra Kelly Archief in Berlijn (bij inv.nr. 789).

22 Interview Aghina-Mansholt, 12 feb. 2005; IISG, archief Mansholt, inv.nr. 49, brief Kohnstamm, 31 jan. 1975; Parkin, *The life*, p. 110 en 157; telefoongesprek Dijkhuis, 25 feb. 2005; *Privé*, 12 juni 1982.

23 NA, archief Burger, inv.nr. 5, brief Mansholt, 8 dec. 1974.

24 IISG, archief Mozer, inv.nr. 9, brief aan Henny [Mansholt-Postel], 25 dec. 1974.

25 IISG, archief Mansholt, inv.nr. 49, briefwisseling met Van der Leeuw, feb. 1975; interview Koster, 9 aug. 2005.

26 Particulier archief Mansholt, brief aan Henny van Han en Els [Postel], z.d., in map 'Overlijden Sicco'.

27 IISG, archief Mansholt, inv.nr. 55, agenda 1974.

28 IISG, archief Mansholt, inv.nr. 49, brief aan Van der Lee, 5 mrt. 1974 en brief Mozer, 9 mrt. 1974.

29 NAA, radio-uitzending *ZI*, VARA, 29 dec. 1973.

30 *De Telegraaf*, 9 feb. 1974. Het stuk was geschreven door Henk de Mari.

31 NAA, radio-uitzending *ZI en de herenboer*, deel 1, VARA, 25 nov. 1978.

32 IISG, archief Mansholt, inv.nr. 52, brief Waldheim, 27 dec. 1972; voor een overzicht van de geschiedenis van het *Centre*: http://unctc.unctad.org/aspx/unctc from 1972 to 1975.aspx (17 jan. 2006).

33 IISG, archief Mansholt, inv.nr. 52, correspondentie kandidatuur Somavia, 1974. Op 23 maart 1998 werd Somavia gekozen tot algemeen directeur van de International Labour Organisation. Hij zou dat blijven tot 30 september 2012.

34 *Haagse Post*, 29 mrt. 1975; *Winkler Prins boek van het jaar 1975* (Amsterdam 1975) p. 293.

35 Remco van Diepen, 'The Netherlands Atlantic Association: the first fourty years', *Atlantisch perspectief* 26 (2002) afl. 3, p. 15-20; IISG, archief Mansholt, inv.nr. 46, brief aan Dake, 5 aug. 1974.

36 IISG, archief Mansholt, inv.nr. 48, correspondentie met het Humanistisch Verbond.

37 NA, archief Algemene Zaken, inv.nrs. 9760 en 9761, stukken onkostenvergoeding Mansholt; interview Koster, 9 aug. 2005.

38 De Amerikaanse ambassade produceerde indertijd een fraai overzicht van de affaire voor intern gebruik dat uiteindelijk belandde op wikileaks: https://wikileaks.org/plusd/cables/1974THEHA04917_b.html (4 jan. 2019).

39 Mansholt, *De crisis*, p. 48, 55, 105, 115, 118, 129-130 en 152-157.

40 Piët, 'Dr. Sicco Mansholt'.

41 Interview Postel, 18 nov. 2003; interview Aghina-Mansholt, 24 mei 2002 en 12 feb. 2005; Mansholt, *De crisis*, p. 100; interview Mansholt, *NRC Handelsblad*, 12 juni 1993; IISG, archief Mansholt, inv.nr. 41, brief aan Oltmans, 10 aug. 1982.

42 Particulier archief Mansholt, brief aan Henny, Bermuda, 13 mei 1983; brief aan Stien [volgens dochter Theda 'een vriendin van moeder uit Wapserveen'], 13 mei 1983.

43 Particulier archief Mansholt, brief aan Henny, Azoren, 9 juni 1983.

44 Particulier archief Mansholt, brief Henny, 14 juni 1983.

45 Interview Mansholt, *Hervormd Nederland*, 6 mrt. 1976.

46 NAA, radio-uitzending *ZI*, VARA, 29 dec. 1973, interview Mansholt; *Hervormd Nederland*, 17 feb. 1990.

47 NAA, radio-uitzending *Een leven lang*, NOS, 5 okt. 1990.

48 NAA, radio-uitzending, *ZI en de herenboer*, deel 2, VARA, 2 dec. 1978.

49 *ZI en het menselijk tekort. Interview*, p. 99-100.

50 *PvdA Beginselprogramma* (Amsterdam 1978) p. 4-5; Bart Tromp, *Het sociaal-democratisch programma 1878-1977* (z.pl. 2002) p. 295 en 300; *de Volkskrant*, 15 mei 2004.

51 IISG, archief Mansholt, inv.nr. 3, brief aan Tindemans, 20 nov. 1975; inv.nr. 52, brief aan Spinelli, 17 feb. 1976 en inv.nr. 463, documentatie Rapport Tindemans; discussiebijdragen Mansholt in: *Elsevier Symposium. Europa: tot welke prijs? Amsterdam, 10 mei 1976* (Amsterdam 1976) p. 13, 17 en 42-43.

52 Roy Jenkins, *European Diary 1977-1981* (Londen 1989) p. 183-184.

53 IISG, archief Mansholt, inv.nr. 41, briefwisseling met Oltmans, nov. 1981-aug. 1982. De eerste commissie - met Den Uyl voor Nederland – was gestart in 1980 en had in 1982 haar werk afgerond met een rapport.

54 Sicco Mansholt, 'Den Uyl en het milieu' in: John Jansen van Galen en Herman Vuijsje, *Joop den Uyl. Politiek als hartstocht* (tweede druk Houten 1992) p. 136.

55 Interview Mansholt, *Brabants Nieuwsblad*, 31 dec. 1992.

56 NAA, televisie-uitzending 'Ik geloof dat we nog geen stap verder zijn', Humanistisch Verbond, 12 mrt. 1993.

57 Interviews Mansholt, *de Volkskrant*, 30 dec. 1989 en *NRC Handelsblad*, 27 feb. 1990.

58 Jan de Veer, Sicco L. Mansholt, Gert van Dijk en Cees P. Veerman, 'Tien stellingen over groen post-MacSharry. Naar een vaste grondslag in het Europese landbouwbeleid', *Spil* (1992) nr. 107-108, p. 18-22; *NRC Handelsblad*, 12 juni 1993; *Brabants Nieuwsblad*, 19 feb. 1994.

59 Particulier archief Mansholt, brief aan A.J. Louwes, 20 jan. 1994; *Brabants Nieuwsblad*, 19 feb. 1994.

60 NAA, televisie-uitzending *Bij Ischa*, VARA, 17 dec. 1975; IISG, archief Mansholt, inv.nr.

384, correspondentie en interviews naar aanleiding van het televisie-interview met Ischa Meijer; interview Koster, 9 aug. 2005.

61 Interview Mansholt-Postel, 3 juni 1997.

62 NAA, radio-uitzending *Een leven lang*, NOS, 5 okt. 1990.

63 Interview Aghina-Mansholt, 12 feb. 2005.

## NOTEN BIJ EPILOOG

1 Kopie brief 17 mrt. 1991 in het bezit van de familie Aghina-Mansholt.

2 Interview Mansholt, *De Groene Amsterdammer*, 22 mrt. 1995; NAA, radio-uitzending *Een leven lang*, NOS. 5 okt. 1990.

3 Nypels en Tamboer, 'De man Mansholt'.

4 NAA, radio-uitzending *Meer over minder*, NOS, 4 juli 1990.

5 Frank Westerman, *De graanrepubliek* (Amsterdam en Antwerpen 1999); particulier archief Mansholt, map met correspondentie naar aanleiding van het boek van Westerman.

6 https://nl.wikipedia.org/wiki/Sicco_Mansholt (4 jan. 2019).

7 Westerman, *De graanrepubliek*, p. 27, 30-32 en 227.

8 J. Kol en B. Kuijpers, 'De landbouw wordt duur betaald', *ESB* 84 (1999), p. 724.

9 Interview Mansholt, *Het Vrije Volk*, 31 dec. 1964.

10 NAA, radio-uitzending *Meer over minder*, NOS, 4 juli 1990, interview Van der Goes van Naters.

11 NAA, radio-uitzending *Een leven lang*, NOS, 5 okt. 1990.

12 Kol en Kuijpers, 'De landbouw wordt duur betaald', p. 724.

13 *OECD-FAO Agricultural outlook: 2005-2014, highlights*, www.oecd.org/dataoecd/32/51/35018726.pdf (4 jan. 2019).

14 NAA, televisie-uitzending *Bij Ischa*, VARA, 17 dec. 1975; interview Van der Lee, 3 aug. 2005.

15 *De Groene Amsterdammer*, 10 juni 2005.

# Lijst van afkortingen

| | |
|---|---|
| AJC | Arbeiders Jeugd Centrale |
| ANLB | Algemene Nederlandse Landarbeidersbond |
| ANP | Algemeen Nederlands Persbureau |
| ARP | Anti-Revolutionaire Partij |
| BBC | British Broadcasting Corporation |
| BMGN | *Bijdragen en Mededelingen betreffende de Geschiedenis der Nederlanden* |
| BNP | Bruto Nationaal Product |
| BS | Binnenlandse Strijdkrachten |
| BWN | *Biografisch Woordenboek van Nederland* |
| BWSAN | *Biografisch Woordenboek van het Socialisme en de Arbeidersbeweging in Nederland* |
| BZ | Buitenlandse Zaken |
| CAP | common agricultural policy |
| CBTB | Christelijke Boeren- en Tuindersbond |
| CCD | Centrale Controledienst |
| CDU | Christlich-Demokratische Union |
| CEH | *Contemporary European History* |
| CHU | Christelijk-Historische Unie |
| CIA | Central Intelligence Agency |
| CNV | Christelijk Nationaal Vakverbond |
| COPA | Comité des Organisations Professionelles Agricoles |
| Coreper | Comité des Représentants Permanents |
| CPG | Centrum voor Parlementaire Geschiedenis |
| CSA | Comité Spécial Agriculture |
| CSU | Christlich-Soziale Union |
| D'66 | Democraten '66 |
| DBV | Deutsche Bauernverband |
| DDR | Duitse Democratische Republiek |
| DG | directoraat-generaal |
| DIO | Directie Internationale Organisaties |
| DOMO | Drentse Ondermelk-Organisatie |

| | |
|---|---|
| ECA | European Currency Agency |
| EDG | Europese Defensiegemeenschap |
| EEC | European Economic Community |
| EEG | Europese Economische Gemeenschap |
| EG | Europese Gemeenschap |
| EGKS | Europese Gemeenschap voor Kolen en Staal |
| EPG | Europese Politieke Gemeenschap |
| ESB | Economisch-Statistische Berichten |
| EU | Europese Unie |
| EVA | Europese vrijhandelszone |
| EWG | Europäische Wirtschafts Gemeinschaft |
| EZ | Economische Zaken |
| FAO | Food and Agriculture Organisation |
| FRUS | *Foreign relations of the United States: diplomatic papers* |
| GAC | Grote Adviescommissie der Illegaliteit |
| GATT | General Agreement on Tariffs and Trade |
| GLB | gemeenschappelijk landbouwbeleid |
| HAEC | Historisch Archief van de Europese Commissie |
| hbs | hogereburgerschool |
| HEK | *Verslag der Handelingen van de Eerste Kamer der Staten-Generaal* |
| HML | Hollandsche Maatschappij voor Landbouw |
| HP | *Haagse Post* |
| HTK | *Verslag der Handelingen van de Tweede Kamer der Staten-Generaal* |
| IAO | Instituut voor Arbeidersontwikkeling |
| IFAP | International Federation of Agricultural Producers |
| IISG | Internationaal Instituut voor Sociale geschiedenis |
| inv.nr. | inventarisnummer |
| JEIH | *Journal of European Integration History* |
| KAB | Katholieke Arbeidersbeweging |
| KDC | Katholiek Documentatiecentrum |
| KHA | *Keesings Historisch Archief* |
| KLB | Kennedy Library Boston |
| KNBTB | Katholieke Nederlandse Boeren- en Tuindersbond |
| KNLC | Koninklijk Nederlands Landbouwcomité |
| KP | knokploeg |
| KSG | Kolen- en Staalgemeenschap |
| KVP | Katholieke Volkspartij |
| LEF | Landbouwegalisatiefonds |
| LEI | Landbouw-Economisch Instituut |

537

| | |
|---|---|
| LO | Landelijke Organisatie voor Hulp aan Onderduikers |
| LVV | Landbouw, Visserij en Voedselvoorziening |
| MG | Militair Gezag |
| MIT | Massachusetts Institute of Technology |
| MKLS | Middelbare Koloniale Landbouwschool |
| MLG | Maatschappij van Landbouw in de Provincie Groningen |
| MLO | moderne landbouwondernemingen |
| MR | ministerraad |
| MTS | middelbare technische school |
| MvA | Memorie van Antwoord |
| NA | Nationaal Archief |
| NAA | Nederlands Audiovisueel Archief |
| NATO | North Atlantic Treaty Organisation |
| NAVO | Noord-Atlantische Verdragsorganisatie |
| NCB | Noord-Brabantse Christelijke Boerenbond |
| NCBTB | Nederlandse Christelijke Boeren- en Tuindersbond |
| NCLB | Nederlandse Christelijke Landarbeidersbond |
| NLC | Nederlands Landbouwcomité |
| NOS | Nederlandse Omroepstichting |
| NRC | *Nieuwe Rotterdamse Courant* |
| NSA | National Security Agency |
| NSB | Nationaal-Socialistische Beweging |
| NVV | Nederlands Verbond van Vakverenigingen |
| OEES | Organisatie voor Europese Economische Samenwerking |
| OESO | Organisatie voor Economische Samenwerking en Ontwikkeling |
| PB | partijbureau |
| PBO | publiekrechtelijke bedrijfsorganisatie |
| PE | productie-eenheden |
| PPR | Politieke Partij Radicalen |
| PV | permanente vertegenwoordiger |
| PVDA | Partij van de Arbeid |
| REA | raad voor economische aangelegenheden |
| RecoBAA | Regeringscommissariaat voor de Buitenlandse Agrarische Aangelegenheden |
| RKLB | Rooms Katholieke Landarbeidersbond |
| RKSP | Rooms-Katholieke Staatspartij |
| S&D | *Socialisme en Democratie* |
| SD | Sicherheitsdienst |

| | |
|---|---|
| SDAP | Sociaal-Democratische Arbeiderspartij |
| SER | Sociaal-Economische Raad |
| SHAEF | Supreme Headquarters Allied Expeditionary Force |
| SPD | Sozialdemokratische Partei Deutschlands |
| TNC | Transnational Corporation |
| UNCTAD | United Nations Conference on Trade and Development |
| UNR | Union pour la Nouvelle République |
| USA | United States of America |
| VARA | Vereniging van Arbeiders-Radio-Amateurs |
| VN | Verenigde Naties |
| VS | Verenigde Staten |
| VSI | Verenigde Staten van Indonesië |
| VVD | Volkspartij voor Vrijheid en Democratie |

# Bronnen en literatuur

ARCHIEVEN

Centraal Archief Tweede Kamer, Den Haag,
    archief vaste commissie voor Landbouw.
Centrum voor Parlementaire Geschiedenis,
    Nijmegen, collectie Duynstee.
Historisch Archief van de Europese Commissie,
    Brussel (HAEC), archief kabinet Mansholt
    1958-1969.
HAEC, notulen Europese Commissie.
Internationaal Instituut voor Sociale
    Geschiedenis, Amsterdam (IISG), archief
    Mansholt.
IISG, archief Mozer.
IISG, archief Stichting van de Arbeid.
Katholiek Documentatiecentrum (KDC),
    archief Algemeen Katholiek Werkgevers
    Verbond.
Kennedy Library, Boston, the papers of John F.
    Kennedy.
Ministerie van Landbouw, Den Haag, archief
    van het kabinet van de minister 1945-1960.
Nationaal Archief, Den Haag (NA), archief
    Algemene Zaken.
NA, archief Andreae.
NA, archief Beugel, van der.
NA, archief Burger.
NA, archief Drees.
NA, archief Egas.
NA, archief Klompé.
NA, archief Louwes.
NA, archief Romme.
NA, archief Schermerhorn.
NA, archief Vondeling.
NA, archief Wiegel.
NA, notulen Ministerraad.
NA, notulen Raad voor Economische
    Aangelegenheden.
Particulier archief Mansholt, Nijmegen, in 2011
    toegevoegd aan IISG, archief Mansholt.
Petra Kelly Archiv, Berlijn.

AUDIOVISUEEL MATERIAAL

Nederlands Audiovisueel Archief, Hilversum
    (NAA), radiotoespraak minister Mansholt,
    20 juli 1945.
NAA, radio-uitzending *Dit is uw leven*, VARA,
    26 apr. 1964.
NAA, televisie-uitzending *Achter het Nieuws*,
    VARA, 1 jan. (?) 1972.
NAA, radio-uitzending *ZI*, VARA, 29 dec. 1973.
NAA, televisie-uitzending *Bij Ischa*, VARA,
    17 dec. 1975.
NAA, radio-uitzending *ZI en de herenboer*, deel 1,
    VARA, 25 nov. 1978.
NAA, radio-uitzending *ZI en de herenboer*, deel 2,
    VARA, 2 dec. 1978.
NAA, radio-uitzending *Meer over minder*, NOS,
    4 juli 1990.
NAA, radio-uitzending *Een leven lang*, NOS,
    5 okt. 1990.
NAA, televisie-uitzending *'Ik geloof dat we nog
    geen stap verder zijn'*, HV, 12 mrt. 1993.

AANGEHAALDE BRONNEN VAN HET
INTERNET

Van de in de eerste druk uit 2006 opgenomen
internetbronnen bleek in 2019 geen enkele meer
te werken. Aparte vermelding heeft weinig zin.
De geactualiseerde bronnen, inclusief geraad-
pleegde datum, zijn verwerkt in de noten.

GEVOERDE GESPREKKEN

Th. Aghina-Mansholt, 24 mei 2002, 21 nov.
    2003, 12 feb. 2005.
G.W.B. Borrie, 5 nov. 2003 (telefonisch).
J.R.M. van den Brink, 5 nov. 1997.
P.R. Dijkhuis, 25 feb. 2005 (telefonisch).
J.G. Hazewinkel, 12 nov. 2003 (telefonisch).

A. Koster, 9 aug. 2005.

J.J. van der Lee, 20 aug. 1997, 14 juli 1998, 3 aug. 2005.

S.L. Mansholt, 16 mrt. 1993.

H.J. Mansholt-Postel, 3 juni 1997.

J.B. Postel, 18 nov. 2003, 8 en 10 aug. 2005 (telefonisch).

G. Rencki, mei 2006 (telefonisch).

W.J. van Slobbe, 19 dec. 2001, 4 aug. 2005 (telefonisch).

PERIODIEKEN

Accent.
Agrarisch Dagblad.
Algemeen Agrarisch Archief.
Algemeen Dagblad.
Algemeen Handelsblad.
De Boerderij.
Brabants Dagblad.
Brabants Nieuwsblad.
Bulletin van de Europese Gemeenschappen.
Cultura.
Economisch-Statistische Berichten (ESB).
Elsevier.
Elseviers Weekblad.
Europa Bulletin.
Europa van morgen.
Foreign Agriculture.
De Groene Amsterdammer.
The Guardian.
Haagse Post.
Hervormd Nederland.
HP/De Tijd.
Internationale Spectator.
Jaarverslag van de Stichting voor de Landbouw.
Keesings Historisch Archief (KHA).
Margriet: weekblad voor vrouwen en meisjes.
Nederlandse Staatscourant.
New York Times.
Nieuwe Langendijker Courant.
Nieuwsblad van het Noorden.
Nieuwe Rotterdamse Courant (NRC).
NRC Handelsblad.
Officieel orgaan Nederlandse Zuivelbond (FNZ).
Parlement en Kiezer, jaarboekje.
Het Parool.
Privé.
Socialisme en Democratie (S&D).

De Socialistische Gids. Maandschrift der Sociaal-Democratische Arbeiderspartij.
Spil. Tijdschrift met bijdragen over de problemen van de landbouw en van de plattelandssamenleving.
De Stem.
De Telegraaf.
De Tijd.
Time.
The Times.
Trouw.
Het Vaderland.
De Volkskrant.
Het Vrije Volk.
Vrij Nederland.
Winkler Prins boek van het jaar.

AANGEHAALDE LITERATUUR EN GEDRUKTE BRONNEN

25 jaar Landbouwschap 1954-1979 (Den Haag 1980).

Abma, A., 'Het Plan van de Arbeid en de SDAP' in: C.B. Wels (red.), Vaderlands verleden in veelvoud. Opstellen over de Nederlandse geschiedenis na 1500, deel 2 (tweede druk 1980).

Achterop, S.H., P. v.d. Wal en G.G. Wolthuis, Meeden. Geschiedenis van een Gronings dorp (Groningen 1969).

Adenauer, Konrad, Erinnerungen 1959-1963. Fragmente (Stuttgart 1968).

Advies van de 'commissie van zes' aan het permanent overlegorgaan van PvdA, D'66 en PPR (z.pl. 1972).

Albeda, Wil, Ik en de verzorgingsstaat (Maastricht 2004).

Ammerlaan, Robbert, Het verschijnsel Schmelzer. Uit het dagboek van een politieke teckel (Leiden z.j.).

Ancona, Hedy d', Het persoonlijke is politiek (Amsterdam en Antwerpen 2003).

Asbeek Brusse, Wendy, 'The dutch socialist party' in: Richard T. Griffiths (red.), Socialist parties and the question of Europe in the 1950's (Leiden 1993).

Averyt Jr., William F., Agropolitics in the European Community. Interest groups and the Common Agricultural Policy (New York 1977).

Baalen, C.C. van, *Paradijs in oorlogstijd? Onderduikers in de Noordoostpolder 1942-1945* (Zwolle 1986).

Baar, Jan van e.a. (red.), *Verzet in West-Friesland. De illegaliteit in westelijk West-Friesland en in de Wieringermeer in de jaren 1940-'45* (Schoorl 1990).

Bakker, A. en M.M.P. van Lent, *Pieter Lieftinck 1902-1989. Een leven in vogelvlucht* (Utrecht en Antwerpen 1989).

Ball, George W., *The past has another pattern. Memoirs* (New York en Londen 1982).

Ballegooijen, C.W.M. van, 'Een geschiedenis van de Tariefcommissie' in: F.H.M. Possen (red.), *Van Tariefcommissie naar Douanekamer* (Amsterdam 2002).

Bange, Oliver, *The EEC crisis of 1963: Kennedy, MacMillan, de Gaulle and Adenauer in conflict* (Londen en New York 2000).

Bank, Jan, *Katholieken en de Indonesische revolutie* (Baarn 1983).

Bekke, Hans, Jouke de Vries en Geert Neelen, *De salto mortale van het ministerie van Landbouw, Natuurbeheer en Visserij* (Alphen aan den Rijn 1994).

Berg, J. van den, *De anatomie van Nederland* (Amsterdam 1967).

Beugel, E.H. van der, *De westelijke samenwerking en haar consequenties voor het eigen ambtelijk apparaat* (Den Haag 1964).

Beyen, J.W., *Het spel en de knikkers. Een kroniek van vijftig jaren* (Rotterdam 1968).

*Biografisch woordenboek van het socialisme en de arbeidersbeweging in Nederland (BWSAN)*, deel 1 t/m 9 (Amsterdam 1986-2003).

*Biografisch woordenboek van Nederland (BWN)*, deel 1 t/m 5 (Den Haag 1979-2001).

Blankenhorn, Herbert, *Verständnis und Verständigung. Blätter eines politischen Tagebuchs 1949-1979* (Frankfurt 1980).

Bleich, Annet, *Een partij in de tijd. Veertig jaar Partij van de Arbeid 1946-1986* (Amsterdam 1986).

Bockxmeer, Annemieke van, 'Boerenland in boerenhand. E.J. Roskam Hzn., F.E. Posthuma, het Nederlandsch Agrarisch Front en de Nederlandsche Landstand', *Archievenblad* 107 (2003).

Bodenheimer, Susanne J., *Political union: a microcosm of European politics 1960-1966* (Leiden 1967).

Boersma, Jaap en Jeroen Terlingen, *Wat ik nog zeggen wilde* (Amsterdam 1985).

Bogaarts, M.D., *Parlementaire geschiedenis van Nederland na 1945, deel 2, De periode van het kabinet-Beel 3 juli 1946-7 augustus 1948*, band A t/m D (Nijmegen 1989-1995).

Bos, Anne, Johan van Merriënboer en Jacco Pekelder, 'Het parlement' in: Carla van Baalen en Jan Ramakers (red.), *Parlementaire geschiedenis van Nederland na 1945, deel 5, Het kabinet Drees III 1952-1956. Barsten in de brede basis* (Den Haag 2001).

Bosman, J.J. en P.C. Bosman (red.), *De polder onder water. Het verslag van de onderwaterzetting van de Wieringermeerpolder in 1945* (Leeuwarden 1995).

Bosmans, J., Romme. *Biografie 1896-1946* (Utrecht 1991).

Bossuat, Gérard, 'Robert Marjolin dans la tourmente de la chaisse vide' in: Institut de France, *Colloque du mardi 9 decembre 2003 consacré a Robert Marjolin* (Parijs 2004).

Botke, Ynte, *Boer en heer, 'De Groninger boer' 1760-1960* (Assen 2002).

Bouman, P.J., 'Komen en gaan. Vijf generaties in de Groninger landbouw, 1837-1962' in: *Wetenschap en werkelijkheid: bundel Prof. Dr. P.J. Bouman aangeboden bij zijn afscheid als hoogleraar aan de Rijksuniversiteit te Groningen* (Assen 1967).

Breedveld, Willem en John Jansen van Galen, *Gaius. De onverstoorbare gang van W.F. de Gaay Fortman* (Utrecht 1996).

Brink, A. van den, *Structuur in beweging: het landbouwstructuurbeleid in Nederland 1945-1985* (Wageningen 1990).

Brinkman, M., 'Drees en de Partij van de Arbeid. De betrekkingen van Drees als minister en minister-president met de partijorganen van de PvdA (1946-1958)' in: H. Daalder en N. Cramer (red), *Willem Drees* (Houten 1988).

Brinkman, Maarten, *Willem Drees, de SDAP en de PvdA* (Amsterdam 1998).

Broder Krohn, Hans en Günter Schmitt, *Agrarpolitik für Europa* (Hannover 1962).

Brouwer, Jan Willem en Johan van Merriënboer,

*Van buitengaats naar Binnenhof. P.J.S. de Jong, een biografie* (Den Haag 2001).

Brugmans, Hendrik, *Wij, Europa. Een halve eeuw strijd voor emancipatie en Europees federalisme* (Leuven en Amsterdam 1988).

Brugsma W.L., 'In memoriam Sicco Mansholt', *S&D* 52 (1995).

Brugsma, W.L., 'Boebie, die oliecrisis gaat toch niet kwakkelen, hè?', *HP/De Tijd*, 2 mei 1997.

Bruin, Robert de, *Les Pays Bas et l'integration européenne 1957-1967* (Parijs 1977).

Burckhardt-Reich, Barbara en Wolfgang Schumann, *Agrarverbände in der EG* (Kehl am Rhein/Strassburg 1985).

Burg, Margreet van der, 'Th.W.S. Mansholt. Pedagoge in de plattelandspraktijk' in: Mineke van Essen en Mieke Lunenberg (red.), *Vrouwelijke pedagogen in Nederland* (Nijkerk 1991).

Cassese, Sabino en Giacinto della Cananea, 'The Commission of the European Economic Community: the administrative rammifications of its political development (1957-1967) in: Erk Volkmar Heyen e.a. (red.), *Jahrbuch für Europäische Verwaltungsgeschichte*, deel 4, *Die Anfänge der Verwaltung der Europäischen Gemeinschaft* (Baden-Baden 1992).

Cointat, Michel, *Les couloirs de l'Europe* (z.pl. 2001).

Condorelli Braun, Nicole, *Commissaires et juges dans les communautés Européennes* (Parijs 1972).

Coombes, David, *Politics and bureaucracy in the European Community. A portrait of the commission of the EEC* (Londen 1970).

*De coöperatieve vlasfabriek "Dinteloord" g.a. gedurende 25 jaren 1920-1945* (Dinteloord 1946).

Corse Paolo Boccia, 'The United States and the "Green Pool" Negotiations: 1950-1955' in: Richard T. Griffiths en Brian Girvin (red.), *The green pool and the origins of the common agricultural policy* (Londen 1995).

Couve de Murville, Maurice, *Une politique étrangère 1958-1969* (Parijs 1971).

Daalder, H. en N. Cramer (red.), *Willem Drees* (Houten 1988).

Daalder, Hans, *Gedreven en behoedzaam. Willem Drees 1886-1988. De jaren 1940-1948* (Amsterdam 2003).

Daalder, Hans, *Vier jaar nachtmerrie. Willem Drees 1886-1988. De Indonesische kwestie 1945-1949* (Amsterdam 2004).

Dahrendorf, Ralf, *Plädoyer für die Europäische Union* (München 1973).

*De Gaulle en son siècle. Actes des Journées internationales tenues à l'Unesco Paris, 19-24 nov. 1990*, deel 5, *Europe* (Parijs 1992).

N.V. Deli-maatschappij, *Gedenkschrift bij gelegenheid van het zestigjarig bestaan aansluitende bij het gedenkboek van 1 November 1919* (Amsterdam 1929).

Delorme, Hélène, 'La rôle des forces paysannes dans l'éloberation de la politique agricole commune', *Revue française de science politique* 19 (1969).

Diepen, Remco van, 'The Netherlands Atlantic Association: the first fourty years', *Atlantisch perspectief* 26 (2002).

Dierikx, M.L.J. e.a. (red.), *Nederlandse Ontwikkelingssamenwerking: bronnenuitgave*, deel 1, *1945-1963* (Den Haag 2002).

Dijksman, Daan, 'De politieke ambtenaar', *Haagse Post*, 27 mei 1978.

DiLeo, David L., 'George Ball and the Europeanists in the State Department, 1961-1963' in: Douglas Brinkley en Richard T. Griffiths (red.), *John F. Kennedy and Europe* (Baton Rouge 1999).

Directie van de Wieringermeer, *Tien jaar Wieringermeer 1930/40* (Alkmaar 1940).

Dissel, A.M.C. van, *59 jaar eigengereide doeners in Flevoland, Noordoostpolder en Wieringermeer. Rijksdienst voor de IJsselmeerpolders 1930-1989* (Zutphen 1991).

Drees sr., W., 'Wat men een interview noemt', *Accent*, 15 apr. 1972.

Drees, W., *Van mei tot mei. Persoonlijke herinneringen aan bezetting en verzet* (tweede druk, Assen 1959).

Drees, W., *De vorming van het regeringsbeleid* (Assen 1965).

Duynstee, F.J.F.M. en J. Bosmans, *Het kabinet Schermerhorn-Drees 24 juni 1945-3 juli 1946* (Assen en Amsterdam 1977).

'Economische integratie. Verslag van een gesprek waaraan deelgenomen werd door P.J. Kapteijn, mr. J.J. v.d. Lee, prof.dr. I. Samkalden, prof.dr. J. Tinbergen en drs. J.M. den Uyl', *S&D* 11 (1954).

*Elsevier Symposium. Europa: tot welke prijs? Amsterdam, 10 mei 1976* (Amsterdam 1976).

Enquêtecommissie regeringsbeleid 1940-1945, *Verslag houdende de uitkomsten van het onderzoek,* deel 3a, *Verslag* (Den Haag 1949), deel 3c, *Verhoren* (Den Haag 1949) en deel 7c, *Verhoren* (Den Haag 1955)

Europa instituut Universiteit van Amsterdam, *Pressiegroepen in de EEG* (Deventer 1965).

Europese Beweging, *Atlantisch deelgenootschap en Europese integratie. Uitspraken van John F. Kennedy, president van de Verenigde Staten van Amerika 20 jan. '61- 22 nov. '63* (Den Haag 1964).

Faas, Henry, *Termieten en muskieten. Vernieuwing en vernieling in de Nederlandse politiek* (Den Haag z.j.).

Fasseur, C., 'Restauratie en revolutie', *BMGN* 110 (1994).

*Foreign relations of the United States: diplomatic papers* (FRUS), *1961-1963,* vol. IX (Washington 1995) en vol. XIII (Washington 1994); *1964-1968,* vol. VIII (Washington 1998) en vol. XIII (Washington 1995); *1969-1976,* vol. I (Washington 2003) en vol. III (Washington 2001).

Freisberg, Ernst, *Die Grüne Hürde Europas. Deutsche Agrarpolitik und EWG* (Keulen en Opladen 1965).

Gase, R.A., 'De PvdA en de eerste politionele actie', Vrij Nederland, 18 juli 1987.

Gase, Ronald, *Beel in Batavia. Van contact tot conflict. Verwikkelingen rond de Indonesische kwestie in 1948* (z.pl. 1986).

Gaulle, Charles de, *Mémoirs d'espoir. Le renouveau 1958-1962* (Parijs 1970).

*Gedenkboek aangeboden bij het vijfentwintig jarig bestaan der Middelbare Koloniale Landbouwschool te Deventer* (z.pl. 1937).

George, Stephen, *Politics and policy in the European Community* (tweede druk, Oxford 1991).

*De geschiedenis van het Koninklijk Neder-landsch Landbouw-Comité* (1884-1934) (z.pl. z.j.).

Geurts, H.M.L., *Herman Derk Louwes (1893-1960). Burgemeester van de Nederlandse landbouw* (Groningen en Wageningen 2002).

Giauque, Jeffrey G., 'The United States and the Political Union of Western Europe, 1958-1963', *Contemporary European History* 9 (2000).

Giebels, L.J., *Beel. Van vazal tot onderkoning. Biografie 1902-1977* (Den Haag en Nijmegen 1995).

Goes van Naters, M. van der, *Met en tegen de tijd. Herinneringen* (Amsterdam 1980).

Goldstone Rosenthal, Glenda, *The men behind the decisions. Cases in European policymaking* (Lexington 1975).

Götz, Hans Herbert, 'Die Krise 1965/66' in: Wilfried Loth, William Wallace en Wolfgang Wessels (red.), *Walter Hallstein. Der vergessene Europäer?* (Bonn 1995).

Griffiths, Richard T. en Alan Milward, 'The Beyen Plan and the European Political Community' in: Werner Maihofer (red.), *Noi si mura. Selected working papers of the European University Institute* (Florence 1986).

Griffiths, Richard T., 'The Mansholt plan' in: Richard T. Griffiths (red.), *The Netherlands and the integration of Europe* (Amsterdam 1990).

Griffiths, Richard T., '"Dank U mijnheer Monnet; ik zal er voor zorgen." Enige contrafactuele beschouwingen over het oprichten van organisaties en de oorsprong van de Europese integratie' in: M.Ph. Bossenbroek e.a. (red.), *Met de Franse slag. Opstellen voor H.L. Wesseling* (Leiden 1998).

Groeben, Hans von der, *Aufbaujahre der Europäischen Gemeinschaft. Das Ringen um den Gemeinsamen Markt und die Politische Union (1958-1966)* (Baden-Baden 1982).

Groeben, Hans von der, 'Walter Hallstein als Präsident der Kommission' in: Wilfried Loth, William Wallace en Wolfgang Wessels (red.), *Walter Hallstein. Der vergessene Europäer?* (Bonn 1995).

Groen, Koos, *Als slachtoffers daders worden. De zaak van de joodse verraadster Ans van Dijk* (Baarn 1994).

Groot, Tjeerd C. de, 'Het tweede plan-Mansholt. De tragiek van een landbouwcommissaris', Spil. Tijdschrift met bijdragen over
de problemen van de landbouw en van de
plattelandssamenleving (1995) afl. 135-136.

Hallstein, Walter, Die Europäische Gemeinschaft
(Düsseldorf en Wenen 1974).
Hannay, Sir David (red.), Britain's entry into
the European Community: report by Sir
Con O'Neill on the negotiations of 1970-1972
(Londen 2000).
Harryvan, A.G., J. van der Harst en S. van
Voorst (red.), Voor Nederland en Europa.
Politici en ambtenaren over het Nederlandse
Europabeleid en de Europese integratie, 1945-
1974 (Amsterdam 2001).
Harryvan, Anjo G., 'The Netherlands and the
administration of the EEC: early principles
and practices (1952-1965)' in: Erk Volkmar
Heyen e.a. (red.), Jahrbuch für Europäische
Verwaltungsgeschichte, deel 4, Die
Anfänge der Verwaltung der Europäischen
Gemeinschaft (Baden-Baden 1992).
Heath, Edward, The course of my life. My autobi-
ography (Londen 1988).
Heringa, B., 'De totstandbrenging van het
gemeenschappelijk landbouwbeleid (1958-
1968)' in: J. de Hoogh en H.J. Silvis (red.),
E.U.-landbouwpolitiek van binnen en van
buiten (vierde druk, Wageningen 1998).
Horring, J., 'De nieuwe koers in de landbouw-
politiek', ESB 34 (1949).
Horring, J., 'Hoeve "Nooitgedacht"', ESB 40
(1955).
Horring, J., 'De landbouw in mineur', ESB 41
(1956).
Huis, Frits en René Steenhorst, Bij monde van
Willem Drees. Levensschets van een groot
Nederlander (Utrecht en Antwerpen 1985).

Ibsen, Henrik, Bouwmeester Solness
(Nederlandse vertaling Karst Woudstra,
z.pl. 1979).

Jansen van Galen, John en Herman Vuijsje,
100 jaar: Drees wethouder van Nederland
(Houten 1986).
Janssens, J.W., De commissaris van de koningin:
historie en functioneren (Den Haag 1992)

Jenkins, Roy, European Diary 1977-1981 (Londen
1989).
Jong, L. de, Het Koninkrijk der Nederlanden in de
Tweede Wereldoorlog, deel 5, maart '41-juli
'42, eerste helft (Den Haag 1972), deel 9,
Londen, tweede helft (Den Haag 1979) en
deel 10 b, Het laatste jaar, tweede helft
(Den Haag 1982).
Jonkman, J.A., Nederland en Indonesië beide vrij.
Gezien vanuit het Nederlands Parlement.
Memoires (Assen en Amsterdam 1977.

Kamp, A.F., 'Nederlands twaalfde provincie'
in: Z.W. Sneller (red.), Geschiedenis van
den Nederlandschen landbouw 1795-1940
(Groningen en Batavia 1943).
Kelly, Petra K., 'Zum Abschied von Dr.
Sicco L. Mansholt. Ein humanistisches
Europa. "Bruttosozialprodukt" durch
"Bruttosozialglück"', Auslands-Kurier 13
(1972).
Kelly, Petra Karin, 'Mister New Europe', Vista of
the United Nations Association 8 (1973).
Keppel, Cees, Niek Brugman en Willy Maris-
Eriks, De inundatie van de Wieringermeer op
17 april 1945 (Wieringermeer 1995).
Klaassen, Wil, De progressieve samenwerking
van PvdA, D'66, PPR en PSP, 1966-1977
(Alphen aan den Rijn 2000).
Klein, Wim, 'De super-boer Sicco Leendert
Mansholt', Elseviers weekblad, 29 jan. 1966.
Kleinmann (red.), Hans-Otto, Heinrich Krone
Tagebücher, deel 2, 1961-1966 (Düsseldorf
2003).
Kluge, Ulrich, Vierzig Jahre Agrarpolitik in
der Bundesrepublik Deutschland, Band 1
(Hamburg en Berlijn 1989).
Knegtmans, Peter Jan, 'De jaren 1919-1946' in:
Maarten Brinkman, Madelon de Keizer en
Maarten van Rossem (red.), Honderd jaar
sociaal-democratie in Nederland 1894-1994
(Amsterdam 1994).
Knegtmans, Peter Jan, Socialisme en democratie.
De SDAP tussen klasse en natie (1929-1939)
(Amsterdam 1989).
Kol, J. en B. Kuijpers, 'De landbouw wordt duur
betaald', ESB 84 (1999).
Koopmans, T., 'Heptagonale constructies. De
wisselwerking tussen nationale en boven-
nationale administraties in de Europese

gemeenschappen' in: Maurice Lagrange e.a., *Besluitvorming in de EG: theorie en praktijk* (Deventer 1968).

Kop, P., *Statistiek van de Wieringermeerbevolking op 31 December 1942* (Alphen aan den Rijn 1949).

Kortenhorst, L.G., *Schets eener parlementaire geschiedenis van Nederland*, deel 5, *1940-1946* (Den Haag 1956).

Koster, H.J. de, 'Het "Netherlands government food purchasing bureau" te New York van 1941-1946', *ESB* 33 (1948).

Krips-Van der Laan, H.M.F., *Praktijk als antwoord: S.L. Louwes en het landbouwcrisisbeleid* (Groningen 1985).

Krips-Van der Laan, Hilde, *Woord en daad. De zoektocht van Derk Roelfs Mansholt naar een betere samenleving* (Groningen 1999).

Küsters, Hanns Jürgen (red.), *Adenauer. Teegespräche 1959-1961* (Berlijn 1988).


Laan, K. ter, *Multatuli en twee van zijn discipelen Mansholt en De Raaf met brieven van en over Multatuli* (Leiden 1949).

Laan, K. ter, *Groninger encyclopedie* (Groningen 1954-1955).

Lauring Knudsen, Ann-Christina, 'Creating the Common Agricultural Policy. Story of cereals prices' in: Wilfried Loth (red.), *Crises and compromises: the European project 1963-1969* (Baden-Baden 2001).

Lauring Knudsen, Ann-Christina, *Farmers on welfare. The making of Europe's common agricultural policy* (Ithaca en Londen 2009).

Lee, J.J. van der, 'Indrukken van een reis naar India en Pakistan', *S&D* 12 (1956).

Lemaignen, Robert, *L'Europe au berceau. Souvenirs d'un technocrate* (Parijs 1964).

Lennep, Emile van, *In de wereldeconomie. Herinneringen van een internationale Nederlander* (Leiden 1991).

Lennep, M.J. van, 'Römer', *Genealogysk Jierboekje* 5 (1963).

Lindberg, Leon en Stuart Scheingold, 'Agriculture and Transport policies' in: James Barber en Bruce Reed (red.), *European community. Vision and reality* (London 1973).

Lindberg, Leon L., *The political dynamics of European economic integration* (Londen 1963).

Linthorst Homan, J., *"Wat zijt ghij voor een vent". Levensherinneringen* (Assen 1974).

Loch, Theo M., *Die Neun von Brüssel* (Keulen 1963).

Loth, Wilfried, 'Hallstein und De Gaulle: die verhängnisvolle Konfrontation' in: Wilfried Loth, William Wallace en Wolfgang Wessels (red.), *Walter Hallstein. Der vergessene Europäer?* (Bonn 1995).

Louwes, H.D., 'De inwoners van de Marne aan het werk buiten hun gebied' in: *Vereeniging ter bevordering van landbouw en nijverheid te Leens, Gedenkboek 1841-1941* (z.pl., 1941).

Louwes, H.D., 'Waar mejuffrouw Mansholt tante Theda was' in: *Gedenkschrift Theda Mansholt 28 april 1879-7 december 1956* (Deventer z.j.).

Louwes, S.L., 'De voedselvoorziening' in: J.J. van Bolhuis e.a. (red.), *Onderdrukking en verzet. Nederland in oorlogstijd*, deel 2 (Arnhem en Amsterdam z.j.).

Louwes, S.L., 'Preadvies' in: Vereniging voor de Staathuishoudkunde, *Het EEG landbouwbeleid. Preadviezen* (Den Haag 1970).

Louwes, S.L., 'Het gouden tijdperk van het groene front; het landbouwbeleid in de na-oorlogse periode' in: *Nederland na 1945. Beschouwingen over ontwikkeling en beleid* (Deventer 1980).


Maas, P.F. en J.M.M.J. Clerx (red.), *Parlementaire geschiedenis van Nederland na 1945*, deel 3, *Het kabinet-Drees-Van Schaik 1948-1951*, band C, *Koude oorlog, dekolonisatie en integratie* (Nijmegen 1996).

*De mannen van overste Wastenecker. De geschiedenis van de B.S. in Noord-Hollands Noorderkwartier* (Den Helder 1947).

Mansholt, D.R., 'Eenige grepen uit de geschiedenis der Groninger Maatschappij voor Landbouw en Nijverheid', *Cultura* 24 (1912).

Mansholt, D.R., 'Proeve van onderzoek naar den invloed van inkomende rechten op den winkelprijs der voornaamste levensmiddelen', *Cultura* 24 (1912).

Mansholt, Derk Roelfs, *Vor einem halben Jahrhundert. Jugenderinnerungen eines Landwirtes aus dem Rheiderland um 1850* (herdruk, Leer 1990).

Mansholt, L.H., 'Derk Bartels', *De Socialistische*

Gids. Maandschrift der Sociaal-Democratische Arbeiderspartij 22 (1937).

Mansholt, L.H., 'Voorziening met vet in oorlogstijd', S&D 2 (1940).

Mansholt, S.L., 'Prijsvorming van landbouwproducten en grondrente' in: Geschriften van de Socialistische Vereeniging ter Bestudeering van Maatschappelijke Vraagstukken (Amsterdam 1940).

Mansholt, S.L., Enkele problemen van de Europese landbouwintegratie (Rotterdam 1953).

Mansholt, S.L., 'Nationale en internationale integratie van de landbouw', S&D 13 (1956).

Mansholt, S.L., 'Die Möglichkeiten einer gemeinsamen Agrarpolitik in der EWG', Agrarwirtschaft 9 (1960).

Mansholt, S.L., Europa en de wereld. Inleiding voor het jaarlijks congres van de Europese Beweging in Nederland op 26 mei 1962 in Rotterdam (z.pl. 1962).

Mansholt, S.L., Samenvatting van de redevoering gehouden ter gelegenheid van de Europese manifestatie in de Ridderzaal te Den Haag op 22 februari 1963 (z.pl. 1963).

Mansholt, S.L., 'Landbouw van morgen' in: De Contactcommissie voor Natuur- en Landschapsbescherming, Landbouw en landschap van morgen. Verslag van de op 8 november 1969 in de stadsschouwburg te Utrecht gehouden plenaire vergadering (Amsterdam 1970).

Mansholt, S.L., 'De verhouding Europa - Amerika en de actuele toestand van de Gemeenschap', Internationale Spectator 25 (1971).

Mansholt, S.L., 'Modern socialisme', S&D 28 (1971).

Mansholt, S.L., 'Het waddengebied, testcase voor Europees natuurbehoud', Waddenbulletin 7 (1972).

Mansholt, S.L., 'Herinneringen uit mijn jeugd' in: De vereniging ter bevordering van Landbouw en Nijverheid te Leens (red.), Gedenkboek Nijverheid 1991, deel 1, Historie van de Marne (z.pl. 1991).

Mansholt, S.L., 'Persoonlijke herinnering aan Koningin Wilhelmina' in: C.A. Tamse (red.), Koningin Wilhelmina (Alphen aan den Rijn 1981).

Mansholt, S.L., 'So war's mal und was nun?' in: Antoinette Panhuis (red.), Rencontres. Reflections on Europe, agriculture and the churches in honour of Helmut von Verschuer. Festschrift zum 65. Geburtstag (Brussel 1991).

Mansholt, Sicco, Die Krise. Europa und die Grenzen des Wachstums: Aufzeichnung von Gesprächen mit Janine Delaunay und Freimut Duve (Reinbek bei Hamburg 1974).

Mansholt, Sicco, La crise (Parijs 1974).

Mansholt, Sicco, De crisis (Amsterdam 1975).

Mansholt, Sicco, 'Den Uyl en het milieu' in: John Jansen van Galen en Herman Vuijsje, Joop den Uyl. Politiek als hartstocht (tweede druk Houten 1992).

Mansholt, Sicco, 'Wetenschappelijk inzicht en politieke onmacht' in: Dick Pels en Gerard de Vries (red.), Burgers en vreemdelingen. Opstellen over filosofie en politiek (Amsterdam 1994).

Mansholt, W.H., 'Reglementeering der prostitutie' in: Pro en contra. Betreffende vraagstukken van algemeen belang (Baarn 1906).

Mansholt-Andreae, W., 'Vrouwenkiesrecht', De Socialistische Gids. Maandschrift der Sociaal-Democratische Arbeiderspartij 1 (1916).

Mansholt-Andreae, W., 'De vrouw in het gezin', De Socialistische Gids. Maandschrift der Sociaal-Democratische Arbeiderspartij 3 (1918).

Mansholt-Andreae, W., 'Lindsey's boeken', De Socialistische Gids. Maandschrift der Sociaal-Democratische Arbeiderspartij 15 (1930).

Mansholt-Andreae, W., 'Wordend huwelijk', De Socialistische Gids. Maandschrift der Sociaal-Democratische Arbeiderspartij 17 (1932).

Marjolin, Robert, Le travail d'une vie. Mémoires 1911-1986 (Parijs 1986).

Mayne, Richard, De gemeenschappelijke markt. Verleden, heden en toekomst van de EEG (Utrecht en Antwerpen 1964).

Meade, J.E., Planning and the price mechanism. The liberal-socialist solution (Londen 1948).

Meerssche, P. van de, Van Jalta tot Malta. Politieke geschiedenis van Europa (Antwerpen 1990).

Meerssche, Paul van de, Het Europees openbaar ambt (Leuven 1965).

Meerssche, Paul van de, *Europa morgen. Integratie of desintegratie?* (Antwerpen 1972).

Meijers, Clara C., 'Boeren eensgezinder dan hun melkprijs', *Zuivelzicht* 67 (1975).

Mellink, A.F., 'Lambertus Helprig Mansholt, Gronings socialistisch boer (1875-1945)' in: Ph.H. Breuker en Michaël Zeeman (red.), *Freonen om ds. J.J. Kalma hinne. Stúdzjes, meast oer Fryslân, foar syn fiifensantichste jierden* (Ljouwert/Leeuwarden 1982).

Mensing, Hans Peter, *Adenauer. Teegespräche 1961-1963* (Berlijn 1992).

Merriënboer, J.C.F.J. van, 'Sicco Mansholt oogst lof' in: P.F. Maas (red.), *Parlementaire geschiedenis van Nederland na 1945*, deel 3, *Het kabinet-Drees-Van Schaik 1948-1951*, band A, *Liberalisatie en sociale ordening* (Nijmegen 1991).

Merriënboer, J.C.F.J. van, 'Het avontuur van Sicco Mansholt', *Politieke opstellen* 15/16 (1996).

Merriënboer, J.C.F.J. van, 'Landbouw: minder boter, meer kanonnen' in: J.J.M. Ramakers (red.), *Parlementaire geschiedenis van Nederland na 1945*, deel 4, *Het kabinet-Drees II 1951-1952. In de schaduw van de Koreacrisis* (Nijmegen 1997).

Merriënboer, Johan van, 'De moeizame start van de Consumentenbond', *Politieke opstellen* 18 (1998).

Merriënboer, Johan van, 'Politiek rondom het mandement van 1954' in: Carla van Baalen en Jan Ramakers (red.), *Parlementaire geschiedenis van Nederland na 1945*, deel 5, *Het kabinet-Drees III 1952-1956. Barsten in de brede basis* (Den Haag 2001).

Merriënboer, Johan van, 'Het kabinet van de bestedingsbeperking' in: Jan Willem Brouwer en Peter van der Heiden (red.), *Parlementaire geschiedenis van Nederland na 1945*, deel 6, *Het kabinet-Drees IV en het kabinet-Beel II 1956-1959. Het einde van de rooms-rode coalitie* (Den Haag 2004).

Merriënboer, Johan van, 'Een Groningse held? Niet Sicco, maar zijn vader!', *Stad en Lande. Cultuurhistorisch Tijdschrift* 15 (2006) nr. 4.

Merriënboer, Johan van, 'Vier wetenswaardigheden over Mansholt en het Verdrag van Rome' in: Gerda Verburg e.a., *Vijftig jaar*

*Verdrag van Rome. De betekenis van landbouw voor één Europa* (Den Haag 2007).

Merriënboer, Johan van, 'Commissioner Mansholt and the creation of the CAP' in: K. Patel (red.), *Fertile ground for Europe? The history of European integration and the common agricultural policy since 1945* (Baden-Baden 2009).

Merriënboer, Johan van, 'Baanbreker en volbloed Europeaan. Sicco Mansholt' in: Gerrit Voerman, Bert van den Braak en Carla van Baalen (red.), *De Nederlandse Eurocommissarissen* (Amsterdam 2010).

Merriënboer, Johan van, *Mansholt. A biography* (Brussel 2011).

Merriënboer, Johan van, 'Sicco Mansholt and "Limits to Growth"', in: Claudia Hiepel (red.), *Europe in a globalising world. Global challenges and European responses in the "long" 1970s* (Baden-Baden 2014).

Merriënboer, Johan van, 'Sicco Mansholt (1972-1973): high profile substitute' in: Jan van der Harst en Gerrit Voerman, *An impossible job? - The presidents of the European Commission* (Londen 2015).

Merriënboer, Johan van, 'De impact van Mansholt op natuur, landinrichting en milieu', *Tijdschrift voor Biografie* 6 (2017) nr. 2.

Metzemaekers, L., 'De belangengroepen en hun invloed op de beslissingen van de EEG' in: Maurice Lagrange e.a., *Besluitvorming in de Europese gemeenschappen: theorie en praktijk* (Deventer 1968).

Metzemaekers, L.A.V., *Alfred Mozer. Hongaar, Duitser, Nederlander, Europeaan* (z.pl., z.j.).

Meyer, Jan-Henrik, *Appropriating the environment. How the European institutions received the novel idea of the environment and made it their own* (Berlijn 2011).

Meyers, Jan, *Mussert, een politiek leven* (Amsterdam 1984).

Milward, Alan S., *The European rescue of the Nation-State* (Londen 1992).

Mittag, Jürgen en Wolfgang Wessels, 'Die Gipfelkonferenzen von Den Haag (1969) und Paris (1972): Meilensteine für Entwicklungstrends der Europäischen Union?' in: Franz Knipping en Matthias Schönwald (red.), *Aufbruch zum Europa der zweiten Generation. Die europäische Einigung 1969-1984* (Trier 2004).

Modderman, P.W. (red.), *Gedenkboek van de Deli Planters Vereeniging* (Batavia 1929).

Molegraaf, J.H., *Boeren in Brussel. Nederland en het Gemeenschappelijk Europees Landbouwbeleid 1958-1971* (Utrecht 1999).

Molle, Leen van, *Ieder voor allen. De Belgische Boerenbond 1890-1990* (Leuven 1990).

Morsey, Rudolf, *Heinrich Lübke. Eine politische Biografie* (Paderborn 1996).

Mozer, Alfred, 'Nature and prospects of the Common Market', *Modern Age: a quarterly review* 8 (1963-1964).

Mozer, Alfred, 'Macht en gezag in de politiek' in: A. Mozer-Ebbinge en R. Cohen (red.), *Alfred Mozer. 'Gastarbeider' in Europa* (Zutphen 1980).

Mozer-Ebbinge, A. en R. Cohen (red.), *Alfred Mozer. 'Gastarbeider' in Europa* (Zutphen 1980).

Müller-Armack, Alfred, *Auf dem Weg nach Europa. Erinnerungen und Ausblicke* (Tübingen 1971).

Muth, Hanns Peter, *French agriculture and the political integration of western Europe* (Leiden 1970).

Naamlooze vennootschap Kultuur Maatschappij "Pasir Nangka", *Verslag over het 52ste boekjaar 1934* (Batavia 1935).

Narjes, Karl-Heinz, 'Walter Hallstein in der Frühfase der EWG' in: Wilfried Loth, William Wallace en Wolfgang Wessels (red.), *Walter Hallstein. Der vergessene Europäer?* (Bonn 1995).

Nekkers, J.A. en P.A.M. Malcontent (red.), *De geschiedenis van vijftig jaar Nederlandse ontwikkelingssamenwerking 1949-1999* (Den Haag 1999).

Neville-Rolfe, Edmund, *The politics of agriculture in the European Community* (Londen 1984).

Newhouse, John, *Collision in Brussels. The common market crisis of 30 june 1965* (Londen 1967).

Nieuwenhuize, Jaap, en Arend Voortman, 'Negentig jaren sociaal-democratische landbouwpolitiek. Visies en benaderingen in SDAP en PvdA', *Spil* (1984) nr. 33-34.

Noël, E., 'Témoignage: l'administration de la Communauté Européenne dans la rétrospective d'un ancien haut fonctionnaire' in: Erk Volkmar Heyen e.a. (red.), *Jahrbuch für Europäische Verwaltungsgeschichte*, deel 4, *Die Anfänge der Verwaltung der Europäischen Gemeinschaft* (Baden-Baden 1992).

Noël, Emile, 'Walter Hallstein: ein persönliches Zeugnis' in: Wilfried Loth, William Wallace en Wolfgang Wessels (red.), *Walter Hallstein. Der vergessene Europäer?* (Bonn 1995).

Nypels, Frans en Kees Tamboer, 'De man Mansholt', *Haagse Post*, 22 mrt. 1972.

Oerle, J.E.C.M. van e.a., 'Het parlement als een dwarslaesie in het dekolonisatieproces' in: P.F. Maas en J.M.M.J. Clerx (red.), *Parlementaire geschiedenis van Nederland na 1945*, deel 3, *Het kabinet-Drees-Van Schaik 1948-1951*, band C, *Koude oorlog, dekolonisatie en integratie* (Nijmegen 1996).

Oltmans, Willem L., *Grenzen aan de groei. 75 gesprekken over het rapport van de Club van Rome* (Utrecht 1973).

Oppelland, Torsten, '"Entangling alliances with none"- Neither de Gaulle nor Hallstein. The European politics of Gerhard Schröder in the 1965/66 crisis' in: Wilfried Loth (red.), *Crises and compromises: the European project 1963-1969* (Baden Baden 2001).

Parkin, Sara, *The life and death of Petra Kelly* (Londen 1994).

Pauvert (red.), Jean-Jacques, *La lettre Mansholt. Réactions et commentaires* (Parijs 1972).

*Persoonlijkheden in het Koninkrijk der Nederlanden in woord en beeld* (Amsterdam 1938).

Peyrefitte, Alain, *C'était de Gaulle. La France redevient la France* (Parijs 1994).

Peyrefitte, Alain, *C'était de Gaulle. La France reprend sa place dans le monde* (Parijs 1997).

Peyrefitte, Alain, *C'était de Gaulle. Tout le monde a besoin d'une France qui marche* (Parijs 2000).

Piers Ludlow, N., 'Influence and vulnerability: the role of the EEC Commission in the enlargement negotiations' in: Richard T. Griffiths en Stuart Ward (red.), *Courting the common market: the first attempt to enlarge the European Community 1961-1963* (Londen 1996).

Piers Ludlow, N., 'Challenging French leadership in Europe: Germany, Italy, the Netherlands and the outbreak of the empty chair crisis of 1965-1966', *Contemporary European History* 8 (1999).

Piers Ludlow, N., 'The eclips of the extremes. Demythologising the Luxembourg Compromise' in: Wilfried Loth (red.), *Crises and compromises: the European project 1963-1969* (Baden Baden 2001).

Piers Ludlow, N., 'A short-term defeat: the Community Institutions and the second British application to join the EEC' in: Oliver J. Daddow (red.), *Harold Wilson and European integration. Britain's second application to join the EEC* (Londen en Portland 2003).

Piers Ludlow, N., 'The making of the CAP: towards a historical analysis of the EU's first major policy', *Contemporary European History* 14 (2005).

Piers, D.A., *Wisselend getij. Geschiedenis van het Koninklijk Nederlands Landbouw-Comité over de periode 1934-1959* (z.pl. 1959).

Piët, Suzanne, 'Dr. Sicco Mansholt: "Ik ben eigenlijk een beetje een vagebond"', *De Tijd*, 9 mei 1975.

Pisani, Edgard, *Persiste et signe* (Parijs 1992).

*Het plan van de arbeid. Rapport van de commissie uit NVV en SDAP* (Amsterdam 1935).

Pompe, J.H., 'Politieke geschiedenis 1851-1982' in: A.H. van Zomeren e.a. (red.), *Geschiedenis van Zuidhorn* (Bedum 1986).

Praag jr., Philip van, *Strategie en illusie. Elf jaar intern debat in de PvdA* (Amsterdam 1990).

Prinsen J., 'Levensbericht van Johan Albert Leopold 1846-1922' in: *Handelingen van de maatschappij der Nederlandsche letterkunde te Leiden en levensberichten harer afgestorven medeleden 1923-1924* (Leiden 1924).

Puchinger, G., *Tilanus vertelde mij zijn leven* (Kampen 1966).

*PvdA Beginselprogramma* (Amsterdam 1978).

Ramonat, Wolfgang, 'Rationalist und Wegbereiter: Walter Hallstein' in: Thomas Jansen en Dieter Mahncke (red.), *Persönlichkeiten der Europäischen Integration. Vierzehn biografische Essays* (Bonn 1981).

*Rapport van de Club van Rome: De grenzen aan de groei* (Utrecht en Antwerpen [1972]).

Rehwinkel, Edmund, *Gegen den Strom. Erinnerungen eines niedersächsischen, deutschen und europäischen Bauernführers* (Dornheim 1974).

Rip, W., *Landbouw en publiekrechtelijke bedrijfsorganisatie* (Wageningen 1952).

Ritbergen-Siewers, W.N. van, 'De familie Mansholt, drie generaties kritische volgers van het Zuiderzeeproject' in: G.H.L. Tiesinga (red.), *Het Zuiderzeeproject: voor- en tegenstanders, plannenmakers en uitvoerders* (Zutphen 1990).

Roussel, Eric, *Jean Monnet 1988-1979* (Parijs 1996).

Rutten, M.H.J.C., 'Het samenspel tussen Commissie en Raad bij de besluitvorming in de Europese Gemeenschappen. Taak en betekenis van het Comité van Permanente Vertegenwoordigers' in: Maurice Lagrange e.a., *Besluitvorming in de Europese gemeenschappen: theorie en praktijk* (Deventer 1968).

Sandberg, H.W., *Grote advies-commissie der illegaliteit. Witboek over de geschiedenis van het georganiseerd verzet voor en na de bevrijding* (Amsterdam 1950).

Schaetzel, J. Robert, *The unhinged alliance. America and the European Community* (New York 1975).

Schermerhorn, W., *De boeren in onze volksgemeenschap* (Arnhem 1934).

Schermerhorn, W., *Minister-president in herrijzend Nederland* (Naarden 1977).

Schönwald, Matthias, 'Walter Hallstein and the "Empty chair" crisis 1965/1966' in: Wilfried Loth (red.), *Crises and compromises: the European project 1963-1969* (Baden Baden 2001).

Schwarz, Hans-Peter e.a. (red.), *Akten zur Auswärtigen Politik der Bundesrepublik Deutschland 1965*, deel 3, 1. *September bis 31. Dezember 1965* (München 1996).

Scichilione, Laura, 'The origins of the Common Environmental Policy. The contributions of Spinelli and Mansholt in the ad hoc

group of the European Commission'in:
Morten Rasmussen en Ann-Chistina L.
Knudsen (red.) *The road to a united Europe.
Interpretations of the process of European
Integration* (Brussel 2009).

Smit (red.), C., *Het dagboek van Schermerhorn.
Geheim verslag van prof.dr.ir. W.
Schermerhorn als voorzitter der com-
missie-generaal voor Nederlands-Indië
20 september 1946-7 oktober 1947,* deel 1
(Groningen 1970).

Smits, M., *Boeren met beleid. Honderd jaar
Katholieke Nederlandse Boeren- en
Tuindersbond 1896-1996* (Nijmegen 1996).

Snellen, E., 'In memoriam. U.J. Mansholt. 1869-
1911', *Cultura* 23 (1911).

*Het socialisatievraagstuk. Rapport uitgebracht
door de commissie aangewezen uit de SDAP*
(tweede druk Amsterdam en Rotterdam
1920).

Sonnemann, Theodor, *Gestalten und Gedanken.
Aus einem Leben für Staat und Volk*
(Stuttgart 1975).

Sperr, Monika, *Petra K. Kelly, Politikerin aus
Betroffenheit* (tweede druk, Hamburg
1985).

Spinelli, Altiero, *The Eurocrats. Conflict and crisis in the European Community* (Baltimore
1966).

Stevens, R.J.J., L.J. Giebels en P.F. Maas (red.),
*De formatiedagboeken van Beel 1945-1973*
(Nijmegen 1994).

Stroink, A.F., *Groninger Maatschappij van
Landbouw 1937-1987. Kroniek over 50 jaar*
(Groningen 1987).

Terluin, I.J., *Het groene budget van de EG. Een
analyse van de landbouwuitgaven tussen
1968 en 1990* (Den Haag 1992).

Thiemeyer, Guido, 'Supranationalität als
Novum in der Geschichte der internationalen Politik der fünfziger Jahre', *JEIH* 4 (1998).

Thiemeyer, Guido, 'Sicco Mansholt and
European supranationalism' in: Wilfried
Loth (red.), *La gouvernance supranationale
dans la construction Européenne* (Brussel
2005).

Thomas, Hugh, *Europe The Radical Challenge*
(Londen 1973).

Trienekens, G.M.T., *Tussen ons volk en de

honger. De voedselvoorziening 1940-1945*
(Wageningen 1985).

Trienekens, G.M.T., 'Het Koninkrijk der
Nederlanden in de Tweede Wereldoorlog van
L. de Jong getoetst op het terrein van de
voedselvoorziening', *BMGN* 105 (1990).

Trienekens, Gerard, *Voedsel en honger in
oorlogstijd 1940-1945. Misleiding, mythe en
werkelijkheid* (Utrecht 1995).

Tromp, Bart, *Het sociaal-democratisch programma 1878-1977* (z.pl. 2002).

Vaïsse, Maurice, 'La politique européenne de la
France en 1965: pourqoui "la chaisse vide"?'
in: Wilfried Loth (red.), *Crises and compromises: the European project 1963-1969*
(Baden Baden 2001).

Veer, Jan de, Sicco L. Mansholt, Gert van Dijk
en Cees P. Veerman, 'Tien stellingen over
groen post-MacSharry. Naar een vaste
grondslag in het Europese landbouwbeleid', *Spil* (1992) nr. 107-108.

Vermaas, Rob, *Opstaan tegen de ondergang*
(Apeldoorn 1972).

Vermeulen, W.H., *Europees landbouwbeleid in
de maak. Mansholts eerste plannen, 1945-
1953* (Groningen 1989).

*Verslag der Handelingen van de Eerste Kamer der
Staten-Generaal* (HEK).

*Verslag der Handelingen van de Tweede Kamer
der Staten-Generaal* (HTK).

Verwey-Jonker, Hilda, *Er moet een vrouw in.
Herinneringen in een kentering van de tijd*
(Amsterdam 1988).

Visser, Anneke, *Alleen bij uiterste noodzaak? De
rooms-rode samenwerking en het einde van
de brede basis 1948-1958* (Amsterdam 1986).

Vondeling, A., 'Het landbouw- en voedselvoorzieningsbeleid', *S&D* 13 (1956).

Vooys, I.P., 'Een overlijdensacte van de
Economische Raad', *ESB* 35 (1950).

Vorsteveld, H.B.J. en J.P., *Het Joodse werkdorp in de
Wieringermeer 1934-1941* (Amsterdam 1983).

V[redeling], H[enk], 'Mansholt maakte
landbouwpolitiek op waterski's',
*Voeding. Orgaan van de Agrarische
Voedingsbedrijfsbond* 2 (1973).

Vries, Jouke de, *Grondpolitiek en kabinetscrises*
(Den Haag 1989).

Vrijling, K., 'Mansholt', *Vrij Nederland,* 25 juni 1955.

Wal, S.L. van der e.a. (red.), *Officiële bescheiden betreffende de Nederlands-Indonesische betrekkingen 1945-1950, deel IX, 21 mei-20 juli 1947* (Den Haag 1981).

Weenink, W.H., *Bankier van de wereld. Bouwer van Europa. Johan Willem Beyen 1897-1976* (Amsterdam en Rotterdam 2005)

Weerden, J.S. van, *De Westpolder. De geschiedenis van een Waddenpolder en zijn ingelanden* (De Westpolder 1960).

Westerman, Frank, *De graanrepubliek* (Amsterdam en Antwerpen 1999).

*West-Friesland in de jaren 40/45. Schetsen van het verzet in Oostelijk West-Friesland* (Hoorn 1983).

Weststrate. C., *Ordening van het economisch leven* (Amsterdam 1947).

White, Jonathan P.J., 'Theory guiding practice: the Neofunctionalists and the Hallstein EEC Commission', *JEIH* 9 (2003).

Wiersma, L.R., 'Het comité van Waakzaamheid van anti-nationaal-socialistische intellectuelen (1936-1940)', *BMGN* 89 (1971).

*Wording en opbouw van de Wieringermeer. Geschiedenis van de ontginning en kolonisatie van de eerste IJsselmeerpolder* (Wageningen 1955).

*ZI en het menselijk tekort. Interview met professor Willem Nagel, professor Bert Röling en Sicco Mansholt uitgezonden op 3, 10, 17 oktober 1981* (z.pl. z.j.).

Zijlstra, Jelle, *Per slot van rekening. Memoires* (Amsterdam en Antwerpen 1992).

# Personenregister